微生物学

病原微生物と治療薬

今井康之 編集 増澤俊幸

改訂第8版

南江堂

■執筆者（収載順）

増澤　俊幸	ますざわ　としゆき	静岡県立大学客員教授／元　千葉科学大学薬学部教授
今井　康之	いまい　やすゆき	静岡県立大学薬学部特任教授
三宅　正紀	みやけ　まさき	奥羽大学薬学部教授
杉山　剛志	すぎやま　つよし	岐阜医療科学大学薬学部教授
塩田　澄子	しおた　すみこ	就実大学薬学部教授
鈴木　隆	すずき　たかし	静岡県立大学薬学部客員教授
高橋　忠伸	たかはし　ただのぶ	静岡県立大学薬学部准教授
杉田　隆	すぎた　たかし	明治薬科大学教授
斎藤　あつ子	さいとう　あつこ	神戸女子大学健康福祉学部教授／兵庫医療大学名誉教授
宇野　勝次	うの　かつじ	千葉科学大学客員教授／アインファーマシーズ顧問

▶口　絵

細　菌

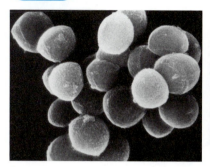

▶1　黄色ブドウ球菌 *Staphylococcus aureus* の走査電子顕微鏡像
［九州大学　天児和暢博士提供，日本細菌学会教育用映像素材集，第3版，2009より許諾を得て転載］

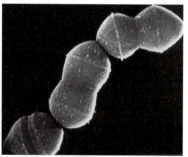

▶2　化膿レンサ球菌 *Streptococcus pyogenes* の走査電子顕微鏡像
［九州大学　天児和暢博士提供，日本細菌学会教育用映像素材集，第3版，2009より許諾を得て転載］

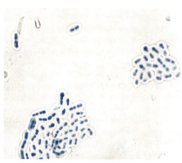

▶3　肺炎球菌（双球菌）
［国立感染症研究所　和田昭仁博士提供，日本細菌学会教育用映像素材集，第4版，2013より許諾を得て転載］

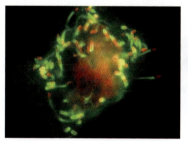

▶4　マクロファージ内のリステリア
［京都大学　光山正雄博士提供，日本細菌学会教育用映像素材集，第4版，2013より許諾を得て転載］

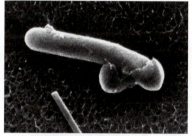

▶5　枯草菌 *Bacillus subtilis* の芽胞の発芽過程の走査電子顕微鏡像
［九州大学　天児和暢博士提供，日本細菌学会教育用映像素材集，第3版，2009より許諾を得て転載］

▶6　ヘリコバクター・ピロリ *Helicobacter pylori* の走査電子顕微鏡像
［杏林大学　神谷茂博士提供，日本細菌学会教育用映像素材集，第3版，2009より許諾を得て転載］

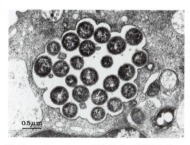

▶7　マクロファージ食胞内で増殖するレジオネラ
［九州大学　吉田真一博士提供］

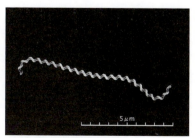

▶8　*Leptospira interrogans* serovar Icterohaemorrhagiae の走査電子顕微鏡像
［愛知医科大学　角坂照貴博士提供］

ウイルス

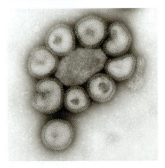
▶ 9 インフルエンザウイルス
（CDC PHIL ID#8432）

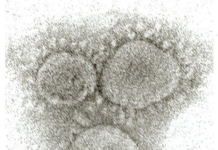
▶ 10 コロナウイルス（SARS-CoV-2）
（CDC PHIL ID#23641）

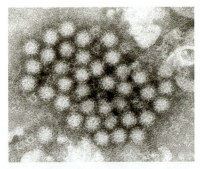
▶ 11 ノロウイルス
（CDC PHIL ID#10705）

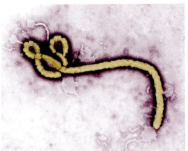
▶ 12 エボラウイルス
（CDC PHIL ID#10815）

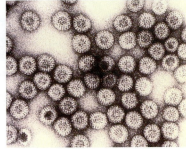
▶ 13 ロタウイルス
（CDC PHIL ID#15194）

▶ 14 狂犬病ウイルス
（CDC PHIL ID#5611）

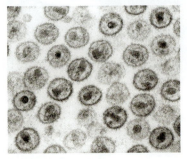
▶ 15 エイズウイルス
（CDC PHIL ID#948）

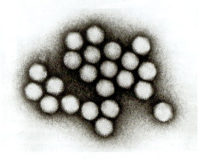
▶ 16 アデノウイルス
（CDC PHIL ID#237）

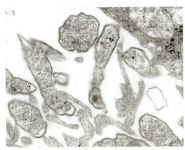
▶ 17 ムンプスウイルス（おたふくかぜ）
（CDC PHIL ID#8757）

▶ 18 B型肝炎ウイルス
（CDC PHIL ID#270）

真菌

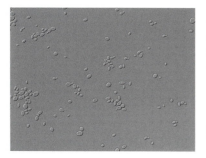
▶ 19 *Candida albicans* の酵母形

▶ 20 *Candida albicans* の菌糸形

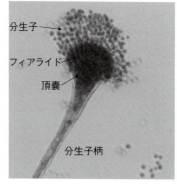
▶ 21 *Aspergillus* の基本形態

原虫（寄生虫）

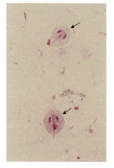
▶ 22 ランブル鞭毛虫

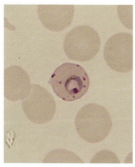
▶ 23 熱帯熱マラリア原虫
ギムザ染色標本
左：輪状体，右上：雌性生殖母体，右下：雄性生殖母体（p.337参照）

▶ 24 アニサキス幼虫
市販のサバ（1匹）から取り出したアニサキス幼虫（ホルマリン固定標本）

染色

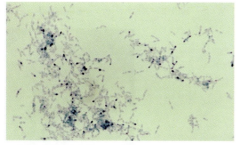
▶ 25 ジフテリア菌の異染小体
[京都大学医療技術短期大学・大阪医科大学後藤俊幸博士提供，日本細菌学会教育用映像素材集，第4版，2013より許諾を得て転載]

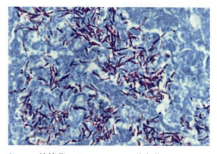
▶ 26 結核菌の Ziehl–Neelsen 染色像
（p.177 参照）
[藤田医科大学 堤 寛博士提供]

培養

▶ 27 マイコプラズマの集落
[岡山大学医学部微生物学教室提供，日本細菌学会教育用映像素材集，第4版，2013より許諾を得て転載]

▶ 28 小川培地に集落を形成した結核菌
[結核予防会結核研究所供，日本細菌学会教育用映像素材集，第4版，2013より許諾を得て転載]

媒介生物

▶ 29 マラリア媒介ハマダラカ Anopheles stephensi Beech 株（p. 337 参照）
［国際協力機構　中村正聡博士提供］

▶ 30 ライム病媒介マダニ Ixodes persulcatus
左：若虫，中央：雌成虫，右：飽血雌成虫，目盛単位は1 mm.（p. 200参照）
［旭川医科大学　宮本健司博士，中尾　稔博士提供］

病　態

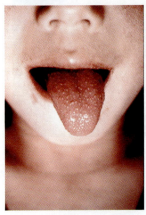

▶ 31 猩紅熱患者のイチゴ舌
［都立駒込病院提供，日本細菌学会教育用映像素材集，第4版，2013 より許諾を得て転載］

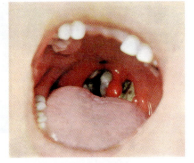

▶ 32 ジフテリアの咽頭偽膜
［甲子園大学　松田守弘博士提供，日本細菌学会教育用映像素材集，第4版，2013 より許諾を得て転載］

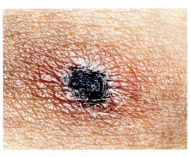

▶ 33 つつが虫病オリエンチア感染による刺し口（p. 196参照）
［藤田医科大学　堤　寛博士提供］

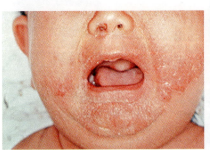

▶ 34 黄色ブドウ球菌感染による熱傷様皮膚症候群（p. 167参照）
［藤田医科大学　堤　寛博士提供］

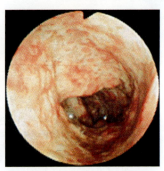

▶ 35 Clostridioides difficile 感染による偽膜性大腸炎（p. 175参照）
［藤田医科大学　堤　寛博士提供］

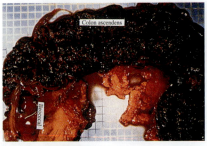

▶ 36 腸管出血性大腸菌 O157 感染による腸管出血（p. 185参照）
［藤田医科大学　堤　寛博士提供］

▶ 37 未熟児における単純ヘルペスウイルス（HSV）感染症（p. 270参照）
［藤田医科大学　堤　寛博士提供］

改訂第 8 版の序

　本書は薬学系の学生を意識した微生物学の教科書である．断片的な知識の寄せ集めにならないように，微生物学の学問体系を語ることを目標としている．微生物学の学習には，複数の視点が必要である．微生物自体の性質を明らかにする基礎微生物学，どんな微生物がどのような疾病を起こすのかという臨床微生物学，体に備わっている防御機構を明らかにする免疫学，感染症の伝わり方を研究する感染症学，感染症に対する薬物治療学が本書の範囲である．

　本書は，故三渕一二先生（静岡薬科大学名誉教授）編集の初版（1987 年）にさかのぼり，故多村憲先生（新潟薬科大学名誉教授）・柳原保武先生（静岡県立大学名誉教授）編集（1998 年）および今井康之・増澤俊幸編集（2011 年以降）と改訂を重ね，今回の改訂第 8 版をお届けするにいたった．第 7 版までの本書の長所を生かしつつ，新たな内容と視点を加えた構成となっている．

　今回の改訂では，「細菌の遺伝学」を三宅正紀氏に新たに執筆いただき，近年の技術革新に対応した内容とした．「免疫学」は，感染防御免疫の理解のために必要な基礎事項の整理と，免疫学の検査への応用を意識して今井が執筆した．「細菌と疾病」については，増澤・杉山剛志両氏による新たな視点からの改訂稿となった．「寄生虫学」については，斎藤あつ子氏に新たに執筆いただき，寄生虫の生物学から抗寄生虫薬まで，重要事項をコンパクトに記述いただいた．「感染論」および「感染症に対する薬物治療」では，疾病側からの視点をより強調した内容となっている．そのほか，例えば新たな感染症治療薬，新型コロナウイルス感染症，常在細菌叢，抗体医薬をはじめとして，最近の研究動向にも注意を払って改訂をすすめた．

　本改訂においても，感染症治療薬については薬の名前だけではなく化学構造式を示し，様々な専門分野の科学的進歩を積極的に反映させる姿勢を貫いている．薬学部学生のみならず，広く微生物学を学ぼうとする様々な専門分野の大学院学生，メーカーの研究者，医療，看護，臨床検査，衛生行政に携わる方々にとっても，入門書として役立てば幸いである．

　読者の方々から，今後ともご意見，ご助言，ご批判を賜りながら，内容の充実に努めていきたい．

　今回の改訂にあたり，緻密な編集作業でお世話になった，南江堂出版部の企画・編集担当の谷口尭駿，野澤美紀子両氏，制作担当の森翔吾氏の熱意とご尽力に深謝申し上げたい．

2021 年 6 月

編　　者

初版の序

　病原微生物学の発展は，人類の最も恐れてきた伝染病やその他多くの感染症の病原体を中心に一世紀にわたる弛みなき研究によって支えられてきた．また一方，病原体に対する化学療法剤や抗生物質の発見は微生物感染症の療法に輝かしい成果を収めたのであるが，その反面，化学療法の発展に伴い感染症の様相が大きく変貌してきた．さらに生体防御能を中心とした免疫学の見事な発展は，生体の感染症発症の要因を極めて明確にしてきた．

　今日，微生物による感染症は，通常の感染症のみならず，個体の基礎的異常に基づく感染症の発症などが認められ，単純に考えられてきた感染症の発症も極めて複雑・多岐なものであることが明らかにされている．

　このような現状をふまえ，本書は"微生物学——病原微生物の基礎"と題して，今日の問題点を把握し，その理解を深める目的で出版することとした．

　浅学をかえりみず薬学教育の場において平素感じたことを基に著述したが，多くの方々の御批評・御叱責をいただきながら，さらにより良き現代の病原微生物学書にいたしたいと念願しているものである．

　本書の出版にあたり多大の御盡力を与えられた南江堂社長　小立武彦氏および出版企画担当の斉藤秀朗・横井　信両氏ならびに制作担当の大友和彦氏に衷心より感謝の意を表する．

　1987年5月

著　者　ら

目　次

第Ⅰ章　序　論 ─────────────────────── 増澤　俊幸 …… 1

1. 微生物学とその研究領域 …………………… 1
2. 病原微生物学の生い立ち …………………… 2
3. ウイルスの発見 ……………………………… 4
4. 病原微生物克服への闘い …………………… 4
5. 病原微生物学の今日の使命 ………………… 6

第Ⅱ章　細菌学総論 ─────────────────── 今井　康之 …… 9

1. 細菌の分類 …………………………………… 9
   a. 生物学上の位置 ………………………… 9
   b. 細菌における種の概念 ………………… 10
   c. 分類の目的と方法 ……………………… 11
       （ⅰ）古典的分類法 …………………… 11
       （ⅱ）分子分類法 ……………………… 11
   d. 細菌の命名の標準化 …………………… 12
2. 形態と構造 …………………………………… 13
   a. 形と大きさ ……………………………… 13
   b. 細胞の構造 ……………………………… 15
       （ⅰ）真核細胞との違い ……………… 15
       （ⅱ）細胞質膜 ………………………… 16
       （ⅲ）細胞壁 …………………………… 16
       （ⅳ）細胞質内構造体 ………………… 22
       （ⅴ）莢膜と粘液層 …………………… 22
       （ⅵ）鞭毛 ……………………………… 22
       （ⅶ）線毛 ……………………………… 24
       （ⅷ）芽胞 ……………………………… 24
       （ⅸ）特徴のある性質をもつ細菌 …… 25
3. 生理と代謝 …………………………………… 26
   a. 細菌の増殖 ……………………………… 26
       （ⅰ）誘導期 …………………………… 27
       （ⅱ）対数増殖期 ……………………… 27
       （ⅲ）定常期 …………………………… 27
       （ⅳ）死滅期 …………………………… 27
   b. エネルギーおよび炭素源 ……………… 27
   c. 栄養因子 ………………………………… 27
       （ⅰ）主要栄養素 ……………………… 27
       （ⅱ）微量栄養素 ……………………… 28
   d. 環境因子 ………………………………… 28
       （ⅰ）温度 ……………………………… 28
       （ⅱ）水素イオン濃度 ………………… 28
       （ⅲ）酸素 ……………………………… 29
       （ⅳ）二酸化炭素 ……………………… 30
       （ⅴ）浸透圧 …………………………… 30
   e. 細菌の培養 ……………………………… 30
       （ⅰ）培地 ……………………………… 30
       （ⅱ）培養方法 ………………………… 30
       （ⅲ）増殖の測定法 …………………… 31
       （ⅳ）連続培養 ………………………… 31
   f. エネルギー代謝：呼吸と発酵 ………… 31
       （ⅰ）発酵 ……………………………… 31
       （ⅱ）呼吸 ……………………………… 33
   g. 合成代謝 ………………………………… 34
       （ⅰ）生体成分の生合成 ……………… 34
       （ⅱ）ペプチドグリカンの生合成 …… 35
   h. 代謝調節 ………………………………… 37
       （ⅰ）フィードバック阻害 …………… 37
       （ⅱ）共有結合による酵素の修飾 …… 37
   i. 発酵生産と微生物代謝産物の利用 …… 37
4. 細菌の行動と適応 …………………………… 38
   a. 細菌の運動性と集団生活 ……………… 38
       （ⅰ）細菌の運動 ……………………… 38
       （ⅱ）細菌の集団生活 ………………… 38
       （ⅲ）常在細菌叢，ニッチ，フィットネス … 39
   b. 二成分制御系 …………………………… 40
   c. トランスポーター ……………………… 40
   d. タンパク質分泌機構 …………………… 42
   e. クオラムセンシング …………………… 44

第Ⅲ章　細菌の遺伝学 ────────────────── 三宅　正紀 …… 47

1. 細菌の遺伝子 ………………………………… 47
   a. 染色体DNA ……………………………… 47
   b. 染色体の複製 …………………………… 48
       （ⅰ）複製開始 ………………………… 48
       （ⅱ）DNA合成 ………………………… 48
       （ⅲ）複製の進行 ……………………… 48
       （ⅳ）複製の終了 ……………………… 49
   c. 遺伝子発現 ……………………………… 49
       （ⅰ）転写 ……………………………… 50
       （ⅱ）翻訳 ……………………………… 50
   d. 代謝調節 ………………………………… 52
       （ⅰ）オペロン ………………………… 52
       （ⅱ）アテニュエーション …………… 54
   e. プラスミドDNA ………………………… 54
       （ⅰ）F因子 …………………………… 54
       （ⅱ）R因子 …………………………… 55
       （ⅲ）コリシン産生因子 ……………… 55
       （ⅳ）病原性プラスミド ……………… 55

2. 細菌の突然変異 ……………………… 56
a. DNA 塩基の変化 …………………… 56
（ⅰ）塩基の置換 …………………… 56
（ⅱ）塩基の欠失または挿入 ……… 56
b. 突然変異の型 ………………………… 56
（ⅰ）ミスセンス変異 ……………… 56
（ⅱ）ナンセンス変異 ……………… 56
（ⅲ）フレームシフト変異 ………… 56
（ⅳ）復帰変異 ……………………… 56
c. 細菌の主な変異現象 ………………… 57
（ⅰ）形態の変化 …………………… 57
（ⅱ）集落の変異 …………………… 57
（ⅲ）抗原性の変化 ………………… 57
（ⅳ）毒力，病原性の変異 ………… 58
d. 変異原と変異原検出法 ……………… 58
（ⅰ）変異原 ………………………… 58
（ⅱ）DNA 損傷の修復 …………… 58
（ⅲ）DNA 損傷の検出 …………… 58
（ⅳ）Ames テスト ………………… 58
3. 遺伝子の伝達 …………………………… 59
a. 接合 …………………………………… 59
b. 形質転換 ……………………………… 60
c. ファージによる遺伝子伝達 ………… 61
（ⅰ）溶原化とプロファージ ……… 61
（ⅱ）形質導入 ……………………… 61
（ⅲ）ファージ変換 ………………… 62
d. 転移因子 ……………………………… 63
e. インテグロン ………………………… 63
4. 細菌のゲノム構造 ……………………… 64
a. 多様なゲノム ………………………… 64
b. 遺伝子の水平伝達 …………………… 66

c. 病原遺伝子の解析 …………………… 66
5. 遺伝子操作 ……………………………… 67
a. 制限酵素 ……………………………… 67
b. 宿主―ベクター系 …………………… 68
c. 遺伝子クローニング ………………… 68
d. 塩基配列決定法 ……………………… 69
e. 次世代シークエンサー ……………… 70
f. メタゲノム解析 ……………………… 71
g. マイクロバイオーム ………………… 71
h. RNA シークエンシング …………… 72
i. ハイブリッド形成による遺伝子解析 … 73
（ⅰ）サザンブロットハイブリダイゼーション …………………………… 73
（ⅱ）ノーザンブロットハイブリダイゼーションとウエスタンブロットハイブリダイゼーション ……………… 73
j. 遺伝子変異と機能解析 ……………… 73
（ⅰ）部位特異的変異導入 ………… 74
（ⅱ）RNA 干渉 …………………… 74
k. DNA マイクロアレイ ……………… 75
l. CRISPR-Cas ………………………… 75
6. 遺伝情報と利用 ………………………… 76
a. 病原細菌の検出と同定 ……………… 77
（ⅰ）ポリメラーゼ連鎖反応 ……… 77
（ⅱ）リアルタイム PCR ………… 78
（ⅲ）LAMP 法 …………………… 79
b. バイオテクノロジーの発展 ………… 79
（ⅰ）バイオ医薬品 ………………… 79
（ⅱ）遺伝子組換え作物 …………… 80
c. 遺伝子組換えと生物多様性 ………… 80

第 IV 章　免疫学 ——————————————————————— 今井　康之 …… 83

1. 免疫の働き ……………………………… 83
2. 免疫を担当する細胞と組織 …………… 83
a. 免疫担当細胞の種類 ………………… 83
（ⅰ）リンパ球 ……………………… 83
（ⅱ）顆粒球 ………………………… 84
（ⅲ）単核食細胞 …………………… 85
b. 免疫系をつかさどる組織 …………… 85
（ⅰ）一次リンパ器官 ……………… 85
（ⅱ）二次リンパ器官 ……………… 85
3. 自然免疫と獲得免疫 …………………… 86
a. 自然免疫と獲得免疫の違い ………… 86
b. 自然免疫の異物認識機構 …………… 86
c. 自然免疫の作用機構 ………………… 88
（ⅰ）貪食 …………………………… 88
（ⅱ）補体系 ………………………… 88
（ⅲ）NK 細胞による細胞傷害活性 … 88
（ⅳ）インターフェロン …………… 89
（ⅴ）炎症 …………………………… 89
4. 獲得免疫 ………………………………… 89
5. 抗体の働き ……………………………… 91
a. 抗体の構造と種類 …………………… 91
（ⅰ）IgG …………………………… 91

（ⅱ）IgM …………………………… 91
（ⅲ）IgA …………………………… 92
（ⅳ）IgE …………………………… 92
（ⅴ）IgD …………………………… 92
b. 抗体の働き方 ………………………… 92
（ⅰ）毒素の中和や病原体の侵入阻止 … 92
（ⅱ）貪食の促進 …………………… 92
（ⅲ）抗体依存性細胞傷害 ………… 93
（ⅳ）マスト細胞活性化と炎症の開始 … 93
（ⅴ）補体活性化 …………………… 93
（ⅵ）粘膜免疫と母子免疫 ………… 93
c. 抗原認識多様性の生成原理 ………… 93
d. 抗体にクラスがある理由 …………… 95
6. T 細胞の働き …………………………… 95
a. T 細胞受容体と MHC について …… 95
b. 抗原提示とその経路 ………………… 96
（ⅰ）MHC クラス I 経路 ………… 96
（ⅱ）MHC クラス II 経路 ……… 97
（ⅲ）クラス I 経路とクラス II 経路が分かれている原則と例外 ………… 97
c. 胸腺の役割と自己寛容の形成 ……… 97
d. ヘルパー T 細胞と細胞傷害性 T 細胞 … 98

7. 免疫応答の制御 ……………………………… 99
    a. サイトカイン ……………………………… 99
        （ⅰ）免疫応答の質と強度を調節するサイトカイン
         …………………………………………………100
        （ⅱ）体液性免疫を調節するサイトカイン ………100
        （ⅲ）血液細胞分化で働くサイトカイン …………100
        （ⅳ）ケモカイン …………………………………100
    b. 共刺激分子の働き ………………………………100
    c. リンパ球が産生するサイトカインの種類と免疫応答の方向性 ……………………………101
    d. 免疫応答の抑制機構 ……………………………101
8. 全身を考慮に入れること ……………………………102
    a. リンパ球再循環 …………………………………103
    b. 外界との接点 ……………………………………103
    c. 免疫応答の時間経過と免疫記憶 ………………104
    d. 遺伝子改変動物を用いた研究 …………………104
9. 感染防御免疫の戦略 …………………………………104
    a. 細菌に対する防御免疫 …………………………105
        （ⅰ）細胞外細菌 …………………………………105
        （ⅱ）細胞内寄生細菌 ……………………………105
    b. ウイルス …………………………………………106
    c. 真菌 ………………………………………………107
    d. 寄生虫 ……………………………………………108
10. 免疫の応用 …………………………………………108
    a. モノクローナル抗体 ……………………………108
    b. 抗体を用いた検出法 ……………………………109
        （ⅰ）古典的方法 …………………………………109
        （ⅱ）抗体の力価 …………………………………109
        （ⅲ）ELISA ………………………………………109
        （ⅳ）イムノブロット法 …………………………110
        （ⅴ）標識抗体を用いた顕微鏡観察法 …………110
        （ⅵ）フローサイトメトリー ……………………111
        （ⅶ）イムノクロマト ……………………………111
        （ⅷ）抗体による生物活性の中和 ………………111
    c. 抗体医薬 …………………………………………112
    d. ワクチン …………………………………………112
11. 免疫が関係する疾患 ………………………………114
    a. 免疫不全症 ………………………………………114
        （ⅰ）先天性免疫不全症 …………………………114
        （ⅱ）後天性免疫不全症 …………………………114
    b. アレルギー ………………………………………115
    c. 自己免疫疾患 ……………………………………115
    d. 腫瘍免疫 …………………………………………115
    e. 移植免疫 …………………………………………116
        （ⅰ）移植の目的 …………………………………116
        （ⅱ）アロ抗原が外来抗原として認識される理由
         …………………………………………………116
        （ⅲ）免疫抑制薬 …………………………………116
    f. 免疫系の過剰反応による有害作用 ……………117
    g. ウイルス感染症検査におけるT細胞応答評価の難しさ ………………………………………117

第Ⅴ章　感染論 ─────────────────────────────── 増澤　俊幸 …… 119

A. 感染症学で用いられる用語の定義 ……………119
B. 常在微生物叢 …………………………………120
C. 感染の成立 ……………………………………121
    1. 感染源 ………………………………………122
    2. 感染経路 ……………………………………122
        a. 直接感染 …………………………………122
            （ⅰ）接触感染 …………………………123
            （ⅱ）飛沫感染 …………………………123
        b. 間接感染 …………………………………123
            （ⅰ）飛沫核感染と空気感染 …………123
            （ⅱ）食物媒介感染 ……………………123
            （ⅲ）水系感染 …………………………123
            （ⅳ）器物・衣類による感染 …………123
        c. 水平伝播と垂直伝播 ……………………123
D. 感染と生体防御 ………………………………123
    1. 侵入門戸 ……………………………………123
    2. 宿主側の因子 ………………………………124
        a. 非特異的生体防御機構 …………………124
            （ⅰ）生理的障壁 ………………………124
            （ⅱ）液性防御因子 ……………………124
            （ⅲ）細胞性防御因子 …………………124
        b. 感染防御免疫 ……………………………124
            （ⅰ）細菌感染に対する感染防御 ……124
            （ⅱ）ウイルス感染に対する感染防御 …125
            （ⅲ）真菌に対する感染防御 …………125
            （ⅳ）寄生虫に対する感染防御 ………125
    3. 病原体側の因子 ……………………………125
        a. 定着因子 …………………………………125
            （ⅰ）線毛 ………………………………125
            （ⅱ）鞭毛 ………………………………125
            （ⅲ）増殖因子 …………………………125
        b. 生体防御に対する抵抗因子 ……………126
            （ⅰ）補体や食作用に対する抵抗因子 …126
            （ⅱ）細胞内寄生性と殺菌抵抗性 ……126
            （ⅲ）相変異と抗原変異 ………………126
        c. 外毒素と酵素 ……………………………126
            （ⅰ）外毒素遺伝子と構造 ……………126
            （ⅱ）外毒素受容体 ……………………127
            （ⅲ）孔形成毒素 ………………………127
            （ⅳ）リパーゼ活性毒素 ………………128
            （ⅴ）タンパク質合成阻害毒素 ………128
            （ⅵ）細胞内シグナル伝達系を阻害する毒素 …129
            （ⅶ）スーパー抗原 ……………………129
            （ⅷ）加水分解酵素活性を示す毒素 …129
        d. 内毒素 ……………………………………130
E. 感染症の疫学とその防御 ……………………130
    1. 世界の感染症の現状 ………………………130
    2. わが国における感染症の現状 ……………131
    3. 世界と日本における感染症対策機関 ……132
    4. 感染症法 ……………………………………132
    5. その他の感染症を制御するための法律 …134
        a. 予防接種法 ………………………………134
        b. 食品衛生法 ………………………………136
        c. 家畜伝染病予防法 ………………………137

xiv　目　次

　　　d. 狂犬病予防法 ･･････････････････････････137
　　　e. 検疫法 ･････････････････････････････････138
　　　f. 学校保健安全法 ･････････････････････････138
F. 予防ワクチンを含む生物学的製剤 ･･･････････**138**
　1. ワクチン ･･･････････････････････････････････139
　　a. ワクチンの種類と原理 ･･････････････････139
　　b. 多価ワクチンと混合ワクチン ･･･････････139
　　c. ワクチンの接種法 ･･････････････････････139
　2. 抗毒素血清 ･････････････････････････････････140
　3. 血液製剤 ･･･････････････････････････････････140
G. 滅菌と消毒 ････････････････････････････････**140**
　　　滅菌の無菌性保証水準 ････････････････････141
　1. 物理的方法による滅菌法・消毒法 ･････････141
　　a. 加熱による滅菌法 ･･････････････････････141
　　　（ⅰ） 火炎滅菌法 ･･･････････････････････141
　　　（ⅱ） 乾熱滅菌法 ･･･････････････････････141
　　　（ⅲ） 高圧蒸気滅菌法 ･･･････････････････141
　　b. 加熱による消毒法 ･･････････････････････141
　　　（ⅰ） 流通蒸気消毒法 ･･･････････････････141
　　　（ⅱ） 煮沸消毒法 ･･･････････････････････142
　　　（ⅲ） 間歇消毒法 ･･･････････････････････142
　　　（ⅳ） 低温殺菌法 ･･･････････････････････142
　　c. 濾過による方法 ････････････････････････142
　　　（ⅰ） 濾過法 ･･･････････････････････････142
　　　（ⅱ） 超濾過法 ･････････････････････････143
　　d. 照射による方法 ････････････････････････143
　　　（ⅰ） 放射線滅菌法 ･････････････････････143
　　　（ⅱ） 高周波滅菌法 ･････････････････････143
　　　（ⅲ） 紫外線消毒法 ･････････････････････143
　2. 化学的方法による滅菌 ･･･････････････････････143
　　　ガス滅菌法 ･･････････････････････････････143
　　　（ⅰ） エチレンオキシドガス滅菌 ･･･････143
　　　（ⅱ） プラズマ滅菌 ･････････････････････144
　3. 消毒薬の作用と選択 ･････････････････････････144
　　a. 消毒薬の作用 ･･････････････････････････144
　　b. 消毒薬の条件 ･･････････････････････････144
　　c. 消毒薬の効力評価法 ････････････････････144
　　d. 消毒薬の選択基準 ･･････････････････････144
　4. 消毒薬の種類と性質 ･････････････････････････145
　　a. ハロゲン化物類 ････････････････････････145
　　　（ⅰ） ヨードホル ･･･････････････････････148
　　　（ⅱ） ヨードチンキ ･････････････････････148
　　　（ⅲ） ヨードホルム ･････････････････････148
　　　（ⅳ） 塩素ガス ･････････････････････････148
　　　（ⅴ） サラシ粉 ･････････････････････････148
　　　（ⅵ） 次亜塩素酸ナトリウム ･････････････148
　　　（ⅶ） 塩素化イソシアヌール酸 ･･･････････148
　　　（ⅷ） クロラミンT ･････････････････････148
　　　（ⅸ） 強酸性電解水 ･････････････････････148
　　b. 酸化剤 ････････････････････････････････149
　　　（ⅰ） 過酸化水素 ･･･････････････････････149
　　　（ⅱ） 過酢酸 ･･･････････････････････････149
　　c. アルコール類 ･･････････････････････････149
　　　（ⅰ） エタノール ･･･････････････････････149
　　　（ⅱ） イソプロパノール ･････････････････149
　　d. アルデヒド類 ･･････････････････････････149

　　　（ⅰ） ホルムアルデヒド ･････････････････149
　　　（ⅱ） グルタラール ･････････････････････149
　　　（ⅲ） フタラール ･･･････････････････････149
　　e. フェノール類 ･･････････････････････････150
　　　（ⅰ） フェノール ･･･････････････････････150
　　　（ⅱ） クレゾール ･･･････････････････････150
　　f. 界面活性剤 ････････････････････････････150
　　　（ⅰ） 陽イオン界面活性剤 ･･･････････････150
　　　（ⅱ） 両性界面活性剤 ･･･････････････････150
　　g. ビグアナイド系化合物 ･･････････････････150
　　　　　クロルヘキシジン ････････････････････150
H. バイオセーフティ ･････････････････････････**150**
　1. バイオセーフティレベル ･････････････････････151
　2. 物理的封じ込め ･････････････････････････････151
　3. クリーンベンチと安全キャビネット ･･･････････152
I. 様々な感染症 ･････････････････････････････**152**
　1. 新興・再興感染症 ･･･････････････････････････152
　2. 人獣共通感染症 ･････････････････････････････153
　3. 食中毒 ･････････････････････････････････････154
　　a. 発生状況 ･･････････････････････････････154
　　b. 細菌性食中毒 ･･････････････････････････154
　　　（ⅰ） 毒素型食中毒 ･････････････････････154
　　　（ⅱ） 感染型食中毒 ･････････････････････154
　　c. ウイルス性食中毒 ･･････････････････････156
　　d. 微生物によるアレルギー様食中毒 ･･･････156
　　e. 生鮮食品由来寄生虫症 ･･････････････････156
　4. 院内感染症 ･････････････････････････････････156
　　a. 院内感染の発生要因 ････････････････････157
　　b. 院内感染を起こしやすい微生物 ･････････157
　　c. 院内感染防止対策 ･･････････････････････157
　　d. 標準的予防策 ･･････････････････････････158
　　e. 感染経路別予防策 ･･････････････････････158
　　f. 感染性廃棄物の処理 ････････････････････158
J. 臓器・組織別感染症 ･･･････････････････････**158**
　1. 呼吸器系感染症 ･････････････････････････････158
　2. 消化器系感染症 ･････････････････････････････160
　3. 感覚器感染症 ･･･････････････････････････････160
　4. 中枢神経系感染症 ･･･････････････････････････161
　5. 循環器・胸膜感染症 ･････････････････････････161
　6. 泌尿器系感染症 ･････････････････････････････161
　7. 生殖器系感染症 ･････････････････････････････161
　8. 母子感染症 ･････････････････････････････････162
　9. 全身性感染症 ･･･････････････････････････････163
　10. 皮膚感染症 ････････････････････････････････163
K. 感染症の診断 ････････････････････････････**163**
　1. 検体の採取 ･････････････････････････････････163
　2. 光学顕微鏡による検査 ･･･････････････････････163
　3. 分離培養検査 ･･･････････････････････････････164
　4. 純培養とその保存 ･･･････････････････････････164
　5. 同定 ･･･････････････････････････････････････164
　　a. 生化学的，生理学的同定 ････････････････164
　　b. 遺伝学的同定法 ････････････････････････164
　　c. 免疫学的同定法 ････････････････････････164
　　d. 質量分析 ･･････････････････････････････164
　6. 患者血清中の病原体特異抗体の検出 ･･････････164
　7. 患者臨床材料中の病原体遺伝子，あるいは抗原の検出

	 165	b. 抗原検出法 165
a. 遺伝子増幅法 165		

第VI章　細菌と疾病 ──── A〜C-6：杉山　剛志，C-7〜F：増澤　俊幸 …… 167

- **A. グラム陽性菌（I）** 167
  - 1. グラム陽性球菌 167
    - a. ブドウ球菌属 167
      - （i）黄色ブドウ球菌 167
      - （ii）コアグラーゼ陰性ブドウ球菌 169
    - b. レンサ球菌属 170
      - （i）化膿レンサ球菌 170
      - （ii）ストレプトコッカス・アガラクティエ 171
      - （iii）口腔レンサ球菌 171
      - （iv）肺炎球菌 171
    - c. 腸球菌属 172
  - 2. グラム陽性芽胞形成桿菌 172
    - a. バシラス属 172
      - （i）炭疽菌 172
      - （ii）セレウス菌 173
      - （iii）枯草菌 173
    - b. クロストリジウム属およびクロストリディオイデス属 173
      - （i）破傷風菌 173
      - （ii）ガス壊疽菌群 174
      - （iii）ボツリヌス菌 174
      - （iv）ディフィシレ菌 175
  - 3. グラム陽性芽胞非形成桿菌 175
    - a. 乳酸桿菌属 175
    - b. リステリア属 175
      - リステリア・モノサイトゲネス 175
  - 4. マイコプラズマ 176
    - マイコプラズマ属 176
      - （i）肺炎マイコプラズマ 176
- **B. グラム陽性菌（II）** 176
  - 1. 不規則型の芽胞非形成グラム陽性桿菌 176
    - a. コリネバクテリウム属 176
      - ジフテリア菌 176
    - b. キューティバクテリウム属 177
    - c. ビフィドバクテリウム属 177
  - 2. マイコバクテリア 177
    - マイコバクテリウム属 177
      - （i）結核菌 177
      - （ii）非結核性抗酸菌 178
      - （iii）らい（癩）菌 179
  - 3. 菌糸形成菌 179
    - a. ノカルジア属 179
    - b. ストレプトマイセス属 179
    - c. アクチノマイセス属 179
- **C. グラム陰性菌** 180
  - 1. グラム陰性球菌および球桿菌 180
    - a. ナイセリア属 180
      - （i）淋菌 180
      - （ii）髄膜炎菌 180
    - b. バークホルデリア属 180
      - （i）鼻疽菌 181
      - （ii）類鼻疽菌 181
      - （iii）セパシア菌 181
    - c. ボルデテラ属 181
      - 百日咳菌 181
  - 2. グラム陰性好気性桿菌 182
    - a. シュードモナス属 182
      - 緑膿菌 182
    - b. モラクセラ属 182
    - c. アシネトバクター属 183
    - d. レジオネラ属 183
      - レジオネラ・ニューモフィラ 183
    - e. フランシセラ属 183
      - 野兎病菌 183
    - f. コクシエラ属 184
      - Q熱コクシエラ 184
  - 3. グラム陰性通性嫌気性桿菌（I） 184
    - 腸内細菌科 184
    - a. 大腸菌属 184
      - （i）大腸菌 184
      - （ii）大腸菌群 186
    - b. シゲラ属 186
      - 赤痢菌 186
    - c. サルモネラ属 187
    - d. シトロバクター属 188
    - e. クレブシエラ属 188
    - f. エンテロバクター属 188
    - g. セラチア属 188
    - h. エドワードシエラ属 188
    - i. プロテウス属 188
    - j. エルシニア属 189
      - （i）ペスト菌 189
      - （ii）偽結核菌と腸炎エルシニア 189
  - 4. グラム陰性通性嫌気性桿菌（II） 189
    - a. ビブリオ属 189
      - （i）コレラ菌 189
      - （ii）腸炎ビブリオ 190
      - （iii）ビブリオ・ブルニフィカス 191
    - b. パスツレラ属 191
    - c. ヘモフィルス属 191
      - （i）インフルエンザ菌 191
      - （ii）軟性下疳菌 191
  - 5. 短型らせん菌 192
    - a. カンピロバクター属 192
      - カンピロバクター・ジェジュニ/コリ 192
    - b. ヘリコバクター属 192
      - ヘリコバクター・ピロリ 192
  - 6. ブルセラ属とバルトネラ属 193
    - a. ブルセラ属 193
    - b. バルトネラ属 193
  - 7. リケッチア 194
    - I. リケッチア科 194

- a. リケッチア属 ………………………… 194
  - （ⅰ）発疹チフスリケッチア ………… 194
  - （ⅱ）発疹熱リケッチア ……………… 194
  - （ⅲ）紅斑熱群リケッチア …………… 195
- b. オリエンチア属 ……………………… 195
  - 恙虫病原体 …………………………… 195
- Ⅱ. アナプラズマ科 ……………………… 196
  - アナプラズマ・ファゴサイトフィラム … 196
- D. クラミジア …………………………… 196
  - a. クラミジア属 ……………………… 197
    - （ⅰ）クラミジア・トラコマチス …… 197
    - （ⅱ）クラミジア・シッタシ ………… 198
    - （ⅲ）クラミジア・ニューモニアエ … 198
- E. スピロヘータ ………………………… 198
  - a. トレポネーマ属 …………………… 199
    - （ⅰ）梅毒トレポネーマ ……………… 199
    - （ⅱ）トレポネーマ・デンティコーラ … 200
  - b. ボレリア属 ………………………… 200
    - （ⅰ）回帰熱ボレリア ………………… 200
    - （ⅱ）ライム病ボレリア ……………… 200
  - c. レプトスピラ属 …………………… 201
- F. グラム陰性無芽胞嫌気性菌 ………… 202
  - a. バクテロイデス属 ………………… 202
  - b. ポルフィロモナス属 ……………… 202
  - c. フゾバクテリウム属 ……………… 202

第Ⅶ章　抗菌薬の働き ─────────────────── 塩田　澄子 …… 203

1. 化学療法の歴史と現在の問題点 ……… 203
   - a. 化学療法とは ……………………… 203
   - b. 化学療法の歴史 …………………… 203
   - c. 化学療法が抱える現在の問題点 … 204
   - d. 化学療法における薬剤師の役割 … 204
2. 抗菌薬の性質 …………………………… 205
   - a. 抗菌薬の定義 ……………………… 205
   - b. 選択毒性 …………………………… 205
   - c. 抗菌作用 …………………………… 205
   - d. 抗菌薬に対する感受性 …………… 205
     - （ⅰ）抗菌スペクトル ………………… 205
     - （ⅱ）薬剤感受性 ……………………… 205
3. 抗菌薬の作用機序 ……………………… 207
   - a. 細胞壁合成と阻害薬 ……………… 208
   - b. 細胞膜機能を阻害する抗菌薬 …… 209
   - c. タンパク質合成と阻害薬 ………… 209
   - d. 核酸合成経路と阻害薬 …………… 210
     - （ⅰ）DNA複製阻害薬 ………………… 210
     - （ⅱ）RNA合成阻害薬 ………………… 211
   - e. 葉酸代謝と阻害薬 ………………… 212
4. 薬剤耐性機構 …………………………… 212
   - a. 抗菌薬の不活化 …………………… 213
   - b. 抗菌薬の作用点の変化 …………… 213
   - c. 薬剤の細胞内濃度の低下 ………… 214
     - （ⅰ）膜透過性の低下 ………………… 215
     - （ⅱ）能動的排出 ……………………… 215
5. 抗菌薬各論 ……………………………… 215
   - a. 細胞壁合成阻害薬 ………………… 215
     - （ⅰ）β-ラクタム系抗菌薬 …………… 215
     - （ⅱ）グリコペプチド系抗菌薬 ……… 224
     - （ⅲ）ホスホマイシン ………………… 225
     - （ⅳ）サイクロセリン ………………… 226
     - （ⅴ）バシトラシン …………………… 226
   - b. 細胞膜機能を害する抗菌薬 ……… 226
     - （ⅰ）ポリペプチド系抗菌薬 ………… 226
     - （ⅱ）環状リポペプチド系抗菌薬 …… 227
   - c. タンパク質合成阻害薬 …………… 227
     - （ⅰ）アミノグリコシド系抗菌薬 …… 227
     - （ⅱ）マクロライド系抗菌薬 ………… 229
     - （ⅲ）マクロライド系抗菌薬と同様の作用点をもつもの …………… 231
     - （ⅳ）テトラサイクリン系抗菌薬およびグリシルサイクリン系抗菌薬 … 231
     - （ⅴ）クロラムフェニコール系抗菌薬 … 233
     - （ⅵ）その他のタンパク質合成阻害薬 … 233
   - d. 核酸合成阻害薬 …………………… 233
     - （ⅰ）キノロン系抗菌薬 ……………… 233
     - （ⅱ）メトロニダゾール ……………… 236
     - （ⅲ）フィダキソマイシン …………… 236
   - e. 葉酸代謝阻害薬 …………………… 237
   - f. 抗結核薬・ハンセン病治療薬 …… 238
     - （ⅰ）抗結核薬 ………………………… 238
     - （ⅱ）ハンセン病治療薬 ……………… 240
6. 重要な薬剤耐性菌 ……………………… 240
   - a. メチシリン耐性黄色ブドウ球菌 … 240
   - b. バンコマイシン耐性腸球菌 ……… 241
   - c. 多剤耐性緑膿菌 …………………… 241
   - d. ペニシリン耐性肺炎球菌 ………… 242
   - e. β-ラクタマーゼ非産生アンピシリン耐性菌 ……………………………… 242
   - f. 超多剤耐性結核菌 ………………… 242
   - g. 基質拡張型β-ラクタマーゼ産生菌 … 242
   - h. カルバペネム耐性腸内細菌科細菌 … 243

第Ⅷ章　ウイルス学総論 ─────────────────── 鈴木　隆 …… 245

1. ウイルスの発見 ………………………… 245
2. ウイルスの性状 ………………………… 245
   - a. 特徴 ………………………………… 245
   - b. 形態 ………………………………… 246
   - c. ウイルスの構成成分 ……………… 249
     - （ⅰ）化学組成 ………………………… 249
     - （ⅱ）ウイルス核酸 …………………… 249
     - （ⅲ）ウイルスタンパク質 …………… 250
     - （ⅳ）ウイルス粒子中の酵素 ………… 250
3. ウイルスの分類 ………………………… 251

4. ウイルスの増殖 …251
  - a. ウイルスの培養 …251
    - （ⅰ）実験動物 …251
    - （ⅱ）発育鶏卵 …251
    - （ⅲ）培養細胞 …252
  - b. ウイルスの定量法 …252
    - （ⅰ）ウイルス粒子数の計数法 …252
    - （ⅱ）終末点希釈法 …252
    - （ⅲ）プラーク計数法 …253
    - （ⅳ）蛍光抗体・酵素抗体法 …254
    - （ⅴ）ウイルス核酸の検出 …254
    - （ⅵ）赤血球凝集反応 …254
  - c. ウイルスの増殖機構 …254
    - （ⅰ）吸着 …254
    - （ⅱ）細胞への侵入 …255
    - （ⅲ）脱殻 …255
    - （ⅳ）ウイルス素材の複製 …255
    - （ⅴ）成熟 …256
    - （ⅵ）放出 …257
    - （ⅶ）欠損ウイルスの産生 …257
    - （ⅷ）ウイルス感染にともなう細胞の変化 …258
    - （ⅸ）ウイルスの細胞内増殖領域、封入体の形成 …258
    - （ⅹ）ウイルスの増殖曲線 …258

5. ウイルスの干渉現象 …259
  - a. 干渉現象 …259
    - （ⅰ）ウイルスレセプターの占有や破壊による場合 …259
    - （ⅱ）欠損ウイルスによる場合 …259
    - （ⅲ）インターフェロンによる場合 …259
  - b. インターフェロン …259
    - （ⅰ）インターフェロンの種類 …259
    - （ⅱ）インターフェロンの抗ウイルス作用 …260
    - （ⅲ）インターフェロンの誘発因子 …260
    - （ⅳ）インターフェロンの多様な生物活性 …260
    - （ⅴ）インターフェロンの臨床応用 …260

6. 赤血球凝集反応 …260

7. ウイルスと宿主との関係 …261
  - a. 細胞レベル …261
  - b. 個体レベル …261
    - （ⅰ）種特異性 …261
    - （ⅱ）顕性感染と不顕性感染 …261
    - （ⅲ）発病形式 …262
    - （ⅳ）感染様式 …262
  - c. ウイルスの伝播様式 …262
    - （ⅰ）水平伝播 …262
    - （ⅱ）垂直伝播 …262
  - d. ウイルス感染症の免疫 …262

8. ウイルスと発癌 …263
  - a. ウイルス DNA の細胞染色体への組み込み …263
  - b. レトロウイルスによる発癌機構 …263
  - c. DNA 型腫瘍ウイルスの発癌機構 …265
  - d. ヒトの癌の原因となる腫瘍ウイルス …266

9. ウイルスの分離，同定，診断 …266
  - （ⅰ）分離 …266
  - （ⅱ）同定と診断 …266

第 IX 章　ウイルス学各論　　　　　　　　　　　　　　　鈴木　隆，高橋　忠伸……269

1. 二本鎖 DNA ウイルス …269
  - a. ポックスウイルス科のウイルス …269
    - （ⅰ）痘瘡ウイルス …269
    - （ⅱ）種痘ウイルス …269
    - （ⅲ）サル痘ウイルス …269
    - （ⅳ）伝染性軟属腫ウイルス …270
  - b. ヘルペスウイルス科のウイルス …270
    - （ⅰ）ヒトヘルペスウイルス 1，2 …270
    - （ⅱ）ヒトヘルペスウイルス 3 …270
    - （ⅲ）ヒトヘルペスウイルス 4 …271
    - （ⅳ）ヒトヘルペスウイルス 5 …271
    - （ⅴ）ヒトヘルペスウイルス 6，7 …271
    - （ⅵ）ヒトヘルペスウイルス 8 …271
    - ● ヘルペスウイルス治療薬 …272
  - c. アデノウイルス科のウイルス …275
    - ヒトアデノウイルス …275
  - d. ポリオーマウイルス科のウイルス …275
  - e. パピローマウイルス科のウイルス …276
    - ヒトパピローマウイルス …276

2. 一本鎖 DNA ウイルス …276
  - パルボウイルス科のウイルス …276
    - ヒトパルボウイルス …276

3. 二本鎖 RNA ウイルス …277
  - レオウイルス科のウイルス …277
    - ロタウイルス …277

4. マイナス鎖一本鎖 RNA ウイルス …277
  - a. オルトミクソウイルス科のウイルス …277
    - インフルエンザウイルス …277
    - ● インフルエンザ治療薬 …280
  - b. パラミクソウイルス科のウイルス …282
    - （ⅰ）麻疹ウイルス …282
    - （ⅱ）ムンプスウイルス …283
    - （ⅲ）ヒトパラインフルエンザウイルス …283
    - （ⅳ）RS ウイルス …284
    - ● RS ウイルス予防薬 …284
    - （ⅴ）ヒトメタニューモウイルス …284
  - c. ラブドウイルス科のウイルス …284
    - 狂犬病ウイルス …284
  - d. フィロウイルス科のウイルス …285
    - （ⅰ）エボラウイルス …285
    - （ⅱ）マールブルグウイルス …285
  - e. ブニヤウイルス科のウイルス …286
    - （ⅰ）クリミア・コンゴ出血熱ウイルス …286
    - （ⅱ）ハンタウイルス属のウイルス …286
  - f. アレナウイルス科のウイルス …286
    - （ⅰ）ラッサウイルス …286
    - （ⅱ）新世界アレナウイルスのグループに分類されるウイルス …286

5. プラス鎖一本鎖 RNA ウイルス …286
  - a. ピコルナウイルス科のウイルス …286

　　　　（ⅰ）ポリオウイルス ………………287
　　　　（ⅱ）コクサッキーウイルス …………287
　　　　（ⅲ）エコーウイルス …………………287
　　　　（ⅳ）ライノウイルス …………………287
　　　　（ⅴ）A 型肝炎ウイルス ………………288
　　b.　トガウイルス科のウイルス ……………288
　　　　風疹ウイルス …………………………288
　　c.　フラビウイルス科のウイルス …………288
　　　　（ⅰ）日本脳炎ウイルス ………………288
　　　　（ⅱ）デングウイルス …………………289
　　　　（ⅲ）C 型肝炎ウイルス ………………289
　　　　（ⅳ）ジカウイルス ……………………290
　　d.　ヘペウイルス科のウイルス ……………290
　　　　E 型肝炎ウイルス ……………………290
　　　● 肝炎ウイルス治療薬 …………………290
　　　● HCV 治療薬 …………………………291
　　e.　カリシウイルス科のウイルス …………293
　　　　ノロウイルス …………………………293
　　f.　コロナウイルス科のウイルス …………293
　　　　（ⅰ）ヒトコロナウイルス ……………294
　　　　（ⅱ）新型コロナウイルス ……………294
　　　● 新型コロナウイルス治療薬 …………294
　　g.　アストロウイルス科のウイルス ………295
6.　逆転写酵素活性を有する二本鎖 DNA ウイルス …295
　　　ヘパドナウイルス科のウイルス …………295
　　　　B 型肝炎ウイルス ……………………295
　　　● HBV 治療薬 …………………………296
7.　逆転写酵素活性を有する一本鎖 RNA ウイルス
　　　　　　　　　　　　　　　　　　　……298
　　　レトロウイルス科のウイルス ……………298
　　　　（ⅰ）ヒト T 細胞白血病ウイルス 1 ……299
　　　　（ⅱ）ヒト免疫不全ウイルス …………299
　　　● HIV 治療薬 …………………………300
8.　バクテリオファージ …………………………306
　　　ビルレントファージとテンペレートファージ
　　　　　　　　　　　　　　　　　　　……307

第 X 章　ウイロイド，プリオン ────────────鈴木　隆，髙橋　忠伸……309

1.　ウイロイド …………………………………309
2.　デルタ因子 …………………………………309
3.　プリオン ……………………………………309

第 XI 章　真菌学 ──────────────────────杉田　隆……313

1.　真菌の一般的性状 …………………………313
　　a.　形態および微細構造 ……………………313
　　　　（ⅰ）真菌の形態 ………………………313
　　　　（ⅱ）ゲノム ……………………………316
　　b.　真菌の分類 ………………………………316
2.　真菌症 ………………………………………317
　　a.　深在性真菌症 ……………………………317
　　　　（ⅰ）アスペルギルス症 ………………317
　　　　（ⅱ）カンジダ症 ………………………317
　　　　（ⅲ）クリプトコックス症 ……………318
　　　　（ⅳ）ムーコル症 ………………………318
　　　　（ⅴ）その他の真菌症 …………………319
　　b.　深部皮膚真菌症 …………………………319
　　　　（ⅰ）スポロトリコーシス ……………319
　　　　（ⅱ）黒色真菌感染症 …………………319
　　c.　表在性真菌症 ……………………………320
　　　　（ⅰ）皮膚糸状菌症 ……………………320
　　　　（ⅱ）表在性カンジダ感染症 …………320
　　　　（ⅲ）皮膚マラセチア感染症 …………320
3.　抗真菌薬 ……………………………………320
　　　　（ⅰ）ポリエンマクロライド系 ………320
　　　　（ⅱ）フルオロピリミジン系 …………321
　　　　（ⅲ）アゾール系 ………………………321
　　　　（ⅳ）キャンディン系 …………………328
　　　　（ⅴ）チオカルバメート系，ベンジルアミン系，
　　　　　　　アリルアミン系 …………………329
　　　　（ⅵ）モルホリン系 ……………………329

第 XII 章　寄生虫学─原虫と蠕虫 ─────────────斎藤　あつ子……331

A.　原虫類 ………………………………………332
1.　根足虫類 ……………………………………332
　　a.　エントアメーバ属原虫 …………………332
　　b.　アカントアメーバ属原虫，ネグレリア属原虫 …334
2.　鞭毛虫類 ……………………………………334
　　a.　ジアルジア属原虫 ………………………334
　　b.　トリコモナス属原虫 ……………………334
　　c.　トリパノソーマ属原虫 …………………335
　　d.　リーシュマニア属原虫 …………………335
3.　胞子虫類 ……………………………………335
　　a.　プラスモジウム属原虫 …………………335
　　b.　トキソプラズマ属原虫 …………………336
　　c.　クリプトスポリジウム属原虫，イソスポーラ属
　　　　原虫，サイクロスポラ属原虫 …………337
　　d.　サルコシスティス属原虫 ………………338
4.　繊毛虫類 ……………………………………338
B.　蠕虫類 ………………………………………338
1.　線虫類 ………………………………………340
　　a.　蟯虫 ………………………………………340
　　b.　回虫 ………………………………………340
　　c.　糞線虫 ……………………………………340
　　d.　フィラリア ………………………………340
　　e.　アニサキス ………………………………341
2.　吸虫類 ………………………………………341
　　a.　住血吸虫類属の吸虫 ……………………341
　　b.　住血吸虫類以外の吸虫 …………………342

- （i）消化管に寄生する吸虫 …………… 342
- （ii）肺吸虫 …………………………… 342
- 3. 条虫類 ……………………………………… 342
  - a. 日本海裂頭条虫；広節裂頭条虫 ………… 343
  - b. 無鉤条虫；有鉤条虫；アジア条虫 ………… 343
  - c. 単包条虫；多包条虫 ……………………… 343
- C. その他の寄生性後生動物 …………………… 344
  - 1. 粘液胞子虫類 ………………………………… 344
  - 2. ダニ類 ……………………………………… 344
- D. 抗寄生虫薬 …………………………………… 345
  - 1. 抗原虫薬 …………………………………… 345
    - a. アメーバ赤痢，ジアルジア症，腟トリコモナス症治療薬 …………………… 345
    - b. トリパノソーマ症治療薬 ………………… 345
    - c. リーシュマニア症治療薬 ………………… 345
    - d. マラリア治療薬 …………………………… 345
      - （i）キノリン化合物 ………………… 346
      - （ii）葉酸代謝拮抗薬 ………………… 347
      - （iii）チンハオ由来の抗マラリア薬 ……… 347
      - （iv）新しい抗マラリア薬合剤 ……… 347
    - e. トキソプラズマ症治療薬 ………………… 347
    - f. クリプトスポリジウム症治療薬 ………… 347
  - 2. 抗蠕虫薬 …………………………………… 347
    - a. 抗線虫薬 …………………………………… 347
    - b. 抗吸虫薬 …………………………………… 348
    - c. 抗条虫薬 …………………………………… 349
    - d. 疥癬治療薬 ………………………………… 349

第XIII章　感染症に対する薬物治療　　　　　　　　　　　　　　　　　　宇野　勝次……351

- 1. 抗菌薬・抗真菌薬の有効性 ………………… 351
  - a. 抗菌薬・抗真菌薬の薬物動態学・薬力学 … 351
    - （i）抗菌薬・抗真菌薬の組織移行性 …… 351
    - （ii）sub-MIC効果とPAE ………………… 352
    - （iii）PK/PDパラメータによる抗菌薬投与法 … 353
  - b. TDMの実際 ………………………………… 355
    - （i）ゲンタマイシンのTDM ……………… 355
    - （ii）バンコマイシンのTDM ……………… 355
    - （iii）ローディング・ドーズ ……………… 356
    - （iv）腎機能に応じた薬物の投与設計 …… 356
- 2. 抗菌薬・抗真菌薬の安全性 ………………… 357
  - a. 抗菌薬・抗真菌薬の副作用 ……………… 357
    - （i）アレルギー …………………………… 357
    - （ii）肝毒性 ………………………………… 357
    - （iii）腎毒性 ………………………………… 357
    - （iv）血球障害 ……………………………… 359
    - （v）中枢神経障害 ………………………… 359
    - （vi）末梢神経障害 ………………………… 359
    - （vii）消化管障害 …………………………… 359
    - （viii）その他 ………………………………… 360
  - b. 抗菌薬・抗真菌薬の薬物相互作用 ……… 361
    - （i）薬力学的相互作用 …………………… 361
    - （ii）薬物動態学的相互作用 ……………… 363
- 3. ウイルス治療薬の使用上の注意 …………… 365
  - a. 各種ウイルス治療薬の基本的注意点 …… 365
    - （i）インフルエンザウイルス治療薬 …… 365
    - （ii）ヘルペスウイルス治療薬 …………… 365
    - （iii）サイトメガロウイルス治療薬 ……… 365
    - （iv）ヒト免疫不全ウイルス治療薬 ……… 365
    - （v）肝炎ウイルス治療薬 ………………… 365
    - （vi）TDMや腎機能に応じたウイルス治療薬の投与設計 ……………………… 366
- 4. ウイルス治療薬の安全性 …………………… 366
  - a. ウイルス治療薬の副作用 ………………… 366
    - （i）アレルギー …………………………… 366
    - （ii）肝毒性 ………………………………… 366
    - （iii）腎毒性 ………………………………… 366
    - （iv）血球障害 ……………………………… 366
    - （v）末梢神経障害 ………………………… 366
    - （vi）精神障害 ……………………………… 367
    - （vii）消化管障害 …………………………… 367
    - （viii）電解質異常 …………………………… 367
    - （ix）リポジストロフィー ………………… 367
  - b. ウイルス治療薬の薬物相互作用 ………… 367
    - （i）薬力学的相互作用 …………………… 367
    - （ii）薬物動態学的相互作用 ……………… 367
- 5. 抗感染症療法の実際 ………………………… 370
  - a. 感染症の診断 ……………………………… 370
  - b. エンピリック治療 ………………………… 370
  - c. 抗微生物薬の選択 ………………………… 370
  - d. 耐性菌出現の防止対策 …………………… 371
  - e. 年齢・生理的要因に応じた抗感染症療法 … 372
    - （i）新生児・小児における抗感染症療法 … 372
    - （ii）高齢者における抗感染症療法 ……… 374
    - （iii）妊婦における抗感染症療法 ………… 374
  - f. 代表的感染症に対する抗微生物薬治療 … 375
    - （i）呼吸器感染症 ………………………… 375
    - （ii）発熱性好中球減少症 ………………… 378
    - （iii）性感染症 ……………………………… 378
    - （iv）ヘリコバクター胃潰瘍 ……………… 379
    - （v）腸管感染症 …………………………… 379
    - （vi）院内感染症 …………………………… 381
    - （vii）真菌感染症 …………………………… 382
    - （viii）抗菌薬の特殊な使用法 ……………… 382
    - （ix）細菌感染症における免疫グロブリン療法 …………………………………… 383

付表 — 385

- ■細胞壁合成阻害薬 ……………………………………………………… 塩田　澄子……385
- ■タンパク質合成阻害薬 …………………………………………………………………387
- ■核酸合成阻害薬 …………………………………………………………………………388
- ■抗結核薬 …………………………………………………………………………………388
- ■ヘルペスウイルス治療薬・予防薬 …………………………… 鈴木　隆，高橋　忠伸……389
- ■HIV 治療薬 ………………………………………………………………………………389
- ■インフルエンザウイルス治療薬 ………………………………………………………390
- ■HBV 治療薬 ………………………………………………………………………………391
- ■HCV 治療薬 ………………………………………………………………………………391
- ■RS ウイルス予防薬 ………………………………………………………………………391
- ■SARS-CoV-2 治療薬 ……………………………………………………………………391
- ■抗真菌薬 ……………………………………………………………… 杉田　隆……392
- ■抗菌スペクトル一覧 …………………………………………………… 塩田　澄子……393

本書における薬学教育モデル・コアカリキュラム（平成 25 年度改訂版）対応一覧 — 395

和文索引 — 399
欧文索引 — 405

表紙写真：非病原性大腸菌
［提供：千葉科学大学薬学部　福井貴史博士］

第 I 章　序　論

1　微生物学とその研究領域

　微生物とは通常肉眼ではみえない「小さな生物」の意味で，これらの微小生物を取り扱う学問が微生物学 microbiology である．微生物学の対象には，真菌，原虫（原生動物），細菌やウイルスが含まれる．このうちウイルスを除く3者は生物の基本単位である細胞構造を有し，微生物 microorganism と呼ばれる．一方，ウイルスは基本的には核酸とタンパク質の分子集合体で，「ウイルス粒子」と呼ばれ，厳密には生物とは呼べない．しかしウイルスは遺伝子としての核酸を保持し，宿主細胞に寄生して自己を複製するという生物的機能を有し，かつ各種疾病の原因となるので，微生物学で扱う．

　地球上にはほとんど無数といってよいほどの多種類の微生物が生息している．そしてヒトを含めた動物および植物はこれらの微生物と深く関わりをもって生存している．微生物のあるものはヒトの体内に侵入すると病気を起こす．これを感染症という．こうした疾病の原因となる微生物に関する学問は医学上重要であり，これを病原微生物学という．本書は医学，薬学やその他の医療関係学部の学生を対象として執筆されたもので，この病原微生物学を中心に述べる．

　感染症の原因となる微生物はごく一部であり，大部分の微生物はヒトに無害であり，またあるものは有益である．地球上で微生物は物質の循環に重要な役割を演じている．すなわち，地球上の生物は食物連鎖の観点からは，生産者と消費者，そして分解者で構成されている．生産者である植物は，太陽エネルギーと二酸化炭素・水から光合成によって糖やデンプンを合成する．植物を餌とする草食動物は第一次消費者であり，その草食動物を捕食する肉食動物は第二次消費者である．もともとは植物が光合成により産生した有機物に由来する消費者の糞便などの産物やその死骸は，分解者である細菌，菌類などにより二酸化炭素と無機物に分解される．二酸化炭素は大気へ還元され，無機物は再び植物が栄養素として利用する．このように炭素と酸素の循環に寄与している．

　また，生物にはアミノ酸が必須であるが，アミノ酸合成に必要な窒素の多くは大気中から調達されている．大気中の窒素をアンモニアに還元する能力を有する微生物を窒素固定細菌と呼ぶ．この中でも根粒菌はマメ科植物の根に共生し，大気中の窒素ガスからアンモニアを産生し，これを植物に供給することでアミノ酸合成，さらにはタンパク質合成に寄与している．生産者により生成されたタンパク質は，最終的には分解者により窒素化合物などの無機物に分解され，また大気へと戻る．このように，微生物は地球上の窒素循環にも大きな役割を果たしている．人間はこの微生物の性質を地球上の汚物や汚水の浄化に利用している．微生物を利用した環境浄化のことを，バイオレメディエーションという．

　各種乳製品や酒，味噌，醤油などの発酵食品の生産にも微生物が使用される．発酵とは生物が栄養として取り込んだ有機物を酸素を利用せずに嫌気的に代謝しエネルギーを得る過程を指す．発酵では，その副産物としてアルコールや乳酸などが産生される．たとえ

ば，酵母菌は嫌気的条件下ではブドウの絞り汁に含まれる糖を分解してアルコールと二酸化炭素を産生し，ワインの醸造に利用される．パンの製造にも酵母菌が使用される．パン生地が膨れ上がるのは，発酵で二酸化炭素が産生されるためである．抗生物質をはじめとする医薬品にも微生物によって生産されるものがある．こうした微生物の応用に関する学問は応用微生物学と呼ばれて，バイオテクノロジー（生物工学）の進歩と相まって重要な研究分野となっている．

微生物の生化学的性質の追究から，微生物が営む生物現象が動物や植物の細胞と共通することが判明した．とくにワトソン，クリックによるDNA二重らせん構造の発見により核酸の遺伝子としての役割が決定的になると，モデル生物として微生物を用いた分子遺伝学的研究知見が高等動物や植物の研究に適用され，その進歩に大きく貢献した．微生物の生化学的，遺伝学的，分子生物学的研究は基礎微生物学と呼ばれる研究分野である．

2　病原微生物学の生い立ち

原始的な時代には伝染病（ヒトからヒトに伝播する疾病）の原因は神罰によると考えられていたが，ギリシャ時代には伝染病の起こり方から，汚れた悪い空気（ミアスマ）によると信じられていた（ミアスマ説）．14〜15世紀になると，ヨーロッパにしばしばペストが大流行し，またコロンブスの新大陸発見（1492年）の後，梅毒が新大陸からヨーロッパにもたらされた．伝染病は患者との接触によって伝染する可能性が示され，フラカストロ（G. Fracastoro，1478〜1553年）によりコンタギオン（接触伝染）説が提唱された．しかし，この時代には，何が伝染するのかまではわからなかった．

微生物の発見は17世紀にオランダの織物商レーウエンフック（Antony van Leeuwenhoek，1632〜1723年）によりなされた．自分で磨いてつくったレンズを2枚の小さな金属板にはさみ，標本をピンの先に付けて，それを2本のネジで調節して焦点を合わせて観察するという簡単な装置を考案した（図I-1）．顕微鏡の発明である．彼の顕微鏡の倍率はおおよそ50〜

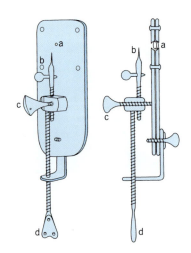

図 I-1　レーウエンフックが考案した顕微鏡
aがレンズで，bのピンの先に標本を付け，cとdのネジで標本を焦点の合う位置にセットし，aの穴からのぞいて観察する．手のひらにのる程度の大きさという．

300倍であったが，口腔内や自然の水たまりなどさまざまな試料を観察し，原生動物，藻類，酵母，および細菌などを発見した．しかし，この時代にはこれらの微生物が人に病気を起こすという考えには至らなかった．

人々はこれらの微生物がどのようにして発生するかという点に興味をもち，二つの説が提唱された．一つは微生物は自然に発生するという考え方である（自然発生説）．カビや細菌があたかも自然に発生したかのように増殖してくることはよく目にするところである．一方の学説は空気中に存在する微生物の「たね」または「卵」のようなものから発生するとするものである．

自然発生説に終止符を打ったのがフランスのパスツール（Louis Pasteur，1822〜1895年　図I-2）である．彼はフラスコの中に煮沸滅菌した浸出液を入れ，そのフラスコの口の部分を長く引き延ばして，空気中の「たね」がその管を通して入っていけないように，白鳥の首のように曲げた（図I-3）．そうすると浸出液はいつまでも無菌の状態を保持したが，このフラスコ中の液を曲がった首の開口部まで流し，その液をフラスコ中に戻すとフラスコ中に微生物が増殖した．すなわち，微生物の「たね」は空気中に存在し，

2. 病原微生物学の生い立ち　3

図Ⅰ-2　パスツール

図Ⅰ-4　コッホ

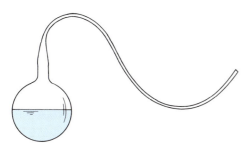

図Ⅰ-3　パスツールが微生物の自然発生説を否定する実験に使用した白鳥の首形フラスコ

それは開口部の口の付近を汚染しているが，それが曲がった部分から奥には入っていけないため，空気中の浸出液はいつまでも無菌の状態を保つことが証明されたのである．他に，酵母菌がブドウの絞り汁中のグルコースを利用して発酵により代謝産物のアルコールを産生しブドウ酒が製造できることを見いだしている．炭疽病，鶏コレラ，狂犬病のワクチンの実用化にも成功した．さらに現在の低温滅菌法（パスツリゼーション Pasteurization）も，彼の発明による．

1840年頃より麻酔法が進歩し，外科的手術が盛んに行われるようになったが，手術中の感染による敗血症がもとで死亡者が増加した．英国の外科医であったリスター（Joseph Lister，1827～1912年）はパスツールの研究に感銘を受け，敗血症の原因は手術の際の微生物感染が原因と考えた．そこで，手術器具の滅菌とともに，消毒薬としてフェノールを用いることで，手術後の敗血症を大幅に減少させることに成功した．

パスツールとほぼ同時代のドイツの医師コッホ（Robert Koch，1843～1910年　図Ⅰ-4）は病原菌を純粋に単一種類の状態で培養するための固形平板培養法を考案した．ゼラチンを使用した固形平板培養法は菌の産生する酵素により液化するなどの不都合があったため，その後寒天を用いた固形培地が使用されるようになった．この方法を用いることにより多数種の菌が混在する材料より，1種類の菌のみを純粋に培養する方法が確立された．そして，患者より分離された細菌が病原体であることを確定するために以下の4条件を提起した．

1. 特定の病原体がある疾病の原因菌であることを証明するためには，その病原体がいつもその疾患の病変部から証明されなければならない．

2. 病変部から分離された病原体は純培養されなければならない．

3. 純培養した病原体を感受性のある動物に接種したとき元と同じ病変が再現されなければならない．

4. 実験的に感染させた病原体が，その動物から再び分離されなければならない．

これを，コッホの条件という．この一連の手法を確立したことで，コッホは炭疽菌，結核菌，コレラ菌など現在でも重要な多くの病原菌を発見することができたのである．コッホは，1905年に結核に関する研究で，ノーベル生理学・医学賞を受賞した．その結果，

病原微生物学研究の黄金時代が訪れた．

3 ウイルスの発見

　病原細菌学の研究が進むにつれ，パスツール研究所では細菌濾過器（Chamberlandの濾過器）が開発された．細菌を含んだ液を濾過すると細菌は濾材に捕捉され，濾液が無菌の状態となる．ところが1892年から1896年にかけて，D. Iwanowsky, M. W. Beijerinkや F. LöfflerとP. Froschらは，この細菌濾過器を通過した濾液に病原体が現れる現象を観察した．細菌濾過器を通過し，顕微鏡でもみることができない小さな病原体の存在が明らかとなった．ウイルスの発見である（第Ⅷ章参照）．日本の細菌学者野口英世（1876〜1928年）は電子顕微鏡のない時代に，光学顕微鏡を用いて黄熱病病原体発見を目指したが，レプトスピラという細菌を原因と誤ったことがもととなって黄熱病で客死した．その後，口蹄疫，天然痘，黄熱，各種脳炎やインフルエンザの病原体がウイルスであることが明らかにされた．1935年には，植物病原体の一種であるタバコモザイク病ウイルスが結晶化することが明らかになり人々を驚かせた．ウイルスが生物であるか，無生物であるかについて議論が分かれた．ウイルスの姿を直接みることができる電子顕微鏡が開発され，1950年前後になってウイルスはタンパク質と核酸からなる極めて単純な'粒子 particle'であり，複雑な細胞構造をもたないことが明らかになった．一方，生物に共通な遺伝情報の本体である核酸をウイルスが保持することも明らかとなった．ウイルスの研究はウイルス学として生物学の一分野として，その地位を確立した．

4 病原微生物克服への闘い

　各種の感染症が病原微生物の感染に起因することが明らかとなり，その予防と治療法の開発が求められるようになった．予防については古来より，ある病気に一度かかると二度と同じ病気にかからないという「二度無し現象」が知られていた．ジェンナー（E. Jenner, 1749〜1823年）は，牛痘（ウシの天然痘）にかかったことのある搾乳婦は天然痘にかからないという伝聞に着目して，1796年牛痘の膿を使用人の子供に接種してその予防効果を確かめ，牛痘法を発見した．パスツールは弱毒化した狂犬病の病原体を接種して，狂犬に咬まれて将来必ず発症し死亡する運命にあったヒトを助けることに成功した．さらに，牛痘法を発見したジェンナーの業績をたたえてラテン語のVacca（雌牛の意）に由来するワクチン（Vaccine）と命名した．天然痘も狂犬病もその病原体はウイルスであるが，当時はウイルスの実体がまったく知られていない時代であった．

　感染症の治療薬としては，古くから動物や植物のエキスあるいはある種の鉱物が医薬品として使用されてきたが，その論拠は主に経験的なものであった．19世紀になり病原微生物の培養法が確立すると，これら感染症の治療薬の開発が試みられるようになった．コッホ研究所に留学していた日本の細菌学の草分けである北里柴三郎（1853〜1931年 図Ⅰ-5）は，破傷風菌を発見し，この菌が酸素を嫌う嫌気性菌であることを明らかにする先進的研究を行った．さらに，破傷風菌毒素，ジフテリア菌毒素に対する抗毒素血清が破傷風，ジフテリアの治療に有効であることを示した（血清療法）．ジフテリアに関する研究は，ベーリング（E. Behring, 1854〜1917年）との共同研究であった

図Ⅰ-5　北里柴三郎

が，ベーリングのみが第1回ノーベル生理学・医学賞を受賞した．北里が開発した抗体を治療薬として用いる血清療法は，今日では分子標的治療薬の代表である抗体医薬品として，がんや各種の難治性疾患の治療薬へとつながっている．このように病原微生物学を基礎として発展した感染防御に関する研究分野は急速に進歩し，今日では免疫学として確固たる位置を確立している．抗体の産生理論，各種サイトカインの発見やこれらを元にした抗体医薬品の開発には，多くの日本人研究者が関与している．利根川進（1939年～　）は遺伝子再構成による多様な抗原と反応する抗体タンパク質生成の分子遺伝的機序を解明し，1987年ノーベル生理学・医学賞を受賞した．本庶佑（1942年～　）は抗体を用いた医薬品（免疫チェックポイント阻害薬ニボルマブ　商品名オプジーボ）を開発し，がん治療に応用した功績で，2018年にノーベル生理学・医学賞を受賞した．また，抗体がIgMからIgGなどへ変わるクラススイッチの機構を解明した．審良静男（1953年～　）は，自然免疫におけるToll-様受容体（TLR）の役割を明らかにして，自然免疫が実は精緻な病原体認識システムであることを明らかにしている（第IV章）．

一方，同じくコッホ研究所のエールリッヒ（P. Ehrlich，1854～1915年　図 I-6）は病原微生物に直接作用してその増殖を阻止し，かつ生体に毒性の低い化合物の開発を試みた．1897年に赤痢菌を発見した志賀潔（1871～1957年）もコッホ研究所に留学し，エールリッヒに師事し，アフリカ睡眠病病原体であるトリパノソーマ原虫に有効なトリパンレッドの開発にたずさわった．エールリッヒは1908年免疫に関する研究で，食細胞を発見したメチニコフ（1945～1916年）とともに，ノーベル生理学・医学賞を受賞している．さらには，1909年エールリッヒは秦佐八郎（1873～1938年）とともに梅毒の治療薬であるサルバルサンの開発に成功した（第VII章参照）．その後ドーマク（G. Domagk，1895～1964年）によって現在も使用されるサルファ剤が開発され（1935年），合成化合物を治療に用いる化学療法の時代が幕開けりした．ドーマクはこの功績で1939年ノーベル生理学・医学賞を受けた．

一方，1929年にフレミング（A. Fleming，1881～1955年　図 I-7）は青カビが抗微生物物質であるペニシリンを産生することを発見し，1940年に H. Florey と E. Chain らはこれを治療薬として実用化することに成功した．この3名は1945年ノーベル生理学・医学賞を受賞している．1940年にワクスマン（S. Waksman，1888～1973年）はこうした微生物が産生する抗微生物作用を示す薬物を抗生物質 antibiotics と呼ぶことを提案し，自らも当時難病の一つとされていた結核に有効なストレプトマイシンを発見した（1944年）．ストレプトマイシンの発見の功績で，1952年ノーベル生理学・医学賞が贈られた．梅澤濱夫（1914

図 I-6　エールリッヒと秦佐八郎

図 I-7　フレミング

〜1986年）はカナマイシンをはじめとする100種を超える抗生物質や抗がん抗生物質などを発見し，世界をリードする抗生物質の研究を行った．大村智（1935年〜　）は真菌の一種より抗生物質アベルメクチンを発見し，それを基に抗寄生虫薬イベルメクチンを開発した．犬のフィラリア症や，アフリカ諸国で問題であったヒトのオンコセルカ症（河川夜盲症）に劇的な効果があった．2015年ノーベル生理学・医学賞を受賞している．このように次々と抗生物質が発見され，種々の誘導体が合成され，有効菌種が拡大し，抗菌力の強化も図られた結果，多くの細菌性感染症は治療できるようになった．とくに，結核の治療薬の開発は，人の平均寿命を著しく伸ばすこととなった．

ウイルス感染症に対しては，ワクチンの開発により予防が可能となっていた．ジェンナーによる牛痘法の発見から約200年後，1980年世界保健機関WHOは予防接種による天然痘（痘瘡）の根絶を宣言した．人類史上初めて地球上から一つの感染症を消滅させたのである．抗ウイルス薬の開発については，エリオン（G Elion, 1918〜1999年）とヒッチングス（G. Hitchings, 1905〜1998年）は，抗ヘルペス薬のアシクロビルや後天性免疫不全症候群治療薬のジドブジンの開発に成功した．1988年にノーベル生理学・医学賞が授与された．2020年のノーベル生理学・医学賞は，実体が不明であった非A非B肝炎の病原体であるC型肝炎ウイルスの発見に貢献したとして，アルター（H. Alteret），ライス（C. Rice），ホートン（M. Houghton）に贈られた．C型肝炎治療薬の開発につながる偉大な業績だった．一方，多くの抗菌薬が開発され多くの細菌感染症が治療できるようになったことに比較すると，まだ治療薬のないウイルス感染症は多い．

5　病原微生物学の今日の使命

化学療法薬の開発によりこれまで多くの細菌感染症を完治させることができるようになった．ウイルス感染症についても，有効なワクチンが開発されて，天然痘やポリオなどが地球上から消滅または激減した．さらに人々の生活する環境の衛生面の整備が進んだ結果，先進国では多くの感染症は姿を消した．一方で，開発途上国では今日でも感染症は死亡原因の重大な要因であり続けている．先進国でも化学療法薬の乱用，不適正使用により，薬剤耐性（Antimicrobial Resistance, AMR）菌が出現し，難治性疾病の増加を招いている．例えば，多剤耐性を獲得したメチシリン耐性黄色ブドウ球菌（MRSA）の病院内感染の増加は医療のみならず，大きな社会問題となった．2015年の世界保健総会において，AMRに関するグローバル・アクション・プランが採択され，加盟各国は2年以内に薬剤耐性に関する国家行動計画を策定することを求められた．

わが国は医療技術の進歩や衛生環境の整備によって，世界でも有数の長寿国となった．その反面，こうした高齢者は免疫による防御能力の低下した易感染性宿主となり，平素無害な微生物による感染を招いている．このような感染症を日和見感染症という．悪性腫瘍，糖尿病などの患者が種々の薬剤投与により延命が図られたり，臓器移植を受けた患者が長期にわたり免疫抑制薬の投与を受けた場合には，易感染性宿主となって日和見感染を受ける．かつてのように病原性の強い病原体ではなく，病原性の弱い病原体による難治性感染症の蔓延が問題となっている．このような感染症が，これらの基礎疾患をもつ患者が入院する病院で起こった場合，とくに院内感染症と呼ぶ．治療のために病院を訪れた患者や入院患者，または病院医療従事者が病院内で感染を受けて発病した場合を指す．

さらには20世紀半ば過ぎからは飛行機による世界的交通網の発達により，旅行者が海外で感染を受け，帰国後に発病するケースが増加した．本来は国内にはみられない感染症であることが多く，診断や治療の開始が遅れることもある．こうした感染症を輸入感染症という．またその患者が感染源となって，新しい感染の世界的大流行（パンデミック）を招くことがある．2019年に突如現れた新型コロナウイルス感染症（COVID-19）はまさにその典型であり，人類が世界的交通網を手に入れてから，初めての緊急事態といえる．海外からの感染者の入国を制限する検疫体制の重要性や接触感染，飛沫感染対策の必要性が再認識された．

細菌学，ウイルス学，真菌学などの病原微生物学の

進歩により多くの感染症の病原体が明らかになってきたが，それでもなおそれまで知られていなかった新しい感染症が突然問題になる．新型コロナウイルス感染症はまさにその典型である．この他にも後天性免疫不全症候群（AIDS），エボラ出血熱，重症急性呼吸器症候群（SARS），中東呼吸器症候群（MERS）などまったく新しい感染症が出現することが続いている．このような公衆衛生上問題となるまったく新たな感染症を新興感染症 emerging infectious disease という．

一方，結核は1950年頃までわが国では最も死亡率の高い感染症として恐れられてきた．しかしその後，抗結核薬の開発や公衆衛生行政の進展，検査技術の進歩などにより，結核患者は激減し，結核はもはや過去の感染症であるとの認識さえ生じた．しかし，1980年代後半から先進国の結核感染率は再び上昇の兆しをみせはじめて社会的に問題になりはじめている．熱帯ではありふれた感染症であるデング熱もまた，2014年に70年ぶりに国内感染例が発生した．このように過去に大流行を起こした感染症が，一時期ほとんど消滅していたにもかかわらず，再び公衆衛生上問題となることがあり，このような感染症を再興感染症 re-emerging infectious disease と呼ぶ．

このように日々変化する感染症の新たな局面に対応するため，わが国では「感染症の予防及び感染症の患者に対する医療に関する法律」（いわゆる感染症法）のもと，従来から存在する感染症だけでなく新たに出現した感染症に対しても行政が対応できるように法整備が行われている．

これまでの病原微生物学の研究によって，相当数の感染症は克服されたが，一方で，新型コロナウイルス感染症のように人類と病原微生物との闘いは現在もなお続いており，それは新しい局面に立ち至っていることを認識しなければならない．

第 II 章 細菌学総論

1 細菌の分類

a. 生物学上の位置

　微生物学では，一つの細胞という基本単位で生命現象を営める生物について学ぶ．この中には，細菌 bacteria, 古細菌 archaea, 真菌 fungi, 原虫 protozoa, 藻類 algae の一部などの微生物や，ウイルス virus を含む．ウイルスは細胞としての構造をとらず，独立して生命現象を営めない寄生体であり，その他の微生物とは性質が異なっている．ウイルスは，増殖性があって他の生物に影響を与えるが，それ自体は生物ではないともいえる．多細胞生物の基本単位も細胞であるが，われわれ人類を含め，個々の細胞が単独で環境中にて生存できない点が微生物との大きな違いである．

　生物の基本的な構成単位は細胞である．動物や植物をはじめとした多細胞生物では，性格の異なった細胞に分化した細胞の集まりから個体が形成されているが，単細胞生物では，個々の細胞が独立した個体である．細胞は，脂質二重層からなる細胞質膜 cytoplasmic membrane によって，外界から仕切られている．細胞質膜の内側が細胞質 cytoplasm である．細胞は，構造的にみて大きく2種類に分けられる．すなわち，遺伝子 DNA が核膜に囲まれた核の中に収納されている真核生物 eukaryote と，核膜をもたず細胞質の中に遺伝子 DNA が存在する原核生物 prokaryote である．多細胞生物である動物や植物は真核生物であり，細菌や古細菌は原核生物である．酵母など単細胞の真核生物も存在する．

　生物の分類は，植物や動物の分類から出発したので，外見的な特徴が重視されてきた．一方，細菌など微生物は，外見的な特徴の違いが少ないにもかかわらず，遺伝的多様性や代謝経路の多様性が極めて大きく，分類のしかたには微生物特有の問題が存在する．

　分類学 taxonomy は，生物に名前をつけるために発展してきた．18世紀のスウェーデンのリンネ（C. Linnaeus）によって確立された二命名法によって名前が記述されており，細菌においても基本的にこの方式が使われている．すなわち，最初の部分が属に対応し，二番目の部分が種を形容する言葉となっている．また，表記において斜体文字（イタリック体）を用いることとなっている．例えば，ヒトは *Homo sapiens* と表され，大腸菌は，*Escherichia coli* と表される．なお，細菌の種名を表記する場合，とくにまぎらわしくない場合（文中で二度目に出現する場合など）には，属の部分を略記してもよい．例えば大腸菌は *E. coli* と表す．

　リンネは，生物の分類に階層を導入した．下の階層から「種 species」「属 genus」「科 family」「目 order」「綱 class」「門 division または phylum」「界 kingdom」である．リンネの時代には，動物と植物が対象であったので，生物は二界に大別されていた．

　微生物が発見されると，ドイツのヘッケル（E. H. Haeckel）によって三界説が提唱されてきた．すなわち，動物界と植物界とならんで細菌など単細胞生物や下等な菌類や藻類をプロティスタ protista（原生生物）とした．その後1969年に，R. H. Whittaker が五界説の体系分類を提唱した．これによると，動物界，植物

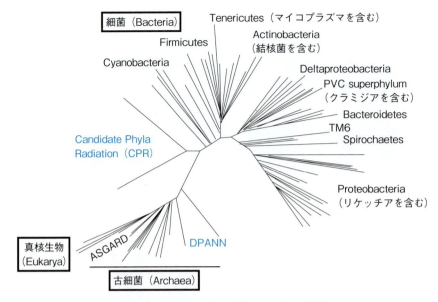

図 II-1　改訂された生命の樹 tree of life の概略
［C. J. Castelle and J. F. Banfield：Cell, **172**: 1181, 2018 を参考に作成］

界，菌類界 Kingdom Fungi，プロティスタ界 Kingdom Protista およびモネラ界 Kingdom Monera に分類される．全ての原核生物すなわち細菌や古細菌は，モネラ界に含まれる．

ところで，生物分類学では，基本的に生物の形態や構造をもとに分類が進められている．単細胞生物でも，原核細胞はモネラ界に，真核細胞の微生物はプロティスタ界か一部は菌類界に含まれる．一方，地球の誕生や進化の観点から，生物の分類を見直そうという考えが台頭してきた．地球の歴史は，46 億年前にはじまったと考えられているが，微生物を含む堆積物の化石であるストロマトライト stromatolites の研究から，すでに 35 億年前から生命が存在していたと考えられるようになった．この観点から，リボソーム RNA (rRNA) の塩基配列の比較を通じて生物の比較分類がなされ，ドメイン domain 分類法と呼ばれる方法が微生物の分類にとくに有用であることがわかってきた．1990 年の C. Woese の提唱によるこの分類法によると，生物は三つのドメインに分類される．すなわち，真核生物からなる *Eukarya*，細菌からなる *Bacteria*，古細菌からなる *Archaea* の 3 ドメインである．ドメインは，界のさらに上位に位置する階層となった．とくに，真核生物は，細菌よりもむしろ古細菌に近いということ

も認識されるようになった．Woese は，三つのドメインからなる生物を枝分かれ状に表現した universal tree of life を提唱した．その後，培養できていない微生物を含めたメタゲノム解析が進み，真核生物は古細菌から派生したとの説が主張されるに至っている．図 II-1 に現在の「生命の樹 tree of life」の一例を模式図で示した．

b. 細菌における種の概念

動物や植物は，一対の相同染色体からなる二倍体 diploid の生物であり，有性生殖によって子孫を残すため，種の範囲は生殖によって規定される．つまり，同一種の間でのみ生殖が可能で，生まれた子供が再び生殖可能で子孫をつくることのできる範囲が種と定められる．しかし，一倍体 haploid である細菌の場合には，この考え方は意味をなさない．そこで，ゲノム DNA を比較することが同じ種であるかどうかを決める大きな要素となっている．しかし，DNA がどの程度一致すれば同一の種とするのかという点は相対的な問題であり，経験的に定められている．また，細菌の種は，遺伝子の側面のみならず，細菌の表現型を含めた多面的な分類基準に照らし合わせて，分類されている．

c. 分類の目的と方法

分類学 taxonomy は，生物の分類 classification についての学問で，同定 identification と命名 nomenclature からなる．また，生きた状態での標準株の保管 culture collection も細菌の分類学にとって重要な要素である．

動植物の場合には，外見的な特徴や化石標本によって，構造的特徴を用いた系統発生に基づく分類ができあがっている．一方，動物や植物とは異なり，細菌は極めて小型で，形態的な特徴において多様性に乏しく，進化に基づく関係を裏付ける外見的な特徴が少ない．そこで，進化的類縁関係を表す系統発生に基づく分類は，もっぱら遺伝子の解析にたよらざるを得ない事情がある．

伝統的には，形態学的特徴も含まれるが，それ以外の様々な表現型にも基づいた細菌の古典的な分類が行われてきた．細菌の分類の目的は，系統発生上の関連性を明らかにすることが全てではない．むしろ，細菌の性質を明らかにして，病気の原因となっている細菌の同定を目的とする場合など，実用面では表現型に基づいた古典的分類が重要性をもっている．さらに，遺伝子などの分子レベルでの比較を活用し，細菌の同定・命名・分類が行われるようになってきた．

(i) 古典的分類法

いくつかの表現型の分類基準に照らし合わせて分類されていく．基準としては，形態（サイズ，グラム染色性，莢膜の有無），栄養（独立栄養 / 従属栄養，栄養素の要求性），生息環境（酸素要求性または耐性，増殖温度，塩分要求性または耐性，至適 pH，芽胞形成能，運動性），代謝経路の特徴などを含む．また，遺伝子中の G+C 含量（グアニン / シトシンとアデニン / チミンの相対比）も古典的分類法に取り入れられてきた．G+C 含量は，ある生物の特徴を表すのにしばしば有用ではあるが，生物間の類縁関係を表しているとはいえず，決定的な基準とはならない．逆に類縁関係を否定する材料としては用いることができる．

これらの基準と細菌の性状を照らし合わせて，細菌を同定していくことになる．種の分類と直接結びつくとは限らないが，細菌の性状を明らかにする上で，さらに別の基準も調べられる．例えば，抗血清を用いた血清型による免疫学的な鑑別，ファージに対する感受性（ファージレセプターの特異性に基づく）による鑑別をあげることができる．また，臨床微生物学的に大切な基準として，様々な抗菌薬に対する感受性も重要である．

大腸菌を古典的な分類基準のいくつかに照らし合わせてみると，以下のようになる．

> 従属栄養のグラム陰性桿菌で通性嫌気性．周毛性の鞭毛により運動性がある．乳糖を発酵しガスおよび酸を生成，トリプトファンを分解してインドールを産生するなどのいくつかの生化学的特徴を有する．

(ii) 分子分類法

(1) DNA-DNA ハイブリダイゼーション試験

DNA は相補的な二本鎖からなっているので，一度変性させて二本鎖を解離させても，適切な条件でゆっくりと再結合させると，相補鎖同士がもとのように再結合する．これをハイブリダイゼーション hybridization（交雑）という．そこで，二つの細菌の DNA を混ぜ合わせて再結合させた場合，どの程度相手方の細菌の DNA と混ざった形でハイブリダイズするのかを調べる．これを，同一細菌同士で再結合させた対照実験を 100% として，相対的に評価する．絶対的な基準があるわけではないが，一般に採用されている基準として，70% 以上の相対値を示すものを同一種と認める．20〜30% 以上の場合に，同一の属と判断する．このように，細菌の種や属の概念の背後には，数値的な不確かさが存在する．この方法は高感度であり，近縁の細菌同士を比較して同定するのに適した方法である．多くの細菌の全ゲノム解析が進めば，いずれは直接的な塩基配列の比較によって種の範囲が規定されるようになるであろう．

(2) リボソーム RNA（rRNA）の塩基配列の比較

リボソームは，タンパク質合成のための工場であり，rRNA はリボソームの不可欠な構成要素である．rRNA の変異は生物の生存に重大な影響をもたらすため，進化速度が遅いと考えられる遺伝子である．そこで，16S rRNA の塩基配列を用いて，生物全体での系統樹が描かれるようになった．ある細菌の 16S rRNA

の配列の同一性が他の全ての細菌と比較して97%未満の場合には，新種と考えてよいとされている．この場合，DNA-DNAハイブリダイゼーションに基づく相同性が70%未満であることが経験的にわかっている．ただし，97%以上の同一性があっても，DNA-DNAハイブリダイゼーションを起こさないことがしばしばみられるので，16S rRNA配列の類似性のみでは種の同一性の根拠とならない．逆に，二つの細菌の間で97%未満であれば，異なった種である可能性が非常に高い．細菌の同定にも16S rRNAの塩基配列の情報が利用されている．必ずしも全塩基配列を比較する必要はなく，16S rRNAあるいはそれに関連した遺伝子領域をポリメラーゼ連鎖反応（PCR）によって増幅し，適切な制限酵素で消化したときのパターンで識別することもできる．

(3) その他の分子的分類

細菌の重要な構成要素である脂質には多様性があり，とくに脂肪酸の種類が種の鑑別に用いられている．細胞壁構成成分，酵素やタンパク質などの分析も同定のために利用される．

その後，自然環境から採取した微生物の遺伝子DNAの部分配列を増幅せずに直接決定し，コンピューターを使って遺伝子情報としてつなげるメタゲノム解析がすすめられた．さらに，一つの細胞由来のDNA配列を直接決定するsingle cell genomicsもすすめられた．その結果，培養できていない微生物の多様性は大きく，加えて地球環境における物質循環を担う新たな微生物が次々と発見されてきた．第2に，16S rRNAの塩基配列の類似性は近縁の微生物同士の分類には役立つが，遠く離れた微生物間において，祖先が異なっていても似た配列となることがしばしばみられた．そこで，塩基配列情報から進化の順序にそって系統樹を描くことは難しいことがわかった．そのため，現在ではWoeseの図のように多様な細菌種の進化上の関係を示すことはなく，グループとして大まかに表現する「生命の樹」の図となっている．第3に，真核生物は細菌より古細菌に近いことが認識されていたが，2013年ごろから真核生物が古細菌のドメインに入るのではないかという説が唱えられてきた．実際，真核生物に特有と考えられていたタンパク質を複数保有する古細菌ASGARD groupの存在が認められ，真核生物と古細菌をつなぐ手がかりとして注目されている．

d. 細菌の命名の標準化

現在，細菌分類に関する公式な取り決めはないが，一つの有力なよりどころとして細菌および古細菌の系統分類マニュアルである**Bergey's Manual** of Systematic Bacteriologyがある．細菌の同定マニュアルであるBergey's Manual of Determinative BacteriologyがD. H. Bergeyを編集委員長として1923年にアメリカ微生物学会から出版された．この分類マニュアルの出版は，非営利団体のBergey's Manual Trustに引き継がれ，Bergey's Manual of Systematic Bacteriologyの第1版が，1984年から1989年にかけて全4巻として出版された．さらに，2001年から2012年にかけて第2版が出版された．第1巻（The *Archaea* and the deeply branching and phototrophic bacteria, 2001），第2巻（The *Proteobacteria*, 2005），第3巻（The *Firmicutes*, 2009），第4巻（The *Bacteroides* 他, 2010），第5巻（The *Actinobacteria*, 2012）の構成となった．

第2版では，分類の枠組みを表現型に基づいてグループ分けしていくのではなく，系統進化の枠組みを重視したものとなっている．この系統分類によると，最上位の階層であるドメインの下に門Phylumを設置している．界Kingdomという用語は，用いられなくなった．全体を通して16S rRNAの塩基配列を基本としたものとなっている．その下に綱—目—科—属の各階層がある．第2版では，遺伝的な枠組みを重視しているとはいえ，形態や代謝などの表現型の特徴も分類に取り入れられている．

大腸菌を例にとると，

　ドメイン：*Bacteria*
　門 Phylum BXII：*Proteobacteria*
　綱 Class III：*Gammaproteobacteria*
　目 Order XIII：*Enterobacteriales*
　科 Family I：*Enterobacteriaceae*
　属 Genus I：*Escherichia*
　種 Species：*Escherichia coli*

となる．

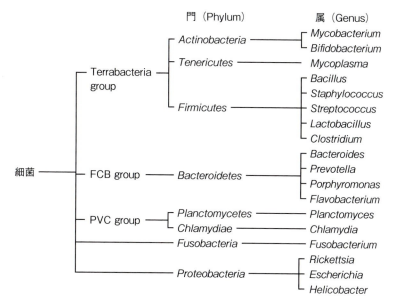

図 II-2 ヒトの健康や病気に関わる細菌分類の俯瞰図の一例
［米国国立生物工学情報センター NCBI 分類を参考に作成］

　ヒトの健康や病気に関係するいくつかの細菌を中心に，属レベルでの分類を図 II-2 に例示した（米国国立生物工学情報センター National Center for Biotechnology Information, NCBI の分類に基づいている）．Tree of life の情報は，https://itol.embl.de/ から入手できる．また，NCBI Taxonomy を検索するツールとして Lifemap があげられる（lifemap-ncbi.univ-lyon1.fr/ 出典：PLoS Biol 14:e2001624 (2016)　doi:10.1371/journal.pbio.2001624）．

2　形態と構造

a.　形と大きさ

　細菌は，ほとんどが独立して生存できる細胞からなる生物であるが，個々の大きさは小さく，肉眼ではみることができない．したがって細菌を観察するためには顕微鏡が必須である．ほとんどの原核生物は，0.5 μm から 2 μm の範囲の大きさである．真核細胞よりも小さく，ウイルスよりも大きいのが普通である．ただし，大きさには多様性があり，マイコプラズマのように小型のものも存在するし，逆に非常に巨大な原核細胞も知られている（表 II-1）．

表 II-1　真核細胞・原核細胞・ウイルスのサイズ比較

	大きさ
真核生物	
ヒト赤血球	7 μm
ヒト血小板	3 μm
ヒト好中球	13 μm
ヒトリンパ球	8〜15 μm
ヒト肝実質細胞	16〜26 μm
酵母	5 μm
原核生物	
Escherichia coli	1 μm×3 μm
Streptococcus pneumoniae	0.8 μm
Haemophilus influenzae	0.25 μm×1.2 μm
Mycoplasma pneumoniae	0.2 μm
Rickettsia prowazekii	(0.3〜0.7) μm×(1〜2) μm
Chlamydia trachomatis	0.2 μm×0.4 μm
Borrelia burgdorferi	0.2 μm×(11〜35) μm
Epulopiscium fishelsoni	80 μm×600 μm
Thiomargarita namibiensis	750 μm
ウイルス	
痘瘡ウイルス	0.25 μm×0.35 μm
エボラウイルス	0.05 μm×1 μm
インフルエンザウイルス	0.11 μm
ポリオウイルス	0.027 μm

　小さいことには，実は利点がある．小さい細胞は，表面積/容積の比が大きく，栄養素の取り入れや老廃

物の廃棄を迅速に行うことができる．一般的に，細胞の代謝速度や増殖速度は，（表面積/容積）比に比例し，細胞のサイズ（直径など）に反比例する．しかし，サイズには下限があり，生命現象を自律的に営むための分子を全て包み込むには，最低 0.1 μm の直径が必要であるとの考え方もある．

単細胞生物である細菌には，多細胞生物のように細胞の集合体としての形態の多様性は少ない．個々の細胞の形態として球状のもの（球菌），棒状のもの（桿菌），らせん状のもの（らせん菌やスピロヘータ），菌糸状のものなどがある．また，細菌の分裂の様式を反映して，鎖のように連なって増えるレンサ球菌（*Streptococcus*）や，ブドウの房のように増えるブドウ球菌（*Staphylococcus*）が形態的に識別できる．

細菌の観察に用いられる顕微鏡には，大別して光学顕微鏡と電子顕微鏡がある．光学顕微鏡観察には，明視野法，位相差法，暗視野法，蛍光法がある．最も簡便な方法は明視野法であるが，標本に十分なコントラストがないと識別できない．そのため，通常，細菌を色素で染色してから観察する．陽イオン性の色素（メチレンブルー，ゲンチアナバイオレット，サフラニンなど）で染色し，乾燥させた標本を観察する単染色法が最も簡単である．ところで，細菌の染色法として，グラム染色 Gram stain は欠かせない．デンマーク人の医師 C.Gram によって 1888 年に開発されたこの方法では，2 種類の色素によってグラム陽性菌とグラム陰性菌を染め分けることができる．まず，スライドグラス上で風乾し火炎固定した細菌標本を，ゲンチアナバイオレットで染色する．ヨウ素/ヨウ化カリウム溶液で媒染後，エタノールで脱色すると，グラム陰性菌は容易に脱色されるが，グラム陽性菌の染色性は保持される．脱色されたグラム陰性菌をサフラニンで対比染色することで，最終的にはグラム陽性菌が紫色，グラム陰性菌がピンク色に染色された標本ができあがる．グラム染色性は，細菌の細胞壁の構造を反映しており（後述），細菌の分類の観点からみても，この二つのグループは進化的に大きく異なった生物である．

その他の光学顕微鏡の使い方として，立体的なイメージを採取する方法がある．共焦点レーザー顕微鏡，微分干渉法，原子間力顕微鏡である．共焦点レーザー顕微鏡は，蛍光観察の一種である．複雑で厚みをもった標本から，光学的に薄切りしたイメージを採取でき，コンピューターによって三次元的にイメージを再構築できる．したがって，様々な蛍光色素を結合させた抗体による免疫染色を組み合わせ，例えば宿主細胞内に侵入した細菌の観察に威力を発揮する．

光学顕微鏡の解像度（近接した 2 点を判別する能力）は，一般的に 0.2 μm（2/10,000 mm）が限界といわれている．解像度は，観察する光の波長が短いほど高く，また対物レンズの性能にも依存している．解像度を上げるため，通常，対物レンズと標本の間を専用の油で満たして行う油浸法が用いられる．典型的には，100×の対物レンズ，10×の接眼レンズを用いて合計 1,000×の倍率での観察がよく行われる．解像度は対物レンズに依存しているので，むやみに接眼レンズの倍率を上げても意味はない．

波長の短い電磁波として電子線を用いる電子顕微鏡が，細部の観察に用いられる．電子顕微鏡には，細菌の内部構造の観察に適した透過型（TEM）と表面構造の観察を目的とした走査型（SEM）がある．電子線は透過力が弱いため，TEM による内部構造の観察には，標本を薄くスライス（超薄切）する技術が必要である（図 II-3）．また，コントラストを得るために，重金属による染色が行われる．電子線を反射する金コロイド粒子に結合させた抗体を用いる免疫染色法も可能である．TEM の場合，解像度は 0.2 nm（2/1,000 万mm）程度にまで到達する．

超薄切の技術を用いると，細胞内に寄生した細菌を宿主細胞ごと観察することも可能となる．図 II-3b,c は，宿主細胞に感染した *Legionella pneumophila* を宿主であるマクロファージごと超薄切して観察したものである．感染初期（図 II-3b）においてすでにファゴソーム膜に小胞体由来の細胞内小胞が融合し，細菌の増殖に好都合な細胞内環境が形成されつつある．感染後期（図 II-3c）になるとファゴソーム内で細菌が増殖している．粗面小胞体がファゴソーム周囲に集積し，ファゴソーム膜の周囲にリボソームが結合した「レジオネラ含有ファゴソーム」の典型的な形態が認められる．宿主細胞にみられるこれらの変化は，細菌

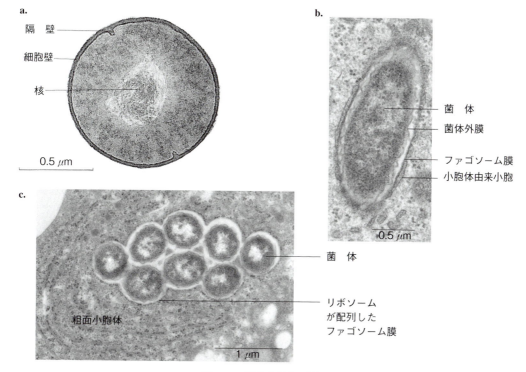

図 II-3　細菌の超薄切片像
a. 黄色ブドウ球菌 *Staphylococcus aureus*［九州大学　天児和暢博士のご好意による］
b. c. 宿主細胞（ヒトマクロファージ細胞株 U937）に取り込まれたレジオネラ菌 *Legionella pneumophila*（AA100 株）．
b. 感染後 9 時間．c. 感染後 16 時間．［杏林大学　秋元義弘博士，静岡県立大学　三宅正紀博士のご好意による］

が宿主の細胞質にエフェクター分子を注入する type IV 分泌装置の働きに依存している（**図 II-27** 参照）．

b. 細胞の構造

(i) 真核細胞との違い

　真核細胞は，遺伝子 DNA を収納する核という細胞内小器官をもつが，原核細胞では，細胞質に遺伝子 DNA が存在している．細胞質にはリボソームが存在するので，DNA の遺伝情報は転写されるやいなやリボソーム上で翻訳することができる．一方，真核細胞では，核膜によって DNA とリボソームが隔てられており，転写と翻訳が一体化していない．細菌の DNA は，一部の例外を除くと環状 DNA である．真核細胞の DNA はヒストンというタンパク質に巻きついた構造を基本単位として段階的に高次構造として組織化され，複数の染色体に分かれてまとめられた直鎖状 DNA である．遺伝子 DNA の複製については，第 III 章で述べる．DNA を複製する酵素（DNA ポリメラーゼ）は，鋳型となる DNA の鎖に結合した短い RNA プライマーを出発点として DNA 鎖の伸長を行う．新たに合成された鎖の 5′ 末端は RNA で，3′ 側が DNA となる．RNA プライマーが鋳型 DNA の途中に結合して DNA 複製が進む場合，さらに 5′ 上流側から DNA ポリメラーゼがアプローチして，RNA プライマーが除去され DNA に置換される．しかし，鎖の末端部では，DNA への置換ができない．すなわち直鎖状 DNA の末端（テロメアという）は複製のたびに短縮する運命にある（テロメラーゼは，短くなったテロメアを再び伸ばす酵素である）．環状 DNA の場合には，鎖に末端がないためテロメア短縮の問題は起こらない．ところで一部の細菌（例えば *Borrelia* 属）では，直鎖状 DNA が遺伝子である．真核細胞とは異なり，DNA の末端部が共有結合で相補鎖と連結（ヘアピンテロメ

ア）しており，複製時に末端が短縮しない．しかしそのままでは複製後に染色体が分離しないため，一度鎖を切断してからヘアピンテロメアを再形成している．

　一般に，原核細胞は，内部構造が単純で，細胞内に膜系をもっていない．真核細胞は，小胞体，ゴルジ体，リソソーム，分泌小胞，エンドソーム，ミトコンドリアなどのオルガネラや細胞内の膜系が発達している．粗面小胞体に結合したリボソームで翻訳され，小胞体内に輸送された真核細胞のタンパク質には，糖鎖が付加する場合が多く，糖タンパク質と呼ばれる．これらは典型的には，細胞外に分泌されるタンパク質や，細胞膜貫通型タンパク質となる．なお，真核細胞にみられるミトコンドリアは，進化の過程で真核細胞に共生した原核細胞由来と考えられており，原核細胞にはミトコンドリアは存在しない．同様に，植物にみられる葉緑体も，共生した原核細胞由来と考えられている．ミトコンドリアや葉緑体は環状DNAとして独自の遺伝子を保有し複製しており，独自のリボソームRNAもコードされている．ミトコンドリアや葉緑体のDNAから転写/翻訳されたタンパク質には糖鎖が付加せず，オルガネラの外に輸出されることもない．

　細菌は，細胞質膜の外側に硬い細胞壁をもっており，その本体はペプチドグリカンである．真核細胞にはペプチドグリカンは存在しない．逆に，真核細胞一般に存在する細胞骨格（アクチン繊維，微小管，中間フィラメント）は，細菌には存在しない．また，リボソームの組成が細菌と真核細胞では異なっている．ペプチドグリカンやリボソームは，抗生物質や抗菌薬が細菌選択的に作用するためのよい標的となっている．真核細胞と原核細胞（細菌）の違いを表II-2にまとめた．また，細菌の基本構造を図II-4に示した．

(ii) 細胞質膜 cytoplasmic membrane

　細胞質の境界を形成している生体膜で，真核細胞の細胞膜 plasma membrane に相当する．リン脂質の二重層およびそこに埋め込まれたタンパク質からなる厚さ約8 nmの流動性のある膜で，物質透過のバリアーを形成して細胞内容物の拡散を防いでいる．二重層では，リン脂質の疎水性部分である脂肪酸が膜の内側に向き，親水性のリン酸部分が膜の外側に面する．タンパク質の膜貫通部位の表面は，疎水性である．真核細胞とは異なり，細菌の細胞質膜はコレステロールを含まない（マイコプラズマは例外）．細胞質膜には，物質の輸送，エネルギー生産，走化性に関与するタンパク質が埋め込まれている．とくに水素イオン（プロトン）の濃度は，細胞質膜をはさんで外側で高く内側で低く勾配が形成されている．その結果利用できるプロトン駆動力 proton motive force が，細菌の様々な活動のエネルギー源となる．

(iii) 細胞壁 cell wall

　細菌内部には細胞質膜を透過できない高分子や低分

表II-2　真核細胞と原核細胞（細菌）の違い

	原核細胞	真核細胞
核膜	無	有
遺伝子	普通は環状DNA	直鎖状で染色体に分かれて存在
テロメアの短縮	該当せず	有
有糸分裂	しない	行う
核小体	無	有
リボソームのサイズ	70S（30S + 50S）	80S（40S + 60S）
転写と翻訳の関係	連続的	核内で転写/細胞質で翻訳
タンパク質への糖鎖付加	無	有（N-結合型糖鎖，O-結合型糖鎖）
ミトコンドリア	無	有
細胞壁ペプチドグリカン	有	無
細胞骨格（アクチン繊維など）	無*	有
細胞内膜系	無	発達している

* 最近の研究で，真核細胞のチューブリンやアクチンと相同性のある原核細胞の細胞骨格に対応するタンパク質が見いだされてきた．

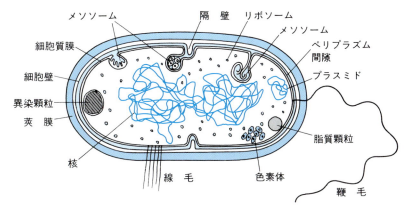

図 II-4　細菌の基本的細胞構造

子化合物が高濃度で存在し，外部環境に比べ高浸透圧となっている．それゆえ，内部からの膨張圧力が働いているが，これに抗して細菌の破裂を防ぎ，細菌の形を保持し物理的強度を与えているのが細胞壁である．細胞壁は，細胞質膜の外側を取り囲んでいる．細胞壁に物理的な強度を与えているのがペプチドグリカンであるが，糖鎖とそれを架橋するペプチドから構成されるシート状の高分子である．細菌の細胞壁は，主として2種類のタイプに分類される．一つは，グラム陽性菌の細胞壁で，細胞質膜の外側にペプチドグリカンのシートが厚く多重層（最大25層程度）を形成している．ペプチドグリカンが細胞壁の構成成分の重量の40～80%を占め，ときには90%にまで達することがある．一方，グラム陰性菌の細胞壁は，細胞質膜の外側に単層のペプチドグリカンシートが存在し，さらにその外側を第2の生体膜である外膜が覆っている．細胞壁におけるペプチドグリカンが占める割合は重量にして5～10%程度である．グラム陰性菌の細胞質膜と外膜の間のスペースをペリプラズム periplasm という．したがって，グラム陽性菌では細胞質膜のみが物質透過のバリアーを形成しているのに対して，グラム陰性菌では細胞質膜（内膜）と外膜の二つのバリアーが存在する．グラム陽性菌とグラム陰性菌の基本構造を図 II-5 に示した．

(1) ペプチドグリカン peptidoglycan

別名ムレイン murein ともいう．N-アセチルグルコサミンと N-アセチルムラミン酸が β-1,4 結合で連結した二糖を単位とした直鎖状の糖鎖骨格が，短いペプチドによって架橋されてできた薄いシート状の高分子である．四つのアミノ酸からなるペプチド（テトラペプチド）がムラミン酸に結合しており，糖鎖に結合したテトラペプチドの間に架橋が形成されている．一例をあげると，グラム陰性菌である E. coli のペプチドグリカンでは，ムラミン酸のカルボキシル基からL-アラニン，D-グルタミン酸，メソジアミノピメリン酸（A_2pm），D-アラニンからなるテトラペプチドが連結している（図 II-6）．一方の糖鎖由来の A_2pm のアミノ基と，もう一方の糖鎖由来のD-アラニン末端のカルボキシル基の間でペプチド結合が形成され，糖鎖骨格が架橋される（図 II-7a）．一方，グラム陽性菌の S. aureus のペプチドグリカンでは，A_2pm の代わりにL-リシンが用いられている（図 II-7b）．すなわち，ムラミン酸からL-アラニン，D-イソグルタミン，L-リシン，D-アラニンからなるテトラペプチドで構成される．もう一つの違いは，テトラペプチド間の架橋が，五つのL-グリシンからなるペプチドによって間接的に架橋されている点である．

ペプチドグリカンの構造は細菌の種類によって多様性があるが，いくつかの共通点も存在する．まず，特有の構成成分として，N-アセチルムラミン酸と A_2pm があげられる．これらは，真核細胞や古細菌には存在しない．A_2pm はタンパク質の構成成分となることは決してなく，細胞壁に特有である．A_2pm は全ての細菌がもっているわけではないが，ほとんど全てのグラ

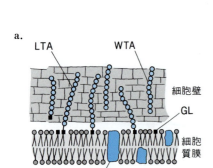
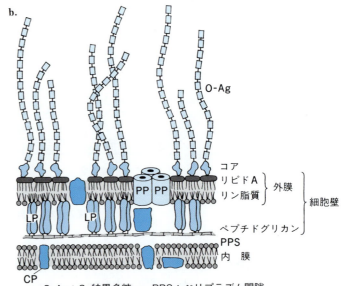

GL：糖脂質　　WTA：壁タイコ酸
CP：膜タンパク質　　LTA：リポタイコ酸

O-Ag：O-特異多糖　　PPS：ペリプラズム間隙
PP：ポーリンタンパク質　　CP：膜タンパク質　　LP：リポタンパク質

図II-5　グラム陽性菌とグラム陰性菌の細胞表層構造の違い
a. グラム陽性菌
b. グラム陰性菌

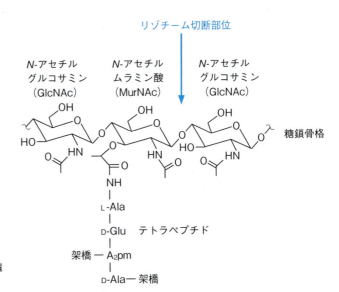

図II-6　ペプチドグリカンの基本化学構造（大腸菌の例）

ム陰性菌がA_2pmを含有している（図II-8）．ペプチド同士が架橋されるためには，二つのアミノ基をもつ構成成分が必要であるが，A_2pmやリシンはジアミノ酸でありこの要求にかなっている．また，ペプチドグリカンには，D体のアミノ酸が多く含まれている．ところで，N-アセチルムラミン酸にL-アラニン，D-グルタミン酸（またはD-イソグルタミン）が結合した構造をムラミルジペプチド（MDP）と呼ぶが，宿主の自然免疫のパターン認識受容体の一つであるNOD2が認識する分子であることがわかってきた．

(2) プロトプラストとスフェロプラスト

リゾチームlysozymeという酵素は，N-アセチルム

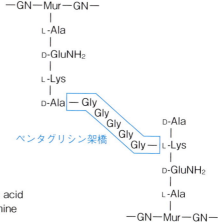

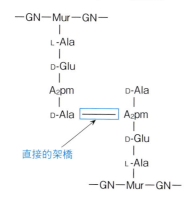

図 II-7 ペプチドグリカンの模式図
a. *Escherichia coli*（直接的架橋）
b. *Staphylococcus aureus*（ペンタグリシンによる架橋）

図 II-8 L-Lys と A₂pm の化学構造の比較

ラミン酸と N-アセチルグルコサミンの間の β-1,4 結合を切断する酵素で，唾液，涙などの体液に含まれ，細菌感染に対する防御機構の一端を担っている．グラム陽性菌をリゾチームで処理すると，ペプチドグリカンが壊されるため，もしこれを低張溶液にさらすと細菌の中に水が侵入して細菌が破壊される．一方，細菌の内部と等張の条件でリゾチーム処理すると，細胞壁は壊されるが細菌の内部に水が浸入せず，細胞壁を欠如した細菌が得られる．これをプロトプラスト protoplast と呼ぶ．また，細胞壁の一部が残っている状態のものをスフェロプラスト spheroplast という．グラム陰性菌には外膜があるためリゾチーム単独処理に抵抗性である．EDTA 存在下にリゾチームで処理することで，スフェロプラストが得られる．プロトプラスト，スフェロプラストともに，低張溶液中で破裂する．また，自然界には細胞壁をもたない細菌も存在する．マイコプラズマがその一例である．動物体内のような細菌にとって浸透圧差の少ない生息環境とステロールを含む強化された細胞質膜が生存を可能にしている．

(3) グラム陽性菌の細胞壁とタイコ酸

グラム陽性菌の細胞壁の主な構成成分はペプチドグリカンであるが，その他の主要な構成成分にタイコ酸 teichoic acid とタイクロン酸 teichuronic acid がある．両者ともに高度に陰性に荷電した高分子である．タイコ酸は，1,3-グリセロールリン酸か 1,5-リビトールリン酸のポリマーから構成されている．細胞壁での存在様式から，ペプチドグリカンに共有結合した壁タイコ酸 wall teichoic acid と，糖脂質に結合していて細胞質膜に基部をもつリポタイコ酸 lipoteichoic acid がある．ペプチドグリカンとの間では，N-アセチルムラミン酸の C-6 位からリンクユニットを介して結合している（図 II-9）．グリセロールあるいはリビトールのヒドロキシル基の一部は，D-アラニンとエステル結合を形成している．アラニンのアミノ基が，部分的に陽性電

荷を提供し，タイコ酸の構造と機能に関与している．タイクロン酸は，リン酸基を含まず，ウロン酸（アミノグルクロン酸のようなアミノ糖のウロン酸の場合もある）を含む糖鎖のポリマーから構成されており，ペプチドグリカンに共有結合している．これらの高度に陰性荷電をもった高分子は，グラム陽性菌の細胞壁を陰性に荷電させ，Mg^{2+} などの金属カチオン恒常性の維持，イオン・栄養素・タンパク質の通過，分解酵素や接着分子の提示などの生理的作用や，細胞壁の弾力性，空隙率，抗張力，静電的性質などの物理的な性質に貢献している．

(4)　グラム陰性菌の外膜とリポ多糖（LPS）

グラム陰性菌には，ペプチドグリカンの外側にもう一つの生体膜である外膜が存在する（**図 II–5**）．外膜は，厚さ約 8 nm の非対称の脂質二重層からなる．膜の内面側半分はリン脂質で構成されるが，外面側はリポ多糖から構成される（**図 II–10**）．**リポ多糖** lipopolysaccharide（**LPS**）とは，脂質二重層に組み込まれる脂質部分である**リピド A** lipid A，コア多糖および O 特異多糖で構成される分子である．リピド A は，*N*–アセチ

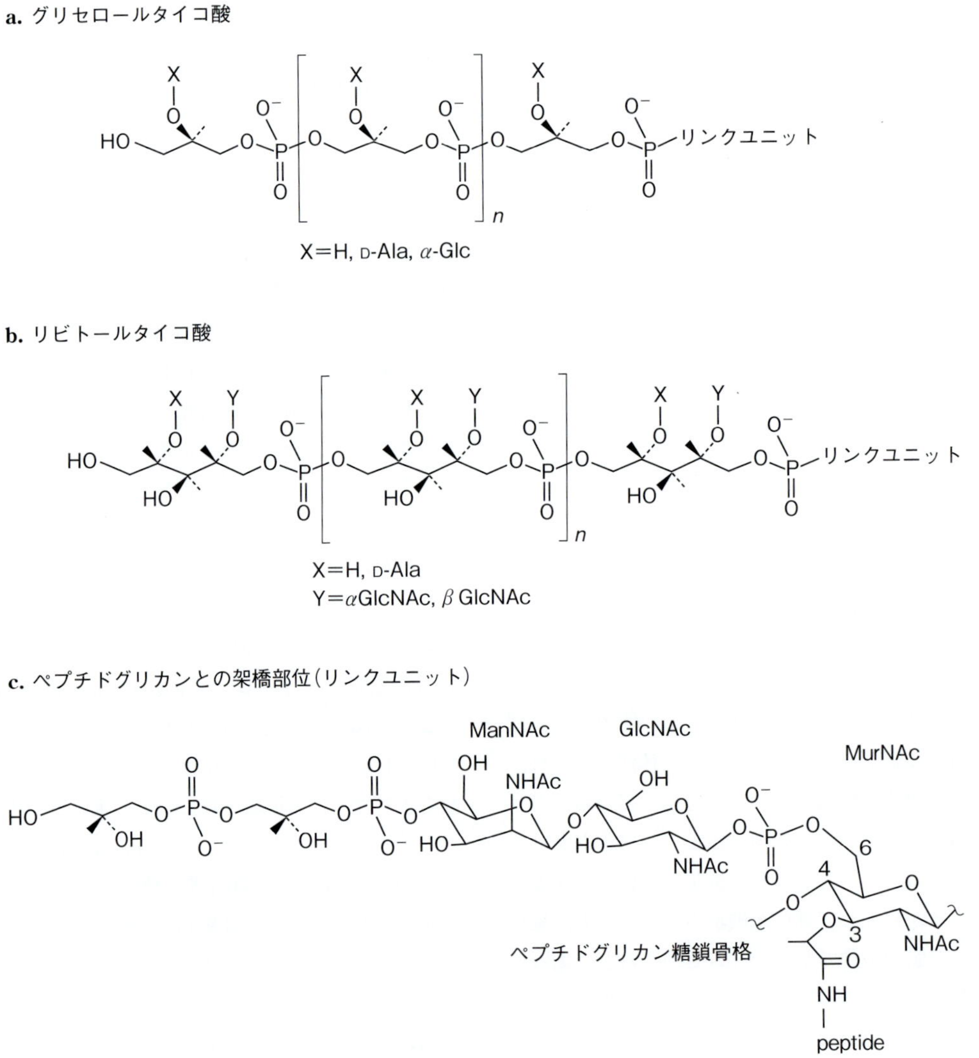
a. グリセロールタイコ酸
X
O
O⁻
HO
O
P
O
リンクユニット
n
X=H, D-Ala, α-Glc
b. リビトールタイコ酸
X
Y
HO
リンクユニット
X=H, D-Ala
Y=αGlcNAc, βGlcNAc
c. ペプチドグリカンとの架橋部位（リンクユニット）
ManNAc
GlcNAc
MurNAc
OH
NHAc
O⁻
6
4
3
NHAc
NH
peptide
ペプチドグリカン糖鎖骨格

図 II–9　タイコ酸の基本構造とペプチドグリカンへの結合
［F.C. Neuhaus, J. Baddiley：Microbiol. Mol. Biol. Rev., **67**: 686–723, 2003 を参考に作成］

ルグルコサミンリン酸からなる二糖とそれに結合した脂肪酸から構成され、脂肪酸部分が疎水部分として膜の中に存在している。リピドAの糖部分に結合しているのがコア多糖であり、LPSに特徴的なケトデオキシオクトン酸（KDO）を介して結合している。さらにヘプトース（7炭糖）、ヘプトースリン酸、ガラクトース、グルコース、N-アセチルグルコサミンによってコア多糖が構成される。コア多糖の外側には、細菌の抗原決定基（O抗原という）としても重要な、O特異多糖が連結している。O多糖には、ガラクトース、グルコース、ラムノース、マンノースに加え、ジデオキシ糖であるアベコース、パラトース、チベロース、コリトースなどが含まれている。LPSは、内毒素endotoxinとしても知られ、宿主に発熱やエンドトキシンショックなどの病態を引き起こす。主として食細胞表面に存在し、自然免疫のパターン認識受容体の一つであるToll-like receptor 4（TLR4）によってLPSが認識される。

グラム陰性菌の外膜には、多くのタンパク質が含まれている。外膜の内面側にはリポタンパク質lipoproteinが存在し、脂肪酸部分を介して外膜に埋め込まれ、一方でペプチドグリカンのA$_2$pmと共有結合することで、外膜とペプチドグリカンを連結している。また、外膜を貫通するタンパク質としてポーリンporin

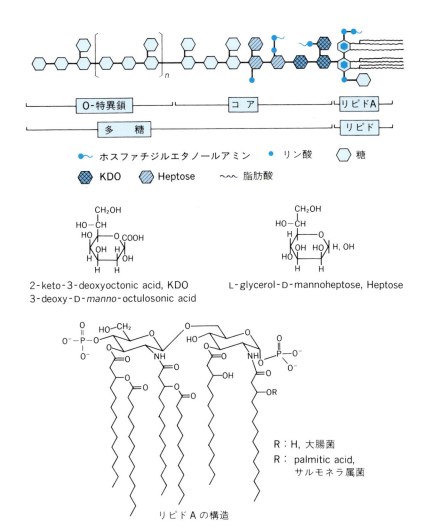

図II-10 リポ多糖の化学構造

がある．外膜は，親水性であっても低分子量の物質に対して比較的透過性である．しかし，高分子やタンパク質に対しては透過性ではない．ポーリンは三量体構造をとり外膜に小さなチャネルを形成し，低分子に対する透過性を与えている．外膜と細胞質膜は約 12〜15 nm 離れている．この領域（ペリプラズム）には，加水分解酵素をはじめとしたタンパク質が高濃度で存在している．

(iv) 細胞質内構造体

細菌の遺伝子 DNA は，巨大な二本鎖 DNA の塊（核様体）として細胞質内に存在する．多くの場合，一本の環状 DNA であり，細菌の染色体 bacterial chromosome と呼ばれている．真核細胞とは異なり，核膜で区画された核は存在しない．染色体外で自律的に複製する DNA が少量含まれており，プラスミド plasmid と呼ばれている．細菌の生存に必要な基本的な遺伝情報は染色体に含まれているが，ある種の環境での生存を有利にするような遺伝情報がプラスミドに含まれている．例えば，抗菌薬に対する耐性を与える遺伝子があげられる．タンパク質の合成の場所であるリボソームが，細胞質に多数認められる．その他，細胞質にはエネルギー源や菌体材料の貯蔵のための貯蔵顆粒が認められる場合がある．例えば，炭素源およびエネルギーの貯蔵のためポリ β-ヒドロキシ酪酸 poly-β-hydroxybutyric acid（PHB）のポリマーの封入体 inclusion body やグリコーゲン顆粒があげられる．その他，核酸やリン脂質の材料となる無機リン酸の貯蔵のため，ポリリン酸を含む顆粒が形成される場合がある．このポリリン酸顆粒はメチレンブルーやトルイジンブルーで染色すると紫色を呈するので，異染色小体 metachromatic granule とも呼ばれる．ジフテリア菌で顕著で，菌の同定の指標となる．

(v) 莢膜 capsule と粘液層 slime layer

ある種の細菌の表面には，主に多糖類からなる層が存在する場合がある．この層は，菌の種類すなわち構成成分の化学的性質に依存して性質が異なる．比較的構造物としての境界が明瞭な場合を莢膜，境界が不明瞭な場合を粘液層という．多糖類の場合，グルクロン酸（$\beta 1 \to 3$）グルコースを単位としたポリマーや，グルクロン酸（$\beta 1 \to 3$）N-アセチルグルコサミンを単位としたポリマー（ヒアルロン酸）などの例がある．莢膜多糖の抗原性を K 抗原と呼んでいる．まれな例としてペプチド性の莢膜も知られている．炭疽菌 Bacillus anthracis の莢膜は，γD-グルタミン酸のポリマーである．莢膜の働きとしては，① 病原細菌が宿主の組織に付着することを助ける，② 食細胞による貪食を妨害し，宿主免疫系の攻撃から逃れる，③ 莢膜は水分を含有するので乾燥から菌体を守るなどの作用があると考えられている．

(vi) 鞭毛 flagella

多くの細菌は運動性をもっており，より生存に適した環境に移動することができる．細菌は，鞭毛をスクリューのように回転させることで液体中を文字通り泳ぐことが可能である（図 II-11，図 II-12）．鞭毛は非常に細く（約 20 nm），特殊な染色なしには通常の光学顕微鏡で観察できない．鞭毛が菌体のどの部分に存在するかが形態的特徴の一つとなっており，細菌の同定に利用されている．

極毛性 polar：菌体の端に一本の（もしくは両方の端に一本ずつの）鞭毛をもつ

叢毛性 lophotrichous：菌体の端から複数の鞭毛が出ているもの

周毛性 peritrichous：菌体の周囲からいくつもの鞭毛が出ているもの

に基本的に分けられる．鞭毛の配置によって，細菌の運動のしかたに違いがでる．

鞭毛は，柔軟ではなく固い構造で，直線的ではなくらせん状に伸びている．鞭毛の繊維の部分は，分子量3万から7万のフラジェリン flagellin というタンパク質モノマーが重合してできている．一本の鞭毛あたり，約2万個のフラジェリンモノマーが必要とされている．鞭毛繊維の抗原性を H 抗原という．鞭毛の基部には，鞭毛繊維を回転させるための構造がある（図 II-13）．鞭毛のモーター部は，細胞質膜と細胞壁に設置されている．モーターの回転構造は，心棒と複数のリングで構築される．グラム陰性菌の場合，四つのリングをもち，二つが細胞質膜に，残りの二つが細胞壁に

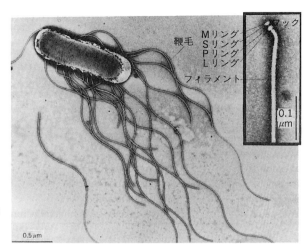

図 II-11 ネズミチフス菌 *Salmonella* Typhimurium の鞭毛と基部
[米国農務省 A. E. Ritchie 博士のご好意による]

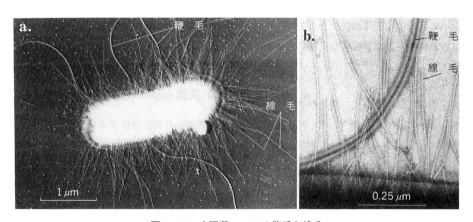

図 II-12 大腸菌 *E. coli* の鞭毛と線毛
a. シャドウイング像
b. ネガティブ染色像
[九州大学 天児和暢博士のご好意による]

位置している．細胞壁では，L リングが外膜に，P リングがペプチドグリカンに固定されている．細胞質膜には，二つの MS リングが配置されている．グラム陽性菌では，外側の二つのリングがなく，細胞質膜のリングのみが存在する．モーターの心棒と鞭毛の繊維をつなぐ部分は，フックと呼ばれている．MS リングを取り囲んだ形で Mot タンパク質が細胞質膜を貫通して存在しており，鞭毛繊維を回転させる働きを担っている．また，MS リングの間には Fli タンパク質があり，鞭毛の回転方向を切り替えるスイッチとして働いている．鞭毛繊維は中空になっており，3 nm の中心孔を

もっている．鞭毛ができる過程は，まずフックまで組み立てられた鞭毛の基部構造の上に，中心孔を通ってフラジェリンが運ばれてから繊維が重合して伸長していく．鞭毛が壊れた場合も，フラジェリンの運搬によって修復されていく．

鞭毛の運動のエネルギーは，細菌のエネルギー代謝によってつくられたプロトン駆動力によって供給される．鞭毛の一回転あたり 1,000 個のプロトンが細胞質膜の外から内に移動する必要があると計算されている．

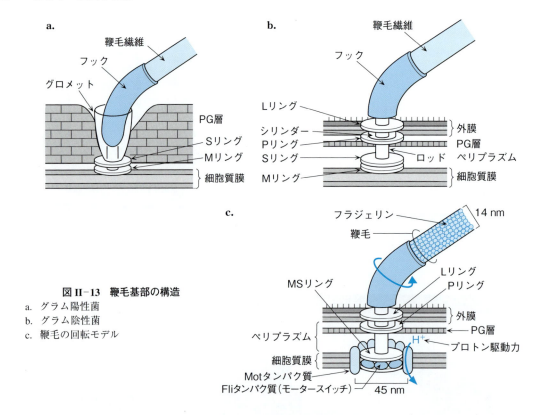

図 II-13　鞭毛基部の構造
a. グラム陽性菌
b. グラム陰性菌
c. 鞭毛の回転モデル

(vii) 線　毛 pili, fimbriae

　細菌表面の付属器官で，鞭毛より細くて短いが，数の多い繊維状構造物である（図 II-12）．運動性には関与していない．病原細菌の宿主表面への付着に関与している場合が知られている．例えば，ヒトの泌尿生殖器への Neisseria gonorrhoeae の接着に線毛が関与している．また，細菌の接合に関与する性線毛 sex pili やある種のウイルスの受容体として働く線毛も知られ，この場合 DNA（あるいは RNA）の伝達に関与している．

(viii) 芽　胞 endospore, bacterial spore

　グラム陽性菌の一部では，代謝的に不活性だが極めて環境変化に抵抗性が高い芽胞を形成するものがある．グラム陽性桿菌の Bacillus 属，Clostridium 属，球菌の Sporosarcina 属を含め 20 の属で存在が知られている．芽胞に対して，代謝的に活性で増殖している状態を栄養細胞 vegetative cell という．栄養素の枯渇など環境の悪化を感知して，栄養細胞の内部で芽胞の形成がはじまり，最終的には菌体が崩壊して芽胞のみが放出される．一方，適切な栄養条件に置かれると，芽胞は比較的速やかに栄養細胞に復帰して増殖をはじめる．これを発芽 germination という．芽胞は，極度に耐熱性が高く，乾燥，紫外線照射，酸，消毒薬に高い抵抗性を示す．この性質は，滅菌方法の選択に重大な影響をもたらす．芽胞は，通常 121℃，20 分の高圧蒸気滅菌で死滅する．

　芽胞の構造は，外側からエキソスポリウム exosporium，芽胞殻 spore coat，皮質 cortex，コア core から構成される（図 II-14）．コアが芽胞の中心部分であり，発芽により栄養細胞になる．細胞壁（コア細胞壁 core wall），細胞質膜，染色体，RNA，リボソーム，酵素を含み，栄養細胞と同様の基本構造をもっている．芽胞殻には芽胞特異的なタンパク質が含まれ，皮質は架橋度の低いペプチドグリカンから構成されている．芽胞は色素で染色されにくい．芽胞形成途上の細菌をグラム染色などの通常の染色法で染色して光学顕微鏡で観察すると，芽胞は染色されずに輝いた領域と

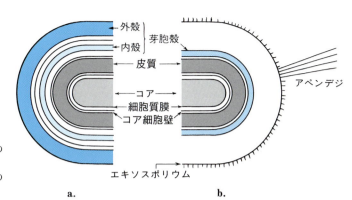

図 II-14　芽胞の構造
a. *B. subtilis* 型（エキソスポリウムのない芽胞）
b. *B. cereus* 型（エキソスポリウムのある芽胞）

して観察される．マラカイトグリーンによる加温染色とサフラニンによる対比染色によって，芽胞殻が緑色に染色される．

芽胞のコアは極度な脱水状態にあり，この点で栄養細胞とは大きく異なる．また，コア特異的な物質であるジピコリン酸 dipicolinic acid が存在し，カルシウムイオンとの複合体としてコアの乾燥重量の 10% を占める．さらに，コア特異的なタンパク質である small acid-soluble spore protein（SASP）が芽胞形成時に生産される．SASP はコア内の DNA を保護し，発芽時には炭素およびエネルギー源として利用される役割を果たしている．

(ix) 特徴のある性質をもつ細菌

個別の病原菌については，細菌と疾病の章を参照いただきたいが，細菌側からみた特徴のいくつかについて図 II-1 と図 II-2 に基づき俯瞰を試みたい．図 II-2 に示した Terrabacteria group は，大地のバクテリアの仲間である．*Actinobacteria* 門，*Tenericutes* 門，*Firmicutes* 門および *Cyanobacteia* 門が大きな構成員である．*Actinobacteria* 門には *Mycobacterium* 属があり，代表的な病原菌は結核菌 *Mycobacterium tuberculosis* である．宿主免疫細胞であるマクロファージが結核菌を貪食しても，細胞内の小胞（ファゴソーム）で生き延びて慢性的に感染し，排除が困難な細胞内寄生細菌である．ちなみに結核菌は，*Corynebacteriales* 目に属している．同じ *Actinobacteria* 門には，*Bifidobacteriales* 目の *Bifidobacterium* 属（ビフィズス菌）があり，腸内細菌としてヒトの健康の維持に役立っている．次の *Tenericutes* 門には，肺炎を起こすマイコプラズマ *Mycoplasma* 属が含まれている．細胞壁をもたないため，ペニシリンのようなペプチドグリカンを標的とした抗菌薬が無効である．*Tenericutes* 門の細菌の中には，腸内細菌として共生しているものもある．もう一つの *Firmicutes* 門は，病原菌として有名な細菌種が多いが，常在菌叢の主要メンバーでもある．*Clostridium* 属や *Streptococcus* 属の細菌でも病原菌ではなく腸内細菌として共生しているものも多い．*Lactobaccillus* 属は乳酸菌として，*Bacillus* 属の一種も納豆菌として，食品の生産に貢献している．*Firmicutes* 門とともに腸内細菌として主要メンバーなのが FCB group の *Bacteroidets* 門の細菌である．この門の中でも，*Bacteroides* 属が多いか，*Prevotella* 属が多いか，あるいは *Firmicutes* 門が多いか，ヒトによって異なるようである．この腸内細菌の型は小児の頃に決まり，比較的安定であるとされている．腸内細菌の型はヒトの健康に影響を及ぼす要因の一つとして近年注目を集めている．PVC group で目の疾患や性感染症の原因となるクラミジア *Chlamydia* 属の細菌は，宿主細胞がないと増殖できない偏性細胞内寄生細菌である．すなわち，小型の感染性小体が細胞に感染すると，ファゴソーム内で大型の網様構造体に変わり，これが二分裂増殖する．網様構造体は次第に感染性小体に成熟して，宿主細胞を破裂させて次の感染サイクルとなる．つまり網様構造体には感染性がなく，感染性小体が独自に増殖することはない．感染性小体は乾燥に耐え，空気感染によって伝播することもある．同じく偏性細胞内寄生細菌に，発疹チフスの原因などの病原菌を含むリケッチア *Rickettsia* 属の細菌が

ある．これは *Proteobacteria* 門の *Alphaproteobacteria* 綱に属す．宿主細胞の細胞質で増殖する．細胞外で長く生存できず，節足動物のベクターを介してヒトに感染する．

3 生理と代謝

a. 細菌の増殖

細菌の増殖とは，細菌の数が増えることである．細菌は，二分裂 binary fission によって増える．すなわち，親細胞が同一の二つの細胞に分かれるが，それに先だって遺伝子 DNA が複製するなど，親細胞の構成成分が子孫に引き継がれるための準備がなされる．活発に増殖できる状態の細菌 1 個は，一定時間後には 2 個になる（図 II-15）．一つの細菌が二つになるのに必要な時間を世代時間 generation time という．世代時間は，細菌の種類や置かれた環境によって大きく異なるが，1〜3 時間程度が多い．発育環境のよい *E. coli* のように世代時間 20 分と短い場合がある一方，増殖の遅い *Mycobacterium tuberculosis* では 13 時間，さらに長く数日かかる細菌もある．

細菌の増殖は，一つの細菌というよりも集団として観察される．一定の世代時間で増殖している細菌集団を考えると，細菌の数は 1，2，4，8，16，… と時間経過とともに指数関数的に増加する．横軸に時間，縦軸に細菌数の対数をとってグラフにすると，正の傾きをもった直線が得られる（図 II-16 青線）．このグラフから，細菌数が 2 倍になるのに必要な時間，すなわち世代時間を読み取ることができる．ちなみに，図 II-16 の例では，世代時間は 0.5 時間である．このような増殖の状態にある場合を対数増殖期という．一定の世代時間で倍に増える性質は，時間の経過とともに細菌数が爆発的に増加することを意味している．例えば，3 時間室温に不適切に放置され，細菌が混入しているかも知れない食品を食べても問題がなかったからといって，さらに続けて 3 時間放置したものを食べると，今度は大変なことになるかも知れない．

実際の細菌集団の増殖を観察すると，細菌の状態によっては必ずしもすぐに対数増殖を起こさない．ま

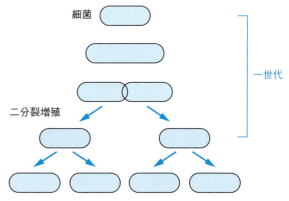

図 II-15 細菌の二分裂増殖と世代

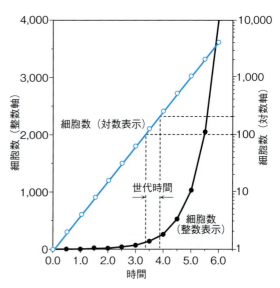

図 II-16 細菌の増殖

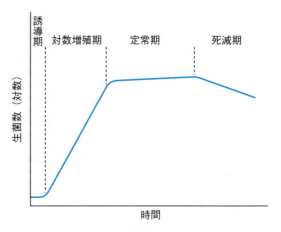

図 II-17 細菌の増殖曲線

た，無限に増殖できるわけでもない．図II-17に典型的な液体培地（後述）中での増殖曲線（横軸が経過時間，縦軸が細菌の生菌数の対数）を示した．増殖曲線は，四つの相に分けて考えることができる．

(i) 誘導期 lag phase

細菌が新しい環境に適応し，増殖が開始されるまでの時間で細菌数は増加しない．増殖に必要な酵素や構成成分を新たに生産したり，細胞がそれまでに受けた傷害を修復するための期間である．対数増殖期の中期で活発に増殖している細菌を同じ条件で同じ培地に接種した場合にはほとんど誘導期がみられないが，増殖の停止した状態の細菌を接種したり，栄養素が豊富な培地から栄養素の乏しい培地に移した場合には，誘導期がみられる．

(ii) 対数増殖期 exponential phase, logarithmic phase

細菌が二分裂増殖によって，一定の世代時間で分裂を繰り返している時期である．細菌は最も健康な状態にある．

(iii) 定常期 stationary phase

細菌は無限に増殖するわけにはいかない．液体培地のような閉鎖環境では，栄養素が枯渇していくのに加え，老廃物が蓄積して増殖の阻害要因となる．定常期においては，細胞のエネルギー代謝や生合成活動の一部も継続して行われている．また，集団内の一部の細菌が増殖し，同じだけ死滅する細菌がいるため，細菌集団全体として数が増えないということでもある．

(iv) 死滅期 death phase

培養をさらに継続すると，細菌は死滅していく．全菌数の減少は顕著でない場合もあるが，生菌数は対数的に減少していく．ただし，対数増殖期における増加率と比べ，ゆっくりとした減少率である．

b. エネルギーおよび炭素源

細菌の世界では，生命活動のためのエネルギーや菌体成分を合成するための材料の調達法などの基本的な性格にも多様性がある．エネルギー源を光合成に求める細菌 phototroph がある一方で，水素や硫化水素など無機物の酸化 chemolithotroph あるいは有機物の酸化 chemoorganotroph によってエネルギーを得るものがある．炭素–炭素結合をもたないメタンを酸化してエネルギーを得るものを methanotroph という．また，菌体が合成する有機物の炭素源を CO_2 に求めるものを独立栄養 autotroph，有機物に求めるものを従属栄養 heterotroph という．光合成細菌の多くが独立栄養 phtoautotroph であるが，従属栄養 photoheterotroph のものも知られている．一方，chemoorganotroph の細菌は従属栄養であり，多くの病原細菌がここに属している．

c. 栄養因子

従属栄養の細菌では，タンパク質，核酸などの生体高分子のもととなる構成成分の材料となったり，それをつくるための道具として，様々な物質を外部から取り込む必要がある．これを栄養素というが，多量に必要な主要栄養素と少量でよい微量栄養素に分けられる．また，細菌の種類によって，どのような栄養素が必要であるのかが異なっている．

(i) 主要栄養素 macronutrient

(1) 炭素源

糖類，アミノ酸，脂肪酸，有機酸，アルコールをはじめ様々な有機化合物を利用する．細菌の乾燥重量の約50%が炭素である．

(2) 窒素源

タンパク質や核酸など菌体の主要成分の構成要素として，乾燥重量の約12%が窒素である．有機物由来あるいは無機物由来の窒素が利用される．病原細菌の場合，アミノ酸を窒素源として要求するものも多い．しかし，自然界に広く存在するのは無機の窒素で，多くの細菌がアンモニウム塩を利用する．また，それに加えて硝酸塩を利用できるものもある．ある種の細菌では，気体の窒素を利用できるものもある．

(3) 無機塩類など

リンは，核酸やリン脂質の合成に必要でリン酸塩として利用される．硫黄は，アミノ酸，ビタミンの合成に必要で硫酸塩や硫化物として利用される．その他，K^+，Mg^{2+} が必須である．また，Na^+ は一部の細菌に

とって必要であり，Ca^{2+}には細菌の増殖を助ける効果がみられる．鉄は，チトクロームや電子伝達系に関与するタンパク質の構成成分として極めて重要で，細菌の増殖に大きな影響を及ぼす．とくに3価の鉄Fe^{3+}を獲得するために，細菌はシデロフォア siderophoreという鉄キレート物質をつくり，細胞内に運搬する（図II-18）．病原細菌の場合，宿主の鉄輸送タンパク質であるトランスフェリンやラクトフェリンからFe^{3+}を奪取するシデロフォアも知られており，病原性に関与している．海も鉄が欠乏しがちな環境であり，海洋細菌は強力なキレート力をもつシデロフォアをつくる．一部の細菌では，鉄を必要としないものもあるが，代わりにMn^{2+}を利用している．

(ii) 微量栄養素 micronutrient

(1) 微量元素 trace elements

微量あればよいが，必須な栄養素がいくつもある．酵素の構成成分として様々な金属が該当する．Mn, Co, Zn, Cu, Mo, Ni, Se などをあげることができる．

(2) 増殖因子 growth factors

ある種の細菌は，特定の有機物を少量要求する場合がある．例えば，ビタミン，アミノ酸，プリン，ピリミジンがあげられる．ビタミンの多くは，補酵素の構成要素として機能するが，補酵素を全て生合成できる細菌も多い．しかし，ビタミン，とくにB群のビタミンを要求する細菌も珍しくはない．細菌が必要とするビタミンのうち典型的なものをあげると，チアミン（ビタミンB_1），ビオチン，ピリドキシン（ビタミンB_6），コバラミン（ビタミンB_{12}）などである．

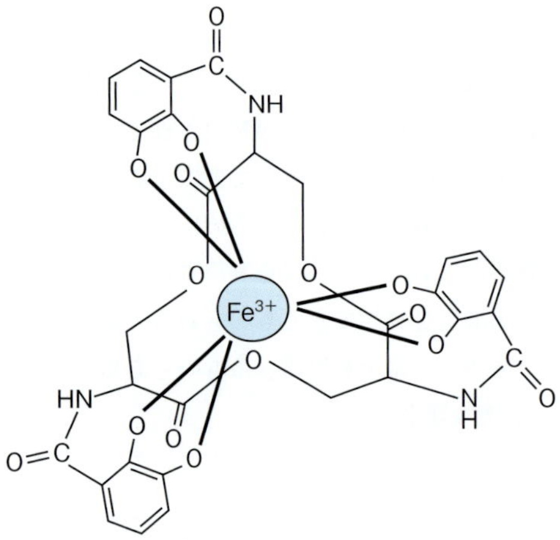

d. 環境因子

細菌は，液体の水がない所では増殖できないが，増殖できる環境は細菌の種類に応じて様々である．

(i) 温度

細菌によって，増殖に適した温度が異なる．一般的に，代謝や生合成に必要な化学反応は，温度が高い方が速く進行する．しかし，ある温度を超えると，タンパク質などの生体高分子が熱変性して活性を失い，増殖できない．逆に，ある温度以下では，生体膜の流動性が低下して物質の輸送やエネルギー生産に支障をきたす．最も増殖が活発となる至適温度は，増殖可能な最高温度に近い点にある．自然環境では，0℃に近いところで増殖するものや，100℃以上の高温で増殖するものもある．実際，南極の氷の割れ目の中は0℃以下であっても液体の水が存在するポケットが存在するし，深海底の火山の噴出口では水圧のため100℃以上となる．しかし，ある細菌が0℃から100℃までの広範囲にわたって増殖可能というわけではない．増殖可能な温度幅は通常30℃程度の範囲である．増殖可能な温度に対応して低温菌 psychrophile，中温菌 mesophile，高温菌 thermophile，超高温菌 hyperthermophile に分類される（**表II-3**）．病原細菌は極端な環境で増殖する細菌ではなく，動物の体温が増殖温度域に入っている中温菌である．細菌の種類によっては，増殖可能な温度の幅が広いものと狭いものがある．とくに，低温でも増殖できる性質をもった病原細菌は，冷蔵保存された輸血用血液や食品中で増殖する可能性があるため，注意が必要である．

(ii) 水素イオン濃度（pH）

多くの細菌は，pH 5〜9の間の中性領域に増殖可能域がある．一部の細菌では，pH 1のような酸性領域に至適域をもつもの（acidophile）や，pH 10のようなアルカリ領域が至適なもの（alkaliphile）も存在する．

図II-18　シデロフォアの一種：*E. coli* の産生する enterobactin

表 II-3　増殖可能な温度域による細菌の性格づけ

	至適増殖温度	増殖可能最高温度	増殖可能最低温度
低温菌 psychrophile	15℃以下	20℃以下	0℃もしくはそれ以下
中温菌 mesophile	26〜39℃	45℃	10℃（種によっては4℃）
高温菌 thermophile	45〜80℃	80℃	40℃
超高温菌 hyperthermophile	80℃以上	種によっては110℃	種によっては65℃

超高温菌には多くの古細菌 archaea が含まれる．

表 II-4　酸素要求性や耐性による細菌の性格づけ

	性　状	酸素の影響	エネルギー代謝方法
好気性 aerobe	偏性好気性 obligate aerobe	必要	好気呼吸
	微好気性 microaerophil	必要だが低分圧を好む	好気呼吸
嫌気性 anaerobe	通性嫌気性 facultative anaerobe	不要だが酸素がないと増殖遅い	好気呼吸，嫌気呼吸，発酵
	耐気性嫌気性 aerotolerant anaerobe	不要で酸素がない方がよい	発酵
	偏性嫌気性 obligate anaerobe	有害か致命的	発酵，嫌気呼吸

病原細菌では，一般に pH 7 付近の中性領域に至適域がある．

(iii) 酸　素

そもそも地球環境には，酸素は存在しなかった．約 25 億年前にシアノバクテリアが進化し，水を電子供与体とする光合成を行うようになった．その結果廃棄物としてつくられた酸素が存在する環境ができあがってきた．酸素の生産の結果オゾン層が形成され，有害な紫外線の遮断によって陸上での生命活動を可能にした．このような歴史的背景があるため，酸素の要求性は多様であるとともに，細菌の生息環境 habitat や生態的地位（ニッチ niche）にも大きな影響がある．酸素要求性は，エネルギー代謝のしくみ，および酸素の毒性に対する解毒能力の違いによっている（表 II-4）．

(1) 偏性好気性菌 obligate aerobe

増殖に酸素を必要とし，酸素を電子受容体とする好気呼吸を行う．*Pseudomonas aeruginosa*, *Bordetella pertussis*, *Mycobacterium tuberculosis*, *Legionella pneumophila* などの例がある．

(2) 微好気性菌 microaerophil

増殖に酸素を必要とするが，大気中の酸素分圧よりも低い方がよく増殖する．好気呼吸を行う．*Borrelia burgdorferi*, *Campylobacter jejuni*, *Helicobacter pyroli* などの例がある．

(3) 通性嫌気性菌 facultative anaerobe

通性好気性菌 facultative aerobe ともいう．酸素存在下では好気呼吸を行い，酸素がない場合には発酵もしくは嫌気呼吸を行う．酸素にかわる電子受容体として，NO_3^-, SO_4^{2-}, フマル酸イオンなどがあるが，エネルギー生産効率は酸素に劣る．しかし，環境中で酸素を消費しつくした場合には，嫌気呼吸が代替手段の一つとなる．多くの細菌がこのグループに属している．*E. coli*, *Bacillus anthracis*, *Staphylococcus aureus*, *Salmonella enterica* など多くの例がある．

(4) 耐気性嫌気性菌 aerotolerant anaerobe

好気呼吸を行わないが，酸素存在下でも増殖できる．*Streptococcus pyogenes* などの例がある．

(5) 偏性嫌気性菌 obligate anaerobe

酸素の存在下では増殖できないし，すみやかに死滅するものもある．活性酸素などを無毒化できないためと考えられている．嫌気呼吸や発酵を行う．水への酸素の溶解度は高くないため，沼地の土壌など空気中の酸素が溶け込みにくい環境で通性嫌気性菌が酸素を消費しつくすと嫌気的な環境が形成される．偏性嫌気性菌の代表的なニッチは，沼地の他，動物の腸内である．*Clostridium* 属が例としてあげられる．

酸素の代謝副産物としてつくられる活性酸素は，生体高分子などの細胞内の有機物を酸化して有害である．例えばスーパーオキシド O_2^- や過酸化水素 H_2O_2 な

どである．これらの活性酸素は酵素によって分解される．

$$2O_2^- + 2H^+ \rightarrow O_2 + H_2O_2$$（スーパーオキシドディスムターゼ superoxide dismutase, SOD）

$$2H_2O_2 \rightarrow 2H_2O + O_2$$（カタラーゼ catalase）

免疫担当細胞の好中球やマクロファージは，活性酸素を産生して殺菌作用の重要な手段の一つとして利用している．

(iv) 二酸化炭素

独立栄養の細菌はもとより従属栄養の細菌でも，増殖するには一般に二酸化炭素が必要である．例えば核酸塩基の炭素源の一部は，二酸化炭素に直接由来する．完全に二酸化炭素を除去すると増殖が停止するが，ほとんどの細菌では大気中から得られる二酸化炭素量で十分まかなえる．一部の細菌，Neisseria gonorrhoeae や N. meningitidis では，外気中に 3～10% の CO_2 が存在しないと増殖しない．

(v) 浸透圧

細菌を取り巻く環境に水があったとしても，高濃度の塩溶液や糖溶液のように浸透圧の高い水溶液中では細菌は水を利用できず，菌体から水分を失って生存できない．通常，外部環境よりも細菌内は高い浸透圧に設定されており，水は細胞内に入る方向にある．細胞壁が，浸透圧による細菌の破裂を防いでいる．海水は3% の NaCl を含み，海洋細菌の場合には NaCl の存在と高い浸透圧に適応している．このような細菌を好塩菌 halophile という．食中毒の原因菌でもある海洋細菌の腸炎ビブリオ菌 Vibrio parahaemolyticus も好塩菌であり，NaCl 添加条件でよく増殖する．また，NaCl を必要とはしないが耐性を示す細菌を耐塩性細菌 halotolerant という．グラム陽性球菌である Staphylococcus 属は耐塩性が強く，7.5%NaCl 存在下でも増殖する．これに対して，E. coli をはじめ，多くの病原細菌には耐塩性がない．耐塩性のある細菌では，細胞内の浸透圧を上げるため，細胞内の化学反応を阻害しない溶質を高濃度で細胞内に確保するしくみがある．細胞外から溶質を取り込むか，細胞内で合成することによる．例えば，Staphylococcus 属では，アミノ酸のプロリンを合成し，浸透圧差に対抗している．

e. 細菌の培養

細菌を分離して実験室内で人工的に増殖させることを培養という．

(i) 培　地 culture medium

細菌の培養に用いる栄養素を含んだ水溶液を培地という．成分の化学組成を決め，決められた量の無機物および有機物から作製された合成培地 defined medium と，栄養素として酵母エキス，肉エキス，ペプトンなどと無機塩類を加えた複合培地 complex medium がある．特殊な用途として，血清や血液などを目的に応じて添加した培地もある．また，特定の細菌が増殖し，それ以外の細菌の増殖を抑制する働きをもった培地を選択培地という．分離した細菌の同定のために代謝産物を検出したりその他の性状を検査するための培地を確認培地という．培地は，培養を行う前に滅菌しておかなければならない．培地を滅菌する前の液体培地に1.5% 程度の寒天 agar を加え，滅菌後寒天が固化する前に無菌容器に注いで固化させたものを固形培地 solid medium という．固形培地には，シャーレ内で固化させた寒天平板培地や，試験管内で固化させた高層培地，半高層培地，斜面培地などがある．寒天平板は，細菌を分離するために不可欠である．

(ii) 培養方法

培地は栄養豊富であるため，不用意な操作を行うと環境中の細菌が混入してしまう．これをコンタミネーション contamination という．これを避けるため，培地や器具の滅菌とともに無菌操作 aseptic technique が必要である．細菌を寒天平板に無菌操作を用いた適切な手技で塗抹して培養すると，一つの細菌が分裂して生じた集団によって集落（コロニー colony）が形成される．細菌集団からコロニーを形成させ，単一の細菌由来の集団を分離することを分離培養 streak plate procedure と呼び，得られたコロニーから釣菌 picking して適切な培地に接種して増殖させることを純培養 pure culture という．分離培養は，R. Koch の研究室で確立された方法である．また，多くの細菌が混ざった状態

（しばしば環境由来のサンプル）からの細菌の分離を容易にするため，あらかじめ選択培地によって特定の性質の細菌を増殖させておくことを増菌培養 enrichment culture という．好気呼吸を行う細菌の場合には，酸素が供給される条件での好気培養 aerobic culture を行う．平板培地の場合には酸素の供給に支障がないが，液体培養の場合には，培養器を振盪させたり，無菌の空気を送って酸素の供給を助ける．一方，偏性嫌気性菌の培養には嫌気培養 anaerobic culture が必要である．そのためには，酸素を除去する必要があるが，密閉容器内で培養し，容器内の空気を二酸化炭素，水素や窒素で置換し，残存酸素を化学触媒で除去して行う．また，培地には還元剤としてシステインやチオグリコレートを加え，酸化還元指示薬を添加しておく．

(iii) 増殖の測定法

液体培地を用いて増殖を測定する方法として，菌体量の測定法と菌数の測定法がある．

(1) 菌体量の測定

直接測定する方法としては，遠心集菌した細菌の湿重量を測定するか，それを乾燥させて乾燥重量を測定する．一方，間接的な方法としては，細菌の化学成分の分析があげられ，とくに全窒素量の測定が一般的である．

(2) 菌数の測定

まず，生死を問わず全菌数を測定する方法と，生菌数を測定する方法に分けられる．全菌数の測定のための直接的な方法としては，細菌計数チャンバーを用いて顕微鏡下で計数する方法や，電気的に粒子を検出するコールターカウンターを用いた機器計数があげられる．間接的な方法としては，細菌の増殖によって生じる濁度を分光光度計で測定する方法があげられる．通常，400 nm から 600 nm の波長の光を培養液に照射して，散乱によって減少した光量を測定する．この方法は簡便で，比較的細菌密度の低い領域では重量測定などの他の方法との相関性もよいが，細菌密度が高いところでは，不正確であり全菌数を過小評価する傾向にある．また均一な浮遊状態で増殖しない細菌の場合には適用できない．生菌数の測定には，適度に希釈した菌液を平板培地に接種してコロニー数を計数する．細菌数が少ないサンプルの場合には，菌液をメンブレンフィルターを通過させて細菌を捕捉し，そのフィルターを平板培地にのせて培養した後，コロニーを計数する方法がとられる．

(iv) 連続培養 continuous culture

通常の培養は閉鎖系であるため，細菌が増殖してくると培地の化学組成に大きな変化が起こり，増殖に適さなくなる．連続培養では，連続的に新鮮な培地を供給し，一方では細菌を含んだ使用済みの培地を排出させる．これにより，安定で一定の培養条件を維持できる．このような装置はケモスタット chemostat と呼ばれるが，細菌の密度と増殖速度を独立に制御でき，通常の培養法では実現できない特性をもった培養法である．

f. エネルギー代謝：呼吸と発酵

細菌の取り込んだ栄養素は，分解されるとともにエネルギー生産に使われる．これを異化作用 catabolism という．一方，細菌の増殖や生命の維持には，菌体成分の生合成 biosynthesis が欠かせない．これを同化作用 anabolism という．代謝 metabolism とは，異化作用と同化作用の総称である．異化作用の過程で生産されたエネルギーは，アデノシン三リン酸（ATP）の形で細胞に貯蔵され，エネルギーを必要とする様々な化学反応に利用される．エネルギーを利用可能な形で獲得貯蔵する過程をエネルギー代謝と呼び，有機化合物を栄養源とする chemoorganotroph の細菌では発酵と呼吸に分けられる．その他，無機栄養によってエネルギーを獲得する chemolithotrophy や，光エネルギーを利用する phototrophy があげられる．

(i) 発 酵 fermentation

エネルギーが獲得される過程では，酸化還元反応すなわち電子の授受が行われている．最終的な電子の受け取り手（例えば酸素）が存在する過程を呼吸 respiration と呼び，そのような受け取り手を欠いた過程を発酵という．したがって，発酵は必然的に嫌気的な過程である．グルコースを分解してエネルギーを得る経路の典型例として解糖 glycolysis または Embden-Meyerhof 経路があげられる（図 II-19a）．この過程で，グ

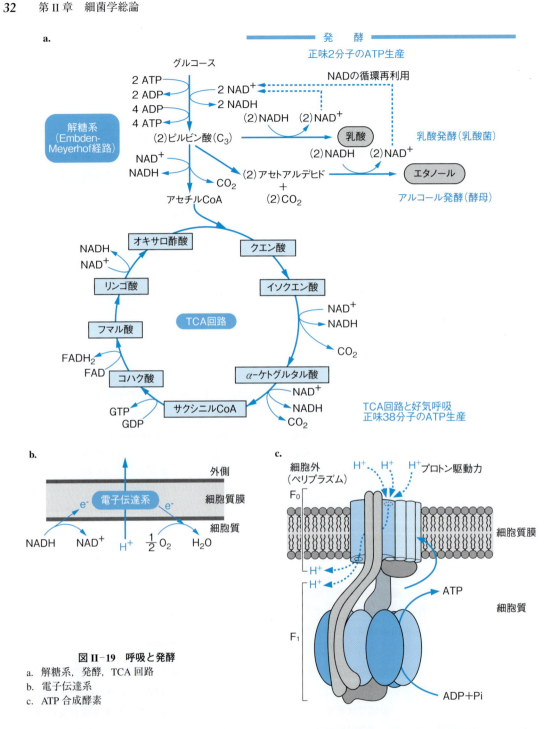

図 II-19 呼吸と発酵
a. 解糖系, 発酵, TCA 回路
b. 電子伝達系
c. ATP 合成酵素

ルコースが 2 分子のピルビン酸に分解されるとともに, 正味 2 分子の ATP が生成する. 同時に電子の受け手として 2 分子のニコチンアミドアデニンジヌクレオチドの酸化型（NAD^+）が還元されて NADH を生じる. NADH をリサイクルして NAD^+ に戻さなければこの反応は継続しない. そこで, NADH を用いてピルビン酸を還元することで, 酸化型の NAD^+ を再生する. 発酵によって, 必然的にピルビン酸由来の有機化合物

が生成する．例えば，乳酸やエタノールである．これらは，微生物にとっては廃棄物であるが，人間にとっては利用価値のある生産物である．なお，呼吸とは異なりグルコースは完全には二酸化炭素 CO_2 に分解されるわけではなく，エネルギーの生産効率からみると呼吸に大きく劣る．

細菌は，代謝経路において著しい多様性をもっており，細菌の種類によって代謝経路が大きく異なっていることには注目すべきである．細菌に特有のグルコース代謝経路として，Entner-Doudoroff（ED）経路があげられる（図II-20）．グルコースからピルビン酸の生成に至る解糖とは別の経路で，ホスホフラクトキナーゼをもたない *Pseudomonas* 属などのグラム陰性菌が利用している．グルコースから正味1分子のATPを生成する．また，偏性嫌気性菌の *Clostridium* 属がアミノ酸を利用して発酵する Stickland 反応があげられる（図II-21）．これは，二つのペアとなるアミノ酸同士で，片方が酸化されもう一方が還元されることで，基質レベルのリン酸化（後述）によってATPを生成する．例えば，1分子のアラニンが酸化され，2分子のグリシンが還元されることで，1分子のATPが生成し，発酵産物として3分子の酢酸と3分子のアンモニアが生成する．これ以外のアミノ酸のペアにも Stickland 反応を進行させるものが知られている．

細菌やその他の微生物の種類によって，様々な有機物が発酵によって生産される．例えば，*E. coli* などの腸内細菌は，混合酸発酵によって様々な有機酸やガスを生成する．また，乳酸菌による乳酸の生産や，酵母によるエタノールの生産は，食品として利用される．パンはアルコール発酵の過程でつくられる CO_2 を利用してつくられている．表II-5に微生物による典型的な発酵をまとめた．

(ii) 呼 吸 respiration

発酵とは異なり，グルコースは完全に二酸化炭素に分解されるとともに，末端の電子の受け取り手が存在する．酸素 O_2 が電子を受け取り H_2O を生じる過程を好気呼吸という．また，最終的な電子の受け手が酸素以外の場合を嫌気呼吸という．好気呼吸の場合，有機物の分解過程で生じた NADH は細胞質膜に存在する電子伝達系を介して最終的に酸素に電子を渡す．嫌気呼吸の場合，受け取り手として NO_3^-, Fe^{3+}, SO_4^{2-} やフマル酸イオンなどがあげられるが，酸素に比べて酸化還元電位が低く，エネルギーの生産効率は低い．

呼吸によるエネルギー生産過程は，三つに分けて考えることができる．一つは，ピルビン酸が CO_2 に分解される過程で NADH（および $FADH_2$）がつくられること，第2にこれらの分子から細胞質膜に存在する電子伝達系に電子を渡す過程で細胞内のプロトンが細胞外にくみ出され，細胞質膜をはさんでプロトン濃度勾配が形成されることである（図II-19b）．すなわち細胞質膜の外側が H^+ に富んでいて陽性に荷電しており，内側は逆に OH^- が多く陰性に荷電する．これにより一種の電池が構築される．第3の過程は，形成されたプロトン濃度勾配あるいはプロトン駆動力を利用してATPが生産される過程である．ここでは，細胞質膜を貫通した酵素である ATP 合成酵素 ATP synthase が働いている（図II-19c）．プロトンが細胞外から流入する過程で，ATP 合成酵素に対して立体構造の変化を誘導し，これがADPと無機リン酸からATPを生産するエネルギー源となる．ところで，プロトン駆動力はすでに述べたように鞭毛モーターの回転力に利用されたり，トランスポーターの働きに利用される（p.40参照）．ATP 合成酵素は可逆的な反応を媒介できる．すなわちATPを分解してプロトン濃度勾配を形成することができる．したがって，呼吸を行わない細菌がATP 合成酵素を使ってプロトン濃度勾配を形成し，それがプロトン駆動力を用いたその他の細菌の活動に利用されるのである．

プロトン濃度勾配が形成される過程については，以下の通りである．解糖系によって生じたピルビン酸は，アセチル CoA を介してトリカルボン酸回路 TCA cycle を経由して完全に CO_2 にまで分解される（図II-19a）．その過程で，還元型の NADH がつくられる．還元型の NADH は，細胞質膜の電子伝達系に電子を供給することで酸化型にリサイクルされる．電子伝達系はフラビン酵素，キノン，チトクロームから構成されており，電子をリレーして酸素などの最終的な電子受容体に渡すとともに，その過程で細胞質からプロトンを取りあげ，一方で細胞外にプロトンを放出する結

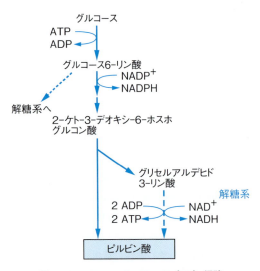

図 II-20　Entner-Doudoroff（ED）経路

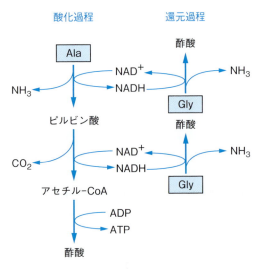

図 II-21　Stickland 反応の一例

表 II-5　発酵の種類

種類	基質	発酵産物	微生物
アルコール発酵	ヘキソース	エタノール+CO_2	*Saccharomyces cerevisiae*, *Zymomonas mobilis*
ホモ乳酸発酵	ヘキソース	乳酸	*Lactobacillus acidophilus*, *Streptococcus thermophilus*
ヘテロ乳酸発酵	ヘキソース	乳酸+エタノール+CO_2	*Lactobacillus brevis*
酪酸発酵	ヘキソース	酪酸+酢酸+H_2+CO_2	*Clostridium butyricum*
ブタノール発酵	ヘキソース	ブタノール+酢酸+アセトン+エタノール+H_2+CO_2	*Clostridium acetobutylicum*
ブタンジオール発酵	ヘキソース	2,3-ブタンジオール+エタノール	*Enterobacter aerogenes*
混合酸発酵	ヘキソース	エタノール+2,3-ブタンジオール+コハク酸+乳酸+酢酸+ギ酸+H_2+CO_2	腸内細菌 *Escherichia coli*, *Salmonella*, *Klebsiella* など
プロピオン酸発酵	乳酸	プロピオン酸+酢酸+CO_2	*Clostridium propionicum*, *Propionibacterium freudenreichii*

青字は，真菌を示す．ヘキソースとは，グルコースなどの6炭糖である．

果となる（図 II-19b）．その結果，プロトン濃度勾配が形成される．プロトンは，細胞質膜を自由に通過できないため，ポテンシャルエネルギーとして蓄積されるのである．

電子伝達系によって ATP が生産されることを**酸化的リン酸化**と呼ぶ．これに対して，解糖系や TCA 回路などで有機化合物の分解反応と共役して ATP が生産されることを**基質レベルのリン酸化**という．

g. 合成代謝

(i) 生体成分の生合成

chemoorganotroph の細菌における同化作用は，異化作用と密接に結びついている．すなわち炭素源として有機物を利用するため，エネルギー代謝に用いられる解糖系や TCA 回路が，糖を栄養源として用いる細菌において主要な経路となる．これらの経路の中間代謝

産物が生合成の材料として使われる（図 II-22）．アミノ酸は，性質の似たグループごとに共通の経路を通ってつくられていることがわかる．核酸塩基とくにプリンの生合成は複雑であり，数種類のアミノ酸が関与している．脂肪酸は，アセチル CoA を材料に合成される．アンモニアを窒素源として利用できる細菌では，グルタミン酸，グルタミン，アスパラギン酸を介してアミノ基が様々な生体物質，例えば多糖類やペプチドグリカンの材料となるグルコサミン，アミノ酸，核酸塩基などに利用される．脂肪酸や酢酸を栄養源として利用する細菌では，TCA 回路のバイパスとしてグリオキシル酸回路も使われ，炭素の同化に利用される．

(ii) ペプチドグリカンの生合成

細菌特有の物質としてペプチドグリカンの合成があげられる（図 II-23）．ペプチドグリカンの出発材料は，UDP-GlcNAc で，まず UDP-N-アセチルムラミン酸（UDP-MurNAc）がつくられた後，ムラミン酸の 3 位に L-Ala, D-Glu, A_2pm（または L-Lys），D-Ala, D-Ala からなるペンタペプチド（PenP）が結合する．ペプチド結合の形成は，リボソームと関係なく進められる．また，これらの反応には ATP やホスホエノールピルビン酸といった細胞質で合成される高エネルギーリン酸結合を含む化合物が必要なため，反応は細胞質で進行する．UDP-MurNAc-PenP は，細胞質膜をはさんだ糖ペプチドの輸送に関与する脂質であるバクトプレノール（C_{55}-undecaprenyl phosphate）に，ムラミン酸の 1 位でホスホジエステル結合する（図 II-23 ①）．MurNAc-PenP の部分が細胞質側にある状態で，UDP-GlcNAc がムラミン酸の 4 位に転移して，GlcNAc(β 1→4)MurNAc-PenP の基本ユニットをもった脂質中間体となる（図 II-23 ②）．この中間体が細胞質膜を反転し，基本ユニットが細胞外（あるいはペリプラズム）に出てくる（図 II-23 ③）．ペプチドグリカンが重合され架橋される過程は，外部からのエネルギーの供給がない細胞外で進行する．すでに存在し

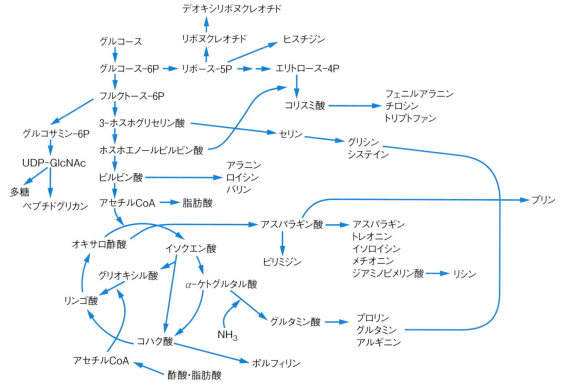

図 II-22　合成代謝

ているペプチドグリカン末端の GlcNAc の 4 位のヒドロキシル基がムラミン酸の 1 位を攻撃し，ペプチドグリカンに GlcNAc(β 1→4)MurNAc−PenP の基本ユニットが追加される（図 II-23 ④）．この反応はトランスグリコシラーゼ transglycosylase（TG）によって触媒される．この過程でバクトプレノール部分が遊離するが，これは細胞内に戻りリサイクルされる（図 II-23 ⑤）．一方，ペプチドグリカンの架橋反応を触媒する酵素をトランスペプチダーゼ transpeptidase（TP）という．TP は，ペンタペプチドにある 4 番目の D-Ala$_4$ と 5 番目の D-Ala$_5$ の間のアミド結合を攻撃して酵素中間体を生成し，D-Ala$_5$ を遊離させる．この中間体に対して，近くにあるペンタペプチドの 3 番目の位置に存在する A$_2$pm（または Lys）のアミノ基が攻撃してアミド結合を形成しペプチドグリカンが架橋される（図 II-23 ⑥）．S. aureus のペプチドグリカンの場合には，5 残基の Gly オリゴペプチドによって間接的に架橋されているが，ペンタペプチドの 3 番目の位置に存在する L-Lys にあらかじめ Gly$_5$ が結合したものがつくられ，Gly$_5$ 末端のアミノ基と D-Ala の間に架橋が形成される．TG や TP には，それぞれ一つの活性をもつ酵素もあるが，各酵素サブユニットから構成され TG/TP の両方の活性をもった bifunctional な酵素も存在する．

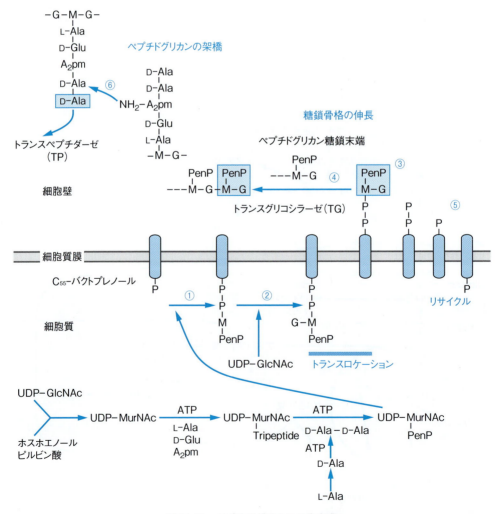

図 II-23 ペプチドグリカンの生合成

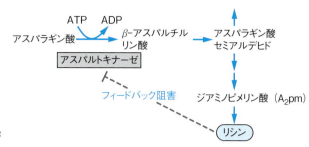

図 II-24 酵素活性のフィードバック阻害

D-Ala$_4$-D-Ala$_5$ と類似した構造をもつ β-ラクタム系の抗生物質には，TP が誤って結合し，比較的安定な酵素複合体が形成される．そのため，ペプチドグリカンの架橋反応が阻害され停止する．細菌が増殖する過程では，細胞のサイズが大きくなるためにペプチドグリカンの再構築は必須である．すなわち，既存の細胞壁の一部を分解しつつ，新しい細胞壁をつぎたしていく必要があるが，ペプチドグリカンの分解が起きる一方で新たなペプチドグリカンの合成が止められることで，細菌は破壊される．メチシリン耐性黄色ブドウ球菌（MRSA）では，PBP2a（*mecA* 遺伝子産物）と呼ばれる TG/TP 型の酵素が合成される．この酵素は β-ラクタム抵抗性であり，その存在下で架橋反応を遂行できる．

h. 代謝調節

代謝過程は，数多くの酵素が遂行している．細菌が環境に適応し増殖するためには，代謝過程の調節が必要であるが，調節機構は二つに整理できる．一つは，すでに存在している酵素の活性の調節であり，もう一つは酵素の量を調節することである．前者の機構により，より迅速で細かな調節が可能となる．後者の機構については，次節で説明する．

(i) フィードバック阻害

最終代謝産物は，いくつもの酵素反応の結果で生産される．最終代謝産物が，それを生みだす直接の酵素反応ではなく，代謝経路のよりはじめの段階にある酵素反応を阻害することを，フィードバック阻害 feedback inhibition という．ある種の酵素は，活性中心の他に阻害因子が結合する特定の部位をもっている．阻害因子の結合により，酵素の立体構造が変化して酵素活性が阻害される．このような調節をアロステリック allosteric 効果と呼び，阻害因子のことをアロステリックエフェクター allosteric effector という．例えば，アミノ酸のリシンがアスパラギン酸から生合成される経路において，最終産物であるリシンが初期反応であるアスパルトキナーゼをアロステリック効果によって阻害する（図 II-24）．最終産物であるリシンが蓄積すると阻害因子として働き，代謝経路全体が減速するのである．

(ii) 共有結合による酵素の修飾

酵素活性は，化学的な修飾が加えられることでも調節される．典型的な例としては，リン酸化，メチル化，アデニリル化があげられる．例えば，グルタミン酸からグルタミンを合成するグルタミン合成酵素では，グルタミンの濃度が高い場合には，活性中心の近くに位置するチロシン残基がアデニリル化（AMP の結合）され，酵素活性が低下する．さらに，この酵素はアロステリック酵素でもあり，アデニリル化は様々なアロステリックエフェクターに対する感受性をも増大させる．

i. 発酵生産と微生物代謝産物の利用

工業生産の意味では，大スケールで微生物を利用して生産物を得ることを発酵と呼んでいる．したがって，生化学的な意味での発酵とは異なる意味で使われていて，実際に好気的過程による場合が多い．

微生物による生産物は，一次代謝産物と二次代謝産物に分けて考えることができる．一次代謝産物は，微生物の増殖過程で生産され，微生物自身の増殖にとっ

て必要な物質である．例えば，生化学的な意味での「発酵」によってつくられるアルコールや乳酸がよい例である．二次代謝産物は，増殖期の終わりか定常期で生産され，微生物自身の増殖には関与しない．例えば，抗生物質があげられる．

工業的な発酵では，大型のタンクを用いた大スケールでの微生物の増殖と生産が必要となり，研究室レベルでの培養とは異なった課題が存在する．二つの主要な問題は，微生物の増殖と代謝の結果生じた熱を取り除くことと，酸素の供給である．発酵のプロセスの多くが好気的過程のため，無菌空気を通気することや，培養液を撹拌することが行われている．

発酵による生産物のいくつかの例を表II-6にまとめた．抗生物質，ビタミン，アミノ酸の生産が典型例である．食酢は，アルコールを原料に*Acetobacter*属や*Gluconobacter*属によって好気的条件でつくられる．発酵によって生産されるものは，低分子化合物とは限らず，高分子である酵素や菌体自体が製品となる場合もある．例えば，様々な目的でプロテアーゼが生産されているが，洗濯洗剤に含まれアルカリ性で活性があるプロテアーゼも一例である．また，遺伝子操作に欠かせないDNAポリメラーゼや診断用試験紙に用いられるグルコースオキシダーゼも発酵で生産されている．

生産量を上げるために，微生物学的な工夫も必要である．例えば，リシンを生産する場合では，あらかじめリシンの類縁体を含む選択培地で培養し，リシンによるフィードバック阻害を受けない変異株を選択しておく．このような変異株を用いると，つくられたリシンによってアスパルトキナーゼが阻害されないため，大量のリシンを生産させることが可能となる．

表II-6 発酵による工業生産

生産物の種類	生産物の具体例
抗生物質	ペニシリン，テトラサイクリン，カナマイシン，エリスロマイシン
ビタミン	ビタミンB_{12}，リボフラビン
アミノ酸	グルタミン酸，リシン
食酢	
クエン酸	
アルコール飲料	ワイン，ビール
酵素	プロテアーゼ，グルコースオキシダーゼ，DNAポリメラーゼ
菌体自身	乾燥酵母

4 細菌の行動と適応

a. 細菌の運動性と集団生活

(i) 細菌の運動

鞭毛flagellaをもった細菌は，液体中では泳ぐことができる．これは，鞭毛をスクリューとして回転させることによる．周毛性細菌では細菌の後部からみて反時計回りに鞭毛の束を協調的に回転させると前進できる．一部の鞭毛の回転方向が逆転すると，鞭毛がほどけて細菌は前進できない．よって，細菌は前進と停滞を繰り返して移動することとなる．細菌の極に鞭毛をもったものでは，反時計回りで前進，時計回りで後退できるものや，時計回りで前進するが後退はできないものも知られている．

真核細胞でも，精子のように鞭毛を使って泳ぐことのできる細胞がある．しかし，真核細胞の鞭毛は微小管からできており，スクリューの回転運動ではなくむち打ち型の交互運動である．

物体の表面に付着しながら鞭毛スクリューとは異なったしくみによって細菌が移動することも知られている．これはglidingと呼ばれている．*Mycoplasma mobile*などのマイコプラズマはスパイク（接着器官）を介して宿主細胞表面に結合と解離を繰り返して細胞を前に押し出して滑走している．

(ii) 細菌の集団生活

細菌は，個別に生存できるが，物体の表面に付着した細菌がコミュニティーをつくって生息することも知られている．例えば，流れのある環境で物体表面に少数の細菌が付着して増殖し，ある細胞密度に到達すると，細菌同士のコミュニケーションを経て，細胞外に分泌された多糖類に包まれた細菌集団が形成される場合がある．これをバイオフィルム biofilmという．

バイオフィルム内の細菌は，宿主免疫系や抗菌物質からの攻撃を逃れ，消毒薬や抗生物質・抗菌薬の作用も受けにくい．したがって，医学的にも大きな問題である．例をあげると，歯垢は典型的なバイオフィルム

であり，その結果虫歯や歯周病に発展する．歯垢は単純なバイオフィルムではなく，複数の菌種からなる生態系を構築している．Actinobacteria 門の Corynebacterium 属の細菌が歯の表面近くで足場となり，その外側に Firmicutes 門の Streptococcus 属，Bacteroidetes 門の Porphylomonas 属および Fusobacteria 門の Fusobacterium 属の細菌が定着している．これは細菌の分類が可能な蛍光 DNA-プローブを用いた蛍光顕微鏡観察に基づく知見である．ちなみに Fusobacterium はグラム陰性偏性嫌気性桿菌で，環境中の堆積物，ヒトでは常在細菌として口腔や消化管粘膜に検出される（図 II-2）．F. nucleatum が歯周病患者にしばしば認められることや，この細菌が大腸がん細胞の増殖を促進するなど，病気に関連した報告がなされている．さらに深刻なのは，治療用のインプラント（生体に埋め込まれた治療用の器具など）の表面に生じるバイオフィルムである．導尿カテーテルや長期的なインプラントとして人工関節があげられる．

病原細菌としてバイオフィルム形成を起こすものの代表例としては，Pseudomonas aeruginosa, Staphylococcus aureus, Staphylococcus epidermidis などがあげられる．また，水道管などの環境衛生上のインフラにもバイオフィルムは生じ得る．通常は無害な細菌のバイオフィルムであるが，例えば病原細菌の Vibrio cholerae のバイオフィルムが形成される可能性も懸念されている．

(iii) 常在細菌叢，ニッチ，フィットネス

ヒトには常在細菌として100兆個（10^{14}）程度の細菌が共生しており，これはヒトの細胞の総数より多い．ある個人に共生している微生物集団全体を microbiome と呼び，体の特定の部位ごとの共生微生物集団を microbiota と呼んでいる．すなわち，皮膚，口腔，泌尿生殖器，消化管ごとに microbiota が異なる．細菌にとっては体の特定の部位がニッチである．ニッチはむしろ「すみか」と訳したほうがわかりやすい．すみかの環境に適応して繁殖することをフィットネス fitness という．

Microbiota の中でとくに注目されているのが腸内細菌叢である．消化管では，小腸の下部から大腸において，細菌の大半が生息している．Bacteroidetes 門，Firmicutes 門が合わせて90％程度を占め，3番目が Proteobacteria 門である．

腸内細菌はヒトの健康にとって有用な働きもする．ビタミン K およびビタミン B_{12} は，腸内細菌が生産して大腸から吸収される．また腸内細菌は，ヒトが消化できない食物繊維を利用して嫌気的環境下で発酵により短鎖脂肪酸をつくる．短鎖脂肪酸は吸収されてエネルギー源として使われるのみならず，腸の受容体を介して生理作用を発揮する．

腸内細菌がヒトの健康に及ぼす影響についていくつか説明を加える．実験的な結果ではあるが，一人が肥満だが，もう一人は肥満ではない一卵性双生児の糞便材料（腸内細菌が入っている）を無菌マウスの腸内に移植し，食物繊維に富んだ飼料で飼育した．肥満のヒトの腸内細菌叢を移植されたマウスのみが肥満となったことが報告されている．肥満の要因となる腸内細菌叢が後天的に形成されてきたことが示唆された．炎症性腸疾患（inflammatory bowel disease：IBD）は，クローン病と潰瘍性大腸炎を総称した消化管の慢性炎症性疾患である．一卵性双生児の両方が必ずしも発症しないので，遺伝的要因があるものの環境要因の重要性が指摘されている．どの細菌種が肥満や IBD の原因となるのかは特定できていないが，細菌を含む微生物集団が構成する生態系のバランスが重要と考えられている．例えば，IBD の患者と健常人の腸内細菌の多様性を比べると，IBD 患者で多様性が低下している．常在細菌叢のバランスが崩れた状態を dysbiosis という．

さらに実験的な結果として，遺伝子変異により筋萎縮性側索硬化症 amyotrophic lateral sclerosis（ALS）を発症しやすい遺伝子改変マウスでは，飼育環境の違いにより発症時期が異なっている．早く発症して短命となる環境では，脊髄への免疫細胞の浸潤やミクログリア細胞の活性化が進み，中枢で炎症が進行している．この飼育環境では腸内細菌の多様性が低い．一方発症が遅い環境では，腸内細菌の多様性が保たれている．

治療面での試みとしては，毒素原性 Clostridioides difficile（現在では，Clostridiaceae 科ではなく，Peptostreptococcaceae 科の Closridioides 属に分類）による大腸炎患者において，上部大腸への大腸内視鏡を用いた

健常人の糞便移植が有効であり，再発防止に成功している．移植材料は分注/凍結保存して利用できる．移植材料のドナー側には，血液提供と同様な病原微生物についてのスクリーニングが必要である．

b. 二成分制御系

細菌は，環境の変化に対応した外界からのシグナルを感知し，代謝経路や行動を変更させることができる．シグナルの例としては，温度変化，pHの変化，酸素濃度の変化，浸透圧の変化，栄養素の存在，化学物質の存在，細菌の細胞密度などをあげることができる．とくに細胞密度を感知して，細菌の行動に変化をもたらす機構を菌体密度感知機構（クオラムセンシング quorum sensing）という（p.44 参照）．

シグナルの一部は，低分子物質として細胞内に入った後に，細胞内のリガンド結合タンパク質と結合して複合体を生じ，この複合体が遺伝子発現を調節している場合もある．もう一つの重要な制御機構として，外界からのシグナルを受容したのち，細胞内へシグナルを伝達するシステムを利用している場合がある．これを，**二成分制御系** two-component system という．

二成分制御系は，名前が示す通り外界からのシグナルを感知する役割のタンパク質である**センサーキナーゼ** sensor kinase と，センサーキナーゼからの情報を受け取って作用を発揮する **response regulator** からなっている．二成分制御系を模式的に示した（**図 II-25**）．センサーキナーゼは，細胞質膜を貫通するタンパク質として外界からのシグナルを感知する場合と，別の膜貫通型受容体の細胞質ドメインに非共有結合した細胞質内のタンパク質である場合の両方がある．シグナルが受容されると，ATPを利用してセンサーキナーゼの特定のヒスチジン残基に自己リン酸化が起きる．このリン酸基は response regulator にリレーされ，response regulator のリン酸化が起こり，標的となる生物活性が調節される．

シグナル伝達の結果の一つは，response regulator が転写調節因子として働いて，様々な遺伝子の発現を調節する場合がある．この場合の特徴として，複数の遺伝子の発現に対して包括的な影響がもたらされる．このように，環境の変化に対応して多くの異なった遺伝

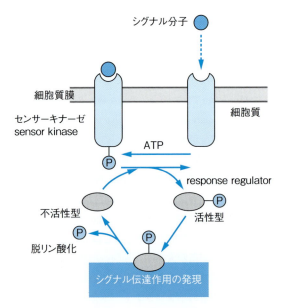

図 II-25　二成分制御系

子群の発現が調節されることを **global control** と呼んでいる．とくに，一つの転写調節因子の支配下にある遺伝子単位（転写単位：オペロン）の集合を**レギュロン** regulon という．

二成分制御系からのシグナル伝達の効果は，必ずしも遺伝子発現に限定されてはいない．例えば，細菌の運動方向を，誘引物質や忌避物質の濃度勾配を読み取って変化させる走化性 chemotaxis もその一例である．

c. トランスポーター（輸送体）

細胞質膜は，疎水性物質の透過を可能とするが，親水性物質や電荷をもった物質を透過させない．質量の小さなプロトン（H^+）も通過できない．水分子は例外的に透過性が高いが，その理由の一つにアクアポリン aquaporin という水チャネルの存在があげられる．栄養素を取り込み，老廃物を廃棄するためには，物質の濃度勾配に逆らった**能動輸送**が必要となる．この場合には，エネルギーを利用した**トランスポーター** transporter が必要である．トランスポーターは，細胞質膜を貫通する分子であり，生体膜を横切った物質の輸送が可能となる．物質が単独で輸送される場合を単輸送 uniport，二つの物質が同一方向に輸送される場

合を共輸送 symport，二つの物質が反対方向に輸送される場合を対向輸送 antiport という（図 II-26a）．また，濃度勾配に逆らうためのエネルギー供給のしかたで，3 種類に分けられる（図 II-26b）．細菌のエネルギー代謝の結果，プロトン濃度は細胞内よりも細胞外で高くなっている．プロトン濃度勾配というエネルギー蓄積機構を利用して，プロトンとともに共輸送あるいは対向輸送される場合を，単純輸送 simple transport という．また，ATP の加水分解エネルギーを利用する場合を，ATP-binding cassette（ABC）システムという．以上の場合には，細胞質膜を通過する前後で物質の性状に変化はない．これに対して，細胞質膜を通過した後，物質に何らかの修飾が加えられる場合がある．例えば，大腸菌におけるグルコースの取り込みのように，細胞外のグルコースが細胞質膜を透過した後にはグルコース 6-リン酸となる場合である．輸送のためのエネルギーおよびリン酸基は，ホスホエノールピルビン酸の高エネルギーリン酸結合から供給される．このように細胞質膜の通過にともなって物質に修飾が加えられる場合を，グループ転移 group translocation という．

病原細菌の場合，とくに薬剤耐性機構の一つとしてトランスポーターの役割が重要である．すなわち，抗生物質，抗菌薬，消毒薬など細菌にとって有害な物質を細胞内から細胞外へ排出することで耐性を発揮する．トランスポーターの性格として，構造的に類似した物質を専門に排出するタイプ（例えばテトラサイクリン排出タンパク質）と，構造的に類似していない様々な物質を排出する多剤耐性 multidrug resistance（MDR）トランスポーターがあり，とくに後者は多剤耐性菌が出現する大きな原因となっている．MDR トランスポーターには，プロトン濃度勾配を利用する secondary multidrug transporter と，ATP の加水分解エネルギーを利用する ABC 型 MDR トランスポーターがある．前者にはいくつかのファミリーが存在するが，major facilitator superfamily（MFS）と resistance-nodulation-cell division（RND）family を代表例としてあげることができる．MFS には，12 回膜貫通部位をもつタイプと 14 回膜貫通部位をもつタイプがある．MFS は，グラム陽性菌，グラム陰性菌の両方がもっている．一方，RND ファミリーは，グラム陰性菌に特有である．グラム陰性菌には，細胞質膜以外に外膜というもう一つのバリアーがある．RND ファミリーを含むトランスポーターシステムは，細胞質膜のポンプとし

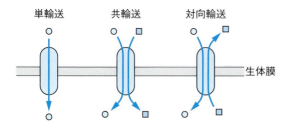

a. 輸送の種類

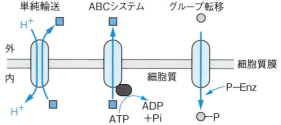

b. 輸送のためのエネルギー供給

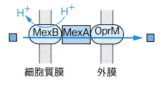

c. グラム陰性菌の多剤耐性トランスポーター（RND ファミリー）

Pseudomonas aeruginosa

図 II-26　トランスポーターの模式図

て12回膜貫通型タンパク質，外膜のチャネルタンパク質およびそれらを連結している融合タンパク質 membrane fusion protein からなり，細胞質から一気に細胞外に薬剤を排出する．例えば，耐性機構として外膜の著しく低い透過性（外膜ポーリンの特性）と基質特異性の著しく広い薬剤排出トランスポーターで有名なグラム陰性菌 Pseudomonas aeruginosa を例にあげると，MexB という RND ファミリーの細胞質膜ポンプ，MexA という融合タンパク質，OprM という外膜チャネルから構成されるシステムがあり，薬剤を一気にくみ出す（図II-26c）．また，これらの三つのタンパク質は一つの遺伝子単位としてコードされており，遺伝子発現が一括して調節されている（p. 52 オペロン参照）．

d. タンパク質分泌機構

細胞内から細胞外に排出されるものは，低分子物質ばかりではない．DNA やタンパク質を**分泌**する機構が存在する．それらには，菌体外で働く様々な分解酵素，毒素，その他宿主細胞に影響を与える病原因子が含まれるが，一般にエフェクター分子 effector molecule と呼ばれている．

真核細胞では，細胞外にタンパク質が分泌される場合，小胞体膜の通過がポイントである．小胞体内部に入ったタンパク質は，ゴルジ体，分泌小胞を経由して，最終的に分泌小胞と細胞膜が融合することで，細胞外に分泌される．小胞体膜の通過は，タンパク質の翻訳過程と共役して行われるのが普通である．小胞体膜の通過に関与する装置を，一般的に **Sec translocon** という．Sec translocon は，細菌，酵母からその他の真核細胞まで，進化的に保存された分泌装置である．Sec は，細胞質膜を貫通する構造タンパク質，膜通過のエネルギーを供給するための ATPase，分泌されるタンパク質が細胞質膜を通過した後シグナルペプチドを切断するためのシグナルペプチダーゼ，細胞質のシャペロン（分子の高次構造を整えて変性を防ぐ作用をもつタンパク質）から構成される．細菌の場合，細胞質膜を通過する場合に Sec translocon が使われている場合と，Sec に依存しない経路が存在する．

ところで，「分泌 secretion」という用語は誤解が多いため，注意が必要である．分泌とは，細胞内から細胞外にタンパク質が輸送されることを意味する．一方，生体膜を横切ってタンパク質が輸送されることは，translocation という．グラム陽性菌では，細胞質膜のみであるため，translocation すなわち分泌となる．ところが，グラム陰性菌ではもう一つの生体膜である外膜があるため，細胞質膜の translocation は，分泌と同義ではない．グラム陰性菌において細胞質からペリプラズムにタンパク質が輸送されることを輸出 export と呼んでいる．したがって，グラム陰性菌の場合，外膜を通過して初めて「分泌」と呼ぶことができる．type VII 分泌装置以外はグラム陰性菌の分泌装置であり，それぞれ外膜の通過機構が異なる（図II-27）．

type I 分泌装置は，外膜のポーリンタンパク質，膜融合タンパク質，細胞質膜の **ABC トランスポーター** から構成され，連続したチャネルが形成されるため基本的にはペリプラズムの中間体を介さずに細胞質から細胞外に直接タンパク質を分泌できる．E. coli の α-ヘモリジン（HlyA）の分泌が一例としてあげられる．しかし，Sec によってペリプラズムに輸出された後，type I 分泌装置を介して分泌される場合もあるとされている．

type II 分泌装置は，二段階の分泌過程専用である．細胞質膜の通過は，Sec または Tat という別の装置を介して行われる．外膜に挿入された専用の装置（secreton と総称）を通過してペリプラズムからタンパク質が分泌される．type II 分泌装置全体としては，細胞質膜と外膜の両方をまたいで構築されており，細胞質で ATP を加水分解することで分泌のためのエネルギーが供給される．しかしながら，細胞質から一段階でタンパク質を分泌することはない．V. cholerae のコレラトキシンの分泌が一例としてあげられる．

type III 分泌装置は，細胞質膜と外膜を貫通した注射針のような構造物を介して，Sec に依存せずに細胞質から細胞外に分泌する装置である．とくに，標的となる真核細胞の細胞質内に注射針様構造を介して直接タンパク質（**エフェクター分子**）を注入することができる．いくつかの病原細菌の**毒力 virulence** に深く関与しており，関心を集めている．細胞質膜と外膜にある構造は，グラム陰性菌の鞭毛の基部と類似した構造である．また，type III 分泌装置は，細菌の染色体あるい

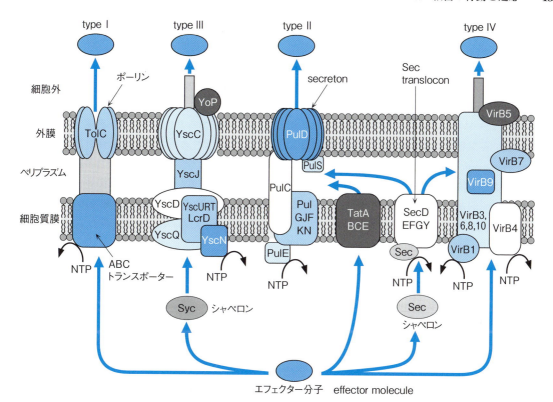

図 II-27 グラム陰性菌の分泌装置
[I.R. Henderson *et al.*：Microbiol. Mol. Biol. Rev., **68**: 692-744, 2004 を参考に作成]

はプラスミドの単一の遺伝子座にコードされており，種を越えて構造がよく保存されている．分泌のためのエネルギーは，ATPの加水分解による．標的細胞内に直接注入されるタンパク質の例として，*Yersinia* 属菌のYopEをあげることができる．この分子は，真核細胞のRhoファミリーに属する低分子量Gタンパク質に対してGTPase-activating protein（GAP）の活性をもち，Gタンパク質をGDP型すなわちスイッチオフの状態にする．Rhoファミリーの分子は，アクチンフィラメントの重合・脱重合を調節しているが，スイッチオフの状態ではアクチンを脱重合させる結果となる．宿主免疫細胞であるマクロファージは，細菌を貪食して細胞内で殺菌することで防御の最前線の役割を果たすが，貪食過程に必須であるアクチンの重合が妨げられることで細菌を貪食できなくなるので，*Yersinia* 属菌は宿主免疫系を回避することができる．

type IV 分泌装置は，細菌同士あるいは細菌から真核細胞に対してDNAやタンパク質を注入する分泌装置である．この装置は，線毛構造を通して細胞外に分泌する機構を有するが，大腸菌でよく研究されている細菌から細菌へプラスミドを移動させる接合 conjugation の機構と類似している．植物の病原細菌である *Agrobacterium tumefaciens* では，標的植物に腫瘍を形成させるT-DNAと数種類のタンパク質複合体を注入する．また，動物のいくつかの病原細菌においても，病原性に関与するタンパク質因子の分泌，宿主細胞への注入に関与している．*Helicobacter pylori, Legionella pneumophila, Rickettsia prowazekii, Brucella suis, Bartonella henselae, Bordetella pertussis* において知られている．分泌のためのエネルギーとして，ATPの加水分解エネルギーが使われる．細胞質から宿主細胞の細胞質への一段階での直接注入ができるが，*B. pertussis* における pertussis toxin の分泌の場合には，Sec装置で一度ペリプラズムに輸出された後，細胞外に分泌される．

図には示していないが，type V 分泌装置は，Sec 装置で輸出されたポリペプチド自身が外膜の通過機構の一端を担う分泌機構である．ポリペプチド鎖の一部に外膜を通過するための β-barrel 構造がコードされている場合（autotransporter）と β-barrel 構造が別のポリペプチドにコードされていて，分泌されるタンパク質と同時期に Sec 装置によってペリプラズムに運ばれる two-partner secretion system がある．いずれにせよ，Sec 装置によって輸出されシグナルペプチドが切断された後，β-barrel 構造が外膜に挿入され，孔が形成される．この孔を通って本体が分泌される．一例として，Neisseria gonorrhoeae の IgA1 プロテアーゼがあげられる．N 末端側にシグナルペプチド，続いてプロテアーゼ本体があり，C 末端側には β-barrel 構造がコードされている．外膜に β-barrel 構造がつくった孔を通ってプロテアーゼ本体が通過した後，IgA1 プロテアーゼは自己消化によって可溶性となって細胞外に遊離する．

近年，type VI ～ type IX 分泌装置の存在が知られるようになった．

type VI 分泌装置は，Sec 非依存的な分泌装置で，Vibrio cholerae や Pseudomonas aeruginosa の毒力因子 virulence factor の分泌に関わっている．バクテリオファージ T4 がもつ細菌内への注入装置と構造の類似性がある．環境内での生存競争で優位に立つべく，周囲のグラム陰性菌のペリプラズムにペプチドグリカン分解酵素を送達する装置でもある．

type VII 分泌装置は，グラム陽性菌にのみある Sec 非依存的分泌装置であり，Mycobacterium tuberculosis や Staphylococcus aureus で存在が知られている．結核菌には存在するが，ワクチン株である BCG には存在しないなど，毒力の発揮に重要であることが知られている．

type VIII 分泌装置は，細菌から機能性アミロイド curli を分泌する外膜の装置である．curli の単量体は部分的に折り畳まれた状態で外膜を通過し，細胞外で自己集合して機能的アミロイドとなる．細菌の接着，バイオフィルム形成，環境ストレスからの保護に働く．curli の単量体がペリプラズムにおいて未熟段階でオリゴマー形成すると，病的なアミロイドとして細胞死を誘導する．アルツハイマー病やパーキンソン病に代表される病的アミロイド形成の阻止モデルとしても注目されている．

type IX 分泌装置は，Bacteroidetes 門に特異的である．歯周病菌の Porphyromonas gingivalis では，病原因子の一つであるタンパク質分解酵素 gingipain の分泌に働く．運動性のある Flavobacterium johnsoniae では，キチナーゼの分泌に働くほか，gliding motility（p. 38 細菌の運動の項参照）に必要な接着分子 adhesin の細胞外分泌に働く．腸内嫌気性細菌の Bacteroides thetaiotaomicron や Bacteroides fragilis は type IX 分泌装置をもたない．

e． クオラムセンシング（菌体密度感知機構）

細菌は，孤立して生存増殖できるが，細胞集団として相互にコミュニケートする能力をもっていることがわかってきた．すなわち，同類の細菌の菌体密度を感知して，行動を変化させることができる．これをクオラムセンシング quorum sensing という．quorum とは，議会などの定数のことである．細菌は，同種であることを仲間に知らせるオートインデューサー autoinducer（AI）と呼ばれる低分子化合物を合成する（図 II-28）．近くにいる仲間の細菌は，AI に対する受容体を介して遺伝子の発現を変化させ，行動を変化させる．すなわち，菌体密度を感知した結果，細菌集団としてまとまった行動をとることとなる．

クオラムセンシングは，病原細菌の挙動にも関与していることがわかってきた．例えば，日和見感染の病原体として知られる Pseudomonas aeruginosa は，バイオフィルムを形成するので有名であるが，菌体密度が高くなったときに AI である acylated homoserine lactone（AHL）を介したシグナルがバイオフィルムの形成に関与していることが知られている．消化管感染症を起こす病原細菌の Vibrio cholerae でも，クオラムセンシングがコレラ毒素や腸管でのコロニー形成に必要な線毛遺伝子の発現を制御しており，次の感染サイクルに入るために宿主から感染性が高い状態で細菌が脱出することに関与しているらしい．また，グラム陽性菌の Staphylococcus aureus や S. epidermidis でも，ペプチド性の AI が関与し，二成分制御系を含む複雑なクオラム

a. *N*-acylhomoserine lactone（AHL）の例

3-oxo-C$_8$-homoserine lactone

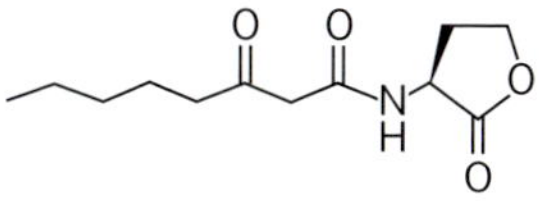

C$_4$-homoserine lactone

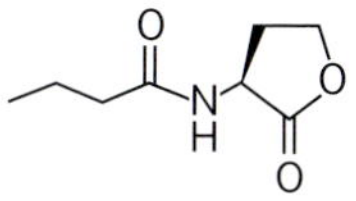

b. 紅藻 *Delisea pulchra* 由来の halogenated furanone の例

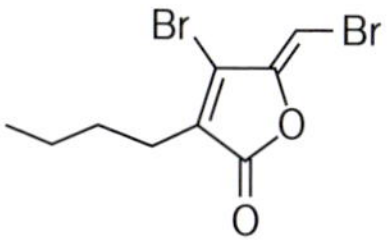

図 II-28 クオラムセンシングのシグナル分子 autoinducer である AHL および真核細胞がつくるアナログ分子の例

センシングによって，病原性に関与する様々な分子の合成が制御されている．

最近，クオラムセンシングのシグナル分子である AHL の産生自体が，外部からの刺激によっても制御されていることがわかってきた．すなわち，細菌は外部環境の変化を感知し，クオラムセンシングを利用して，仲間の細菌に協調した応答を起こさせている．例えば，*Pseudomonas aeruginosa* では，宿主の防御免疫に関与する可溶性タンパク質因子であるサイトカインの一つのインターフェロン-γ（IFN-γ）が，外膜のポーリンタンパク質の OprF によって認識され，何らかのシグナル伝達経路の結果，AHL の合成に関わる遺伝子が活性化される．その結果つくられた AHL は細菌外に拡散し，近くの仲間の細菌に働きかけ，毒力因子である *Pseudomonas aeruginosa* lectin I（PA-I あるいは *lecA*）や pyocyanin の産生を誘導し，宿主にダメージを与えるのである．

一方で，動物側も無関心ではなく，細菌の出す AI による交信を傍受して自然免疫応答が誘導される．動物側の受容体としては，芳香族炭化水素受容体（AhR）が提唱されている．細菌側の AI にも種類があり，細菌密度に応じて違う AI 分子が放出される．*P. aeruginosa* では，細菌が密集して毒力が高くなった段階で放出される AI 分子が最も強く AhR を活性化し，宿主に炎症応答を誘導することが報告されている．

真核細胞とくに植物から，クオラムセンシングを妨害する分子アナログが産生されることがわかってきた（**図 II-28**）．これらは，細菌間のコミュニケーションを妨害することで，病気の治療に役立つ新たな戦略として期待されている．

第III章 細菌の遺伝学

1 細菌の遺伝子

　一部のウイルスなどを除いて全ての生物は, 遺伝物質としてDNAを有している. 通常DNA分子は二重らせん構造で, 向かい合った鎖はアデニン (A) とチミン (T) またはグアニン (G) とシトシン (C) が対をなし, 相補的な構造をとっている. したがって二本の鎖は互いに逆向きで, 10組の塩基対で一回転して, そのときらせんに大きな溝 (主溝) major grooveと小さな溝 (副溝) minor grooveが現れる (**図III-1**). ここは, ときにタンパク質や薬物がDNAと相互作用する場所となる. 多くの細菌は環状の長いDNA分子である染色体chromosomeを細胞内に一つもつが, コレラ菌やレプトスピラには二本の環状染色体が存在する. また, ボレリア属細菌やアグロバクテリウム細菌は線状の染色体を有することが知られている. 細菌の遺伝子はこの染色体の他, **プラスミドDNA** plasmid DNAと呼ばれる細胞質因子を有することがある.

a. 染色体DNA chromosomal DNA

　細菌染色体の大きさは菌種により異なる. 今日知られている細菌染色体で最小のものは *Mycoplasma genitalium* (580 kbp, base pair, 塩基対, 1 kbpは1,000 bp), 最大は *Myxococcus xanthus* の 9 Mbp (mega bp = 1,000 kbp) である. 細胞内にあって細菌に必須でないDNA分子がプラスミドであるが, プラスミドにも 1 Mbpを超える大きさのものがある. 染色体は, 二重らせん

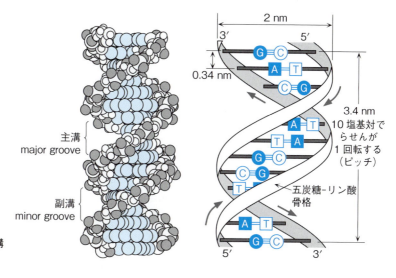

図III-1　DNAの二重らせん構造の模式図

がさらに高度によじれてスーパーコイル supercoil を形成し，さらにヒストン様の塩基性タンパク質 histone like protein と結合して核様体 nucleoid 構造をとり，細胞内に収容されている．この構造は固定されたものでなく，複製や転写の際には必要に応じて解消または再形成される．スーパーコイルを形成する酵素を DNA ジャイレース DNA gyrase と呼び，これは DNA らせんの立体的構造変換を行うトポイソメラーゼ topo-isomerase の一種である．

b. 染色体の複製 replication

染色体の二本鎖はそれぞれの鎖が鋳型 template となり，相補的に合成されて二つの二本鎖 DNA となる．これは半分が新しく合成されることから半保存的複製 semiconservative replication と呼ばれる．

(i) 複製開始

複製は開始領域 *Ori* にある DnaA box と呼ばれる特別な塩基配列に DnaA タンパク質が結合してらせん構造がゆるみ，二本鎖が部分的に解離することからはじまる．DnaA タンパク質は 20 分子以上結合し，近傍の AT に富む領域が一本鎖に解離して複製開始の準備状態となる．ヘリカーゼ helicase は通常は不活性な状態にあるがこの一本鎖部分に結合後，阻害タンパク質である DnaC が離れ活性な分子となり二本鎖をほどく（図 III-2）．十分な長さの一本鎖ができるとプライマーゼ primase も結合してプライモソーム primosome を形成する．

(ii) DNA 合成

DNA 合成は二重らせん構造がほどかれ，それぞれの一本鎖 DNA の塩基配列に相補的 complementary な新しい DNA 鎖が合成される．これにより正確に同じ塩基配列をもつ二つの二本鎖 DNA がつくられる．DNA ポリメラーゼ DNA polymerase の働きによる DNA 合成の基本となる化学反応は，鋳型 DNA の塩基に対応するデオキシリボヌクレオチド三リン酸のモノリン酸部分と既存のプライマーの 3′ 末端のヒドロキシ基の間にリン酸ジエステル結合が形成され，ピロリン酸が遊離することである（図 III-3）．したがって

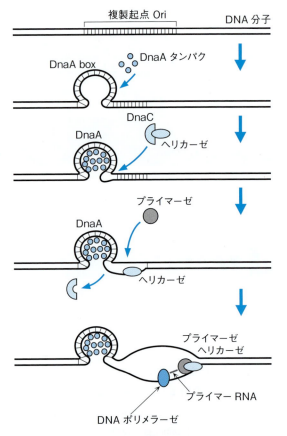

図 III-2 複製の開始
複製起点に開始タンパク質（DnaA）が結合した後，ヘリカーゼ（DnaB）が AT の多い領域に結合する．ヘリカーゼは通常は阻害タンパク質（DnaC）が結合しているが，DNA 鎖に付着した後阻害タンパク質は離れ活性化する．ヘリカーゼが DNA 分子を一本鎖にするとプライマーゼ（DnaG）が短鎖 RNA を合成，つづいて DNA ポリメラーゼの二本鎖合成がはじまる．

ヌクレオチドの重合による DNA の生合成のためにはプライマーの 3′-OH 末端が必要で，合成される方向は常に 5′→3′ である．

(iii) 複製の進行

複製の進行に関与する酵素には，鎖のよじれを戻すトポイソメラーゼ，二本鎖 DNA を解離させるヘリカーゼ，プライマー RNA を合成するプライマーゼ，DNA 合成の主役で相補的なヌクレオチドを付加する DNA ポリメラーゼ III などがある．

DNA の合成方向は 5′→3′ であるから，一方の鎖で

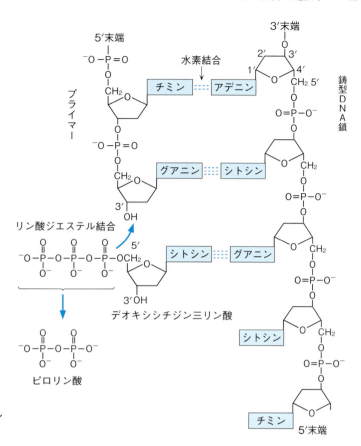

図 III-3 DNA ポリメラーゼによるリン酸ジエステル結合の形成

は「らせん」がほどけるにしたがって合成が連続的に行われる (leading 鎖) が，相対する鎖 (lagging 鎖) では合成方向は逆になる．この逆向きの DNA 合成は約 1,000 塩基の単位で不連続に行われ，この断片は発見者の名を取って岡崎フラグメント Okazaki fragment と呼ばれる．この lagging 鎖では DNA 合成に先立って短鎖のプライマー RNA が合成され，つづいて DNA ポリメラーゼ III により DNA が合成される．後にプライマー RNA は分解除去され，あとは DNA で埋められる．この両方の働きは DNA ポリメラーゼ I が行い，最後に DNA リガーゼ DNA ligase がリン酸ジエステル結合を形成して連続した DNA が合成される．複製が行われている部分を複製フォーク replication fork という (図 III-4)．

DNA ポリメラーゼには合成活性のみならず，間違った塩基を付加した場合にこれを切り出して除去するエキソヌクレアーゼ exonuclease 活性があるために DNA 複製はいっそう正確なものになる．

(iv) 複製の終了

細菌の DNA 複製は *Ori* から双方向に進むので，染色体の合成はちょうど対局に存在する *terC* で終了する．この地点には複製の進行を止める Ter 配列があり，この配列に Tus タンパク質が特異的に結合し，ヘリカーゼ活性が阻害されることによって複製が停止する．複製は 1 秒間に約 1,000 塩基で，大腸菌の染色体ならば 40 分ほどで終わる．

c. 遺伝子発現 gene expression

通常細菌染色体にはその細胞をつくるために必要な全ての情報が DNA として保存されている．遺伝子発現は DNA から RNA を合成する段階と，タンパク質を合成する段階に分けることができる．

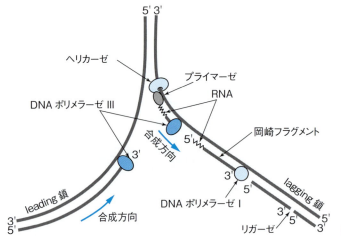

図 III-4　DNA の合成

(i) 転　写 transcription

　基本的に遺伝子 gene は，タンパク質となる**構造遺伝子** structural gene（SG）と，上流に存在する**プロモーター** promoter（P），下流にある**ターミネーター** terminator（T）から構成される．構造遺伝子は三つの塩基の組，**コドン** codon が一つのアミノ酸に相当し，ほとんどの場合転写開始コドン ATG からはじまり終止コドン TAA, TAG, TGA で終わる．開始コドンの直前には**リボソーム結合領域** Shine–Dalgarno（SD）配列があり，翻訳開始シグナルとなる（**図 III-5**）．多くの場合プロモーター活性はアクチベーター activator とリプレッサー repressor という 2 種類のシグナルタンパクによって調節される（後述のオペロンを参照）．

　構造遺伝子のもつ情報は転写 transcription されて**メッセンジャー RNA** messenger RNA（**mRNA**）に写し取られる．この転写は **DNA 依存性 RNA ポリメラーゼ** DNA dependent RNA polymerase がプロモーター領域に結合することにより開始される．細菌のプロモーターは RNA 合成開始点からそれぞれ 10（−10 領域）または 35 塩基（−35 領域）さかのぼった領域の組み合わせからなっている．−10 領域では TATAAT，−35 領域は TTGACA という配列がよく出現する．細菌の RNA ポリメラーゼは五つのサブユニットから構成されるタンパク質で RNA 合成の本体をなすが，プロモーターの転写シグナルを認識するタンパク質は**σ（シグマ）因子** sigma factor である．mRNA の合成がはじまると σ タンパク質は RNA ポリメラーゼから離れる．大腸菌では 5 種類の σ 因子が知られており，転写の開始と調節に中心的な役割を担っている．

　mRNA が合成されはじめるとすぐに GGAGG あるいは類似の配列が現れる．これが SD 配列で，リボソームの 30S サブユニットを構成する 16S rRNA と相補的である．SD 配列でリボソームと結合するとすぐ下流にタンパク質合成の開始コドンが現れて，mRNA の遺伝情報はアミノ酸配列に置き換えられる．

　転写の終了にはいくつかの場合があるが，その一つとして，G, C の塩基が多い逆向きの繰り返し配列，**パリンドローム** palindrome と T の連続配列があって，この配列で mRNA がヘアピン構造といわれる分子内水素結合による二次構造をつくり，RNA ポリメラーゼが鋳型 DNA から離れる．このような転写終了シグナル配列をターミネーター（終結シグナル）と呼ぶ．また，このような構造が不完全な部位での転写終結は，ρ（ロー）因子などの転写終結因子によって行われる．

(ii) 翻訳（タンパク質合成）translation

　原核生物では合成された mRNA はすぐにタンパク質合成に用いられたのち速やかに分解される．mRNA は細胞内での代謝が速く，大腸菌では全 RNA の 2〜3% を占めるにすぎない．RNA の大部分は**リボソーム RNA** ribosomal RNA（**rRNA**）で，タンパク質合成の場となるリボソームを構成する成分である．リボソー

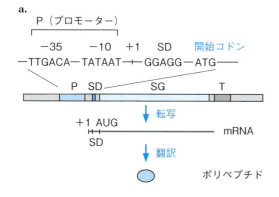

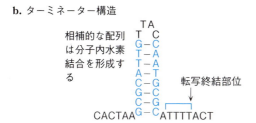

図 III-5 遺伝子の基本構成
RNA ポリメラーゼは σ 因子の助けをかりて，プロモーター（P）に結合する．細菌では構造遺伝子の転写開始点からそれぞれ 10 および 35 塩基上流の配列がプロモーターとして認識される．この認識は，独特の塩基配列により生じるらせんの溝（**図 III-1**）の立体構造の違いによって行われる．転写開始点のすぐ下流にリボソーム RNA と結合する配列（SD）がある．一つのプロモーターで複数の構造遺伝子が転写されることもあり，これをオペロンと呼ぶ．σ 因子は転写がはじまると RNA ポリメラーゼから離れる．よくみられるターミネーター（T）は分子内ヘアピン構造をとるもので，合成された RNA が水素結合によりこの構造になると RNA ポリメラーゼは鋳型 DNA から離れ，転写が終結する．転写を終えたポリメラーゼは再度 σ 因子と結合して新たなプロモーター領域を探す．
SG：構造遺伝子

抗菌薬に対する感受性の差となる．

　他に細胞内にはタンパク質合成のための構成アミノ酸に対応する 20 種以上の**トランスファー RNA** transferRNA（**tRNA, 転移 RNA**）が存在する．これら rRNA や tRNA が恒常的に合成されているのに対し，mRNA は必要に応じて合成される．原核生物では核膜がないので，mRNA が合成されはじめると 5′ 末端側から次々にリボソームが結合して**ポリソーム** polysome を形成し，mRNA 合成とタンパク質合成が同時に進行する（**図 III-6**）．

　タンパク質合成はリボソーム上で行われ，mRNA の塩基配列に対応する配列をもった tRNA が順次アミノ酸を運び，ペプチド結合が形成される．転写は DNA から水素結合によって対合する RNA 塩基に変換され，相補的な配列が伝達される過程である．これに対して，翻訳の場合にはアミノ酸というまったく違った種類の物質に置き換わる過程である．この塩基のならびをアミノ酸のならびに読みかえることが**翻訳** translation である．mRNA のアデニン（A），ウラシル（U），グアニン（G），シトシン（C）の 4 種の塩基が，タンパク質を構成する 20 種のアミノ酸の**遺伝暗号** genetic code になる．このときの変換アダプターの役割をもつものが tRNA である．tRNA は 73 〜 93 個のヌクレオチドからなる一本鎖 RNA であるが，分子内の相補配列で塩基対を形成することでクローバーの葉状の二次構造，L 字型の立体構造をとる．アミノアシル tRNA 合成酵素 aminoacyl tRNA synthetase は，アミノ酸分子をそれぞれに対応した tRNA の 3′ 末端に結合させる．したがって，アミノ酸ごとに特異的なアミノアシル tRNA 合成酵素が存在する．

　mRNA 上の三つの塩基の組み合わせをコドン codon と呼び，水素結合でそれと対応する tRNA の塩基のならびを**アンチコドン**という．**図 III-7** は酵母のフェニルアラニンを運ぶ tRNA 分子を示すが，このアンチコドンは GmAA であり，フェニルアラニンのコドン UUC に対応している．コドンの第 1 文字と第 2 文字は正しく認識されるが，第 3 の文字は特異性が低く，この場合 3 文字目はピリミジン塩基ならばいずれでもよく，UUU もフェニルアラニンのコドンとして認識される．このことを**縮重** degeneracy という．

ム ribosome は細胞内に多く存在する顆粒で，細菌では 30S と 50S の二つのサブユニットからなり，全体としては 70S の沈降係数を示す．30S リボソームは，1 分子の 16S rRNA と 21 分子のリボソームタンパク質，50S リボソームは，5S rRNA，23r RNA がそれぞれ 1 分子と 34 分子のリボソームタンパク質からなり，全体として巨大な高分子複合体を形成している．細菌のリボソームは，80S の真核生物より小さく，このリボソームの構造の違いはタンパク質合成系に作用する

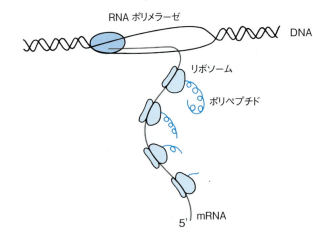

図Ⅲ-6　DNA の転写とタンパク質合成
RNA ポリメラーゼの働きにより DNA 鎖がほどけて一方の鎖に対応する相補的な RNA（mRNA）が合成される．細菌では mRNA が合成されはじめるとすぐ細胞内の遊離リボソームが結合しタンパク質合成がはじまる．mRNA はリボソームが結合しなければすぐに分解されるので細菌の mRNA の代謝時間は短く，通常数分間である．

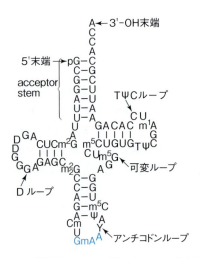

図Ⅲ-7　酵母のフェニルアラニン-tRNA のクローバーモデル

　細菌の開始コドンはほとんどの場合 AUG であるが，GUG や UUG ではじまることもあり，他の生物種やオルガネラでは多様な開始コドンが知られている．AUG はメチオニンを指定するコドンで，最初のメチオニンのみフォルミル化される．フォルミルメチオニン formylmethionine を結合した fMet-tRNA が mRNA-30S リボソーム複合体と結合することからタンパク質合成がはじまる．さらに開始因子（IF1〜3）や GTP，50S リボソームサブユニットが次々に結合して，開始複合体が形成される．開始複合体には mRNA の 5' 側にペプチジル tRNA が結合する P サイトと，3' 側にアミノアシル tRNA が結合する A サイトがあり，A サイトに新しくアミノ酸を結合した tRNA が入る．リボソーム構成 RNA がもつとされるペプチジル転移酵素 peptidyl transferase 作用によって，P サイトから A サイトへペプチド転移が起こり，ペプチド不在となった P サイトの tRNA は離れる．ついで mRNA がコドン一つ分移動して（転座），リボソームの新しい A サイトに次のアミノアシル tRNA が入る（図Ⅲ-8）．このようにして順次アミノ酸を加えながらタンパク質合成が進行していく．コドンのうち UAA，UAG，UGA の 3 種類はどのアミノ酸にも対応せず，タンパク質合成の終了を意味する停止コドン stop codon または終止コドン termination codon と呼ばれる．終止コドンが A サイトに現れると tRNA からタンパク質は切り離され，複合体は解離，mRNA は分解されるがリボソームは次のタンパク質合成に再利用される．

d.　代謝調節

　細胞内で遺伝子発現は調節され，過剰に物質が生産されることがないよう，あるいは必要な酵素は必要なときに必要な量だけ生産される．

(i)　オペロン operon

　真核生物では遺伝子は個々に調節されているが，細菌では複数の遺伝子が一本の mRNA に転写されるオペロンがよくみられる．大腸菌の *lac* operon は，乳糖分解酵素 β-ガラクトシダーゼ，乳糖の透過性を増加

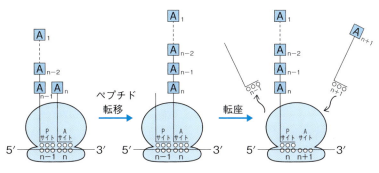

図Ⅲ-8 タンパク質合成の進行

させる酵素β-ガラクトシドパーミアーゼ，乳糖の運搬の際まぎれ込む別の物質を無毒化するアセチル基転移酵素ガラクトシドアセチルトランスフェラーゼをコードしている（**図Ⅲ-9**）．このオペロンは *lac* リプレッサー repressor（*lacI*）と，アクチベーター activator である CAP（catabolite activator protein）によって負と正の転写調節を受ける．グルコースが十分存在する環境下では，ラクトースの存在の有無にかかわらず CAP は結合せず，その上さらにラクトースが存在しない場合は *lac* リプレッサーもオペレーター operator に結合し，いずれにせよ RNA ポリメラーゼはプロモーターに結合せず転写は起こらない．またグルコースも乳糖もない場合には CAP が結合するが，*lac* リプレッサーも結合しているためにやはり転写は起こらない．グルコースがなく乳糖が存在するという条件のもとでのみ CAP が結合，*lac* リプレッサーはオペレー

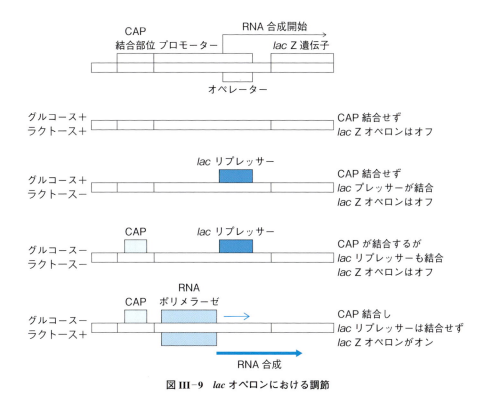

図Ⅲ-9 *lac* オペロンにおける調節

ターから離れて転写が促進される（図III-9）．CAPの結合は細胞内のcAMP濃度に依存するので，グルコース濃度が低下してcAMP濃度が上昇するとCAPが結合するようになる．よって乳糖を分解してグルコースを得るためにlacオペロンの転写が進む方向となる．

このように細菌遺伝子の転写制御は，プロモーター領域近傍のDNA配列にアクチベーターやリプレッサーが結合することによって行われる．

細菌細胞内ではそれぞれのオペロンが独立して機能しているとは限らず，多くのオペロンが一つの制御ネットワークに組み込まれて調節を受けていることもあり，これを**レギュロン** regulonと呼ぶ．細菌は異なる環境に適応して生存するために様々なレギュロンを有し，状況に応じて遺伝子発現制御を行う（レギュロンについてはp. 40 二成分制御系を参照）．いくつかの病原細菌では，病原性に関与する遺伝子群を調節するレギュロンも知られている．

物質を合成する遺伝子を調節するリプレッサーは，通常不活性なアポリプレッサー aporepressorとして存在し，これに最終産物などの誘導物質が結合すると活性型となって転写を抑制し，過剰生産をとめる．

(ii) アテニュエーション attenuation

転写調節の一種で，転写減衰と訳されている．例として大腸菌のトリプトファンなどのアミノ酸の合成酵素は細胞内のアミノ酸の濃度によってmRNA転写の調節を受ける．トリプトファンが存在するときにはアポリプレッサーがトリプトファンに結合し活性型リプレッサーとなることでオペレーターに結合するため，転写が行われない．しかし，いったん転写がはじまった場合は，細胞内のトリプトファンの濃度による調節を受け，トリプトファンの濃度が低いときは転写が継続され，高い場合には転写が中断する．このことをアテニュエーションという．このようにアミノ酸の合成酵素量の調節は転写開始段階とアテニュエーションにより二重に制御されている．

e. プラスミドDNA plasmid DNA

多くの細菌は染色体以外に自律的に複製するDNA分子を有している．このような自律複製できるDNA分子を**レプリコン** repliconというが，プラスミドはそれにあたる．一般に環状構造をとるが，大きさは多様で1 Mbpもある大きなものから数kbpの小さなものまである．プラスミドには自律複製するための遺伝子の他，様々な遺伝子が存在し，宿主に多様な形質を付加するものもある．大腸菌の性をつかさどる**Fプラスミド**（F因子），薬剤耐性を付与する**Rプラスミド**（R因子），毒素あるいは宿主細胞内侵入・増殖などの病原性に関与する遺伝子をもつ病原性プラスミドなどである．

プラスミドの重要な性質の一つに伝達能がある．**接合**によって他の菌に移される伝達性プラスミド transferable（transmissible）plasmidにはF因子やR因子があり，これらのプラスミドには**性線毛** sex pilusを形成して接合する接合遺伝子 transfer gene（tra）が存在する．一般的に伝達性プラスミドの分子量は大きく，細胞内でのコピー数は1～3と少ない．これに対して非伝達性のプラスミドの多くは分子量が小さく，コピー数は多い．非伝達性プラスミドもファージによる形質導入や，形質転換によって他の菌に移すことができる．また，伝達性のプラスミドと共存するときには可動化 mobilizationによって同時伝達することもある．

プラスミドを2種類以上細菌細胞内に導入した場合，ある種のものは同一の細胞内では共存できず，いずれかが排除されることがある．この性質を**不和合性** incompatibilityと呼ぶ．これは，同じ複製機構をもつ，すなわち自身のコピー数を調節する仕組みが同じ場合，一方のプラスミドの複製を抑えてしまうためである．プラスミドは20以上の不和合群に分類されている．

主なプラスミドには次のようなものがある．

(i) F因子 F factor, F plasmid

伝達性プラスミドの代表的なもので，大腸菌の接合とDNA組換えに関与する．大きさは95×10^3 bpで，細胞内に1ないし数分子存在する．分子内にはDNAの複製に関する遺伝子群や接合および遺伝子の伝達に必要なtra遺伝子群を有している．tra遺伝子群の領

域には，性線毛の構成タンパク質や合成に関わる遺伝子が含まれる．遺伝子の伝達は大腸菌間のみならず，他の腸内細菌との間にも起こる．腸内細菌以外でも接合伝達能を有するプラスミドが見いだされている．コレラ菌のP因子，緑膿菌のPF因子などが知られている．

(ii) R因子 R factor, R plasmid

薬剤耐性遺伝子を有するプラスミド全般をいう．抗菌物質耐性赤痢菌と感受性の腸内細菌を混合培養すると感受性菌が耐性化する現象が観察され，この耐性化にはプラスミドが関与していることが明らかにされた．この耐性化の際に耐性菌から感受性菌に伝達されるプラスミドが薬剤耐性因子 drug resistance factor (R因子）である．一例として薬剤耐性と重金属耐性遺伝子の両方をもつ伝達性Rプラスミドを図III-10に示した．薬剤耐性プラスミドの種類は多く，1種類の薬剤に対する耐性のみ有する単剤耐性のもの，10種類に及ぶ薬剤耐性を有する多剤耐性プラスミドもある．最初に発見されたR因子は接合伝達能を有するが，伝達されない耐性プラスミドも現在では多く知られている．

耐性化は多くの薬剤に対して起こり，そのメカニズムの一つとして薬剤の化学構造の修飾による不活化が知られている．不活化酵素としてアセチル化，リン酸化，アデニリル化，また加水分解酵素などが知られている．その他に，薬剤の細胞膜透過性の低下によって耐性化が起こることなどが知られている．

(iii) コリシン産生因子 colicinogenic factor

ある種の大腸菌は他の類縁細菌を殺すコリシンと呼ばれる毒素タンパク質をコードするプラスミドをもち，伝達性のものと非伝達性のものがある．また，このプラスミドはコリシン産生遺伝子とともに自己コリシンに対する耐性を支配する領域ももつ．このような他の類縁細菌を殺す毒素タンパク質を産生する細菌は大腸菌以外にもみられるので，これらの毒素タンパク質を総称してバクテリオシン bacteriocin といい，バクテリオシン産生を支配するプラスミドをバクテリオシン産生因子 bacteriocinogenic factor と呼ぶ．

(iv) 病原性プラスミド virulence plasmid

感染症の成立は宿主の防御機構と病原細菌の毒力とのバランスによっている．とくに細菌の病原性において毒素産生能は重要な役割を担っている．数多くの病原細菌においてプラスミド支配の毒素産生が明らかにされてきた．これらの毒素産生プラスミドには伝達性のものも含まれる．ヒトやブタに下痢を起こす腸管毒素原性大腸菌ETECの腸管毒素で易熱性のLT (heat-labile toxin) および耐熱性のST (heat-stable enterotoxin) は，ともにEntプラスミド支配で産生される．LTは，分子構造，生物活性ともにコレラ菌染色体支配で産生されるコレラ毒素と酷似している．このほか溶血毒ヘモリジン hemolysin 産生 (Hlyプラスミド)，ウエルシュ菌のβ毒素産生，炭疽菌の致死毒や浮腫因子産生など，多くの毒素産生に関与するプラスミドが知られている．

腸管病原性大腸菌はヒトの腸管内の粘膜上皮細胞に付着，定着増殖して病原性を発揮する．腸管病原性大腸菌の細胞への付着には束状線毛が関与しており，この線毛の形成もプラスミドに支配される．腸管侵入性大腸菌，赤痢菌は，腸管上皮細胞内へ侵入し，感染を拡大しながら炎症を惹起し，下痢を生じる．これらの特徴的な病態形成に関わるIII型分泌装置やエフェクターなどの病原因子は，180～230 kbの大プラスミド

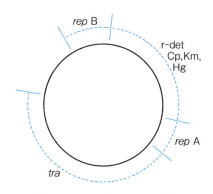

図III-10 Rプラスミドの構造
rep A, rep B：プラスミド複製決定領域，tra：プラスミドの伝達を支配する領域，r-det：薬剤耐性遺伝子領域，R6プラスミドの場合，クロラムフェニコール Cp，カナマイシン Km，水銀 Hg 耐性遺伝子等を有し全体で約10^5 bpである．

上にコードされる．また，侵入性のサルモネラ属菌には，50〜100 kb のプラスミドがあり，菌の肝臓・脾臓内での増殖に必要な因子がコードされている．

2 細菌の突然変異

細菌の突然変異は遺伝子 DNA の塩基異常によってタンパク質を構成するアミノ酸の数や種類にも異常を生じ，遺伝形質が変化することを指す．突然変異は単に変異 mutation ということもある．

a. DNA 塩基の変化

塩基変化の種類には，塩基置換，欠失および挿入の3種類がある．

(i) 塩基の置換 substitution, replacement

プリン塩基から別のプリン塩基，またはピリミジン塩基から，別のピリミジン塩基へと変化する場合をトランジション（転位）transition という．プリン塩基からピリミジン塩基，逆にピリミジン塩基からプリン塩基へと変化する場合をトランスバージョン（転換）transversion という．いずれも単一の塩基の変化で，点変異 point mutation ともいう．

(ii) 塩基の欠失 deletion **または挿入** insertion

塩基が1個あるいは2個以上 DNA 鎖中から脱落，もしくは DNA 鎖中に挿入されて変異が起こることがある．さらに，一定の長さの塩基が欠失または挿入することもある．この結果，読み取り枠（フレーム）のずれが生じてフレームシフト変異 frame-shift mutation が起こる．

b. 突然変異の型

DNA 塩基の変化は遺伝子の機能に異常を生じ，様々な変異となって現れる．

(i) ミスセンス変異 missense mutation

置換によって遺伝子 DNA 内の塩基が変化するとその遺伝子のコードしているタンパク質のアミノ酸構成に影響が現れることがある．これをミスセンス変異という．塩基置換が起こっても同じアミノ酸のコード（縮重）であれば構成アミノ酸に変化は起きない．またアミノ酸が変化してもタンパク質の機能には影響がない場合もある．

(ii) ナンセンス変異 nonsense mutation

塩基の変化によってコードが終止コドン（ナンセンスコドン）となりタンパク質合成が停止する変異である．この場合は長さの短いまったく機能しないタンパク質ができることが多い．

(iii) フレームシフト変異 frame-shift mutation

塩基が1個以上挿入または脱落して，正常なアミノ酸のコドンの読み取り枠 frame がずれることをいう．この場合変異点以降のアミノ酸が全て違ったものになるので影響が大きい．そのためまったく機能しないタンパク質ができるか，途中で終止コドンの配列になればタンパク質合成が停止する（図 III-11）．

(iv) 復帰変異 reverse mutation, back mutation

変異した表現形質がもとの表現型に戻ることをいう．復帰変異には変異した遺伝子がもとの正常な状態

DNA の塩基配列	ACC CGT G̲G̲T ATC TTC ATA ACC G （↓欠失）
対応するアミノ酸配列	Thr Arg Gly Ile Phe Ile Thr

変異後の塩基配列	ACC CGT GTA TCT TCA TAA CCG
変化したアミノ酸配列	Thr Arg Val Ser Ser Stop

図 III-11 フレームシフト変異による塩基配列の変化とそれにともなうアミノ酸配列の変化

に戻る**真性復帰変異** true reverse mutation と，別の遺伝子に変異が起こった結果，変異形質が抑制されて表面的には変異が起こらない以前の状態に戻る**サプレッサー変異** suppressor mutation がある．他に，転移因子，トランスポゾン（p. 63 参照）と呼ばれる DNA 断片の挿入によって新しい形質が付加されたり，遺伝子の機能が失われたりすることもある．

c. 細菌の主な変異現象

(i) 形態の変化

形態の変化としては鞭毛，線毛や莢膜の消失がある．このような変化は抗原性の変化をともなうことが多く，病原性にも関係が深い．

(ii) 集落の変異

グラム陰性菌の集落は正円形で表面が平滑なものが多いが，細胞壁リポ多糖体の変化にともなって表面が凹凸で辺縁不規則な集落を形成するようになる．これを **S**（smooth）→**R**（rough）**変異**といい，病原性，抗原性や薬剤に対する感受性の変化をともなうことが多い．また炭疽菌や結核菌では逆に R 型→S 型の変異が起こり，病原性の低下をともなう．鞭毛を有するプロテウス属の菌を平板培地で培養すると集落をつくらず全体に広がるように発育する．これをスウォーミング（swarming），あるいはガラスに息を吹きかけたときの曇りガラスの状態に似ていることから，ドイツ語で Hauchbildung（クモリ形成）という．しかしこの菌に変異が起こって鞭毛を失うと孤立集落を形成する（Ohne Hauchbildung，クモリ形成がない）．これから転じて鞭毛抗原を **H 抗原**，菌体表面抗原を **O 抗原**と呼んでいる．この変異を H→O 変異という．

(iii) 抗原性の変化

サルモネラ属菌の H 抗原には相変異という現象がある．抗原性の異なる鞭毛をコードする H 抗原遺伝子（H_1 と H_2）において，プロモーターを含む領域の逆位により，プロモーターの向きが逆転することで，一方の鞭毛のみが可逆的に発現する（図 III-12）．これを**相変異** phase variation という．またチフス菌など

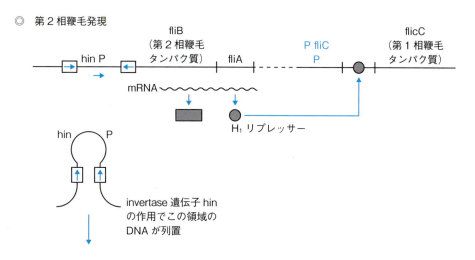

図 III-12 サルモネラ鞭毛の相変異

強毒のサルモネラはO抗原の外側にVi (virulence) 抗原をもつが，この抗原性が失われる場合をVi→W変異という．

(iv) 毒力，病原性の変異

細菌は一般に人工培地で継代培養すると，遺伝子の変異・欠損により，病原性が低下する．前述のS→R変異，Vi→W変異は病原性の低下を生じる．また，細菌の毒力が低下，あるいはまったく消失した株は弱毒株 attenuated strain あるいは無毒株 avirulent strain と呼ばれ，ワクチンに用いられることがある．BCGワクチンがこれにあたる．

d. 変異原と変異原検出法

細菌は自然条件下，低率ではあるが一定の確率（一つの細胞の1回の分裂につき，$10^{-7} \sim 10^{-11}$）で変異を起こす．これを自然突然変異 spontaneous mutation という．また，ある種の化学物質処理や放射線照射などで起こる変異を誘発突然変異 induced mutation といい，これら突然変異を誘発する因子を変異原と呼ぶ．

(i) 変異原 mutagen

物理的な変異原としては紫外線の他，X線などの放射線がある．紫外線によってDNA分子にピリミジンダイマーが形成され，修復エラーを引き起こす原因となる．化学的な変異原の主なものとしては，亜硝酸，核酸塩基の類縁化合物，アルキル化剤，アクリジン系色素類などがある．

(ii) DNA損傷の修復

変異は細菌にとってときに致死的である．それをさけるために細菌は変異原によって受けた遺伝子の傷害を修復する機能をもっている．細菌に紫外線を照射してDNAに傷害を与えた後，可視光線にさらすと細菌の致死率が低下する．これは光存在下で活性化するフォトリアーゼの作用でピリミジンダイマーの除去が行われることによる．この現象を光回復 photoreactivation という．光回復以外に，紫外線によって傷害を受けたDNA部分をエンドヌクレアーゼで取り除き，DNAポリメラーゼで修復する作用もある．これは可視光線が不要なために暗回復 dark repair と呼ばれる．その他の修復機構として，損傷を受けたDNA分子を組換えによって修復する recombination repair や特殊な複製機能（SOS修復，ミスマッチ修復）などが知られている．

(iii) DNA損傷の検出

修復試験 rec assay といわれる方法で枯草菌の変異株（rec^- 株）を用いる．この株は修復機能を欠損しているので野生株に比べ，致死感受性が高い．この差を利用して化学物質のDNAに対する損傷性を検出する（図III-13）．他に大腸菌のDNAポリメラーゼを欠いた株（$pol\,A^-$）を用いる方法もある．

(iv) Ames（エイムス）テスト

細胞が癌化する第1段階は遺伝子が変異することによると考えられている．また癌原性を有する化合物のほとんどのものが変異原性を有していることから，癌原物質の一次スクリーニングとして変異原性を調べることが広く行われている．

細菌の復帰変異を利用して安価で迅速に発癌物質を一次スクリーニングする目的で B. N. Ames が考案実用化した方法である．ネズミチフス菌 Salmonella Typhimurium のヒスチジン要求株（his^-）を用いて試験物質の変異原性の有無を調べる．この菌はヒスチジン合成遺伝子の一部に変異を生じているためにヒスチジ

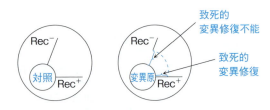

(a) 対照（生理食塩水）　(b) 変異原物質
　　　　　　　　　　　　　（トフロン，KNO_2 等）

図III-13　Rec-assay
普通寒天培地上に生理食塩水 (a) または変異原物質 (b) を浸み込ませたろ紙を密着させる．ろ紙の一端を起点に，枯草菌 rec^+ 株および rec^- 株をそれぞれ直線的に画線し，培養する．(b) の培地において，rec^- 株は修復機能を欠損していることで，変異原物質に対して致死感受性が高く，当該物質の効力が影響するろ紙周辺では発育できない．

ンを合成できずそのままでは最少培地に増殖できない．しかし試験物質が変異活性を有していれば変異の結果ヒスチジン非要求性となり培地上にコロニーを形成するようになる．この菌株は除去修復能を欠いたもので，Rプラスミドによるエラーを起こしやすい遺伝子を導入し，また細胞壁の変異により透過性が増大しているなどの性質が付与されている．

変異原にはそのままで変異を誘発するものの他に，肝臓などで酵素的修飾を受けたのち活性を有するようになる物質 pro-mutagen も少なくない．このタイプの変異原を検出するためにはあらかじめ肝薬物代謝酵素を誘導したラットから調製した肝臓ホモジネート（肝ミクロソーム画分 S9 ミックス）を加える．

手法の概略を図 III-14 に示した．試験物質とネズミチフス菌をリン酸緩衝液または S9 ミックスと混合させて 37℃ 20 分間接触させたのち，ソフトアガーを加え手早く最少培地上に重層する．培地は 37℃ で 2〜3 日間培養した後出現したコロニー数を計数して変異活性の有無と活性の程度を知ることができる．

具体例として，ベンゾピレン BaP は強力な発癌性を有する化学物質であるが，リン酸緩衝液中でネズミチフス菌に作用させても変異は起こらない．しかし反応液に S9 ミックスを加えると，復帰変異を起こした多数のコロニーが生じる．これは BaP がそのままの形では変異活性をもたず，ラット肝の薬物代謝酵素により変換され変異原性を有する活性型に変化した結果である．このように動物体内で代謝されて初めて活性化される化合物も検出できるよう工夫されているところがエイムステストの利点の一つである．

3 遺伝子の伝達

細菌の遺伝子は分裂によって娘細胞に伝達される．それ以外に接合，プラスミド，形質転換，形質導入，ファージ変換，トランスポゾン，インテグロンなどによっても遺伝子の伝達や交換が行われる．とくに近年のゲノム解析結果から，同種のみならず異なる菌種間でも活発に遺伝子の水平伝達 lateral transfer が起こっていることが明らかにされた．

a. 接　合 conjugation

Lederberg と Tatum（1946 年）による大腸菌の接合現象の発見は，その後の細菌遺伝学研究の発展に大きく寄与した．現在では大腸菌間だけでなく他の細菌との間でも接合によって遺伝子の交換が起こることが知られている．この項では大腸菌の接合について述べる．

大腸菌の保有するプラスミド，F 因子 fertility factor は接合伝達と DNA 組換えに関する遺伝子群をもっている．F 因子をもつ雄性株大腸菌を F$^+$，もたない雌性株を F$^-$ という．

図 III-15 に示したように F$^+$ 菌は F 因子上の接合に

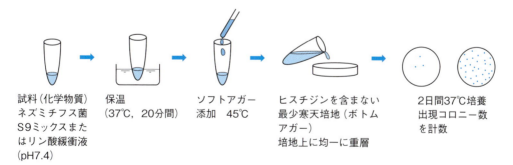

試料（化学物質）　保温　　　　　ソフトアガー　ヒスチジンを含まない　2 日間 37℃ 培養
ネズミチフス菌　（37℃，20 分間）　添加　45℃　最少寒天培地（ボトム　出現コロニー数
S9 ミックスまた　　　　　　　　　　　　　　　　アガー）　　　　　　　を計数
はリン酸緩衝液　　　　　　　　　　　　　　　　培地上に均一に重層
（pH7.4）

図 III-14　エイムステストの概略

肝臓の薬物代謝酵素は補酵素としてチトクローム P450 をもつ多様な活性を有する酵素ファミリーであり，通常酵素活性は低く必要に応じて誘導される．そのためラットにあらかじめフェノバルビタールやメチルコラントレンなどの薬物を投与，酵素誘導を行ったのち肝臓を摘出する．肝臓は細切，ホモジナイズ後遠心分離してミクロソーム画分を調製する．調製液（S9）は活性化された薬物代謝酵素を含有し，S9 ミックスとはこれに NADPH，グルコース 6-リン酸，グルコース-6-リン酸脱水素酵素などの補酵素，基質やエネルギー産生系酵素などを加えたものをいう．

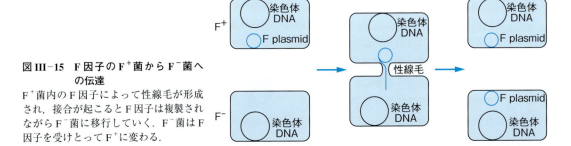

図 III-15　F 因子の F⁺ 菌から F⁻ 菌への伝達
F⁺ 菌内の F 因子によって性線毛が形成され，接合が起こると F 因子は複製されながら F⁻ 菌に移行していく．F⁻ 菌は F 因子を受けとって F⁺ に変わる．

関する遺伝子の発現によって**性線毛** sex pilus を形成し，F⁻ 菌との間で接合を起こす．接合すると F 因子は，*oriT* 部位に一本鎖切断を生じ，その部位からローリングサークル型複製 rolling circle replication が開始され，5′ 末端を先頭とした一本鎖 DNA が F⁻ 菌に移行する．一本鎖 DNA は，移行と並行しながら，その先端から複製が進行して二本鎖 DNA となり，最終的に先端と末端が結合して完全なプラスミド分子となる．結果的に両方の細胞がともに F 因子をもつようになる（F 感染 F infection）．F 因子をもつ菌にアクリジン系色素などを作用させると F 因子を失うことがある（F 除去 elimination）．

　F 因子は DNA 組換えに関する遺伝子群領域があり，この部分で染色体 DNA に組み込まれることがある．染色体に組み込まれた状態 integrated state の F 因子も接合を起こすことができる．この状態のとき F⁻ 菌との間で接合が起こると，染色体 DNA に組み込まれた F 因子の *oriT* 部位に一本鎖切断を生じ，一本鎖の染色体が 5′ 末端から F 因子を最後尾にして回転しながら F⁻ 菌に移行する．移行する一本鎖 DNA と F⁺ 菌に残る一本鎖 DNA はそれぞれの細胞内でローリングサークル型複製により相補鎖が合成されて環状二本鎖に戻る（**図 III-16**）．染色体全体の移行には，大腸菌で 37℃ で 100 分を要する．染色体を受け取った F⁻ 菌では一時的に DNA が二倍体 diploid の状態になる．この二つの染色体は異質であるのでヘテロ接合体 heterozygote と呼ばれ組換えを起こすが，分裂増殖とともに再び一倍体に戻る．しかし，通常，接合体は不安定で，多くは途中で切れて，一部分しか移入されない．この時 F⁻ 菌に入った直鎖状の染色体 DNA も二本鎖となり，F⁻ 菌染色体の相同部分と高頻度に組換え

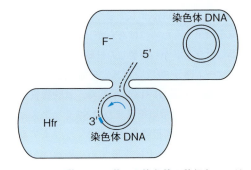

図 III-16　Hfr 菌から F⁻ 菌への染色体の移行とローリングサークル型複製の模式図
━━ は F 因子，点線は新たに合成された娘 DNA を表す．

を起こす．このように F 因子が染色体に組み込まれた状態の菌株では，染色体組換えが高い頻度で起こるので，これを**高頻度組換え（型）** high frequency of recombination（Hfr）と呼ぶ．

　染色体に組み込まれた状態の F 因子は低頻度ではあるが，ふたたび染色体から離れて自律状態に戻ることがある．このとき，まれにではあるが F 因子の組み込まれていた部位に隣接する宿主染色体の一部を取り込んだ F 因子ができることがある．染色体の一部を取り込んだ F 因子のことを **F′ 因子** F prime factor（F プライム因子）と呼び，F 因子同様感染性を有する．F′ 因子による染色体遺伝子の伝達を **F 導入** F duction または**伴性導入** sex duction と呼ぶ．

b.　形質転換 transformation

　形質転換とは「DNA が細胞に導入されて遺伝形質が変化すること」であり，肺炎球菌の他，ブドウ球菌やレンサ球菌などのグラム陽性球菌群，ナイセリア属，ヘモフィルス属，バシラス属の同一の菌種間で認

められる．異なった菌種の間で形質転換するものもあるがその頻度は高くない．

英国厚生省の医療担当官 F. Griffith は，1928 年に細菌の形質転換を発見した．それは肺炎レンサ球菌の R 型無毒株生菌を，S 型有毒株加熱死菌と一緒にネズミに接種すると，S 型有毒生菌への変換が容易に起こるというものであった．この発見は大きな反響を呼んだが，この場合，病原性は莢膜によることがわかっていたものの，何がそれを変化させるのかは不明であった．O. Avery は R 型菌を S 型菌に変える物質が DNA であることを 1944 年に報告した．

大腸菌は，低温で塩化カルシウム処理すると DNA を取り込みやすくなり，この状態を適格細胞（コンピテント細胞 competent cell）と呼ぶ．細菌細胞をコンピテント状態にすることは遺伝子操作における重要な技術の一つである．細胞に高圧の電流パルスをかけて，瞬間的に細胞膜に穴を開けて DNA を取り込ませる電気穿孔法 electroporation も有効な手段である．これにより，多くの大腸菌以外の細菌を宿主として遺伝子操作を行うことが可能となっている．

c. ファージによる遺伝子伝達

細菌を宿主とするウイルスはバクテリオファージ bacteriophage または単にファージ phage と呼ばれる（ファージの性状や増殖については第 IX 章参照）．ファージによる遺伝子の伝達には，形質導入とファージ変換がある．

(i) 溶原化とプロファージ lysogenization and prophage

ファージは宿主に感染すると，自らの遺伝子を発現させて増殖過程に入る．成熟したファージは溶菌，放出され，新たな宿主への感染を繰り返す．しかし，一部の菌ではファージの複製が起こらず，宿主の増殖とともにファージゲノムが維持されていく．この菌を溶原菌 lysogenic bacteria と呼び，溶原菌の中のファージをプロファージ prophage と呼ぶ．

大腸菌の λ ファージの場合，ファージ粒子内ではファージゲノムは直鎖状二本鎖である（**図 III-17**）．宿主に感染すると，末端の相補的な一本鎖部分が水素

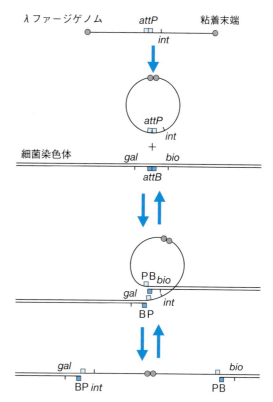

図 III-17 λ ファージゲノムの大腸菌染色体への組み込み
組み込まれる場所は決まっていて，大腸菌染色体の *gal*（ガラクトース遺伝子）と *bio*（ビオチン遺伝子）の間にある短い相同性配列 *attB* 部位である．宿主染色体への組み込みは可逆的で，プロファージが菌のゲノムから切り出されて溶菌サイクルに入ることもある．

結合を形成して環状になる．ファージゲノムのほぼ中央には *attP*（ファージの attachment site）があり，宿主細菌染色体上の *attB* と対合する．ファージゲノムの *attP* の近傍には *int* 遺伝子（DNA 組み込み酵素 integrase 遺伝子）があって，この働きによりファージゲノムは宿主ゲノムに組み込まれる．

(ii) 形質導入 transduction

DNA そのものが取り込まれて細菌の形質が変化することが形質転換であるが，細菌の遺伝子の一部がファージ粒子に取り込まれた形で別の細菌に伝達されることを形質導入という．形質導入は，テンペレートファージ（第 IX 章参照）に属する一部のファージが行う．最初，サルモネラ属菌において P22 ファージ

がストレプトマイシン耐性やガラクトースの分解に関与する形質を別の菌に伝達することが見いだされ，続いてこの現象は他の多くの遺伝形質についても認められたので普遍形質導入 generalized transduction と名付けられた．

サルモネラ属菌における P22 ファージや大腸菌における P1 ファージによる普遍形質導入では，ファージが細菌細胞内で成熟する際に，宿主の染色体の一部を自身の遺伝子として取り込み，このファージが別の菌に感染したときに起こる（図 III-18）．ファージ頭部に収容できる DNA のサイズには限界があるので，ファージが伝達できる DNA 量は最大でも宿主染色体の 1% 程度である．ファージは宿主の DNA を取り込むと代わりにファージ自身の DNA の一部または全てを失う．このファージは細菌に感染し DNA を細胞内に注入することはできるが，自己増殖能をもたないので欠損ファージ defective phage となる．伝達された遺伝子が宿主染色体に組み込まれると，分裂増殖する全ての菌がこの遺伝子をもつようになるが，組み込まれない場合には子孫には伝達されない．これを不全形質導入 abortive transduction という．染色体遺伝子だけでなくプラスミド上の遺伝子も形質導入される．

普遍形質導入では，伝達される細菌の遺伝子が限定されないので，どの遺伝子でも導入できる．それに対して，いつも特定の遺伝子が導入される場合があり，これを特殊形質導入 specialized transduction という．大腸菌のλファージやφ80 ファージは感染した宿主菌染色体へ組み込まれる部位が決まっている（att λ, att φ 80）が，染色体から離脱する際にまれに隣接した宿主遺伝子をともなって離れることがある．これは Hfr 菌における F′ 因子の場合と同じ機構で形成される．このようなファージが成熟すると特殊形質導入ファージとなる．λファージの組み込まれる部位（att λ）の両側にはガラクトース遺伝子（gal）とビオチン遺伝子（bio）が存在するので，λファージはいつもこれらのいずれかの遺伝子を導入することができる（図 III-17）．しかし，宿主の染色体の一部を取り込んだファージはこれと同じ大きさの自身の DNA を失うことになるので，欠損ファージとなる．自己増殖能を失った欠損ファージも正常なファージ（helper phage）と同時感染するとその助けをかりて増殖できる．

(iii) ファージ変換 phage conversion

ファージ遺伝子そのものの形質発現によって細菌の性質が変化することをいう．この場合ファージ遺伝子は必ずしも宿主染色体に組み込まれている必要はなく，菌体内に存在するだけで形質発現が可能である．ファージ遺伝子が宿主の染色体に組み込まれて溶原化している場合（プロファージ），これを溶原化変換 lysogenic conversion という．ジフテリア菌にβファージが感染して毒素産生性に変わるのをはじめ，C 型，D 型ボツリヌス毒素，腸管出血性大腸菌の志賀毒素 Shiga toxin，黄色ブドウ球菌の A 型腸管毒素やコレラ毒素の遺伝子もファージゲノム上に存在することが知られている．また，サルモネラ属菌，赤痢菌などの抗原性の変化もファージ変換によって起こる．このよう

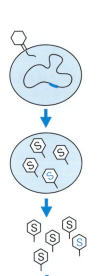
感染したファージが宿主細胞内で増殖をはじめる

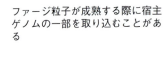
ファージ粒子が成熟する際に宿主ゲノムの一部を取り込むことがある

溶菌して新しい宿主に感染する宿主ゲノムをもつファージは感染することはできるが，新しい宿主内で増殖することはできない

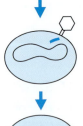
新しい宿主にファージゲノムが入り，宿主染色体との間で組換えが起こる

その結果ファージが遺伝子を新しい宿主にもち込むこととなる

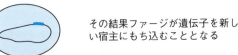
図 III-18　形質導入

にファージ変換には毒素産生や病原性に関連した形質変化が多く，医学的にも重要である．

d. 転移因子 transposable element

細菌の染色体やプラスミド上にみられる転位因子は DNA 間あるいは DNA 内を移動できる遺伝子，可動遺伝子 movable gene の一種である．この遺伝子の大きさは数百から数千塩基対の様々な大きさのものがあるが，比較的小さいものは挿入配列 insertion sequence（IS）と呼ばれ，転移のみ起こす．IS の一例を図 III-19 に示したが，全体で 768 bp，中央にある 722 bp の転移に必要な遺伝子と，その両末端に 23 bp の逆方向の反復配列 inverted repeat sequence（IR）からなる．末端の二つの IR は通常 15〜40 bp からなり，類似した塩基配列をもっているが，同一ではない．さらに，IR はそれぞれの転移因子に固有であり，塩基の置換が起こると転移できなくなることから，転移に重要な役割をもっていると考えられる．IR にはさまれる内部の遺伝子はこの末端の塩基配列を認識して転移を行う酵素トランスポーゼース transposase をコードする．また，このトランスポーゼースを内部にもたず，両端に逆方向の IR は保有する，サイズが 100〜1,000 bp とさらに小さな MITE（miniature inverted-repeat transposable element）と呼ばれる転移因子が報告されている．MITE が存在するゲノム DNA には，その MITE の逆向きの IR と同じ塩基配列を両端にもつ IS が存在し，MITE はこの IS の転移機能を利用して転移すると推測されている．

転移因子には IS, MITE のような簡単なものから，薬剤耐性遺伝子や毒素産生遺伝子を含む複雑な転移因子もある．これらはトランスポゾン transposon（Tn）と呼ばれる．トランスポゾンの例として Tn903 を図 III-19 に示した．この Tn は約 3,000 bp からなり，カナマイシン耐性遺伝子を IS903 がはさむ構造をしている．

このようなトランスポゾンは，自身のコピーをつくり生物種を超えて広がっていこうとするもので，利己的遺伝子 selfish genes の一つとされている．トランスポゾンには IS や薬剤耐性遺伝子などをもつ複合型のものだけでなく，接合伝達機能もあわせもつ接合トラ

図 III-19 転移因子の構造模式図

ンスポゾン conjugative transposon（CTn）の存在も知られている．

トランスポゾンが遺伝子内部に挿入されると遺伝子は機能を失う挿入変異が起こる．また遺伝子近傍に転移して遺伝子発現に影響が現れたり，遺伝子の向きが逆転する逆位，遺伝子の欠失，別々の分子への解離，他のレプリコンと合体して複合体を形成するなど様々な変化が起こる．

基本的に転移においてトランスポゾンと転移位置の塩基配列の相同性は必要なく，特定の塩基配列の場所に転移するもの，どこにでも転移するものなど，様々なトランスポゾンが存在する．このように同じゲノム上のみならずゲノム間を自由に移動して，遺伝子の再構築を引き起こすトランスポゾンは，生物の進化や多様性の獲得に大いに寄与していると考えられる．

e. インテグロン integron

インテグロン integron は，元々多剤耐性プラスミド上に発見された遺伝子を捕捉する機能をもつ因子である．その構造は，組換え酵素であるインテグラーゼ integrase の遺伝子（*int* 遺伝子），遺伝子が捕捉される部位である *attI*，さらにすでに捕捉された遺伝子カセットからなる．インテグラーゼは転移酵素トランスポーゼースと似た機能をもち，ファージゲノムの細菌染色体への組み込みなどに重要な働きをもつ酵素である．捕捉される遺伝子カセットは，59 bp エレメントと呼ばれる配列と薬剤耐性因子などのコード領域からなる．59 bp エレメントの両端にはコア配列と呼ばれ

る8bpからなる逆向きの繰り返し配列があり，インテグラーゼによる *attI* とこのコア配列の間での部位特異的組換えにより，遺伝子カセットが捕捉される．新しく捕捉される遺伝子カセットは，常に *attI* 部位に組み込まれ，これらには固有のプロモーターがないので，その発現は *attI* 上流に存在するプロモーターに依存して行われる．このように，次々に遺伝子カセットが組み込まれて，多数の遺伝子が集積するのがインテグロンの特徴である．このインテグロン自体には転移する能力はないが，トランスポゾン上にあればゲノム間を移動できる．**図III-20** にはトランスポゾン Tn21 におけるインテグロン組み込みを模式的に示した．遺伝子カセット In2 はストレプトマイシンとスペクチノマイシン耐性遺伝子 *aadA* と 59 bp のエレメントからなっていて，Tn21 上の**インテグラーゼ**により組み込まれる．

こうして挿入された In2 は *attI* 上流の強力なプロモーター（P）により発現する．Tn21 ファミリーにはこの他，カナマイシン，ゲンタマイシン，トリメトプリム，クロラムフェニコール，オキサシリンなどの耐性遺伝子の集積したものが知られている．インテグロンは細菌が多くの薬剤耐性遺伝子を獲得するメカニズムとして重要であるが，インテグロン自体には複製能力がなく，由来には不明なところが多い．

4　細菌のゲノム構造

遺伝子操作に必要な技術や酵素類は1970年代に相次いで開発あるいは発見され，遺伝子解析技術は次の10年間にほぼ完成をみた．当時は一つ一つの遺伝子を単離して，その構造や機能を解析するものであった．しかし，その後の解析装置の急速な技術革新により，一つの生物に含まれる全ての遺伝子の総体である**ゲノム** genome をまるごと解析することが可能となりゲノム生物学という新分野が展開してきた．

a.　多様なゲノム genome diversity

細菌のゲノム解析は1995年にインフルエンザ菌の全ゲノムが報告されたのに続いて，マイコプラズマ，大腸菌，結核菌，梅毒トレポネーマ，ライム病ボレリア，肺炎クラミジア，発疹チフスリケッチアなどと続き，現在では容易に解析できるようになった．解析された原核生物として最大ゲノムである放線菌 *Streptomyces coelicolor* から，最小のマイコプラズマ *Mycoplasma genitalium* まで14種のゲノムサイズと，推定タンパク質を含む遺伝子数などを**表III-1**に示した．

ゲノム全体のG＋C含量は30モル％を下回るものから70モル％を超えるものまで幅広い．ゲノムサイズも8.67 Mbpから0.58 Mbpまでと，これも10倍以上のひらきがある．放線菌や枯草菌は自然界での自由生活者であり，レプトスピラ，コレラ菌や結核菌なども比較的簡単な組成の培地に生育する．これらの細菌が大きなゲノムをもつのに比べて，リケッチア，クラミジアやマイコプラズマのゲノムは小さい．小さいゲノムにはエネルギー代謝系や核酸，アミノ酸などの合成系酵素遺伝子を全て失っていたり，あるいは部分的に欠失している．これらの生物は生育に必要な物質を宿主に依存するために，自ら合成するための遺伝子が不要になったと考えられる．一般に細菌は一つの環状染色体をもつが，ビブリオ属のコレラ菌，腸炎ビブリオは二つの環状染色体，またレプトスピラは二本の分

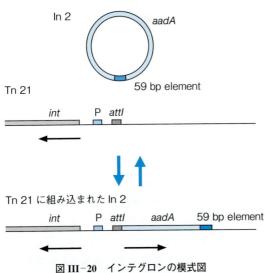

図III-20　インテグロンの模式図
遺伝子の組み込みは可逆的で，薬剤耐性遺伝子の切り出しも起こるが，この環状DNA分子に複製能はない．*aadA* はストレプトマイシンとスペクチノマイシン耐性遺伝子と59 bpエレメントからなり，このエレメント内部は逆向き繰り返し配列になっている．強力なプロモーター（P）によって integrase が発現，その働きにより *aadA* は *attI* 部位でインテグロンに組み込まれる．*attI* 部位には次々と組み込みが起こり，遺伝子の集積が起こる．

4. 細菌のゲノム構造

表III-1　多様な細菌ゲノムサイズ

菌　種	G+C含量（モル％）	ゲノムサイズ（Mbp）	ORF数	rRNAオペロン
放線菌（S. coelicolor）	72.1	8.67	7,770	6
大腸菌（E. coli K-12株）	50.8	4.64	4,288	7
枯草菌（B. subtilis）	43.5	4.21	4,100	10
レプトスピラ（L. interrogans）	35.1	4.28, 0.35	3,454, 274	2（16S, 23S） 1（5S）
コレラ菌（V. cholerae）	47.4	2.96, 1.07	2,770, 1,115	8
結核菌（M. tuberculosis）	65.6	4.41	3,959	1
らい菌（M. leprae）	57.8	3.27	1,604	1
インフルエンザ菌（H. influenzae）	38.0	1.83	1,743	6
カンピロバクター（C. jejuni）	30.6	1.64	1,654	3
ライム病ボレリア（B. burgdorferi）	28.6	0.91 0.53(11)*	853 430	1（16S） 2（23S-5S）
梅毒トレポネーマ（T. pallidum）	52.8	1.14	1,041	2
発疹チフスリケッチア（R. prowazekii）	29.0	1.11	834	1（23S-5S） 1（16S）
トラコーマクラミジア（C. trachomatis）	41.3	1.04	894	2
マイコプラズマ（M. genitalium）	32.0	0.58	470	1

*分節した11本の分子の合計が0.53 Mbpである.

節した染色体を有する．ボレリアは線状染色体と多くの環状または線状の分節染色体（またはミニクロモソーム）をもつという点で他の細菌種とその違いが際立っている．

ゲノムにはその生物の全ての遺伝情報がつまっている．ゲノムは遺伝子と，複製や転写を調節する領域からなっているが，機能の不明な領域も多い．平均的な遺伝子サイズは1 kbであり，どの細菌種においてもほぼ相当する数の**読み枠** open reading frame（ORF）が存在する．

　　読み枠 open reading frame（ORF）：基本的に遺伝子とは，RNAに転写される，あるいはさらに翻訳されてタンパク質となるDNA部分を指すが，DNAはG，A，T，Cの四つの塩基のならびであり，どこからどこまでが遺伝子であるか見分けることは難しい．コドン64個のうち3個は終止コドンであるから，任意の塩基配列ではほぼ20回に1回終止コドンが現れることになる．通常コンピュータープログラムを利用して，開始コドン（ATGが多いがそれ以外のこともある）ではじまり終止コドン（TAA, TAG, TGA）で終わるおよそ200塩基以上の連続した塩基配列を検索して，この配列をORFと呼ぶ．ORFが遺伝子であるか否かはその発現を確かめなければならないが，他の種でも似た配列をもったORFが存在する場合にはタンパク質として翻訳されている可能性が高い．言い換えれば，ORFとは遺伝子としての可能性が高い領域のことである．

唯一らい菌は3.27 Mbpのゲノムに対して1,604のORFしかもたないが，このゲノムには，内部にフレームシフトなどがある**偽遺伝子** pseudogeneが1,000以上存在する．したがってらい菌ゲノムの40％は使い物にならないことになる．これほどの数ではないが，偽遺伝子は他の細菌種にもみられる．とくにボレリアの分節染色体にはまったくORFのない分子もあって，何のために保有しているのか不明である．ゲノムの不要な部分が欠落して，梅毒トレポネーマやトラコーマクラミジアなどの偏性寄生生物にみられるような小さなゲノムへと縮小していく途上にあるのかも知れない．

細菌のリボソームを構成するRNAは16S, 23S, 5S rRNAの3種であり，恒常的に合成される．多くの細菌ではこれらの遺伝子はオペロンを構成し，1本のRNA分子として合成された後，それぞれの分子に切り分けられる．リボソームRNA遺伝子数はそれぞれの細菌種の世代時間にほぼ合っていて，増殖の早い生物は多数の遺伝子を有する．結核菌は多数の遺伝子をもつが，リボソームRNA遺伝子は一組である．リボソームの数とタンパク質合成速度は増殖の律速段階と考えられ，これが結核菌の増殖が遅いことの主な理由とされる．

このようにゲノムサイズ，ORFとリボソームRNA

遺伝子だけをみても細菌種ごとに異なり，多様であることがわかる．またそれぞれのゲノムでも40％近い遺伝子が機能不明である．ゲノム解析によって多くの情報がもたらされる一方，それ以上の疑問も同時に生じてくる．生物のゲノム全体の配列を明らかにすることは，生物の設計図を手にするようなもので，生物を理解する入り口にわれわれはようやく立った，といえるのではないだろうか．

b. 遺伝子の水平伝達 lateral transfer

長い間，生物の遺伝的性状はその生物に固有のものであり，生物の進化や多様化は遺伝子の突然変異とそれが生存する環境への適応によってもたらされるものであると信じられてきた．しかし，すでに述べたように多くの生物のゲノムが比較解析されるようになった現在，遺伝子の水平伝達 lateral transfer がこれまで考えられていたよりはるかに活発であり，生物の多様化に深く寄与していることが明らかになってきた．

遺伝学の発展に大きく寄与してきた非病原性大腸菌 E. coli K-12株のゲノムは4.64 Mbpであるのに対し，腸管出血性大腸菌 E. coli O157:H7株のそれは5.50 Mbpで20％も大きい．二つの大腸菌に共通の領域は4.1 Mbpで，O157:H7株に特徴的な配列は1.34 Mbp，K-12株にのみみられる部分は0.53 Mbpである．これらの細菌種は共通祖先をもち，何らかの方法で遺伝子を取り込み，それぞれ独自の性状をもつようになったと考えられる．

遺伝子の水平伝達としては前出の形質転換，ファージ変換，トランスポゾンやインテグロンなどによることが考えられるが，細菌の病原性に関連して病原性遺伝子塊 pathogenicity island（**PAI**）が重要である．大腸菌は通常明らかな病原性をもたないが，溶血性の毒素遺伝子や粘膜に付着するための線毛形成遺伝子をもつものがある．これらの病原性に関する遺伝子は染色体上の特定の場所に集中して存在し，その塩基組成が他の領域と異なることから，外来性の遺伝子群であると考えられる．こうした外来性の病原性遺伝子塊の存在は，サルモネラ，ヘリコバクターやコレラ菌でも知られており，Ⅲ型分泌装置，Ⅳ型分泌装置といったタンパク質複合体の構成成分やそれらから宿主内へ輸送されるエフェクターがコードされ，菌の病原性発現に重要な役割を果たす．

ゲノム生物学の進歩にともない，これらの病原性遺伝子塊の細菌間の移動メカニズムや，薬剤耐性遺伝子の伝達様式などのダイナミズムが明らかになれば，治療薬開発や感染症対策の飛躍的進展が期待できる．

c. 病原遺伝子の解析

微生物が宿主に感染して発病させる能力を病原性 pathogenicity という．微生物の病原性の発現には，宿主の組織や細胞内への定着性 colonization・侵入性 invasion，宿主の抵抗性に打ち勝つことによる細胞内生存・増殖性 intracellular survival and multiplication，宿主に有害な毒素産生性 toxigenicity などがある．このうちコレラ毒素やボツリヌス毒素などの毒素遺伝子あるいは，侵入性に関与する菌体外酵素 exoenzyme を支配する遺伝子に関しては，構造や発現，存在様式などについてこれまでに詳しく調べられている．これに対して，リステリア属菌や結核菌のように細胞内寄生菌の病原性については，数多くの遺伝子が関与することなどからあまり研究が進んでいなかった．しかし病原微生物のゲノム情報の蓄積とともに，あるいは非病原株ゲノムとの比較により，細胞内定着あるいは宿主の生体防御機構を回避するための遺伝子群の働きが明らかにされつつある．

結核菌を吸入して菌が肺に到達すると，肺胞マクロファージが貪食する．しかし結核菌は自ら侵入しているらしいことが明らかにされ，8個の侵入因子遺伝子 mammalian cell entry（*mce*）genes が同定された．またカタラーゼ catalase，ペルオキシダーゼ peroxidase やホスホリパーゼ phospholipase（plc）などの産生は，マクロファージの食胞ファゴソーム phagosome 内での殺菌や加水分解に抵抗する．結核予防のための弱毒生ワクチンである BCG ではこれらのうちいくつかの遺伝子が欠失している．

レジオネラも同じく経気道的に体内に侵入し，肺胞マクロファージに感染する．本菌は，PAIとしてⅣ型分泌装置をコードする *dot/icm* 遺伝子群を保有する．このⅣ型分泌装置を用いて，レジオネラは宿主細胞内で300以上のエフェクターを分泌する．そのエフェク

ターには，小胞体・ゴルジ間の膜輸送系（メンブレントラフィッキング）の制御に関わる低分子量Gタンパク質ARFのグアニンヌクレオチド交換因子（GEF）として機能するRalF，ユビキチンリガーゼとして働くLubXなど，様々な機能をもつタンパク質がある．これらのエフェクターが中心となり，正常細胞内のメンブレントラフィッキングを攪乱し，レジオネラが細胞内で寄生する場所となるファゴソームを，通常の異物貪食時に形成させるものとは異なるものとする．すなわち，小胞体膜成分からなり，活性酸素種の産生やリソソームとの融合が抑えられた，特殊なファゴソーム（Legionella-containing vacuole, LCV）の構築が誘導され，菌が宿主による殺菌攻撃を回避する環境がつくられる．菌はこのLCV内で爆発的に菌数を増加させ，最終的にはLCV膜，さらには細胞膜を破壊して，新たな細胞に感染を拡大する．

リステリア属菌はリステリオリシンlisteriolysinやplcの働きによって，食胞での殺菌作用から逃れて宿主細胞質内で増殖する．さらにactA遺伝子産物はアクチンの重合を促進して細胞内での移動や，隣接した細胞への侵入に不可欠である．またinlA, inlB遺伝子産物であるインターナリンinternalinは，細胞表面のE-カドヘリンE-cadherinと特異的に結合して上皮細胞への侵入に関与するタンパク質である．

5 遺伝子操作

「ある生物細胞内で増幅可能なDNAと，異種DNAとの組換え分子を酵素などを用いて試験管内で作製し，これを細胞に導入し，増殖させる実験」を遺伝子操作 gene manipulation または遺伝子組換え実験 gene recombination という．遺伝子操作の過程は目的遺伝子またはそれを含むDNA断片の作製，ベクターDNAと目的遺伝子との組換え体の作製，組換えDNA分子の宿主細胞への導入，組換え遺伝子の複製，および形質発現の段階に分けられる．細胞への遺伝子の導入は細菌細胞のみならず真菌や動植物細胞でも行われ，遺伝子の構造や発現機構の解析，ホルモンやワクチンなど医薬品の生産，また動植物の育種や改良に応用されている．

a. 制限酵素 restriction enzyme

ファージDNAやプラスミドなど外来のDNAが細菌細胞に導入されることはすでに述べた．しかしこれら導入された外来のDNAが常に細胞内で安定に保持されるわけではない．多くの細菌は細胞内に侵入してきた異種のDNAを切断する酵素をもっており，外来DNAを分解，排除することが知られている（制限restriction）．この現象は最初ファージ感染において発見され，ファージの感染を制限する酵素という意味で制限酵素と名付けられた．現在数百種類の制限酵素が発見されているが，これらのほとんどのものはDNAの4〜6個の特定の塩基配列を認識してDNA鎖を切断する．認識部位の配列は回転対称であり，切断によってできる末端は2種類ある．よく用いられる制限酵素とその認識塩基配列を**表III-2**に示した．

例1 数塩基離れた個所で二本鎖を切断し，付着末端 cohesive or sticky end を生じる型

EcoRI（*Escherichia coli* RY13 由来）

5′　G↓A-A-T-T-C-　3′
3′　-C-T-T-A-A↑G-　5′

例2 同一個所で二本鎖を切断し，平滑末端 flush or blunt end を生じる型

HincII（*Haemophilus influenzae* Rd 由来）

5′　-G-T-Py↓Pu-A-C-　3′
3′　-C-A-Pu↑Py-T-G-　5′

これらの制限酵素の中には同じ塩基配列を認識してもその中にメチル化された塩基が含まれていると切断

表III-2 主な制限酵素とその産生生物名および切断部位の塩基配列

BamHI	*Bacillus amyloliquefaciens* H	G↓GATCC
DraI	*Deinococcus radiophilus*	TTT↓AAA
HhaI	*Haemophilus haemolyticus*	GCG↓C
HindIII	*Haemophilus influenzae* Rd	A↓AGCTT
KpnI	*Klebsiella pneumoniae*	GGTAC↓C
NotI	*Nocardia otitidis-caviarum*	GC↓GGCCGC
SmaI	*Serratia marcescens* Sb	CCC↓GGG
XbaI	*Xanthomonas badrii*	T↓CTAGA

が起こらないものがある．これを塩基の修飾と呼び，細菌のもつメチル化酵素 methylase によって起こる．アデニンやシトシンをメチル化することによって細菌自身の DNA を自らの制限酵素による分解から保護している．

b. 宿主—ベクター系

組換え DNA 分子を導入する宿主菌としては大腸菌が最もよく使われるが，他に枯草菌，放線菌や酵母も用いられる．目的遺伝子をこれらの宿主細胞内で複製させたり，遺伝情報を発現させるためには，宿主細胞内で増殖可能な DNA の助けをかりなければならない．この目的のために用いられる DNA を**ベクター DNA**（vector DNA）と呼び，プラスミドやファージ DNA が利用される．これらのベクター DNA に共通していることは，① 宿主細胞内で安定に複製される，② 適当な制限酵素切断部位を有している，③ DNA 分子が宿主に導入されたかどうかを簡単に知るための薬剤耐性などのマーカーを有している，などである．プラスミドベクターとしては大腸菌や枯草菌などの原核生物のものだけでなく酵母や動物細胞内でも増殖可能なものが数多く開発されており，また各種ファージベクターも作成されているので目的に応じて使い分けることができる．細菌と動物など真核生物細胞双方で増殖できるものは**シャトルベクター** shuttle vector と呼ばれる．

組換え遺伝子を宿主に効率よく取り込ませる（形質転換）ために，塩化リチウム，塩化ルビジウム，塩化カルシウムやリン酸カルシウム処理を行うことによって細胞をコンピテント状態にしたり，プロトプラスト化を行うなど，宿主細胞に各種の工夫が凝らされる．

一方，「遺伝子組換え生物等の使用等の規制による生物の多様性の確保に関する法律」では，実験の安全面から，特殊な培養条件下でしか生存できない宿主と実験用でない他の生物への伝播がないベクターとの組み合わせを規定している（生物学的封じ込め）．

c. 遺伝子クローニング gene cloning

ある生物の DNA を制限酵素などで切断し，ベクター DNA に結合し，宿主細胞内に導入して増幅させ，目的の遺伝子を有する組換え体を選別することを**クローニング** cloning と呼び，目的の遺伝子を含む組換え体をクローン clone という．またクローンのもとになる生物を **DNA 供与体** donor という．

染色体 DNA を *Eco*RI で切断するとその制限酵素の認識する塩基配列（A-A-T-T-）を末端にもつ DNA 断片が得られる．さらにベクターを同一の制限酵素で切断して両者を混合すると付着末端が相補的なためにこの間で水素結合が形成される．これを連結酵素（リガーゼ ligase）で結合すると，染色体断片がベクターに組み込まれた組換え DNA recombinant DNA ができる．このベクターがプラスミドを宿主菌に取り込ませ，形質転換を行う．通常 DNA を取り込む宿主細胞は少数であるので，組換え DNA を取り込んだ細胞のみを選別する必要がある．この目的のために，使用するベクターにはあらかじめ抗生物質耐性遺伝子を含ませている．抗生物質を含む培地で選択し組換え DNA を取り込んだ菌のみを選別できる（**図 III-21**）．

ファージ DNA にはファージの吸着，感染，増殖に必須な遺伝子と，宿主染色体へのファージ DNA の組み込みなど，直接必要のない遺伝子がある．通常，左右の，ファージの増殖に必須な遺伝子を含むファージアーム phage arm の間に外来 DNA を連結して，組換えファージ DNA を作成する．次に組換え DNA をファージ粒子に挿入する**パッケージング** packaging を行うと，組換え遺伝子を有するファージができる．ファージの場合，ファージアームと目的遺伝子の組換えが起こらなかったものは，ファージ粒子に取り込まれ，宿主に感染しても宿主細胞内で増殖できないように工夫されているので，組換え DNA を有するファージのみが自動的に選別される．

組換えを行う目的遺伝子が，純化された遺伝子であったり，タンパク質のアミノ酸配列をもとに合成された DNA であれば，組換え遺伝子をもつ菌またはファージは目的の遺伝子のみをもつのでクローンの選別は簡単である．これに対して，はじめから特定の目的遺伝子をクローニングするのではなく，全ゲノム DNA を制限酵素切断またはその他の方法で適当な断片に切断したのち，プラスミドやファージベクターに組み込んでクローン化し（ショットガンクローニング shotgun cloning），得られた多数のクローンの中からプ

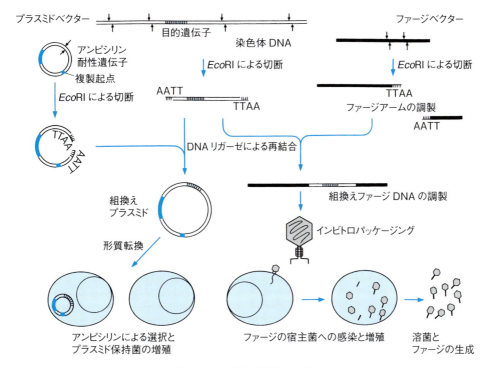

図 III-21　遺伝子操作の方法

ローブと目的遺伝子の間で雑種を形成させること（ハイブリダイゼーション）により目的とする遺伝子を選別する方法もよく行われる．この全ゲノム DNA を含むクローンを**遺伝子ライブラリー** gene library または**ジーンバンク** gene bank と呼び，特定の遺伝子を選別するために利用する．

　多くの生物の全ゲノム解読が進んだ今日では，ショットガンクローニングという方法によらずにゲノム配列情報に基づいて目的の遺伝子を PCR（polymerase chain reaction, p. 77 参照）で増幅し，これを発現ベクターに組み込み，形質転換体を効率よく作成することができる．

d.　塩基配列決定法　sequencing methods

　二つの DNA 塩基配列決定法が 1975 年，相次いで発表された．一つは DNA 分子中のプリン塩基，ピリミジン塩基，グアニン塩基，シトシン塩基をそれぞれ化学的に部分分解して生じる，様々な長さの DNA 断片を電気泳動により分離して調べる方法で，創始者の名前からマキサム–ギルバート（A. Maxam, W. Gilbert）法と呼ばれる．もう一つは，タンパク質のアミノ酸配列を考案したサンガー（F. Sanger）によるもので，現在ではジデオキシ法またはサンガー法と呼ばれる．とくにジデオキシ法は，発表当時 ^{32}P や ^{35}S などの放射性同位元素を用いたが，現在では蛍光色素で標識した基質とキャピラリー型電気泳動法による自動解析装置の進歩によりどこでも簡便に行えるようになった．

　ジデオキシ法の原理（**図 III-22**）は，DNA 合成においてジデオキシリボースが取り込まれると，3′ 位ヒドロキシ基が存在しないために次に取り込まれるデオキシリボヌクレオチド三リン酸（dNTP）との間でリン酸ジエステル結合が形成されず，合成反応が終わることによる（p. 48 参照）．例えばアデニン（A）の位置を知りたい場合，試料 DNA，プライマー，4 種類の基質（dNTP）と DNA ポリメラーゼを含む溶液に少量の ddATP を加えて反応を行えば，ddATP が取り込まれた場合にのみ DNA 鎖伸長は止まり，dATP またはそれ以外の塩基ならば合成はさらに進む．この反応

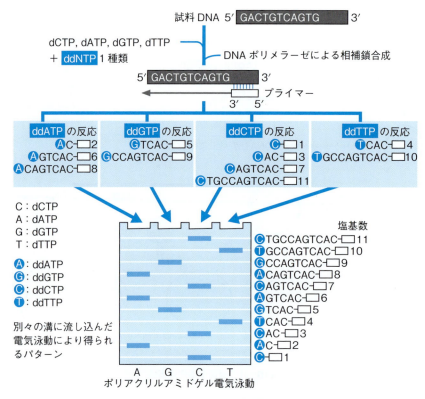

図 III-22 ジデオキシ法による塩基配列決定法の原理

の結果，溶液中には様々な長さの DNA 断片ができるが，反応終了部位は全て A である．それぞれ 4 種類の塩基について同様の反応を行い，反応産物を電気泳動により分離すれば，鎖の短いものほど移動距離が大きいので，先端部分から順番に塩基配列を読んでいくことができる．

かつては 5′ 末端をラベルしたプライマーを用いて **図 III-22** のように 4 種類の反応を別々に行っていた（dye primer 法）が，現在では 4 種類の波長の異なる蛍光色素でそれぞれ標識した ddATP，ddGTP，ddCTP，ddTTP を用いること（dye terminator 法）により一本のチューブで 4 種類の反応を行うことができる．それぞれの長さの DNA 分子の電気泳動による分離も，細いキャピラリーに分離のためのポリマーをつめたものを用いるので，多検体を一度に測定できる．これらの操作は自動化され，電気泳動パターンもコンピューターにより大量処理されるので，膨大なデータを短時間に得ることができる．細菌のみならず，ヒト

など哺乳動物のような巨大なゲノムを有する生物の全塩基配列を明らかにすることができたのは，この塩基配列解析法の技術革新に負うところが大きい．

e. 次世代シークエンサー
next-generation sequencer（NGS）

2005 年に初めて発売された新しい原理に基づく超高速シークエンサーを次世代シークエンサー（NGS）という．前述のような電気泳動による分離や解析によらず，膨大な数の DNA 試料を同時並行解析し，コンピューター上でデータを連結させて配列データを構築していく．様々な技術的特徴をもつ機種が販売されており，1 回の運転で数千万～数千億の塩基配列を解読できる極めてパフォーマンスの高い装置となっている．NGS では，まずサンプルから得て断片化したDNA 両端に特異的アダプター配列をつけて PCR（第 6 節参照）を行う．一つの方法は，アダプターと相補的な短い DNA が結合したビーズと，DNA を 1：1 で

油水エマルジョンに入れて反応を行う（エマルジョンPCR）．これにより，オイル中の一つのビーズ上に特定のDNA断片が膨大に増幅される．そして，このビーズ一つが収まる微細な穴が開いた特殊な反応器（ピコタイタープレート）に入れて配列解析を行う．もう一つの方法として，2種類の異なるアダプターが結合したスライドガラス基盤（フローセル）を利用する．断片化したDNAの両末端にこれらの2つの異なるアダプター配列（アダプターA，B）をそれぞれ付加し，一本鎖にした後，5′末端側（アダプターA）をフローセル上に固定する．フローセルには，これらのアダプターが相補的に結合するプライマーが高密度に配置されており，試料の一本鎖DNAは，3′末端側（アダプターB）でフローセル上の相補的なプライマーと結合し，橋渡しのような構造（ブリッジ状）となる．この状態でDNAポリメラーゼによって伸長反応を行うと，2本の一本鎖DNA断片が得られる．この操作の連続により，膨大な数の一本鎖DNA断片を局所的に増幅固定することができる（ブリッジPCR）．この一本鎖DNAを鋳型として，配列解析を行う．各PCR産物集団のシークエンス反応で生じる蛍光シグナルを検出することで配列情報が得られる．その反応系としては，一つは蛍光標識したdNTPの取り込みをデジタルカメラによって解析する方法である．このdNTPは，3′末端が保護基によりブロックされており，1塩基ごとにどのdNTPが取り込まれたのかレーザーで蛍光を読み取った後，蛍光物質と保護基を除去して，次の伸長反応を行わせ，連続的に解析を進めていく（sequencing by synthesis法）．一方，DNAの伸長反応の際，dNTPが取り込まれるときに放出されるピロリン酸を検出する方法がある（パイロシクエインシング法）．これは，ピロリン酸とアデノシン5′-ホスホリン酸からATPスルフリラーゼによってATPを産生し，このATPをルシフェリンを基質としたルシフェラーゼによる蛍光発光として検出するものである．また，最近ではPCRによる試料DNA断片の増幅を行わず，1分子反応を基本として，DNA合成反応をリアルタイムにモニターする機器が開発されている（1分子リアルタイムシークエンシング法）．このシステムでは，微小ウェルの底にDNAポリメラーゼを固定し，DNA伸長反応を行うが，dNTPのリン酸基が蛍光標識されており，伸長ごとに遊離する遊離蛍光を検出する．この方法は，リード長が非常に長く，また，PCRを行わないために増幅時のエラーやバイアスを考慮する必要がないことが特徴である．

f. メタゲノム解析 metagenome analysis

メタゲノム解析とは培養困難な微生物群のゲノムDNAを網羅的に調べる方法である．例えば，腸内細菌叢あるいは土壌中に存在する微生物や海洋微生物などを対象として，これら微生物集団のゲノムDNAを網羅的に塩基配列解析する．この解析手法は上記の次世代シークエンサーが開発されたことで可能となった．次世代シークエンサーでは上記の通りMb〜Gb単位（100万〜10億塩基）の配列を一度に解読できるようになり性能が飛躍的に向上した．さらに1回の解析により得られる塩基配列情報がTb（1兆塩基）に達する装置も登場している．大腸菌K-12株のゲノムが約4.6 Mbp（460万塩基対），ヒトのゲノムが約3 Gbp（30億塩基対）であることから次世代シークエンサーの処理能力は圧倒的である．新たに開発されたこの解析装置を用いて，環境変化やストレスに応じて変化する腸内細菌叢の解析が行われたり，土壌微生物や海洋微生物から新規抗菌活性物質や有用タンパク質が同定されるなど，様々な分野で活用されている．

g. マイクロバイオーム microbiome

ヒトの腸内，口腔内，皮膚などには，数百兆個の常在菌が存在する．人体を構成する細胞数が37兆個といわれており，ヒトの常在菌はその10倍以上の数であるといえる．これらは，生息部位ごとに異なった細菌種や組成比からなり，独特の細菌集団（細菌叢，マイクロバイオーム）を構成している．第Ⅴ章でも述べられているが，常在細菌叢は，年齢，食べ物，地域性や国民性を含む生活環境・習慣などによって左右される．また，これら常在菌は，単純に各々の部位に付着し生息しているわけではなく，人体の細胞と相互作用することで，様々な影響を与えており，ヒトの健康と疾患と大きな関わりがあると考えられ，これを明らかにしようとするのがマイクロバイオーム研究である．

常在菌の多くは，嫌気性菌が多いことや，培養不能菌も存在することから，網羅的な検出・同定はこれまで非常に困難であったが，次世代シークエンサーの性能と技術の向上により飛躍的に発展している研究分野である．次世代シークエンサーを用いた基本的な解析方法の一つであるメタ16S解析では，常在細菌種の16SリボソームRNA遺伝子の可変領域を共通プライマーで一括PCR増幅し，その増幅DNAの集合体（アンプリコン）の配列データを次世代シークエンサーで取得する．従来の16SリボソームRNA遺伝子シークエンス解析では，アンプリコンの大腸菌へのクローニング，クローンの培養分離など，煩雑な操作と時間を要したが，次世代シークエンサーではこれらの作業の必要がない．バーコード配列をもつ共通プライマーを細菌叢検体ごとに使い分けることにより，異なった検体から得られたアンプリコン混合物を同時に配列解析することができ，膨大な配列データを短期間で得ることができる．一方，メタゲノム解析では，細菌叢を構成する菌種の混合ゲノムから得られたショットガンシークエンスに基づき網羅的に菌種の同定が可能である．次世代シークエンサーによるメタゲノムリードのアッセンブルから非重複配列を取得し，その配列から遺伝子予測プログラムを用いて遺伝子を同定することもできる．菌種の同定のみならず，京都大学が運営するKEGG（Kyoto Encyclopedia of Genes and Genomes）の機能既知遺伝子のデータベースなどを用いることで，遺伝子の機能や関連する代謝経路などの機能特性をも解明できる．米国NIH（National Institute of Health）が2007年に立ち上げたHuman Micorobiome Projectにおいて，3,000株以上のヒト常在菌株のゲノム配列情報がデータベース化されており，腸内細菌叢のメタゲノムデータの約8割はこのリファレンスゲノムデータにマッピングされる状況にある．一方で，マッピングされない配列データも未だ多くあることから，個別の分離株を含め，世界的にさらにゲノム解析が推進されている．

h. RNAシークエンシング
RNA sequencing, RNA-Seq

細菌の性状や様々な環境における生理状態，また病原菌の病原機構を調べる過程において，特定の環境・条件下における菌のmRNAの発現を調べることは極めて重要で，その方法としてRT-PCR，マイクロアレイ解析は従来からよく知られている．しかしながら，PCRによる発現定量は，既知遺伝子のmRNAにしか適用できず，かつ一度に数種類程度のmRNAしか定量できない．また，マイクロアレイ解析においても，低発現遺伝子はバックグラウンドノイズの影響を，高発現遺伝子はシグナルの飽和による影響を受ける，また，クロスハイブリダイゼーションの影響を受ける等といった欠点がある．RNA-Seqを利用したmRNAの定量は，基本的に細胞中のmRNAを全て収集して，その塩基配列を次世代シークエンサーで解析する．mRNAの長さは，概ね500〜2,000 bpに分布しており，これらを短い断片にランダムに切断し，塩基配列を解析し，断片をジグソーパズルのように繋ぎ直す作業を進めていき，最終的に遺伝子ごとに何本のmRNAがあったかを集計することで，遺伝子の発現量を見積もることもできる．

実際の作業としては，mRNAを抽出して，次世代シークエンサーにかけるまでに必要なライブラリーの準備において，mRNAを断片後，cDNAを合成する．次に，cDNAの両端にアダプター配列やバーコード配列を取り付けて，PCR増幅を行う．PCR増幅を行うことで，転写量の少ない遺伝子のmRNA断片の量も指数的に増えて，次世代シークエンサーによって検出されやすくなる．調整したライブラリーを高速シークエンサーで処理すると，ライブラリー中にあるmRNA断片の塩基配列が読み取られる．これを解析することで，それぞれの断片がどの遺伝子のmRNAに由来するのかを同定することができ，最終的に各遺伝子（あるいは転写産物）の発現量を見積もることができるようになる．しかしながら，PCR増幅の効率は塩基構成によって異なり，遺伝子の長さによっても異なることに加えて，RNAからDNAに変換する逆転写反応の際もプライマー配列に依存して，バイアスが生じる．そのため，現在ではPCR増幅を必要としないPCR-freeの方法，すなわち，cDNAを合成せず，1分子のRNAから配列を決定できるシステムが普及しつつある．

i. ハイブリッド形成による遺伝子解析

二本鎖DNAはアルカリ、あるいは高温条件下で一本鎖になるが、相補的な配列をもつ異種のDNA分子を加えて中和または冷却すると交雑 hybridization して二本鎖を形成する。この性質を利用して、あるDNA群の中に特定の配列をもった遺伝子が存在するか否かを調べることができる。このとき加えるDNA（またはRNA）分子がプローブ probe で、通常放射性同位元素や化学発光物質、蛍光色素などでラベルして用いる。

(i) サザンブロットハイブリダイゼーション
Southern blot hybridization

英国のサザン（E. M. Southern）が考案し、1975年に報告した方法で、アガロース電気泳動により分離したDNA断片を毛細管現象を利用した方法あるいは電気的にナイロン膜（またはニトロセルロース膜）に転写することをサザンブロットという。

膜に転写されたDNA断片は、ゲル電気泳動されたパターンをそのまま反映しているので、標識したプローブ（DNAまたはRNA）と緩衝液中でハイブリッドを形成させた（hybridization）のち、膜をX線フィルムに露光させて、目的遺伝子の位置を知ることができる（図III-23）。

(ii) ノーザンブロットハイブリダイゼーションとウエスタンブロットハイブリダイゼーション
northern blot hybridization and western blot hybridization

サザンブロットはDNAを分離、膜転写することであるが、RNAに対して同じ操作を行うことを南に対する北という意味でノーザンブロットという。この場合、解析対象となる分子はmRNAで、プローブには一本鎖にしたDNA分子を用いる。

タンパク質も電気泳動法によって分離して、電気的に膜転写することができる。プローブとして用いる抗体はビオチンなどで標識されていて、発色などにより目的タンパク質を検出できる。この方法は南、北につづいて西、ウエスタンブロット western blot 法と呼ば

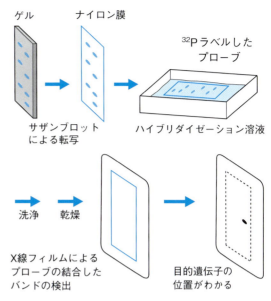

図III-23 プローブによる目的遺伝子の検出

れる。

この他、作成した遺伝子ライブラリーから目的遺伝子を含む組換えプラスミドやファージを選別する場合にもハイブリダイゼーションを行う。方法は、培地上に生育した組換えプラスミドを含む細菌コロニーやファージプラークを膜上に移し、コロニーやプラークを溶解後、DNA分子をアルカリ条件で変性させて膜に定着させ、中和した後プローブとのハイブリダイゼーションを行う。これらの方法は、それぞれコロニーハイブリダイゼーション colony hybridization、プラークハイブリダイゼーション plaque hybridization という。

j. 遺伝子変異（改変）と機能解析

遺伝子のもつ機能は、化学物質や紫外線などを用いて細胞に変異を誘発し、変異細胞においてどのように生理機能が変化するか、正常細胞と比較することによって解析されてきた。しかし現代の分子生物学的手法はこの古典的遺伝学とはまったく異なり、まずクローン化した遺伝子に変異を導入したものをもとの細胞に戻し変異細胞をつくる。そして、変化したり失活する性状を解析してこの遺伝子の機能を解析する。

(i) 部位特異的変異導入 site-directed mutagenesis

遺伝子内部の目的とする位置に正確に変異を導入し，改変遺伝子を作成することを，部位特異的変異導入 site-directed mutagenesis という（**図III-24**）．こうして1ヵ所だけのアミノ酸を入れ替えたり，複数のオリゴヌクレオチドを用いて同時にいくつかのアミノ酸を置換したり，あるいはアミノ酸を付加したり，欠失させることもできる．この方法でつくられる変異タンパク質を用いて，このタンパク質分子のもつ生理機能を解析したり，あるいは他の分子との相互作用などを調べることができる．

遺伝子の機能解析を行うために，改変遺伝子を染色体上の正常なものと置き換える必要が生じる場合がある．通常一倍体ゲノムをもつ微生物では，相同組換えにより比較的容易に置換が起こる．このような操作を行った生物は，遺伝子導入生物 transgenic organism と呼び，正常遺伝子を欠失させたり不活性化することを遺伝子ノックアウト gene knock out するという．また，近傍の相同組換えにより遺伝子を導入する場合は遺伝子ノックイン gene knock in という．この操作は高等生物でも，困難をともなうが不可能ではなく，特定の遺伝子をノックアウトした動植物が多数つくられ，複雑な生理機能の解明に役立っている．

(ii) RNA 干渉 RNA interference (RNAi)

上記のようにジーンターゲッティング gene targeting 法により目的遺伝子を破壊する方法の他に，mRNAと相補鎖との塩基対形成（アンチセンス antisense）法，あるいは mRNA を切断するリボザイム ribozyme 法のように，mRNA レベルにおける遺伝子の機能障害を起こさせる方法がある．しかしこれらの操作はいずれも煩雑，かつ効率が悪いという欠点がある．

RNA 干渉は，最初植物遺伝子において発見され，現在では真菌のような下等真核生物からヒトを含む高等動物まで普遍的にみられる現象であることが知られている．**図III-25** に示したような分子メカニズムが

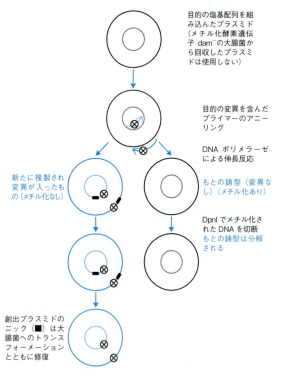

図III-24　部位特異的変異導入

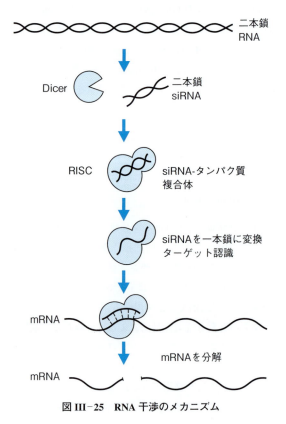

図III-25　RNA 干渉のメカニズム

提唱されている．RNA 干渉の第 1 段階は，RNase III の一種であるダイサー Dicer という酵素によって，細胞内に取り込まれた二本鎖 RNA が 21 〜 23 塩基の短い RNA（siRNA, short interfering RNA）に切断されることである．ついでこの siRNA はリスクタンパク質 RNA−induced silencing complex（RISC）と複合体を形成して一本鎖に変化し，相補的な配列をもつ mRNA を認識して切断する．簡便な上に効率的に遺伝子発現を抑制することができる．

k. DNA マイクロアレイ DNA microarray

塩基配列解析技術の進歩と普及により，多くの生物種の全ゲノムが解明されている．塩基配列が明らかにされると，開始コドンから終止コドンまでの ORF が決められる．ORF には機能のわかっているもの，あるいは既知遺伝子との配列の相同性から機能が推定されるもの，機能不明のものなどがある．機能不明の ORF でも，生物間で普遍的に存在するものであれば生物の基本的な役割を担っていると考えられる．またある種のゲノムに独特の ORF であれば，その生物の固有の機能を果たす遺伝子であったり，あるいは未知の病原遺伝子である可能性もある．

これらの未同定遺伝子の機能を前述のように一つずつ解析するのではなく，何千もの遺伝子の発現を同時に検出する方法が開発されている．**DNA マイクロアレイ** DNA microarray（**DNA チップ** DNA chip）は，小さなガラス片あるいはシリコン基盤に特定遺伝子の配列をもつ DNA 断片プローブを多数高密度に配置（array）して貼り付けたものである．一枚のアレイに一つの生物種の全ての遺伝子をのせたものもある．さらに，解読済みのゲノムデータから等間隔に抜き出した塩基配列をプローブとしてタイル状に並べたものもある（タイリングアレイ）．これによれば，原理的には新規の転写産物などゲノムにおいて転写された全ての RNA を検出することが可能である．

まず一定の生理状態にある細胞から mRNA を抽出して cDNA を合成し，蛍光色素で標識する．次に，別の生理条件で発現させた mRNA の cDNA を別の蛍光色素で標識する．これらをアレイ上の DNA プローブとハイブリッド形成させ，結合した cDNA を定量すれば異なった条件下における遺伝子の発現レベルの差が明らかになる（**図 III−26**）．反応結果の測定は，自動走査型レーザー顕微鏡で行い，アレイ上の位置関係から遺伝子の種類を割り出すとともに蛍光強度からその発現量がわかる．このアレイを用いることにより，生理的，生化学的状況変化における細胞内の全ての遺伝子発現動態を体系的かつ網羅的に理解することができる．現在では，疾患・病態関連遺伝子を特定してゲノム創薬に応用されている．

l. CRISPR-Cas（clustered regularly interspaced short palindromic repeats-CRISPR-associated proteins）

近年，細菌のファージ感染に対する抵抗性から，**CRISPR-Cas** システムと呼ばれる獲得免疫機構の存在が明らかにされた．**CRISPR** は細菌ゲノム上に存在する複数のスペーサー配列とパリンドロームを含むリ

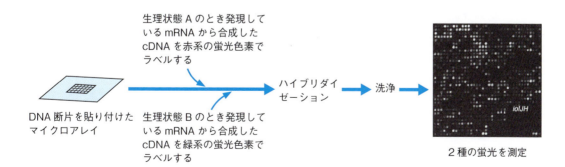

図 III−26　DNA マイクロアレイによる遺伝子発現解析
写真は枯草菌全 4,000 遺伝子発現の一部
［福山大学　藤田泰太郎博士提供］

ピート配列領域で，その上流に **Cas タンパク質遺伝子群**（*cas* 遺伝子）をもつ（図 III-27）．これは細菌細胞に侵入してきたファージやプラスミドなどの外来 DNA を記憶し，再度侵入してきた場合にこれら DNA を切断，除去するものである．CRISPR-Cas システムは，システムを構成している Cas タンパク質群や作用機序の違いによって，タイプ I～III に分かれ，さらにそれぞれがいくつかのサブタイプに分類される．その概要は次の通りである．

　Cas タンパク質のうち Cas1 と Cas2 複合体や Csn2，Cas4 の働きによって，外来 DNA の一部である proto-spacer 領域が，その上流もしくは下流の proto-spacer adjacent motif（PAM）配列を目印として切り出されて細菌ゲノム上にある CRISPR 内部のスペーサー配列領域に組み込まれる．外来 DNA が再侵入するとこれが刺激となって CRISPR から precursor-CRISPR RNA（pre-crRNA）が転写される．この pre-crRNA は trans-activating crRNA（tracrRNA）や Cas9 と複合体を形成，pre-crRNA はリボヌクレアーゼ RNase III の働きで crRNA に切断される．Cas4 は外来の二本鎖 DNA を部分的に解離させる作用をもち，相補配列をもつ crRNA が外来 DNA の proto-spacer 領域に結合，Cas9 のエンドヌクレアーゼ活性により外来 DNA は切断，排除される．

　CRISPR-Cas システムの発見は遺伝子改変技術に画期的な変革をもたらした．CRISPR-Cas システムの中でも，タイプ II である CRISPR-Cas9 のメカニズムは最もシンプルであり，いち早く再構成系が確立された．標的二本鎖 DNA を特定の位置で切断するために，crRNA, tracrRNA, Cas9 があれば十分であり，crRNA, tracrRNA を連結させた一本の RNA 鎖（single guide RNA, sgRNA）として用いることができる（図 III-27）．ある特定の遺伝子を破壊する方法として，標的遺伝子の proto-spacer 領域を含む配列（ガイド RNA：gRNA）および PAM 配列を組み込んだプラスミドベクターを細胞に導入，同時に *cas9* 遺伝子を発現させることにより標的遺伝子を切断，破壊（ノックアウト）することができる．逆に遺伝子を導入（ノックイン）することも可能で，これは細菌のみならず動物や植物などあらゆる生物種に応用できることが明らかとなっている．2015 年にはこの方法を用いて，世界で初めてヒト受精卵の遺伝子操作が中国で行われ倫理規制が新たな課題となった．従来の遺伝子改変技術と比べて，迅速かつ簡便であるとともに複数遺伝子の **ゲノム編集** genome editing ができることから，今後この技術が普及するものと考えられる．

6 遺伝情報と利用

　遺伝子操作技術が一般化されて，現在では医薬品，ワクチン，食品などが生産されている．癌や免疫異常など医療面での応用も行われている．また，考古学か

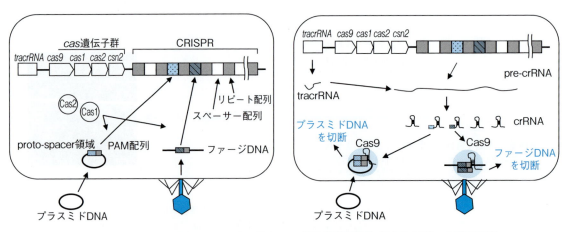

図 III-27　CRISPR-Cas9 システムによる外来 DNA 排除機構の概略（左図は記憶，右図は排除）

ら親子鑑定や個人識別，さらには犯罪捜査まで，広く社会的な問題解決にも利用されるようになり，倫理面や個人情報をいかに保護していくかという，新しい問題点も考慮されなければならなくなった．この技術は多大な可能性とともに重要な課題をも内包している．

a. 病原細菌の検出と同定

感染症の分野でも，病原因子の解明，毒素の構造や機能解析が進展している．また，これまでは病的材料から分離培養した菌について，形態，生化学的性状，血清学的性状などを調べ病原体として同定を行ってきた．最近はこれまでの方法に代わって，遺伝情報を用いた手段が選ばれるようになってきた．菌種に特異的な配列を用いて，正確かつ迅速に感染診断と起因菌の同定ができる．

(i) ポリメラーゼ連鎖反応 polymerase chain reaction (PCR)

この方法はDNAポリメラーゼの部分的二本鎖に連続して相補的なDNA鎖を合成する性質（p. 48，DNA合成の項参照）と，高度好熱菌 Thermus aquaticus のDNAポリメラーゼの耐熱性を利用し，染色体の特定の領域を連続的に合成して，細菌やウイルスの分類，同定あるいは感染診断を行うものである（図III-28）．すなわち，鋳型DNA分子，耐熱性ポリメラーゼ，一対の化学合成した短鎖DNA（プライマー primer，通常20〜40塩基，増幅しようとする目的遺伝子の塩基配列の一部に相補的な配列をもつ）とDNA合成に必要なdNTPなどを加えた溶液を，① 鋳型DNAの加熱変性 denature，② プライマーと鋳型

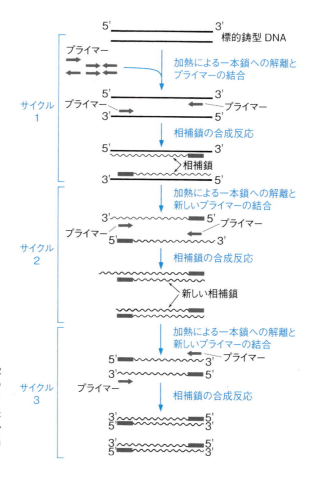

図III-28 ポリメラーゼ連鎖反応の概略
反応は加熱による二本鎖の解離熱変性（96℃），プライマーの結合（アニーリング）（50〜60℃），ポリメラーゼによる合成反応（伸長反応）（72℃）が1サイクルでDNAは2倍になる．初期の反応では不ぞろいな長さのDNA断片が合成されるが，次第にプライマーの位置に対応する長さに統一され，最終的には同じ長さの分子ばかりになるのでアガロース電気泳動で簡単に検出できる．

DNAの結合（アニーリング annealing），③DNA合成反応（伸長反応 extension）の三つのステップを連続的に繰り返して，プライマーにはさまれる領域を増幅する．この1回のサイクルは通常数分で終わり，DNA分子は2倍になるので，これを2～3時間の反応で30回行えばDNA分子は2^{30}倍，約10億倍となる．

HIVやHCVなどのRNAウイルスを検出する場合には，逆転写酵素 reverse transcriptase を用いて，RNAから相補的なcDNAを合成してからPCRを行う．この方法をRT-PCRという．

増幅したDNA産物を制限酵素で切断して，生じる断片のサイズを比較（制限酵素断片長多型 RFLP, restriction fragment length polymorphism）したり，直接塩基配列を決定してPCR産物を同定確認することも行われる．

これらの方法は遺伝子の定量のみならず，遺伝子診断に適用されるなど応用範囲は広い．医薬品に対する反応が個人個人によって異なることがあり，これは薬物代謝酵素や受容体遺伝子多型に基づくものと考えられている．遺伝子多型とは，塩基の欠失や挿入，塩基の繰り返しの他，一塩基置換 single nucleotide polymorphism（SNP）などである．次に述べるリアルタイムPCRはSNPの検出に有力で，病気との相関の解析や薬の効きやすさや副作用の予測など，今後の個別化医療の進展には欠かせない技術である．

(ii) リアルタイムPCR real time PCR

PCRを用いた病原菌の検出は，例えば結核菌では数週間もかかる培養検査が数時間のうちに行える．しかしPCR産物を電気泳動で分離，染色したり，産物の確認をしなければならない．さらに材料中にどの程度の菌数が存在したかは知ることができない．この点を補うためにリアルタイムPCRが開発され汎用されるようになった．主に，インターカレーター法とプローブ法がある．前者は，反応液に加えられたサイバーグリーンなどの色素が，PCR反応により合成された二本鎖DNA間に結合し，励起光の照射により蛍光を発する．この蛍光を検出することで，増幅産物の生成量をモニターする．後者は，5′末端を蛍光物質で，3′末端をクエンチャー物質で修飾したオリゴヌクレオチド（プローブ）をPCR反応に使用する．アニーリングステップでプローブが鋳型DNAに特異的にハイブリダイズするが，プローブ上のクエンチャーの作用により，励起光を照射しても蛍光の発生は抑制される．しかし，伸長反応の際，*Taq* DNAポリメラーゼのもつ5′→3′エキソヌクレアーゼ活性により，鋳型にハイブリダイズしたプローブが分解されると，蛍光色素がプローブから遊離し，クエンチャーによる抑制が解除されて蛍光が発せられ，これを検出することでPCR産物を定量することができる（**図III-29**）．これらの方法ではPCRを行いながら同時に進行状況を知ることができるのでリアルタイムPCR，または試料中に鋳型DNAがどの程度の量存在するのかも知ることができるので定量PCR quantitative PCR（qPCR）とも呼ばれる．さらに，RT-PCRと組み合わせて，

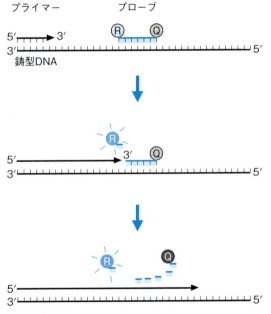

図III-29　リアルタイムPCR（プローブ法）の原理
通常のPCRに加えて，対象とする鋳型DNAの配列に相補的なプローブを同時に用いる．このプローブにはリポーター蛍光色素（R）が結合しているが，同時にクエンチャー蛍光色素（Q）も結合しているのでこのままでは発光しない．酵素による相補鎖合成が進み，プローブの結合部位にくるとDNAポリメラーゼのエキソヌクレアーゼ活性によりプローブが分解されて，リポーター蛍光色素が遊離し，つづいてクエンチャー蛍光色素も遊離する．この結果リポーター蛍光色素が蛍光を発する．

微量のmRNAの定量に用いることができ，これにより特定の時間，細胞，組織での遺伝子の発現をみることができる．この技法を"定量RT-PCR"（quantitative reverse transcription PCR）法と呼ぶ．

(iii) LAMP法 loop-mediated isothermal amplification

LAMP法は，標的遺伝子の6ヵ所の領域に対して4種類のプライマー（2種のDNA鎖引きはがしプライマーと2種のループ部分にアニーリングするプライマー）を設計し，耐熱性鎖置換型DNAポリメラーゼを使って，一定温度（60〜65℃）でDNAを1ステップで増幅する方法である．この方法では，両端にループ構造をもった一本鎖DNAができ，これが増幅サイクルの起点となる．以降もループ部分からDNA合成反応が短時間で連続的に起こり，結果的に同一鎖上に互いに相補的な配列を繰り返す構造の増幅産物がいろいろなサイズで生じる．本法は極めて特異性が高く，増幅産物が全て増幅サイクルの鋳型となり，かつ増幅産物の量がはじめに存在していた標的遺伝子の量に依存するため，標的遺伝子の定量的で高感度な検出が可能である．蛍光インターカレーターによる蛍光検出，反応の副産物ピロリン酸マグネシウムによる白濁，反応液の酸性化を検出するpH指示薬の呈色で目視検出ができる．

b. バイオテクノロジーの発展

遺伝子操作技術の進展にともなって，稀少タンパク質などの医薬品生産の夢がふくらんだ．実際，大腸菌を使ってソマトスタチンやインスリンの生産が行われた．しかし大腸菌は合成したタンパク質を細胞外に分泌しないため，① 目的タンパク質の精製が困難であること，さらに真核生物における機能タンパク質はリン酸化されていたり，糖鎖が結合しているものが多いが，② 大腸菌ではこの作用がないこと，などの問題点があった．この点を克服するために酵母細胞のような真核生物，あるいは培養動物細胞が用いられたが，安価に大量生産するという当初の目的にはかなわない場合が多い．現在では，ウシなどの家畜に遺伝子を導入して，ヒトに有用な物質を乳中に発現させる試みがある．

(i) バイオ医薬品

バイオ医薬品とは，遺伝子組換え技術あるいは細胞培養技術を用いて製造されたポリペプチドまたはタンパク質を有効成分とする医薬品である．わが国で開発されたバイオ医薬品の具体例と効能を表III-3に示した．

微生物分野におけるバイオ医薬品としては，遺伝子組換えワクチンがある．実用化された沈降B型肝炎ワクチンは抗原遺伝子を酵母に組み込み発現させたもので，副作用軽減に効果がある．

病原ウイルスの抗原遺伝子にプロモーターやポリAシグナルなどを結合させたDNAを，動物個体に直接接種して発現させる方法も研究されている．さらに細胞レセプターを付加して，特定の組織細胞でのみ発現させたり，同時にサイトカインの遺伝子も組み込み免疫応答を増強させることを目標とするものもある．これらのものをDNAワクチンと呼び，ヘルペスウイルス，インフルエンザウイルスやヒト免疫不全ウイルス（HIV）などに対するものが研究されており，最近では新型コロナウイルスに対するものも急ピッチで開発が進められている（表III-4）．動物実験段階では，抗体の産生とT細胞の誘導がみられ免疫応答が成立することが確かめられている．また，最近では，メッセンジャーRNA（mRNA）を直接体内に投与して，タンパク質を抗原として発現させるRNAワクチンの

表 III-3 わが国で開発されたバイオ医薬品の例

成分名	適用
インスリン	糖尿病治療
成長ホルモン	低身長症治療
ソマトメジン	低身長症治療
組織プラスミノーゲン活性化因子（TPA）	血栓溶解
インターロイキン-2	抗悪性腫瘍
インターフェロン	抗悪性腫瘍
顆粒球コロニー刺激因子（G-CSF）	顆粒球減少症の治療
エリスロポエチン	貧血の治療
グルカゴン	代謝機能検査
ナトリウム利尿ホルモン	心機能改善
血液凝固第VIII因子	血友病治療
モノクローナル抗体	急性拒絶反応治療薬

表 III-4　開発中の DNA ワクチンの例

対象感染症（病原体）	抗原となるタンパク質
B 型肝炎（HBV）	ウイルス表層抗原（HBs）
単純ヘルペスウイルス感染症（HSV）	ウイルス糖タンパク質
インフルエンザ（influenza virus）	赤血球凝集素
後天性ヒト免疫不全症候群（HIV）	エンベロープタンパク質，感染性・増殖を調節するタンパク質（tat, rev, nef など）
成人 T 細胞白血病（HTLV-1）	エンベロープタンパク質
狂犬病（rabies virus）	ウイルス糖タンパク質
新型コロナウイルス感染症（SARS-CoV-2）	スパイクタンパク質など

表 III-5　遺伝子組換え作物

作　物	性　質
じゃがいも	害虫抵抗性，ウイルス抵抗性
大豆	除草剤耐性，高オレイン酸含有
てんさい	除草剤耐性
とうもろこし	害虫抵抗性，除草剤耐性，高リジン形質
なたね	除草剤耐性，雄性不稔性，稔性回復性
わた	除草剤耐性，害虫抵抗性
アルファルファ	除草剤耐性
青いバラ	デルフィニジン（青色素）発現
パパイヤ	ウイルス抵抗性

開発も活発化してきている．HIV，ヒトパピローマウイルス，新型コロナウイルスなどに対するものがそれである．mRNA は核への輸送が必要なく，ゲノムへの挿入変異のリスクも少ないため，より安全性に優れる一方，生体内で極めて不安定なので，生体内投与にはドラッグデリバリーシステム（DDS）技術が不可欠となる．

(ii) 遺伝子組換え作物
genetically modified organism（GMO）

Bacillus thuringiensis が芽胞形成時産生するタンパク質は昆虫に対して有毒である．この毒素（BT トキシン）遺伝子を植物に組み込み発現させれば，害虫による食害から作物を保護することができる．殺虫剤などの農薬の使用を軽減できるので，生態系に与える負荷も少なく経済効果もあるという．土壌細菌アグロバクテリウム *Agrobacterium* の除草剤耐性遺伝子を組み込んだ作物は，除草剤に抵抗性をもつので雑草の除去が容易である．これらの遺伝子組換え作物（GMO）の他，腐りにくいトマト，不飽和脂肪酸を含む大豆，アレルゲンを除いた米など多くのものが作出されている．さらには医薬品遺伝子を組み込んだ穀物，抗原タンパクの入った果物などが考案されているが，遺伝子操作によりつくり出された食品に対する人々の抵抗は非常に強い．国内の安全性審査を経た GMO の例を表 III-5 に示す．組換え DNA 技術応用作物である食品およびその加工食品については食品衛生法により表示が義務付けられている．

一方，遺伝子組換えによりつくられた，自然には存在しない青いバラのように花の色や形の変わった観賞用植物の流通に対する反対は少ないが，人工的に組換えた遺伝子を環境中に解き放つという意味ではなんら変わるところがない．

c. 遺伝子組換えと生物多様性

遺伝子を人工的に別種の細胞に導入して増幅あるいは発現させる技術が開発されたことにより，高い適応力と強い病原性を併せもつ微生物が作出されるのではないかと危惧された．そこで研究者達は自らが遺伝子組換え生物を封じ込める規則（実験指針）を策定して，実験における安全性を確保することにした．この規制は物理的封じ込めと生物学的封じ込めの二つの概念からなり，組換え生物が環境中に散逸しないように，あるいは万一漏れ出した場合には生存できないようにという考え方に基づいている．物理的封じ込めは実験施設の設備，装置に関する規制で（物理的封じ込めに関しては p. 151 を参照），生物学的封じ込めは実験に用いる生物の環境における生存能力に関する規制である（表 III-6）．しかしながら遺伝子組換え実験が一般化するにしたがって多くの知見が蓄積され，当初懸念されたほどの重大な危険性はないことが理解されるようになった．また遺伝子の多くはその生物種に固有でなく頻繁に種を超えて水平伝播されている事実も明らかにされてきた．

微生物を用いる遺伝子組換えは次第に動物細胞や植物にも応用されるようになり，前述のように医薬品やワクチン製造あるいは害虫や除草剤耐性農作物の作出

表 III-6 生物学的封じ込め区分

生物学的封じ込め	宿　　主	ベクター
B1	自然条件下での生存能力の低い宿主 大腸菌の EK1 系，酵母菌の SC1 系，枯草菌の BS1 系など	接合などによって宿主以外の細菌に伝達性がない
B2	遺伝的欠陥をもつため特殊な培養条件下以外では生存できない宿主 大腸菌の EK2 系，酵母菌の SC2 系，枯草菌の BS2 系	宿主への依存性がとくに高く，他の細胞に伝達性が極めて低いもの

も行われるようになってきた．国内で認可されている GMO は表 III-6 に示したが，これ以外にも耐病性あるいはビタミン A 強化米やスギ花粉症緩和米などもあるが商品化に至っていない．日本では GMO に対する反対が強く栽培は普及していないが，世界的には GMO が主流で日本の輸入穀物の半量を占めるという推定もある．このような GMO を食料とする場合の人体に対する影響に関してはどのようなものがあるか未知な面もあり慎重に検討を重ねる必要がある．また植物は野外で栽培するために微生物や動物と異なり管理が困難で生態系に与える影響が懸念されている．植物の耐病性や殺虫性による野生生物に与える影響，さらに交雑による自然生物との遺伝子交換あるいは遺伝的攪乱が起こる危険性がある．

現在地球上に生息する生物は 3,000 万種と推定される一方，開発や乱獲あるいは外来種の持ち込みなど人間の活動のために毎年 4 万種の生物が絶滅していると考えられている．この数は地球の歴史上何度も起こったといわれる大量絶滅を凌ぐ．生物は常に競争あるいは共生など生物同士のそれぞれの関係により進化あるいは滅亡していくものであるが，それは生物の多様性が確保されていて初めて成立するものであり現代のような恒常的な生物種の減少が続けば将来生物の多様性が維持できないことにもなりかねない．このような懸念から EU 諸国が主体となって世界各国と協議を繰り返し，カルタヘナ議定書 Cartagena Protocol on Biosafety「生物の多様性に関する条約のバイオセーフティに関するカルタヘナ議定書」を採択した．この議定書では GMO など遺伝的に改変された生物が生物の多様性の保全および持続可能な利用に及ぼす可能性のある悪影響を防止するための措置を規定している．とくに国境を越える移動に焦点を合わせ，安全な移送と取り扱いならびに利用の分野において十分な水準の保護を確保することを目的としている．2018 年現在，締約国は本国を含む 190 以上の国と地域となっている（アメリカは未批准）．

第IV章 免疫学

1 免疫の働き

　我々の体の表面（皮膚と粘膜）には，多くの常在微生物が共生し，生態系 ecosystem を構築している．皮膚と粘膜を越えて，体の深部への微生物の侵入を許さない仕組みがある．一つは，細胞間が密着した上皮細胞の層で，微生物の侵入に対抗したバリアを形成している．さらに，専門の細胞が微生物の侵入を抑止し，侵入した微生物を破壊する．この働きが免疫であり，主として血液細胞の一種である白血球が担っている．

　免疫 immunity とは，「一度かかった感染症には，二度とかからないか，かかっても軽い症状である」という意味から出発している．免疫系によって病原微生物が記憶される（免疫記憶）からである．この働きがワクチン vaccine に利用されている．ワクチンの主な目的は，多くの人に免疫記憶をつくらせて，感染症の伝播・蔓延を防ぐことである．これを，集団免疫 herd immunity という．病原体に感染するかワクチン投与によって，自ら特定の病原体に対して抵抗力を獲得することを能動免疫という．一方，あらかじめつくられた抗体などの免疫系の産物の投与によって，病気に対する抵抗性や病状の改善など宿主に有益な効果を得ることを受動免疫という．近年治療薬として普及している抗体医薬 therapeutic antibody も受動免疫の一種である．なお，抗体などの液性因子が主導するものを体液性免疫 humoral immunity，免疫担当細胞の直接効果が中心にあるものを細胞性免疫 cell-mediated immunity という．

2 免疫を担当する細胞と組織

　免疫を専門に担当する細胞は主として白血球の仲間であり，これらは成人では骨髄中の造血幹細胞 hematopoietic stem cell に由来する．造血幹細胞は，骨髄の中で自己再生しているが，その子孫は異なった性質の細胞，骨髄系 myeloid とリンパ系 lymphoid の前駆細胞に分化する．後者からはリンパ球がつくられ，前者からはそれ以外の白血球，赤血球，血小板が由来する（図IV-1）．

a. 免疫担当細胞の種類

(i) リンパ球 lymphocyte

　リンパ系で，免疫記憶の源である獲得免疫（後述）を主導するリンパ球としては，B細胞とT細胞，および自然免疫の機構を担うNK細胞と自然免疫リンパ球 innate lymphoid cell（ILC）がある．

(1) B細胞 B lymphocyte

　抗体を作る細胞（抗体産生細胞あるいは形質細胞）に分化し，細胞外に抗体を分泌する．抗体は，抗原に特異的に結合する可溶性タンパク質である．抗原については後述するが，ここでは病原体やその産物と同義と考えても良い．抗原特異的な受容体として細胞膜貫通型の抗体がB細胞に存在する．抗原が受容体に結合するとB細胞が活性化され，抗原特異的な抗体の産生に至る．B細胞は分化成熟のほとんどを骨髄内で行うが，最終的には二次リンパ器官（後述）に移動し

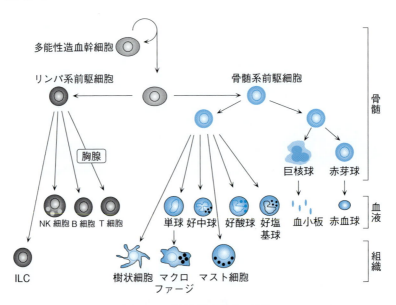

図 IV-1　血液細胞の発生・分化

て分化を完了する．

(2)　T細胞 T lymphocyte

抗体はつくらないが，様々なサイトカイン（可溶性タンパク質の免疫調節因子）を分泌して免疫応答を制御する．B細胞の抗体産生を助けるヘルパーT細胞と，ウイルス感染細胞を破壊する細胞傷害性T細胞 cytotoxic T cell（CTL）がある．T細胞の大部分はタンパク質の断片（抗原ペプチドという）を特異的に認識する受容体を介して活性化される．受容体は抗体とは異なる分子（T細胞受容体 T cell receptor, TCR）である．T細胞は未熟な段階で胸腺 thymus に移動して分化成熟する．胸腺の頭文字のTが名前の由来である．

(3)　NK細胞 natural killer cell

自然免疫を実行するリンパ球で，B細胞やT細胞のような個別の抗原に特異的な受容体をもたない．細胞質に多くの顆粒がある大型リンパ球として血液中に見いだされ，大型顆粒リンパ球 large granular lymphocyte（LGL）とも呼ばれる．自然免疫の特徴であるパターン認識受容体によってウイルス感染細胞を識別して破壊する．

(4)　自然免疫リンパ球（ILC） innate lymphoid cell

自然免疫の細胞で免疫応答を調節する．血中からはほとんど検出されず組織に定着している．抗原特異的な受容体をもたない．サイトカイン産生パターンで分類され，ヘルパーT細胞と同様に免疫応答に質的な影響を与える．

(ii)　顆粒球 granulocyte

骨髄系前駆細胞に由来する自然免疫を担当する血球細胞で，細胞内に多くの顆粒がある．

(1)　好中球 neutrophil

白血球のうち血液中で最も数が多く，異物の侵入に対して真っ先に駆けつけ，貪食して細胞内で破壊する．活性酸素や酵素の働きで異物を破壊し，細菌や真菌に対する防御で重要である．細胞の寿命は短い．細胞外に自身のDNAを放出して異物をからめとり（neutrophil extracellular trap, NET），細胞外で破壊することもある．

(2)　好酸球 eosinophil

細胞内に酸性色素で染まる顆粒をもつ．血液中に少数含まれる．蠕虫（多細胞生物の寄生虫）に集団で取り付き，細胞外で攻撃する機能をもつ．即時型アレルギーでは，宿主組織の傷害に関与する．

(3)　好塩基球 basophil

細胞内に塩基性色素で染まる顆粒をもつ．血液中には少数しか含まれていない．顆粒内には，血管透過性

を亢進させるヒスタミンなどが含まれる．マスト細胞と同様に，炎症および即時型アレルギーの開始に働いている．

(iii) 単核食細胞 mononuclear phagocyte

好中球は枝分かれした複雑な形態の核をもつが，単核食細胞は単純な形の核をもち貪食作用のある細胞である．

(1) 単球 monocyte

血液中に存在し，最終分化していない単核食細胞を指す．炎症時には好中球に遅れて血管から組織に移行し，貪食・殺菌作用を発揮するマクロファージとなる．

(2) マクロファージ macrophage

単球が組織内に一時的に移行して最終分化した炎症性マクロファージに加え，組織に長期間定着したマクロファージもある．後者の例としては，肝臓の類洞にあるクッパー細胞 Kupffer cell，肺の気道表面をパトロールする肺胞マクロファージ，脳のミクログリア細胞，骨吸収を行い骨の恒常性維持に重要な破骨細胞があげられる．貪食作用の他，様々な酵素や細胞増殖因子を分泌し，炎症で破壊された組織の修復過程でも働いている．

(3) 樹状細胞 dendritic cell

樹状突起を細胞表面にもつ細胞で，T 細胞に抗原を提示して免疫応答を開始させる．組織内から抗原を拾い，二次リンパ器官に移動して抗原提示（後述）を行う．皮膚の表皮内に分布する樹状細胞は，ランゲルハンス細胞 Langerhans cell と呼ばれている．

(iv) マスト細胞 mast cell

結合組織や粘膜に定着し，細胞内に塩基性色素で染まる顆粒をもつ．炎症や即時型アレルギーの開始に働く．好塩基球と同様な性格をもつが，血中の好塩基球が組織に浸潤して定着したものではない．

b. 免疫系をつかさどる組織

獲得免疫応答は，血液中でリンパ球が抗原と出会って開始されるのではなく，特定の組織内における細胞間相互作用によって開始される．

(i) 一次リンパ器官

リンパ球が分化し，免疫応答が可能な段階にまで成熟する器官である．

(1) 骨髄 bone marrow

骨の内部には，結合組織である支持細胞と血管の網の目，様々な分化段階にある血液細胞からなる柔組織が存在し，骨髄という．リンパ球を含め，全ての血液細胞がここで生産される．B 細胞は骨髄で分化をほとんど完了するが，T 細胞は未熟な段階で胸腺に移動して分化をすすめる．一次リンパ器官の働きとは別に，長期間抗体を産生し続ける抗体産生細胞のニッチでもある．

(2) 胸腺 thymus

胸腔内で心臓の腹側に位置する被膜に包まれた臓器で，骨髄から移動してきた T 細胞の前駆細胞が分化成熟する器官である．自己の抗原に免疫応答しないように（自己寛容という），T 細胞を教育する場でもある．

(ii) 二次リンパ器官

成熟したリンパ球が抗原と出会って免疫応答が開始される器官である．血液中を流れる成熟リンパ球と樹状細胞が出会って免疫応答が開始される．抗原を認識したリンパ球は増殖・分化し，その後体内の様々な部位に移動して免疫効果を発揮する．二次リンパ器官の内部では，T 細胞と B 細胞の分布する領域が分かれて存在する．B 細胞領域は，リンパ濾胞 lymphoid follicle ともいう．抗体産生の過程では，領域を越えて T 細胞と B 細胞の出会いが起こる．さらに，免疫応答の進行にともなって，生体防御能力の高い抗体が産生される．ここでは，リンパ濾胞内に生じる構造である胚中心 germinal center の働きが重要である．

(1) リンパ節 lymph node

被膜をもったリンパ器官で，リンパ管の通り道に配置されている．リンパ管は，血管から組織内に移行した体液を回収し，再び血管内に戻す重要な役割を担っている．血管が閉鎖系の脈管であるのに対して，リンパ管は開放系の脈管である．体内の組織からは輸入リンパ管を通って，抗原を提示した樹状細胞や遊離の抗

原がリンパ節に運ばれる．リンパ球は，リンパ節内の高内皮細静脈 high endothelial venule（HEV）を通ってリンパ節に循環してくる．ここで，抗原とリンパ球が出会って免疫応答が開始される．

(2) 脾臓 spleen

脾臓は腹腔内の臓器であり，血液のフィルターの役割がある．赤脾髄と白脾髄に区画され，赤脾髄内のマクロファージによって血液中の異物や老化した赤血球が除去される．白脾髄は二次リンパ器官であり，その内部はT細胞領域とB細胞領域に区画化されている．脾臓にはHEVが存在せず，白脾髄へのリンパ球の移行は，赤脾髄と白脾髄の境界にあるマージナルゾーン marginal zone を経由すると考えられている．血液中に現れた抗原に対する免疫応答がここで誘導される．

(3) 粘膜関連リンパ組織 mucosa-associated lymphoid tissue

粘膜表面に由来した抗原に対して免疫応答を起こすための二次リンパ器官である．小腸に付随したパイエル板 Peyer's patch，大腸の虫垂，気道の扁桃 tonsils などがある．組織内部は，T細胞領域とB細胞領域に区画されている．パイエル板や扁桃にはHEVが存在し，リンパ球の入口となっている．一方，リンパ節とは異なり，抗原の入口は輸入リンパ管ではなく特殊な粘膜上皮細胞（M細胞）である．

3 自然免疫と獲得免疫

免疫には，初期の防御を担う自然免疫（あるいは先天性免疫）と，発動は遅いが免疫記憶ができる獲得免疫（あるいは適応免疫）がある．

a. 自然免疫と獲得免疫の違い

自然免疫と獲得免疫の違いは受容体の多様性にある．獲得免疫では，個体が遺伝子組換えによって多様な受容体を独自につくり出す．自然免疫では，個体レベルで受容体の多様性を生み出さない．獲得免疫には，わずかな化学構造の違いを識別できる精度がある．自然免疫の受容体は，異物の分子パターンを識別して外敵かどうかを判断している（パターン認識受容体）．しかし両者は孤立しておらず相互補完的である．「抗体」など獲得免疫の成果物が「貪食」など自然免疫の働きを助けることや，逆に獲得免疫の開始時において自然免疫を担当する細胞が行う「抗原提示」などが具体例である（後述）．

b. 自然免疫の異物認識機構

自然免疫では，病原体に関連した分子パターン pathogen-associated molecular patterns（PAMPs）を認識する受容体で異物を認識する．例えば真核生物のヒトにはないが，細菌にはある成分が対象となる．具体的には，細胞壁のペプチドグリカン，グラム陰性菌の外膜成分のリポ多糖（LPS），鞭毛タンパク質のフラジェリンがあげられる．ウイルスには二本鎖RNAをゲノムとするものがあり，真菌ではβ-グルカンが対象となる．一方，宿主細胞のダメージに関連した分子も対象であり，これを damage-associated molecular patterns（DAMPs）と呼んでいる．例えば，アスベスト，尿酸結晶，β-アミロイドなど宿主にダメージを引き起こす物質が例となる．PAMPsやDAMPsは自然免疫の受容体に危険信号 danger signal として受容され，応答が開始される．

パターン認識受容体について全てを網羅できないが，代表的な2種類について説明する．一つは外からの危険信号を受信する膜貫通型受容体，もう一つは，細胞質内において危険信号を受信する細胞質内複合体である．前者の代表例が，Toll様受容体 Toll-like receptor（TLR），後者の代表例がNOD様受容体 NOD-like receptor（NLR）である．

TLRは，膜貫通型のパターン認識受容体である（図IV-2）．細胞外ドメインにはアミノ酸のロイシンに富む繰り返し構造がありPAMPsを認識する．ヒトTLRは10種類知られており，同じTLRの二量体（ホモ二量体），もしくは異なるTLRで二量体（ヘテロ二量体）となり，危険信号を細胞に伝える．TLR4はLPS，TLR5はフラジェリン，TLR3は二本鎖RNAを認識する．TLR1, 2, 4, 5, 6は細胞膜，核酸を認識するTLR3, 7, 8, 9はエンドソーム膜に存在する．エンドソームとは，細胞膜が陥入して生じる細胞外の物質を取り込んだ細胞内小胞のことである．細胞質側にアダプタータンパク質（タンパク質同士の非共有結合を介

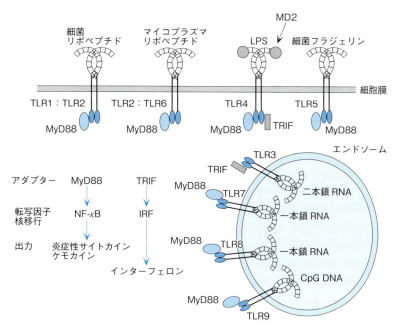

図 IV-2 Toll 様受容体（TLR），アダプター（MyD88 と TRIF）および転写因子（NF-κB と IRF）

してシグナル伝達を担う）として，MyD88（ミッドエイティーエイト）もしくは TRIF（トリフ）が働いている．MyD88 の下流では転写因子 NF-κB（エヌエフカッパービー）が核移行し，炎症を促進するタンパク質の mRNA の転写を進める．TRIF の下流では転写因子 IRF（interferon response factor）の核移行がインターフェロンの mRNA の転写を進める．なお，本章では転写因子の名前が多少でてくるが，必ずしも記憶する必要はなく，深く調べるためのキーワードとして利用いただければと思っている．

NLR は細胞質内に局在する自然免疫受容体である．NLR の PAMPs 認識部位は TLR 同様ロイシンに富む繰り返し構造にある．NLR は細胞膜貫通型ではない．NLR の中には，細胞質内で大きな構造体を構築するものもある．そのうち炎症の鍵として働く細胞質内タンパク質複合体としてインフラマソーム inflammasome があげられる．インフラマソームは，センサー（NLRP3），アダプター，システインプロテアーゼ（カスパーゼ，caspase-1）からなる．この複合体は以下のように働く（図 IV-3）．PAMPs を感知

したセンサーがインフラマソームを形成しカスパーゼ 1 が活性化される．転写活性化された前駆体タンパク質（例えば pro-IL-1β）をカスパーゼ 1 が限定分解し成熟型の IL-1β とする．カスパーゼ 1 はさらにガスダーミン D（gasdermin D）を前駆体から限定分解して細胞膜に小孔を形成させ，IL-1β の細胞外への分泌を実現する．危険信号は，転写レベルおよび翻訳後修飾レベルの両方で制御されている．

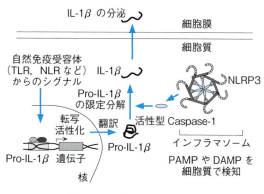

図 IV-3 インフラマソーム

インフラマソームはDAMPsの認識でも働いているらしい．例えば，尿酸の結晶，アルミニウム塩，シリカ，アスベスト，ミトコンドリア由来ATPなどである．これらの物質に構造上の類似性がないため，DAMPsとは特定の物質の分子パターンというより，細胞質で起きた共通の環境変化という見方がある．感染や損傷による細胞のストレスを統合的に感知する機構の可能性がある．なお，NLRP3以外のセンサーを備えたインフラマソームの研究も進められている．

c. 自然免疫の作用機構

自然免疫による防御機構を説明する．以下の働きを獲得免疫がさらに強化する．

(i) 貪食 phagocytosis

好中球やマクロファージは，細菌などの粒子状異物を細胞内に取り込み（貪食作用），ファゴソーム（エンドソームの一種で粒子状異物を取り込んだもの）内に隔離する．ファゴソームは，分解酵素を蓄えた細胞内小胞のリソソームと融合する（ファゴリソーム）．ファゴサイトオキシダーゼやミエロペルオキシダーゼ（好中球）の働きで活性酸素が生成され，ファゴリソーム内の病原体が殺菌される（図IV-4）．貪食の過程は，獲得免疫の産物である抗体によって促進される．これをオプソニン化という．

(ii) 補体系

補体系は血液中のタンパク質群（20種類以上あり，9種類がC1からC9と命名されている）のシステムで，自然免疫の一端を担う．補体系タンパク質の多くは肝臓でつくられる．補体活性化の結果，補体第9成分（C9）が標的細胞の膜に並んで挿入され，ドーナツ状の孔（膜侵襲複合体）を開ける．ここに至る過程が補体活性化経路（カスケード）である．

補体活性化経路は三つある．抗体が入口の古典経路（獲得免疫との協働），レクチン（糖鎖結合タンパク質）が入口のレクチン経路，補体活性化の促進と抑制のバランスに依存した第2経路である．後の二つの経路が自然免疫によるもので，古典経路は獲得免疫の機構が備わった生物が後から利用するようになったと考えられている．レクチン経路では，マンノース結合レクチン（MBL）が起点の一つである．第2経路が成立する理由は，補体活性化の進行を阻害する機構が宿主細胞上では働き，この阻害が種特異的だからである．つまり，宿主細胞上では補体活性化が進行せず，病原体上では進行する．

標的微生物上での補体の活性化は，いくつかの結果をもたらす．第1に膜侵襲複合体による標的の破壊である．第2に標的細胞上に共有結合した補体第三成分の断片（C3b）を介したオプソニン化である（食細胞にはC3b受容体があり貪食が促進される）．第3に，可溶性分子として放出された補体成分の断片（C3a，C4a，C5a）が炎症を開始させ，好中球の誘引と活性化を起こす．

(iii) NK細胞による細胞傷害活性

NK細胞は，活性化受容体と抑制性受容体を細胞表面に発現している（図IV-5）．抑制性受容体は標的細胞上の主要組織適合遺伝子複合体（MHC）のクラスI分子（MHC-I）に結合して，NK細胞の活性化を抑制している．MHC-Iは全ての有核細胞に発現しているので，宿主細胞はNK細胞に攻撃されない．しかし，ウイルス感染細胞ではMHC-Iの発現量が低下し，抑制がはずれて攻撃される．標的細胞膜では，C9と類似したパーフォリンという分子が集合し，小孔が形成される．

MHCはT細胞の抗原認識に必須の分子である（第6節参照）．細胞傷害性T細胞がウイルス感染細胞を

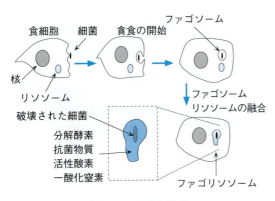

図IV-4 貪食と殺菌

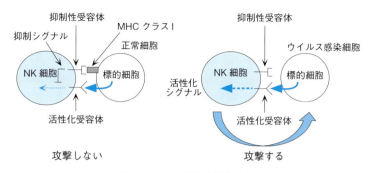

図IV-5 NK細胞のはたらき

認識するためにはMHC-Iが必須である．ウイルスには細胞傷害性T細胞から逃れようとして感染細胞上のMHC-Iの発現を減少させるものがある．今度はNK細胞に捕捉される結果となる．

NK細胞のもう一つの働き方として，抗体依存性細胞傷害 antibody dependent cellular cytotoxicity (ADCC) があげられる．標的細胞に抗体-Fc受容体を介して結合したNK細胞が標的を傷害する（第5節参照）．

(iv) インターフェロン interferon (IFN)

抗ウイルス作用をもつ可溶性タンパク質因子で，サイトカイン（第7節参照）の一種である．ウイルス感染細胞から産生され，抗ウイルス作用が強いI型インターフェロン（IFN-α, IFN-β）と，NK細胞やT細胞が産生してマクロファージ活性化に働く役割が大きいII型インターフェロン（IFN-γ）がある．粘膜組織でウイルス抵抗性に働くIII型インターフェロン（IFN-λ）も知られている．

I型インターフェロンの場合，産生細胞およびその周囲の細胞の細胞膜貫通型受容体に結合すると，シグナル伝達を経て細胞を抗ウイルス状態にする．シグナル伝達では，受容体の細胞質側に結合したJAKというタンパク質リン酸化酵素，およびJAKの基質となる細胞質タンパク質で転写因子のSTAT（JAK-STAT経路）が関わる．STATが核内に移行して標的遺伝子のプロモーターに結合して転写を活性化し，ウイルス抵抗性を実現させる．

(v) 炎症

炎症とは，病原体，傷や火傷など物理的要因，化学的要因によって起こされる身体の反応で，発赤，熱感，腫脹，疼痛を4徴候とし，機能障害を加えて5徴候とする．ミクロには血管拡張，血流増加，血管透過性亢進，白血球浸潤，知覚神経刺激が関わる．細菌や真菌感染に対して防御反応の中心と考えられるが，ウイルス感染でも起こる．過剰な炎症反応は生体にむしろ有害なことがあり，感染症治療において留意する必要がある．

4 獲得免疫：抗原と抗体の概念

獲得免疫の特徴は，異物に対する受容体の多様性を個体レベルで生み出す能力にある．その機構については第5節で説明する．

わかりやすさから，抗体について説明する．抗体が結合する相手を抗原という．抗原と抗体の結合を抗原抗体反応という．ある抗原に結合する抗体は，構造のかけ離れた抗原には結合しない（抗原特異性）．ただし構造が十分似ている抗原にはゆるく結合できる（交差反応）．自然免疫と異なるのは，パターン認識によって抗原に結合するのではなく，抗原の表面の限られた範囲の構造に抗体が結合することにある．このような構造を抗原決定基（エピトープ, epitope）という．エピトープに相補的な抗体側の構造をパラトープという．

抗体は，免疫グロブリン immunoglobulin (Ig) とい

う血清糖タンパク質で，B細胞がつくる．ガンマグロブリンともいうが，血清タンパク質の分画名に由来する．B細胞表面には細胞膜貫通型抗体であるB細胞受容体 B cell receptor（BCR）が存在する．発生・分化の過程で，互いに抗原特異性が異なった多様なB細胞集団が生み出される．抗原が侵入すると，抗原が結合したB細胞のみが増殖する（図IV-6）．B細胞は抗体産生細胞に分化し，BCRに代わって可溶性の抗体が分泌される．BCRの抗原結合部位と抗体の抗原結合部位は同一である．以上の過程を，クローン選択という．クローンとは同じ細胞の子孫のことで，クローン選択とは抗原に結合するB細胞が抗原によって選択された結果，抗原特異的な抗体がつくられることを意味する．この仕組みで抗体は精密に抗原を識別するのである．

抗原についていくつか補足説明する．第1にエピトープの性格である．抗体は抗原の表面に結合するので，抗原分子表面の立体構造が重要である．例えば，タンパク質は折り畳まれているため，抗体の結合に関与する抗原のアミノ酸残基がペプチド配列上で近いとは限らない．この場合抗原タンパク質を熱変性すると，もはや抗体は結合しない．これをコンホメーションエピトープ conformational epitope という．一方，連続したアミノ酸残基がエピトープを構成することもある．このような場合，抗原タンパク質を変性しても，抗体は結合する．これを連続エピトープ sequential epitope という．

第2に，ある物質が抗体に結合できても，免疫応答を起こせるとは限らない．免疫応答を起こす性質をとくに免疫原性 immunogenicity という．免疫原性の要件の一つは分子量である．低分子はそれ自身では免疫原性をもたないことが多い．しかし他の高分子に共有結合させて免疫すると，低分子部分に対する抗体をつくることができる．このような低分子をハプテンと呼び，高分子部分をキャリヤーと呼ぶ．もう一つの要件は，宿主の分子と構造が異なることである．自己構成成分に対して免疫応答を起こさない自己寛容 self tolerance という仕組みが獲得免疫に備わっているからである．

第3に，抗原となる物質としては，タンパク質の場合が多い．タンパク質抗原に対する抗体産生には，ヘルパーT細胞の補助が必要である（胸腺依存性抗原）．一方，高分子の多糖類の場合，T細胞なしでも抗体産生を起こすことができる（胸腺非依存性抗原）．

第1節で，免疫記憶をつくらせる物質としてワクチンを紹介した．ワクチンはまさに免疫原である．

肺炎球菌のワクチンは2種類使われている．一つは，高齢者用のニューモバックスで，定期接種B類である．「23価莢膜多糖」であり，胸腺非依存性抗原にあたる．23価とは23種類の血清型に対応していることを意味する．一方，子供の定期接種A類に使われるのがプレベナー13である．これは，13種類の血清型にしか対応していない．しかし，本質的に違う点がある．プレベナー13は，「沈降13価肺炎球菌結合型ワクチン」である．「結合型」とは，遺伝子変異により毒性のないジフテリア毒素タンパク質に莢膜多糖を共有結合させたものである．多糖部分がハプテン，ジフテリア毒素がキャリヤーとなった胸腺依存性抗原である．ヘルパーT細胞が働き，免疫原性が強化される．ヘルパーT細胞については，第6節と第7節を参照．ちなみに「沈降」とは，リン酸アルミニウムの微粒子にワクチンを吸着させたという意味である．DAMPsの働きで自然免疫を活性化し，獲得免疫の誘導を後押しするねらいがある．

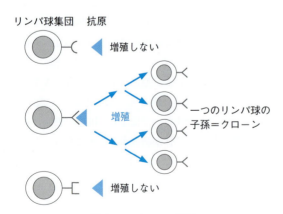

図IV-6　クローン選択

5 抗体の働き

免疫グロブリンの基本構造，働き，抗原結合多様性の生成機構を説明する．

a. 抗体の構造と種類

抗体（免疫グロブリン）は，2本の同一のH鎖 heavy chainと2本の同一のL鎖 light chainからなる基本構造（免疫グロブリン単量体）をした対称性をもった分子である（図IV-7）．H鎖には種類があり，この違いで抗体のクラス（アイソタイプisotype）が決まり，生物機能も異なる．H鎖の遺伝子は，ヒトでは第14染色体にコードされている．一方L鎖にはκ鎖とλ鎖があり，前者が第2染色体，後者が第22染色体にコードされている．H鎖の分子量は55,000から70,000の範囲であり，L鎖は24,000である．図IV-7に示したように，H鎖同士およびH鎖とL鎖はジスルフィド結合（S-S結合）で共有結合しており，タンパク質としては四つのポリペプチド鎖からなる四量体の分子である．

各ペプチド鎖は約110アミノ酸からなる相同性のある球状の領域（免疫グロブリンドメイン）がつながって構成されている．H鎖には四つもしくは五つ，L鎖には二つのドメインがある．各鎖のアミノ末端（N末端）側のドメインは，抗体分子ごとにアミノ酸配列が異なり，抗原に結合する部位である．これを可変部 variable regionと呼び，H鎖とL鎖の可変部をそれぞれV_H，V_Lと表記する．V_HとV_Lで一つのパラトープが形成される．一つの抗体単量体は同じパラトープを二つ持ち，したがって結合価が2価 bivalentである．可変部以外のドメインは，抗体分子ごとにアミノ酸配列に多様性がないので定常部 constant regionという．H鎖ではN末側からC_H1，C_H2，C_H3（クラスによってはC_H4もある）である．L鎖では，C_Lである．H鎖のカルボキシ末端（C末端）側の二つもしくは三つの定常部ドメインを含む領域をFc領域と呼び，抗体の生物活性にとって重要な領域である．H鎖のクラスおよびL鎖のタイプの間では，定常部のアミノ酸配列が異なる．（なお，C_H2ドメインには糖鎖が結合しており，糖タンパク質として立体構造を保ち抗体の機能維持に働いている）．以下，抗体のクラスを個別に説明する（図IV-8）．

(i) IgG

H鎖はγ鎖である．血中濃度が最も高く（14 mg/ml），分子量150,000の単量体でH鎖定常部は三つのドメインからなる．構造の類似した四つのサブクラス（IgG1, IgG2, IgG3, IgG4）があり，生物機能が多少違う．2回以上の抗原刺激（2次免疫応答）では，記憶細胞からつくられる．組織への浸透性が高く組織内でも機能する．細菌やウイルス粒子を架橋して凝集，毒素活性の中和，好中球やマクロファージによる貪食の促進，NK細胞による標的細胞傷害（ADCC）で働いている．唯一胎盤を通過し，胎児期や新生児期において防御抗体として機能する．

(ii) IgM

H鎖はμ鎖である．H鎖定常部は四つのドメインからなる．J鎖を介して五量体を構築するため，分子量が970,000と最大である．主として血管内で働くが，粘膜表面への輸送も可能である．抗原刺激前の成熟B細胞の抗原受容体（BCR）として細胞膜に存在している．初めて抗原が侵入したとき（1次免疫応答）最初に産生される．古典経路を介して補体を活性化する能力が高い．

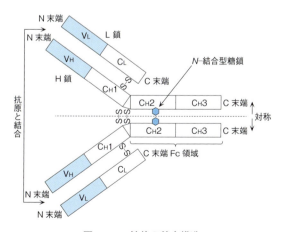

図IV-7　抗体の基本構造

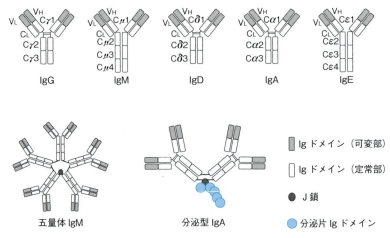

図 IV-8 抗体のクラス

(iii) IgA

H鎖はα鎖である．H鎖定常部は三つのドメインからなる．ヒトの血中では単量体，粘膜表面や分泌液中ではJ鎖を介して二量体として存在する．血中濃度はIgGに次いで2番目に高いが，粘膜に分泌される抗体を含めると体内では多量のIgAが生産されている．粘膜表面における防御抗体として重要である．

(iv) IgE

H鎖はε鎖である．H鎖定常部は四つのドメインからなる．血液中には健常人では微量しか（1 μg/ml 未満）存在しない．B細胞から産生されると速やかに高親和性IgE受容体（FcεRI）を介して組織のマスト細胞表面に結合する．炎症の開始，寄生虫免疫，即時型アレルギーで働く．IgEはまた，好酸球上のFcεRIを介して標的細胞傷害作用を仲介する．寄生虫（蠕虫）に対する防御（好酸球）や，昆虫やヘビを含む様々な毒素を希釈して分解する防御反応（マスト細胞）で働いている．

(v) IgD

H鎖はδ鎖である．H鎖定常部は三つのドメインからなる．抗原刺激を受ける前の成熟B細胞において，IgMとともに細胞表面の抗原受容体として存在している．未熟なB細胞（IgM単独発現）と区別できるマーカーではある．血液中でほとんど検出されない．δ鎖定常部の遺伝子を欠損させてもB細胞の応答に支障がないため，生物学的な役割は現状では不明である．

IgGサブクラスの名称について，注意点がある．ヒトでの名称と免疫学の実験に汎用されるマウスでの名称との間に一貫性がない．

対応するもの同士を対（ヒト，マウス）で示すと，（IgG1, IgG2aまたはIgG2c）（IgG2, IgG2b）（IgG3, IgG3）（IgG4, IgG1）である．マウスでの実験結果を解釈するときに要注意である．

b. 抗体の働き方

抗体の生物機能について，簡潔にまとめた（図 IV-9）．

(i) 毒素の中和や病原体の侵入阻止（図IV-9a, b）

抗体は結合価が2価以上のため，抗原となる異物，微生物，ウイルス粒子と結合して凝集させ，宿主体内への侵入を妨害する．宿主受容体と異物（毒素やウイルス）との結合を妨害する．粘膜表面では，分泌型IgAが異物の侵入を防ぐ．

(ii) 貪食の促進：Fc受容体の働き（図IV-9d）

抗原がIgG抗体（IgG1またはIgG3）に結合する

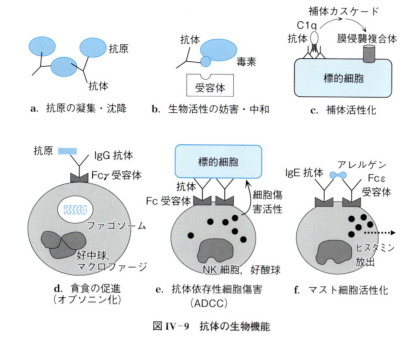

図 IV–9 抗体の生物機能

と，抗体の Fc 部分の立体構造が変化して食細胞の **Fc 受容体**（FcγRI 受容体，CD64）に結合できるようになる．その結果，抗原は食細胞に効率的に貪食され，細胞内で消化・破壊される．Fc 受容体は，IgG の Fc 部分の C_H2 ドメインに結合する．

(iii) 抗体依存性細胞傷害（ADCC）（図 IV–9e）

抗体が FcγRIIIA 受容体（CD16）を介して NK 細胞と標的細胞との橋渡しを担い，標的細胞が傷害される（ADCC）．IgG1 または IgG3 が働く．

(iv) マスト細胞活性化と炎症の開始（図 IV–9f）

B 細胞が産生した IgE は，マスト細胞の Fc 受容体（FcεRI 受容体）にあらかじめ結合する．抗原が IgE に結合すると，Fc 受容体を介してマスト細胞が活性化され，ヒスタミンなどの化学伝達物質を放出して炎症反応を開始させる．I 型アレルギーになりやすい体質の人（アトピーと呼ばれる）では，血中の IgE 濃度が高い．

(v) 補体活性化（図 IV–9c）

補体系は自然免疫（第 2 経路，レクチン経路）によっても開始されるが，抗体によっても効率的に活性化される（古典経路）．IgM と IgG1，IgG3 が働く．活性化の起点は，補体第 1 成分の C1q が抗体の Fc 部分の C_H2 ドメインに結合することである．

(vi) 粘膜免疫と母子免疫

B 細胞が産生した二量体 IgA は粘膜上皮細胞の**ポリ Ig 受容体**によって基底膜側から管腔側に輸送される．管腔側でポリ Ig 受容体が限定分解され，ポリ Ig 受容体の細胞外ドメイン（**分泌片**と呼ばれる）を保持したまま管腔内に放出され**分泌型 IgA** となる．粘膜表面からの微生物や毒素の侵入を阻止する．乳汁にも分泌され，経口摂取された分泌型 IgA は乳児の消化管での防御抗体として働く．IgG は Fc 受容体の一つである FcRn によって胎盤を通過して胎児に移行するが，IgA は胎盤を通過しない．

c. 抗原認識多様性の生成原理

抗体は獲得免疫の産物であり，抗原結合部位の多様性はあらかじめ用意されている．多様性はどのようにして準備されるのだろうか．

抗原結合部位は可変部にあり，抗体ごとに違う．可

変部を抗体ごとに比較すると，アミノ酸配列に多様性のある部位がH鎖とL鎖で3ヵ所ずつあることがわかった．これを**超可変部** hypervariable region という．抗体が抗原に結合する際には，H鎖とL鎖の超可変部の合計6ヵ所のペプチドループで抗原をはさみ込む．そのため超可変部は**相補性決定領域** complementarity-determining region（CDR）ともいう．可変部を構築するには，体細胞レベルでの遺伝子組換えが必要で，**遺伝子再構成**と呼ぶ．

抗体可変部の遺伝子は，未完成の**エキソン**（転写・翻訳されてタンパク質となるDNA配列）の集団で構成されている．未完成のエキソンのことを，遺伝子断片 segment という．別々の染色体にある3ヵ所（H鎖，κ鎖，λ鎖）に可変部の遺伝子プールがある．定常部は，各ドメインに対応したエキソンからなる．

H鎖の場合，可変部のセグメントの下流（DNAでいえば3′側）に定常部のエキソンが並んでいる（図IV-10a）．H鎖のエキソンは1ヵ所にコードされていて，全てのクラスのH鎖で可変部が共有されている．

したがって，ある抗原に特異的なIgM抗体がまずつくられ，免疫応答の進行にともなって同じ抗原に特異的なIgG抗体に変わることができる．一方，L鎖の場合は，κ鎖とλ鎖で別々に可変部が存在している．

H鎖の可変部の遺伝子座には，複数のV，DおよびJ遺伝子断片がコードされている．B細胞の分化過程（まだ抗原とは出会っていない）で，Dから一つ，Jから一つの断片がランダムに結合し，DJとなる．さらに，Vから一つの断片がランダムにDJに結合し，VDJとなる．これが完成したH鎖可変部のエキソンである（図IV-10b）．V，D，J各断片は複数個あるので，各遺伝子断片数を掛け合わせた数だけ異なる可変部が構築される．この過程を遺伝子再構成と呼び，H鎖の場合は**VDJ再構成**である．L鎖の場合は**VJ再構成**である．さらに断片がつながる過程で，新しい核酸塩基の挿入あるいは欠失が起こる．これにより，可変部のアミノ酸配列が大幅に変わることになる．

この遺伝子再構成には，可変部セグメント間の**イントロン**（エキソン間にあってタンパク質にならない

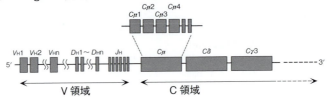

a. ヒトIgのH鎖遺伝子（第14染色体）

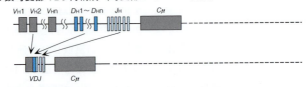

b. H鎖可変部VDJ再構成（可変部エキソンの完成）

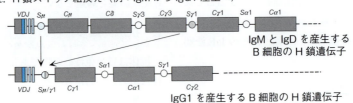

c. H鎖スイッチ組換え（例：IgMからIgG1産生へ）

図IV-10　抗体の遺伝子

DNA 配列）に存在する特定の DNA 配列（RSS）を認識する DNA 切断酵素が働いている．それらは recombination-activating gene（**RAG 酵素**）と呼ばれ，RSS を認識して切断する．二本鎖 DNA の切断と連結は生物にとって危険な作業であるので，切断部位の RSS の存在，RAG 酵素の発現がリンパ球に限られていること，かつ細胞周期で DNA を複製する時期（S 期）を避けるなど，細心の注意が払われている．

B 細胞の抗体遺伝子再構成の過程は骨髄内で完了する．まず H 鎖可変部の遺伝子が再構成される．しばらく時間をおいて，L 鎖可変部の遺伝子が再構成される．RAG 酵素は，この二つの時期の B 細胞前駆細胞でのみ発現する．

一つの B 細胞には 1 種類の BCR のみが発現し，抗体は 1 種類しかつくられない．染色体は細胞あたり 2 本あるので，どのようにして 1 種類の抗体のみをつくるのだろうか．この現象を対立遺伝子排除という．まず，片方の染色体で H 鎖の遺伝子再構成が試みられる．再構成が成功すると，もう一方の染色体での再構成は抑制される．再構成が失敗した場合にのみ，もう一方の染色体で再構成が試みられる．もしこれも失敗すると，B 細胞前駆細胞は死滅する．第 2 の時期では，まず κ 鎖で再構成が試みられ，両染色体で失敗すると λ 鎖で再構成が試みられる．こうして一つの B 細胞は 1 種類の抗体のみをつくる．

d. 抗体にクラスがある理由

免疫応答が進行すると，抗体のクラスが IgM から IgG など他のクラスに変わることを述べた．各クラスの定常部のエキソンが可変部として VDJ を共有している．定常部のエキソンの間には，スイッチ領域（S）という特別な DNA 配列が存在している（RSS ではない）．成熟を完了した B 細胞では，VDJ のすぐ下流に IgM のエキソンが位置している．免疫応答が進行すると，スイッチ領域同士が結合して間の DNA が削除される（図 IV-10c）．例えば VDJ のすぐ下流に IgG1 の定常部エキソンが位置するようになると，間の IgM，IgD，IgG3 の定常部は削除される．同じ VDJ に再構築した B 細胞が今度は IgM ではなく IgG1 を産生することとなる．これを抗体のクラススイッチという．

クラススイッチは，成熟した B 細胞に起こる遺伝子組換え現象で，分子機構は遺伝子再構成とまったく異なる．RAG 酵素は関与せず，かわりに AID（activation-induced deaminase）が働いている．AID にはもう一つ，抗体可変部に体細胞突然変異を誘導して抗原結合活性を微調整する働きがある．二次リンパ器官内の胚中心において，体細胞突然変異が誘導された B 細胞が抗原によって再度選択を受け，より高い結合親和性をもった B 細胞のみが生き残る．これを親和性成熟という．したがって，IgM よりはクラススイッチを経た IgG などの抗原結合親和性が高い．

6　T 細胞の働き

T 細胞は胸腺で成熟する．抗体をつくらないが，獲得免疫の司令塔として機能し，ウイルス感染細胞を直接破壊するタイプの細胞もある．B 細胞と異なり，T 細胞受容体（TCR）によって抗原を認識する．多くの T 細胞はタンパク質抗原を認識するが，折り畳まれたタンパク質表面の立体構造を認識しない．TCR はタンパク質の断片（抗原ペプチド）を認識し，そのために抗原提示というプロセスが必要である．

a.　T 細胞受容体と MHC について

TCR は 2 本の細胞膜貫通型タンパク質（α 鎖/β 鎖もしくは γ 鎖/δ 鎖）で構成される（図 IV-11a）．α/β 型の TCR のほうが主流で，その多くがペプチド配列を認識する．N 末側の Vα と Vβ が可変部である（図 IV-11a）．可変部は抗体と同様に RAG 酵素による遺伝子再構成で多様性を獲得する．抗原情報を細胞内に伝えるため補助受容体が必要で，TCRα/β とともに細胞表面で複合体を形成している．その一つが補助受容体の CD4 あるいは CD8 である．CD とは，cluster of differentiation の略で，白血球表面の分子につけられた通し番号である．現在は 370 種類以上あり，機能をまったく推測できない欠点がある．（しかし CD4 と CD8 だけは覚えてほしい．これらは T 細胞の機能に深く関わっている．）成熟した T 細胞の TCR 複合体には CD4 もしくは CD8 のどちらかが含まれている．

TCR の抗原認識では，主要組織適合抗原 major histocompatibility complex（MHC）に抗原ペプチドをみせてもらうことが必要である．図 IV-11c は MHC の一つを TCR 側からみた模式図で，溝の中に抗原ペプチドがはさまったものが認識される．これを抗原提示という．

MHC はもともと移植免疫を通して研究されてきた．組織適合性とは，移植可能という意味である．ヒトでは HLA と呼ばれ，第6染色体にコードされている．MHC にはクラス I 分子（MHC-I）とクラス II 分子（MHC-II）がある．両方とも細胞膜貫通型分子である（図 IV-11b）．MHC-I の細胞外には三つのドメイン（$\alpha 1$, $\alpha 2$, $\alpha 3$）があり，これに可溶性タンパク質の $\beta 2$ ミクログロブリン（第15染色体）が結合している．TCR 複合体の CD8 分子が補助受容体として MHC-I に結合して働く（図 IV-11a）．MHC-II は α 鎖と β 鎖からなる．$\alpha 1$ と $\beta 1$ ドメインの溝に抗原ペプチドが提示される．TCR 複合体の CD4 分子が補助受容体として働く．

b. 抗原提示とその経路

タンパク質抗原がどのようにして MHC に提示されるのかを説明する．MHC-I は細胞質に存在するタンパク質由来のペプチドを提示する．MHC-II は細胞外からエンドサイトーシスで取り込まれたタンパク質由来のペプチドを提示する．

(i) MHC クラス I 経路（図 IV-12a）

細胞質内の抗原タンパク質はプロテアソームという分子複合体内でペプチドに部分分解される．ペプチドは，小胞体内に輸送される一方，MHC-I α 鎖と β_2-ミクログロブリン（β_2m）が翻訳されて小胞体内に入る．小胞体内で α 鎖，β_2m，抗原ペプチドが組み立てられ，安定な複合体となる．MHC-I 分子の溝に抗原ペプチドがうまくはさまるような一定の配列特性をもったペプチドのみが提示される．ペプチドを提示した MHC-I はゴルジ体を通って細胞表面に移動する．

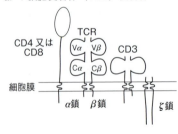

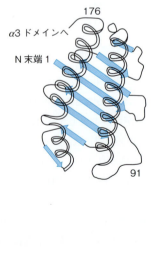

図 IV-11 T細胞受容体と MHC の基本構成
a. T 細胞膜上での TCR と補助受容体の構成．
b. MHC クラス I およびクラス II の構成と抗原ペプチドの関係．
c. ヒト MHC クラス I を TCR 側からみた模式図でペプチドがはさまる溝を示す．図中の数字は α 鎖のアミノ酸残基番号．

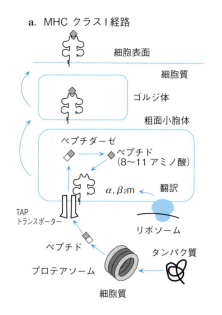 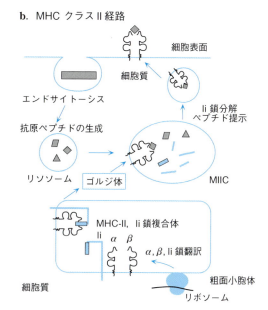

図 IV-12　抗原タンパク質由来のペプチドと MHC の分子複合体の形成過程
a．細胞質内に存在する抗原タンパク質由来のペプチドが MHC クラス I に提示される機構．
b．細胞外から取り込まれた抗原タンパク質由来のペプチドが MHC クラス II に提示経路される機構．

ウイルスは宿主細胞のリボソームで自らのタンパク質をつくる．ウイルス遺伝子由来のタンパク質は，ウイルス粒子に含まれるもの，非構造タンパク質を問わず，ペプチドが MHC-I に提示される．

(ii)　**MHC クラス II 経路**（図 IV-12b）

エンドサイトーシスされた抗原はエンドソームに隔離される．分解酵素を含むリソソームと融合して消化され，抗原ペプチドが生成する．MHC-II の α 鎖と β 鎖に加え，**インバリアント鎖**（Ii 鎖）も翻訳され小胞体内に入る．MHC-II の溝は Ii 鎖で塞がれた状態で輸送され，抗原提示のための細胞内区画（MIIC）に至る．外来抗原ペプチドを含んだリソソームは MIIC と融合し，ここで Ii 鎖が分解され，空いた MHC-II の溝に抗原ペプチドがはさまる．ペプチドを提示した MHC-II は細胞表面に運ばれる．

(iii)　**クラス I 経路とクラス II 経路が分かれている原則と例外**

小胞体内では MHC-II の溝が Ii 鎖で塞がれているため，ウイルス由来の抗原ペプチドは，MHC-II には入らず MHC-I に提示される．細菌のように貪食で細胞内に運ばれた抗原の場合，細胞質に脱出しない限りエンドソーム内にとどまり，MIIC 区画において MHC-II に提示される．ウイルス抗原は MHC-I に提示されて $CD8^+$ T 細胞に認識され，細菌の抗原は MHC-II に提示されて $CD4^+$ T 細胞に認識される．これを，T 細胞の MHC 拘束性という．

以上が原則だが，細胞質の抗原が MHC-II に，エンドソームの抗原が MHC-I に提示されることも知られている．これをクロスプレゼンテーション cross presentation という．樹状細胞ではウイルスを取り込んだファゴソームの一部が小胞体と融合できる．ウイルスタンパク質は，融合小胞からいったん細胞質に放出されたのち，MHC クラス I 経路で MHC-I に提示されると考えられている．この現象はウイルス特異的な $CD8^+$ 細胞傷害性 T 細胞（CTL）の誘導に重要である．機構の詳細については今後の研究が待たれる．

c.　**胸腺の役割と自己寛容の形成**（図 IV-13）

胸腺に移動した前駆細胞は $CD4^- CD8^-$ であり，TCR 可変部の遺伝子は再構成していない．TCRα 鎖 β 鎖が

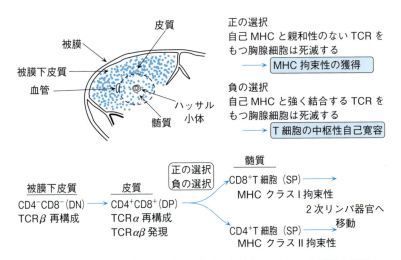

図 IV-13　T 細胞の分化における胸腺の役割：正の選択（MHC 拘束性の獲得）と負の選択（自己寛容の成立）

再構成し細胞表面に出現すると，CD4 と CD8 両方をもった状態 $CD4^+CD8^+$ となり，胸腺皮質に分布するようになる．

　TCR と胸腺上皮細胞の MHC 分子が相互作用し，MHC-I と結合可能な胸腺細胞は CD4 を失って $CD8^+$ 胸腺細胞となり，MHC-II と結合可能な胸腺細胞は CD8 を失って $CD4^+$ 胸腺細胞となる．どちらにも結合できなかった胸腺細胞は死滅する．この過程を，正の選択 positive selection という．

　一方，MHC と強く結合しすぎる TCR をもった胸腺細胞はプログラム細胞死する．MHC には宿主由来のペプチドが提示されており，この複合体に対する免疫応答は，自己免疫を誘導して不都合である．そこで自己 MHC（＋ペプチド）と高すぎる親和性で結合する TCR をもった胸腺細胞は死滅する．これを負の選択 negative selection という．この過程により，自己寛容が確立する．

　胸腺内では，転写因子 autoimmune regulator（AIRE）の働きで胸腺以外の臓器で発現するタンパク質が網羅的に発現し，抗原提示されて負の選択の対象となる．AIRE 遺伝子に変異があると，まれな自己免疫疾患に至る．

　以上の過程を経た胸腺細胞は胸腺髄質に移動，さらに 2 次リンパ器官に移動し，$CD4^+$ T 細胞または $CD8^+$ T 細胞となる．これらは，自己ペプチド＋自己 MHC には反応せず，外来抗原ペプチド＋自己 MHC に反応する性質を獲得している．

d. ヘルパー T 細胞と細胞傷害性 T 細胞

　$CD4^+$ ヘルパー T 細胞は免疫の司令塔である．胸腺依存性抗原に対する抗体産生を助けるのもヘルパー T 細胞の役割の一つである．もう一つは，ウイルス感染細胞を直接破壊する $CD8^+$ 細胞傷害性 T 細胞（CTL）である．パーフォリンで標的細胞膜に孔を開け，細胞内にグランザイムというタンパク質分解酵素を送り込んでプログラム細胞死を誘導する．ヘルパー T 細胞，CTL ともに，免疫の効果を発揮する能力をもった細胞であり，エフェクター T 細胞という．一方，一部の細胞は長寿命の記憶 T 細胞（メモリー T 細胞）に分化する．再び同じ抗原に遭遇すると，速やかにエフェクター T 細胞となって効果を発揮する．

　T 細胞の抗原認識には MHC が必要である．MHC-I は核のある細胞全てに発現している．そこで，ウイルスに感染すると MHC-I を介してウイルス抗原ペプチドが提示されて CTL の標的となり，細胞ごとウイルスが排除される．一方，MHC-II は限られた細胞に通常発現している．マクロファージ，樹状細胞，B 細胞，胸腺上皮細胞が恒常的に発現しており抗原提示細

胞とも呼ばれる．とくに，樹状細胞が免疫応答の開始に重要である．

7 免疫応答の制御

獲得免疫応答がどのように開始され，その効果が発揮されるのかをまず細胞レベルで説明する．

a. サイトカイン

免疫応答を仲介する可溶性タンパク質因子として重要なのがサイトカインである．液性因子としては，脂質メディエーターも重要だが，これらはサイトカインに含めない．一部の例外を除くと，サイトカインは細胞外に放出されて作用する．サイトカインは細胞膜貫通型受容体に結合して作用し，細胞内へのシグナル伝達，転写因子の核移行を経て特定の標的遺伝子の転写が活性化される．本書では，サイトカインの働く具体的場面からの説明を試みる（表IV-1）．同じサイトカインが異なる生物活性を発揮する多面作用，異なるサイトカインが類似した生物活性を発揮する重複性がある点には留意すべきである．

はじめにサイトカインの働き方を説明する．サイトカインは細胞外に放出されて働くが，その多くが産生細胞の近くで作用する．産生細胞自身の受容体に結合して作用する自己分泌 autocrine と，物理的に近くの細胞に作用する傍分泌 paracrine である．一部のサイトカインには，血中を運ばれて遠くの標的に作用する内分泌様作用 endocrine もある．なお白血球間の情報伝達因子という意味で使われたインターロイキン interleukin（ILと略）の名称は現在でも使われている．通し番号でIL-1からIL-40まである．細胞の走化性（物質の濃度勾配に向かった細胞移動を誘導する性質）

表IV-1 働きからみた主なサイトカイン

炎症性サイトカイン		TNF-α, IL-1, IL-6
免疫応答を進行あるいは抑制するサイトカイン	T細胞増殖因子	IL-2
	抑制性サイトカイン	IL-10, TGF-β
T細胞・自然免疫リンパ球(ILC)の亜集団が産生する特徴的サイトカイン	Th1	IFN-γ
	Th2	IL-4, IL-5, IL-13
	Th17	IL-17, IL-21, IL-22
	Tfh	IL-21, (IFN-γ, IL-4)
	Treg	IL-10, TGF-β
	ILC1	IFN-γ
	ILC2	IL-4
	ILC3	IL-17
免疫応答の方向性（分極化）を促進するサイトカイン	Th1	IFN-γ, IL-12
	Th2	IL-4
	Th17	IL-6, IL-23, TGF-β, IL-21
抗ウイルス作用のあるサイトカイン		IFN-α, IFN-β, IFN-λ（IL-28A, IL-28B, IL-29）
抗体産生に関与するサイトカイン	クラススイッチ	IFN-γ, IL-4, TGF-β, IL-5, APRIL, BAFF
	抗体産生細胞の増殖	IL-6
血液細胞分化で働くサイトカイン		IL-3, SCF, Flt 3 ligand, IL-7, G-CSF, GM-CSF, M-CSF, IL-5, エリスロポエチン（EPO），トロンボポエチン（TPO）
ケモカイン		CXCケモカイン, CCケモカイン, CX3Cケモカイン, Cケモカイン

を担う一群のサイトカインは**ケモカイン**という．受容体が G タンパク質共役型という共通点をもち，特徴的なシステイン（C）残基を含んだアミノ酸部分配列で各因子を分類できる．

(i) 免疫応答の質と強度を調節するサイトカイン

(1) 炎症性サイトカイン

炎症を促進するサイトカインとして，腫瘍壊死因子（TNF-α），IL-1，IL-6 が代表的である．局所作用に加えて，体温上昇など全身作用がある．重度の細菌感染では**敗血症性ショック**の原因となる．TNF-α は主にマクロファージが産生し，LPS などの細菌成分により自然免疫受容体 TLR4 を介して産生が誘導される．IL-6 は IL-1，TNF-α や自然免疫受容体からのシグナルでつくられる**炎症性サイトカイン**で，幅広い炎症促進作用を有する．T 細胞の一群である Th17 細胞（項目 c で説明）の誘導にも関わる．

(2) 免疫応答を進行あるいは抑制するサイトカイン

T 細胞の活性化に必要なサイトカインとして IL-2 があげられる．一方，過剰な免疫応答は有害であるため，免疫を抑制するサイトカインがある．IL-10 およびトランスフォーミング成長因子（TGF-β）が代表的である．

(3) 免疫応答の方向性を調節するサイトカイン

CD4$^+$ ヘルパー T 細胞はサイトカインの産生パターンで分類され，免疫応答の方向性に影響する（**表 IV-1，図 IV-15**）．

(ii) 体液性免疫を調節するサイトカイン

(1) 抗ウイルス作用

インターフェロン（IFN）のうち，**I 型 IFN** である IFN-α，IFN-β および **III 型 IFN** の IFN-λ の作用で，抗ウイルスタンパク質が産生される．ウイルスタンパク質の翻訳阻害（プロテインキナーゼ PKR），ウイルス RNA の分解（RNase L と 2′,5′-オリゴアデニル酸合成酵素），ウイルス粒子の構築阻害（Mx GTPase）があげられる．IFN-λ には 4 種類あり，IL-28A，IL-28B，IL-29 とも呼ばれる分子と IFN-λ4 が該当する．受容体は I 型 IFN とは異なるが，シグナル伝達経路が共通で強い抗ウイルス作用を示す．IFN-λ は腸管でのウイルス防御に重要で，ロタウイルスやノロウイルスの排除で働く．一方，呼吸器のウイルス感染症では，炎症で傷ついた組織の修復を阻害する可能性も指摘されている．

(2) 抗体産生におよぼす影響

胸腺依存性抗原に対する抗体産生において，ヘルパー T 細胞のサイトカインが重要である．B 細胞の増殖を促進する IL-2，IL-4，IL-5，抗体産生細胞に分化した B 細胞の増殖に働く IL-6 があげられる．抗体のクラススイッチでは，IgE の産生に IL-4，IgG1 と IgG3 に IFN-γ，IgA には TGF-β と IL-5 が働く．ヘルパー T 細胞に依存しない IgA へのクラススイッチでは，TNF ファミリーの APRIL と BAFF が働く．

(iii) 血液細胞分化で働くサイトカイン

血液細胞の分化に働く一群のサイトカインが存在する．この中で，G-CSF は炎症で消耗した好中球の補充にも働く．好塩基球の分化には IL-3，好酸球の分化には IL-5，IL-3，GM-CSF が協働して働く．マスト細胞の分化には SCF が働く．

(iv) ケモカイン

走化性を発揮するサイトカインである．白血球が血管外に浸潤する過程で白血球の血管内皮への接着性を上げるシグナル因子，リンパ器官内に区画を形成する因子としても働く．ケモカインは構造から CXC ケモカイン，CC ケモカイン，C ケモカイン，CX3C ケモカインの 4 グループに整理され，L を ligand，R を receptor として表現する．ただし通し番号に意味はない．CCR5 および CXCR4 の二つの受容体は，CD4 と共同して HIV（human immunodeficiency virus）の受容体となり，ウイルス感染時に利用されている．

b. 共刺激分子の働き

免疫応答では，抗原特異的受容体とサイトカインに加え，細胞間での直接コンタクトに基づくシグナル伝達（**共刺激分子**）も重要である．

B 細胞とヘルパー T 細胞の相互作用を例に説明する（**図 IV-14**）．B 細胞の抗原受容体は細胞膜貫通型抗体 BCR で，細胞内に活性化シグナルを伝える．一方

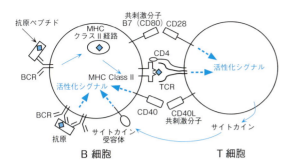

図 IV-14 T 細胞と B 細胞の直接的相互作用による活性化：共刺激分子の役割

c. リンパ球が産生するサイトカインの種類と免疫応答の方向性

サイトカインは免疫の方向性に大きく関わり（表 IV-1），直面する病原体の排除に有利か否かに影響する．細胞内寄生細菌や原虫の排除に有効な Th1 型と，蠕虫や節足動物に対する防御に向いた Th2 型である．

細胞内寄生細菌の排除にはマクロファージの活性化が重要で，IFN-γ が働く必要がある．マクロファージからは IL-12 が産生され，ヘルパー T 細胞の Th1 への分化を進める．IL-4 は抗体を IgE にクラススイッチさせるため，マスト細胞および好酸球を通じた蠕虫の排除に有効な方向性となる．さらに真菌や細胞外細菌に対する防御免疫の方向として，Th17 の存在が知られている．Th17 はサイトカイン IL-17 を分泌し，ケモカインや炎症性サイトカインを介して好中球を動員して急性炎症を誘導する．

一定方向に免疫応答が向かうのは，サイトカインによる正のフィードバックと抑制が働くからである（図 IV-15）．IFN-γ，IL-4，IL-21 が鍵である．ヘルパー T 細胞サブセットの状態が安定的に保たれていることは，マスター転写因子の存在によって裏付けられる．Th1 のマスター転写因子は T-bet，Th2 では GATA-3，Th17 では RORγt である．

近年，抗体のクラススイッチは，リンパ濾胞 lymphoid follicle に局在したサブセットの Tfh が産生するサイトカインがもたらすことが提唱されている．例えば IgE へのクラススイッチに必要な IL-4 は Th2 ではなく Tfh に由来することになる．Tfh のマスター転写因子は Bcl-6 である．

さらに，自然免疫リンパ球が，CD4⁺ ヘルパー T 細胞サブセットに対応したサイトカイン産生で特徴づけられている．すなわち，ILC1 が IFN-γ，ILC2 が IL-4，ILC3 が IL-17 産生に対応している（表 IV-1）．

d. 免疫応答の抑制機構

免疫応答を抑制，終息させる仕組みが過剰な免疫応答を防ぐ．まず，T 細胞の活性化にともない，CD28 よりも CD80 や CD86 に親和性が高いが共刺激シグナルを伝えない CTLA-4 が発現するようになる．CD28

BCR は抗原タンパク質を細胞内に取り込んで，MHC-II に抗原ペプチドとして提示させる．同じ抗原に特異的な CD4⁺T 細胞が TCR を介して B 細胞上のペプチド-MHC-II 複合体に結合する．つまり，BCR と TCR とでは，認識対象の構造が異なるものの，同じタンパク質起源の分子をシェアする結果となる．BCR は抗原表面の立体構造（アナログ），TCR は抗原の一部であるペプチド配列（デジタル）を認識する．

抗原特異的に結合した T-B 細胞において，T 細胞へは TCR 複合体を介して第 1 のシグナルが入る．B 細胞の共刺激分子（CD80 と CD86）が T 細胞側の受容体である CD28 に結合して第 2 のシグナルを伝える．二つのシグナルが協働して T 細胞の活性化を誘導する．逆に，T 細胞側の共刺激分子 CD40L（別名 CD154）が B 細胞側の受容体 CD40 を介してシグナルを伝えるとともに，T 細胞由来のサイトカインがシグナルを伝える．サイトカインの多くは近距離で作用するので，抗原特異的 T 細胞のサイトカインに影響される．BCR，CD40 およびサイトカインからのシグナルの統合により，抗体のクラススイッチが達成される．

前節で T 細胞の自己寛容について，胸腺での負の選択（中枢性自己寛容）の働きを説明した．これに加えて，共刺激受容体 CD28 からのシグナルがない状態で TCR からシグナルが入ると，T 細胞は活性化せずプログラム細胞死によりクローンが除去される．これを，末梢性自己寛容という．

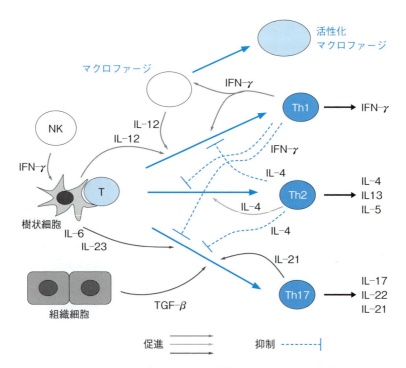

図 IV-15　ヘルパー T 細胞の分極化とサイトカインの役割

と競合して共刺激を停止させ，さらなる活性化を抑える．また活性化 T 細胞では受容体 PD-1 が発現し，リガンドの PD-L1 が結合すると細胞内に抑制性シグナルを伝えて，TCR 複合体からのシグナル伝達を阻害する．

さらに，CD4⁺T 細胞のサブセットとして，**制御性 T 細胞** regulatory T cell（Treg）の存在が知られている．免疫応答を助けるヘルパー T 細胞とは異なり免疫応答を抑制する．働きとしては，抑制性サイトカインの IL-10 や TGF-β を産生すること（**表 IV-1**），CTLA-4 分子を多数発現していて抗原提示細胞から CD80/86 をエンドサイトーシスにより引き抜くことと考えられている．さらに，Treg は T 細胞活性化後のクローン増殖に必要な IL-2 を自らは産生せず，一方で高アフィニティー IL-2 受容体を発現しているので，IL-2 を消費することでも免疫応答を抑制する．Treg のマスター転写因子は FoxP3 であり，*foxp3* 遺伝子を欠損したマウスや *FOXP3* 遺伝子に変異のあるヒトでは多臓器自己免疫疾患を発症する．

8　全身を考慮に入れること：免疫応答が誘導される部位と効果を発揮する部位

獲得免疫では，リンパ球は 1 次リンパ器官で抗原受容体の多様性と自己寛容を獲得して成熟する．成熟リンパ球は全身を循環し 2 次リンパ器官で抗原と出会う．そこで抗原特異的なクローンが増殖し免疫応答が開始される．その結果免疫の効果を発揮するエフェクター細胞，または記憶細胞に分化する．T リンパ球のエフェクター細胞や一部の記憶細胞は，全身の組織に分布して病原体の侵入に備える．抗体産生細胞に分化した B 細胞はクラススイッチと親和性成熟を経て，例えば IgG 産生細胞は骨髄に移動・定着して長寿命の抗体産生細胞となり，IgA 産生細胞は粘膜固有層に移動して二量体 IgA を産生する．二量体 IgA は，粘膜上皮細胞が粘膜表面に運び分泌型 IgA となる．本節では，個体レベルでの獲得免疫応答の仕組みに焦点をあてる．

a. リンパ球再循環

リンパ球集団は多様な抗原に対応するが，個々のリンパ球は一つの抗原にのみ反応する．そのため，抗原が侵入したとき，その抗原に特異的なリンパ球と出会う確率は低い．この問題を解決するため，リンパ球は血液と2次リンパ器官を行き来して抗原と出会う確率を上げている．この現象をリンパ球再循環という．

HEV をもつリンパ節を例に説明する．リンパ球は HEV からリンパ節の実質に入る．この過程は，(1) リンパ球の細胞接着分子 L-セレクチンが HEV 上の硫酸化糖鎖と結合・解離を繰り返してリンパ球が減速する過程，(2) ケモカイン CCL21 がリンパ球の受容体 CCR7 を通じて細胞接着分子 $\alpha_L\beta_2$ インテグリンの接着性を高める過程，(3) $\alpha_L\beta_2$ インテグリンが HEV 内皮細胞上の細胞接着分子と強固な接着を完成させる過程の3段階からなる（図 IV-16）．一方，皮膚などの組織から CCR7 をもつ樹状細胞が抗原を提示しつつ，輸入リンパ管経由でリンパ節に移動する．リンパ節内の T 細胞領域で，抗原を提示した樹状細胞と T 細胞が出会う．抗原特異的な T 細胞は活性化されクローン増殖する．それ以外の T 細胞は輸出リンパ管経由で血管に戻る．リンパ管に戻すシグナルは，脂質メディエーターの一つスフィンゴシン-1-リン酸（S1P）である．リンパ節内の S1P 濃度はリンパ管や血管内より低く保たれている．リンパ球には S1P 受容体の一つである S1P1 があり，S1P の濃度勾配に向けて輸出リンパ管に移動する．一方，抗原刺激されたリンパ球では S1P1 の発現が一過性に低下し，リンパ節内にとどまりクローン増殖が可能となる．

一般に，白血球と血管内皮細胞の接着は，白血球が組織内に移行するために必要である．細胞接着分子とケモカインの種類と組み合わせによって，いつどの部位から白血球が組織内に移行するのかが制御されている．例えば，炎症部位での好中球の浸潤では，炎症性サイトカインの作用で E-セレクチンおよび P-セレクチンが血管内皮細胞上に現れる．(1) 血管内皮細胞のセレクチンが好中球の糖鎖と相互作用して白血球が減速し，(2) ケモカイン CXCL8 により好中球の $\alpha_L\beta_2$ インテグリンの接着性が高まり，(3) インテグリンを介した血管内皮細胞への強固な接着が完成して組織内移行が実現する．

b. 外界との接点：バリアと常在菌叢

皮膚と粘膜の表面には常在菌叢があり，宿主との平衡関係を保っている．常在菌が体の深部に侵入して病気を起こさないように，上皮細胞はタイトジャンクションで密着してバリアを形成している．上皮細胞の外側では，皮膚ではフィラグリン filaggrin がケラチンを補強して角質のバリアとなり，粘膜では粘液ムチン層がバリアとなる．免疫系の細胞は，上皮細胞と協働してバリア機能を保つ．CD4$^+$Th17 細胞の産生する IL-22 は，上皮細胞に働いて抗菌ペプチドを産生させ，粘膜では粘液ムチンの産生を促進する．

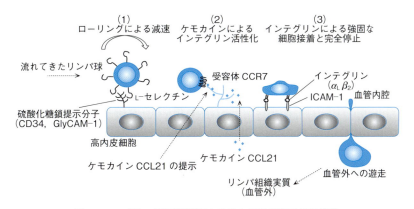

図 IV-16 リンパ球再循環における血管外浸潤の分子機構

c. 免疫応答の時間経過と免疫記憶

初回よりも再度同じ抗原に遭遇したときのほうが，素早く強い獲得免疫応答が起きる．これは記憶細胞の働きである．初回の免疫応答を **1次応答**，同じ抗原に対して再び起こす免疫応答を **2次応答** という．

抗体としてはまず IgM が産生され，時間とともにクラススイッチが起こり，血中に IgG が産生されてくる．時間がたつと血中の IgG 量が減少するが，再び同じ抗原が侵入するとより早く IgG が産生され，抗原への親和性も高くなる（**図 IV-17**）．IgG は，2次リンパ器官の胚中心において，クラススイッチと親和性成熟を経た抗体である．IgM も新たに産生されるが，抗原への平均的な親和性は1次応答と変わらず，未刺激の B 細胞に由来する．

ワクチンを何回か接種すると効果が増強されるが，免疫記憶と高親和性の IgG 抗体をつくらせる意味がある．

d. 遺伝子改変動物を用いた研究

個体レベルでの研究のため，遺伝子改変動物が使われる．遺伝子を人為的に発現させた **トランスジェニックマウス** と，特定の遺伝子を不活化させた **遺伝子ノックアウトマウス** がある．T 細胞増殖因子の IL-2 をノックアウトすると，T 細胞の増殖を抑制して免疫不全を誘導するとも予想された．しかし，実際には自己免疫を発症した．これより，IL-2 が Treg の維持に重要であることが判明した．ヒトの疾患との関連性も裏付けられる．重症複合免疫不全症の患者の一部にはサイトカインのシグナル伝達のための受容体共通鎖の一つ γc 鎖に変異があることがわかってきた．γc 鎖のノックアウトマウスを作製することで，病気の原因であることが裏付けられた．

ノックアウトマウスは強力な研究手段だが，全ての細胞から遺伝子をノックアウトするとしばしば胎生致死となる．そのため Cre-*loxP* という組織特異的ノックアウト技術が有効である．これは P1 バクテリオファージのゲノム複製システムを利用した方法である．まず，*loxP* 配列で標的遺伝子をはさんだトランスジェニックマウスを作製する．一方，組織特異的プロモーターの支配下で組換え酵素 Cre を発現するトランスジェニックマウスを作製する．両者を掛け合わせた雑種第一代では，特定の組織でのみ標的遺伝子が削除され，それ以外の組織では影響がない．例えば，T 細胞特異的なプロモーターで Cre を発現させれば，T 細胞でのみ遺伝子を削除できる．この方法は，免疫学の研究で汎用され，不可欠な実験手法となっている．

9 感染防御免疫の戦略

感染防御免疫の理解には，病原体側および宿主免疫系からの両方の視点が必要である．病原体側としては，侵入経路，増殖様式，免疫系の回避，宿主組織や機能の障害機構があげられる．免疫側としては，自然免疫と獲得免疫の役割についてである．自然免疫が初期の防御を担い，獲得免疫を誘導する役割をもつ．獲得免疫については，自然免疫を逃れた病原体の排除，免疫記憶，抗体とエフェクター T 細胞の働き方の理解が必要である．病原微生物の性質に応じた免疫系の戦略も重要である．さらに，免疫応答の副作用としての宿主の傷害にも留意すべきである．

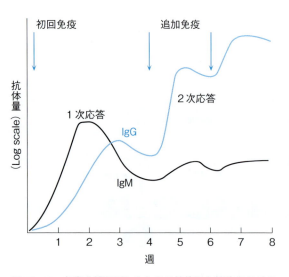

図 IV-17　免疫を繰り返したときの抗体量と抗体クラスの時間的推移

a. 細菌に対する防御免疫

細菌は，宿主の体内で増殖するが細胞内には侵入せず，組織の細胞間隙に定着して増殖する細胞外細菌と，宿主細胞内に侵入する細胞内寄生細菌に大別される．

(i) 細胞外細菌 extracellular bacteria

細胞外細菌に対しては，自然免疫機構として好中球とマクロファージによる貪食と殺菌が重要である．組織内に侵入して定着を試みる細胞外細菌に対しては，血管からまず好中球が組織内に浸潤する必要がある．この過程を促進するのが炎症である．炎症性サイトカインにより接着性が上昇した血管内皮から好中球が組織内に移行する．組織内では，菌体成分自身，ケモカイン，可溶性補体フラグメント（C5a 他）の濃度勾配に向けて好中球が移動し，細菌を貪食し細胞内で殺菌する．リソソーム酵素やミエロペルオキシダーゼによってつくられる強力な活性酸素で細菌を破壊する．さらに細胞外に自身の DNA とヒストンを放出して細菌をからめとって殺す好中球細胞外トラップ Neutrophil extracellular trap（Net）の働きもあるが，宿主組織へのダメージも大きい．好中球の浸潤の後，単球が浸潤し炎症性マクロファージとして細菌を貪食するとともに，破壊された宿主組織の残骸を貪食して組織を修復・再建する．なお，感染局所で炎症を誘発するには炎症性サイトカインの他，Th17 や ILC3 が産生する IL-17 の重要性がわかってきた．

莢膜をもつ細菌は，貪食に抵抗性がある．莢膜多糖により貪食に抵抗する機構をもった細菌に対しては，抗体による貪食の促進，つまりオプソニン化が有力な武器となる．したがって，オプソニン活性のある IgG1 および IgG3 にクラススイッチした抗体が有用である．

さらに IgG1 と IgG3 は，古典経路で補体を活性化するため，補体依存性の細菌の破壊が期待できる．血液中に侵入した細菌に対しては，IgM も補体を活性化して排除できる．IgA は粘膜表面からの細菌の侵入を防いでいるが，常在細菌の恒常的定着（ニッチへのフィットネス）の制御により間接的に病原細菌の増殖を牽制しているのか，病原細菌特異的な IgA も寄与しているのかについては判然としない．

細菌は抗原提示細胞に貪食され，MHC-II に細菌抗原が提示されるため，CD4$^+$T 細胞が活性化される．これが抗体産生を助けるヘルパー T 細胞として機能する．

細胞外細菌の病原因子として，外毒素の産生があげられる．外毒素を中和することも抗体の重要な役割である．ボツリヌス毒素のように，嫌気的条件で細菌があらかじめつくった毒素を摂取した場合でも，血中抗体の働きが重要である．

免疫応答の副反応について説明する．細菌の外毒素には MHC-II と特定の Vβ をもった TCR を，提示されたペプチド非依存的に結合させるものがある（図 IV-18）．これらはスーパー抗原と呼ばれ，多クローン性に T 細胞を活性化する．その結果，血液中に大量の炎症性サイトカインが放出され，感染性ショックの原因となる．代表的なスーパー抗原として，黄色ブドウ球菌のエンテロトキシンや毒素性ショック症候群毒素（TSST-1）があげられる．T 細胞の過剰な活性化によるサイトカインの過剰産生は，サイトカインの嵐 cytokine storm と呼ばれ，免疫系の過剰応答による危険な副反応である．また，グラム陰性菌の外膜成分である内毒素（LPS）が TLR4 を介してマクロファージを過剰に活性化すると，炎症性サイトカイン産生（主に TNF-α，IL-6，IL1）を介して敗血症性ショックを誘導する．

さらに，細菌に対する免疫応答を原因とする後遺症が知られている．一部のグループのレンサ球菌では，細菌細胞壁に対する抗体産生が起こり，その抗体の一部が宿主の心筋タンパク質に交差反応を起こすと心筋炎を発症することがある（リウマチ熱）．別のグループのレンサ球菌では，細菌に対する抗体と細菌由来の抗原が免疫複合体をつくり，腎臓の糸球体血管に沈着して腎炎の原因となる（急性糸球体腎炎）．

(ii) 細胞内寄生細菌 intracellular bacteria

宿主細胞内で生存可能な細菌で，あるものは細胞内で増殖する．例えば，*Mycobacterium* 属，*Listeria* 属，*Legionella* 属の細菌が例である．宿主のマクロファージによって貪食されても，細胞内で生きながらえる．

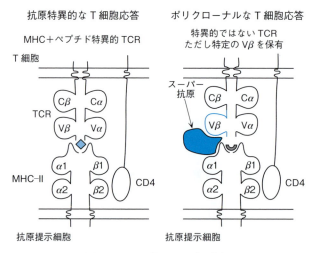

図 IV-18　細菌のスーパー抗原

抗体は細胞膜を通過しないので，細胞内の細菌には効果がない．そこで細胞性免疫が必要で，CD4⁺**Th1 細胞**への分極化が有効である．Th1 細胞，NK 細胞，CD8⁺T 細胞から分泌される IFN-γ および Th1 細胞上に発現誘導された**共刺激分子** CD40L の働きでマクロファージが活性化される．マクロファージ内の活性酸素産生が強まり，細胞内での殺菌能力が向上する．

ヘルパー T 細胞の分極化が病態の進行に大きな影響があることが示されてきた．例えば，偏性**細胞内寄生細菌**の *Mycobacterium leprae* 感染症であるハンセン病では，抗体産生が強く起こった場合に予後が悪く，逆に抗体産生は低調だが Th1 型免疫応答が優位で IFN-γ 産生が盛んな場合に予後がよいことが知られている．

b. ウイルス

ウイルスは細胞に寄生して増殖する病原体で，細胞がなければ増殖できない．一つの特徴は，遺伝子の複製およびタンパク質合成の過程を全て細胞に依存していることである．もう一つの特徴は，細胞の外にあるウイルス粒子に感染性がある点である．この二つの特徴が，ウイルスに対する防御にとって何が有効なのかを示している．

自然免疫では，体液性免疫として，ウイルス感染細胞の自然免疫受容体からのシグナルで誘導された I 型および III 型**インターフェロン**に，ウイルスの細胞内複製を妨害する働きがある．細胞性免疫としては，**NK 細胞**がウイルス感染細胞を破壊する．

獲得免疫では，まず**抗体**があげられる．抗体はウイルス粒子が宿主細胞に結合し，細胞内に侵入する過程を阻止する．しかし，細胞に感染してしまったウイルスを攻撃できないので，ウイルスを体内から完全に排除できない．細胞内に侵入したウイルスは，自らを解体して遺伝子だけの状態となるからである．

そこで，CD8⁺**細胞傷害性 T 細胞（CTL）**の出番となる．ウイルス感染細胞は，MHC-I にウイルス遺伝子にコードされたタンパク質断片（ペプチド）を提示する．CTL は MHC-I とウイルスペプチドの複合体を認識し，ウイルス感染細胞ごと破壊する．感染性のあるウイルス粒子ができる前に細胞を破壊すれば，他の細胞へのウイルスの感染拡大を断ち切ることができる．CTL は，ウイルス感染細胞膜にパーフォリンで孔をあけ，グランザイムという酵素を標的細胞に送り込み，プログラム細胞死を誘導する．さらに標的細胞内のヌクレアーゼを活性化し，ウイルス遺伝子を分解する．自然免疫の NK 細胞も同様のエフェクター機構でウイルスを排除し，CTL を補完する形で働いている．MHC-I の発現を低下させて CTL の攻撃から逃れるウイルスの戦略に対しては，MHC-I の発現量が低下した細胞を攻撃する NK 細胞が相手となる．

ウイルス感染を最初に検知するのは，自然免疫受容体である．細胞膜ではなくエンドソーム膜に局在するTLRは核酸を認識している（図IV-2）．これに対して，細菌構成成分を認識するTLRの多くは細胞膜に局在する．エンドソームのTLRは，シグナルの下流がインターフェロンの誘導につながっている．RNAウイルスに特徴的な二本鎖RNAを認識するエンドソームのTLR3は細胞質内のアダプターTRIFを介してシグナルを伝え，転写因子IRFがインターフェロン産生を誘導する．興味深いのは，細菌のLPSを認識する細胞膜のTLR4がアダプターとして炎症につながるMyD88だけではなくTRIFにもシグナルを伝えている点である．細菌感染に対する防御とウイルス感染に対する防御が完全には分かれてはおらず，何らかのバランスが働いている可能性がある．

さらに，エンドソームのTLRで核酸を認識するTLR7, 8, 9にはTRIFではなくMyD88がついているにもかかわらず，インターフェロンの産生が起きる．最近，MyD88の下流にエンドソーム膜で働く別のアダプターが存在し，そのさらに下流では別の種類の転写因子IRFを介してインターフェロン産生に至ることが明らかにされた．もちろん，TLR7, 8, 9についたMyD88から転写因子NF-κBを介して炎症応答も起こる．ここにも細菌とウイルスに対する免疫の調節機構があるようだ．

膜貫通型の受容体のみならず，細胞質の二本鎖RNAセンサーも存在する．二本鎖RNAをもつロタウイルスの感染では，NLRP9bインフラマソームがウイルスゲノムRNAを認識して，IL-18を細胞外に放出させる．IL-18の働きとしてはNK細胞の活性化があげられる．

一本鎖RNAウイルスでも，例えば（＋）鎖RNAウイルスでは，RNA依存性RNAポリメラーゼが様々な長さの（－）鎖RNAを合成し，さらにそれらを鋳型にmRNAや（＋）鎖のゲノムRNAがつくられる．その過程で二本鎖RNAが出現するので，二本鎖RNAセンサーに認識される可能性がある．最近，ヒトの皮膚や気道上皮細胞に発現するNLRP1が，（＋）鎖RNAウイルスの感染時にインフラマソームを形成し，炎症性サイトカインIL-1βの放出および細胞死を誘導することが報告された．興味深いことに，NLRP1は比較的長い塩基配列の二本鎖RNAを認識するらしい．さらに，マウスのホモログ（NLRP1B）には二本鎖RNA認識活性がなく，ウイルス感染実験における種差の問題が浮き彫りとなっている．一方，二本鎖RNAをウイルス遺伝子由来のタンパク質が覆い，宿主自然免疫系から隠している可能性がある．さらにコロナウイルスでは，二重膜で保護された区画を細胞内に作り，二本鎖RNAを保護しているようだ．ウイルスの種類によっては，インターフェロン産生経路を妨害するタンパク質を細胞内でつくらせる場合もある．

ウイルス感染症の場合にも，免疫が病気の原因となっている場合がある．ヒトB型肝炎ウイルス感染では，CTL（CD8陽性）による肝細胞の傷害が病態の形成に関わっている．また，ウイルス感染に反応した結果，サイトカインの過剰産生による全身状態の悪化も起こりうる．

c. 真　　菌

真菌に対する免疫では，好中球が重要な役割を担っている．何らかの原因（HIV感染，転移性癌の化学療法，移植時の免疫抑制薬）で骨髄抑制が起こり，好中球が減少した易感染性宿主では真菌感染症が重症化する．Th17の分化に障害があるか，IL-17を中和する自己抗体が産生される患者でも，真菌感染症が悪化する．一方，真菌感染の動物モデルが少なく，防御機構の解明が難しい．真菌に対する免疫機構の概略は以下のとおりである．樹状細胞やマクロファージがTLRやC型レクチン受容体（CLR）を介して真菌を感知する．樹状細胞やマクロファージがILC3やTh17を活性化してIL-17やIL-22を産生させる．これらは上皮細胞にケモカイン産生を促して好中球を感染局所に遊走させる．好中球が活性酸素やリソソーム酵素を放出し，真菌の貪食と細胞内殺菌を担う．実際，好中球の浸潤に必要なケモカイン受容体である*cxcr1*遺伝子欠損マウスがカンジダに易感染性となり，ヒトでも*CXCR1*の遺伝子変異が播種性カンジダ症のリスクを上げることが報告されている．最近では健常人末梢血を用いて，*Candida albicans*由来の抗原が誘導する免

疫応答として，CD4$^+$Th17細胞からIL-17とIL-22の産生が検出されている．

真菌にも，細胞外真菌（*Candida* や *Aspergillus*）と細胞内真菌（*Histoplasma, Pneumocystis jirovecii, Cryptococcus neoformans*）がある．細胞内真菌の排除には，細胞内寄生細菌と同様，Th1やILC1からのIFN-γ産生とマクロファージ活性化が重要らしい．*P. jirovecii* は，AIDS患者におけるニューモシスチス肺炎の原因真菌である．

d. 寄生虫

寄生虫には，単細胞の原虫（マラリア，リーシュマニア，トリパノソーマ，エンタメーバ，トキソプラズマ，クリプトスポリジウムなど）と多細胞の蠕虫（住血吸虫，フィラリアなど）がある．

寄生虫は，それぞれ異なる生活環をもっていて，それに応じて宿主に与える影響がかなり異なる．そのため，宿主の防御機構も個別に異なる点が多いとされている．しかし大きくみると，蠕虫に対する免疫と原虫に対する免疫とでは大きく異なるようである．

原虫は，大きさからして微生物の範囲に入る．そのため，細菌や真菌に対する免疫と共通点もみられる．原虫に関して現在まで知られている最も鮮明な結果は，*Leishmania major* のマウスでの感染実験である．マウス系統差に基づいて感染抵抗性を調べた結果，Th1応答が起きる場合に有効な排除が実現すること，Th2応答が起こるとマクロファージ活性化が抑制されて全身への播種性感染を起こし致命的となるというものである．リーシュマニアはエンドソーム内で生存する細胞内寄生原虫で，宿主細胞内で生き残る病原体に対して共通にみられる機構なのかも知れない．マラリア原虫は赤血球と肝細胞内で形を変えて生存する複雑な生活環をもっているが，肝臓内の原虫に対してCTLの重要性が判明している．サイトカインIFN-γの重要性は，マラリア，トキソプラズマ，クリプトスポリジウムでも明らかになっている．

一方，蠕虫に対する免疫応答では，Th2応答が重要であると考えられている．蠕虫の排除に必要なエフェクターは好酸球であり，蠕虫の外皮を破壊する因子を分泌できる．蠕虫は大きすぎるため貪食できない．

Th2応答では，IL-4の作用でIgEにクラススイッチした蠕虫に結合する抗体ができる．IgEはマスト細胞と好酸球のFcε受容体に結合する．またTh2細胞から分泌されたIL-5が好酸球を活性化する．IgEを介した好酸球の抗体依存性細胞傷害作用により蠕虫が傷害される．またマスト細胞と好酸球の協働作用で消化管の蠕動運動が促進され，腸管内腔から蠕虫が排除される．

10 免疫の応用

本節では，免疫学の具体的な成果として，抗体を用いた様々な検出法，有用な抗体の作製法，抗体の利用目的に応じた注意点について概説する．

a. モノクローナル抗体

抗原が体内に入ると，クローン選択によって抗原特異的な抗体が産生される．しかし，複数のB細胞クローンが活性化されるため，産生された抗体は混合物である．そこで，一つのクローンから産生された抗体を得ることができれば，特定のエピトープにのみ結合する特異性の高い抗体を得ることができる．これが，モノクローナル抗体である．モノクローナル抗体は研究のみならず，診断のための試薬や，治療薬にまで応用されている．免疫学でとくに重要なのは，細胞表面の抗原を精度よく分類可能となったことである．これによりCD番号（第6節参照）が整備され，免疫の仕組みを分子や遺伝子レベルで解明することが可能となった．

モノクローナル抗体の作製は，1980年代から行われてきた．近年では，抗体遺伝子を組み込んだバクテリオファージのライブラリーを抗原で選択するファージディスプレイ法も行われているが，ここでは最初に開発された細胞融合法について説明する（図IV-19）．

マウスを免疫して抗体産生細胞に分化しつつあるB細胞（形質芽球 plasmablast）を含んだ時期の脾臓を摘出しリンパ球集団を得る．一方，マウスのミエローマ細胞（B細胞系腫瘍細胞株）で，選択培地での生存に必要な「代謝関連遺伝子」*HGPRT* を欠損させた変異細胞を用意する．脾臓細胞と変異体ミエローマ細胞を

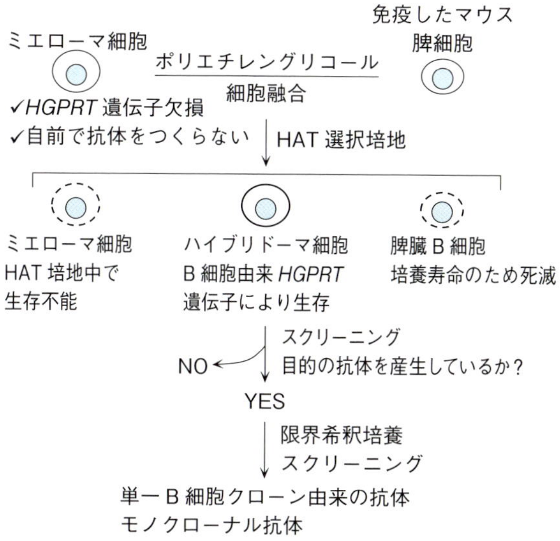

10. 免疫の応用

```
ミエローマ細胞            免疫したマウス
                ポリエチレングリコール  脾細胞
   ○          細胞融合              ○
 ✓HGPRT 遺伝子欠損    ↓
 ✓自前で抗体をつくらない  HAT 選択培地
┌─────────────┼─────────────┐
  ○              ○              ○
ミエローマ細胞   ハイブリドーマ細胞   脾臓 B 細胞
HAT 培地中で    B 細胞由来 HGPRT   培養寿命のため死滅
生存不能        遺伝子により生存
                    ↓ スクリーニング
           NO ←   目的の抗体を産生しているか?
                    YES
                    ↓ 限界希釈培養
                      スクリーニング
                    単一 B 細胞クローン由来の抗体
                    モノクローナル抗体
```

図 IV-19　モノクローナル抗体の作製

(注) HGPRT：ヒポキサンチン-グアニン　ホスホリボシルトランスフェラーゼ.
　　 HAT 選択培地：ヒポキサンチン-アミノプテリン-チミジン添加培地.

混合し，ポリエチレングリコールで細胞膜を融合させてハイブリドーマ細胞をつくる．選択培地（HAT 培地）で培養すると，ミエローマ細胞は薬剤の作用で死滅し，B 細胞は正常細胞のため培養寿命のために死滅するが，B 細胞から正常な HGPRT を受け継いだハイブリドーマ細胞は生き残る．生き残ったものから免疫に用いた抗原に特異的な抗体を産生する細胞を選び，さらに限界希釈培養で目的の抗体が単一細胞に由来することを確認しつつ細胞を分離し，モノクローナル抗体が得られる．

b. 抗体を用いた検出法

免疫した動物から得られた血清（抗血清という），ヒト血清サンプル，モノクローナル抗体など，様々な試料由来の抗体を用いて，共通の原理で抗原や抗体の検出を行うことができる．

(i) 古典的方法（凝集反応，沈降反応，補体結合反応）

抗体には 2 価以上の結合価があるため，エピトープを複数もつ抗原と適切な濃度比で混合して一定時間おくと抗原抗体複合体ができる．粒子状抗原と反応させると粒子の凝集がみられ（凝集反応），タンパク質や多糖類などの高分子抗原と反応させると不溶性の沈降物を生じる（沈降反応）．抗原と抗体の結合を，補体を用いた赤血球溶血反応で検出する補体結合反応もある．

(ii) 抗体の力価

抗体の量を，抗体の能力に基づいて定量するのが力価である．抗体を含むサンプルを段階的（例えば 2 倍，4 倍，8 倍，16 倍…）に系列希釈する．どこまで希釈すると抗体の作用（例えば赤血球の凝集）が消失するのかを見極める．これを力価と呼び，サンプル内の有効な抗体濃度を表している．例えば，256 倍まで薄めても凝集するが 512 倍まで薄めると凝集しなくなれば，力価は 256，あるいは 2^8 となる．力価はサンプルに含まれる抗体の生物活性の指標として有用である．異なる希釈度のサンプルで抗体活性を評価すること titration は，結果の意義を判断する重要な指標となる．

(iii) ELISA（エライザ）
enzyme-linked immunosorbent assay

多くの穴（通常 96 穴）のあるプラスチックプレートが使われる．様々な応用が可能だが，抗体を検出する方法と抗原を検出する方法の例を説明する．

抗体の検出には，まず穴の底にタンパク質などの抗原を吸着（固相化）させておく（図 IV-20a）．穴の表面に非特異的に抗体が結合しないように，無関係なタンパク質でコートする（ブロッキング）．穴にサンプル溶液（例えばマウスの抗体を含む）を入れ一定時間抗原と反応させたのち，穴の中を緩衝液で洗浄する．抗体に対する抗体（例えばマウス IgG をウサギに免疫して作製したウサギ抗マウス IgG）に酵素を共有結合させた酵素標識抗体（2 次抗体という）を加えて一定時間反応させる．抗原にマウス IgG が結合していれば，そこに 2 次抗体が結合する．穴を洗浄したのち，酵素基質を加えて反応させる．酵素の作用で呈色する基質を用いて比色定量する．自動測定機器によ

図 IV-20　ELISA の説明
　a. 抗体検出のための方法の一例.
　b. 抗原検出のためのサンドイッチ法の一例.

り多検体の測定に適している．サンプルを系列希釈して力価の算出もできる．多糖類や脂質を固相化して用いることもできる．

　抗原の検出では，抗原に対する抗体（捕捉抗体）を固相化し，サンプル中の抗原を捕捉させる．酵素標識した抗原に対する抗体（検出抗体）で捕捉された抗原を検出する（図 IV-20b）．抗原をサンドイッチする方法なので，サンドイッチ ELISA ともいう．精製した抗原があれば，濃度依存曲線を描くことで定量も容易である．

(iv)　イムノブロット法 immunoblot

　分子量によって分離する電気泳動法（SDS-PAGE）でタンパク質を分離し，泳動パターンを保って薄膜に電気的に転写した後（ブロット blot という），ブロット上で抗原抗体反応を行う．多検体の解析には向かないが，抗原タンパク質の分子量がわかる特徴がある．

タンパク質以外の抗原には適用できない．検出に化学発光基質に作用する酵素標識抗体を用いることが多く，イメージアナライザー（CCD カメラ）で画像解析を行うことができる（図 IV-21）．

　抗体側を評価する検査目的でも使用できる．例えばウイルス由来タンパク質の混合物を電気泳動し，ブロットに患者血清をまず反応させる．次に酵素標識した抗ヒト IgG（2 次抗体）を反応させ，どのウイルスタンパク質に対する抗体があるのかがわかる．正常ヒト血清を対照とするなど，注意深い対照実験が必要である．血清を希釈して反応させることで，検出限界を設定して力価を求めることもできる．

(v)　標識抗体を用いた顕微鏡観察法

　光学顕微鏡では酵素標識抗体と呈色基質，蛍光顕微鏡では蛍光標識抗体，電子顕微鏡では金コロイドなど電子密度の高い物質で標識した抗体を用いて，標本

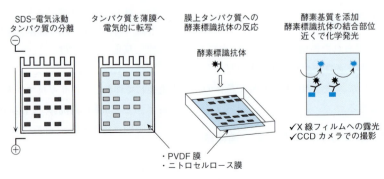

図 IV-21　イムノブロット法

（細胞，組織切片や超薄切片）における抗原の局在を形態学的に評価する方法である．ウイルスタンパク質をコードする遺伝子をモデル細胞に人為的に発現させ，抗ウイルス抗体を検出することもある．サンプルを希釈して検出限界を求め，抗体の力価を決定することもできる．

(vi) フローサイトメトリー

細胞を懸濁できる場合に限るが，個々の細胞から表面抗原などの情報を高速で収集する方法である．細胞を蛍光標識抗体で染色しておく．標識細胞を一定流速で流し，そこにレーザー光を当てて細胞由来の蛍光を検出し，蛍光強度のデータとしてコンピューターに蓄積する（図 IV-22）．複数種類の蛍光（各標識抗体に対応）を細胞ごとに高速で集計できる．例えば，フルオレッセイン（緑色蛍光）で標識した抗CD4抗体，フィコエリスリン（オレンジ色蛍光）で標識した抗CD8抗体で胸腺細胞を標識して分析すると，$CD4^+CD8^+$，$CD4^-CD8^+$，$CD4^+CD8^-$，$CD4^-CD8^-$ の細胞集団を二次元グラフ表示してその数を計数できる．また，個々の細胞を小水滴に入れ，水滴に電荷を与えて細胞を一つずつ高速で分離する装置のセルソーターも，細胞を分取して機能を明らかにする目的で汎用されている．

(vii) イムノクロマト

側方流動アッセイ lateral flow assay ともいう．抗原あるいは抗体を定性的ではあるが素早く検出するための検査手法である．まず，抗原検出法で説明する（図 IV-23a）．金コロイド標識した抗原特異的抗体を過剰量コンジュゲーションパッドに含ませておく．抗原を含む試料をサンプルパッドに加える．サンプルは界面活性剤を含んだ展開液中で可溶化されコンジュゲーションパッドに移行する．標識抗体と抗原-抗体複合体が形成され，展開液中で膜面にそって移動（側方流動）する．膜上第1の部位のテストラインには，抗原特異的抗体が固相化されており，抗原/標識抗体の複合体はサンドイッチされて捕捉される．遊離の標識抗体はさらに移動して，第2の部位のコントロールラインで固相化された抗Ig（Fc）に捕捉される．よって，抗原陽性サンプルでは，テストラインとコントロールラインの両方に金コロイドの線が可視化され，陰性ではコントロールラインのみに線が出る．まったく線が出ない場合は不具合である．

抗体を検出するためには，コンジュゲーションパッドに過剰量の標識抗原を含ませ，テストラインに抗Ig（Fc），コントロールラインに抗原特異的抗体を固相化する（図 IV-23b）．

この方法は，陽性か陰性かの2択の判断となる欠点があるが，特別な設備が不要で迅速に結果が得られるため，大規模に実施できる利点がある．診断に用いる場合，特異性 specificity（偽陽性が少ないこと）と感度 sensitivity（偽陰性が少ないこと）が要求される．被験者にとっては感度が重要であるが，特異性の社会的な意義も大きい．

(viii) 抗体による生物活性の中和

以上の方法は，抗原と抗体の結合を検出する方法である．抗体の働きとしては，病原体やその産物の活性の中和も重要である．抗体は可溶性タンパク質なので，様々な実験系に添加して作用を調べることが容易である．方法は目的に応じて組み立てることになる．例えば，「病原体あるいは病原体の産生する毒素による細胞死を抗体が抑制するか？」などである．一つ重

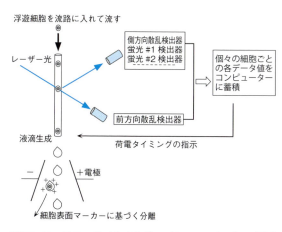

図 IV-22　フローサイトメトリー（セルソーター）の概要

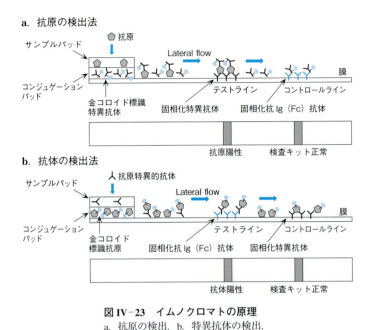

図 IV-23　イムノクロマトの原理
a. 抗原の検出．b. 特異抗体の検出．

要な点は，抗体が病原体の抗原に結合することと，病原性を中和するかどうかは，必ずしも一致しないことである．例えば，ウイルス粒子表面タンパク質に対する抗体が，必ずしも細胞へのウイルス感染を防ぐわけではない．これは，ウイルスタンパク質の機能に必要な構造と，抗体が認識するエピトープが離れている場合に起きる．ワクチンが誘導した抗体が中和抗体なのかは，ワクチンの性能にとって重要である．中和活性の力価と，抗体結合の力価（ELISAなど），定性的アッセイとの間の相関性を確かめることは実用的に重要である．

c.　抗体医薬

モノクローナル抗体を発展させ，医薬としての利用が進んでいる．モノクローナル抗体 monoclonal antibody から「mab」をとって，一般名は必ずマブで終了する．もともとは，マウスで作製したモノクローナル抗体の可変部と，ヒト抗体の定常部を遺伝子上で連結させ（キメラ抗体という），動物培養細胞で大量発現させて精製したものであった．TNF-αに対するインフリキシマブ Infliximab が一例で，リウマチの薬である．ximab がキメラ抗体を意味する．IL-6受容体に対するトシリズマブ Tocilizumab は同じくリウマチの薬だが，可変部の CDR のみがマウス由来で，その他はヒト由来のヒト化抗体である．zumab がヒト化抗体を意味する．肺癌などに用いられる免疫抑制解除薬のニボルマブ Nivolumab は，T細胞の抑制性受容体PD-1に対する完全ヒト抗体であり，umab が完全ヒト抗体を意味する．2020年の段階で，62種類の抗体医薬が承認されている．免疫・微生物関連を中心に代表的なものを表 IV-2 にまとめた．

抗体類似バイオ医薬品として，抗体の Fc 部分を用いた組換え分子もある．リウマチ薬のエタネルセプト Etanercept は，Fc 部分の N 末側に TNF 受容体の細胞外ドメインを連結させた組換え分子である．偽の受容体として働き TNF の作用を妨害する．血小板減少症治療薬のロミプロスチム Romiplostim は，Fc 部分の C 末側にトロンボポエチン受容体作動性の合成ペプチドを連結させた分子である．抗体類似バイオ医薬品としては，5種類承認されている．

d.　ワクチン

ワクチンは抗原であり，予防的に投与することで，持続的な抗体産生と免疫記憶の成立を目指すものであ

10. 免疫の応用

表 IV-2　免疫・微生物関連を中心とした主な抗体医薬・抗体類似バイオ医薬品の例

分子標的と性状	一般名	商品名	生産細胞	承認年	主な適応疾患
ヒト化抗 HER2 抗体	トラスツズマブ	ハーセプチン注射用	CHO	2001	HER2 過剰発現が確認された転移性乳癌
キメラ型抗 CD20 抗体	リツキシマブ	リツキサン注	CHO	2001	CD20 陽性の B 細胞性非ホジキンリンパ腫
ヒト抗 RS ウイルス抗体	パリビズマブ	シナジス筋注用	NS0	2002	RS ウイルス感染による重篤な下気道疾患の発症抑制
キメラ型抗 TNFα 抗体	インフリキシマブ	レミケード点滴静注用	SP2/0	2002	関節リウマチ，ベーチェット病，乾癬，強直性脊椎炎，クローン病，潰瘍性大腸炎
キメラ型抗 CD25 抗体	バシリキシマブ	シムレクト静注用	SP2/0	2002	腎移植後の急性拒絶反応の抑制
ヒト化抗 IL6 受容体抗体	トシリズマブ	アクテムラ点滴静注用，アクテムラ皮下注	CHO	2005	関節リウマチ，若年性突発性関節炎，キャッスルマン病
ヒト抗 TNFα	アダリムマブ	ヒュミラ皮下注	CHO	2008	関節リウマチ，尋常性乾癬，関節症性乾癬，強直性脊椎炎，クローン病
ヒト化抗 IgE 抗体	オマリズマブ	ゾレア皮下注用	CHO	2009	気管支喘息（難治の患者に限る）
ヒト抗 IL12/IL23-p40 抗体	ウステキヌマブ	ステラーラ皮下注	SP2/0	2011	尋常性乾癬，関節症性乾癬
ヒト化抗 α4 インテグリン抗体	ナタリズマブ	タイサブリ点滴静注	CHO	2014	多発性硬化症の再発予防および身体的障害の進行抑制
ヒト抗 PD-1 抗体	ニボルマブ	オプジーボ点滴静注	CHO	2014	悪性黒色腫，切除不能な進行・再発の非小細胞肺癌
ヒト抗 IL-17A 抗体	セクキヌマブ	コセンティクス皮下注	CHO	2014	既存治療で効果不十分な尋常性乾癬，関節症性乾癬
ヒト化抗 CTLA-4 抗体	イピリムマブ	ヤーボイ点滴静注	CHO	2015	根治切除不能な悪性黒色腫
ヒト化抗 IL-5 抗体	メポリズマブ	ヌーカラ皮下注	CHO	2016	気管支喘息
ヒト化抗 IL-17 抗体	イキセキズマブ	トルツ皮下注	CHO	2016	尋常性乾癬，関節症性乾癬，膿疱性乾癬，乾癬性紅皮症
ヒト化抗 IL-17 受容体抗体	ブロダルマブ	ルミセフ皮下注	CHO	2016	尋常性乾癬，関節症性乾癬，膿疱性乾癬，乾癬性紅皮症
ヒト抗 Clostridioides difficile トキシン B（TcdB）抗体	ベズロトクスマブ	ジーンプラバ点滴静注	CHO	2017	クロストリディオイデス・ディフィシル感染症の再発抑制
ヒト抗 BlyS 抗体	ベリムマブ	ベンリスタ点滴静注	CHO	2017	全身性エリテマトーデス
ヒト化抗 IL-4 受容体 α サブユニット抗体	デュピルマブ	デュピクセント皮下注	CHO	2018	アトピー性皮膚炎
ヒト化抗 IL-5 受容体 α サブユニット抗体	ベンラリズマブ	ファセンラ皮下注	CHO	2018	気管支喘息
ヒト抗 IL-23 抗体	グセルクマブ	トレムフィア皮下注	CHO	2018	尋常性乾癬，関節症性乾癬，膿疱性乾癬，乾癬性紅皮症
ヒト化抗 α4β7 インテグリン抗体	ベドリズマブ	エンタイビオ点滴静注用	CHO	2018	潰瘍性大腸炎
ヒト化抗 IL-23α（p19）サブユニット抗体	リサンキズマブ	スキリージ皮下注	CHO	2019	尋常性乾癬，関節症性乾癬，膿疱性乾癬，乾癬性紅皮症
抗体類似バイオ医薬品					
可溶性 TNF 受容体-Fc 融合タンパク質	エタネルセプト	エンブレル皮下注	CHO	2005	関節リウマチ，若年性特発性関節炎
CTLA4-Fc 融合タンパク質（改変 Fc）	アバタセプト	オレンシア点滴静注用，オレンシア皮下注	CHO	2010	関節リウマチ
Fc-TPO 受容体アゴニストペプチド融合タンパク質	ロミプロスチム	ロミプレート皮下注	大腸菌	2011	慢性特発性血小板減少性紫斑病

CHO：チャイニーズハムスター卵巣由来細胞；SP2/0，NS0：マウス骨髄腫細胞
2020 年 5 月 19 日　国立医薬品食品衛生研究所　生物薬品部　「日本で承認されたバイオ医薬品」　資料を参考に作成
(http://www.nihs.go.jp/dbcb/approved_biologicals.html)

る．個別のワクチンについては，感染論を参照いただきたい．ここでは免疫学の観点から説明する．まず，生ワクチンと不活化ワクチンの違いがある．生ワクチンは弱毒化した病原体の株で，一過性の感染を起こして持続的な免疫刺激が得られるため，強い予防効果がある．その反面，副反応のリスクが大きい．免疫不全症の患者などハイリスクの個人には投与できない．ワクチンの接種割合は高いほうがよいが，集団の一定以上の割合で免疫が成立すれば（集団免疫 herd immunity）集団内での感染拡大を防ぐことができる．不活化ワクチンは死んだ病原体か病原体由来の物質である．感染の危険はないが，免疫原性は劣るので複数回の接種が必要となる．このタイプで，細菌由来の外毒素タンパク質を化学的処理で不活性化したものをトキソイドという．また，近年では毒素の遺伝子に変異を入れて，無毒化したものも実用化されている．不活化ワクチンの免疫原性を上げるために，アジュバント（免疫増強物質）が添加される場合がある．日本薬局方で「沈降」と書かれているもので，ワクチンの免疫原性を高める効果が期待されている．

11 免疫が関係する疾患

a. 免疫不全症

免疫系のどこかに障害が起こり，感染症に対する抵抗力が失われる疾患である．先天性（原発性）免疫不全症と後天性（続発性）免疫不全症がある．

(i) 先天性免疫不全症

遺伝子の変異が原因である．獲得免疫の障害で最も重度のものは，リンパ球の発生に関わる遺伝子の変異である．T細胞とB細胞の両方の分化に障害があると，全ての病原体に高感受性となる．重症複合免疫不全症（severe combined immunodeficiency, SCID）のアデノシンデアミナーゼ（ADA）欠損症があげられる．

DiGeorge 症候群では，胸腺原基が発達せずT細胞が成熟しない．*Mycobacteria*，ウイルス，真菌に感受性が高い．ただ，多くの患者では，成長するにつれて病状が改善する．一方，B細胞分化の障害が原因で抗体を産生できない Burton 型無ガンマグロブリン血症では，細胞外細菌，腸内細菌，ウイルス，寄生虫の一部に感受性が高くなる．プールしたヒト IgG の定期的投与が感染症予防に有効である．

T細胞，B細胞，NK細胞の活性化に必要な分子の変異が原因で免疫不全になるまれな疾患は数多く存在する．どの分子が変異したのかによって，疾患の程度や現れ方は様々である．

自然免疫系の遺伝子変異としては，食細胞の活性酸素産生に障害のある慢性肉芽腫症がある．細菌や真菌感染に高感受性となる．好中球が働けずT細胞依存的にマクロファージが活性化して肉芽形成が起こるが，病原体の排除ができない．近年，IFN-γの投与で活性酸素産生が回復する場合があることがわかってきた．

サイトカイン関連では，IL-12 あるいは IFN-γのシグナル伝達経路に欠陥があると，非結核性 *Mycobacteria* への感受性が高まる．健康なヒトでは病気とならない *Mycobacterium avium* などへの易感染性が問題となる．分子免疫学の研究から，免疫系の遺伝子の変異の種類によっては，特定の病原体に対してのみ感受性が高まることもわかってきた．

(ii) 後天性免疫不全症

遺伝子の変異ではなく，生活を続ける中で免疫不全となった場合である．例えば，低栄養状態，進行癌，HIV 感染以外の慢性感染症，炎症性疾患や移植における免疫抑制療法，癌化学療法，脾臓摘出処置が原因としてあげられる．

最も重大な疾患は，ヒト免疫不全ウイルス（HIV）の感染の結果起こる acquired immunodeficiency syndrome（AIDS）である．HIV はレトロウイルスの一種で，（+）鎖の一本鎖 RNA ゲノムをもち，逆転写酵素で DNA を作って宿主染色体に潜伏する．ウイルスは，宿主細胞上の CD4 とケモカイン受容体（CCR5 または CXCR4）を受容体として利用し，CD4$^+$T 細胞，マクロファージ，樹状細胞に感染する．宿主の免疫系が HIV の多くを排除するが，完全には除去できない．リンパ組織の CD4$^+$T 細胞にプロウイルスとして潜伏し，HIV 以外の病原体に対する免疫応答やサイ

トカインからの刺激をきっかけにウイルス複製が活性化されると，ウイルスの放出にともなってCD4$^+$T細胞が破壊される．この過程が徐々に進行してする．血中CD4$^+$T細胞の数が，200個/μLを下回ると（通常は1,000個/μL），細菌，真菌，原虫，HIV以外のウイルス（サイトメガロウイルス，ヘルペスウイルス他）に易感染性となる．また，発癌過程にウイルスが関係している癌（EBウイルスによるB細胞リンパ腫，ヒトヘルペスウイルス8によるカポジ肉腫）の発生頻度が上昇する．

HIVが免疫系にとって大きな脅威なのは，獲得免疫の司令塔であるCD4$^+$ヘルパーT細胞の破壊による免疫系の内部崩壊にある．CD8$^+$細胞傷害性T細胞（CTL）が，感染したCD4$^+$T細胞のMHC-Iに提示されたウイルス由来のペプチドを認識して破壊する．CD8$^+$T細胞がHIVを駆逐できない主な原因は，HIVの遺伝子変異速度が速く，免疫系の圧力の中でウイルスの進化が起こるからである．その要因は，逆転写酵素のエラーの多さに求められる．もう一つは，HIVの初期転写産物の一つであるNefタンパク質が，MHC-Iの細胞表面への発現を低下させることである．抗ウイルス抗体についても，HIVの侵入に働くエンベロープタンパク質gp/120/gp41の抗原変異が速く，変異ウイルスを幅広く中和する抗体がつくられにくいという問題がある．

b. アレルギー

病原体排除のために免疫系が働くと，宿主組織も傷つく何らかの副反応は免れない．一方，病原体ではなく無害な抗原に対して免疫応答が起こり，その結果病気となることをアレルギー allergyまたは過敏症 hypersensitivityという．アレルギーを起こす抗原をアレルゲンという．アレルギーは，機構から4つの型に分類されている（表IV-3）．I型からIII型までが，抗体が働く体液性免疫で，IV型は細胞性免疫による．

c. 自己免疫疾患

アレルギーの一種ともいえるが，自己の細胞や構成成分に対する免疫応答が原因となった疾患を自己免疫疾患という．自己寛容や免疫抑制機構に遺伝的な欠陥があるため自己免疫となる場合は非常にまれである．多くの普通にみられる自己免疫疾患に共通の原因は解明されていない．自己構成成分に対する抗体（自己抗体）や自己反応性のT細胞が原因と考えられる一群の自己免疫疾患もある．自己抗体や自己反応性T細胞の関与が明らかではないが，免疫系の異常反応に基づく過剰な炎症反応が原因の疾患もある．炎症性腸疾患 inflammatory bowel disease（IBD）として知られるクローン病と潰瘍性大腸炎があげられる．抗体医薬の有用性も示されている（表IV-2）．また，皮膚の自己炎症性あるいは自己免疫性疾患として乾癬 psoriasisが知られている．

d. 腫瘍免疫

悪性腫瘍を宿主免疫系がどの程度異物と認識して排除しうるのかについては意見が分かれるところである．DNAウイルスが発癌と関連している場合には，癌の発生を獲得免疫が抑制しているとの結果がある．癌細胞は宿主由来の変異した細胞で，体内で選択された結果出現したものなので，免疫系がねらいを定めにくい．

最近の研究で二つの展開がみられた．一つは，免疫応答の終息を担う機構の一つを抑える免疫抑制解除薬である．腫瘍細胞自身がPD-L1分子を発現すると，受容体PD-1を介して腫瘍組織内に浸潤して癌細胞の排除に働いていたT細胞に抑制シグナルが伝達される．PD-1に対するモノクローナル抗体によって抑制経路を遮断し，T細胞による癌細胞の排除が続くという機構である．CTLA-4を標的とした抗体医薬もある．

癌細胞に特異的な抗体医薬では，通常はNK細胞の抗体依存性細胞傷害によって癌細胞の排除が期待される．一方，癌細胞に対する抗体の抗原認識部位とTCR複合体からのシグナル伝達部位（細胞質側）を連結させたキメラ受容体 chimeric antigen receptor（CAR）をつくり，細胞傷害性T細胞（CTL）に発現させたのがCAR-T細胞である．副作用としてサイトカイン放出症候群 cytokine release syndromeが起こることがある．そのような場合の対処法として，IL-6受容体に対する抗体医薬トシリズマブの使用が行われ

表 IV-3　アレルギーの機構による分類

型	抗体クラス等	発症メカニズム	疾患の代表例
I	IgE	マスト細胞のFcε受容体にアレルゲン特異的IgEが結合し武装させる．体内に再侵入したアレルゲンがマスト細胞の活性化・脱顆粒をおこし炎症を誘発する．遅発相では，好酸球による組織傷害が起こる．	気管支喘息，アレルギー性鼻炎，アナフィラキシーショック，アトピー性皮膚炎，食物アレルギー
II	IgG, IgM	組織に存在する抗原に対して抗体がつくられ，対応する組織が直接傷害されるか，機能が妨げられる．	溶血性貧血，レンサ球菌感染後心筋炎（リウマチ熱），重症筋無力症，バセドウ病
III	IgG	抗原–抗体複合体があらかじめ形成され，血管壁に沈着して好中球・マクロファージなどの炎症細胞の集合により炎症がおこる．	血清病，全身性エリテマトーデス，レンサ球菌感染後腎炎
IV	細胞性免疫	抗体ではなく，抗原特異的T細胞とマクロファージが働く．遅延型過敏症ともいう．	ツベルクリン反応，接触性皮膚炎，関節リウマチ，多発性硬化症

ている．

e.　移植免疫

(i)　移植の目的

　主要な臓器が機能しなくなり，他人から臓器の提供を受けて移植する治療が行なわれている．臓器を提供する側を**ドナー**，受けとる側を**レシピエント**という．移植する臓器，組織，細胞を総称して**移植片** graft という．レシピエントにとって移植片は通常他人に由来する．他人とは，遺伝学的な他人であり，一卵性双生児は遺伝的に同じなので免疫系は自己と認識する．他人の組織片に対して，レシピエントの免疫系は異物と認識して強い免疫応答が起こる．これを**移植片拒絶反応**という．逆に，移植片中の成熟Tリンパ球がレシピエントの組織・臓器を攻撃することがある．これを**移植片対宿主反応** graft versus host（GVH）reaction という．

(ii)　アロ抗原が外来抗原として認識される理由

　医療として現在実施されている移植は，同種つまりヒトからの移植である．自分や遺伝子が同一なドナーからの移植は免疫学的にまったく問題がない．それ以外の同種異系 allogeneic の移植が問題となる．同種異系の移植において，外来抗原として認識される移植片中（GVHの場合は逆でレシピエント中）の分子を**アロ抗原** alloantigen という．

　T細胞の抗原認識にはMHCが必要であり，自己MHCに強く結合するT細胞は胸腺で負の選択によりあらかじめ除去されている．MHC遺伝子には複数の遺伝子座と多型性があるので，ヒトによって発現されるMHC分子が異なる．他人と同じ構造のMHC分子群を発現することは至難である．

　では，他人のMHCに対する寛容は誘導されるだろうか．胸腺では自己MHCに強く結合するT細胞は**負の選択**で除去されるが，そもそも他人のMHCが胸腺内に存在せず，他人のMHCに強く結合するT細胞クローンは多数生き残る．TCRは自己MHCと抗原ペプチドの両方と相互作用して結合する．他人のMHC由来のアミノ酸残基が抗原ペプチドに代わってTCRとの結合を補強すれば（アロ反応性），レシピエント由来の多数のT細胞が活性化される．このような偶発的なTCRによる認識を直接的認識という（図IV-24）．

　もう一つは，他人のMHC自体に由来する多様なペプチド断片がレシピエントのMHCに外来抗原として提示される．これを間接的認識という．

(iii)　免疫抑制薬

　移植片に対する免疫応答を抑制するため**免疫抑制薬**が用いられる．TCRからのシグナル伝達の一端を担うカルシニューリンを分子標的とした阻害薬のシクロスポリンとタクロリムスの開発が，移植医療の成績を大きく向上させた．これらは，TCR刺激によるIL-2

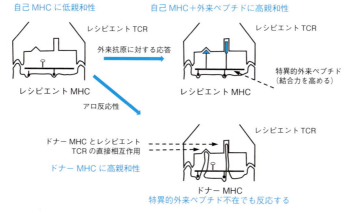

図 IV-24　移植片のアロ MHC に対する TCR による直接的認識

をはじめとしたサイトカイン遺伝子の転写活性化を抑制する．一方，細胞周期進行に関わる分子 mTOR を阻害するエベロリムスは，IL-2 が誘導する T 細胞増殖を抑制する．高親和性 IL-2 受容体を構成する IL-2Rα 鎖（CD25）に対するキメラ抗体医薬バシリキシマブ basiliximab は，IL-2 の受容体への結合を妨害して作用する（表 IV-2）．また，リンパ球の増殖はプリン de novo 合成に依存度が高いため，プリン代謝阻害薬のアザチオプリン，ミコフェノール酸モフェチル，ミゾリビンが利用される．標的が mTOR ではないが，細胞周期進行を抑制するグスペリムスがあげられる．

f. 免疫系の過剰反応による有害作用：サイトカインの嵐（cytokine storm）

感染や治療にともなって起こる免疫系の過剰反応が患者の全身状態に悪い影響を与えることが知られてきた．共刺激受容体 CD28 に結合するモノクローナル抗体の第 1 相臨床試験で cytokine storm が起きたことで，この問題に関心が集まった．その後，癌のオーダーメイド治療である CAR-T 細胞療法でも，サイトカイン放出症候群として知られている．SARS-CoV-2 感染症の COVID-19 においても，炎症性サイトカインの大量放出が重症化につながる．死因への関わり，IL-6 受容体など炎症性サイトカイン経路の遮断の有効性，抗ウイルス免疫を下げずに有害な炎症を抑えられ

るのか，今後の研究を待たなければならない．

g. ウイルス感染症検査における T 細胞応答評価の難しさ

抗原に結合するという意味では，どの人から得られた抗体でも同じであるので，抗体には獲得免疫の指標としての汎用性がある．ウイルスの排除には CD8$^+$ 細胞傷害性 T 細胞（CTL）が必要である．しかし，CTL 活性の直接測定は困難で，ウイルス感染症の検査として確立していない．

CD8$^+$ T 細胞には，MHC-I とペプチドの複合体を認識して働く．MHC-I の多型性により，どんな抗原ペプチドがはさまるのかが人によって異なる上，MHC-I とペプチド複合体の構造自体も異なる．抗体測定のように，認識対象の分子（抗原）を標準化して準備できない点に問題がある．

T 細胞応答を調べるため，被験者の末梢血白血球に抗原由来のペプチド混合物を添加して培養し，T 細胞側に起こる変化を検出する方法がある．検出指標としては，T 細胞の活性化指標か，サイトカイン産生である．CD8$^+$ 細胞や CD4$^+$ Th1 細胞からの IFN-γ 産生が有効な抗ウイルス応答と考えられている．

いずれの手法も，CTL 活性を直接測定する方法ではない．CTL 活性の測定は，^{51}Cr で標識した標的細胞を CTL と混合して培養し，培養上清への ^{51}Cr の遊離で標的細胞の破壊を評価するのが一般的であった．こ

の方法では，被検者と同一のMHC-Iを有する標的細胞を個別に準備する必要があり現実的ではない．マウスの場合は，1970年代から近交系 syngeneic strain がつくられ，同一系統間ではMHCが一致している．したがって，同一のMHCをもつ標的細胞に対する細胞傷害性試験を再現性よく実施できた．ヒトでの実験研究は移植免疫を除けば困難な状況にある．

ウイルス病原体によるパンデミックの状況下では，T細胞応答の検査は重要な意義をもつ．まず，感染者にいつ，どの程度のT細胞応答が誘導されるのかは，感染防御免疫の基礎データとして重要である．T細胞応答が病気の回復に役立つのか，重症化の原因となるのかを知ることは治療戦略上必要である．さらに，新たに試みられている遺伝子導入によるワクチン（ウイルスベクターあるいはmRNA送達）の効果判定，多くのヒトに有効なウイルス抗原由来ペプチド配列の存在の可能性など，ワクチン開発にも重要な意義をもつと考えられる．

第V章 感染論

 感染症学で用いられる用語の定義

微生物が生体（宿主 host）に侵入し定着した場合これを感染 infection といい，それにより引き起こされる病気を感染症 infectious disease という．感染症の中でもヒトからヒトへ，あるいは動物からヒトへ伝染しやすい感染症のことをとくに伝染病 communicable disease と呼ぶ．感染の結果として宿主が何らかの病的症状を呈した場合を発症（発病）という．病原微生物は様々な病原性因子や病原性発現システムをもっている．微生物が感染症を引き起こす能力を病原性 pathogenicity と呼び，その病原性の強さの尺度としてビルレンス virulence（毒力）の強弱で表すことがある．一方，宿主は病原体を外界からの侵入異物として認識し，それを排除するための生体防御システムを備えている．この生体防御システムが十分に機能している個体では感染は容易には起こり得ないか，感染が起こっても発病には向かわない．感染が起こっても，発病に至らない場合，不顕性感染 inapparent infection という．宿主が病的症状を呈するには，病原体が定着し増殖病巣を形成する必要がある．その間は感染者は無症候であり，この期間を潜伏期間 incubation period という．発病してから治癒するまで，場合によっては死に至るまでの期間が短期間の場合，これを急性感染 acute infection という．一方，宿主の生体防御機構を避けて長期間にわたって感染を持続させる場合，これを持続感染 persistent infection という．病原体がゆっくり増殖し徐々に病状を進展させていく場合を，慢性感染 chronic infection という．一度感染症が治癒し病状が消失した後も，病原体が宿主内にとどまり，感染を続けることを潜伏感染 latent infection と呼び，これがときに再活性化し発病することを再帰感染（再燃）という．物品に病原微生物等が付着することを微生物汚染 contamination という．

生体防御システムが未熟であったり，あるいは機能的に障害されている宿主のことを，易感染性宿主 compromised host と呼ぶ．易感染性宿主では健常な個体には無害な微生物に対しても感染，発病することがある．このような感染を日和見感染 opportunistic infection という．このように感染は病原体側のビルレンスの強さと感染を受ける側の宿主の生体防御能力の力関係によって起こる現象である．この関係を宿主-寄生体関係 host-parasite relationship という．

ある特定の感染症が多発することを流行 epidemic といい，世界的大規模流行をとくに汎発性流行（パンデミック pandemic），比較的限定された地域で流行がみられる場合地域的流行 endemic と呼ぶ．また比較的患者の数が少ないが，継続的に発生がみられる場合これを散発的発生 sporadic という．また，最近はある特定の感染症が公衆衛生上問題になるほど集団発生（大発生）した場合，アウトブレイク outbreak があったという．単位人口あたり（一般には10万人）のある特定感染症の患者数を罹患率 morbidity という．このような感染症を含む様々な疾病の発生を分析し，その発生要因を解析する学問を疫学 epidemiology という．また，疫学的にその感染症等の発生動向を調査，分析することをサーベイランス surveillance という．サーベ

イランスに基づき，ある感染症が特定の集団に多いなどの事実が明らかとなった場合，その集団のことをとくに感染危険集団（リスクグループ risk group）という．

B 常在微生物叢

胎児は母体内の無菌環境下から出生する際に，産道および環境中に存在する微生物に初めて曝露される．それらの中から数種類の微生物が早期より皮膚，粘膜に定着し常在微生物叢 indigenous microbial flora（フローラ）を形成する．常在微生物叢としては，ウイルスや真菌，原虫もその一部をなすが，細菌が主体となっており，とくに細菌に注目する場合これを常在細菌叢または正常細菌叢 normal bacterial flora という（図V-1）．これらは体表面，および外部と交通する体腔表面（口腔，上気道，消化管，腟など）に分布するが，とくに腸内に生息する常在細菌のことを腸内細菌と呼ぶ．フローラを構成する細菌の種類は生活環境，食べ物，年齢などによって左右され，また個人差もあるが，一般には腸内には100種類以上，100兆個以上の細菌が生息し糞便の半分は菌，あるいはその死菌体である．偏性嫌気性菌が腸内細菌の大部分を占め，一方，通性嫌気性である大腸菌はそれの0.1％程度にすぎない．腸内細菌を含むこれら常在微生物叢は宿主と共生状態となり外部から侵入してくる病原菌と競合し宿主細胞表面への付着や栄養物質の摂取などをめぐって競争し，その定着を阻害している．ある種の常在微生物は抗生物質様作用物質を産生したり，pHを下げる乳酸などを産生することにより外部からの細菌の定着を防ぐ．またある種の常在細菌は血液凝固に関わるビタミンKなどを腸管内で産生し，それを宿主が利用している．抗菌薬を長期服用した場合に，副作用として腸内ビタミン産生菌が死滅することでビタミン不足が起こることがある．抗菌薬の長期投与により，抵抗性あるいは耐性の微生物が選択的に増殖し，宿主を発病へと至らせることがある．これを菌交代症 microbial substitution と呼ぶ．その実例としては，広域抗菌スペクトルを示すセフェム系薬やリンコマイシンの長期投与による Clostridioides difficile による偽膜性大腸炎があげられる．常在微生物をまったくもたない無菌飼育動物では，一般に免疫グロブリンの量は少なく，また細胞性免疫のレベルも低いことが知られている．常在細菌はこれら免疫系を常に刺激し免疫応答能力や感染抵抗性の付与に役立っていると考えられている．

常在細菌は生体防御機能が正常で本来の定着部位に存在する限りにおいては病気を起こすことはない．しかし，本来の存在部位とは違う場所に侵入した場合に

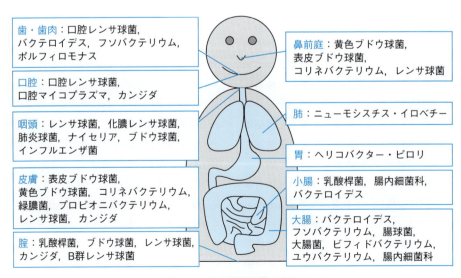

図 V-1 常在微生物叢の分布

は感染発病に向かうことがある．これを異所性感染（内因性感染）という．例としては大腸菌による尿路感染症，口腔常在性レンサ球菌による細菌性心内膜炎などがある．一方，宿主の生体防御機能が著しく低下した場合には病原性が極めて弱いはずの常在細菌による内因性感染が起こる．火傷により皮膚に傷を負った場合には表皮常在性のレンサ球菌やブドウ球菌の感染，免疫機能の低下した老人や乳児，免疫不全症患者あるいは糖尿病患者では，日和見感染症として弱毒性グラム陰性桿菌による呼吸器感染が起きる．

皮 膚：毛包管，脂肪腺，汗腺にはプロピオニバクテリウム，コリネバクテリウムなどが常在し，表面には表皮ブドウ球菌，レンサ球菌群などの球菌が多数存在する．多くは非病原性であるが黄色ブドウ球菌などの食中毒起因菌が存在することもある．

鼻 腔：鼻前庭部にはブドウ球菌が多く，その他の粘膜にはレンサ球菌などの他にコリネバクテリウムが存在する．黄色ブドウ球菌，化膿レンサ球菌などを認めることもある．

咽 喉：口腔レンサ球菌，扁桃には化膿レンサ球菌，肺炎レンサ球菌，ヘモフィルス，マイコプラズマ，カンジダなども存在する．呼吸器の上気道の菌相は鼻，咽頭とほぼ同じであるが，下気道の細気管支や肺胞には微生物が少ない．

口 腔：多種多数の細菌が存在する．唾液中には口腔レンサ球菌などの球菌類，乳酸桿菌，フソバクテリウム，口腔スピロヘータ，口腔トリコモナス，カンジダなどが存在する．歯垢には *Streptococcus mutans* と *S. sobrinus* などが付着増殖し，糖を分解して酸を産生し，歯のエナメル質を脱灰して，う蝕の原因となる．

消化器管：胃は強酸性の胃酸のために，ほとんど細菌は存在しないが，個体によっては胃粘膜に *Helicobacter pylori* が感染している場合がある．本菌は胃潰瘍，十二指腸潰瘍の原因であり，さらには胃癌の危険因子である．健康なヒトの空腸や回腸上部には細菌は少ない．十二指腸では $10^2 \sim 10^3$/mL，空腸では $10^3 \sim 10^4$/mL，回腸上部には 10^5/mL，回腸下部になると 10^6/mL と菌数が増加する．大腸と糞便中には極めて多数の菌が存在し $10^{10} \sim 10^{11}$/g である．大腸の常在菌の主体は偏性嫌気性桿菌であるバクテロイデス，ユウバクテリウム，ビフィドバクテリウムなどで，その90％以上を占める．大腸菌などの通性嫌気性菌はむしろ少ない．この他に乳酸桿菌，腸球菌，大腸菌，クロストリジウム，酵母などが存在する．乳児期の母乳栄養児の腸内細菌叢の99％をビフィドバクテリウムが占め，離乳とともに変動し成人の腸内細菌叢に近づく．

泌尿生殖器系：膀胱，尿道は健康なヒトでは無菌である．外尿道口および外陰部はブドウ球菌，レンサ球菌をはじめ表皮常在菌が存在し，陰部恥垢には非病原性抗酸菌の恥垢菌（スメグマ菌）がしばしば認められる．腟表皮には乳酸桿菌（デーデルライン桿菌）が常在し自浄作用を営んでいる．この他コリネバクテリウム，球菌類，マイコプラズマ，カンジダやトリコモナス原虫が存在することもある．

眼結膜：*Corynebacterium xerosis*（ゼローシス菌），ナイセリア，ヘモフィルスなどが常在し，ときにブドウ球菌，レンサ球菌が認められるが，これらは涙によって流され増殖が抑制されている．

C 感染の成立

病原体を含むもの，病原体に汚染されているものを感染源と呼ぶ．感染源から病原体が宿主に侵入する筋道を感染経路と呼ぶ．これに加えて感染を受ける宿主が存在すると感染が起こる．この三つを感染の3要因という（図 V-2）．病原体の感染拡大を防止するためには，それぞれの病原体の感染経路をよく理解し，適切な消毒，滅菌，無菌操作を実施してそれを遮断する

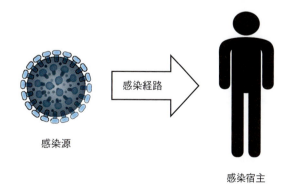

図 V-2　感染の3要因

必要がある.

1 感染源

病原体保有者,病原体保有動物あるいは病原体汚染物が感染源となり,食物,水,土壌,空気,接触,節足動物などを介して伝播され,感染が起こる.場合によっては,あらかじめ宿主内に存在する病原体により,発病することがある.これを内因性感染(異所性感染)と呼ぶ.

患　者:患者は病原性の強い病原体を排出する可能性が高いので強力な感染源となるが,病状が明らかである患者に対しては各種感染防御措置を施すことができるので,比較的感染防御は容易である.

保菌者:病原体の感染を受けていても病的な症状を呈していない者を保菌者 carrier という.発病するまでの潜伏期間に,菌を排出しているものを潜伏期間保菌者という.発病して回復した後も菌を排出する場合,病後保菌者という.また病原体の感染を受けても,発病していない不顕性感染者を含めたこれら保菌者は健常者と同様に扱われ,感染源として認知されないため,ときとして最も重大な感染源となる.

病原体保有動物:人獣共通感染症病原体はヒトと動物の両方に感染して病気を起こす(p. 153 参照).このような場合には,保有動物(保菌動物 reservoir)が重要な感染源となる.一方で,口蹄疫のようにヒトにはまったく感染しないが,動物には重篤な症状を起こすものがあり,この場合はむしろヒトが家畜への病原体の伝播に関与することとなる.

媒介動物:ハエ,ゴキブリ,ノミ,シラミ,カなどの昆虫や,ダニなどの節足動物は病原体の媒介者となることがある.これを媒介動物(ベクター vector)と呼ぶ.病原体を体表面に付着させて運搬したり,吸血性媒介動物では保有動物,あるいは感染者,保菌者に吸血することにより病原体を保有し,さらにそれを伝播する.カ媒介性の日本脳炎,デング熱,マラリア,ジカウイルス感染症,ノミ媒介性のペスト,シラミ媒介性の回帰熱,塹壕熱,ダニ媒介性のライム病,紅斑熱,つつが虫病,重症熱性血小板減少症候群(SFTS),ツェツェバエ媒介性のアフリカ睡眠病などは媒介動物由来感染症 vector-borne disease と呼ばれる.

環境感染源:*Clostridium* 属の破傷風菌,ガス壊疽菌,ボツリヌス菌,*Bacillus* 属の炭疽菌などの芽胞形成細菌は土壌中に存在し,これらで汚染された土壌に接触することにより感染が起こる.また,コレラ菌,腸管出血性大腸菌,クリプトスポリジウム原虫などは海水,飲料水,井戸水,水道水などを介して経口感染する.

2 感染経路

a. 直接感染

病原体がヒトからヒトへ,あるいは動物からヒトへ直接伝播する(図 V-3).

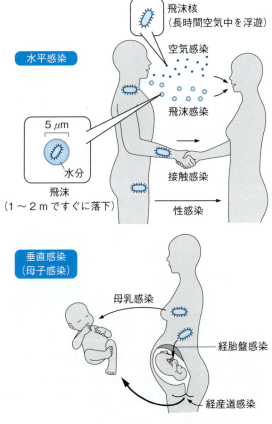

図 V-3　水平感染と垂直感染
[齋藤光正:イラストでわかる微生物学超入門,p. 11,2018年,南山堂,東京より許諾を得て転載]

(i) 接触感染

性感染症，皮膚病などの病巣部に直接触れることにより感染が成立する．病原体で汚染された血液や排泄物への接触や狂犬病などのように保菌動物咬傷による感染も接触感染の一形態である．

(ii) 飛沫感染

くしゃみ，咳，あるいは患者との会話などにより咽頭，喉頭，気管支，肺に存在する病原体を含む飛沫が噴霧され，それを吸入することにより感染が起こる．通常患者との距離が1m以内で感染が起こる場合を指す．インフルエンザ，新型コロナ，百日咳，ムンプスなどが該当する．

b. 間接感染

病原体が患者や保菌動物などの感染源から排泄された後，何らかの媒介物または媒介動物を介して間接的にヒトや動物に感染を起こす．

(i) 飛沫核感染と空気感染

炭疽菌の芽胞，結核菌や真菌胞子などのように乾燥や紫外線に耐えることができる微生物は，患者から放出される微生物を含んだ飛沫が乾燥した飛沫核（5μm以下）となってより遠くまで運ばれて飛沫核感染を起こす．このような例としては結核菌，麻疹ウイルスなどがある．飛沫核感染を防ぐにはN95マスクを使用する．また，レジオネラ属菌はクーリングタワー冷却水内で増殖後，空調システムを通じて呼吸器に感染することが知られている．環境由来の微生物が空気を介して感染する場合，空気感染という．

(ii) 食物媒介感染

病原体で汚染された食品，あるいは水，器物，衣類などを介して感染が起こる．肉類，牛乳，魚介類，加工食品，野菜などがあらかじめ病原体で汚染されている場合と，調理者や保有動物であるネズミなど，あるいはこれらの排泄物に接触したハエやゴキブリなどの媒介節足動物による食品の汚染が想定される．

(iii) 水系感染

水道水，井戸水，河川水，プールの水などが病原体に汚染されているとき感染が起こる．赤痢菌，腸チフス菌，パラチフス菌，A型肝炎ウイルス，クリプトスポリジウム原虫のオーシストなどで汚染された飲料水によって起こる．また，保有体ネズミの尿で汚染された水に接触することでレプトスピラ症が起こる．水系感染では，大規模な感染が起こる可能性がある．

(iv) 器物・衣類による感染

患者の使用した食器，衣類，寝具などによって感染が起こる場合もある．消化器系の感染症や，皮膚病，トラコーマなどがある．

c. 水平伝播と垂直伝播

同世代の個体間に感染が起こる場合，これを水平伝播 horizontal transmission という．これに対して妊娠中の母体から胎児へ胎盤を経由して（経胎盤感染），出産時の産道通過時（産道感染）や出産後に母乳を介して（経母乳感染）など母子間で感染が起こる場合を垂直伝播 vertical transmission という（図Ⅴ-3）．

D 感染と生体防御

1 侵入門戸

病原微生物はそれぞれに適した感染部位に侵入しないと感染を成立させることはできない．微生物の侵入部位を侵入門戸という．健康な皮膚は通常の病原体の侵入を許さない．表皮に傷を負った場合，これが侵入門戸となり常在性ブドウ球菌やレンサ球菌感染症が起こる．また，レプトスピラや野兎病菌は健康な皮膚からも侵入感染するといわれている．一方，粘膜は病原体の侵入を受けやすい．呼吸器系感染症病原体では呼吸器粘膜が侵入門戸であり，消化器系感染症病原体は経口侵入し消化器粘膜に定着する．性感染症起因菌は一般に性器粘膜より侵入する．また，B型肝炎ウイルス，C型肝炎ウイルスなどの血清肝炎やAIDSウイル

スなどの病原体は性行為感染だけでなく，医療行為の中で血液を介して感染を起こすことがある．日本脳炎やマラリアなどの節足動物媒介性感染症はベクターを介して直接皮膚から侵入し感染する．

2 宿主側の因子

病原体の侵入に対して，まず宿主の非特異的生体防御機構（自然免疫）が，次いで特異的な免疫系（獲得免疫）が段階的に働く．

a. 非特異的生体防御機構

(i) 生理的障壁

健康な身体には付着した細菌を排除する働きが備わっている．健康な皮膚は一部の病原体を除いてその侵入を許さない．消化管の蠕動運動，気管の繊毛，排尿作用，皮膚の角質化とその脱落は菌の付着を妨げる．脂腺，汗腺分泌物の脂肪酸は抗菌性を示す．外界からの病原体と接する皮膚，粘膜は物理的障壁となっている．それが損傷すると容易に感染が起こる．

(ii) 液性防御因子

涙や唾液中のリゾチームや胃酸なども非特異的な感染防御因子として重要である．生理的障壁を乗り越えて体内に侵入した病原体に対しては，補体や食細胞などの非特異的防御機構が対抗する．補体系は抗原抗体複合体が存在する場合には古典経路によって活性化されるが，特異的抗体が存在しなくても，病原体の補体活性物質（例えば LPS や細胞壁多糖）などと反応し別経路により活性化される．活性化された補体は血管の透過性を亢進し，血中からの食細胞の遊走を促進し，病原体に対する食作用を高める．微生物感染が起こるとマクロファージや樹状細胞は Toll 様受容体 Toll-like receptor（TLR）を介して，微生物を異物と認識して短時間にサイトカインを産生する．自然免疫における TLR の役割については IV 章を参照されたい（p. 86 参照）．

(iii) 細胞性防御因子

食細胞には好中球と単球があり，単球が血管より組織中に出たものをマクロファージと呼ぶ．通常，肺胞マクロファージ以外は組織に固着しており，近づいてくる微生物を貪食し消化する．好中球は活発な食作用を示すが，その半減期は半日以内と短命である．一方，マクロファージは長期間にわたって食作用を示す．微生物を貪食した後は食胞（ファゴゾーム phagosome，エンドソーム）とリソソーム（殺菌力をもつタンパク質や消化酵素を内蔵している小胞）が融合し（P-L fusion），ファゴリソソーム phagolysosome となり，殺菌を行う．殺菌力の高い活性酸素分子種 reactive oxygen intermediate（ROI）である O_2^-（superoxide anion），H_2O_2，・OH（hydroxyl radical）や $^1O_2$（singlet oxygen）を食胞内に放出する．リソソーム顆粒のうち特殊顆粒にはリゾチームとラクトフェリンが，アズール顆粒にはミエロペルオキシダーゼ myeloperoxidase（MPO）が含まれる．MPO により殺菌力の強い次亜塩素酸（HOCl）などが食胞に供給される．好中球の顆粒は抗菌性の塩基性ペプチドであるデフェンシン defensin を含む．

b. 感染防御免疫

病原体の感染に対してまず食細胞系が働く．侵入局所に好中球が集合し，さらにマクロファージの集積により殺菌と排除が行われる．この際にこれら食細胞から産生される TNF-α，IL-1，IL-6 などの炎症性サイトカインにより炎症 inflammation 反応が起こる．病原体が食細胞による非特異的防御から免れ感染が成立した場合は，マクロファージや樹状細胞からの抗原提示を受けたヘルパー T 細胞が活性化し，特異的な生体防御機構である細胞性免疫，体液性免疫が発動する．

(i) 細菌感染に対する感染防御

細菌の種類によって体液性免疫，または細胞性免疫が主体となって，あるいは両者が協調して感染防御にあたる．免疫応答の成立後は，まず IgM 抗体が産生され，その強い凝集能により細菌の動きを止める．抗原抗体複合体は補体と共同してそのオプソニン

opsonin 作用により食細胞による貪食を著しく亢進させる．補体が抗原抗体複合体を形成し，最終段階まで活性化させると膜傷害性複合体 membrane attack complex（MAC）が形成され細菌は溶菌に至る．また，抗体はそれ自身でもオプソニン作用を示す．IgG は抗原沈降能が高く菌体外毒素を中和する．粘膜表面では分泌型IgA が感染防御にあたる．結核菌，チフス菌，リステリア属菌などマクロファージ食胞内で増殖する細胞内寄生性菌の除去には抗体などの液性因子は無効である．マクロファージや Th1 細胞からの IFN-γ をはじめとするサイトカイン（IL-1，TNF，GM-CSF など）産生によりマクロファージの集合と活性化が起こる．マクロファージに IFN-γ が作用すると一酸化窒素合成酵素 nitric oxide synthase（NOS）が発現する．一酸化窒素 nitric oxide（NO）は反応性に富むラジカルであり，結核菌，リステリア属菌などの通性細胞内寄生性菌に殺菌的に作用する．

(ii) ウイルス感染に対する感染防御

感染初期には NK 細胞と IFN が防御因子として重要である．とくに IFN-α，IFN-β はウイルス感染後短時間のうちに感染細胞より産生され，抗ウイルス作用を示す．免疫応答成立後はウイルスの接着分子に対する抗体，すなわち中和抗体により細胞への感染が阻止される．また，抗体は補体と協力してウイルスのエンベロープを破壊する．粘膜においては分泌型 IgA が主体として働く．ポリオウイルスの腸管感染，インフルエンザ，パラインフルエンザ，ライノなどのウイルスの気道粘膜感染に対しては IgA が防御にあたる．抗体は細胞内ウイルスには作用できないが，ウイルス感染細胞表面に新たに出現した抗原に対する抗体や細胞傷害性 T 細胞 cytotoxic T cell（CTL，キラー T 細胞）が，ウイルス感染細胞を傷害し，ウイルスの増殖を中断させる．

(iii) 真菌に対する感染防御

真菌に対する感染防御機構は細菌の場合とほぼ同様である．ただ真菌の病原性がやや弱いことから，慢性的経過をとることが多い．このため真菌感染症は基礎疾患として悪性腫瘍や膠原病，化学療法薬，ステロイド薬，抗癌薬，免疫抑制薬などの副作用の結果に起因することが多い．慢性的経過をとる場合，感染防御に占める比重は好中球よりマクロファージが大きい．実際多くの真菌感染症では遅延型皮膚反応がみられる．

(iv) 寄生虫に対する感染防御

寄生虫は原虫類と蠕虫類に大別される．いずれも複雑な生活環をもち，複雑な抗原構造をもっている．また，原虫では抗原変異の頻度が高い．このため寄生虫感染に対する免疫機構は不明な点が多い．慢性感染では T 細胞主体の免疫防御機構が働いている．蠕虫虫体成分には好酸球遊走活性があることから好酸球の感染防御への関与が示唆されている．

3 病原体側の因子

a. 定着因子

病原体が感染を成立させて増殖するためには，宿主細胞表面への付着，さらには定着 colonization が必要となる．この細菌が粘膜表面に定着するための因子を定着因子 colonization factor と呼ぶ．

(i) 線 毛

菌体上に密生する線毛は尿路感染，腸管感染では重要な定着因子である．宿主細胞側の線毛レセプターを介して結合する．毒素原性大腸菌の CFA（colonization factor antigen）I，II などが知られている．線毛先端には adhesin と呼ばれる付着素がある．ある種のグラム陰性菌では表層タンパク質が付着に関与することもある．淋菌の外膜タンパク質 PII は尿路への付着に関連する．

(ii) 鞭 毛

細菌の運動器官であり，運動することにより効率的に宿主細胞へ到達することができる．

(iii) 増殖因子

細菌は定着後に病巣を拡大するのに必要な栄養素の獲得を図る．各種加水分解酵素で組織を分解して栄養

とする．これらは，宿主にとっては組織の破壊を引き起こす侵襲因子である．鉄は各種酵素活性の発現に重要であり，その獲得に関与するシデロフォアの役割については第Ⅱ章で述べた（p. 28 参照）．

b. 生体防御に対する抵抗因子

(i) 補体や食作用に対する抵抗因子

黄色ブドウ球菌や緑膿菌は白血球膜を傷害する毒素ロイコシジンやサイトトキシンを産生し，免疫機構から逃避する．肺炎レンサ球菌，肺炎桿菌，インフルエンザ菌，髄膜炎菌などは厚い莢膜をもち，殺菌物質やマクロファージ，好中球による食作用に抵抗性を示す．緑膿菌は宿主粘膜表面でバイオフィルムを形成し，その層の内部で緩慢に増殖する．緑膿菌のバイオフィルム形成は細菌間の情報伝達物質である autoinducer（AI）の一種ホモセリンラクトン homoserin lactone（HSL）による菌体密度感知機構（クオラムセンシング）（p. 44 参照）により行われることが明らかとなっている．AI 濃度の上昇により，バイオフィルムを形成する糖質アルギン酸の産生が促進されるだけでなく，外毒素の産生も誘導される．

(ii) 細胞内寄生性と殺菌抵抗性

リステリア属菌，結核菌，レジオネラ属菌などの通性細胞内寄生性菌 facultative intracellular parasite は食細胞に貪食されても，その殺菌機構から逃避して，逆にその細胞内で増殖する．ファゴソーム内で殺菌作用を示す活性酸素分子種を，菌の保有するカタラーゼ，ペルオキシダーゼ peroxidase，スーパーオキシドディスムターゼ SOD（p. 29 参照）などにより消去したり，P–L fusion を阻害することにより生存を可能としている．リステリア属菌のようにファゴソーム膜を毒素で溶解して細胞質へと脱出して，細胞質内で増殖するものもある．リケッチアやクラミジアは偏性細胞内寄生性菌 obligate intracellular parasite であり，一部の代謝機構やエネルギー産生系が不完全であったり欠如したりするために，宿主に寄生することによってのみ増殖可能である．本来貪食能をもたない血管内皮細胞や粘膜上皮細胞に対して，病原体側因子の作用により細胞骨格の変化を引き起こし食菌を誘導して，侵入し細胞内で増殖する．クラミジアはエンドソーム内で，リケッチアはエンドソームを脱出して細胞質内で増殖するものが多い．腸内細菌科の赤痢菌，腸炎エルシニア，ネズミチフス菌などは，type III 分泌装置（p. 42 参照）により，腸管粘膜上皮細胞内にエフェクタータンパク質を注入し，細胞骨格の変化，自らの侵入のための受容体タンパク質の発現を誘導することで，侵入を可能とする．

(iii) 相変異と抗原変異

病原体が宿主の生体防御システムより逃避する方法としては，病原体の表面構造の相変異 phase variation と抗原変異 antigenic variation が知られる．相変異とは感染の過程で病原体が表面構造物の発現の on/off を切り替えることで免疫機構より逃避するシステムである．サルモネラ属菌の鞭毛抗原などで相変異が知られている．一方，抗原変異とは，発現する抗原タンパク質のアミノ酸配列を変異させることにより，宿主免疫機構から逃避する方法である．回帰熱ボレリアの表層タンパク質 Vmp やトリパノソーマ原虫の表層糖タンパク質，淋菌の線毛の抗原変異などがある．

c. 外毒素（エクソトキシン）と酵素

細菌毒素にはタンパク質性で菌体外に分泌される外毒素 exotoxin とグラム陰性菌の細胞壁外膜のリポ多糖（LPS）からなる内毒素 endotoxin がある（表 V–1）．

(i) 外毒素遺伝子と構造

外毒素遺伝子の多くは染色体上に存在するが，溶原性ファージや，プラスミドに存在する場合もある．ファージに遺伝子が存在するものとしては，ボツリヌス C 型と D 型毒素，ジフテリア毒素，化膿レンサ球菌の発赤毒などが知られている．プラスミドにコードされている毒素遺伝子としては，毒素原性大腸菌の易熱性腸管毒素（LT），ブドウ球菌の表皮剝離性毒素などが知られる．

単一のペプチドからなる単純毒素と，異なる 2 種類のペプチドからなる複合毒素がある．複合毒素の場合には毒性を発揮するペプチド A 成分と細胞のレセプ

表 V-1 外毒素と内毒素の特徴の比較

	外毒素（エクソトキシン）	内毒素（エンドトキシン）
存在部位	菌体内で産生され，菌体外に分泌	グラム陰性菌の細胞壁外膜の構成要素，菌体の溶菌で菌体より脱離
分子	タンパク質（ペプチド）	リポ多糖（LPS）
熱感受性	一般に易熱性	耐熱性
ホルマリン処理	無毒化	耐性
作用	各毒素により様々　神経毒，腸管毒など	発熱，ショック，播種性血管内凝固症候群（DIC）など
毒性	ng〜μgで作用発現	μg〜mgで作用発現

ターに結合するペプチドB成分の2種類からなることが多く，A-B成分毒素と呼ばれている．複合毒素には1本のペプチドとして合成された後，これがプロセシングを受けて二つのペプチドに分かれる場合と，最初から別々のペプチドとして合成され複合毒素を形成するものがある．前者としては破傷風毒素，ジフテリア毒素，ボツリヌス毒素など，後者としてはコレラ毒素，毒素原性大腸菌のLT，赤痢菌の志賀毒素などが知られている．

(ii) 外毒素受容体

外毒素は感受性細胞膜上のレセプターを認識して特異的に結合する．レセプターとしては主に糖脂質のガングリオシドとタンパク質に大別される．前者に結合するものとしては，G_{M1}ガングリオシドに結合するコレラ毒素，黄色ブドウ球菌のロイコシジン，毒素原性大腸菌のLTなど，G_{b3}に結合する赤痢菌や腸管出血性大腸菌の志賀毒素，G_{D1b}やG_{T1b}に結合する破傷風毒素，ボツリヌス毒素が知られている．毒素原性大腸菌のSTやジフテリア毒素はタンパク質をレセプターとする．レセプターに結合した毒素は，その毒性発現サブユニットが細胞内に取り込まれて標的部位に到達し毒性を発揮するものと，細胞膜上にとどまり孔（ポア）を膜に形成し細胞膜を破壊するものがある．また，菌体外に直接分泌されるのではなく，病原菌から宿主細胞内に特別な分泌装置を介して直接注入されるものもある．赤痢菌，サルモネラ属菌，腸管病原性大腸菌は菌体外に鞭毛様構造からなるtype III分泌装置を形成し，これを宿主細胞に挿入して直接エフェクター分子を細胞内に注入する．宿主の細胞死を惹起させ，あるいは細菌との接着と細胞内侵入を促進させる（表V-2，図V-4）．

(iii) 孔形成毒素 pore-forming toxin

黄色ブドウ球菌のα毒素は6分子が赤血球膜中のホスファチジルコリンなどのリン脂質とともに赤血球膜の孔を形成し，これを溶血させる．リステリオリジンOは単なる溶血毒素ではなく，リステリアのマクロファージ内寄生性に必須の病原因子である．この毒素は酸性条件下で最も高い溶血活性を示すことから，マクロファージの食胞内でのpH低下により活性化され食胞膜を傷害すると考えられている．ストレプトリジンOは赤血球，線維芽細胞，心筋細胞などの膜上で複合体を形成し膜貫通型の孔を形成し，心臓毒性および致死毒性を示す．ウエルシュ菌のパーフリンゴリジンO（θ毒素）は単分子毒素が会合しオリゴマーを形成し，さらに大きなリングを形成して細胞溶解を起こす．これらの毒素は，コレステロールに結合することによりその細胞溶解活性を発現することから，cholesterol-binding cytolysin（CBC）と呼ばれる．これら毒素は膜結合に関与するC末端近傍のモチーフ内のシステイン残基のチオール基が，酸素に触れ酸化修飾を受けることにより不活性化されるが，SH基を有する還元剤により再活性化するためチオール活性化毒素とも呼ばれる．

黄色ブドウ球菌のロイコシジンと緑膿菌のサイトトキシンはそれぞれ異なるタンパク質であるが白血球とマクロファージに特異的に作用して細胞を破壊する．ロイコシジンはFとSの二成分からなり，3：4または4：3のヘテロ七量体が，サイトトキシンは五量体

表 V-2　主な外毒素と酵素の作用機序による分類

毒素名	産生する細菌種	作用機作	標的分子	病気または症状
細胞膜傷害				
ロイコシジン	黄色ブドウ球菌	ホスホリパーゼ活性化	ホスホリパーゼ	白血球膜傷害
サイトトキシン	緑膿菌			
パーフリンゴリジン O	ガス壊疽菌	ポア形成	コレステロール	ガス壊疽
リステリオリジン O	リステリア属菌	ポア形成	コレステロール	リステリア症
ストレプトリジン O	溶血性レンサ球菌	ポア形成	コレステロール	咽頭炎，猩紅熱
α 毒素	ガス壊疽菌	ホスホリパーゼ C	細胞膜リン脂質	ガス壊疽
β 毒素	黄色ブドウ球菌	スフィンゴミエリナーゼ	赤血球膜スフィンゴミエリン	溶血作用
タンパク質合成阻害				
ジフテリア毒素	ジフテリア菌	ADP-リボシル化	伸長因子 2	ジフテリア
エクソトキシン A	緑膿菌	ADP-リボシル化	伸長因子 2	緑膿菌感染症
志賀毒素	赤痢菌，腸管出血性大腸菌	N-グリコシダーゼ	28S rRNA	赤痢，腸管出血性大腸菌感染症
細胞内シグナル伝達の障害				
百日咳毒素	百日咳菌	ADP-リボシル化	GTP-結合タンパク質	百日咳
コレラ毒素	コレラ菌	ADP-リボシル化	GTP-結合タンパク質	コレラ
スーパー抗原活性				
TSST-1	黄色ブドウ球菌	スーパー抗原	TCR と MHC II	毒素性ショック症候群
発赤毒素（SPE）	化膿レンサ球菌	スーパー抗原	TCR と MHC II	劇症型 A 群レンサ球菌感染症
特定のタンパク質の分解活性				
ボツリヌス毒素	ボツリヌス菌	亜鉛メタロプロテアーゼ	シナプス小胞付随タンパク質を分解し，アセチルコリン放出阻害	ボツリヌス中毒
テタノスパスミン	破傷風菌	亜鉛メタロプロテアーゼ	シナプス小胞付随タンパク質シナプトブレビンを分解し，GABA 放出阻害	破傷風

が膜上で孔を形成する．

(iv)　リパーゼ活性毒素

ガス壊疽菌が産生する α 毒素はホスホリパーゼ C，およびスフィンゴミエリナーゼ活性を示し，細胞膜を構成するホスファチジルコリン，スフィンゴミエリンのリン酸エステル結合を切断する．黄色ブドウ球菌の β 毒素はスフィンゴミエリナーゼである．

(v)　タンパク質合成阻害毒素

(1) ADP リボシル化毒素

緑膿菌のエクソトキシン A やジフテリア毒素は ADP リボシルトランスフェラーゼ活性をもち，NAD 存在下ペプチド伸長因子 EF-2 を特異的に ADP リボシル化することにより，ペプチド転移反応を阻害してタンパク質合成を阻害する．エクソトキシン A の受容体は免疫細胞や肝細胞を含む種々の臓器に発現している α2-マクログロブリン受容体関連タンパク質である．ジフテリア毒素レセプターは膜結合型のヘパリン結合性内皮細胞増殖因子（EGF）様因子である．

(2) N-グリコシダーゼ活性毒素

赤痢菌の産生する志賀毒素 Shiga toxin（Stx）や腸管出血性大腸菌が産生する Stx1 および Stx2 は毒素活性を担う A サブユニット 1 分子とレセプターとの結合を担う B サブユニット 5 分子が非共有結合した毒素である．B サブユニットは標的細胞膜の G_{b3} スフィンゴ糖脂質に結合する．A サブユニットはエンドサイトーシスにより細胞内へと取り込まれ，リボソームが付着する粗面小胞体へと移行する．A サブユニットは 28S rRNA の 1 個のアデニンを遊離させることによ

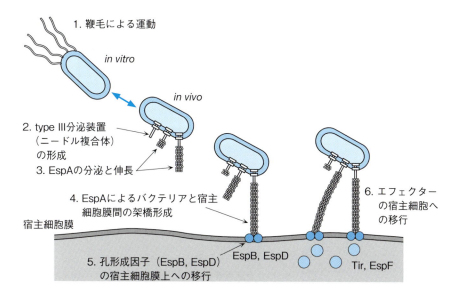

図 V-4 type III 分泌機構による腸管病原性大腸菌（enteropathogenic *Escherichia coli*, EPEC）のエフェクターの宿主移行モデル
EPEC は type III 分泌装置を介して，孔形成因子の EspB, EspD を宿主細胞膜に注入し，細胞膜に孔を形成する．エフェクターである translocation intimin receptor（Tir），EspF を注入する．Tir は宿主膜上に膜貫通型受容体を形成し，これに EPEC は菌体外膜タンパク質 intimin を介して接着する．Tir は細胞骨格系タンパク質アクチン結合部位も有して，接着部位にアクチンが重合した台座構造を形成する．この細胞骨格の再編成により小腸バリア機能が破壊され下痢が起こると考えられている．EspF は細胞死を誘導する．

り，アミノアシル tRNA が 60S rRNA に結合するのを阻害する．Stx がもつ細胞毒性，腸管毒性，神経毒性はこのタンパク質合成阻害作用で説明できると考えられている．

(vi) 細胞内シグナル伝達系を障害する毒素

コレラ毒素は A サブユニット 1 分子と，B サブユニット 5 分子より構成される．コレラ毒素は B サブユニットを介して小腸上皮細胞の G_{M1} ガングリオシドに結合し，毒素活性本体の A サブユニットが細胞内に入ってその毒性を発現する．A サブユニットは最終的にはサイクリック AMP（cAMP）のレベルを上昇させ，その結果腸粘膜からの水分分泌亢進が起こると推定されている．A サブユニットは NAD に作用し，ニコチンアミドと ADP リボースに分解し，アデニル酸サイクラーゼの促進性 GTP 結合タンパク質（G タンパク質，Gs）の ADP リボシル化を起こす．その結果 Gs の GTPase 活性は失われ，ADP-リボシル化 Gs-GTP 複合体はアデニル酸サイクラーゼを活性化し続け，cAMP 濃度を上昇させる．cAMP の上昇により cystic fibrosis transmembrane regulator（CFTR）と呼ばれる Cl^- チャネルの活性化が起こり細胞内よりイオンと水が大量に腸管腔へ流出して激しい下痢となると考えられている（図 V-5）．

(vii) スーパー抗原

急性の重篤な全身症状を示すトキシックショック症候群では，黄色ブドウ球菌が産生する toxic shock syndrome toxin-1（TSST-1）がスーパー抗原として作用し，多くの T 細胞クローンの一斉活性化を起こし，過剰に産生されたサイトカインの作用により，ショックなどの激しい症状が起こる（p. 105 参照）．

(viii) 加水分解酵素活性を示す毒素

ボツリヌス毒素ならびにテタノスパスミン（破傷風毒素）は亜鉛依存性プロテアーゼであり，神経終末の前シナプス開口分泌をつかさどるシナプトブレビンなどを分解し神経伝達を阻害する．ボツリヌス毒素は神

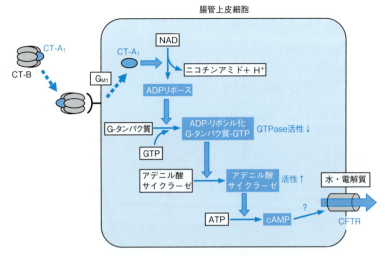

図V-5 コレラ菌毒素CTの作用機序
CTはBサブユニットを介してG_{M1}ガングリオシドに結合し，細胞内に取り込まれたA_1サブユニットは促進性GTP結合タンパク質（G-タンパク質，Gs）をADP-リボシル化し，アデニル酸サイクラーゼを持続的に活性化する．産生されたcAMPはcystic fibrosis transmembrane regulator（CFTR）と呼ばれるCl^-チャネルを介して水や電解質の流出を起こす．結果として下痢が起こると考えられている．

経筋接合部の運動神経末端からのアセチルコリンの分泌を抑制し，筋弛緩性麻痺を起こす．破傷風菌が産生するテタノスパスミンは脊髄の抑制性シナプスの神経末端からのGABA放出を阻害することによって神経伝達を阻害し，強直性麻痺を起こす．両毒素はこれまで人類が知り得た最も毒性が高い物質の一つである．

d. 内毒素（エンドトキシン）

グラム陰性菌の細胞壁外膜を構成するリポ多糖（LPS）は通常は菌体に強固に結合しているが，溶菌した場合には菌体外に放出される．LPSの内毒素活性の本体はリピドAにあり，① 発熱，② エンドトキシンショック，③ 播種性血管内凝固症候群 disseminated intravascular coagulation（DIC）など極めて多様な生物活性を示す．とくに注射液や輸液製剤に混入すると発熱作用（パイロジェン作用）を起こし問題となる．ウサギでは20 pg以下のごく微量の注射でも発熱が起こる．LPSによりマクロファージが刺激されると内因性発熱物質であるTNFやIL-1などのサイトカインが産生され，これが引き金となり血小板活性化因子やプロスタグランジン，ロイコトリエンなどのアラキドン酸代謝物が産生される．血小板活性化により血小板が凝集し血管内皮に付着し，血小板から放出される大量のセロトニンにより血管の収縮と微小血栓形成が起こる．その結果，血液凝固因子ならびに血小板が消費され，一方形成された血栓に対する線溶系の機能亢進により，多臓器不全さらには皮膚粘膜など広範にわたる出血症状を引き起こす．グラム陰性菌感染による敗血症では，エンドトキシンショックは最も重篤な症状である．

E 感染症の疫学とその防御

1 世界の感染症の現状

世界保健機関 World Health Organization（**WHO**）は，基本的人権の一つである人間の健康の達成を目的とする国際連合の専門機関（国際連合機関）である．WHOは，様々な疾病に基づく損失（疾病負荷）を評価し，それらに対する対策を立案し，実施している．疾病負荷の評価指標としてはいくつかあるが，近年は

障害調整生命年 disability-adjusted life year（DALY）により数値化されることが多い．DALY は，早死により失われた年数と疾病により障害を余儀なくされた年数の合計である．各種疾患による全 DALY の約 18% を感染症が占めている（表 V-3）．先進国では感染症の治療や予防法が発達したことで，癌や糖尿病など非感染性疾患による DALY が高いが，一方で開発国では今日でも後天性免疫不全症候群（AIDS），結核，下痢症，下気道感染症，マラリアを含む熱帯病などの感染症が占める割合が高い．単一病原体では，AIDS，結核，マラリアが世界 3 大感染症である．また，まったく未知の新たな感染症を新興感染症と呼ぶ．2019 年突如現れた新型コロナウイルス感染症は，瞬く間に全世界へ拡大した．このように医療が進歩した現在でも感染症が人類に対する脅威であることは依然変わりがない．さらには，冷戦終結後の近年の世界情勢は忘れかけていた病原体の生物兵器としての使用を危惧させるようになってきた．炭疽菌，天然痘ウイルス，野兎病菌，ボツリヌス毒素などが生物兵器として注目を浴びるようになった．人類の手で根絶あるいは制御したはずの感染症が，人類の手により再び復活する可能性も忘れてはならない．

2 わが国における感染症の現状

今日，わが国では上下水道設備の充実などによる衛生環境の改善，さらには抗菌薬や抗ウイルス薬など感染症の治療薬の開発，予防ワクチン接種，医療技術の進歩などにより感染症の脅威は小さくなったと考えられていたが，2020 年には新型コロナウイルス感染症の世界的大流行が起こり全世界が沈黙した．1950 年以降，主な死因は結核等の感染症から生活習慣病へと移った（図 V-6，検索　人口動態統計月報年計（概数）の概況）．かつての伝染病予防法に規定されていた法定伝染病（痘瘡，ジフテリア，猩紅熱，ペスト，パラチフス，腸チフス，日本脳炎，発疹チフス，コレラ，流行性脳脊髄膜炎，赤痢）の患者は一様に激減した．一方，肺炎は近年の薬剤耐性菌の増加や超高齢社

表 V-3　全世界における感染症により失われた障害調整生命年（2016 年）

疾病	DALYs	%
全ての DALY 合計	2,668,475,493	100
感染症の DALY 合計	471,092,537	17.7
結核	51,642,598	1.9
梅毒	8,634,659	0.3
HIV/AIDS	59,951,098	2.2
下痢症	81,742,554	3.1
麻しん	7,957,226	0.3
百日咳	3,989,210	0.1
髄膜炎	20,277,308	0.8
脳炎	6,354,158	0.2
ウイルス性肝炎	7,464,903	0.3
マラリア	37,368,766	1.4
下気道感染症	129,689,842	4.9
上気道感染症	6,090,503	0.2
その他の感染症	49,929,712	1.9

［WHO Global Health Estimates 2016］

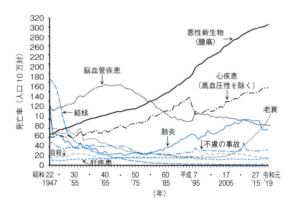

図 V-6　主な死因別にみた死亡率（人口 10 万対）の年次推移

注：1）平成 6 年までの「心疾患（高血圧性を除く）」は，「心疾患」である．
2）平成 6・7 年の「心疾患（高血圧性を除く）」の低下は，死亡診断書（死体検案書）（平成 7 年 1 月施行）において「死亡の原因欄には，疾患の終末期の状態としての心不全，呼吸不全等は書かないでください」という注意書きの施行前からの周知の影響によるものと考えられる．
3）平成 7 年の「脳血管疾患」の上昇の主な要因は，ICD-10（平成 7 年 1 月適用）による原死因選択ルールの明確化によるものと考えられる．
4）平成 29 年の「肺炎」の低下の主な要因は，ICD-10（2013 年版）（平 29 年 1 月適用）による原死因選択ルールの明確化によるものと考えられる．

［厚生労働省：人口動態統計］

会の到来により増加している．順調に低下していた結核の罹患率は1996年～1999年の間の一時期上昇をみている．先進国の中でも罹患率が高い状況が続いていたが，2021年にようやく罹患率9.2（10万人あたり）となった．しかし，年齢差が大きく，90歳以上の罹患率は64.6である．結核の新規患者数は約1.1万人であるが，AIDS患者を中心に抗結核治療薬が効かない多剤耐性結核菌も増加している．結核再発患者から分離される結核菌の約20％が多剤耐性菌であるともいわれている．また，高齢者のレジオネラ症やインフルエンザ感染も目立っている．わが国の2018年の新規後天性免疫不全症候群（AIDSならびに無症候キャリア）の数は940人で，日本人男性同性愛者が70％を占める．2018年には累計で3万人を突破した．同様に梅毒，性器クラミジア，性器ヘルペス，尖圭コンジローマ，淋菌感染症などの性感染症 sexually transmitted diseases（STD）は依然高い感染率を示している．とくに梅毒新規患者数は，以前は1,000人以下であったが，近年増加傾向に転じ，2019年は7,000人以上と爆発的に増えている．とくに20代女性で急増している．そのため，妊婦から胎児に感染する先天梅毒も増加傾向にある．薬剤耐性菌の出現も近代医療における問題である．例えば院内感染 hospital acquired infection, nosocomial infectionで問題となるメチシリン耐性黄色ブドウ球菌（MRSA）や薬剤耐性緑膿菌感染症（MDRP）や市中肺炎の起因菌ペニシリン耐性肺炎球菌（PRSP）は現在も患者が多い（表V-4）．

3 世界と日本における感染症対策機関

　国際的な感染症対策をつかさどる唯一の機関であるWHOは1980年に痘瘡（天然痘）根絶を宣言した．有史以来人類を苦しめてきたこのウイルス感染症は，1977年にソマリアにおける発生を最後に地球上から消滅した．WHOが1959年から痘瘡撲滅計画（種痘による予防接種）を推進した結果，人類が初めて一つの感染症を地球上から消滅させたのである．痘瘡が根絶できた理由については第IX章に記述されている（p. 269参照）．ポリオ，麻疹，風疹もヒトのみの感染症で次の根絶計画の対象となっている．一方，予測不能な新興感染症のアウトブレイク（集団（大）発生）に対して，WHOは世界における感染症対策に関わるネットワークを統合し国際的な協調態勢を樹立する戦略をとっている．WHOは世界各地で起こっているアウトブレイクに関する情報を集め，重要性を評価し，必要であれば即座に対策を講じるシステムを樹立している．実際にこの戦略的制圧プログラムがSARSやインフルエンザに対し実施され効果を発揮した．

　わが国でこの感染症対策を担っているのは，厚生労働省国立感染症研究所（National institute of Infectious Diseases, NIID）である．国民の保健医療の向上を図る予防医学の立場から，国の保健医療行政を先導する業務を担っている．具体的には，感染症に関する研究，感染症に関する検査と病原体検査，後述の感染症法に基づく感染症発生動向の調査分析（サーベイランス），ワクチンなどの生物学的製剤の検定，WHOをはじめ世界の国々の感染症研究機関との協力，国内外の保健行政担当者の研修などである．米国では，米国厚生省に設置されている米国疾病管理予防センター Centers for Disease Control and Prevention（CDC）がこの役割を果たしている．

4 感染症法（検索　感染症の予防及び感染症の患者に対する医療に関する法律）

　感染症の蔓延を防ぐためには，患者の早期発見とこれに対する防疫対策が必要である．感染症の防疫に関する法律としては表V-5がある．1996年大阪府堺市を中心に発生した腸管出血性大腸菌感染症を教訓として，1999年4月に「感染症の予防及び感染症の患者に対する医療に関する法律（感染症法）」が施行された．感染症法の要点は①事前対応型行政の構築（感染症発生動向調査の法定化など），②感染症類型の設定および危険性が高い感染症の患者の入院を担当する医療機関の指定（感染症指定医療機関），③患者の人権に配慮した入院手続きの整備（十分な説明と同意に基づいた入院），④動物由来感染症対策の充実（動物の輸入禁止，検疫措置などの行政対応），⑤インフルエンザと新しい感染症への対応である．

表 V-4　感染症法に規定される感染症報告数（2013年，2018年）

感染症名	2013	2018	感染症名	2013	2018
全ての一類感染症	0	0	類鼻疽	4	2
二類感染症			レジオネラ症	1,124	2,142
急性灰白髄炎	1*1	0	レプトスピラ症	29	32
結核	27,052	22,448	ロッキー山紅斑熱	0	0
ジフテリア	0	0	五類感染症（全数把握疾患）		
重症急性呼吸器症候群（SARS）	0	0	アメーバ赤痢	1,047	843
中東呼吸器症候群（MERS）	—	0	ウイルス性肝炎（A型，E型除く）	286	277
鳥インフルエンザ（H5N1）	0	0	カルバペネム耐性腸内細菌科細菌感染症	—	2,289
鳥インフルエンザ（H7N9）	—	0	急性弛緩性麻痺（急性灰白髄炎を除く）	—	141
三類感染症			急性脳炎	369	679
コレラ	4	4	クリプトスポリジウム症	25	25
細菌性赤痢	143	268	クロイツフェルト・ヤコブ病	203	221
腸管出血性大腸菌感染症	4,044	3,854	劇症型溶血性レンサ球菌感染症	203	694
腸チフス	65	35	後天性免疫不全症候群（エイズ）	1,586	1,301
パラチフス	50	23	ジアルジア症	82	68
四類感染症			侵襲性インフルエンザ菌感染症	108	488
E型肝炎	127	446	侵襲性髄膜炎菌感染症	23	37
ウエストナイル熱	0	0	侵襲性肺炎球菌感染症	1,001	3,328
A型肝炎	128	926	水痘（入院に限る）	—	466
エキノコックス症	20	19	先天性風疹症候群	32	0
黄熱	0	0	梅毒	1,228	7,007
オウム病	6	6	播種性クリプトコックス症	—	182
オムスク出血熱	0	0	破傷風	128	134
回帰熱	1	6	バンコマイシン耐性黄色ブドウ球菌感染症	0	0
キャサヌル森林熱	0	0	バンコマイシン耐性腸球菌感染症	55	80
Q熱	6	3	百日咳	—	12,115
狂犬病	0	0	風しん*2	14,344	2,941
コクシジオイデス症	4	2	麻しん*2	229	279
サル痘	0	0	薬剤耐性アシネトバクター感染症	—	24
ジカウイルス感染症	—	0	五類感染症（定点把握疾患　週報）		
重症熱性血小板減少症候群	48	77	インフルエンザ	1,166,322	1,898,941
腎症候性出血熱	0	0	RSウイルス感染症	96,625	120,743
西部ウマ脳炎	0	0	咽頭結膜熱	72,972	73,959
ダニ媒介脳炎	0	1	A群溶血性レンサ球菌咽頭炎	253,953	358,371
炭疽	0	0	感染性胃腸炎	1,071,415	850,138
チクングニア熱	14	4	水痘	175,030	55,480
つつが虫病	344	456	手足口病	303,339	122,725
デング熱	249	201	伝染性紅斑	10,118	49,174
東部ウマ脳炎	0	0	突発性発疹	89,467	71,177
鳥インフルエンザ	0	0	ヘルパンギーナ	94,755	99,304
ニパウイルス感染症	0	0	流行性耳下腺炎	41,016	23,684
日本紅斑熱	175	305	急性出血性結膜炎	676	560
日本脳炎	9	0	流行性角結膜炎	20,606	30,631
ハンタウイルス肺症候群	0	0	細菌性髄膜炎	445	506
Bウイルス病	0	0	無菌性髄膜炎	1,298	806
鼻疽	0	0	マイコプラズマ肺炎	11,337	5,598
ブルセラ症	2	3	クラミジア肺炎	749	144
ベネズエラウマ脳炎	0	0	感染性胃腸炎	—	3,234
ヘンドラウイルス感染症	0	0	五類感染症（定点把握疾患　月報）		
発疹チフス	0	0	性器クラミジア感染症	25,606	25,467
ボツリヌス症	0	2	性器ヘルペスウイルス感染症	8,778	9,129
マラリア	47	50	尖圭コンジローマ	5,743	5,609
野兎病	0	0	淋菌感染症	9,488	8,125
ライム病	20	13	メチシリン耐性黄色ブドウ球菌感染症	20,155	16,311
リッサウイルス感染症	0	0	ペニシリン体性肺炎球菌感染症	3,161	1,895
リフトバレー熱	0	0	薬剤耐性緑膿菌感染症	319	121

*1　ワクチン株由来による感染
*2　2013年には報告，集計がなされていなかった
—　報告，集計がなされていなかった

［厚生労働省国立感染症研究所・感染症情報センター資料］

表V-5 感染症の防疫に関する法律

所管省庁	法律	概要
厚生労働省	感染症の予防及び感染症の患者に対する医療に関する法律（感染症法）	感染症全般にわたる規則
	予防接種法	予防接種に関する規程
	食品衛生法	食中毒の発生防止
	検疫法	海外からの感染症の侵入防止策など
	狂犬病予防法	ペットなどの狂犬病予防策を規程
文部科学省	学校保健安全法	学校での感染症対策を規程
農林水産省	家畜伝染病予防法	家畜の感染症防止策を規程

　感染症法では感染力，重篤性，危険性によって感染症を一〜五類に分類し（表V-6），患者の人権に配慮しつつ予防，蔓延防止，医療体制の確保等の推進を図っている．既知の感染症で一〜三類に分類されない感染症でも，その必要性に応じて政令で1年間限定の指定感染症としてそれに準じた対応をとることができる．さらに新しい感染症（新興感染症）の出現に際してはその伝染力，重篤度，危険性が高いと認めた場合には新感染症に指定して対処できる．また，インフルエンザの感染を制御するために，鳥インフルエンザ（H5N1，H7N9）を二類に，これ以外の亜型（H7など）の鳥インフルエンザを四類，従来からある季節性インフルエンザ（A香港型H3N2，A新型H1N1，B型）は五類に分類される．さらに，まったく新しい亜型の新型インフルエンザや，かつて大流行したH2N2型アジアかぜなどの再興型インフルエンザの流行にも対処するために，新型インフルエンザ等感染症の区分も設けられた．また，病原微生物による生物テロや事故の発生を防止するために病原体の管理規定が制定された（表V-7）．
　一〜四類感染症の患者を診断した医師は直ちに，五類感染症については基本的に1週間以内に届け出ることが義務付けられている．五類感染症の定点把握25疾患については，インフルエンザ定点，小児科定点，眼科定点，性感染症定点および基幹定点を設定し，これら指定届け出機関から情報が集められている．保健所を通じて都道府県あるいは政令指定都市ごとに集計され，国立感染症研究所・感染症情報センターに情報が集約され1週間ごと全ての感染症発生動向が文書やインターネットにより公表されている．
　また，感染症に対する危機管理システムの一つとして，実地疫学専門家チーム Field Epidemiology Training Program（FETP）を発足させた．このFETPは感染症発生動向から得られた情報を解析・評価し，それが異常事態（アウトブレイク）であると認識された場合には，感染源，感染経路の特定や拡大防止対策や再発防止対策の提言などを行う．動物媒介性感染症に対しては，動物の輸入規制や検疫体制の確立が重要である．全ての輸入動物に対して衛生証明書の提出が義務付けられ，野生動物の輸入は全面的に禁止となっている．

5 その他の感染症を制御するための法律

a. 予防接種法（検索　予防接種法）

　ワクチン接種により予防が可能な感染症に対して，その接種を勧奨し公衆衛生の向上を図るとともに，予防接種による健康被害に対して迅速な救済を図るために制定された．
　予防接種は，予防接種法に定められた定期接種と，希望者が受ける任意接種に分けられる．予防接種法は予防接種の対象となる疾病，および対象者（年齢），接種回数などを定めている．対象疾病には接種の努力義務があるA類疾病（集団予防に重点）と努力義務のないB類疾病（個人予防に重点）に分けられる（表V-8）．予防接種法によらない任意接種（希望者のみ）対象疾患として，インフルエンザ（B類疾病の対象者を除く），流行性耳下腺炎（おたふくかぜ，ムンプ

表 V-6 感染症の予防及び感染症の患者に対する医療に関する法律（感染症法）対象疾患分類（2020年2月）

感染症分類		対象感染症	感染症の特徴	主な対応・措置
一類		(1)エボラ出血熱 (2)クリミア・コンゴ出血熱 (3)痘そう (4)南米出血熱 (5)ペスト (6)マールブルグ病 (7)ラッサ熱	感染力，罹患した場合の重篤性に基づく総合的な観点からみた危険性が極めて高い感染症	原則入院　消毒等の対物措置　直ちに届け出
二類		(1)急性灰白髄炎 (2)結核 (3)ジフテリア (4)重症急性呼吸器症候群（病原体がコロナウイルス属SARSコロナウイルスであるものに限る．）(5)中東呼吸器症候群（病原体がベータコロナウイルス属MERSコロナウイルスであるものに限る．）(6)鳥インフルエンザ(H5N1) (7)鳥インフルエンザ(H7N9)	感染力，罹患した場合の重篤性に基づく総合的な観点からみた危険性が高い感染症	必要に応じて入院　消毒等の対物措置　直ちに届け出
三類		(1)コレラ (2)細菌性赤痢 (3)腸管出血性大腸菌感染症 (4)腸チフス (5)パラチフス	感染力，罹患した場合の重篤性に基づく総合的な観点からみた危険性が高くないが，特定職種への就業によって感染症の集団発生を起こし得る感染症	特定職種への就業制限　消毒等の対物措置　直ちに届け出
四類		(1)E型肝炎 (2)ウエストナイル熱 (3)A型肝炎 (4)エキノコックス症 (5)黄熱 (6)オウム病 (7)オムスク出血熱 (8)回帰熱 (9)キャサヌル森林病 (10)Q熱 (11)狂犬病 (12)コクシジオイデス症 (13)サル痘 (14)ジカウイルス感染症 (15)重症熱性血小板減少症候群（病原体がフレボウイルス属SFTSウイルスであるものに限る．）(16)腎症候性出血熱 (17)西部ウマ脳炎 (18)ダニ媒介脳炎 (19)炭疽 (20)チクングニア熱 (21)つつが虫病 (22)デング熱 (23)東部ウマ脳炎 (24)鳥インフルエンザ(H5N1及びH7N9を除く) (25)ニパウイルス感染症 (26)日本紅斑熱 (27)日本脳炎 (28)ハンタウイルス肺症候群 (29)Bウイルス病 (30)鼻疽 (31)ブルセラ症 (32)ベネズエラウマ脳炎 (33)ヘンドラウイルス感染症 (34)発しんチフス (35)ボツリヌス症 (36)マラリア (37)野兎病 (38)ライム病 (39)リッサウイルス感染症 (40)リフトバレー熱 (41)類鼻疽 (42)レジオネラ症 (43)レプトスピラ症 (44)ロッキー山紅斑熱	人から人への感染はほとんど無いが，動物，飲食物等の物を介して感染するため，動物や物件の消毒，廃棄などの措置が必要となる感染症	輸入動物の輸入禁止，保管，動物等の駆除，消毒等の対物措置
五類	全数把握	(1)アメーバ赤痢 (2)ウイルス性肝炎(E型肝炎及びA型肝炎を除く．) (3)カルバペネム耐性腸内細菌科細菌感染症 (4)急性脳炎(ウエストナイル脳炎，ダニ媒介脳炎，東部ウマ脳炎，日本脳炎，ベネズエラウマ脳炎及びリフトバレー熱を除く．) (5)クリプトスポリジウム症 (6)クロイツフェルト・ヤコブ病 (7)劇症型溶血性レンサ球菌感染症 (8)後天性免疫不全症候群 (9)ジアルジア症 (10)侵襲性インフルエンザ菌感染症 (11)侵襲性髄膜炎菌感染症 (12)侵襲性肺炎球菌感染症 (13)水痘(入院例に限る．) (14)先天性風しん症候群 (15)梅毒 (16)播種性クリプトコックス症 (17)破傷風 (18)バンコマイシン耐性腸球菌感染症 (19)バンコマイシン耐性黄色ブドウ球菌感染症 (20)百日咳 (21)風しん (22)麻しん (23)薬剤耐性アシネトバクター感染症	国が感染症発生動向調査を行い，その結果に基づいて必要な情報を一般国民や医療関係者に提供・公開することによって発生・拡大を防止すべき感染症	感染症発生状況の情報収集，分析とその結果の公開，提供　風しん，麻しんは直ちに，他は7日以内に届け出
	小児科定点医療機関	(1)RSウイルス感染症 (2)咽頭結膜熱 (3)A群溶血性レンサ球菌咽頭炎 (4)感染性胃腸炎 (5)水痘 (6)手足口病 (7)伝染性紅斑 (8)突発性発しん (9)ヘルパンギーナ (10)流行性耳下腺炎		週単位で届け出
	インフルエンザ定点医療機関	(1)インフルエンザ(鳥インフルエンザ及び新型インフルエンザ等感染症を除く．)		
	眼科定点医療機関	(1)急性出血性結膜炎 (2)流行性角結膜炎		月単位で届け出
	性感染症定点医療機関	(1)性器クラミジア感染症 (2)性器ヘルペスウイルス感染症 (3)尖圭コンジローマ (4)淋菌感染症		月単位で届け出
	基幹定点医療機関	(1)感染性胃腸炎（病原体がロタウイルスであるものに限る．）(2)クラミジア肺炎（オウム病を除く．）(3)細菌性髄膜炎（髄膜炎菌，肺炎球菌，インフルエンザ菌を原因として同定された場合を除く．）(4)マイコプラズマ肺炎 (5)無菌性髄膜炎		週単位で届け出
	基幹定点医療機関	(1)ペニシリン耐性肺炎球菌感染症 (2)メチシリン耐性黄色ブドウ球菌感染症 (3)薬剤耐性緑膿菌感染症		月単位で届け出
新型インフルエンザ等感染症		新型インフルエンザ，再興型インフルエンザ　新型コロナウイルス感染症（令和3年2月13日より）	新たに人から人へ感染する能力を持ち，あるいはかつて大流行し再流行によって，国民の生命及び健康に重大な影響を及ぼすおそれのあるインフルエンザ等	一～三類に準じた対応
指定感染症		政令で1年間に限定して指定された感染症	一～三類に分類されていない感染症で，それに準じた対応の必要性が生じた感染症	一～三類に準じた対応
新感染症		新たに出現した感染症で人から人への	伝染力，毒力が高く，危険であると判断されるもの	一類に準じた対応

表V-7 病原体等の保管，所持，運搬，使用等の管理基準

分類	管理基準	対象病原体	対応・許可される許容範囲
一種病原体等	所持等の禁止	エボラウイルス，クリミア・コンゴ出血熱ウイルス，痘瘡ウイルス，南米出血熱ウイルス，マールブルグウイルス，ラッサウイルス（以上6病原体）	・国または政令で定める法人のみ所持（施設を特定），輸入，譲渡しおよび譲受けが可能 ・運搬の届出 ・発散行為の処罰
二種病原体等	所持等の許可	SARSコロナウイルス，炭疽菌，野兎病菌，ペスト菌，ボツリヌス菌，ボツリヌス毒素（以上6病原体）	・試験研究等の目的で厚生労働大臣の許可を受けた場合に，所持，輸入，譲渡しおよび譲受けが可能 ・運搬の届出
三種病原体等	所持等の届出	Q熱コクシエラ，狂犬病ウイルス，多剤耐性結核菌 政令で定めるもの：オムスク出血熱ウイルス，キャサヌル森林病ウイルス，コクシジオイデス真菌，サル痘ウイルス，重症熱性血小板減少症候群ウイルス，腎症候性出血熱ウイルス，西部馬脳炎ウイルス，ダニ媒介性脳炎ウイルス，東部馬脳炎ウイルス，中東呼吸器症候群ウイルス，ニパウイルス，日本紅斑熱リケッチア，発疹チフスリケッチア，ハンタウイルス肺症候群ウイルス，Bウイルス，鼻疽菌，ブルセラ属菌，ベネズエラ馬脳炎ウイルス，ヘンドラウイルス，リフトバレーウイルス，類鼻疽菌，ロッキー山紅斑熱リケッチア（以上25病原体等）	・病原体等の種類等について厚生労働大臣へ事後届出（7日以内） ・運搬の届出
四種病原体等	基準の遵守	インフルエンザウイルス（H2N2，H5N1，H7N7，H7N9），黄熱ウイルス，クリプトスポリジウム，結核菌（多剤耐性結核菌を除く），コレラ菌，志賀毒素，赤痢菌属，チフス菌，腸管出血性大腸菌，鳥インフルエンザウイルス，パラチフスA菌，ポリオウイルス，新型コロナウイルス（SARS-CoV-2） 政令で定めるもの：ウエストナイルウイルス，オウム病クラミジア，デングウイルス，日本脳炎ウイルス（以上16病原体等）	

一種～四種病原体等，全てにわたり遵守しなければならない管理規則・基準
・病原体等に応じた施設基準，保管，使用，運搬，滅菌等の基準（厚生労働省令）遵守
・厚生労働大臣等による報告徴収，立入検査
・厚生労働大臣による改善命令
・改善命令違反等に対する罰則

ス），A型肝炎，狂犬病，黄熱などがある．法に定められた定期接種費用は基本的に公費で負担され，その実施者は市町村長であるが，最終責任は国（厚生労働大臣）にある．定期接種による健康被害に対しては予防接種健康被害救済制度のもと救済が行われるのに対して，任意接種による健康被害は一般の医薬品と同様に，医薬品副作用被害救済制度に基づき手続きが行われる．また，新型コロナウイルス感染症の予防ワクチン接種については，予防接種法の「臨時接種の特例」として位置付けられ，厚生労働大臣の指示の下，都道府県の協力により，市町村が実施主体となって行われる．ただし，通常の臨時接種とは異なり全額国庫負担となり，対象者や接種順位の決定は国が行う．対象者には接種を受ける努力義務がある．

b. 食品衛生法（検索　予防接種法）

病原微生物を病因とする飲食に起因する健康被害（food-borne disease）の防止のために制定された．サルモネラ属菌，ブドウ球菌，ボツリヌス菌，腸炎ビブリオ，腸管出血性大腸菌，その他の病原大腸菌，ウエ

表 V-8　予防接種法に規定される定期予防接種

分類 (目的)	対象感染症	ワクチンの種類 (投与法)	対象年齢等	回数
A類疾病（集団予防・努力義務あり）	ジフテリア Diphtheria 百日咳 Pertussis 破傷風 Tetanus ポリオ，小児麻痺 （DPT-IPV 4種混合）	トキソイド 成分ワクチン トキソイド 不活化ワクチン（皮下）	1期初回　生後3～90月未満 1期追加　生後3～90月未満（1期初回 3回終了後，6ヵ月以上間隔をあける） 2期 11・12歳（DTトキソイド）*	3回 1回 1回
	麻疹　Measles 風疹　Rubella （MR 2種混合）	弱毒生ワクチン（皮下）	第1期（満1歳～2歳未満） 第2期（就学前の1年間）	1回 1回
	日本脳炎 （非流行地では接種の必要なし）	不活化ワクチン（皮下）	1期初回　生後6～90月未満 1期追加　生後6～90月未満（1期初回 終了概ね1年を置く） 2期　9～13歳未満	2回 1回 1回
	結核 （BCG）	弱毒生ワクチン（経皮）	生後8ヵ月未満	1回
	Hib（インフルエンザ菌b型）感染症	不活化ワクチン（皮下）	生後2～7月に至るまで 最終接種1年後	3回 1回
	小児肺炎球菌感染症	不活化ワクチン（皮下）	生後2～7月に至るまで	3回
	ヒトパピローマウイルス感染症（子宮頸がん）	遺伝子組換え不活化ワクチン（筋肉内）	小学6年生から高校1年生相当の女子	3回
	水痘	弱毒生ワクチン（皮下）	生後12～36ヵ月	2回
	B型肝炎	遺伝子組み換え不活化ワクチン（皮下）	生後1年未満	3回
	ロタウイルス感染症	弱毒生ワクチン（経口）	生後6週～24週	2回
B類疾病（個人予防・努力義務なし）	インフルエンザ （インフルエンザHA多価ワクチン）	成分ワクチン（皮下）	① 65歳以上 ② 60歳以上65歳未満であって，心臓，腎臓もしくは呼吸器の機能またはヒト免疫不全ウイルスによる免疫機能障害を有するものとして厚生労働省令で定めるもの	毎年度 1回
	成人肺炎球菌感染症	成分ワクチン（筋肉内または皮下）	65歳以上	1回

*初期はDPTワクチンを使用するが，2期はDTトキソイドを使用する．

ルシュ菌，セレウス菌，エルシニア・エンテロコリチカ，カンピロバクター・ジェジュニ/コリ，NAGビブリオ，コレラ菌，赤痢菌，チフス菌，パラチフスA菌，その他の細菌，ノロウイルス，その他のウイルス，サルコシスティス，クドア，アニサキスなどの寄生虫が指定されている（p.154参照）．

c. 家畜伝染病予防法

家畜の伝染性疾病の発生を予防し，蔓延を防止することにより畜産の振興を図ることを目的とする．人獣共通感染症対策を目的としたものではないが，家畜衛生対策において得られた情報ととられた対策は公衆衛生対策に重要なものとなる．本法はウシ海綿状脳症（BSE），口蹄疫あるいはニワトリの高病原性鳥インフルエンザ発生の際の公衆衛生対策に大きな役割を果たした．

d. 狂犬病予防法

狂犬病の発生を防止し，撲滅することにより公衆衛生の向上，および公共の福祉の増進を図ることを目的とする．本法は1950年に制定され，1957年に狂犬病を根絶した．世界で狂犬病清浄国はわが国を含めて10数ヵ国のみである．

e. 検疫法

全国107ヵ所の検疫所において入国者の検疫，港湾地域の衛生対策，および輸入食品の監視対策が行われている．検疫対象疾患は，海外から国内に持ち込まれるおそれのある輸入感染症や国際感染症であり，一類感染症の他，マラリア，デング熱，チクングニア熱，ジカウイルス感染症，新型コロナウイルス感染症（COVID-19），重症急性呼吸器症候群（SARS），中東呼吸器症候群（MERS），およびインフルエンザ（H5N1，H7N9），検疫感染症に準ずる感染症として日本脳炎，腎症候性出血熱，ハンタウイルス肺症候群，ウエストナイル熱が規定されている．

f. 学校保健安全法

学校における感染症を含む保健管理と安全管理に関する必要事項を定めて，学校教育の円滑な実施とその成果を確保することを目的とする．学校感染症としては感染症法一類，二類，三類感染症の他にインフルエンザ，麻疹などが指定されている．これらの感染症が学校内で拡大するおそれのある場合は，生徒の出席を停止できる．インフルエンザに対する学級閉鎖などの対応は，本法に基づき実施される．

F 予防ワクチンを含む生物学的製剤

生物学的製剤とは医薬品医療機器等法では遺伝子組換え医薬品，組織細胞由来製品，生物由来の原料を使用した医療機器を含めた，広く生物由来製品と定義される．生物由来製品には，ワクチン，抗毒素，遺伝子組換えタンパク質，培養細胞由来タンパク質，ヘパリンなどの動物抽出成分が含まれる．特定生物由来製品とは，とくに保健衛生上の危害の発生または拡大を防止する必要のある製剤で，輸血用血液製剤，ヒト血漿

表V-9 第十八改正日本薬局方に収載される主な生物学的製剤

生物学的製剤の種類		製剤名
ワクチン	不活化ワクチン 死菌ワクチン	乾燥組織培養不活化狂犬病ワクチン 日本脳炎ワクチン 乾燥日本脳炎ワクチン コレラワクチン ワイル病秋やみ混合ワクチン
	弱毒生ワクチン	乾燥痘そうワクチン 乾燥細胞培養痘そうワクチン 乾燥弱毒生おたふくかぜワクチン 乾燥弱毒生風しんワクチン 乾燥弱毒生麻しんワクチン 経口生ポリオワクチン（2012年9月より不活化ワクチンに切り替え） 乾燥BCGワクチン
	トキソイド	沈降ジフテリアトキソイド 成人用沈降ジフテリアトキソイド 沈降破傷風トキソイド
	成分ワクチン	沈降精製百日せきワクチン インフルエンザHAワクチン
	遺伝子組換えワクチン	沈降B型肝炎ワクチン
抗毒素血清		乾燥ボツリヌスウマ抗毒素 乾燥はぶウマ抗毒素 乾燥まむしウマ抗毒素 ガスえそウマ抗毒素 乾燥ジフテリアウマ抗毒素
血液製剤		人全血液 人免疫グロブリン

分画製剤，ヒト臓器抽出医薬品などである（**表V-9**）．なお，インターフェロンは遺伝子組換え，または培養細胞由来タンパク質であるが，製造管理の向上により，安全性が確保されたことから生物由来製品の基準外となっている．

1 ワクチン

感染症の予防に必要な感染防御抗原を含むワクチンvaccineを接種することにより人工的に免疫状態をつくり出す予防接種vaccinationは最も有効で経済的感染症対策である．予防接種は特定の感染症に対する個人の免疫度を高めて感染を予防し，ひいては社会全体の感染防御（社会防衛）を実現するために行われる．ワクチンは健康な人に接種することから，その副作用は最小でなくてはならない．また，未だ有効な予防ワクチンが完成していない感染症も多数存在し，新たなワクチンの開発は感染症を制御する上で重要な課題である．

a. ワクチンの種類と原理

1）**不活化（死菌）ワクチン**：病原微生物の抗原性を維持したまま物理的処理，または化学的処理により感染力を失わせたワクチンである．外来性抗原と同じく抗原提示細胞からMHCクラスII分子を介してヘルパーT細胞に抗原提示され，主に体液性免疫を誘導する．副作用として，注射局所の発赤，腫脹，痛み，発熱，頭痛，全身倦怠などが起こることがある．安全性は高いが，免疫原性が低いため**免疫賦活剤（アジュバント）**の添加が必要なことがある．

2）**弱毒生ワクチン**：弱病原性だが感染力のある微生物を接種することで，MHCクラスI分子を介してT細胞に抗原提示され，体液性・細胞性免疫を誘導する．効果は比較的持続し，麻疹ワクチンのように生涯免疫が得られる場合もある．副作用として，まれに接種者がワクチン株に感染発病し，後遺症が残ることがある．

3）**トキソイドワクチン**：病原因子である毒素をホルマリンなどの化学処理により免疫原性を残したまま無毒化したワクチンである．体液性免疫を誘導し，産生された中和抗体が，毒素作用を阻害して発病を防ぐ．

4）**成分（コンポーネント）ワクチン**：感染防御に必要な菌体成分（感染防御抗原）を分離精製したワクチンである．不純物を減らすことで，副作用を低減できる．

5）**遺伝子組換えワクチン**：遺伝子組換え技術を用いて抗原成分を調製したワクチンである．B型肝炎ウイルスのHBs抗原を酵母で発現させて調製した，組換え沈降B型肝炎ワクチンが該当する．

6）RNAワクチン

抗原となる病原体のタンパク質遺伝子の一部をコードするmRNAを脂質ナノ粒子に封入したものである．mRNAが宿主細胞質内に取り込まれ，リボソームで翻訳され抗原タンパク質の一部が産生される．これが宿主の免疫応答を誘導する．RNAワクチンとして，初めて新型コロナウイルスのスパイクタンパク質遺伝子を用いたワクチンが実用化された．

b. 多価ワクチンと混合ワクチン

一つの病原体に対するワクチンであるが，血清型が異なる2種類以上の病原体株を含むものを**多価ワクチン** polyvalent vaccineという．インフルエンザ（A香港型H3N2型，A新型H1N1型，B型山形系統/ビクトリア系統）や小児肺炎球菌（7価，または13価），ポリオ（I型，II型，III型）ワクチンなどである．一方，複数の病原体に対するワクチンを混合したものを**混合ワクチン** combined vaccine という．接種回数を減らして手間が省けること，免疫原性が高まる利点がある．ジフテリアトキソイドと破傷風トキソイド，百日咳ワクチン，および不活化ポリオを加えたDPT-IPV（Diphtheria, Pertussis, Tetanus, Inactivated Polio Vaccine）4種混合ワクチン，麻疹，風疹，MR（Measles, Rubella）2種混合ワクチンがその例である．百日咳ワクチンのアジュバント効果によってジフテリアや破傷風毒素に対する免疫効果が強まる利点がある．

c. ワクチンの接種法

ワクチンは健康な人に接種するので，最も安全な接種法をとらなくてはならない．①**皮下接種**法は最も一般に用いられる安全性の高い方法である．②**筋肉内接種**では，免疫誘導能は皮下接種と同等かそれ以上

で，局所反応は少ない．日本ではかつて子供への筋肉内注射による大腿四頭筋短縮症の発生があったため，安全を優先して多くのワクチンが皮下接種された経緯がある．新型コロナウイルスワクチン，ヒトパピローマウイルスワクチン，成人用肺炎球菌ワクチンなどは筋肉内接種される．③ 経皮接種法は針で皮膚を傷つけワクチンを塗る方法で，注射法に比べ副作用が少ない．BCG の接種に利用される．④ 経口接種法では咽頭や腸管壁近くのリンパ系組織を強く刺激し分泌型IgA 抗体を産生させ，これらを消化管に分泌することによって局所免疫を成立させる．ロタウイルスの弱毒生ウイルスワクチンの接種に利用されている．また，予防接種は一回のみの接種に比べ，初回接種から期間をあけて，追加接種した方がより強い免疫応答を誘導できる．これをブースター効果という．これは免疫の二次免疫応答に基づく反応である．

2 抗毒素血清

抗毒素血清は病原体や外毒素またはトキソイドなどで動物を免疫して得た抗体を含む血清，または血漿を精製した製剤であり，主に治療目的で使用される．また，ヘビ毒に対するものも製造されている．

3 血液製剤

血液製剤はヒトの疾病の治療，予防，診断等の目的に用いられるヒト血液由来の医薬品の総称である．使用目的は大きく二つに分けられ，第 1 は無または低 γ-グロブリン血漿患者への免疫グロブリンの補充療法，第 2 は血液型 Rh 陰性（抗 D 抗体陰性）の母親が Rh 陽性（抗 D 抗体陽性）の子供を分娩するとき，子供の赤血球による母親感作の予防のために抗 D ヒト免疫グロブリンを投与するなどの特定の免疫応答の利用である．

原材料は健康なヒトの全血または成分採血でまかなわれる．血液媒介性感染症の B 型肝炎，C 型肝炎，成人 T 細胞白血病，後天性免疫不全症候群などの発生を防ぐため供血の HBs 抗原，抗 HCV 抗体，抗 HTLV 抗体，抗 HIV 抗体測定が実施されており，陽性血液は原料として使用しない．さらにウイルスの除去，あるいは加熱による不活化処理を行っているので多くのウイルス感染の危険性は減少した．

G 滅菌と消毒

医療従事者には院内感染症や大規模な食中毒の発生防止のため，正しい滅菌の実施，適確な消毒薬の選択についての知識が求められている．メチシリン耐性黄色ブドウ球菌（MRSA）や薬剤耐性緑膿菌（MDRP），多剤耐性結核菌などによる病院内感染の制御には，滅菌と消毒は不可欠な制御技術である．また，感染症法では都道府県知事等が病原体に汚染された場所を管理する者等や市町村に消毒の指示を行うことができる．この実務にあたるものはそれぞれの滅菌法，消毒法の特徴を十分理解し，適正に使い分けることが要求される．

滅菌 sterilization とは，全ての微生物を滅殺または除去することと定義される．滅菌は定量的にまったく対象物中に病原体を検出してはならない．消毒 disinfection は，ヒトや動物に対して有害な病原体，または目的とする対象病原体を死滅，あるいは感染能力を失わせ感染力のある病原体数を減少させることである．消毒は滅菌のように厳密でなく，病原体数が減少していればその目的を達成している．防腐 antisepsis とは微生物の増殖を阻害することをいい，必ずしも滅殺することを意味しない．防腐剤は腐敗菌や発酵菌によって食品，医薬品，化粧品などが変質，変敗するのを防ぐ目的で対象物にあらかじめ添加される．防腐剤を使用しなくとも，pH を下げたり，塩濃度を高めたり，含水量を下げる，真空パックや冷凍によっても防腐を達成できる．不活化 inactivation，除菌，殺菌などの用語も，微生物の除去に関して用いられる（表 V-10）．

物理的滅菌法や化学的消毒薬を用いる場合，細菌の芽胞や，ある種のウイルスは強い抵抗性を示すこと，また栄養型細菌の中では結核菌は一般の消毒薬に不感受性で，緑膿菌とその類縁菌にも消毒薬が効きにくいものがある．これら個々の微生物の抵抗性を考慮して滅菌や消毒を実施しなければならない．

表V-10　滅菌，消毒に関わる用語の定義

滅　菌	：全ての微生物を完全に減殺，または除去すること
消　毒	：有害な微生物，または目的とする対象微生物を死滅，あるいは不活化し，感染力のある病原体数を減少させること
不活化	：ウイルスの感染力や毒素の毒力を失わせること．殺菌が，主に細菌，真菌に対する言葉であるの対して，ウイルスに対しては不活化という
除　菌	：液体，気体中の微生物をフィルターなどで取り除くこと
防　腐	：微生物の増殖を阻害することをいい，必ずしも滅殺することを意味しない
殺　菌	：一般的に微生物を死滅させることをいうが，その程度は問わない

滅菌の無菌性保証水準

最終滅菌（後述）を適用できる医薬品には，通例 10^{-6} 以下の無菌性保証水準が得られる条件で滅菌を行わなければならない．滅菌操作を100万（10^6）回行ったときに1回の滅菌不良が起こる確率になる．滅菌の保証は，対象物と滅菌指標体（生物指標体など）を一緒に滅菌し，その滅菌を確認することで行われる．滅菌指標体には，滅菌に対する抵抗性が高い芽胞などが使用される．生存する微生物の数を1/10に減少させるのに要する滅菌時間を D 値 decimal reduction time という．D 値が小さいほど，容易に滅菌できることになる．生物指標体に使用される *Geobacillus stearothermophilus* の芽胞の D 値は121℃，2気圧の高圧蒸気滅菌下では2.5分であり，抵抗性が極めて高い．

1 物理的方法による滅菌法・消毒法

滅菌法には最終滅菌法と濾過滅菌法がある．最終滅菌法とは，被滅菌物が最終容器，または包装に収まった状態で滅菌する方法であり，加熱滅菌法，照射滅菌法，ガス滅菌法がある．一方，最終滅菌法を適用できない熱に弱い成分を含む液状製品の滅菌には，濾過滅菌法を用いる（表V-11）．

a. 加熱による滅菌法

加熱により菌体のタンパク質を変性させ，滅殺する．乾熱と湿熱があるが，湿熱の方が殺菌力は強い．タンパク質をはじめとする生体高分子は，水分の存在下の方が立体構造の維持に必要な水素結合が切れやすいとされる．また水蒸気の方が熱の浸透性も高い．

(i) 火炎滅菌法

通常ガスバーナーの火炎中で数秒間加熱焼却により滅菌する．微生物を取り扱う際に使用する白金耳，白金線の滅菌に適用される．

(ii) 乾熱滅菌法

乾燥熱空気中で微生物を滅菌する方法で，通常 170～180℃，1時間の加熱を行う．電気またはガスを用いた乾熱滅菌器具を用いるが，滅菌対象物が所定の温度に達してから滅菌時間を起算する．LPSなどの発熱物質の不活化には250℃，30分の処理が必要である．ガラス器具類（培養瓶，シャーレ，ガラス製ピペットなど）の滅菌の他，乾燥状態を保つ必要のあるガーゼ，綿，紙製品などの滅菌に適する．

(iii) 高圧蒸気滅菌法

高圧釜 autoclave を用いて通常 $1.1\,kg/cm^2$（2気圧），121℃，15分間の飽和水蒸気中で滅菌を行う．最も確実な滅菌法の一つで，液体（熱に安定な培地など），耐熱性器具等の滅菌に使用される．乾熱法に比べ加熱温度が低いため対象物への損傷が少ない．

b. 加熱による消毒法

(i) 流通蒸気消毒法（常圧蒸気消毒法）

水蒸気を流通させ，100℃，30～60分加熱することで，微生物を滅殺する．細菌の芽胞は生残するので，1回の加熱では完全な滅菌は期待できない．

表 V-11　物理的滅菌法・消毒法とその条件，対象物（第十八改正日本薬局方）

滅菌法，または消毒法		条　件	主な対象物
加熱法	乾熱滅菌法*	160～170℃　120分間 170～180℃　60分間 180～190℃　30分間	ガラス製，磁製，金属製の物品，鉱油，油脂類，または粉体など熱に安定なもの
	高圧蒸気滅菌法*	115～118℃　30分間 121～124℃　15分間（2気圧） 126～129℃　10分間	ガラス製，磁製，金属製，ゴム製，プラスチック製，紙製，繊維製の物品，水，培地，試薬，液状の試料など熱に安定なもの
	流通蒸気消毒法	100℃　流通蒸気中30～60分間	培地，試薬，液状薬品などで100℃以上の高温度では変質のおそれのあるもの，ガラス製，磁製，金属製，繊維製の物品
	煮沸消毒法	100℃　15分以上	ガラス製，磁製，金属製など熱に耐えるもの
	間歇消毒法	80～100℃の水中，または流通水蒸気中で1日1回30～60分間ずつ3～5日間加熱を繰り返す	同上
照射法	放射線滅菌法*	^{60}Co，^{137}Cs などの放射性同位元素から放出されるガンマ線，電子加速器から発生する電子線，制動放射線（X線）	ガラス製，磁製，ゴム製，プラスチック製または繊維製の物品などで放射線照射に耐えるもの　熱に弱い器具類
	高周波滅菌法*	2,450±50 MHz の高周波を照射し，発生する熱によって微生物を殺滅	水，培地，または試薬など水分を含んでおり高周波の照射に耐えるもの
	紫外線照射消毒法	通常254 nm付近の紫外線を照射	比較的平滑な物質表面，施設，設備または水，空気など紫外線照射に耐えるもの
ガス滅菌法*		エチレンオキシドガス，ホルムアルデヒドガス，過酸化水素ガス，二酸化塩素ガスなど	プラスチック製，ゴム製，ガラス製，磁製，金属製，繊維製，施設，設備等で使用するガスで変質しないもの
濾過滅菌法		孔径0.22 μm以下のフィルター，または0.45 μm以下のメンブランフィルター	注射剤，水または可溶性で熱に不安定な物質を有する培地，試薬などの液体

*最終滅菌法

(ii) 煮沸消毒法

沸騰水中で医療器具などを煮沸することで微生物を滅殺する．15分以上煮沸することで，多く栄養型細菌は死滅するが，芽胞は生残する．

(iii) 間歇消毒（滅菌）法

栄養型細菌を80～100℃の水中，または流通蒸気中で死滅させた後，室温に保存し生残する芽胞を発芽させ，熱抵抗性の低い栄養型とした後再加熱し殺菌する．1日1回，0.5～1時間ずつ3～5日間加熱を繰り返す．高圧蒸気滅菌や乾熱滅菌で変質のおそれのあるものに適用する．また完全な滅菌は達成できないため，日本薬局方では「消毒」に分類されている．現在はほとんど利用されない．

(iv) 低温殺菌法 pasteurization

パスツールによって考案された方法で，現在では牛乳中に存在する可能性のある結核菌，ブルセラ属，サルモネラ属などの無芽胞性病原菌の殺菌を目的として以下の方法が設定されている．厳密な意味での滅菌ではないが，牛乳の風味を保ちながら殺菌するために利用される．低温長時間法 low temperature long time (LTLT) method：62～65℃で30分加熱．高温短時間法 high temperature short time (HTST) method：71～75℃で15秒間加熱．超高温法 ultra-high temperature (UHT) method：120～150℃で1～3秒間加熱．

c. 濾過による方法

(i) 濾過法

適当な濾過装置を用いて液体を濾過し微生物を除去する方法である．ニトロセルロース，セルロースアセ

テート，ポリカーボネート，テフロンなどでつくられた濾孔 0.2〜0.45 μm の メンブランフィルター を用いて，対象物を濾過し混入する微生物を除去する．熱変性しやすい血清や液状医薬品の除菌に用いられる．この方法ではほとんどのウイルスは除去されない．また，クリーンベンチやクリーンルームの給排気の除菌に高性能微粒子フィルター high efficiency particulate air (HEPA) filter が用いられる．0.3 μm の粒子を 99.97% 以上捕集できる．結核菌感染予防に用いられる N95 微粒子用マスク は 0.3 μm 以上の粒子を 95% 以上を捕集除菌できる．

(ii) 超濾過法

逆浸透膜を用いた 逆浸透法 reverse osmosis（RO）や限外濾過膜を用いる 限外濾過法 ultra filtration（UF）はウイルスまでも除去できる．浸透圧に差のある液体の中間に半透膜を置くことで生ずる浸透圧に対して，濃厚溶液側に浸透圧以上の高圧をかけ，水のみを圧力の低い方に移動させることで，低分子量物質までも除去する．海水の淡水化プラントでは逆浸透法が使用される．分画分子量 6,000 の膜を用いるとエンドトキシンまで除去できるので注射用水や手術用手洗いの滅菌水製造法として利用されている．超濾過装置でも水の流れに対し 90°の方向にある濾面から濾過する構造のものを 十字流濾過器 という．

d. 照射による方法

(i) 放射線（ガンマ線）滅菌法

^{60}Co や ^{137}Cs など放射性同位元素を含む線源から ガンマ線 または電子加速器から発生する電子線や制動放射線（X 線）を対象物に照射して滅菌する方法である．極めて高いエネルギーが核酸やタンパク質に吸収され，また水を励起または電離させ細菌に致命的に働く．ガンマ線は極めて透過性が高いため密閉包装された物品や熱に不安定な物品にも適用でき，プラスチック製のディスポーザブル注射器などの滅菌に使用されている．対象物の材質によって変色がみられることがある．

(ii) 高周波滅菌法

2,450 MHz の高周波照射により，生じた熱によって微生物を滅菌する．アンプルに充填された耐熱成分を含む液体医薬品の最終滅菌に使用される．

(iii) 紫外線消毒法

254 nm 付近の紫外線は DNA に吸収され，ピリミジンダイマーの形成によって DNA 修復のエラーを誘発させ強い殺菌力を示す．物質を透過しないので，作用は表面に限られる．比較的平滑な物品の表面やクリーンルームなどの施設，クリーンベンチ内など設備の消毒に用いられる．ただし紫外線は純水をよく通過し，水中でオゾンや過酸化水素などを生ずるため，水の消毒に使用できる．

2 化学的方法による滅菌

ガス滅菌法

(i) エチレンオキシドガス（EOG）滅菌

エチレンオキシド，プロピレンオキシドなどのガスを用いて，核酸，タンパク質など生体高分子物質の −NH$_2$ 基，−OH 基，−SH 基，−COOH 基をアルキル化して，芽胞までも殺菌できる．可燃性（爆発性）であるためエチレンオキシドガス 10〜20% と炭酸ガス 90〜80% の混合ガスとして用いられる．殺菌対象物を入れた密閉耐圧釜にガスを注入し，温度 37〜60°C，湿度 50〜60% で 2〜4 時間保温して滅菌する．ガスは水に溶けるとエチレングリコールとなり無毒化する．ガスは著しい浸透性を示すため，ポリエチレン包装したままでも滅菌でき，耐熱性のないプラスチック製の医療器具，内視鏡などの精密な医療機器の滅菌に用いられている．対象物へのガスの残留の問題，ガスの刺激性，変異原性，催奇性の問題等からディスポーザブル医療器具はガンマ線滅菌されるものが多くなった．一方，医療現場では現在でも内視鏡など非耐熱性器具の滅菌に使用されているが，滅菌時間が長いことが欠点である．

(ii) プラズマ滅菌

高真空状態下で過酸化水素を噴霧し，高周波やマイクロ波により過酸化水素プラズマを生成させ45℃，75分間処理する．このプラズマより生成した反応性の高い活性酸素により微生物を殺滅する．金属製品，プラスチックなどの高真空に耐える物品が対象となるが，セルロース類は過酸化水素を吸着するため滅菌できない．滅菌時間が短く，給排気などの設備が不要であることから，内視鏡等の滅菌のために医療機関に急速に普及しつつある．

3 消毒薬の作用と選択

a. 消毒薬の作用

消毒薬は一般に① 微生物を構成する主要成分のタンパク質や核酸に直接作用して不可逆的変性変化を起こす．② 微生物の細胞膜や細胞壁構造を破壊する．③ 微生物の代謝障害を起こし，また微生物菌体への直接作用で殺菌する．外用であり体内に服用した場合には極めて高い毒性を示す．

b. 消毒薬の条件

理想的な消毒薬とは① 芽胞やウイルスなどを含む全ての病原体を滅殺できること，② 短時間で効果を発現し，持続性があること，③ 血液や汚物などの有機物の混入により効果が低下しないこと，④ 人体に対して毒性，刺激性が低いこと，⑤ 化学的に安定であること，⑥ 器具等を腐食させたり，あるいは変質させないこと，⑦ 廃棄する場合に環境汚染を起こさないことなどである．しかしこのような理想的な消毒薬は存在しないので，用途に応じて使い分けることが重要である．

c. 消毒薬の効力評価法

消毒薬の効力の比較には，フェノール（石炭酸）を基準とする方法があり，石炭酸係数 phenol coefficient により示される．純フェノールと被検消毒薬を段階希釈し，被検菌としてチフス菌一定量を加える．作用時間5分間では菌が生存するが，10分間ではその全てが死滅する消毒薬の最大希釈倍数を求め，フェノールのそれで除したものが石炭酸係数である．他に抗菌薬の感受性試験法と同様に段階希釈した消毒液に被検菌を作用させて，最小発育阻止濃度 minimal inhibitory concentration（MIC）を求める方法がある．

d. 消毒薬の選択基準

消毒薬の作用は消毒液の濃度，温度，作用時間，pH，その他の有機物等の有無により大きく変化する場合がある．多くの消毒薬は適正な使用条件下では多くの栄養型細菌に対して十分な効果が期待できるが，

表 V-12 消毒液に対する病原体の抵抗性

抵抗性	病原体
大 ↑ 抵抗性 ↓ 小	プリオン（ウシ海綿状脳症，クロイツフェルト・ヤコブ病の病原因子タンパク質）
	クリプトスポリジウム属（原虫）のオーシスト
	細菌芽胞（*Bacillus* 属，*Clostridium* 属などの芽胞）
	抗酸菌（結核菌，らい菌，非定型抗酸菌など）
	原虫のシスト（ジアルジア属など）
	エンベロープをもたない小型ウイルス（ノロウイルス，ポリオウイルスなど）
	栄養型の原虫（アカントアメーバなど）
	グラム陰性細菌（緑膿菌など）
	真菌（カンジダ，アスペルギルスなど）
	エンベロープをもたない大型ウイルス（エンテロウイルス，アデノウイルスなど）
	グラム陽性細菌（黄色ブドウ球菌，腸球菌など）
	エンベロープをもつウイルス（HIV，インフルエンザウイルスなど）

一方，細菌芽胞や結核菌，緑膿菌とその近縁菌類，原虫のオーシスト，ある種のウイルスは殺菌あるいは不活化され難いものもある（表V-12）．消毒薬の選択は，消毒力の程度，生体に対する刺激性や安全性，被消毒物の材質等を考慮してなされなければならない（表V-13）．E. H. Spaulding は消毒薬を病原体に対する効果に基づき高水準，中水準，低水準の三つに分類した（表V-14）．高水準の消毒液は，芽胞を含む全ての微生物に殺菌的に作用して，滅菌に近い効果が期待できるが，一方で毒性も高い．このため，器具の消毒には使用できるが，生体には絶対使用してはならない．一方，低水準の消毒液は，芽胞だけでなく，結核菌，緑膿菌，エンベロープのないウイルスなどにも無効であり，強い殺菌力は期待できないが，生体に対する安全性は高い．中水準の消毒液は，比較的殺菌力は強いが，生体に適用できるもの，器具に使用すべきもの，あるいは排泄物に適したものなど，それぞれ特徴があり目的に応じた使い分けが要求される．この分類法は簡潔明瞭であり，消毒薬の選択に利用できる．

4 消毒薬の種類と性質（表V-15）
（図V-7：構造式）

a. ハロゲン化物類

ヨウ素および塩素化物が用いられる．菌体タンパク質や酵素のハロゲン化および酸化を引き起こし，結核菌を含む広範囲の栄養型菌に有効である．*Bacillus* 属の芽胞は殺菌できないが，時間をかければ *Clostridium* 属芽胞にも効果がある．一方，血液，喀痰など有機物の共存下では効力が著しく低下する．

表V-13 使用目的別にみた消毒薬の選択

消毒力	消毒薬	環境	金属器具	非金属器具	手指皮膚	粘膜	排泄物による汚染物
高水準	グルタルアルデヒド 過酢酸 フタルアルデヒド	×	○	○	×	×	△
中水準	次亜塩素酸ナトリウム 消毒用エタノール ポビドンヨード	○ ○ ×	× ○ ×	○ ○ ×	× ○ ○	× × ○	○ × ×
低水準	両性界面活性剤 第4級アンモニウム塩 クロルヘキシジン	○	○	○	○	○ ○ ×	△ △ ×

○：使用可能，△：注意して使用，×：使用不可

表V-14 各種微生物に対する消毒液の効果

消毒力	消毒薬	一般細菌	緑膿菌	結核菌	真菌[*1]	芽胞	エンベロープのないウイルス	エンベロープのあるウイルス	B型肝炎ウイルス
高水準	グルタルアルデヒド 過酢酸 フタルアルデヒド	○	○	○	○	○	○	○	○
中水準	次亜塩素酸ナトリウム 消毒用エタノール ポビドンヨード クレゾール石けん[*2]	○	○	× ○ ○ ○	○ ○ ○ △	△ × △ ×	○ △ ○ ×	○	○ × △ ×
低水準	両性界面活性剤 第4級アンモニウム塩 クロルヘキシジン	○	△	○ × ×	△	×	×	△	×

[*1] 糸状菌を含まない，[*2] 排水規制あり
○：有効，△：効果が得られにくいが，高濃度の場合や時間をかければ有効な場合がある，×：無効

表 V-15　主要な消毒薬の概要一覧

種類	一般名	商品名	剤型・含有量	用法・用量	適用	備考
ハロゲン化合物	ポビドンヨード	イソジン ネオヨジン ポピヨドン	10w/v%	手指，手術部位，皮膚，粘膜の創傷部に広く使用 50～100倍希釈で腟，膀胱洗浄	栄養型細菌，結核菌，真菌に有効．芽胞やクリプトスポリジウムのオーシストには無効	広範囲抗菌スペクトル 粘膜，損傷した皮膚，新生児の皮膚から吸収されやすいので注意
	次亜塩素酸ナトリウム	ミルトン ピューラックス	1% 6w/v%	1,000 ppm 医療器具の消毒 125 ppm 哺乳瓶 200～2,400 ppm 床，浴室，浴槽等の洗浄，清拭	栄養型細菌，芽胞，結核菌，一部のウイルスに有効．クリプトスポリジウムのオーシストはやや抵抗性を示す	広範囲抗菌スペクトル，低残留性，金属腐食性，脱色作用，塩素ガスによる粘膜刺激，低濃度では有機物で不活性化
	塩素化イソシアヌル酸ナトリウム	ミルトン・タブレット	錠剤			
		プリセプト顆粒 ジクロシア	顆粒剤		床などに付着したウイルス汚染血液	同上 血液に振りかけて5分以上放置
酸化剤	オキシドール（過酸化水素）	オキシフル マルオキシール オキシドール	2.5～3.5%	創傷潰瘍の消毒，口内炎の洗浄，口腔粘膜の消毒など	分解しなければ一般細菌やウイルス，時間をかければ芽胞も消毒できる	広範囲抗菌スペクトル 血液や体液中のカタラーゼにより分解し酸素発生する，発泡作用による異物除去効果
	過酢酸	アセサイド	0.3%	内視鏡，ウイルス汚染を受けた医療器材 環境	ほとんど全ての微生物に有効	吸入毒性あり，材質の劣化があるので10分以上の浸漬を行わない 使用後は機材の十分な洗浄が必要
アルコール類	エタノール	消毒用エタノール	76.9～81.4v/v%	主に注射部位の皮膚の消毒 医療器具の消毒 他の消毒液の溶媒	芽胞を除く全ての微生物に有効	短時間で効力を発揮する 揮発性で，引火性がある 粘膜や損傷のある皮膚には禁忌
	イソプロパノール	70%イソプロピルアルコール	50～70v/v%			
アルデヒド類	ホルムアルデヒド	ホルマリン水 ホルマリン	0.9～1.1w/v% 37w/v%	1～5%を医療器具の浸漬消毒 室内の薫蒸	栄養型細菌，結核菌，真菌，芽胞に有効	皮膚，粘膜刺激作用があるので，生体への使用不可
	グルタルアルデヒド（グルタラール）	ステリハイド ステリゾール グルトハイド	2w/v%	内視鏡，麻酔装置類，メス，カテーテル等の医療用具	ほとんど全ての微生物に有効，滅菌に近いが，クリプトスポリジウムのオーシストには無効	毒性高く，生体への使用不可 蒸気が眼粘膜を刺激し，液の付着は熱傷を生ずる
	フタルアルデヒド（フタラール）	ディスオーパ	0.55%	内視鏡，麻酔装置類，手術器具など	ほとんど全ての微生物に対して有効	毒性が高く，生体への使用不可 ゴム手袋，ゴーグル，マスク，ガウン等の保護具を使用する
フェノール類	フェノール	消毒用フェノール	95%	2～5%を排泄物，器具，衣類，環境の消毒などに使用	栄養型細菌，結核菌，真菌に有効．芽胞やエンベロープのないウイルスには無効	強い腐食性があり生体使用は不可 有機物存在下でも効力低下少ない 排水基準（5 ppm以下）がある
	クレゾール	クレゾール石けん液	42～52v/v%	1～3%を排泄物，器具，衣類の消毒などに使用	栄養型細菌，結核菌，真菌に有効	水に対する溶解度を高めるため，クレゾールに石けんを混和 有機物存在下でも効力低下少ない 排水基準（5 ppm以下）がある
第4級アンモニウム塩	ベンザルコニウム塩化物	オスバン エゾール オロナイン-K	10w/v%	0.1%手術前の局所皮膚 0.01%～0.025%皮膚粘膜の創傷部位 0.02～0.05%腟洗浄 0.01～0.05%結膜囊 0.05～0.2%手術室，病室 0.1%医療器具	栄養型細菌，真菌等に有効 一部グラム陰性桿菌や，芽胞，結核菌，ウイルスには無効	アルコールを配合してより強い効果 陰イオン石けんの共存で効果減少 有機物の存在で作用低下
	ベンゼトニウム塩化物	ハイアミン ハイアミンT	10w/v%			

表V-15 つづき

種類	一般名	商品名	剤型・含有量	用法・用量	適用	備考
両性界面活性剤	アルキルポリアミノエチルグリシン塩酸塩	ハイパール ニッサンアノン	10w/v%	0.05〜0.2%を皮膚，粘膜，医療器具，手術室病室の消毒に使用 結核菌には0.2〜0.5%を使用	一般細菌，緑膿菌，結核菌，真菌等に有効 芽胞，ウイルスには無効	殺菌力と洗浄力の両作用を有する 低毒性 脱脂作用のため手荒れがひどく，手指の消毒には適さない 肝炎ウイルスには作用は期待できない 陰イオン石けんの共存で作用低下
	アルキルジアミノエチルグリシン塩酸塩	テゴー51 エルエイジー液	10w/v%			
ビグアナイド	クロルヘキシジングルコン酸塩	ヒビテン・グルコネート マスキン液	20% 5%	0.1〜0.5%を手指，皮膚，医療器具，環境に使用 0.05%を創傷部，0.02%を外陰部，結膜嚢に使用	一般の栄養型細菌に有効 一部のグラム陰性菌，真菌，結核菌，ウイルス，および芽胞には無効	粘膜に使用した場合にアナフィラキシーショックを起こす可能性があるので，膀胱洗浄や腟洗浄などの粘膜への使用は禁止 石けんにより沈殿を起こし，殺菌力低下

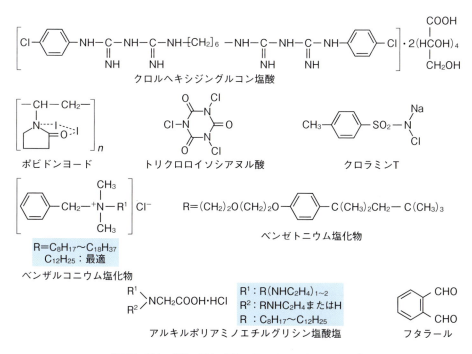

図V-7 主な消毒薬の化学構造

(i) ヨードホル iodophor

本来水に難溶性のヨウ素を非イオン性界面活性剤などの担体 phor に結合させ可溶性複合体としたものである．ポリビニルピロリドンとヨウ素の錯化合物であるポビドンヨード povidone-iodine は多くの微生物に有効である．刺激性もほとんどないため粘膜への適用も可能で，生体に使用できる代表的消毒薬である．0.75～1% の有効ヨウ素を含む溶液を咽頭，口腔内の感染症，創傷などの消毒に用いる．しかし，希釈したヨードホルは遮光・密封では安定だが，洗面器など解放容器中では 8～12 時間で約半分の効力となる．

(ii) ヨードチンキ iodine tincture

水に難溶性のヨウ素をヨウ化カリウムとの錯体（$I_2 + KI \rightleftarrows KI_3$）とした後 70% エタノール溶液としたもの．刺激性のため皮膚，損傷のない手術部位の消毒に用いる．70% エタノールで 2 倍希釈した希ヨードチンキを皮膚や創傷の消毒に用いる．咽頭などの粘膜用にはさらにグリセリン，ハッカ水，フェノールを加えた複方ヨード・グリセリン（ザイフェルト液，改良ルゴール液）を用いる．

(iii) ヨードホルム iodoform [CHI_3]

それ自身は殺菌力はないが，組織と接触してヨウ素を遊離し，殺菌作用を現す．皮膚創面の消毒に用いる．

(iv) 塩素ガス chlorine

水道水の消毒に用いられ，残留塩素量は 0.1 ppm 以上と定められている．塩素ガスが水と反応し

$$Cl_2 + H_2O \rightarrow H^+ + Cl^- + HOCl$$

$$HOCl \rightarrow H^+ + OCl^-$$

となり，HOCl や OCl^- から発生する活性酸素が殺菌力を示す．塩素自体には殺菌力はない．

(v) サラシ粉 chlorinated lime
[$CaCl_2 \cdot Ca(OCl)_2 \cdot 2H_2O$]

水酸化カルシウム末に塩素ガスを吸収させたものでカルキと通称される．活性本体は次亜塩素酸カルシウムであり，塩化カルシウムは不純物である．日本薬局方では 30% 以上の有効塩素を含むことと規定されている．水を加えると塩素を発生し，井戸水，プール，下水などの消毒に 0.01% 程度を加える．

(vi) 次亜塩素酸ナトリウム sodium hypochlorite [NaOCl]

代表的塩素系消毒薬であるが，刺激性が強いので主に器具の消毒，環境消毒に使用される．本剤は乾燥時に塩素ガスとして蒸発するため，低残留性消毒薬として食器，哺乳瓶等の消毒にも適する．一方，金属を腐食することから，金属製品には用いないか，使用後によく水洗する．一般細菌，真菌，ウイルスに有効で B 型肝炎ウイルス，ヒト免疫不全ウイルス（HIV）を不活化するが，結核菌，クリプトスポリジウムのオーシストには無効である．有効塩素濃度 4～6 万 ppm（4～6%）のものが家庭用漂白剤として市販されている．

(vii) 塩素化イソシアヌル酸 chlorinated isocyanuric acid

次亜塩素酸ナトリウムの改良品で，錠剤や顆粒剤とすることで，希釈液をつくる不便さや，原液が人体に飛び散る危険性をなくしたもの．プール，下水などの消毒，床に付着した汚染血液の消毒などに利用されている．家庭用流しのパイプ洗浄剤としても使用されている．

(viii) クロラミン T chloramine T

水溶液中で徐々に塩素を放出する有機塩素化合物で，刺激性と金属腐食性が少ないので医療に用いられる．0.1～0.5% が粘膜，創傷，皮膚，器具などの消毒に用いられる．

(ix) 強酸性電解水 acidic electrolyzed water

強酸性電解水とは，0.2% 以下の塩化ナトリウム水溶液を，隔膜がある電解槽（二室型または三室型）で電気分解した際に，陽極側に生成する次亜塩素酸（HClO）を主成分とする水溶液である．pH2.7 以下，有効塩素濃度 20～60 ppm となる．食品製造現場等で食品添加物（殺菌料）として食品製造装置，調理器具やカット野菜などの洗浄消毒のため，使用することが

認可されている．医薬品，医療機器等の品質，有効性及び安全性の確保等に関する法律（薬機法）上，消毒薬としては承認されていない．医療現場では手指や内視鏡などの医療器具の洗浄のために，認証された装置で製造された強酸性電解水の使用が許可されている．容易に製造できるが，分解しやすいため長期保存はできない．有機物の存在しない条件下では，グラム陽性菌，陰性菌，緑膿菌，ウイルスを死滅または不活化する．活性本体は酸性下に存在する次亜塩素酸（HOCl）で，次亜塩素酸ナトリウムより消毒力は強い．一方，有機物が混在すると次亜塩素酸が消費され，殺菌効果が失われるため，あらかじめ汚れを落とすか，十分な量の電解水を用意し洗い流すように使用することが必要である．

b. 酸化剤

(i) 過酸化水素 hydrogen peroxide ［H_2O_2］

水酸化ラジカル（OH・）によるSH基の酸化によるタンパク質変性，酵素不活化および細胞質膜成分の酸化により殺菌作用を呈する．局方のオキシドール oxydol は H_2O_2 を 2.5～3.5％ 含み，血液や体液などに含まれるカタラーゼの作用により分解し大量の酸素を生じる（$2H_2O_2 \rightarrow 2H_2O + O_2\uparrow$）．酸素の泡が洗浄効果を示すが，殺菌力は低下する．分解しなければ，一般細菌やウイルスを 5～20 分で，芽胞を 3 時間で殺滅できる．

(ii) 過酢酸 peracetic acid ［CH_3COOOH］

強い酸化作用で，芽胞までも消毒できる．内視鏡などの器具の消毒に使用される．人体には使用できない．吸入毒性が強いので，専用のマスク，ゴーグル，手袋を着用する．

c. アルコール類

タンパク質変性，酵素不活化，脂質溶解，細胞質膜損傷により殺菌作用を発揮する．芽胞を除く，多くの微生物に有効である．引火性であるので，火気厳禁である．病院ではクロルヘキシジンや塩化ベンザルコニウムなどに60％程度のアルコールを混合した複合消毒薬を手指の消毒に用いることが多い．これら複合消毒薬は，手に取りそれを手にまぶしつける（擦拭法，rubbing 法）ことによりアルコールは蒸散し消毒を達成できるので，その後の手洗いが不要で簡便である．

(i) エタノール ethanol

70～80％ で最も殺菌力が強く，100％ エタノールでは，殺菌力がむしろ低下する．注射部位や器具の消毒に使用される．

(ii) イソプロパノール isopropanol

50～70％ 水溶液として用いられる．エタノールより殺菌効果は強いが，刺激性や毒性もやや強い．

d. アルデヒド類

(i) ホルムアルデヒド formaldehyde ［HCHO］

タンパク質，核酸のアミノ基，ヒドロキシ基と結合しこれらを変性させる．局方ホルマリン formalin はホルムアルデヒドガスを水に吸収させ 35～38％ 水溶液としたものである．ガス状でも液状でも強い殺菌力を示し，芽胞やウイルスにも有効である．ホルマリンに過マンガン酸カリウムを加えてホルムアルデヒドガスを発生させ，密閉して室内の消毒に用いる．ホルマリンアルコールは手術器具，皮膚の消毒に用いられる．

(ii) グルタラール glutaral（グルタルアルデヒド）［$OHC(CH_2)_3CHO$］

タンパク質のアルキル化により抗菌力を発揮する．殺菌力を高めるために 2％ 水溶液を pH 7.5～8.6 として用いる．強力な消毒薬で結核菌，芽胞，B型肝炎ウイルス，HIV なども不活化するが，人体には使用できない．内視鏡，麻酔器具など加熱滅菌できない精密医療機器等，手術器具等の消毒・滅菌に用いられる．使用時は，吸入毒性が強いので，マスク，ゴーグル，手袋などを着用する．

(iii) フタラール phtharal（o-フタルアルデヒド）［$C_6H_4(CHO)_2$］

全ての微生物に有効でグルタルアルデヒドよりも，

抗酸菌，ウイルスに対して短時間に有効性を示すが，芽胞に対する作用はやや劣る．内視鏡などの医療器具の消毒薬として使用されるが，フタラール消毒した器具の使用で水疱性角膜症等が，膀胱鏡の使用でアナフィラキシー様症状が現れたとの報告がある．超音波白内障手術器具類，ならびに経尿道的検査または処置のために使用する医療器具類には本剤を使用しない．生体には使用してはならない．

e. フェノール類

タンパク質変性，酵素不活化，細胞質膜損傷により殺菌力を発揮する．芽胞とウイルスに対しては効果が弱い．300床以上の病院では排出規制（5 ppm 以下）がある．

(i) フェノール phenol（石炭酸）

J. Lister が 19 世紀末に初めて用いた消毒薬である．有機物が共存しても殺菌力の低下が少ないことから，排泄物，汚物の消毒に用いられる．組織腐食性が強いので人体に用いることはない．

(ii) クレゾール cresol

水に難溶のため等量のカリ石けんに溶かしクレゾール石けん液として使用する．1〜2% 溶液を手指の消毒に，3% 溶液を喀痰，糞便の消毒に用いる．

f. 界面活性剤

陽イオン界面活性剤，両性界面活性剤はタンパク質変性，酵素不活化，脂質溶解，細胞質膜損傷作用により殺菌力を示す．普通石けん，ラウリル硫酸ナトリウムのような陰イオン界面活性剤には殺菌活性はない．

(i) 陽イオン界面活性剤 cationic detergent（逆性石けん，陽性イオン石けん）

4級アンモニウム塩である ベンザルコニウム塩化物 benzalkonium chloride，および ベンゼトニウム塩化物 benzethonium chloride が局方に収載されている．無色，無臭で刺激性や毒性も低いので，臨床にも広く利用されている．一般細菌には有効であるが，緑膿菌に対する殺菌力は弱く，芽胞，結核菌，大部分のウイルスには無効である．膀胱，尿道，腟洗浄ならびに手術部位の粘膜などに 0.01〜0.05%，手指，皮膚に 0.05〜0.1%，器具の消毒には 0.1% 溶液が使用されている．陰イオン界面活性剤（普通石けん），有機物，リン酸塩などの共存下では効力が激減する．

(ii) 両性界面活性剤 ampholytic detergent（両性石けん）

分子内に陽性イオンの殺菌力および陰性イオンの洗浄力を併せもつ消毒液である．アルキルポリアミノエチルグリシン塩酸塩 alkylpolyaminoethylglycine HCl と アルキルジアミノエチルグリシン塩酸塩 alkyldiaminoethylglycine HCl の 2 種があり，常用濃度で一般細菌，真菌に有効であるが，芽胞，ウイルスには効果はない．結核菌には長時間を要す．基本的に器具，環境消毒に用いる．低毒性であるが脱脂作用のため手荒れがひどく，手指の消毒には適さない．

g. ビグアナイド系化合物 biguanide

クロルヘキシジン chlorhexidine

水に難溶であるためグルコン酸塩として用いられる．タンパク質，核酸の変性，酵素不活化，細胞質膜損傷作用により，多くの栄養型細菌に対して低濃度で殺菌効果を示す．緑膿菌と関連属細菌には抵抗性を示すものがみられ，抗酸菌，芽胞，真菌，ウイルスには無効である．0.05% 溶液を創傷の消毒に，1% 溶液または 0.5% の 70% エタノール溶液を手術部位や医療器具の消毒に用いる．低毒性，低刺激性であるため臨床に広く用いられるが，アナフィラキシーショックを起こす可能性があり口腔以外の粘膜への使用は禁止された．

H バイオセーフティ

研究に使用された病原微生物や遺伝子組換え体がヒトに感染したり，環境汚染によって人体に災害が生ずることを バイオハザード biohazard（生物災害）という．バイオハザードが起こらないように，研究における安全管理を行うことを バイオセーフティ biosafety

表 V-16 微生物のバイオセーフティレベルと必要な実験室の設備

バイオセーフティレベル	微生物など	実験室の物理学的封じ込め条件
BSL 1（P1） 個体および地域社会に対する低い危険度	ヒトあるいは動物に重要な疾患を起こす可能性のない微生物	通常の生物学の実験室 実験中は外来者の立ち入りを禁止
BSL 2（P2） 個体に対する中危険度，地域社会に対する軽微な危険性	ヒトあるいは動物に病原性を有するが，重大な災害とならない病原体 重篤な感染を起こす可能性はあるが，有効な治療法，予防法があり，伝搬の可能性が低い病原体	バイオハザードの表示 「P2レベル実験中」の表示 エアロゾルの発生の可能性のある作業は安全キャビネット内で実施 実験室のある建物内に高圧蒸気滅菌器を設置
BSL 3（P3） 個体に対する高い危険度，地域社会に対する低い危険度	ヒトに感染すると重篤な疾病を起こすが，他の個体への伝搬の可能性が低い病原体	P2の基準に加えて 「P3レベル実験中」の表示 二重ドア，またはエアロックにより外部と隔離 床，天井などは消毒できる材質 足または自動で操作可能な手洗い設備 実験室内は陰圧として，排気が再循環しない 実験室内に高圧蒸気滅菌器を設置
BSL 4（P4） 個体および地域社会に対する高い危険度	ヒト，あるいは動物に重篤な疾病を起こし，直接または間接的に伝播が起こりやすい病原体 有効な治療法および予防法がない病原体	P3の基準に加えて 独立した建物として，隔離域とそれを取り囲むサポート域を設ける 立ち入りは登録者のみ 実験はクラスIII安全キャビネット（グローブボックス）内で行うか，実験者が密封型加圧防護服を着用してクラスII安全キャビネット内で行う 壁埋め込み型両面開閉式高圧蒸気滅菌器

［WHO：実験室バイオセーフティ指針（第2版），文部科学省：「遺伝子組換え生物等の使用等の規制による生物の多様性の確保に関する法律」の解説資料，2004年3月8日版をもとに作成］

（生物災害管理）という．さらに広義には，院内感染や国際感染症による災害防止対策なども含める．微生物による災害を防ぐ目的で WHO が作成した「Laboratory Biosafety Manual」を基本として各国で基準がつくられている．

1 バイオセーフティレベル

微生物の生物学的安全度レベル（バイオセーフティレベル biosafety level, **BSL**）は 1〜4 に分類されており，これは微生物のヒトや動物に対する病原性，有効な治療法や予防法の有無，あるいは伝播能力の強さ，病原性の強さによって規定される（表 V-16）．実験室でのバイオセーフティは施設や装置だけで実現できるものではない．実験者は WHO の規定する微生物の安全な取扱指針にしたがって実験を実施することが望ましい．

2 物理的封じ込め

遺伝子組換え実験では組換え生物の実験室外への逸脱や実験者の感染事故などを防ぐために実験室の物理的封じ込め physical containment の区分 P1〜P4 が規定されている（表 V-16）．この区分は宿主となる微生物のクラス，ならびに核酸供与体となる微生物，キノコ類および寄生虫，動物，植物のクラスの組み合わせによって決まる．生物のクラス分けは，ほぼ微生物のバイオセーフティレベルと一致しているが，遺伝子組換えでは核酸供与体として病原性とは無関係な動物，植物などを含んでいる点で異なる．P2以上ではエアロゾルの発生する可能性のある実験は HEPA フィルターを備えた安全キャビネット内で行わなければならない．また，遺伝子組換え動物（トランスジェニック動物）の飼育や遺伝子組換え植物（遺伝子組換え作

物）の栽培の際の封じ込めレベルには，P1A（animal）やP1P（plant）などがある．

3 クリーンベンチと安全キャビネット（図V-8）

　無菌操作とは環境から実験材料への微生物の混入 contamination と病原体等を環境中に逸脱させることなく，実験者自身が感染することなく安全に取り扱うための手技のことである．環境から実験材料や無菌製剤などへ微生物が混入するのを防ぐために，無菌操作はクリーンベンチ内で行う．クリーンベンチは作業空間にHEPAフィルターを通過した無菌の空気を流通させ，陽圧とすることで外部から作業空間への微生物の混入を防ぐ．逆に作業空間内から外部への微生物の漏出については保証しない．一方，BSL2やBSL3の病原微生物を取り扱う場合には安全キャビネットを使用する．安全キャビネットは操作空間内は陰圧であるが，開口部にエアカーテンが形成されるため，微生物の外部から内部への混入，内部から外部への漏出が起こらない．安全キャビネットにはバイオハザードマーク（図V-9）が表示されているので，クリーンベンチと容易に区別できる．病院の薬剤部では無菌製剤の調製にクリーンベンチや安全キャビネットを使用している．とくに，毒性の高い抗癌薬輸液の調製（ミキシング）には作業者のケミカルハザードを防ぐために安全キャビネットが使用されている．さらに危険度の高いBSL4の病原体使用実験には，密閉されたグローブボックス型安全キャビネット，あるいは密閉式のスーツ（宇宙服と呼ばれる）を着用した上で，さらに安全キャビネットを使用して実験が行われる．

I 様々な感染症

1 新興・再興感染症

　WHOによる痘瘡の根絶計画が1980年に達成された（p.132参照）．当時，多くの人々は細菌感染症は抗菌薬による治療によって，またウイルス感染症はワクチンによる予防によって克服できるものと考えた．しかし間もなく出血熱などをはじめとする様々な新しい感染症が次々と出現した．2020年には新型コロナウイルス感染症（COVID-19）のパンデミックが起こった．AIDSやエボラ出血熱，SARS，新型インフルエンザなども記憶に新しい．人類が過去に知り得なかった新たな感染症で，局地的，あるいは国際的に，公衆衛生上問題となる感染症を新興感染症 emerging infectious disease と呼ぶ．過去50年間に出現した新興感染症は30を超え，いまだ治療法，予防法の確立されていない感染症や感染源，感染経路すら特定できていない感染症もある（表V-17）．このような新興感染症の出現原因としては，①世界規模の交通網の発達により人的あるいは物的流通が拡大したことや，②地球規模の環境の変化（ジャングルの開拓や地球温暖化），③人口の増加と都市への集中化による衛生環境の悪化，④紛争による難民の増加，⑤抗菌薬の過剰使用，⑥食品生産方法の変化や人の生活様式の変化

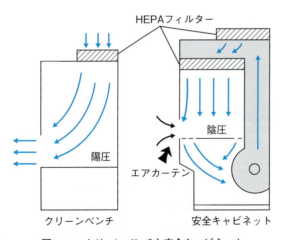

図V-8　クリーンベンチと安全キャビネット

図V-9　バイオハザードマーク

表 V-17　1975 年以降確認された主な新興感染症

年	病原体	病名など	参照頁
1977	Ebola virus	エボラ出血熱	285
1977	*Legionella pneumophila*（細菌）	在郷軍人病	183
1980	human T-lymphotropic virus 1（HTLV-1）	成人 T 細胞白血病	299
1981	toxin-producing strains of *S. aureus*（細菌）	毒素性ショック症候群	167
1982	*Escherichia coli* O157：H7（細菌）	腸管出血性大腸菌，溶血性尿毒症	185
1982	*Borrelia burgdorferi*（細菌）	ライム病（ライムボレリア症）	201
1983	human immunodeficiency virus（HIV）	後天性免疫不全症候群（AIDS）	299
1983	*Helicobacter pylori*（細菌）	胃潰瘍，胃癌	192
1988	hepatitis E virus	E 型肝炎	290
1989	hepatitis C virus	C 型肝炎	289
1992	*Vibrio cholerae* O 139（細菌）	新型コレラ	189
1993	Sin Nombre virus	ハンタウイルス肺症候群	286
1994	Sabia virus	ブラジル出血熱	286
1995	human herpesvirus 8（HHV-8）	AIDS 患者のカポジ肉腫形成関与	271
1996	BSE agent（プリオン）	新型クロイツフェルト・ヤコブ病（vCJD）	309
1996	highly pathogenic Avian influenza virus（H5N1）	新型トリインフルエンザ	134
1998	Nipah virus	ニパウイルス感染症	
2002	SARS virus	重症急性呼吸器症候群（SARS）	294
2009	Pandemic influenza virus（H1N1）	新型インフルエンザ	277
2010	Severe fever with thrombocytopenia syndrome（SFTS）virus	重症熱性血小板減少症候群（SFTS）	
2012	Middle East respiratory syndrome（MERS）coronavirus	中東呼吸器症候群（MERS）	294
2019	Severe acute respiratory syndrome coronavirus 2（SARS-CoV-2）	新型コロナウイルス感染症（COVID-19）	294

などをあげることができる．とくに①の要因により，2020 年の新型コロナウイルス感染症，2009 年の新型インフルエンザ，2003 年の重症急性呼吸器症候群（SARS）などの世界的大流行（パンデミック）が起こった．このように世界的対応が迫られる感染症のことを，とくに国際感染症と呼ぶ．

　一方で，抗菌薬の実用化により制圧されたと考えられていた結核や，媒介動物であるカを薬剤散布により減少させその制御に成功したと思われたマラリアなどは，薬剤耐性菌あるいは薬剤耐性のカの出現で再びその脅威を増している．また，わが国では成人麻疹が発生し，大学が休講になるなど社会問題となった．このように既知の感染症で，人類がその制御に成功し公衆衛生上問題とならない程度まで患者数が減少していた感染症のうち，再び流行しはじめ患者数が増加し人類の脅威となりつつある感染症を再興感染症 re-emerging infectious disease と呼ぶ．WHO は新興感染症とともに，再興感染症に対してもその重要性を強調している．

2　人獣共通感染症

　新型コロナウイルス感染症，AIDS，SARS，高病原性鳥インフルエンザ，腸管出血性大腸菌 O157 感染症などの新興感染症の多くはヒト以外の脊椎動物とヒトの間を伝播可能な病原体に起因する．これら感染症を総称して人獣共通感染症 zoonosis，または人畜共通感染症，あるいは動物由来感染症，などと呼ぶこともある．これらの多くは，ジャングルなどの限られた地域で野生動物や節足動物を宿主としてきた微生物と考えられている．地球人口の爆発的増加と経済活動の拡大が森林伐採と農地化や砂漠化，そして地球温暖化を招いた．地球環境の急激な変化は動植物生態系を破綻に導き，野生動物と人間社会の境界の消失をもたらした．これまで野生動物を宿主とし人類に接触する機会をもち得なかった病原体が，家畜，ペットなどを通じてヒトと接触する機会を獲得し新興感染症として現れ

たと考えられている．さらにはウシ海綿状脳症（BSE）のように畜産形態の変化によって生じたものもある．流通，交流のグローバル化とボーダーレス化により，食肉，飼料，ペットの輸入と旅行者の増加により，人獣共通感染症の侵入リスクが増大している．

3 食中毒

a. 発生状況

食中毒の原因としては近年はノロウイルスが最も多く，続いて各種の細菌性，その他毒キノコなどによる植物性自然毒やフグなどの動物性自然毒がある（表V-10）．患者数は 20,000 人前後で，減少傾向はみられない．実際の発生患者数は，この届け出数の 10 倍以上に達すると推定される．細菌性食中毒は気温の高い夏季に多発し，ウイルス性食中毒は冬季に多い．

b. 細菌性食中毒

細菌性食中毒は毒素型食中毒，ならびに感染型食中毒に分けることができる（表V-18）．

(i) 毒素型食中毒

起因菌が食品中で増殖し毒素を産生する．この産生された毒素を食品とともに摂取して起こるのが毒素型食中毒である．したがって，食品中に生菌が存在しなくても食中毒は起こる．食品中にすでに産生された毒素が作用を現すので潜伏期間が短い（数時間〜半日程度）のが特徴である．

(1) 黄色ブドウ球菌 *Staphylococcus aureus*（p. 167 参照）

本菌はヒトの手指などの常在菌であり，調理者から食品に混入し増殖する．調理後すぐに食べないお弁当，握り飯などの中で増殖し，100℃，10 分耐熱性の腸管毒素（エンテロトキシン）を産生する．この毒素が含まれる食品を摂取すると，主に激しい嘔吐を引き起こす．耐熱性の毒素が原因であるので，すでに毒素が産生されている食品では，加熱しても中毒を予防できないことがある．

(2) ボツリヌス菌 *Clostridium botulinum*（p. 174 参照）

本菌は偏性嫌気性芽胞形成菌で，レトルト食品，缶詰，ソーセージなど嫌気的環境にある食品中で発芽増殖し，ボツリヌス毒素を産生する．この毒素は，骨格筋の収縮に関わるアセチルコリン放出を阻害して，運動神経の弛緩性麻痺を起こす．易熱性であるが，極めて毒性が高いため，微量でも発病し，致死率は 30% に達する．わが国では，真空パックされたカラシレンコン，発酵食品のイズシの食中毒が有名である．

(ii) 感染型食中毒

起因微生物は汚染された飲食物の摂取を通じて，宿主に感染，定着増殖し，さらには毒素などの病原因子を産生することにより，下痢，発熱，嘔吐などの症状を引き起こす．一般に感染型食中毒では，腸管内で病状を起こすのに十分な病原体数に達するまでの増殖時間が必要である．そのため，潜伏期間は通常 12 〜 24 時間，長いものでは数日〜 1 週間に及ぶ場合がある．

(1) カンピロバクター・ジェジュニ/コリ *Campylobacter jejuni/coli*（p. 192 参照）

ウシ，ニワトリ，ブタなどの腸内細菌で，加熱不十分な肉（とくに，鶏肉）を原因食品とする．他に，家畜の屎尿が井戸水などに混入して感染を起こすこともある．本菌はわずか 100 個で感染を成立できるため，十分な加熱調理が必要である．主な症状には，下痢，腹痛，発熱，悪心（吐き気を催す，胸のむかつき），嘔吐，頭痛，悪寒，倦怠感などがある．

(2) サルモネラ属細菌 *Salmonella* spp.（p. 187 参照）

S. enterica serovar Enteritidis（腸炎菌，またはゲルトネル菌）

本菌はニワトリの腸内細菌で，糞中の本菌が卵の殻に付着したり，あるいは 1,000 個に 1 個程度は内部に含まれることがある（in egg）．これを生卵として，あるいは生クリームとして摂食した場合に感染が起こる．鶏肉に付着して食中毒の原因となることもある．発熱をともなう急性胃腸炎，嘔吐，水様下痢，腹痛を呈する．一方，*S.* Typhimurium（ネズミチフス菌）は，保有体であるネズミの糞中に排泄され，ハエ，ゴキブリなどの衛生害虫などがこれを運ぶ．このような不衛生な厨房で調理された食品が原因となる．

表 V-18 病因物質別食中毒発生状況（2019年）とその特徴

病因物質	総数 事件	総数 患者	総数 死者	潜伏期	症　状	感染型/毒素型	参照頁
総　数	1,061	13,018	4				
細　菌	385	4,739	—				
サルモネラ属菌	21	476	—	18〜36時間	悪心，嘔吐，腹痛，発熱，下痢（水様便）	感染型	187
ブドウ球菌	23	393	—	1〜6時間，平均3時間	腹痛，悪心，嘔吐，下痢，発熱微弱，1〜2日で回復	毒素型	167
ボツリヌス菌	—	—	—	2〜72時間	目眩，複視，嚥下困難，呼吸困難，呼吸麻痺，致命率高い	毒素型	174
腸炎ビブリオ	—	—	—	4〜48時間	下痢（粘血便），腹痛，発熱，悪心，嘔吐	感染型	190
腸管出血性大腸菌（VT産生）	20	165	—	2〜14日	下痢（水様から粘血便），嘔吐，溶血性尿毒症症候群（HUS），脳症	感染型	184
その他の病原大腸菌	7	373	—	12〜24時間	胃腸炎型下痢（EPEC），コレラ様症状（ETEC），赤痢型発熱（EIEC）	感染型	184
ウエルシュ菌	22	1,166	—	8〜20時間	腹痛，下痢（水様便）	感染型	174
セレウス菌	6	229	—	1〜5時間	嘔吐	毒素型	173
				8〜20時間	下痢		173
エルシニア・エンテロコリチカ	—	—	—	3〜5日	腹痛，発熱，下痢（水様便），虫垂炎様疼痛	感染型	189
カンピロバクター・ジェジュニ/コリ	286	1,937	—	2〜3日	腹痛，発熱，下痢（水様，ときに粘血便）	感染型	192
ナグビブリオ	—	—	—	数時間〜3日	コレラ様症状，腸炎ビブリオ様症状	感染型	189
コレラ菌	—	—	—	数時間〜5日	水様性下痢，脱水症状，嘔吐	感染型	189
赤痢菌	—	—	—	12時間〜1週間	発熱，腹痛，下痢（水様から膿粘血便）	感染型	186
チフス菌	—	—	—	1〜2週間	39〜40℃の発熱，バラ疹，下痢	感染型	187
パラチフスA菌	—	—	—	1〜2週間	39〜40℃の発熱，バラ疹，下痢	感染型	187
その他の細菌	—	—	—				
ウイルス	218	7,031	1				
ノロウイルス	212	6,889	1	1〜2日	下痢，嘔吐，腹痛，多くの場合軽症	感染型	293
その他のウイルス	6	142	—				
寄生虫	347	534	—				
クドア	17	188	—	数時間〜1日	一過性の下痢，嘔吐，腹痛		344
サルコシスティス	—	—	—	数時間	一過性の下痢，嘔吐，腹痛		137
アニサキス	328	336	—	2〜12時間	胃痛，悪心，嘔吐		341
その他の寄生虫	2	10	—				
化学物質	9	229	—				
自然毒	81	172	3				
植物性自然毒	53	134	2				
動物性自然毒	28	38	1				
その他	4	37	—				
不　明	17	276	—				

［厚生労働省：令和元年（2019年）食中毒発生状況より］

(3) ウエルシュ菌（ガス壊疽菌）*Clostridium perfringens*（p. 174 参照）

本菌は，偏性嫌気性芽胞形成菌で土壌や水，動物の腸管などに生息する．本菌の付着した食材を使用してシチューなどの煮込み料理を調理したとき，加熱調理後放冷する過程で生き残った芽胞が発芽する．これを摂取すると腸管に移行し腸管内で芽胞を形成する際にエンテロトキシンを産生し，下痢を引き起こす．学校給食などを介して大規模な発生がみられることがある．

(4) 腸炎ビブリオ *Vibrio parahaemolyticus*（p. 190 参照）

本菌は海産性魚介類に寄生している．菌の増殖が起こりやすい夏場に保存の悪い魚介類を生食することで発症する．発熱，腹痛をともなう水様下痢または粘血下痢を呈する．10^6個以上の本菌を摂取したときに発症する．好塩性，好塩基性のため，調理の際に真水でよく洗う，酢でしめるなどである程度予防できる．本菌は耐熱性溶血毒（TDH）を産生することから，ヒトやウサギ赤血球を含む寒天培地を用いて本菌の溶血

活性の検出を行う（神奈川現象）．近年は魚の輸送や保管の際に滅菌海水や人工海水を使用したり，冷蔵保存を徹底することなどにより発生件数は減少傾向にある．

(5) **腸管出血性大腸菌** enterohemorrhagic *Escherichia coli*（p. 185 参照）

腸管出血性大腸菌（O157:H7 など）はウシなどの家畜の腸内に感染し，糞便中に排出され，土壌や水，農作物などや，これらの家畜の肉などを汚染する．これらの食品の加熱が不十分であると，感染を起こす．わが国では 1996 年に本菌による学校給食などを介した集団食中毒が発生し，社会的問題となった．本菌の感染は 10〜100 個で成立するため，感染者からの二次感染も重要で，単なる食中毒でなく伝染病としての側面もある．軽度の下痢，激しい腹痛，水様便，粘血便などを呈する．本菌の産生する志賀毒素（ベロ毒素）は，赤痢菌毒素と同一であり，子供では溶血性尿毒症症候群（HUS）を呈し，死亡することもある．

(6) **セレウス菌** *Bacillus cereus*（p. 173 参照）

本菌は好気性芽胞形成菌で，毒素型食中毒と感染型食中毒の両方を起こす．調理済みのご飯やパスタ中で発芽し増殖して，耐熱性嘔吐毒素セレウリドを産生する．一方，感染型では肉や野菜のスープなど汚染食品を摂食すると，本菌が腸管内で増殖しエンテロトキシンを産生し，下痢を引き起こす．わが国では嘔吐型（毒素型食中毒）が多い．

c. ウイルス性食中毒

最も頻度が高いノロウイルスは生カキ等を感染原因食品とし冬季に多発するが，感染源の特定ができないことも多い．感染者の吐瀉物や便を介したヒトからヒトへの二次感染も起こる．1〜2 日の潜伏期ののち，吐き気，激しい嘔吐，下痢，腹痛などを起こす．感染に必要なウイルス量は 10〜100 個である．このため学校や高齢者の施設で大発生が起こることがある．とくに高齢者ではこのウイルスによる感染が致命的となることがある．その他にも小児のロタウイルス，エコーウイルス，アストロウイルス，アデノウイルスなどによる胃腸炎が知られている．

d. 微生物によるアレルギー様食中毒

Morganella などの強力なヒスチジン脱炭酸酵素を有する細菌が，ヒスチジン含有量の多い魚介類中で増殖すると，食品中に分解産物であるヒスタミンが蓄積される．これを摂取することにより中毒症状が起こることがある．摂食後平均 30 分〜1 時間で発症し，顔面紅潮，蕁麻疹，頭痛，発熱，ときに嘔吐や下痢などをともなうことがある．抗ヒスタミン薬投与による治療が有効である．

e. 生鮮食品由来寄生虫症

原虫であるサルコシスティスは，草とともにウマなどの草食動物に摂取され，筋肉内に肉胞嚢を形成する．これを生馬肉としてヒトが食べると，嘔吐，下痢などを呈する．トキソプラズマは，感染しているブタ，ヒツジの肉を生食することで，この原虫のシストを摂取する，あるいは寄生するネコの糞便中に排泄された成熟オーシストの経口摂取により感染する．健康な成人では多くの場合，無症候か軽いかぜ程度の症状にとどまる．一方，妊婦が初感染した場合は，胎児に感染し，死産，流産，水頭症などの原因となる．TORCH 症候群の一つである．

蠕虫では，養殖ヒラメに寄生するクドアの胞子を大量に摂取すると激しい下痢，嘔吐が起こるが，24 時間以内に回復する．アニサキスが寄生するサケ，イワシ，スルメイカなどの海産魚類を生食摂取すると胃および腸壁に侵入してアニサキス症を起こす．食後数時間で激しい腹痛と嘔吐を呈する．多くの食中毒と異なる点は，下痢がない点である．胃粘膜に潜り込んだ虫体を開腹あるいは内視鏡手術で摘出する．激痛の原因は即時型アレルギーによる．

4 院内感染症

院内感染 hospital acquired infection, nosocomial infection は市中感染 community acquired infection に対する言葉で，病院内で起こる感染症の総称である．入院患者が原疾患とは別の感染症に病院内で罹患したり，医療従事者が病院内で感染した場合など病院内での感染

事故全てを含む．また最近は，従来からの院内感染症に加え，病院の外来，高齢者介護施設，在宅などでの医療サービスの提供過程で起こる感染症を医療関連感染症（healthcare-associated infection）と呼ぶ．

a. 院内感染の発生要因

病院は感染症発生の3要因である感染源（患者），感染経路，および易感染性宿主の全ての要因が密に集合している場所である．重篤な基礎疾患をもつ患者や，AIDSのように免疫機能が低下した患者，いわゆる易感染性宿主では極めて病原性の弱い微生物による日和見感染症を起こす．これらは院内感染症として，また菌交代症として起こることも多い．また，医療従事者の針刺し事故等によるB型肝炎をはじめとする血液媒介性感染も起こる可能性がある．

b. 院内感染を起こしやすい微生物

メチシリン耐性黄色ブドウ球菌（MRSA）による院内感染が増加し重大な社会問題となった．レンサ球菌，腸球菌，緑膿菌，セラチア，クレブシエラなどによる院内感染も問題となっている．これらの微生物は一般に抗菌薬や消毒薬に対する抵抗性が高い場合が多く，さらには抗菌薬の長期投与を受けている入院患者では，菌交代症 microbial substitution として院内感染が起こることも多い．真菌感染症としては，菌交代症として起こるカンジダによる院内感染は重要である．ウイルス性感染症としては，単純ヘルペス，水痘・帯状疱疹，ロタ，アデノ，コロナ，麻疹，B型肝炎ウイルスなど様々なウイルスによる院内感染が知られている．AIDSやB型肝炎などの血液媒介性ウイルス感染症に対しては医療従事者は十分な感染防御に努めなければならない．

c. 院内感染防止対策

院内感染対策は，病院の管理上重要な業務である．多くの病院で感染制御専門医師 infection control doctor（ICD）を中心として，感染制御専門薬剤師 board certified infection control pharmacy specialist（BCICPS），感染制御専門看護師（ICN）などからなる感染制御専門家チーム infection control team（ICT）をつくり，対策にあたっている（図V-10）．さらに病棟では院内感染防止のため専門看護師（リンクナース）がその実務にあたる．対策としては①院内感染の実態を把握し，どのような感染が，どの範囲まで広がっているかを病院全体として把握する，②職員に対して感染症に関する教育を行い予防消毒を徹底させる，③原因となる患者を特定の病棟を定めそこに収容する，④薬剤耐性菌による流行を予防するために，抗菌薬の濫用を避けその適正な使用を進める，⑤職員に対する細菌学的定期検査を実施し，問題となる菌あるいはウイルス感染がある場合には職場の転換を考慮するなどである．また，BCICPSは，消毒薬と化学療法薬などの専門家として医師を補佐し病院内感染対策に活躍することが期待されている．病院内での薬剤耐性菌出現

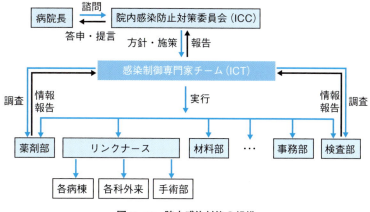

図V-10 院内感染対策の組織

を抑止するため，抗菌薬適正使用支援チーム Antimicrobial Stewardship Team（AST）が設置されている．ASTに属する薬剤師は，広域スペクトルの薬剤など届出制抗菌薬をはじめ各種抗菌薬の病院内使用状況をモニタリングし，乱用を抑制する活動や採用抗菌薬の定期的見直し，抗菌薬適正使用推進のための教育・啓発活動を行っている．

d. 標準的予防策　スタンダードプレコーション standard precautions

「感染の有無にかかわらず，患者の汗を除く全ての湿性物質（尿・痰・便・膿）と，さらに血液・体液は感染のおそれがある」とみなして対応する感染予防策である．これらの物質に触れた後は手洗いを行う．触れるおそれのあるときは，手袋，エプロンなどをあらかじめ着用する．これに加えて，感染経路別予防策を行うことが推奨されている．

e. 感染経路別予防策

伝染性や病原性の強い病原体の感染者に適用される方法で，標準的予防策に追加してとられる．病院内で起こりうる主な伝播経路である空気（飛沫核）感染，飛沫感染，接触感染について，それぞれ予防策を実施する．

空気（飛沫核）感染（結核，水痘，麻疹など）：患者を特殊な空調設備のある個室（陰圧室）に収容し，医療従事者は治療にあたる場合には，0.3 μm 以上の粒子を 95% 以上捕集できる N95 マスクを装着する．

飛沫感染（インフルエンザ，コロナ，マイコプラズマなど）：患者同士を 1 m 以上離して収容する．医療従事者は患者の 1 m 以内に近づくときはサージカルマスクを着用する．

接触感染（メチシリン耐性黄色ブドウ球菌，多剤耐性緑膿菌，腸管出血性大腸菌など）：体温計，聴診器，血圧計などを患者に専用化し，医療従事者は使い捨てエプロン・手袋を着用して患者の治療にあたる．患者を個室収容する必要はない．

f. 感染性廃棄物の処理

医療に関連して発生する病原体が付着している可能性のある廃棄物を感染性廃棄物という．手術などで発生する組織，血液，体液など液状の廃棄物は，赤色のバイオハザード（BH）マーク（図V-9）の容器に，血液，体液などが付着した固形物は，オレンジのBHマークの容器に，メスなど，鋭利なものは，黄色のBHマークの容器に分別して廃棄する．これらの廃棄物を他の廃棄物とは区別して，滅菌あるいは焼却，あるいは専門の処理業者に委託して感染防止措置を行う．病院には，医師，薬剤師，看護師などの資格を有する者を特別管理産業廃棄物管理責任者として置き，適正な処理を行うことが義務付けられている．

J 臓器・組織別感染症（表V-19）

1 呼吸器系感染症

呼吸器のうち，鼻から鼻腔，鼻咽腔，咽頭，喉頭までを上気道という．急性上気道炎（かぜ症候群）は最も多い感染症の一つで，鼻汁，くしゃみ，発熱，咽頭痛などを呈する．飛沫または接触感染する．病原体としては，ライノウイルス，コロナウイルス，コクサッキーウイルス，エコーウイルス，アデノウイルス，RSウイルス，インフルエンザウイルスなどがある．80%以上はウイルス感染が原因であるため，抗生物質をはじめとする抗菌薬は無効である．細菌性としては，肺炎マイコプラズマ，肺炎クラミジアなどがある．一般細菌が直接原因となることは少ないが，化膿レンサ球菌（A群β溶血性レンサ球菌），肺炎球菌，インフルエンザ菌などの二次感染で咽頭炎や扁桃炎などが起こる．

気管支と肺実質を下気道という．肺炎，肺化膿症，肺結核などは肺実質組織の感染症である．発熱，喀痰，呼吸困難などを主徴とする．下気道感染症では，まず咽頭，気管や気管支に炎症が起こる．小児に多く，まず風邪症状で始まり，喀痰，咳嗽，発熱などを呈する．2歳未満の乳幼児ではRSウイルスによる細気管支炎が問題となる．

さらに，肺実質に感染が広がり急性炎症を起こすと肺炎となる．感染が起こった状況から，市中肺炎，院

表 V-19　臓器別・組織別感染症の病原体

	参照頁		参照頁
1. 呼吸器系感染症			
ライノウイルス	287	化膿レンサ球菌	170
コロナウイルス	294	百日咳菌	181
コクサッキーウイルス	287	インフルエンザウイルス	277
アデノウイルス	249	パラインフルエンザウイルス	283
RS ウイルス	284	ジフテリア菌	176
肺炎マイコプラズマ	176	髄膜炎菌	180
肺炎クラミジア	158	肺炎桿菌	188
肺炎球菌	171	緑膿菌	182
インフルエンザ菌	191	結核菌	177
黄色ブドウ球菌	154	レジオネラ	183
		新型コロナウイルス	294
2. 消化器系感染症			
食中毒			
黄色ブドウ球菌	154	セレウス菌	173
ボツリヌス菌	174	ノロウイルス	293
カンピロバクター	192	モルガン菌	
サルモネラ属細菌	187	サルコシスティス	137
ウエルシュ菌	174	トキソプラズマ	336
腸炎ビブリオ	190	クドア	344
腸管出血性大腸菌	156	アニサキス	341
消化器系			
ロタウイルス	277	ディフィシレ菌	175
ヘリコバクター・ピロリ	192		
3. 感覚器感染症			
肺炎球菌	171	アデノウイルス	249
インフルエンザ菌	191	化膿レンサ球菌	170
モラクセラ・カタラリス	230	単純ヘルペスウイルス	270
ブドウ球菌	167	クラミジア・トラコマチス	197
淋菌	180		
4. 中枢神経系感染症			
大腸菌	184	インフルエンザウイルス	277
B 群 β 溶血性レンサ球菌	161	サイトメガロウイルス	271
インフルエンザ b 型菌	161	狂犬病ウイルス	284
肺炎球菌	171	梅毒トレポネーマ	199
髄膜炎菌	180	トキソプラズマ	336
エンテロウイルス	287	プリオン	309
ムンプスウイルス	283	黄色ブドウ球菌	154
単純ヘルペスウイルス 1 型	270	緑膿菌	182
アデノウイルス	249	水痘・帯状疱疹ウイルス	270
麻しんウイルス	131	ポリオウイルス	287
風しんウイルス	133	日本脳炎ウイルス	288
5. 循環器・胸膜感染症			
黄色ブドウ球菌	154	カンジダ	317
腸球菌	172	大腸菌	184
緑色レンサ球菌	171	結核菌	177
6. 泌尿器系感染症			
大腸菌	184	黄色ブドウ球菌	154
淋菌	180	緑膿菌	182
性病クラミジア	196	カンジダ属菌	317

表 V-19 つづき

	参照頁		参照頁
7. 生殖器系感染症（性行為感染症）			
性病クラミジア	196	軟性下疳菌	191
淋菌	180	腟トリコモナス	334
単純ヘルペスウイルス	270	カンジダ属菌	317
ヒトパピローマウイルス	276	ヒトサイトメガロウイルス	271
梅毒トレポネーマ	199	ヒト免疫不全ウイルス	299
8. 母子感染症			
トキソプラズマ	336	軟性下疳菌	191
梅毒トレポネーマ	199	腟トリコモナス	334
リステリア	175	カンジダ属菌	317
コクサッキーウイルス	287	風しんウイルス	133
B 型肝炎ウイルス	295	サイトメガロウイルス	271
パルボウイルス	276	単純ヘルペスウイルス	270
ヒト免疫不全ウイルス	299	ヒト T 細胞白血病ウイルス	298
9. 全身感染症			
ジフテリア菌	176	風しんウイルス	133
破傷風菌	173	水痘・帯状疱疹ウイルス	270
麻しんウイルス	131		
10. 皮膚感染症			
黄色ブドウ球菌	154	皮膚糸状菌	320
化膿レンサ球菌	170		

内肺炎などに分けられる．炎症部位により大葉性肺炎，気管支肺炎，間質性肺炎（空気の入る肺胞以外の肺組織炎症）に分類される．市中の細菌性肺炎の50％が肺炎球菌，他にインフルエンザ菌，黄色ブドウ球菌などが原因となる．院内肺炎ではメチリシン耐性黄色ブドウ球菌（MRSA），緑膿菌，肺炎球菌など日和見感染菌や薬剤耐性菌が原因となる．高齢化社会の到来で，高齢者の誤嚥性肺炎が急増している．肺結核やレジオネラ肺炎も，免疫機能の低下した高齢者で多い．肺炎症状があるにもかかわらず，X 線写真で肺の陰影がすりガラス状である場合は，異型性肺炎（非定型肺炎）と呼ぶ．マイコプラズマ肺炎，クラミジア肺炎などがあげられる．

2 消化器系感染症

消化器系感染症の中で最も頻繁にみられるのはいわゆる，食中毒（前述）による感染性腸炎である．吐き気などの上部消化管症状と下痢などの下部消化管症状がみられる．軽症のものから，脱水をともなう重症のものまで多様である．チフスや赤痢などは，衛生環境の改善により減少した．一方現在は学校，介護施設，病院などでノロウイルスによる感染性胃腸炎が流行することがある．年間2万人ほどの患者が発生している．乳幼児における下痢症ではロタウイルス感染が最も問題となる．ヘリコバクター・ピロリによる慢性的胃粘膜感染により慢性胃炎，胃潰瘍，十二指腸潰瘍，さらには胃癌へと進展することがある．広域抗菌スペクトルのセフェム系やリンコマイシンの長期投与より菌交代症としてデフィシル菌による偽膜性大腸炎が起こる．院内感染症として増加している．

3 感覚器感染症

耳鼻眼などの感覚器感染症としては，副鼻腔炎，中耳炎，結膜炎などがある．急性副鼻腔炎は，多くの場合ウイルス性上気道炎にともなう副鼻腔の炎症が発端となって，細菌性感染へ移行する．発症から4週間以内に鼻閉，鼻漏，咳嗽などの呼吸器症状を呈する．頭痛，喉の痛みや顔面圧迫などの症状が随伴する．慢性

副鼻腔炎は，急性副鼻腔炎が慢性化した状態である．肺炎球菌，インフルエンザ菌，モラクセラ・カタラリスなど肺炎の原因菌が関わっている．急性中耳炎は，ウイルス性上気道炎に続発した細菌感染による場合が多い．中耳の化膿性炎症で耳の痛み，発熱をともなうことがある．肺炎球菌，インフルエンザ菌，モラクセラ・カタラリスが多い．慢性中耳炎は，急性中耳炎の治療が不十分であった場合や，再発を繰り返した場合に慢性化する．ブドウ球菌の頻度が高い．結膜炎の起炎病原体としては，アデノウイルスが多いが，淋菌を含む一般細菌，クラミジアなどがある．手指を介して目の結膜に感染する．

4 中枢神経系感染症

髄膜炎，脳膿瘍，脳炎など極めて重篤な感染症が多い．髄膜は脳および脊髄を包む膜の総称で，外側から硬膜，くも膜，軟膜の三層からなる．髄膜炎とはこの髄膜およびその内部にあたる髄液に起こる感染症である．髄膜炎のみでは意識障害を示さないが，感染が脳実質にまで及ぶと意識障害，痙攣，神経麻痺，運動失調などの症状が見られ生命に関わる．3ヵ月未満の乳児では，大腸菌，B群β溶血性レンサ球菌が，3ヵ月以降はインフルエンザb型（Hib）が多い．成人では肺炎球菌や髄膜炎菌の頻度が高い．一方，ウイルス性髄膜炎の多くはエンテロウイルス（コクサッキーウイルスやエコーウイルス）による．他にムンプスウイルス，単純ヘルペスウイルス1型，アデノウイルス，麻疹ウイルス，風疹ウイルス，インフルエンザウイルスなどが原因となる．さらに感染が脳実質まで及ぶと，ウイルス性急性脳炎となる．単純ヘルペスウイルス1型，水痘・帯状疱疹ウイルス，ポリオウイルス，日本脳炎ウイルス，麻疹ウイルス，風疹ウイルス，インフルエンザウイルスなどが原因になる．一般に発熱，頭痛，悪心，項部硬直，意識障害，精神症状が現れる．脳炎の10〜20%を単純ヘルペス脳炎が占める．

5 循環器・胸膜感染症

感染性心内膜炎は，抜歯，妊娠の中絶等の産婦人科的処置や尿道カテーテルの挿入などが原因となって細菌が血液中に入り菌血症が起こる．この菌が心臓弁膜や心内膜に付着し感染病巣が形成される．ここから持続的に血液中に細菌が散布され敗血症となる．悪寒戦慄をともなう高熱，頻脈，呼吸促迫，乏尿，血圧低下，血小板減少など重篤な症状がみられる．起炎菌としては，常在菌である黄色ブドウ球菌，腸球菌，緑色レンサ球菌，カンジダなどの真菌類など様々である．敗血症性ショックは，大腸菌などのグラム陰性菌のエンドトキシンの作用により起こり，極めて致命率が高い．胸膜炎はこの肺を取り囲む胸膜に結核菌やその他の肺炎起因菌が感染し，炎症が生じている状態である．

6 泌尿器系感染症

尿道炎，膀胱炎，腎盂腎炎などの泌尿器系感染症の多くは，腸管の常在菌が，尿道へ異所性感染することが多い．起因菌としては大腸菌が多くを占める．尿道が短い女性の方が上行性感染による膀胱炎，腎盂腎炎を起こしやすい．一方，男性は尿道が長いため尿道炎の頻度が高くなる．排尿痛，頻尿，尿意切迫感，下腹部痛，残尿感，血尿などの症状がみられるが，発熱はともなわない．さらに感染が上行性に腎盂や腎臓実質に及ぶと腎盂腎炎となる．急性腎盂腎炎は性的活動期にある女性に好発し，発熱などの全身症状が強い．淋菌，性器クラミジアなども起炎菌として含まれる．

7 生殖器系感染症（性感染症）

生殖器系感染症の多くは性行為を通じて直接伝染するため，性感染症 sexually transmitted disease（STD）とほぼ同義と考えてよい．STDの観点では，病変形成臓器は性器だけでなく，泌尿器系，口腔粘膜，皮膚など全身に及び，女性では不妊の原因となることがある．また妊婦感染では，胎児，新生児への垂直感染（母子感染）が問題となる．STDではクラミジアなどのように不顕性感染も多く，そのために気づかずに感染源となっていることや，複数のSTDに罹患することがまれでないなどの特徴がある．STDとして性器

クラミジア感染症，淋菌感染症，性器ヘルペスウイルス感染症，尖圭コンジローマ，梅毒，後天性免疫不全症候群（AIDS）などがある．日本で最も患者が多いのは，性器クラミジア感染症である．わが国では10～20代の女性を中心に年間2～3万人の患者が発生している．女性では子宮頸管炎，骨盤内付属器炎などを起こし，不妊の原因ともなる．妊婦の感染では新生児に垂直感染しクラミジア肺炎や結膜炎を起こす．自覚症状のない健常な妊婦の3～5%がクラミジアを保有している．男性では尿道炎が最も多い．

梅毒は近年増加傾向にあり，年間5,000人以上の患者が報告されている．感染粘膜局所から血行性に全身に伝播し，数年～数十年の長い潜伏期の後に内臓の肉芽腫様病変（ゴム腫），大動脈拡張による心血管梅毒，進行性麻痺，神経梅毒を呈する．梅毒に感染した母体から胎盤を経由して胎児に感染し，先天梅毒となる．最も深刻なSTDは，AIDSである．性行為や血液を介して，あるいは母子感染し免疫をつかさどるヘルパーT細胞を死滅させ，免疫不全を起こし，様々な日和見感染症や癌を引き起こす．また，脳血管疾患や心血管疾患のリスクを上昇させる．感染から発病まで5～10年を要する．HIV感染者およびAIDS患者報告数の合計の累計は2万人を超えた．男性同性愛者による感染が多い．その予防にはSTDに関する教育や情報の提供を行うことが最重要である．

8 母子感染症

母子感染経路としては，経胎盤感染，産道感染，母乳感染がある．経胎盤感染には母体のどこかに感染した病原体が血行性に胎盤に移行し胎児に感染する場合と，胎盤に感染し増殖した病原体が胎児に感染する場合がある．産道感染とは出産の際，胎児が産道を通過するときに母体由来の血液中や子宮頸管，腟，外陰部などに存在する病原体に接触し感染が起こることである．母乳感染は，感染母体から乳児が哺乳を通じて母乳中に含まれる病原体に感染する経路である．病原体が胎児，新生児に感染し先天異常（奇形）などを引き起こす場合，これらを総称してTORCH症候群（表V-20）と呼ぶ．病原体としては，*Toxoplasma*（トキソプ

表V-20　TORCH病原体を含む母子感染を起こす病原体

感染経路	病原体名	病名，症状，病態
主に経胎盤感染	（T）トキソプラズマ（寄生虫）	先天性トキソプラズマ症（水頭症，網脈絡膜，脳内石灰化像，精神・運動障害）
	（T）梅毒トレポネーマ（細菌）	早産，死産，先天梅毒
	（R）風疹ウイルス	先天性風疹症候群（白内障，心奇形，難聴，小脳症，知的障害）
	水痘・帯状ヘルペスウイルス	先天性水痘症候群（発育遅延，神経・眼球・骨格異常）
	パルボウイルス B19	伝染性紅斑（りんご病，軽い発疹をともなう熱性疾患），流早産，死産
主に産道感染	カンジダ・アルビカンス（真菌）	絨毛羊膜炎，先天性カンジダ症（髄膜炎，敗血症）
	淋菌（細菌）	先天性淋病
	クラミジア・トラコマチス（細菌）	絨毛羊膜炎，前期破水，早産，新生児結膜炎，新生児肺炎
	B群溶血性レンサ球菌（細菌）	髄膜炎，敗血症
	（H）単純ヘルペスウイルス（HSV）	流産，新生児ヘルペス（発熱，哺乳力低下）
	ヒトパピローマウイルス（HPV）	咽頭パピローマトーシス
母乳を介した感染	成人T細胞白血病ウイルス（HTLV-1，ATL）	成人T細胞白血病
上記全てを感染経路とするもの	（C）サイトメガロウイルス（CMV）	聴力障害，間質性肺炎，肝・脾腫大，発熱性疾患
	B型肝炎ウイルス（HBV）	慢性肝炎，肝硬変，肝癌成人では急性肝炎となるが，新生児，胎児感染の場合持続感染し慢性化する
	ヒト免疫不全ウイルス（HIV）	後天性免疫不全症（AIDS）成人より進行が早い

ラズマ），または *Treponema*（梅毒トレポネーマ），Other agents（リステリア，コクサッキーウイルス，B型肝炎ウイルス，パルボウイルス B19 型，ヒト免疫不全ウイルスなど），Rubella virus（風疹ウイルス），Cytomegalo virus（サイトメガロウイルス），Herpes simplex virus（単純ヘルペスウイルス）などであり，TORCH は各病原体の頭文字に由来する．

妊婦の感染予防と治療，出産時および出産後の新生児に対する管理が重要である．風疹などのように，成人では軽症な感染症が胎児の先天感染では重篤な奇形や障害をもたらすので，とくに妊娠初期の感染予防が重要である．幼児に予防接種を行うことで，成人後の妊婦の風疹感染を予防し，さらには新生児の先天性風疹症候群を予防することができる．妊娠中にはこれら感染症の検査を行い，早期発見と治療，感染経路の遮断対策がとられる．もし母体の感染が確認された場合には，治療薬剤の影響を考慮し，母体治療の有益性が胎児への危険性を上回る場合にのみ行う．HIV は産道感染するので，新生児の感染を防ぐために帝王切開が行われることもある．ヒト T 細胞白血病ウイルスは母乳感染するので，新生児を人工栄養で哺育することで感染を防ぐことができる．

9 全身性感染症

病原体が血液などを通じて全身に広がり，全身的症状を呈する場合，これを全身感染症という．ジフテリア，破傷風，麻疹，風疹，水痘・帯状疱疹などのように上気道感染から全身へ播種して，高熱や神経麻痺，発疹など全身的症状を呈する．

10 皮膚感染症

皮膚は，細菌感染の侵入を阻止するバリアとして重要である．このバリアに感染が起こった場合，局所から体全体まで，重症度もほぼ無害なものから生命を脅かすものまで様々である．伝染性膿痂疹は「とびひ」とも呼ばれ皮膚に水疱を形成する．黄色ブドウ球菌の産生する毒素が原因である．丹毒は化膿レンサ球菌が原因である．小児と高齢者にみられる浮腫性の紅斑で，悪寒，発熱をともなう．黄色ブドウ球菌の毛包感染による毛嚢炎には，一つの毛包に限局する「せつ」，複数に拡大した「よう」がある．蜂窩織炎は四肢にびまん性に広がる化膿性炎症で，主に黄色ブドウ球菌，次に化膿レンサ球菌感染に起因する．皮膚真菌症は最もよくみられる皮膚感染症である．皮膚のケラチンを栄養源として増殖する白癬菌（皮膚糸状菌）の感染により起こる．手，足，爪（水虫），体部（ざにたむし），股部（いんきんたむし），頭部（しらくも）などを生ずる．紅斑，水疱，掻痒感などの症状が出るが無症状の場合もある．

K 感染症の診断

感染症の診断には患者病巣部，あるいは糞便，尿，血液，髄液，喀痰などの臨床検査材料，食中毒などではその原因食品と思われるものから病原体を分離し，さらにはそれを同定することが必要である．補助的診断法としては，検査材料中に病原体や毒素が存在することを遺伝子検出法により，あるいは特異的な抗体を用いて免疫学的に検出する方法がある．現在または過去の感染の有無を確認するためには，患者血清中の特異抗体の存在，あるいは感作リンパ球の存在を証明することも行われている．このように感染症の起因病原体を分離同定することにより，病名が確定し，その結果適切な化学療法薬の選択や治療が実現できるようになる．

1 検体の採取

病原体を含む可能性が高い臨床材料を選択し，起因病原体が最も多い時期に無菌的に採取する．検体の採取後は直ちに検査を行うか，またはそれができない場合には材料が変質しないように凍結保存する．適切な検体の採取と輸送，あるいは保存は正しい検査結果を得る上で最も重要である．

2 光学顕微鏡による検査

ウイルス以外の感染症では患者の膿，喀痰などを直

接スライドグラスに塗沫し，グラム染色，抗酸性染色，異染顆粒染色，芽胞染色など特異染色を行った後，直接顕微鏡で観察し検出することができる．尿，髄液などは遠心分離した後，その沈渣をスライドグラスに塗沫し染色し，観察する．狂犬病などある種のウイルスでは宿主細胞内に光学顕微鏡で観察可能なウイルス封入体を形成するものもある．顕微鏡による検査は最終的な同定に至るスクリーニングの第1段階となる．

3 分離培養検査

確定診断を行うためには患者材料からの病原体の分離を実施する必要がある．患者から採取した検体は速やかに培養に供されなければならない．普通寒天培地，血液寒天培地，チョコレート平板培地，その他各種選択平板培地による分離培養を行う．培養温度は30℃，37℃，42℃など病原体によって選択する必要がある．酵母などの真菌は30℃以下の温度で培養する．さらに好気培養，嫌気培養，炭酸ガス培養等の選択を行う必要がある．

4 純培養とその保存

分離培養で単一の集落として増殖した菌株を釣菌し，これを増菌培養した後，以下の同定 identification に使用する．一部は後の再検査に備えて培地中，または−80℃超低温槽あるいは液体窒素中に保存する．

5 同　　定

a. 生化学的，生理学的同定

最も広く利用されている細菌同定法は，形態と生化学的・生理学的性質を調べることである．これらの性状を既知の細菌と比較することにより同定が可能である．運動性試験や確認培地を用いて糖，アミノ酸などの利用，酸，ガス，硫化水素の産生，尿素分解などの生化学的性状の確認を行う．細菌は種類によりカタラーゼ，オキシダーゼ，ウレアーゼ，コアグラーゼなど様々な酵素を産生するので，これらの有無を調べる．これらの試験結果に基づき細菌の属，種の同定を行う．以前はこれらの生化学的検査には24時間以上かかったが，現在は迅速同定のための全自動システムが導入されている．少量の微生物培養液をプラスチックの試薬カードに添加し，それを分析装置にかけることにより微生物の様々な代謝活性を自動測定することができる．

b. 遺伝学的同定法

分離された病原体のある遺伝子の部分配列をポリメラーゼ連鎖反応（PCR）などで増幅後，その塩基配列を決定し，既存の遺伝子データベースと比較する（p.77参照）．

c. 免疫学的同定法

患者分離株と既知の微生物に対する免疫抗血清との反応性に基づき同定することができる．莢膜を保有する細菌に特異的抗体を作用させると，莢膜の膨張反応を起こす（莢膜膨化試験）．肺炎球菌，インフルエンザ菌，髄膜炎菌などの同定に用いられる．赤痢菌やサルモネラ属菌に特異的抗血清を反応させると，浮遊菌の凝集を起こす．これを顕微鏡下で検出し同定することができる（スライド凝集試験）．コレラ菌や大腸菌などのグラム陰性菌ではLPSのO特異的糖鎖のO血清型や鞭毛のH血清型による同定が行われる．

d. 質量分析

マトリックス支援レーザー脱離イオン化飛行時間型質量分析計（Matrix Assisted Laser Desorption/Ionization-Time of Flight Mass Spectrometry MALDI-TOF MS）を用いて細菌・真菌類のマススペクトルデータを測定し，データベース検索することにより，微生物の同定を行うことができる．熟練した技術を必要とせず，10分足らずで分離菌株の同定が可能であることから，細菌の同定法として急速に普及しつつある．

6 患者血清中の病原体特異抗体の検出（血清診断）

微生物感染が起こると，その病原体に対する抗体が

患者血清中に産生される．これを検出することで，血清診断 serodiagnosis ができる．抗原として菌体破砕物や遺伝子組換えタンパク質などを固相に固定化し，これに患者血清を反応させ，特異抗体の存在を酵素標識，あるいは蛍光標識二次抗体等を用いて検出する．具体的方法としては，酵素標識抗体免疫測定法（ELISA）や蛍光抗体法（IFA），ウエスタンブロット法，受身凝集反応，補体結合反応などが用いられる（p. 109 参照）．患者は一般には感染後 IgM 抗体を 7〜10 日をピークとして数週間にわたり産生する．さらに IgG はそれより遅れて 4〜6 週間後にピークとなる．したがって，感染の初期段階では抗体は陰性であり，また快復後もしばらくは抗体が検出されることになる．

7　患者臨床材料中の病原体遺伝子，あるいは抗原の検出

a. 遺伝子増幅法

PCR は臨床材料中に含まれる微量の病原体遺伝子を数時間のうちに数百万倍に増幅することができる．試料中の病原体数が 10 個以下でも検出可能である．PCR 法は迅速，かつ高感度であるため，多くの感染症の診断に利用されている．患者試料からの病原体遺伝子の抽出精製操作，さらに PCR 反応，増幅 DNA 検出のための電気泳動と染色操作が必要であり，一連の操作には半日程度を要する．より迅速な方法としてリアルタイム PCR 法がある．PCR 産物を増幅サイクルごとにリアルタイムで蛍光検出するため，電気泳動などの操作が不要である．また，試料中の目的遺伝子の定量も行えるため定量 PCR（quantitative PCR, qPCR）とも呼ばれる．さらに，増幅遺伝子領域に結合する蛍光標識 DNA プローブを組み合わせた TaqMan-リアルタイム PCR 法はより感度と精度が高い．しかし，非特異的増幅や増幅反応妨害物質や夾雑遺伝子による汚染などの問題もあり，標準化は簡単ではない（p. 69〜78 参照）．

b. 抗原検出法

イムノクロマトグラフィーは金コロイドや色素で標識した病原体に対する抗体（標識抗体）を移動層として，その病原体に対する別の抗体（捕捉抗体）を濾紙やメンブランフィルターなどに局所的に固定化したクロマト支持体を用いる（図 V-11）．検査試料を支持体に添加，展開する．まず最初に標識反応抗体と結合し形成された抗原抗体複合体は，支持体中をさらに浸透拡散し，固定化捕捉抗体とサンドイッチ法の原理で結合し，その箇所で反応抗体に標識した色素によるバンドが形成される．インフルエンザウイルスやピロリ菌感染の迅速な抗原検出診断法として実用化されている．

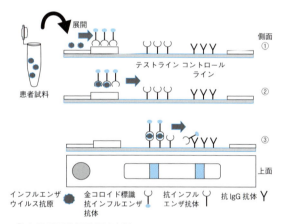

①患者咽頭擦過試料を添加
②金コロイド標識抗体とウイルス結合
③抗原抗体複合体が，テストラインの固定化捕捉抗体に結合（金コロイドの濃縮）抗原未結合抗体は，コントロールラインの抗 IgG 抗体に捕捉される

図 V-11　イムノクロマトグラフィーの原理

第VI章 細菌と疾病

細菌界は，Bergey's Manual of Systematics of Archaea and Bacteria（BMSAB）では 30 門に分けられている．**表 VI-1** には，BMSAB に取り入れられる Genome Taxonomy Database（GTDB）の分類にしたがって，本章に記載した主な細菌の分類上の位置を示した．門，綱，目，科名は立体で，属，種名はイタリック体で表記した．

A グラム陽性菌（I）

ここでは**表 VI-1** の分類表の Firmicutes 門に属する細菌を記述する．

1 グラム陽性球菌

a. ブドウ球菌属 *Staphylococcus*

性　状：ブドウの房状（staphylo-）に配列する球菌（coccus）である（**図 VI-1**）．通性嫌気性菌で普通培地によく発育する．食塩耐性で 10% の高塩濃度でも増殖する．血漿を凝固させるコアグラーゼを産生する黄色ブドウ球菌と産生しないコアグラーゼ陰性ブドウ球菌 coagulase negative staphylococci（CNS）に分けられる．自然界に広く分布し，ヒトの皮膚や粘膜にも常在する．

(i) 黄色ブドウ球菌 *S. aureus*

性　状：10〜15% NaCl，40% 胆汁酸塩添加培地で生育する．集落が黄色（aureus は金色）となることから命名された．

病原性：皮膚や鼻前庭部の粘膜などに常在する．様々な毒素や酵素を産生し（**表 VI-2**），皮膚感染症，胃腸管感染症，肺炎，骨髄炎などを起こす．

① **皮膚化膿症**：皮膚に感染し膿皮症を起こす．毛囊部に感染して起こる炎症を毛囊炎，毛囊炎が進展した小膿瘍，いわゆる"できもの"を癤（せつ，フルンケル），癤が複数の毛囊に広がって集合した広範囲の膿瘍を癰（よう，カルブンケル）という．感染が表皮下に進展し，結合組織で炎症を起こしたものを蜂巣炎または蜂窩織炎という．ブドウ球菌性の**伝染性膿痂疹**（とびひ）は乳幼児に好発し，顔面などに水疱を生じる．

② **表皮剝脱性皮膚炎**：ブドウ球菌性熱傷様皮膚症候群 staphylococcal scalded skin syndrome（SSSS）ともいう（**口絵 34**）．膿痂疹など皮膚化膿症から表皮剝脱毒素が血流に流入し，全身の表皮剝脱を起こす．新生児ではリッター病 Ritter disease という．

③ **毒素性ショック症候群** toxic shock syndrome（TSS）：1980 年に米国のタンポン使用女性の月経期に多発した疾患で，*S. aureus* の産生する毒素 TSST-1 がスーパー抗原として働き，T 細胞に大量のサイトカインを放出させることによって起こる．全身性の炎症反応で，発熱，下痢，嘔吐，発疹，ショックなどの症状を起こす．

④ **食中毒**：腸管毒（エンテロトキシン enterotoxin）による毒素型食中毒で，潜伏期 3〜6 時間，悪心，嘔吐，上腹部痛，下痢などを主な症状とする．耐熱性毒素で，100℃，30 分の加熱で失活しない．一般に予後

表 VI-1 病原性と有用性に関わる主な細菌界の分類

門 Phylum	綱 Class	目 Order	科 Family	属 Genus	主な菌種と日本語名※
Firmicutes	Bacilli	Staphylococcales	Staphylococcaceae	Staphylococcus	S. aureus 黄色ブドウ球菌
		Lactobacillales	Streptococcaceae	Streptococcus	S. pyogenes 化膿レンサ球菌 S. pneumoniae 肺炎球菌
			Enterococcaceae	Enterococcus	E. faecalis
			Lactobacillaceae	Lactobacillus	L. gasseri ガセリ菌
			Listeriaceae	Listeria	L. monocytogenes
		Bacillales	Bacillaceae	Bacillus	B. anthracis 炭疽菌 B. cereus セレウス菌
		Erysipelotrichales	Erysipelotrichaceae	Erysipelothrix	E. rhusiopathiae ブタ丹毒菌
		Mycoplasmatales	Mycoplasmoidaceae	Mycoplasmoides	M. pneumoniae 肺炎マイコプラズマ
	Clostridia	Clostridiales	Clostridiaceae	Clostridium	C. tetani 破傷風菌 C. botulinum ボツリヌス菌
		Peptostreptococcales	Peptostreptococcaceae	Clostridioides	C. difficile ディフィシレ菌
				Peptostreptococcus	P. anaerobius
		Eubacteriales	Eubacteriaceae	Eubacterium	E. limosum
	Negativicutes	Veillonellales	Veillonellaceae	Veillonella	V. parvula
Actinobacteriota	Actinomycetia	Mycobacteriales	Mycobacteriaceae	Corynebacterium	C. diphtheriae ジフテリア菌
				Mycobacterium	M. tuberculosis 結核菌 M. leprae らい菌
				Nocardia	N. asteroides
		Streptomycetales	Actinomycetaceae	Actinomyces	A. israelii
		Actinomycetales	Streptomycetaceae	Streptomyces	S. griseus
			Bifidobacteriaceae	Bifidobacterium	B. bifidum ビフィズス菌
		Propionibacteriales	Propionibacteriaceae	Cutibacterium	C. acnes アクネ菌
Proteobacteria	Gammaproteobacteria	Burkholderiales	Neisseriaceae	Neisseria	N. gonorrhoeae 淋菌 N. meningitidis 髄膜炎菌
			Burkholderiaceae	Burkholderia	B. mallei 鼻疽菌 B. cepacia セパシア菌
				Bordetella	B. pertussis 百日咳菌
		Xanthomonadales	Xanthomonadaceae	Stenotrophomonas	S. maltophilia
		Pseudomonadales	Pseudomonadaceae	Pseudomonas	P. aeruginosa 緑膿菌
			Moraxellaceae	Moraxella	M. catarrhalis
				Acinetobacter	A. baumannii
		Legionellales	Legionellaceae	Legionella	L. pneumophila レジオネラ・ニューモフィラ
		Francisellales	Francisellaceae	Francisella	F. tularensis 野兎病菌
		Coxiellales	Coxiellaceae	Coxiella	C. burnetti Q熱コクシエラ
		Enterobacterales	Enterobacteriaceae	Escherichia	E. coli 大腸菌
				Shigella	S. dysenteriae 志賀赤痢菌
				Salmonella	S. enterica
				Citrobacter	C. freundii
				Klebsiella	K. pneumoniae 肺炎桿菌
				Enterobacter	E. cloacae
				Serratia	S. marcescens 霊菌
				Edwardsiella	E. tarda
				Proteus	P. mirabilis
				Yersinia	Y. pestis ペスト菌
			Vibrionaceae	Vibrio	V. cholera コレラ菌 V. parahaemolyticus 腸炎ビブリオ
			Aeromonadaceae	Aeromonas	A. hydrophila
			Pasteurellaceae	Pasteurella	P. multocida
				Haemophilus	H. influenzae インフルエンザ菌 H. ducreyi 軟性下疳菌
	Alphaproteobacteria	Rhizobiales	Rhizobiaceae	Brucella	B. melitensis マルタ熱菌
				Bartonella	B. henselae
		Rickettsiales	Anaplasmataceae	Anaplasma	A. phagocytophilum
				Ehrlichia	E. chaffeensis
				Neorickettsia	N. sennetsu
			Rickettsiaceae	Orientia	O. tsutsugamushi つつが虫病オリエンチア
				Rickettsia	R. prowazekii 発疹チフスリケッチア
Campylobacterota	Campylobacteria	Campylobacterales	Campylobacteraceae	Campylobacter	C. jejuni カンピロバクター・ジェジュニ
			Helicobacteraceae	Helicobacter	H. pylori ピロリ菌
Verrucomicrobiota	Chlamydiia	Chlamydiales	Chlamydiaceae	Chlamydia	C. trachomatis
Spirochaetota	Leptospirae	Leptospirales	Leptospiraceae	Leptospira	L. interrogans ワイル病レプトスピラ
	Spirochaetia	Borreliales	Borreliaceae	Borreliella	B. burgdorferi ライム病ボレリア
		Treponematales	Treponemataceae	Treponema	T. pallidum 梅毒トレポネーマ
Bacteroidota	Bacteroidia	Bacteroidales	Bacteroidaceae	Bacteroides	B. fragilis
			Porphyromonadaceae	Porphyromonas	P. gingivalis
Fusobacteriota	Fusobacteriia	Fusobacteriales	Fusobacteriaceae	Fusobacterium	F. nucleatum

※病原菌の菌種名は青色で示した.　　［Genome Taxonomy Database（GTDB, https://gtdb.ecogenomic.org/）をもとに作成］

は良好で1～2日で治癒する．

⑤ **その他**：皮膚，呼吸器，泌尿器等，局所の一次感染創から血流に入り，菌血症や敗血症の原因になる．また，各種臓器に播種し，各種臓器膿瘍，骨髄炎，関節炎，リンパ節炎，腸炎（偽膜性腸炎），肺炎などの原因にもなる．

⑥ **メチシリン耐性黄色ブドウ球菌** methicillin resistant *S. aureus*（**MRSA**）**感染症**（感染症法五類定点）：MRSAは，メチシリンに耐性となった黄色ブドウ球菌である．細胞壁を合成するペニシリン結合タンパク質PBP2に代わって，*mecA*遺伝子の発現によりペニシリンに結合親和性の低いPBP2′が産生されることで，β-ラクタム系薬に耐性化した．アミノグリコシド系，マクロライド系，テトラサイクリン系，ニューキノロン系の抗菌薬に対しても耐性を獲得している．健常者の鼻腔等に保菌されている場合はほとんど病原性を示さないが，易感染者に日和見感染や菌交代症を起こす．胃切除後に起こりやすいMRSA腸炎や，留置カテーテルや手術痕からの感染による敗血症で重症化する．MRSAの報告数は2007年をピークに減少傾向にあるが，今後も適切な抗菌薬使用と感染対策の継続が重要である．

治　療：第一世代セフェム系かペニシリナーゼ阻害薬配合ペニシリン系薬を用いる．MRSAには抗MRSA薬（バンコマイシン，テイコプラニン他）が用いられる（p.157, p.212～215参照）．鼻腔保菌者のMRSA除菌には，鼻腔内へのムピロシン軟膏の塗布が行われる．

(ii) コアグラーゼ陰性ブドウ球菌
coagulase negative staphylococci（CNS）

性　状：ヒトから分離される黄色ブドウ球菌以外のブドウ球菌はほぼ全てコアグラーゼ陰性で，*S. epidermidis*（表皮ブドウ球菌），*S. saprophyticus*（腐性ブドウ球菌），*S. haemolytics*，*S. capitis*などがある．

疫　学：表皮ブドウ球菌は鼻腔や皮膚の常在菌であ

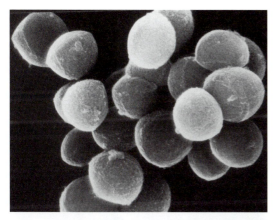

図VI-1　黄色ブドウ球菌*Staphylococcus aureus*の走査電子顕微鏡像
ランダムな方向に分裂し，ブドウの房状になった菌集団がみられる．黄色ブドウ球菌の超薄切片像はp.15を参照されたい．
［九州大学　天児和暢博士提供，日本細菌学会教育用映像素材集，第3版，2009より許諾を得て転載］

表VI-2　黄色ブドウ球菌が産生する主な病原因子（毒素・酵素）

病原因子	性質・特徴	関連疾患
溶血毒 haemolysin	α, β, γ, δの4種類があり，α毒素とγ毒素は小孔形成，β毒素はスフィンゴミエリナーゼC活性，δ毒素は界面活性作用によって赤血球やその他の細胞の膜を破壊する．	皮膚疾患等
ロイコシジン leucocidin	白血球の膜受容体GM1ガングリオシドに結合して白血球を破壊する．	皮膚疾患等
表皮剥脱毒素 exfoliative toxin	皮膚顆粒層のデスモグレイン1を特異的に分解して表皮を剥離する．	表皮剥奪性皮膚炎
毒素性ショック症候群毒素 toxic shock syndrome toxin（TSST）	スーパー抗原活性をもつ．	毒素性ショック症候群
腸管毒（エンテロトキシン）Staphylococcal enterotoxin	耐熱性のタンパク質毒素，腸管毒でスーパー抗原活性を持ち，強い催嘔吐性がある．	食中毒

る．とくに人工医療器具（人工心臓弁，静脈カテーテル，人工関節など）の装着を介しての感染では表皮ブドウ球菌が多い．メチシリン耐性株（methicillin resistant CNS, **MR-CNS** または methicillin resistant *S. epidermidis*, **MRSE**）が報告されており，院内感染起因菌である．

病原性：易感染者では重症感染症を起こすことがあり，表皮ブドウ球菌はバイオフィルムを形成しやすく，人工医療器具を介して感染すると器具装着直後から菌血症，さらには心内膜炎，敗血症などを引き起こす．

治　療：原因と推定される医療器具を除去する．ペニシリン系，第一世代セフェム系，ペニシリナーゼ阻害薬配合ペニシリン系薬を用い，MR-CNSの場合はMRSAに準ずる．

b. レンサ球菌属 *Streptococcus*

性　状：一方向に分裂するため2個〜数個の菌が連鎖状（Strepto-）に配列する（**図VI-2**）．通性嫌気性菌で，鞭毛はなく，莢膜をもつものもある．Lancefieldによって細胞壁多糖体の抗原性をもとにA〜H, K〜V群に分類されている．血液寒天培地上の溶血性で，透明な溶血環をつくる**β溶血**群，ヘモグロビンの還元により緑色溶血環をつくる**α溶血**群と，**非溶血群（γ型）**に分けられる．臨床的に重要なA群およびB群はいずれもβ溶血性である．自然界に広く分布しており，ヒトや動物では口腔，上部気道粘膜，腸管内に常在菌として存在する．

(i) 化膿レンサ球菌 *S. pyogenes*

性　状：A群レンサ球菌group A *Streptococcus*（GAS）に属し，溶血性レンサ球菌（**溶連菌**）とも呼ばれる．

疫　学：咽頭炎は学童期に最も多く，冬季および春から初夏に二峰性の流行が認められる．

病原性：病原性が強く，種々の毒素や酵素を分泌する（**表VI-3**）．局所の化膿性炎症や全身性疾患，自己免疫疾患などを引き起こす．

① **A群溶血性レンサ球菌咽頭炎**（感染症法五類定点）：咽頭痛，発熱，頭痛をともない，扁桃炎を起こす．咽頭部の発赤腫脹，頸部リンパ節腫脹，黄灰色の滲出物をともなう扁桃の腫脹がみられる．Mタンパク質や線毛，莢膜により咽頭粘膜に付着し，種々の毒素・酵素（**表VI-3**）によって病原性を発揮する．咽頭炎を発端として猩紅熱，リウマチ熱，糸球体腎炎へと進展することがある．

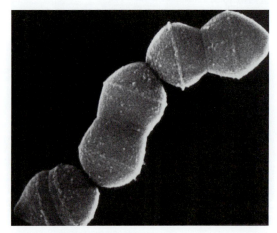

図VI-2　化膿レンサ球菌 *Streptococcus pyogenes* の走査電子顕微鏡像
横方向にのみ2分裂し，連鎖した菌の配列がみられる．
［九州大学　天児和暢博士提供，日本細菌学会教育用映像素材集，第3版，2009より許諾を得て転載］

表VI-3　化膿レンサ球菌が産生する主な病原因子（毒素・酵素）

病原因子	性質・特徴
ストレプトリジンO streptolysin O（SLO）	溶血毒，酸素に不安定，SH還元剤で活性化，抗ストレプトリジンO抗体（ASLOまたはASO）を診断に利用．
ストレプトリジンS streptolysin S	溶血毒，酸素に安定．
発赤毒素 erythrogenic toxin, Streptococcal pyogenic exotoxin（SPE）	猩紅熱毒素 scarlatinal toxin, Dick毒素とも呼ばれる猩紅熱の原因毒素．ファージ遺伝子産物の耐熱性タンパク質毒素で，スーパー抗原活性をもつ．猩紅熱の診断にDick試験およびSchultz-Charlton反応を利用．

② **皮膚化膿症**：膿痂疹，蜂巣炎を起こす．主に顔面や下肢に発症する皮下組織の化膿性炎症を丹毒といい，急激に皮膚の浮腫性紅斑が広がり激しい疼痛を伴う．

③ **その他の化膿性疾患**：副鼻腔炎，中耳炎，乳様突起炎，髄膜炎などを起こす．また産褥熱（分娩，産後における性器感染症）の原因となる．局所感染や外傷から敗血症に至ることもある．

④ **猩紅熱** scarlet fever：発赤毒素によって全身の皮膚に紅斑を生じ，イチゴ舌（**口絵 31**）や回復期の皮膚の落屑が現れる．

⑤ **劇症型溶血性レンサ球菌感染症** severe invasive streptococcal infection（感染症法五類全数）：レンサ球菌毒素性ショック症候群 streptococcal toxic shock syndrome（STSS）とも呼ばれる．四肢の疼痛から始まり，病状が急激かつ劇的に進行する．発病後数十時間以内には軟部組織壊死，急性腎不全，成人型呼吸窮迫症候群，播種性血管内凝固症候群，多臓器不全を引き起こし，急速に多臓器不全が進行して敗血症病態または死亡する．1990 年代以降，年間数百例の報告があり，増加傾向にある．

⑥ **リウマチ熱** rheumatic fever，**糸球体腎炎** acute glomerulonephritis：本菌に感染して数週間後，急性のリウマチ熱や糸球体腎炎を発症することがある．いずれも自己免疫疾患で，リウマチ熱は咽頭炎に続発し，発熱，多発性関節炎や心臓などに炎症性病変を起こす．再発を繰り返し，心弁膜症になることもある．糸球体腎炎では血尿，浮腫，高血圧症状がみられる．

診　断：溶血毒のストレプトリジン O に対する抗体（**ASLO** または **ASO**）の検出が診断に利用される．猩紅熱では少量の Dick 毒素を皮内注射して発赤の有無を調べる（Dick 試験）．

治　療：β-ラクタム系やマクロライド系薬が用いられる．

(ii) ストレプトコッカス・アガラクティエ
S. agalactiae

性　状：B 群レンサ球菌 group B *Streptococcus*（GBS）に属する．双球菌か短連鎖を形成する．

病原性：咽頭部，腸管，腟の常在菌で，尿路，また上気道に感染し，膀胱炎，心内膜炎，肺炎を起こす．妊婦の腟の常在菌から新生児に産道感染し，髄膜炎や敗血症を起こす（新生児 B 群レンサ球菌感染症）．

治療・予防：ペニシリン系薬が有効である．妊婦検診で保菌診断が行われ，ペニシリン系薬を点滴投与して母子感染を予防する．

(iii) 口腔レンサ球菌

性　状：口腔内および咽頭に常在するレンサ球菌で *S. salivarius*, *S. mitis*, *S. sanguis*, *S. mutans*, *S. anginosus* などがある．α 溶血性で緑色溶血環を形成することから緑色レンサ球菌（緑レン菌）とも呼ばれるが，γ 型の菌も多い．

病原性：口腔内の他，消化管や女性外陰部などにも常在し，歯科治療，消化管や尿管のカテーテル装着等により菌が血流に侵入する．*S. sanguis* や *S. salivarius* は亜急性心内膜炎などを起こすことがある．ミュータンス菌群の *S. mutans* と *S. sobrinus* はう蝕（虫歯）の原因菌として知られる．

(iv) 肺炎球菌 *S. pneumoniae*

性　状：菌形はランセット形（両端が尖った形）で肺炎双球菌ともいわれるように 2 個ずつ繋がっているか短い鎖状に配列している（**図 VI-3**）．α 溶血性で，病原株は厚い莢膜をもつ．莢膜は多糖抗原で，抗血清

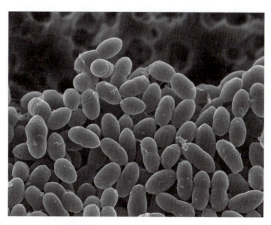

図 VI-3 肺炎球菌 *Streptococcus pneumoniae* の走査電子顕微鏡像
［国立感染症研究所　和田昭仁博士提供，日本細菌学会教育用映像素材集，第 4 版，2013 より許諾を得て転載］

添加で膨化 swelling し，ノイフェルト Neufeld の莢膜膨化試験（口絵3）により85以上の型に分けられる．

病原性：市中肺炎の最も代表的な起因菌である．片側1葉以上の肺区域に広がる大葉性肺炎を起こす．健常者の鼻咽腔から高頻度に検出され，高齢者ではインフルエンザなどウイルス性呼吸感染症の二次感染として発症することも多い．抵抗力低下時に気管支炎，肺炎，中耳炎，副鼻腔炎，髄膜炎，敗血症などを起こし，小児では髄膜炎の重要な起因菌である．髄液や血液などから本菌が検出される場合，侵襲性肺炎球菌感染症 invasive pneumococcal disease，（**IPD**，感染症法五類全数）として感染症法に基づく届出が求められる．冬から春にかけて，幼児と高齢者の発症が多い．

治療・予防：ペニシリン系薬が第一選択で，マクロライド系薬も有効とされる．ペニシリン耐性肺炎球菌 penicillin-resistant *S. pneumoniae*（**PRSP**，PRSP感染症は感染症法五類定点）では，マクロライド系薬にも耐性化していることがあるので，カルバペネム系やニューキノロン系薬を用いる．小児の肺炎球菌感染症は，定期予防接種A類疾病に指定され，莢膜多糖体抗原を無毒化ジフテリア毒素に結合した沈降13価肺炎球菌結合型ワクチンが，主に髄膜炎および重症肺炎の予防を目的に接種される．高齢者の肺炎球菌感染症はB類疾病に指定され，莢膜多糖抗原を混合した23価肺炎球菌莢膜ポリサッカライドワクチンが重症肺炎の予防に接種される．

c. 腸球菌属 *Enterococcus*

性　状：40%胆汁存在下でも増殖し，エスクリンを分解することから，胆汁エスクリン寒天培地で選択的に培養できる．

病原性：腸管，外陰部，上気道，皮膚の常在菌で，*E. faecalis* および *E. faecium* の分離頻度が高い．尿路感染して膀胱炎，腎盂腎炎や心内膜炎の原因となる．易感染性宿主には日和見感染を起こし，発熱，敗血症などの全身症状を起こす．バンコマイシン耐性腸球菌 vancomycin-resistant enterococci（**VRE**），感染症（感染症法五類全数）は毎年数十例の報告がある．

治　療：ペニシリン系薬を用いるが，耐性の場合はリネゾリドを用いる．

2 グラム陽性芽胞形成桿菌

ヒトの病気に関与する芽胞形成菌は，好気性のバシラス属と嫌気性のクロストリジウム属に属する．

a. バシラス属 *Bacillus*

性　状：好気性または通性嫌気性の桿菌でほとんどが非病原性である．土壌，水，草木など自然界に生息する．

(i) 炭疽菌 *B. anthracis*（感染症法四類）

性　状：大型桿菌で，長く連鎖配列する（**図VI-4**）．無鞭毛でD-グルタミン酸ポリマーの莢膜を形成する．

疫　学：芽胞を形成し，土壌中などで長期間生存して，動物に感染を繰り返す．感染動物の死体などで汚染された土壌中の芽胞が再び感染源となる．途上国に多く，先進国では動物組織の処理過程で孤発的にみられる．わが国では2000年代以降報告はない．

病原性：芽胞が生体内に侵入すると発芽・増殖して炭疽を発症する．ヒトには動物を介して感染し，獣医や牧畜，畜産関係者の罹患が多い．皮膚炭疽は擦過傷など小創傷から菌が侵入し，丘疹，水疱，膿疱，壊死性潰瘍から黒褐色痂皮（炭疽瘍）となる．肺炭疽では，芽胞が吸入され肺炎を，腸炭疽では食物と摂取さ

図VI-4　炭疽菌 *Bacillus anthracis* の走査型電子顕微鏡像
炭疽菌が竹の節状に連鎖しており，鞭毛はない．
[新潟大学　山本達男博士提供，日本細菌学会教育用映像素材集，第4版，2013より許諾を得て転載]

れ胃腸炎を起こし，いずれも敗血症を起こしやすく致命率が高い．病原因子として防御抗原 Protective Antigen（PA），致死因子 Lethal Factor（LF），および浮腫因子 Edema Factor（EF）の複合体からなるタンパク質毒素がある．

治　療：初期治療には，ニューキノロン系薬，ペニシリン感受性の場合はペニシリン G，髄膜炎が疑われる場合はバンコマイシンの追加が推奨される．

(ii)　セレウス菌 B. cereus

性　状：土壌など自然界に広く分布し，食品腐敗菌として知られている．炭疽菌とよく似ているが，周毛性の鞭毛をもち，嫌気条件下でも増殖できる（図 VI-5）．

疫　学：感染型食中毒に基づく下痢型と毒素型食中毒に基づく嘔吐型の食中毒を起こす．わが国ではほとんどが嘔吐型である．夏から秋にかけて発生する．

病原性：嘔吐型は 0.5～6 時間の潜伏期の後，産生された嘔吐毒（セレウリド cereulide）によって悪心，嘔吐，下痢を起こす．症状の持続時間は一般に 24 時間以内である．セレウリドは耐熱性毒素で，酸，アルカリ処理でも失活しない．下痢型は約 12 時間の潜伏期の後，下痢，腹痛をともなう腸炎を起こす．軽症で 1～2 日で快癒する．下痢毒は易熱性タンパク質毒素である．

(iii)　枯草菌 B. subtilis

性　状：自然界に広く存在する好気性の非病原菌である．分子生物学，遺伝子工学の研究材料として，また，納豆の製造に利用されている．芽胞は滅菌完了の指標に利用されている（図 VI-6）．

b.　クロストリジウム属 Clostridium およびクロストリディオイデス属 Clostridioides

性　状：偏性嫌気性の芽胞形成大型桿菌で土壌細菌として自然界に広く分布し，動物腸管内にも常在する．一般に組織破壊酵素や外毒素を分泌し，抵抗性も強い．クロストリディオイデス属はペプトストレプトコッカス科 Peptostreptococcaceae に再分類された．

(i)　破傷風菌 C. tetani（感染症法五類）

性　状：周毛性鞭毛をもち，莢膜はない．芽胞は偏在性で，太鼓のバチ状を呈する（図 VI-7）．

疫　学：土壌に芽胞の形態で広く分布する．破傷風は世界の新生児の主要な死亡原因の一つである．わが国ではトキソイドワクチンが定期接種されているが，年間百数十例が発症し，約 30％の高い致命率がある．

病原性：土壌中の芽胞が主に創傷部位から感染して

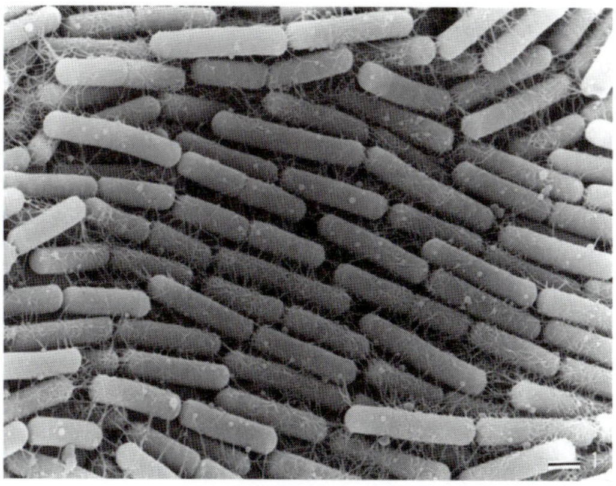

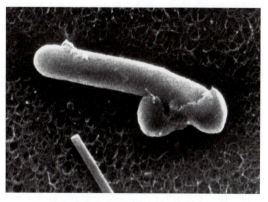

図 VI-5　セレウス菌 *Bacillus cereus* の走査型電子顕微鏡像
炭疽菌のような竹の節状の連鎖は観察されず，周毛性の鞭毛がある．
［新潟大学　山本達男博士提供，日本細菌学会教育用映像素材集，第 4 版，2013 より許諾を得て転載］

図 VI-6　枯草菌 *Bacillus subtilis* の芽胞の発芽過程の走査電子顕微鏡像
発育条件が整うと休眠状態の芽胞の殻が破れ発芽して桿状の栄養型細胞になる．
［九州大学　天児和暢博士提供，日本細菌学会教育用映像素材集，第 3 版，2009 より許諾を得て転載］

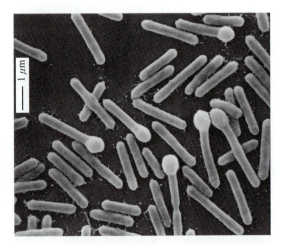

図 VI-7　破傷風菌 *Clostridium tetani* の走査電子顕微鏡像
桿状の栄養細胞と特徴的な太鼓のバチ様形態の芽胞が観察される．
［東邦大学　海老沢功博士提供，日本細菌学会教育用映像素材集，第 3 版，2009 より許諾を得て転載］

破傷風を起こす．体内の嫌気的条件下で発芽，増殖して神経毒を産生する．神経毒は破傷風毒素 tetanus toxin またはテタノスパスミン tetanospasmin と呼ばれるタンパク質毒素で，脊髄，延髄神経細胞膜のガングリオシドに結合し，運動神経ニューロンのシナプスに作用する．抑制物質 GABA の放出を阻害するため，骨格筋の強直性痙攣が起こる．嚥下困難や歯を食いしばるような開口障害，歯牙を露出して苦笑するような顔面の痙笑から頸部硬直，背筋の緊張，重症時には発作的な強直性痙攣，後弓反張と呼吸困難に陥る．知覚神経は侵さないので痙攣時の苦痛は大きい．

治療・予防：抗破傷風ヒト免疫グロブリンを早期に投与する．定期予防接種 A 類疾病に指定されており，破傷風トキソイドを含む 4 種混合ワクチン（DPT-IPV）が接種される．

(ii)　ガス壊疽菌群 gas gangrene bacilli

性　状：土壌中の *Clostridium* 属菌が，単独または複数菌の混合で感染し，感染創でガスを産生し，組織破壊が進むことからガス壊疽と呼ばれる．

(1)　ウエルシュ菌 *C. perfringens*

性　状：ヒト，家畜，土壌など広く自然界に分布する．芽胞は心在性または端在性，無鞭毛で，生体内では莢膜を形成する．主要な 4 毒素（major antigen）であるホスホリパーゼ C（α 毒素）および致死・壊死毒素（β, ε, ι 毒素）の産生パターンにより A ～ E の 5 型に分けられる．

病原性：創傷混合感染によりガス壊疽を起こす．起因菌は A 型菌が多い．エンテロトキシン産生菌による感染型食中毒を起こし，細菌性食中毒ではカンピロバクターに次いで多い．芽胞が付着した食品を加熱調理した後，放冷する過程で発芽，増殖し，摂取された菌が腸管内で芽胞を形成するときにエンテロトキシンを産生する．主としてウシ，ニワトリ，ウサギなどの肉製品が原因となり，季節性がない．A 型菌による軽症の下痢，腹痛が多く，1 ～ 2 日で自然軽快する．

治　療：ガス壊疽では抗菌薬はペニシリン系薬を大量投与し，乾燥ガス壊疽抗毒素（ウマ血清）を投与する．病巣部は洗浄，消毒，場合によっては切除または切断する．

(iii)　ボツリヌス菌 *C. botulinum*（感染症法四類）

性　状：周毛性鞭毛を有し，芽胞は卵形で端在性である．ボツリヌス毒素は自然界で最も強力な致死毒の一つで抗原性により A ～ G 型に分類され，A, B, E, F 型がヒトに病原性を示す．

疫　学：世界中の土壌中に広く分布する．ボツリヌス毒素による中毒をボツリスム botulism といい，米国では A 型，ヨーロッパでは B 型，日本，カナダでは E 型毒素による中毒が多い．わが国では年間数例の発症がある．

病原性：毒素は極めて毒性が強く，致死量は 0.5 ～ 5.0 μg である．腸管から吸収された毒素は，神経筋接合部のシナプス前膜にある受容体に結合して細胞内に取り込まれシナプス前膜からの神経伝達物質の遊離を抑制して筋肉麻痺を起こす．

① **ボツリヌス食中毒**：食品に混入した芽胞は加熱加工しても嫌気的条件下に発芽，増殖して毒素を産生する．真空パックやレトルト食品などの食品で食中毒が発生することがある．経口摂取後 12 ～ 36 時間で発症し，瞳孔散大，複視などの眼症状，嚥下困難，運動神経の弛緩性麻痺による筋力低下，呼吸麻痺を起こ

し，死亡率も非常に高い．

② 乳児ボツリヌス症：芽胞を蜂蜜やほこりなどとともに摂取することで，主に腸内細菌叢が未発達な1歳未満の乳児が罹患する．便秘，吸乳力や泣き声の減弱から，全身の筋力低下，呼吸困難に至り死亡する場合もある．

③ 創傷性ボツリヌス症：創傷部が芽胞で汚染され，発芽して産生する毒素により発症する．

治療・予防：発症早期に乾燥ボツリヌスウマ抗毒素を投与する．呼吸筋の麻痺が起こるため呼吸管理を行う．毒素は易熱性で，食品を十分加熱すれば食中毒を予防できる．

(iv) ディフィシレ菌 *Clostridioides difficile*

性　状：細長い桿菌で周毛性の鞭毛をもつ．芽胞は楕円形で端在性である．*Clostridium* 属菌に比べ各種抗菌薬に抵抗性である．

疫　学：新生児の腸内に高率に存在し，成人でも約10%から分離される．入院患者の保菌率は50%以上という報告もある．クロストリディオイデス・ディフィシレ感染症 *Clostridioides difficile* infection（**CDI**）として，抗菌薬関連偽膜性大腸炎の原因菌とされる．わが国でのCDI発生率は近年欧米並みに高くなってきている．

病原性：ペニシリン系，セフェム系，リンコマイシン系，キノロン系薬などの経口広域スペクトル抗菌薬の長期内服により，常在する本菌が増加し，抗菌薬関連下痢症や，大腸粘膜の潰瘍とそれを覆う偽膜の形成をともなう偽膜性大腸炎（**口絵35**）を起こす（菌交代症）．トキシンAおよびBは低分子量Gタンパク質を修飾して活性を阻害し，下痢や大腸炎を引き起こす．

診　断：糞便中トキシンAおよびB抗原を検出する．

治　療：使用中の抗菌薬投与を直ちに中止し，バンコマイシン，あるいはメトロニダゾールの内服による治療を行う．再発を繰り返す重症患者に糞便微生物叢移植が実施されことがある．

3　グラム陽性芽胞非形成桿菌

a. 乳酸桿菌属 *Lactobacillus*

性　状：無鞭毛で，通性嫌気性菌である．各種乳製品（ヨーグルト，チーズなど）の製造に利用されている．腸管常在菌として宿主への有益な役割が注目されている（プロバイオティクス）．成人女性の腟内にはデーデルライン Döderlein 桿菌と称される乳酸菌群が存在し，乳酸を産生して，酸性を保つことで腟内への病原菌などの侵入を防ぐ．

b. リステリア属 *Listeria*

リステリア・モノサイトゲネス *L. monocytogenes*

性　状：小型の短桿菌で周毛を有する（**図VI-8**）．通性嫌気性であるが微好気を好む．通性細胞内寄生性菌で，マクロファージ内で増殖する（**口絵4**）．ヒトや動物の腸管内や自然界に広く分布し，多種の哺乳類，鳥類に感染する．4℃以下の低温でも発育する．

病原性：食品媒介人獣共通感染症の一つで，牛乳，乳製品の他，調理済みの冷蔵食品も原因となるが，急性胃腸炎症状は示さない．妊婦が感染すると発熱，悪寒などの症状を示し，胎児は死産か早産，出生後早期に死亡することが多い（周産期リステリア症）．日和見感染症として髄膜炎や敗血症を引き起こす．

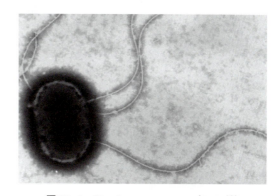

図VI-8 *Listeria monocytogenes*（EGD株）
32℃以下の培養で4本の周毛性鞭毛がみられる．
［京都大学　光山正雄博士提供］

4 マイコプラズマ

性　状：細胞壁を欠如した細菌で，グラム陽性菌が細胞壁を失ったものと考えられ，Firmicutes 門に分類される．球状，卵形あるいは西洋ナシ形と多形性を示し，小型のものは 0.1〜0.2 μm 程度と非常に小さく，細菌濾過器を通過する（図 VI-9）．自己増殖する最小の生物であり，ゲノムサイズも 1,000 kbp 以下である．無鞭毛の通性嫌気性菌で，コレステロールまたは関連ステロイド要求性である．

病原性：広範囲の哺乳類，鳥類に寄生して病原性を示す．発見当初，牛肺疫から分離されたことから PPLO（pleuropneumonia-like organism）と呼ばれた．

マイコプラズマ属 Mycoplasma

(i) 肺炎マイコプラズマ M. pneumoniae（感染症法五類定点）

性　状：固形培地上では直径 5〜100 μm の目玉焼様集落を形成する（口絵 27）．液体培養菌体はほぼ球形であるが，感染部位では細長いフィラメント状になる．グラム染色では染色されない．

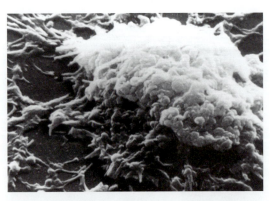

図 VI-9 肺炎マイコプラズマ *Mycoplasmoides pneumoniae* の走査型顕微鏡像
多形性の形態がみられる．
［久留米大学医学部細菌学講座提供，日本細菌学会教育用映像素材集，第 4 版，2013 より許諾を得て転載］

疫　学：マイコプラズマ肺炎 mycoplasma pneumonia は原発性異型肺炎 primary atypical pneumonia（PAP）の約半数を占め，流行の年には全肺炎の 40％ 前後に達する．幼児期から青年期に多く，秋から冬にかけて流行する．飛沫または接触により感染するが，濃厚接触が必要で，短時間での曝露では感染の可能性は低い．

病原性：潜伏期は 2〜3 週で，発熱，悪寒，頭痛の初期症状の後，乾性の咳が解熱後 3〜4 週間まで続く．小児では全身状態が悪化しないことが多く，walking pneumonia とも呼ばれる．通常は予後良好である．

治　療：マクロライド系，テトラサイクリン系，キノロン系薬を用いる．細胞壁を欠如するため β-ラクタム系薬は無効である．

B　グラム陽性菌（II）

表 VI-1 で Actinobacteria 門に分類される細菌で，不規則型のグラム陽性桿菌，マイコバクテリア（抗酸菌），菌糸形成菌（放線菌）に分類して記述する．

1 不規則型の芽胞非形成グラム陽性桿菌

a. コリネバクテリウム属 Corynebacterium

性　状：多形性の棍棒状桿菌で，広く自然界に分布し，ヒトからも分離される．

ジフテリア菌 C. diphtheriae（感染症法二類）

性　状：1890 年，北里と Behring はジフテリア抗毒素をつくり，血清療法の先駆けとなった．菌は特徴的な V，W，Y 字型に配列し（図 VI-10），菌体内にはアニリン系青色色素で異染性を示す顆粒が存在する（異染小体，口絵 25）．鞭毛，莢膜をもたず好気，嫌気下で増殖可能である．

疫　学：予防接種導入によって激減し，近年，国内での発生はみられない．

病原性：ヒトのみに飛沫感染する．主に小児の上気道粘膜に感染し，2〜7 日の潜伏期の後，咽頭，喉

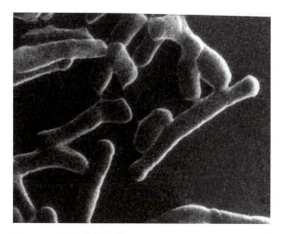

図 VI-10　ジフテリア菌 Corynebacterium diphtheriae の走査電子顕微鏡像
多形性の桿菌がみられる。
［岡山大学医学部微生物学教室提供，日本細菌学会教育用映像素材集，第 4 版，2013 より許諾を得て転載］

頭，鼻腔などの粘膜表面に偽膜（口絵 32）を形成する．気道が閉塞され，犬の遠吠えのような咳を起こす．菌が産生したジフテリア毒素 diphtheria toxin は血中に入り，回復期に副腎，心筋，肝臓などの障害や，神経障害が出現する（後麻痺 post-diphtheritic paralysis）．毒素は A-B 型易熱性タンパク質毒素で，ADP-リボース転移酵素活性によってタンパク質合成系を阻害し，1 分子で細胞に致死的作用をもたらす．

治療・予防：早期に抗毒素血清を投与する．軽症の場合，ペニシリン系，マクロライド系薬などの早期投与で治癒する．定期予防接種 A 類疾病に指定されており，ジフテリアトキソイドを含む 4 種混合ワクチン（DPT-IPV）が接種される．

b. キューティバクテリウム属 Cutibacterium

性　状：無鞭毛の桿菌で多形性を示す．糖からプロピオン酸を産生する．健康な皮膚や腸管の正常菌叢を構成しており，C. acnes（アクネ菌）などが常在している．

病原性：皮膚の常在菌であるが，アクネ菌は尋常性ざ瘡（にきび）の増悪因子と考えられる．

c. ビフィドバクテリウム属 Bifidobacterium

性　状：乳酸，酢酸を産生する嫌気性の多形性桿菌で鞭毛をもたない．ビフィズス菌といわれ B. bifidum が主な菌種である．

疫　学：ヒト，各種動物の腸管，腟，口腔に常在する．母乳新生児の糞便には生後 3 日頃から現れ，5 日には最優勢菌となる．腸管の感染防御に有益な菌とされ，乳製品，乳酸菌製剤に利用されている．

2　マイコバクテリア Mycobacteria（抗酸菌 acid-fast bacilli）

マイコバクテリウム属 Mycobacterium

性　状：好気性の桿菌で鞭毛，莢膜をもたず，細胞壁に 20～40% に達する多量の脂質を含む．染色されにくく，加温染色でいったん染まると酸による脱色に抵抗することから抗酸菌 acid-fast bacteria という．結核菌群，非結核性抗酸菌，培養不能菌に分類される（表 VI-4）．

(i)　結核菌 M. tuberculosis, tubercle bacillus（感染症法二類）

性　状：1882 年 Koch により発見された．通性細胞内寄生性で排菌患者の喀痰を抗酸性染色すると V，W 字型に配列してみえる（口絵 26）．培養には小川培地

表 VI-4　Mycobacteriaceae 科，Mycobacterium 属の主な病原性抗酸菌

抗酸菌	遅発育菌群	結核菌群		M. tuberculosis, M. bovis, M. africanum, M. microti
		非結核性（非定型）抗酸菌	I 群（光発色菌）	M. kansasii, M. marinum
			II 群（暗発色菌）	M. scrofulaceum
			III 群（非光発色菌）	M. avium, M. intracellulare, M. xenopi, M. ulcerans
	迅速発育菌群		IV 群	M. fortuitum, M. abscessus
	培養不能菌			M. leprae

など卵培地が汎用される（**口絵28**）．増殖は遅く世代時間は20時間程度で，集落を形成するのに2〜3週間以上かかる．細胞壁には，ペプチドグリカン層の外側にアラビノガラクタンとミコール酸の複合体が存在し，さらにトレハロース-ジミコール酸などの糖脂質によって構成される．ミコール酸は，抗酸菌特有の炭素数70〜90の長鎖脂肪酸で，抗酸性に寄与する．また，ミコール酸含有糖脂質はアジュバント活性や免疫調節活性などの生理活性を有する．この細胞壁構造により，酸やアルカリ，消毒薬などの化学薬品に抵抗性である．乾燥にも強く，乾いた喀痰中で半年以上生存する．60℃以上で殺菌され，100℃10分以上の加熱で完全に殺菌される．直射日光で数時間，紫外線殺菌灯であればさらに短時間で殺菌される．

疫　学：結核 tuberculosis は全世界に蔓延し，主要死因の一つである．わが国では2021年には約1.1万人の新規患者が発生（罹患率9.2／10万人）したが，低蔓延国の水準である罹患率10.0以下となっている．新規感染者は60歳以上が70％以上を占める．

病原性：感染源は肺結核患者の呼吸器分泌物などが飛沫核となり，菌を吸入して感染する（空気感染または飛沫核感染）．肺に到達した菌は肺胞マクロファージに貪食されるが，殺菌作用に抵抗して細胞内寄生して増殖し，肺に初期感染病巣を形成する．また，肺門リンパ節にも病巣をつくる（初期変化群）．特異的細胞性免疫が成立するとマクロファージが病巣部に集積し，類上皮細胞肉芽腫組織となって病巣は被包され，内部に閉じ込められた結核菌は増殖が阻止される．さらに周囲の線維化，中心部の乾酪壊死（チーズ状の黄白色乾燥性凝固壊死），石灰化が起こり治癒に向かう．通常は細胞性免疫の働きで発症には至らないが，初期変化群感染者のうち抵抗力の弱い約5％は2年以内に発症に至る（一次結核症）．主にリンパ行性，血行性に拡大し，リンパ節結核，結核性胸膜炎，腎・泌尿生殖器の結核，脊椎カリエスや多臓器に結核結節ができる粟粒結核となる．乳幼児ではしばしば粟粒結核や結核性髄膜炎に進展する．初期の封じ込めに成功した感染者でも約5％は数年から数十年後に発病する（二次結核症）．これは肉芽腫内で生存し続けた菌の，宿主抵抗力の減弱に乗じた再燃である．主に肺尖部に好発し，細胞性免疫によって組織の乾酪壊死から空洞化を起こす．空洞内で増殖した菌は体外へ排出され（開放性結核），新たな感染源となる．二次結核症では，菌が全身の臓器に広がり，敗血症や腹膜炎，骨髄炎を起こすことがある．

診　断：喀痰中の菌の塗抹染色と培養を行う．培養は長期間を要するため，PCR法による迅速遺伝子診断も行われる．精製ツベルクリンを皮内接種して遅延型過敏症反応を観察するツベルクリン反応は細胞性免疫を利用した診断反応である．わが国ではBCGを接種しており，多くの場合ツベルクリン反応は陽性となるので，患者Tリンパ球に結核菌抗原を作用させ，インターフェロン interferon（IFN）-γの遊離を調べるIFN-γの遊離試験（クオンティフェロン QuantiFERON，**QTF** と **T-SPOT**）が行われる．QTFでは患者血液中のTリンパ球を結核菌抗原で刺激し，遊離するIFN-γをELISA法で測定する．T-SPOTは同様に抗原刺激し，IFN-γを遊離するTリンパ球数をELISpot法で測定する．

治療・予防：多剤併用療法ならびに直接服薬確認療法 directly observed treatment, short course（**DOTS**）を行う．標準治療法は，イソニアジド（INH），リファンピシン（RFP），ピラジナミド（PZA）に，ストレプトマイシン（SM）またはエタンブトール（EB）を加えた4剤で2ヵ月，その後INH＋RFPの2剤で4ヵ月治療する．多剤耐性結核菌 multiple drug-resistant tuberculosis（**MDR-TB**）や超多剤耐性結核菌 extensively drug-resistant tuberculosis（**XDR-TB**）には，二次抗結核薬も含めて感受性薬剤を選択し投与する．予防にはBCG（bacille de Calmette et Guérin）生ワクチンを生後1歳に達するまでに接種する（定期予防接種A類）．

(ii) 非結核性抗酸菌 nontuberculous mycobacteria（NTM）

性　状：非定型抗酸菌 atypical mycobacteria とも呼ばれ，結核菌群よりも発育が速い．ラニヨン Runyon によって，Group I〜IVの4群に分類されている（**表VI-3**）．III群の *M. avium* と *M. intracellulare* は生物学的，生化学的性状が類似し，*M. avium complex*（**MAC**）

と称される．

疫　学：土壌や水など自然界に広く分布しヒトへ日和見感染するが，ヒトからヒトへの感染はみられない．わが国での非結核性抗酸菌症の大半がMAC症で，残りのほとんどは *M. kansasii* 症である．

病原性：結核様肺疾患を起こし，非結核性抗酸菌症 nontuberculous mycobacteriosis と呼ばれる．

治　療：MAC症の場合は抗結核薬に感受性が低く，クラリスロマイシンと抗結核薬を組み合わせて長期投与する．*M. kansasii* 症は，RFP, INH, EB を併用し，1年間の継続投与で一般に治癒できる．

(iii)　らい（癩）菌 *M. leprae*

性　状：1873年 Hansen が，ハンセン病 Hansen's disease の原因菌として発見した．かつて癩 leprosy と呼ばれたが，差別的表現として現在は用いない．結核菌に似た桿菌であるが，抗酸性は弱い．人工培地では培養不能で，ヌードマウスやアルマジロに感染させて培養できる．マクロファージなどの単球系細胞，末梢神経のシュワン細胞などの細胞内で増殖する．

疫　学：わが国における新規患者数は年間数名で，ほとんどが在日外国人である．世界では新規患者数は年間約20万人で，インド，ブラジル，インドネシアなどで多い．

病原性：ヒト-ヒト間の接触により感染する．感染力は弱いので，濃厚な接触が必要である．病巣からの排泄物，鼻汁などが皮膚の損傷部または鼻粘膜から侵入して感染する．多くは乳幼児期に感染し，潜伏期間は数年〜数10年と極端に長く，感染してもほとんどは発病せずに一生を終える．増殖の至適温度が31℃前後で，皮膚，鼻，眼，咽頭などの低温部位に病変が起こりやすい．また，シュワン細胞親和性から，全てのハンセン病患者に末梢神経症状がみられ，知覚麻痺，神経肥厚，圧痛，運動障害，筋萎縮などが現れる．

診　断：皮内遅延型アレルギー反応（レプロミン反応 lepromin test）が用いられる．

治　療：RFP，ジアフェニルスルホン，クロファジミンの3剤併用療法を行う．

3　菌糸形成菌（放線菌）

a.　ノカルジア属 *Nocardia*

性　状：土壌など自然界に広くに生息する好気性の桿菌．菌糸状の形態をとり，真菌様のコロニーを形成する．分節して多形性の桿状または球状の細胞になる．ノカルジア症 nocardiosis は主に *N. asteroides* による．

病原性：感染源は汚染土壌で足，下腿などの外傷から侵入し，菌腫を生じ，皮膚，皮下に腫脹，硬結，瘻孔などをもつ膿瘍をつくる．

治　療：ST合剤または高用量のスルホンアミド系薬を6ヵ月以上の長期間，投与する．

b.　ストレプトマイセス属 *Streptomyces*

性　状：好気性菌で，長く分枝した菌糸をもち，土壌に広く分布する．病原性はほとんどない．抗生物質を産生するものが多く，ストレプトマイシンを生産する *S. griseus*，カナマイシンを生産する *S. kanamyceticus*，エバーメクチンを生産する *S. avermitilis* や免疫抑制剤のタクロリムスを産生する *S. tsukubaensis* などがある．

c.　アクチノマイセス属 *Actinomyces*

性　状：口腔内に多数存在し正常菌叢を形成する，非抗酸性の嫌気性または通性嫌気性菌．分枝した細長い菌糸を形成する．ヒトに病原性を示すものは主に *A. israelii* である．

病原性：感染は内因性で，顔顎部，腹部，胸部に好発し，慢性化膿性の炎症であるアクチノマイセス症（放線菌症）actinomycosis を起こす．症状は皮下の板状硬結と腫瘤状の腫脹，小膿瘍を形成し，多発性瘻孔をつくる．瘻孔から菌塊 druse または硫黄顆粒 sulfur granule を含む分泌物を排出し閉鎖しにくい．

治　療：高容量ペニシリン投与を少なくとも8週間，場合によっては1年以上継続する．

C グラム陰性菌

グラム陰性の病原菌は，大部分が Proteobacteria 門に分類され，Alphaproteobacteria 綱および Gammaproteobacteria 綱に含まれる．

1 グラム陰性球菌および球桿菌

ここでは表 VI-1 で Burkholderiales 目に分類される，比較的小型で球菌または球桿菌状のグラム陰性好気性菌について述べる．

a. ナイセリア属 Neisseria

性　状：ソラマメ状の双球菌である．熱，乾燥，消毒薬に対する抵抗力は著しく弱い．低温にも弱く，4℃で保存すると容易に死滅するので，検査材料の輸送，保存は常温で行う．

(i) 淋菌 gonococcus, *N. gonorrhoeae*（感染症法五類定点）

性　状：莢膜と線毛を有し，鞭毛はない．塗抹標本では好中球の細胞内に特徴的な双球菌として見いだされる．5% CO_2 存在下で増殖は促進され，発育温度域は狭く 36〜37℃ が適温である．淋菌感染症（淋疾，淋病）gonorrhoea は代表的な性感染症（STD）である．

疫　学：世界中に存在しており，他の性感染症とともに増加が危惧されている．わが国でも新規感染者は毎年 8,000 例を超える．20 歳代の年齢層に最も多く，男性が女性の 3 倍以上である．

病原性：感染はヒトに限られ，性行為による直接感染で，男性は主として淋菌性尿道炎を，女性は子宮頸管炎を起こす．男性では，潜伏期は 2〜9 日を経て排膿をともなう前部尿道炎として発症するが，軽症あるいは無症の場合もある．排尿時に疼痛をともなう尿道炎から，ごく一部で上行性に感染が広がり精巣上体炎へ進行する．女性では初期尿道炎，子宮頸管炎は無自覚が多く，上行性に炎症が波及して子宮内膜炎，卵管炎，卵巣炎，骨盤内炎症性疾患などに進展し，不妊症や子宮外妊娠の原因となる．新生児には産道通過時に結膜に感染し，新生児淋菌性結膜炎 neonatal gonococcal conjunctivitis（膿漏眼 ophthalmoblennorrhoea）を起こす．線毛は尿道粘膜細胞への付着に関与し，排尿による流出や食細胞による食菌に抵抗性を示す．IgA プロテアーゼ産生株は粘膜での強い感染性を示す．

治　療：ペニシリナーゼ産生淋菌およびテトラサイクリン耐性株，ニューキノロン耐性株が高率に分離されるので，セフトリアキソン，セフォジジム，スペクチノマイシンを用いる．新生児の膿漏眼にはエリスロマイシンやテトラサイクリンなどの点眼を行う．

(ii) 髄膜炎菌 meningococcus, *N. meningitidis*

性　状：髄膜炎菌性髄膜炎 meningococcal meningitis（流行性髄膜炎または流行性脳脊髄膜炎 epidemic cerebrospinal meningitis）の病原体で，形態などの特徴は淋菌に類似する．莢膜多糖体の種類によって少なくとも 13 種類（A，B，C，など）の血清型 serogroup に分類されるが，起炎菌の 90% 以上が A，B，C 型である．健康保菌者が存在し，わが国では約 0.4% 程度である．

疫　学：アフリカ中央部で集団感染が多く，髄膜炎ベルト地帯と呼ばれている．わが国では，年間発生数は約 20〜40 名で，まれに集団感染がみられる．

病原性：患者・保菌者の鼻咽頭から飛沫感染し，鼻咽頭から侵入，リンパ管から血中に入り，菌血症から敗血症を起こす．通常 2〜3 日の潜伏期の後，高熱や皮膚，粘膜における出血斑が現れる．次いで髄膜炎に発展し，頭痛，吐き気，項部強直などの症状を示す．劇症型の場合には播種性血管内凝固（DIC）を起こし，死に至る．治療を行わないと致死率はほぼ 100% に達する．侵襲性髄膜炎菌感染症は感染症法五類全数把握疾患に指定されている．

治　療：セフォタキシムやセフトリアキソンを使用し，感受性があればペニシリンなども使用できる．

b. バークホルデリア属 Burkholderia

性　状：好気性の桿菌で，短毛または多毛の極鞭毛を有するが，*B. mallei* は鞭毛を欠く．

(i) 鼻疽菌 *B. mallei*（感染症法四類）

性　状：本来ウマの鼻疽 glanders（馬鼻疽）の原因菌であるがヒトにも感染し，肺炎や鼻出血を起こすことから鼻疽と呼ばれる．

疫　学：アジア，中東，アフリカに分布し，ウマ，ロバ，ヒツジ，ヤギ，イヌ，ネコなどに感染する．わが国での発症例は報告されていない．

病原性：感染動物の鼻汁，潰瘍部，膿などからヒトに飛沫または接触感染する．2週間以内の潜伏期を経て呼吸器粘膜に結節，膿瘍，潰瘍などをつくる．慢性化膿型では数年以上経過する．急性敗血症では発熱して，致命率は非常に高く，放置すれば7〜10日で100％死亡する．

治　療：アミノグリコシド系，ST合剤，テトラサイクリン系薬を用い，3週間以上の治療が推奨されている．

(ii) 類鼻疽菌 *B. pseudomallei*（感染症法四類）

性　状：*B. mallei* と近縁だが，ヒトを含めた広い宿主に感染する．

疫　学：東南アジアやオーストラリア北部などの熱帯地域の水，土壌などに生息しており，傷のある皮膚への接触感染や，水や食肉を介した経口感染で発症する．

病原性：馬鼻疽に類似の類鼻疽 melioidosis を起こす．コレラ様またはペスト様症状で1週間以内に死亡する激症型，チフス様症状の急性のもの，各種臓器，皮膚，骨などに膿瘍を生ずる慢性のものなどがあり，致命率は高い．類鼻疽菌は環境に存在するレプトスピラと共感染すると重症化する．

治　療：セフェム系やカルバペネム系薬，ST合剤，ドキシサイクリンなどが有効である．ペニシリン系やアミノグリコシド系薬には自然耐性を示す．

(iii) セパシア菌 *B. cepacia*

性　状：自然環境に広く常在し，水，汚水，植物，土壌などに生息している．病院環境からも検出され，消毒薬に抵抗性で，消毒薬，石鹸，水道水，軟膏，点眼薬，透析液や透析器具から検出されることもある．とくに本菌はクロルヘキシジンに耐性で，消毒薬中で増殖する．

病原性：院内感染菌であり日和見感染を起こし，カテーテル施行例の菌血症，尿路感染症，呼吸器感染症などが報告されている．また，緑膿菌などとともに嚢胞性肺線維症患者における慢性呼吸器感染症の起因菌である．

治　療：耐性菌が多いため，感受性試験を行い有効な薬剤を選択する．

c. ボルデテラ属 *Bordetella*

百日咳菌 *B. pertussis*（感染症法五類全数）

性　状：百日咳 whooping cough, pertussis の原因菌で，小型球桿菌である．患者からの分離当初の菌（I相菌）は無鞭毛で莢膜と線毛をもち毒力が強いが，継代培養すると，次第に毒力が低下する相変異を起こす（II〜IV相菌）．

疫　学：世界的にみられる疾患で，いずれの年齢でも感染するが，小児が中心となる．1歳未満の乳児は重症化しやすく，死亡者の大半を占める．わが国ではワクチン導入後減少し，1970年代前半には年間300例以下となり，世界で最も罹患率の低い国の一つとなった．しかし，ワクチンの副反応の問題から接種率が低下し，再び感染者数は増加，その後，改良型ワクチンが使用されるようになり，接種率も向上したが，2019年には16,000人を超える患者数が報告された．

病原性：百日咳は幼児に多発する急性呼吸器感染症で，通常1〜2ヵ月以上継続する特有の咳嗽をともなうことから百日咳と呼ばれる．感染源は患者の喉頭，気管粘膜の排泄物である．母体からの受動免疫がなく新生児期から罹患しやすい．1〜2週間の潜伏期の後，カタル期（浸出液の分泌を伴う粘膜の炎症期）が約2週間続き，痙咳期（連続した痙攣性の咳および，笛のような吸気音，吸気性笛声）へと続く．痙咳期は約2〜3週間続き，発熱はあまりなく，しばしば嘔吐をともなう．息を詰めて咳をするため，顔面浮腫，点状出血，眼球結膜出血，鼻出血をともなうことがある．その後，次第に減衰し，時折発作性の咳が出る回復期（2〜3週間）の経過をたどる．菌は上気道の粘

膜上皮細胞に線毛で付着，増殖して上皮細胞の繊毛運動を阻害するが血中には侵入しない．病原因子としては，繊維状赤血球凝集抗原 filamentous hemagglutinin（FHA）や線毛抗原 Fim2 および Fim3 などの定着因子，**百日咳毒素** pertussis toxin（PT），アデニル酸シクラーゼ，気管上皮細胞毒素，易熱性皮膚壊死毒素などの毒素がある．百日咳毒素は A-B 型毒素で，Gi タンパク質を特異的に ADP-リボシル化することによってアデニル酸シクラーゼが活性化し，細胞内の cAMP を増加させ，細胞外浮腫や好中球の食菌作用の抑制を引き起こす．

治療・予防：マクロライド系薬は生後 6 ヵ月以上の患者に用いられる．新生児ではアジスロマイシンを投与する．痙咳期では効果がない．DPT-IPV 四種混合ワクチンで予防できる（定期予防接種 A 類）．

2 グラム陰性好気性桿菌

ここではグラム陰性好気性桿菌として，**表 VI-1** の分類で Gammaproteobacteia 綱の Pseudomonadales, Legionellales, Francisellales, Coxiellales の各目に含まれる 6 属について述べる．

a. シュードモナス属 *Pseudomonas*

性　状：1 ないし数本の極鞭毛をもつ桿菌で，多くは poly-β-hydroxybutyrate（PHB）顆粒を含んでいる．自然界に広く分布しており，各種の有機物を分解し，比較的悪い条件でも増殖できる．抗菌薬や消毒薬に対して抵抗力がある．

緑膿菌 *P. aeruginosa*

性　状：土壌，海水，下水やヒト，動物の皮膚，糞便などに広く分布している．莢膜および極単毛を持ち，普通培地によく増殖する．ピオシアニン pyocyanin（緑色），ピオベルジン pyoverdine（フルオレシン fluorescin，黄緑色，紫外線で蛍光を発す）などの色素を産生する．創傷感染した際に色素産生によってしばしば緑色の膿がみられることが菌名の由来である．逆性石けん，クロルヘキシジンに抵抗性で代表的な院内感染菌となっている．

病原性：毒力は弱く，健常者への感染は極めてまれで，新生児や免疫機能の低下している患者，抗菌薬の長期使用者などに日和見感染，院内感染あるいは菌交代症を起こす．熱傷感染，尿路感染が多いが肺炎，髄膜炎，敗血症を起こすこともある．**多剤耐性緑膿菌** multi-drug resistant *Pseudomonas aeruginosa*（**MDRP**，感染症法五類定点）の感染では治療が困難となる．慢性閉塞性肺疾患 chronic obstructive pulmonary disease（COPD）などの慢性気道疾患や欧米人に多い遺伝性疾患の囊胞性肺線維症 cystic fibrosis 患者においては，緑膿菌による慢性化，難治化が問題となる．外毒素 A，ロイコシジン，プロテアーゼ，エラスターゼ，ホスホリパーゼ，溶血毒，外毒素 S などを産生する．外毒素 A の毒性が最強で，ウエルシュ菌の α 毒素に匹敵し，マクロファージなどへの細胞毒性，致死毒性があり，角膜潰瘍，皮膚壊死などを起こす．本毒素は，タンパク質合成系の伸長因子である EF-2 を ADP リボシル化して不活性化する．ロイコシジン leucocidin は白血球やリンパ球を崩壊させる．また，type III 分泌装置をもち，エフェクタータンパク質を分泌して細胞毒性を発揮する．ムコイド型の緑膿菌は，体内や留置カテーテル表面でバイオフィルムを形成しやすい．

治　療：感受性試験の結果をもとに感受性のある抗菌薬を選択する．MDRP の場合，アズトレオナムとアミノグリコシド系薬を併用する．

b. モラクセラ属 *Moraxella*

性　状：ナイセリア属に類似し，球菌ないし小桿菌で双球菌状に観察される．鞭毛はなく，莢膜をもつものもある．発育至適温度は 32～35℃である．多くはヒトの常在菌で，日和見感染を起こす．

病原性：*M. catarrhalis* はヒトの鼻腔から気道に常在し，市中肺炎の原因となる．小児では中耳炎，副鼻腔炎，上気道感染症を起こす．成人では気管支炎，肺炎を起こし，高齢者，慢性呼吸器疾患患者，免疫不全者では重症化する．COPD の増悪因子となる．呼吸器に基礎疾患のある患者には院内肺炎を起こしやすい．*M. lacunata* は結膜炎，角膜炎を起こす．

治　療：β-ラクタマーゼ阻害薬配合ペニシリン

系，第二・第三世代セファロスポリン系，マクロライド系薬を用いる．

c. アシネトバクター属 *Acinetobacter*

性　状：鞭毛のない球短桿菌で線毛，莢膜をもつものもある．土壌，水中など環境に広く分布し，皮膚や呼吸器にも定着する．栄養要求性は低く，20〜30℃の比較的低温でも発育できる．

病原性：ヒト腸管，性器，呼吸器，皮膚などから分離される．ときに尿道感染，髄膜炎，敗血症を起こす日和見病原菌である．院内感染が問題となり，薬剤耐性アシネトバクター Multidrug-resistant *Acinetobacter sp.*（MDRA）感染症は，感染症法五類全数把握疾患であるが，日本での検出はまれである

治　療：β-ラクタマーゼ阻害薬配合ペニシリン系やカルバペネム系薬などが選択薬となる．MDRAは感受性試験の結果を確認して選択する．

d. レジオネラ属 *Legionella*

性　状：レジオネラ属は土壌や水圏に生息し，アメーバなどの原生動物に寄生して生活する．レジオネラ症 legionellosis の多くは *L. pneumophila* によるが，*L. mozemanii*, *L. micdadei*, *L. dumoffii*, *L. gormanii*, *L. longbeachae* などもヒトに肺炎を起こす．

レジオネラ・ニューモフィラ *L. pneumophila*
（感染症法四類）

性　状：棒状あるいはフィラメント状の桿菌で，1ないし数本の極単毛または側毛を有し，線毛，莢膜をもたない（図VI-11）．栄養要求性がやや複雑な通性細胞内寄生性菌である（口絵7）．水環境内に浮遊し，細菌捕食性アメーバに寄生する．ヒトに劇症型の肺炎（在郷軍人病，レジオネラ肺炎）または一過性の高熱（ポンティアック熱）を起こす．1976年に米国フィラデルフィアにおける在郷軍人集会（Legion）で発生した死亡率15％以上の劇症肺炎，在郷軍人病 legionnaires' disease から本菌が命名された．1968年に起こった米国ミシガン州ポンティアックにおいて高熱を発する集団感染事例があり，ポンティアック熱 Pontiac fever と命名された．

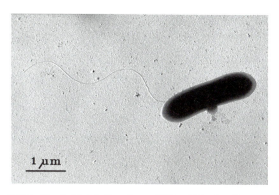

図VI-11　レジオネラ・ニューモフィラ *Legionella pneumophila* の電子顕微鏡像
1本の鞭毛がみられる．
［九州大学　吉田真一博士提供，日本細菌学会教育用映像素材集，第4版，2013より許諾を得て転載］

疫　学：汚染した空調機，給湯設備，循環式の風呂などの水から飛沫感染する．わが国では毎年7月に多く発生し，ヒトからヒトへの感染はない．患者は中高年の男性に多く，日和見感染と考えられ，致命率は高い．近年患者数が増加傾向にあり，年間2,000人を超える．

病原性：潜伏期は2〜10日で，頭痛，筋肉痛で発症し，高熱，乾燥性咳嗽，胸痛，呼吸困難が起こり，重症では肺機能障害，ショック，腎不全，意識混濁で死亡する．ポンティアック熱ではインフルエンザ様症状を呈し，一過性で治癒する．

診　断：尿中抗原検査や，喀痰中の本菌の遺伝子を検出する遺伝子検査が行われる．

治　療：細胞内移行性がよいニューキノロン系やマクロライド系薬を使用する．

e. フランシセラ属 *Francisella*

野兎病菌 *F. tularensis*（感染症法四類）

性　状：多形性で極染色性の小型桿菌で，鞭毛はない．炭素数20〜26の高級脂肪酸を多量に含む．通性細胞内寄生性で生体内では莢膜をもつ．ヒト，動物に野兎病 tularemia を起こす．

疫　学：北アジア，北米，ヨーロッパなど，ほぼ北緯30度以北の北半球に広く発生する．わが国では，近年の発症例はまれである．

病原性：野生の齧歯類による直接接触感染の他，ノミ，ハエなどにより動物に伝播し，ヒトにはウサギの肉や昆虫などにより感染する．ヒト-ヒトの直接伝染はない．潜伏期は2～10日で，悪寒，発熱，頭痛をともない発症する．経皮感染では局所の丘疹とリンパ節腫脹，気道感染では肺炎型で肺門リンパ節の腫脹，消化管感染では発熱を主徴とする腸チフス型の症状を示す．血液を介して広がり，肝，肺，脾などに肉芽腫を形成する．

治　療：ストレプトマイシンを第一選択として，ゲンタマイシン，テトラサイクリン系薬が有効である．

f．コクシエラ属 Coxiella

Q熱コクシエラ C. burnetti（感染症法四類）

性　状：1935年オーストラリアの屠畜場従業員の間の流行で発見された **Q熱**（query fever，不明熱）と呼ばれる人獣共通感染症の病原体である．偏性細胞内寄生性の球桿菌で，マクロファージや好中球内で生存できる．熱，乾燥や消毒薬などに対して強い抵抗性を示す．

疫　学：世界中で患者が報告されている．わが国では，年間多くても数例である．

病原性：哺乳動物，トリ，ダニなどに不顕性感染し，ダニを媒介動物としてヒトに感染する．また，ウシ，ヒツジなど感染家畜の出産時の排泄物や，その周辺の環境汚染から飛沫感染する．20日前後の潜伏期間の後に頭痛，筋痛をともない，40℃前後の弛張熱（平熱に下がらない体温で上下する発熱）が1～3週間持続する（急性Q熱）．肺炎所見を呈するが，通常1ヵ月ほどで回復する．ときに慢性Q熱となり，心内膜炎を合併すると致命的となる．

治　療：テトラサイクリン系，マクロライド系，ニューキノロン系薬が用いられる．

3　グラム陰性通性嫌気性桿菌（Ⅰ）

ここでは表Ⅵ-1のGammaproteobacteiaのうちの腸内細菌科について記述する．

腸内細菌科 Enterobacteriaceae

性　状：通性嫌気性桿菌で，多くは周毛をもつが，シゲラ属，クレブシエラ属は鞭毛をもたない．ヒトに対する病原菌は一般に乳糖非分解性である．腸内細菌科やビブリオ科では，細胞表層のO，K，H抗原が分類に利用される．

a．大腸菌（エシェリヒア）属 Escherichia

性　状：多くは周毛性で，無鞭毛菌もある（図Ⅵ-12）．乳糖を分解して酸とガスを産生する．O抗原180種以上，K抗原約100種，H抗原は1相性で50種以上があり，*E. coli* O157：K88：H43のように血清型が示される．その他に易熱性の線毛 fimbriae 抗原（F抗原）をもつものもある．

(i) 大腸菌 E. coli

病原性：ヒトや動物腸管の常在菌でほとんどは病原性がなく，宿主と共生関係を維持しているが，病原性大腸菌として下痢症や尿路感染症を起こすものがある．

① **病原性大腸菌（下痢原性大腸菌，表Ⅵ-5）**

1．腸管病原性大腸菌 enteropathogenic *E.coli*（EPEC）　小腸粘膜に付着して下痢を起こす．typeⅢ分泌装置でTirタンパク質を宿主細胞に注入し，細

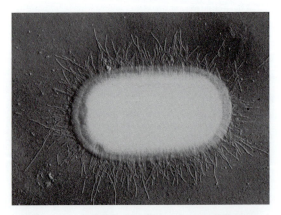

図Ⅵ-12　大腸菌 *Escherichia coli* の電子顕微鏡像
この大腸菌は毒素原生大腸菌であり，線毛CFA/Iがみられる．
［九州大学　天児和暢博士提供，日本細菌学会教育用映像素材集，第4版，2013より許諾を得て転載］

表VI-5 病原性大腸菌（下痢原性大腸菌）の分類と特徴

原因菌	主な病原因子	特徴的な症状
腸管病原性大腸菌（enteropathogenic *Escherichia coli*, EPEC）	定着因子 BFP Type III 分泌機構による A/E 病変	下痢，腹痛，発熱，嘔吐 サルモネラ症に類似
腸管侵入性大腸菌（enteroinvasive *Escherichia coli*, EIEC）：	細胞侵入因子	出血性下痢（膿粘血便），腹痛，発熱，嘔吐 赤痢に類似
腸管出血性大腸菌（enterohemorrhagic *Escherichia coli*, EHEC）	ベロ毒素 VT1, VT2 Type III 分泌機構による A/E 病変	血便，腹痛，嘔吐 溶血性尿毒症症候群 HUS 血栓性血小板減少性紫斑病 TTP 脳症
毒素原性大腸菌（enterotoxigenic *Escherichia coli*, ETEC）：	定着因子 CFA/I〜IV 易熱性エンテロトキシン LT 耐熱性エンテロトキシン ST	水溶性下痢，腹痛，発熱，嘔吐 コレラに類似
腸管凝集性大腸菌（enteroaggregative *Escherichia coli*, EAEC）：	定着因子 AAF/I, II 耐熱性エンテロトキシン EAST1	下痢（軽症） EPECに類似

胞骨格タンパク質を再構成させて粘膜上皮細胞に強固に接着する（A/E 病変 attaching and effacing lesion, 図 VI-13）．サルモネラによる胃腸炎に類似した症状となる．

2.（腸管）毒素原性大腸菌 enterotoxigenic E. coli（ETEC） 腸管毒（エンテロトキシン）enterotoxin を産生してコレラ様の下痢を起こす．腸管毒には易熱性エンテロトキシン（LT，60℃，10分加熱で失活する）と耐熱性エンテロトキシン（ST，100℃，10分加熱で失活しない）があり，両者または一方の毒素を産生する．LT はコレラ毒素 CT に類似の A-B 型毒素で，B サブユニットが標的細胞膜の GM1 ガングリオシドに結合すると，A サブユニットの一部が細胞に侵入し，アデニル酸シクラーゼを ADP-リボシル化して cAMP 濃度の上昇，膜の透過性変化をきたし細胞内の水分と電解質が大量に流失して，水溶性の下痢を起こす．ST はペプチド性毒素で，腸管粘膜上皮細胞のグアニル酸シクラーゼを活性化して cGMP レベルを上昇させ，腸内への水分と電解質の分泌を起こす．

3. 腸管侵入性大腸菌 enteroinvasive E. coli（EIEC） 赤痢菌と同じ病原因子をもち，大腸上皮細胞に侵入して細胞内で増殖する．さらに隣接細胞へ拡散し，粘膜組織を破壊して，赤痢に類似の粘血性下痢を引き起こす．胃酸抵抗性が弱いため，下痢発症には赤痢菌より多くの菌量が必要である．

4. 腸管出血性大腸菌 enterohemorrhagic E. coli（EHEC）（感染症法三類） ベロ毒素 Vero toxin（VT，または志賀毒素 Shiga toxin, Stx）を産生し出血性大腸炎を起こす．志賀毒素産生大腸菌（STEC）あるいはベロ毒素産性大腸菌（VTEC）とも呼ばれる．O 抗原型は O157 が多いが，近年は O26，O111，O128 などが増加傾向にある．極めて感染力が強く，出血性大腸炎，発熱，嘔吐，溶血性尿毒症症候群 hemolytic uremic syndrome（HUS），急性脳症などの激しい症状を呈する（口絵36）．小児や高齢者のみならず成人の死亡例もある．ベロ毒素には赤痢菌の志賀毒素とアミノ酸配列が同一の VT1 と相同性 55％ の VT2 があり，両方またはどちらかが産生される．いずれも A-B 型毒素で，B サブユニットがスフィンゴ糖脂質（Gb3）を受容体として細胞表面に結合すると，A サブユニットが細胞内に侵入し，28S リボソーム RNA の特定のアデノシンから N-グリコシダーゼ活性によってアデニンを切り出す．この部位はアミノアシル tRNA が結合するのに重要な部位で，この結果，タンパク質合成が阻害され細胞死を引き起こす．また，EPEC 同様，A/E 病変を形成して腸管上皮細胞に強固に接着する（図 VI-13）．

5. 腸管凝集性大腸菌 enteroaggregative E. coli（EAE-

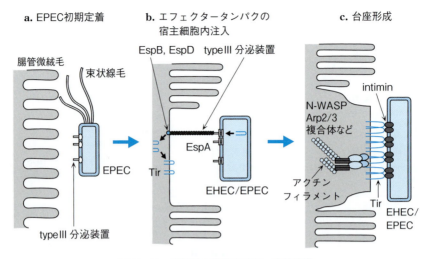

図 VI-13　病原性大腸菌の付着，定着機構
［大阪府立母子保健総合医療センター　柳原　格博士原図提供］

C）EPEC の症状に類似し，小児の慢性の水様性下痢が多い．本菌は凝集して細胞に付着する．ETEC とは異なる耐熱性のエンテロトキシン **EAST1** を産生する．

② 尿路病原性大腸菌 uropathogenic E. coli（UPEC）：膀胱炎，腎盂腎炎などの尿路感染症の大半は線毛などの定着因子を有する大腸菌に起因する．代表的な線毛は Pap 線毛で，腎盂腎炎を起こす大腸菌の 90% 以上にみられる．腎尿細管や腎糸球体などの細胞表面にあるグロボシド系糖脂質のガラクトース糖鎖構造（Gal-Gal 構造）を受容体として結合し，定着する．

治　療：一般にペニシリン系，セフェム系，ニューキノロン系薬を用いる．EHEC 感染の場合には，できるだけ速やかにホスホマイシン，ニューキノロン系薬などを経口投与する．尿路感染においては，ペニシリン系，第一〜三世代セフェム系薬を投与する．

(ii)　大腸菌群 coliform group

性　状：衛生学的見地から哺乳動物の糞便による汚染の指標として用いられる一連の細菌群を大腸菌群という．グラム陰性，芽胞非形成の好気性または通性嫌気性桿菌で乳糖を発酵して酸とガスを産生するものと定義され，*Escherichia*, *Citrobacter*, *Klebsiella*, *Enterobacter*, *Hafnia*, *Serratia*, *Proteus* 属などを含む．食品や環境衛生の検査として定性的，定量的検査が行われ，培養で検出するか，乳糖分解酵素 β-ガラクトシダーゼの発色基質を用いて乳糖分解活性を検出する．

b.　シゲラ属 *Shigella*

赤痢菌 dysentery bacillus（感染症法三類）

性　状：1897 年，志賀潔により発見され，発見者名に因んでシゲラ *Shigella* と命名された．赤痢菌のゲノム DNA は大腸菌と相同性が高く，GTDB では *Escherichia* 属として記載されている．性状も類似するが，莢膜，鞭毛を欠き，グルコースからのガス産生や乳糖発酵が陰性など，大腸菌と異なる．臨床的重要性のため，現在でも大腸菌と区別して扱われる．生化学的，血清学的性状から A（*S. dysenteriae*，志賀菌），B（*S. flexneri*），C（*S. boydii*），D（*S. sonnei*）の 4 亜群 subgroup に分けられる．

疫　学：**細菌性赤痢** bacillary dysentery の主な感染源は感染したヒトであり，患者や保菌者の糞便および糞便に汚染された手指，飲食物，器物，ハエなどを介して直接または間接的に感染する．発症に必要な感染菌量は 100 個以下と極めて少なく，家族内二次感染率が 40% にのぼる．わが国では年間 100〜200 例以上の感染があり，多くは国外感染事例である．

病原性：潜伏期は通常 3 日以内，発熱，腹痛，頻回の下痢と粘血便，重症ではしぶり腹 tenesmus（便意はあるが便が出ず，激しい腹痛がある）をともなう．菌は腸管上皮の M 細胞から侵入し，M 細胞直下のマクロファージに，type III 分泌装置によって IpaC や IpaB などのエフェクタータンパク質を注入して貪食を誘導し，細胞内に侵入する．続いて，ファゴソーム膜を破壊し，宿主細胞にアクチン重合を誘導することで細胞内を移動して周囲の細胞に次々と感染していく．小腸で増殖し大腸に至って化膿性大腸炎を起こす．感染症型食中毒の原因菌である．S. dysenteriae が産生する志賀毒素 Shiga toxin（Stx）は VT1 と同一の毒素で，タンパク質合成を阻害する．症状は亜群に依存し，S. dysenteriae は重症，S. sonnei は軽症か無症状で経過する．

治療・予防：ニューキノロン系またはホスホマイシンを使用する．予防には感染経路対策が重要で，手洗いを励行し，汚染地域では生ものを飲食しない．

c. サルモネラ属 Salmonella

性　状：周毛性の鞭毛をもち活発に運動する（図 VI-14）．通性細胞内寄生性で，チフス菌とパラチフス菌はマクロファージに，その他のサルモネラ属菌は腸管上皮細胞に感染し増殖する．Salmonella 属は S. enterica と S. bongori の 2 種，S. enterica は 6 亜種 subspecies arizonae, diarizonae, enterica, houtenae, indica, salamae からなる．さらに，O 抗原と H 抗原の組み合わせによって 2,500 種以上の血清型 serovar が決定されている．ヒトおよび家畜からは主に S. enterica subsp. enterica が分離される．本書ではサルモネラ属菌の日本語名に対する血清型を S. Typhi などと略記した．

病原性：ヒトの臨床症状から① 腸チフス型，② 菌血症型，③ 胃腸炎型に分けることができる．200 を超える病原遺伝子の多くが染色体上の遺伝子カセット Salmonella pathogenicity island（SPI）に存在し，SopE, SopB, SipA, SipC などの病原タンパク質が type III 分泌装置によって宿主細胞に注入される．

① **腸チフス型（腸チフス・パラチフス：感染症法　三類）**

チフス菌 S. Typhi の感染で腸チフス typhoid fever，パラチフス A 菌 S. Paratyphi A の感染でパラチフス

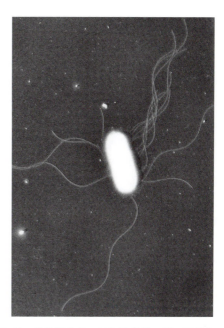

図 VI-14　サルモネラ・エンテリティディス Salmonella Enteritidis の電子顕微鏡像
多数の長い周毛性鞭毛がみられる．
［国立感染症研究所　島田俊雄博士，神戸大学　大澤朗博士提供，日本細菌学会教育用映像素材集，第 4 版，2013 より許諾を得て転載］

paratyphoid fever を起こす．両菌ともヒトのみに感染する感染症型食中毒菌である．10 〜 14 日の潜伏期の後，菌は小腸粘膜から侵入，腸管リンパ節で増殖して菌血症を起こし，各種臓器に伝播，高熱を発し，脾腫，バラ疹がみられる．胆汁中に多数検出され，便，尿にも排菌される．回復後，慢性保菌者になることもある．菌は抗体や食菌作用を回避する莢膜様の Vi 抗原をもつ．

② **菌血症型**

ネズミチフス菌 S. Typhimurium，ブタコレラ菌 S. Choleraesuis などが腸管から侵入し，高熱を発し菌血症を起こす．胃腸症状がなく，腎臓，脾臓，心臓などの臓器に病巣をつくる．

③ **胃腸炎型**

腸炎菌（ゲルトネル菌）S. Enteritidis，ネズミチフス菌（図 II-11 参照）など種々の血清型が感染型食中毒を起こす．感染源は家畜，家禽，ネズミ，ペットなど保菌する動物で，これらの動物の糞便などに汚染さ

れた食品を摂食後，通常12時間程度で発症するが，接種菌量や宿主の状態によって潜伏期間が数時間から数日と幅がある．吐気，嘔吐，腹痛，下痢，発熱などの症状がみられ，腸管粘膜が侵され水様性便が多い．鶏卵からの腸炎菌による食中毒が多い．パラチフスB，C菌は人獣共通感染症病原体で，食中毒菌として扱われる．

　診　断：チフス，パラチフスの診断には患者血清による菌体の凝集反応（**ウィダールWidal反応**）が古くから利用されている．

　治療・予防：重症例ではニューキノロン系薬やアンピシリン，ホスホマイシンが投与される．チフスにはニューキノロン系薬やホスホマイシンが投与される．チフスの予防には飲み水などの環境衛生の改善と保菌者の監視が必要で，胆嚢保菌者も抗菌薬により治療する．

d.　シトロバクター属 Citrobacter

　性　状：周毛菌で，クエン酸塩（citrate）を利用する（シトロバクターの名称の由来）．

　病原性：動物や自然界に広く分布し，ヒトの腸管にも常在する．ときに尿，痰，血液などの臨床材料から日和見または二次感染病原体として見いだされる．C. diversus は新生児の髄膜炎を起こすことがあり，C. freundii はベロ毒素を産生して下痢を起こすものが報告されている．

e.　クレブシエラ属 Klebsiella

　性　状：厚い莢膜をもち，鞭毛をもたない．**肺炎桿菌 K. pneumoniae** が重要である．70種以上のK抗原があり，K2型，K21型など特定の莢膜をもつものは貪食抵抗性で，敗血症例などから分離される．O抗原には9種類があり，O3型のリポ多糖体（KO3-LPS）はO多糖がマンノースホモポリマーで，強力な免疫増強作用（アジュバント活性）をもつ．

　病原性：ヒトの気道，糞便から分離され，肺炎，腹膜炎，尿路感染，菌血症，敗血症などを起こすことがある．日和見感染や菌交代症の原因菌となる．

　治　療：第二世代セフェム系，ニューキノロン系薬が用いられ，ESBL産生菌にはカルバペネム系を用いる．

f.　エンテロバクター属 Enterobacter

　性　状：土壌，水などに分布する．E. cloacae, E. aerogenes が重要である．

　病原性：日和見感染や菌交代症，院内感染の原因となり，尿路感染や敗血症を起こすことがある．

　治　療：第三世代セファロスポリン系薬を用いる．耐性菌や重症例ではカルバペネム系やニューキノロン系薬を用いる．

g.　セラチア属 Serratia

　性　状：小型の短桿菌で，自然界の水や土壌に広く分布する．S. marcescens が重要で，一部の菌は赤い色素プロジギオシンを産生する．

　病原性：院内感染症，日和見感染症起因菌で，肺炎，腹膜炎，敗血症などを起こし，死に至る場合がある．バイオフィルムを形成しやすく，点滴，輸液ルート，輸血バッグなどの医療器具の汚染が原因となった事例がある．

　治　療：第三世代セファロスポリン系やカルバペネム系，アミノグリコシド系薬が用いられるが，耐性菌に注意して選択する．

h.　エドワードシエラ属 Edwardsiella

　性　状：周毛菌で，E. tarda は各種動物に広く分布する．爬虫類や魚類の感染症起因菌である．

　病原性：日和見感染菌で，ヒトでは下痢症を起こす．肝硬変や糖尿病などの基礎疾患をもつ患者に，壊死性筋膜炎や血流感染症を発症し劇症化することがある．

i.　プロテウス属 Proteus

　性　状：周毛菌で，通常の固形培地上でスウォーミングして広がり，コロニーを形成しない．水や土壌などの環境に広く分布し，ヒトや動物の腸管に常在する．

　病原性：臨床的に P. vulgaris および P. mirabilis が分離される．日和見感染して下痢や尿路，創傷感染の原因となる．抗菌薬に抵抗性が強く，菌交代症や院内感

染の原因にもなる.

治　療：タゾバクタム/ピペラシリンやキノロン系薬を用いる.

j. エルシニア属 *Yersinia*

性　状：自然界の動物に広く分布し，人獣共通感染症の病原体である．低温（4℃）でも増殖が可能で，腸管粘膜のバリアーを破壊する侵襲性を示す．

(i) ペスト菌 *Y. pestis*（感染症法一類）

性　状：ペスト plague, pest, 黒死病 black death の原因菌として1894年に北里，Yersinらにより発見された．卵形，両極染色性の桿菌で，鞭毛は無い．通性細胞内寄生性で，表層抗原としてO抗原や食菌抵抗性のエンベロープ抗原 Fraction 1，強毒菌には表層タンパク質抗原VW複合体が存在する．

疫　学：黒死病と恐れられ，6世紀から19世紀まで世界各地で猛威をふるった．1990年以降，ほとんどの患者はアフリカで発生し，毎年9月から4月の流行シーズンに腺ペストの報告がある．

病原性：ネズミなど野生の齧歯類を宿主とし，ノミを介して感染する．臨床症状により腺ペスト bubonic plague，敗血症型ペスト septic plague および肺ペスト pneumonic plague がある．腺ペストは，感染領域の有痛性のリンパ節炎と腫脹「横痃」が現れる．横痃を形成することなく血流を介して全身に広がると敗血症ペストとなる．腺ペストが進行して，菌が循環系に入った場合も敗血症を起こし，肺炎を起こすと続発性肺ペストとなる．肺ペストは，伝染性が極めて強く，飛沫，空気感染して原発性肺ペストを起こす．潜伏期は2～6日で，治療しなければ致命率は肺ペストで100％，腺ペストでも50～75％と非常に高い．

診　断：イムノクロマト法を利用した迅速抗原検出試験が利用される．

治療・予防：ストレプトマイシン，ドキシサイクリン，レボフロキサシンを早期に投与する．伝染を防ぐために，ネズミとノミの駆除を行う．

(ii) 偽結核菌 *Y. pseudotuberculosis* と腸炎エルシニア *Y. enterocolitica*

性　状：ペスト菌に類似の菌で，偽結核菌は齧歯類，家畜，鳥類から分離される．イヌやブタが感染源となり食中毒を起こす．腸炎エルシニアは5～10℃の低温でよく増殖し，輸液バッグ（濃厚赤血球液）の汚染菌としても知られる．

病原性：偽結核菌は発疹，リンパ節の腫大，下痢，皮膚潰瘍，腸間膜リンパ節炎などを起こす．腸炎エルシニアは食中毒型（急性胃腸炎），虫垂炎型（終末回腸炎，腸間膜リンパ節炎），関節炎型，敗血症型の病気を起こす．

治　療：重篤な症状や合併症のある場合はアミノグリコシド系薬，ドキシサイクリン，フルオロキノロン系薬，ST合剤などを使用する．

4 グラム陰性通性嫌気性桿菌（II）

ここでは Gammaproteobacteria のうちの腸内細菌科以外の通性嫌気性菌4属について述べる．

a. ビブリオ属 *Vibrio*

性　状：やや弯曲した桿菌で，鞭毛は液体培地では有鞘の極単毛か極叢毛を有する．淡水から高い塩濃度の水系，海洋動物表面や腸管に生息している．染色体として大小二つの環状DNAをもつ．O抗原は200以上の血清群があり，H抗原は1種類で型別には利用されない．

(i) コレラ菌 *V. cholera*（感染症法三類）

性　状：コレラの病原体で1883年にKochが分離した．コンマ状に弯曲した極単毛桿菌で莢膜をもたない（図VI-15）．生物学的性状から古典型 classical（またはアジア型）とエルトール Eltor 型の二つの生物型に分けられる．エルトール型は溶血性，VP反応が陽性で古典型は陰性である．血清型はアジア（古典）型もエルトール型も同じで，O1抗原をもつコレラ菌をO1コレラ菌 *V. cholerae* O1 と呼び，抗O1血清で凝集しないビブリオはナグビブリオ（非凝集ビブリオ）

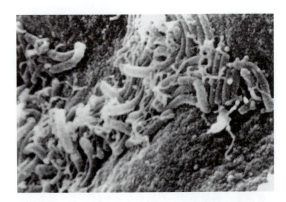

図 VI-15　コレラ菌 *Vibrio cholerae* の走査電子顕微鏡像
腸管上皮にやや弯曲したコレラ菌が多数定着している．
　　　　　　［大阪大学名誉教授　本田武司博士提供］

nonagglutinable（NAG）vibrio または非 O1 コレラ菌 *V. cholerae* non-O1 と呼ばれる．O1 コレラ菌はさらに稲葉 Inaba 型，小川 Ogawa 型，彦島 Hikoshima 型に分けられる．O1 コレラ菌に加えて O139 コレラ菌 *V. cholerae* O139 がコレラ毒素 cholera toxin（CT）を産生し，コレラを起こすが，ナグビブリオは軽症下痢症の起因菌となる．いずれも食中毒菌として指定されている．

疫　学：現在までにコレラは 7 回の世界的流行が記録されており，第 7 次の流行は現在も続いている．第 1 次から第 6 次まではアジア型，1961 年からの第 7 次はエルトール型の流行である．1992 年から流行している O139 コレラは，新興感染症であり，現在も O1 エルトール型と同時流行を繰り返している．世界で毎年数百万人の患者が発生し，数万人が死亡する．わが国では，コレラ流行地域への旅行や輸入魚介類などが原因の輸入感染症としてみられ，大半が O1 エルトール型である．

病原性：コレラ毒素を産生する O1 コレラ菌および O139 コレラ菌が汚染食品を介して経口感染する．潜伏期 1〜3 日の後に発症し，嘔吐と 1 日 5〜10 L に及ぶ大量の米のとぎ汁様水様性下痢を起こし，著しい脱水症状，虚脱が現れる．コレラ毒素は A-B 型毒素で，B サブユニットは GM1 ガングリオシドに結合し，A サブユニットの一部を細胞内に送り込む．A サブユニットは宿主細胞のアデニル酸シクラーゼを ADP-リボシル化して活性化状態を維持し，細胞内 cAMP 濃度を上昇させる．その結果，粘膜の透過性が高まり小腸から大量の水分と電解質が流失し，体液はアシドーシスとなる．死因は脱水とアシドーシス，低カリウム血症であり，十分量の輸液の供給で死亡率を低下させることができる．

治療・予防：経口補水液や輸液で水分と電解質を補給する．重症の場合はニューキノロン系やテトラサイクリン系薬などを投与する．流行地域では経口コレラワクチンが接種される．

(ii) 腸炎ビブリオ *V. parahaemolyticus*

性　状：1950 年シラス中毒の原因菌として藤野らにより発見された．極単毛と側毛の 2 種の鞭毛をもつ（図 VI-16）．3〜4％ の NaCl で最もよく発育し，真水では死滅する．発育至適温度は 30〜37℃ で 10℃ 以下では増殖しない．増殖力は極めて旺盛で，至適条件下での世代時間は 7.5〜8 分間である．特定の血液寒天培地（我妻培地）上で β 溶血を起こす現象を神奈川現象といい，菌の産生する耐熱性溶血毒 thermostable direct hemolysin（TDH）によって起こる．

疫　学：海産魚介類にもともと付着しており，生食によって感染型食中毒を引き起こす．鮮魚が傷みやすい夏場に発生する．

病原性：潜伏期間は 2〜6 時間で，生菌 10^7 個を摂

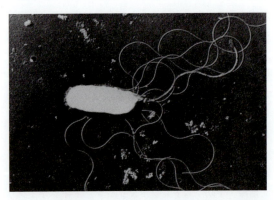

図 VI-16　腸炎ビブリオ *Vibrio parahaemolyticus* の電子顕微鏡像
やや湾曲した桿菌に極単毛と側毛の 2 種類の鞭毛がみられる．
［大阪大学微生物病研究所　飯田哲也博士提供，日本細菌学会教育用映像素材集，第 4 版，2013 より許諾を得て転載］

取すると確実に発症し，耐熱性溶血毒による嘔吐，腹痛，下痢，脱水症状，血圧低下，心不全などの症状がでる．生菌 10^5 個では無症状か軽症である．耐熱性溶血毒は四量体からなる毒素で，GT1 ガングリオシドをもつ腸管粘膜上皮細胞や心筋細胞に作用し細胞毒性や腸管毒性，心筋細胞の運動を停止させる即時型致死活性（心臓毒性）を示す．粘血下痢便形成にも関与している．

治療・予防：脱水や循環器障害に対して輸液や強心薬投与など対症療法を行う．抗菌薬はニューキノロン系薬あるいはホスホマイシンを投与する．加熱調理や食材を真水でよく洗う，酢でしめるなどにより予防できる．

(iii) **ビブリオ・ブルニフィカス** *V. vulnificus*

病原性：沿岸の海域に広く生息する．皮膚創傷から侵入し，局所の感染を起こす場合と，海産物の摂取によって腸管から血流へ侵入し重篤な敗血症を起こす場合がある．後者は「人食いバクテリア」として知られ，肝硬変や糖尿病などの基礎疾患のある患者に敗血症や壊死性筋膜炎などを起こし，致死率は 50 ～ 70%に及ぶ．早期の抗菌薬治療が必要で，病状が進行してからでは抗菌薬は無効である．

b. パスツレラ属 *Pasteurella*

性　状：両極染色性で無鞭毛の球菌ないし桿菌である．

病原性：*P. multocida* など病原株は莢膜をもち哺乳類，鳥類の上気道や消化管粘膜に寄生する．ニワトリコレラの原因菌でウシ，ヒツジなど家畜に出血性敗血症を起こす．ヒトにはイヌ，ネコから創傷感染し，皮膚化膿症やリンパ節炎を起こす．呼吸器感染症や心内膜炎を起こすこともある．

治　療：ペニシリン系薬が有効である．耐性菌には第三世代セフェム系薬を用いる．

c. ヘモフィルス属 *Haemophilus*

性　状：小型ないし中型の多形性，無鞭毛の球桿菌あるいは桿菌である．通性嫌気性で，発育因子として血液中の X 因子（protoporphyrin IX または protoheme）と V 因子（NAD または NADP）の両者かまたは一方を要求する．ヒトや動物の咽喉頭，上気道の粘膜常在菌である．

(i) **インフルエンザ菌** *H. influenzae*

性　状：1892 年に Pfeiffer が当時流行していたロシア風邪の患者から分離し，インフルエンザの病原体であると報告したが，その後否定された．多糖体莢膜をもち，X，V 因子要求性である．莢膜のある a ～ f 型と無莢膜型 non-typeable，NTHi に分類される．

疫　学：わが国では，成人よりも小児の保菌率が高く，15 歳以下では 10 ～ 20%，さらに慢性扁桃炎等で摘出された 3 ～ 10 歳の扁桃では 60% 以上で本菌が検出される．莢膜型 b 型 *H. influenzae* type b（Hib）は乳幼児の髄膜炎起因菌で，世界では年間約 20 万人の乳幼児が死亡する．わが国では Hib ワクチン導入後，確実に減少している．また，NTHi は気道感染症，肺炎の主な原因菌であり，市中肺炎では肺炎球菌に次いで多い．

病原性：喉頭蓋炎，副鼻腔炎，中耳炎，結膜炎，肺炎，髄膜炎などを起こす．小児で髄膜炎を発病すると 5% が死亡し 25% に後遺症が残る．本菌が血液や髄液から検出される侵襲性インフルエンザ菌感染症は，感染症法五類全数把握対象疾患である．

治療・予防：β-ラクタマーゼ阻害薬配合ペニシリン系，第三世代セフェム系，カルバペネム系，キノロン系薬に感受性を示す．乳幼児の髄膜炎予防に Hib ワクチンが接種されている（定期予防接種 A 類）．

(ii) **軟性下疳菌** *H. ducreyi*

性　状：X 因子要求性で莢膜のない細い桿菌である．

病原性：性感染症（STD）の軟性下疳 soft chancre, chancroid を起こす．潜伏期は 3 ～ 5 日，感染局所の発赤，腫張，壊死性潰瘍がみられ，圧痛がある．横痃（鼠径リンパ節の炎症性腫脹）と膿排出をともなうこともある．通常 2 ～ 3 週間で瘢痕を残して治癒する．近年では，まれに東南アジアで感染して帰国した患者がみられる．

治　療：マクロライド系，テトラサイクリン系薬，

サルファ薬，ニューキノロン系薬などを使用する．

5 短型らせん菌

ここではグラム陰性微好気性のらせん菌であるカンピロバクター属およびヘリコバクター属について述べる．これらは Proteobacteria 門 Epsilonproteobacteria 綱に分類されているが，GTDB では新たな Campylobacterota 門に分類されている（**表 VI-1**）．

a. カンピロバクター属 *Campylobacter*

性　状：2 〜 3 回転のらせん型，紡錘状（S 字型）の菌で，家畜，家禽などの腸管，生殖器に常在する．

カンピロバクター・ジェジュニ/コリ
C. jejuni/coli

性　状：小型で S 字型を示し，2 個の菌が連鎖するとカモメの翼状 gull-wing shape を呈す（**図 VI-17**）．両極に各 1 本の鞭毛をもち，コルクスクリュー様の独特な動きで活発に運動する．酸素濃度 5 〜 10% が必須の微好気性菌で，34 〜 42℃の比較的高い温度で増殖する．ウシ，ヒツジ，野鳥およびニワトリなど家禽類の腸管内に広く常在し，*C. coli* はブタでの保菌率が極めて高い．人獣共通感染症であるが動物はほとんど発症しない．

疫　学：世界の胃腸炎の中で最も多い原因菌と考えられ，毎年 5 億人以上が感染・発症する．わが国の細菌性食中毒の中では，事件数，患者数ともにほぼ毎年最多である．患者は成人より小児に多く，季節的特徴はない．

病原性：感染型食中毒を起こし，主な症状は下痢，腹痛，発熱などで，血便をともなうことがある．原因食は加熱調理不十分の鶏肉による場合が多いが，潜伏期は 2 〜 11 日と幅がある上，1,000 個以下の少量の菌数で発症することから特定が難しい．多量の水様性の腐敗臭をともなう下痢，虫垂炎様の腹痛を起こし発熱は 3 日程度で，一般に予後は良好である．感染後 1 〜 3 週間を経て，自己免疫性の末梢神経障害を起こすギラン・バレー症候群 Guillain-Barre syndrome（**GBS**）を発症することがあり，4 割程度の患者に歩行困難などの後遺症が残る．一部患者では呼吸筋麻痺が進行し，死亡例もある．菌体表層の糖鎖構造と運動神経軸索のガングリオシドとの分子相同性が自己免疫誘導の引き金となる．

治　療：多くは自然治癒する．重篤な症状や敗血症などの場合は，マクロライド系やテトラサイクリン系薬が用いられる．

b. ヘリコバクター属 *Helicobacter*

性　状：1983 年 Warren と Marshall が慢性胃炎患者の胃粘膜からカンピロバクター様の細菌を分離して報告し，胃炎，胃・十二指腸潰瘍の原因菌であることが証明されて，2005 年にノーベル生理学・医学賞を受賞した．

ヘリコバクター・ピロリ（ピロリ菌）*H. pylori*

性　状：S 字状ないし弯曲した菌で，細胞端にある 4 〜 6 本の有鞘極鞭毛をヘリコプターのように旋回させて運動する（**図 VI-18**）．厳密な微好気性で，増殖に 5 〜 20% の CO_2 と高い湿度を必要とし，発育は遅い．多くは胃の生検材料から分離されるが，胃液から分離されることもある．ウレアーゼにより尿素を分解してアンモニアを産生し，胃酸を中和することで，胃内で生存できる．

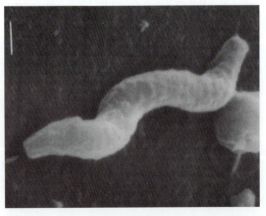

図 VI-17　カンピロバクター・ジェジュニ *Campylobacter jejuni* の走査電子顕微鏡像
両端から 1 本ずつの鞭毛がみられる（両毛性）．
［山口大学　小西久典博士提供，日本細菌学会教育用映像素材集，第 4 版，2013 より許諾を得て転載］

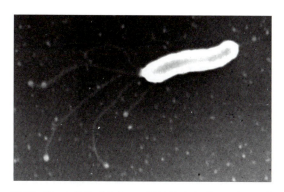

図 VI-18　ヘリコバクター・ピロリ *Helicobacter pylori* **の走査電子顕微鏡像**
細胞の一端から数本の鞭毛が派生し，鞭毛は有鞘で先端は膨化している．
[杏林大学　神谷茂博士提供，日本細菌学会教育用映像素材集，第3版，2009 より許諾を得て転載]

疫　学：感染率は一般に発展途上国で高く，先進国で低い．日本における感染率は戦前生まれの年齢層では高いが，高度経済成長期以降急激に低下した．乳幼児期の家族内感染が減少したためと考えられる．胃・十二指腸潰瘍のみならず，胃癌の発症率も低下すると期待される．

病原性：慢性活動性胃炎，胃潰瘍，十二指腸潰瘍を起こし，胃癌に進展することがある．胃炎は慢性的で大部分が無症状である．type IV 分泌装置（p.43 参照）を介して CagA タンパク質を宿主細胞に注入し，サイトカイン産生や細胞増殖の亢進などを引き起こす．これが発癌の要因と考えられる．

診　断：生検組織の鏡顕，培養によって菌を直接検出するか，迅速ウレアーゼ試験によって間接的に検出する．迅速ウレアーゼ試験は菌のウレアーゼによって産生されるアンモニアを pH の上昇で検出する試験で，尿素と pH 指示薬が入った検査試薬に胃生検組織を入れ，pH 指示薬の色の変化で検出する．非侵襲的な検査法には，尿，唾液または血清中の抗ピロリ菌抗体の測定，便中のピロリ菌抗原の測定，尿素呼気試験がある．^{13}C で標識した尿素を内服すると，胃内のピロリ菌のウレアーゼ活性によって標識二酸化炭素 $^{13}CO_2$ とアンモニアが生成され，消化管から血中に入り呼気中に排出される ^{13}C を測定する．

治　療：プロトンポンプ阻害薬，アモキシシリン，クラリスロマイシンの3剤併用による一次除菌治療が行われる．クラリスロマイシン耐性菌には，クラリスロマイシンに代えてメトロニダゾールを用いた3剤併用二次除菌が行われる．

6　ブルセラ属とバルトネラ属

ここでは Alphaproteobacteria 綱の中で，リケッチア目を除く2属について述べる．大きさや形態はリケッチアに極めて類似する．人工培地で培養できるが，栄養要求性は複雑で，血液などを添加する必要がある．また通性細胞内寄生性で，生体内では組織細胞の細胞質中に侵入して増殖する．

a.　ブルセラ属 *Brucella*（感染症法四類）

性　状：無鞭毛，無莢膜の小さな球菌ないし短桿菌．偏性好気性菌で，発育に CO_2 を要求する．ヤギなどの家畜やイヌなどを自然宿主とする人獣共通感染症菌である．ヒトのブルセラ症 brucellosis の原因菌は，*B. melitensis*（マルタ熱菌），*B. abortus*（ウシ流産菌），*B. suis*（ブタ流産菌），*B. canis*（イヌ流産菌）の4種がある．

疫　学：世界では家畜からのブルセラ症患者が毎年50万人以上発生している．わが国では1970年代以降，家畜からは分離されず，イヌの保菌がみられる．輸入症例を含め毎年数例発生する．

病原性：マルタ熱菌が最も病原性が強い．感染動物の組織，血液，胎盤，腟排泄物，尿などが感染源で，経口，経気道的に菌が感染すると局所リンパ節から血流に入り全身症状を呈する．1〜6週の潜伏期の後，発熱，頭痛，関節痛，全身の疼痛から骨髄炎になることもある．特徴的な波状熱を呈し，夕方から発熱し朝は平熱に近く解熱する間欠熱が繰り返す．

治　療：ドキシサイクリン，リファンピシン，ゲンタマイシンの2剤または3剤が併用される．

b.　バルトネラ属 *Bartonella*

性　状：多形性を示す短桿菌で，1〜10本の極鞭毛をもつ．好気性菌で，血清加人工培地で増殖する

が，生体内では内皮細胞に侵入して増殖する．節足動物がベクターとなる．

病原性：① B. henselae は**ネコひっかき病** Cat-Scratch Fever の原因菌である．ネコ間の感染はネコノミが媒介する．ノミ糞中の菌を牙や爪に付着させたネコからの咬傷または掻傷で経皮感染する．イヌやノミからの感染もあり，ペットからの感染がみられる．感染部位に丘疹，水疱性，痂皮状の初期病変がみられ，その後，所属リンパ節の有痛性腫脹，倦怠感，発熱，頭痛などを発する．② B. quintana は第一次大戦時に流行した**塹壕熱**の原因菌で，コロモシラミにより媒介され，発熱と発疹を主徴とする．患者の尿中に病原体が排出される．③ B. bacilliformis は**オロヤ熱** oroya fever と**ペルーいぼ** verruga peruviana を起こす．両疾患を研究した医学生の名から，両者を合わせて**カリオン病**と呼ぶ．野口英世は本菌を分離し，これらの病原体が同一であることを証明した．カリオン病は媒介昆虫であるサシチョウバエが生息する南米アンデス山脈の峡谷に限局して存在する風土病である．初感染で高熱と溶血性貧血を特徴とするオロヤ熱となり，回復後，再感染でペルーいぼを発症する．

7　リケッチア

リケッチア目 Rickettsiales はリケッチア科 Rickettsiaceae とアナプラズマ科 Anaplasmataceae の 2 科に分類される．グラム陰性菌類似の形態を示す短桿菌で，多形性を示す（**図 VI-19**）．偏性寄生性で，その培養には宿主細胞が必要である．ヒトを含む脊椎動物への伝播には，ノミ，シラミ，ダニなどの媒介動物（ベクター）が介在する．

I．リケッチア科 Rickettsiaceae

リケッチア属 Rickettsia とオリエンチア属 Orientia の 2 属が含まれる．リケッチア属は病型により，発疹チフス群と紅斑熱群に 2 大別される．

a．リケッチア属 Rickettsia

(i) 発疹チフスリケッチア R. prowasekii（感染症法四類）

発疹チフスはわが国でも第二次大戦中に大流行したが，1953 年以降患者発生はない．自然宿主はヒトで，コロモシラミは患者の体液を吸ったときにリケッチアを獲得する．リケッチアはシラミの体内で増殖し，糞便中に排泄される．ヒトはかゆさのためにかき傷をつくるが，リケッチアはその掻傷からヒトに感染する．潜伏期は 10〜14 日で，突然発症し，発熱，頭痛，発疹を 3 主徴とする．基本的な病理組織所見は毛細血管内皮細胞内でのリケッチアの増殖による血管病変である．

(ii) 発疹熱リケッチア R. typhi

発疹熱は世界各地に散発的にみられる．ドブネズミやクマネズミが感染源で，それらに寄生するノミの排泄した糞便中のリケッチアがヒトに感染する．症状は比較的軽度である．

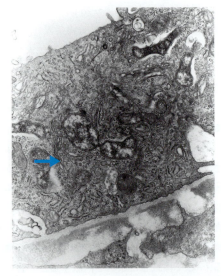

図 VI-19　*Orientia tsutsugamushi* の細胞内増殖像

(iii) 紅斑熱群リケッチア spotted fever rickettsia

(1) ロッキー山紅斑熱リケッチア *R. rickettsii*（感染症法四類）

米国では最もよくみられるリケッチア感染症であるが，日本国内での発生はみられない．マダニにより媒介され，3〜9月のマダニ活動期に患者が発生する．刺咬より3〜12日の潜伏期間ののち，発症し，頭痛，全身倦怠感，高熱などを呈する．手足などの末梢部から発疹が発生し，急速に体幹へ広がる．部位によっては点状出血をともなう．

(2) 日本紅斑熱リケッチア *R. japonica*（感染症法四類）

疫　学：1984年に日本で初めて患者が発見され，新種 *R. japonica* と命名された．媒介ダニの活動が活発化する4月〜10月に，西日本を中心に年間200件を超える患者が報告される．

病原性：野山等に生息するヤマアラシチマダニ，キチマダニ，フタトゲチマダニなどを介してヒトに感染する．リケッチアは，マダニでは卵を介して子孫に伝播する（経卵感染）だけでなく，保有動物から吸血時に感染する．ダニの感染率は地域により異なるが，数％程度である．マダニ刺咬より2〜8日後，頭痛，発熱，倦怠感をもって発症する．38℃以上の発熱，発疹，刺し口が主要3徴候である．つつが虫病との臨床的な鑑別は難しい．また，ダニ刺咬部に形成される痂皮（かさぶた）が，つつが虫病よりやや小さい（5〜10 mm）．

診　断：間接蛍光抗体法，間接ペルオキシダーゼ法による血清診断が行われる．

治　療：テトラサイクリン系を第一選択薬とするが，重症例ではニューキノロン系を併用する．死亡することもある急性感染症であるので，確定診断を待たず早期に適切な抗菌薬を投与することが必要である．

b. オリエンチア属 *Orientia*

恙虫病病原体 *O. tsutsugamushi*（感染症法四類）

疫　学：新潟，山形，秋田地方で古くから「毛ダニの病」として恐れられていたつつが虫病の病原体である．年間400〜900名の患者が北海道を除く全国で発

図 VI-20　フトゲツツガムシの走査電顕写真
〔愛知医科大学　角坂照貴博士提供〕

生している．古典的つつがむし病はアカツツガムシにより媒介され，患者発生時期も夏季（6〜8月）に集中していたが，近年はフトゲツツガムシ（図 VI-20）やタテツツガムシにより媒介される新型つつがむし病が大部分で，春先（4〜6月）と晩秋（10〜12月）の2峰性の発生をみる．

病原性：本菌はツツガムシの親虫から幼虫に垂直伝播される（図 VI-21）．すなわちツツガムシはベクターであると同時に保有動物でもある．ツツガムシの0.1〜3％がリケッチアを保有する．ヒトは農作業や森林作業など野外作業中にツツガムシに吸血される．ツツガムシの幼虫は0.2 mm程であり，吸着を発見しにくい．ヒトに感染すると，5〜12日の潜伏期の後に，突然，悪寒と39℃以上の発熱をもって発症し，2〜4日後に発疹を生ずる．発疹は，顔面，体幹に多く四肢に少ない傾向がみられる．ツツガムシの刺し口には周辺に赤味のある痂皮（10〜15 mm）の形成が認められ，臨床所見上での診断の決め手になる（**口絵33**）．

診　断：間接蛍光抗体法，または免疫ペルオキシダーゼ法による血清診断が行われる．

予防と治療：テトラサイクリン系薬が第一選択薬である．他に，アジスロマイシンやリファンピンも有効である．野山に入る際にはマダニに刺されないように，皮膚を露出しないことやダニの忌避剤を使用する．

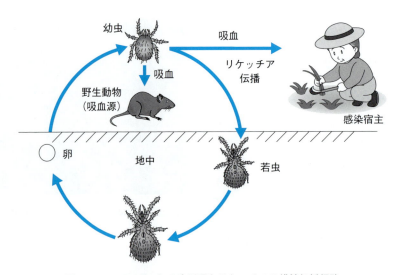

図 VI-21　ツツガムシの生活環とリケッチアの維持伝播経路
リケッチアをもつ有毒成虫から生まれた幼虫，若虫，成虫はリケッチアを維持伝播する．有毒幼虫は，ヒトや動物に一度だけ吸血する際にリケッチアを伝播する．ツツガムシはつつが虫病リケッチアの保有体であり，媒介者である．

II. アナプラズマ科 *Anaplasmaceae*

アナプラズマ・ファゴサイトフィラム *Anaplasma phagocytophilum*

ヒト顆粒球アナプラズマ症の病原体である．1994年に米国でウマの感染症として発見され，後にヒトにも感染することが判明した．ヒトやウマに病原性を示し，末梢血中の顆粒球中で増殖する．日本では感染が疑われる不明熱症例が報告されるが，まだ実態は明らかではない．シカなど野生ほ乳類とベクターとなる *Ixodes* 属マダニ（口絵 30）との間で維持され，ヒトがマダニ刺咬を受けることで感染する．感染後，発熱，発疹が出現する．この属のマダニはライム病ボレリアの媒介種でもあり，両者の混合感染が認められることがある．治療にはテトラサイクリン系が推奨される．

D　クラミジア

クラミジアはリケッチアと同じく偏性細胞内寄生性であるが，遺伝系統分類ではリケッチアは多くのグラム陰性菌が属する Proteobacteria 門に属するのに対して，クラミジアは Verrucomicrobiota 門に属する．両者間には遺伝系統学上の関連はない（図 II-2 参照）．

性　状：偏性寄生性細菌のため，培養には発育鶏卵の卵黄嚢内接種法や培養細胞に感染させて増殖させる．クラミジアは特徴的な増殖サイクルを示す（図 VI-22）．クラミジアは細胞外では基本小体 elementary body と呼ばれる直径 0.3 μm の球形小体で，堅牢な外皮膜（細胞壁と細胞質膜）に包まれている．基本小体は宿主細胞の貪食作用によって宿主細胞質にとりこまれ，リソソームの融合を阻害して殺菌から逃れる．その空胞中で大型の網様体 reticulate body に変化すると二分裂増殖を開始する．感染 20 時間以後，網様体が十分に増殖を完了すると，少しずつ基本小体へと変化する．感染 40〜48 時間に細胞は死滅し，破裂して基本小体が細胞外に放出される．クラミジアが増殖した空胞を封入体と呼ぶ．

基本小体は細胞外存在型で，休止型であり，物理的処理に強い抵抗性を示す．一方，網様体は細胞内での増殖型であり多形性を示し，やわらかく物理的処理で容易に破壊される．宿主細胞への感染能は基本小体のみに存在し，網様体は感染性を有さない．

D. クラミジア

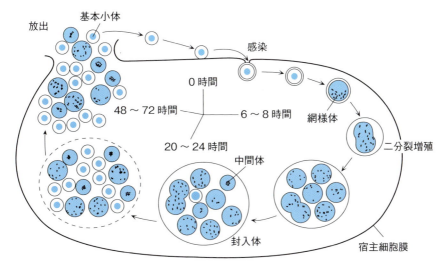

図 VI-22　クラミジアの細胞内増殖
［加藤延夫編：医系微生物学　第2版，p.256，1996年，朝倉書店，東京より許諾を得て転載］

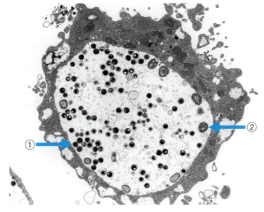

図 VI-23　*Chlamydia trachomatis* の電子顕微鏡像
①基本小体　②網様体
［国立感染症研究所，性器クラミジア感染症とは，IDWR，2004年，第8号より許諾を得て転載］

a. クラミジア属 *Chlamydia*

(i) クラミジア・トラコマチス *Chlamydia trachomatis*（性器クラミジア感染症　感染症法五類）（図 VI-23）

性　状：自然宿主は一部の例外を除いてヒトのみである．血清学的，生物学的性状により15型に分けられ，型により感染病態が異なる．

病原性：*C. trachomatis* のうち主に A, B, Ba, C 型は眼の粘膜に感染しトラコーマ trachoma を引き起こす．衛生状態の悪いアフリカ地方やアジアの発展途上国に患者が多い．患者の手指や使用後のタオルなどから直接または間接に接触感染により伝播する．3〜12日の潜伏期の後，急性濾胞性結膜炎を起こす．角膜への血管侵入（パンヌス）を起こし瘢痕を形成し，慢性角膜炎になると失明する．

C. trachomatis の D 型から K 型までのものは，性行為により伝播されて，性器クラミジア感染症を起こす．わが国では10代後半から20代の患者が多く年間2万人以上の新規患者が発生している．男性では非淋菌性尿道炎，女性では子宮頸部炎，急性卵管炎，直腸への感染を起こす．症状は軽く，無症状のまま経過する場合も多く，それがヒトからヒトへの伝播を拡大している．子宮頸部上皮に感染をもつ母親から生まれた新生児は産道を通過する際に感染し，急性封入体結膜炎の他上気道炎や肺炎を起こす（図 VI-24）．

C. trachomatis のうちの L-1〜L-3 型は鼠径リンパ肉芽腫症（第四性病）の原因となる．かつては多発したが，今はまれである．1〜2週間の潜伏期の後に，感染した性器に無痛性の丘疹，水疱を生じ，破れて潰瘍となる．その数週間後に鼠径リンパ節が腫張して化

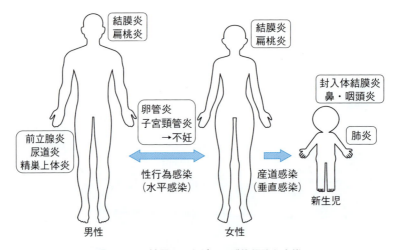

図 VI-24　性器クラミジアの感染経路と病態
男女のパートナー間では性行為により双方向に感染が起こる．
新生児は感染妊婦からの出産時に感染を受ける．

膿する．腫張が激しくなると直腸の狭窄を起こすことがある．

　診　断：臨床所見，血清学的検査法，感染部位の顕微鏡所見，病原体の分離法，菌体遺伝子の検出などによる．

　治　療：細胞内移行性が良好なテトラサイクリン系薬，マクロライド系薬，ニューキノロン系薬を使用する．クラミジアの網様体はペプチドグリカンを欠くため，ペニシリンやセフェム系薬は無効である．

(ii) **クラミジア・シッタシ** *Chlamydia psittaci*
　　（感染症法四類）

　オウム病病原体である．国内では年間10例程度の患者が発生している．オウム，インコ，ハトなどの鳥類に感染し，感染鳥類の糞便からヒトへ飛沫感染し，主として肺炎を起こす．インフルエンザ様の症状を呈する異型肺炎，あるいは肺臓炎の型と，肺炎症状が顕著ではない敗血症様症状を呈する型とがある．高熱で突然発症する例が多く，頭痛，全身倦怠感，筋肉痛，関節痛などがみられる．テトラサイクリン系薬が第一選択薬である．マクロライド系，ニューキノロン系薬も効果がある．

(iii) **クラミジア・ニューモニアエ** *Chlamydia pneumoniae*

　ヒトからヒトに直接伝播して，急性呼吸器感染症（肺炎，気管支炎，咽頭炎，喉頭炎など）を起こす．咳嗽，喀痰，咽頭痛，呼吸困難などの症状が現れる．不顕性感染も多く，ヒトの本菌に対する抗体保有率は2〜4歳以降急速に上昇し，健康人の60〜70%が抗体を保有する．近年，本菌が動脈硬化症に関連するとの指摘もある．

E　スピロヘータ

　スピロヘータ Spirochaetes はグラム陰性，無芽胞のらせん状の細長い運動性の細菌である．らせん状の細胞体は外被に包まれ，外被の内側に運動器官である鞭毛が存在する（**図 VI-25**）．スピロヘータは通常，染色しにくく鍍銀法やギムザ染色を行うか暗視野法で鏡検する．スピロヘータ目 Spirochaetales は3科からなる．このうちヒトに病原性を示すトレポネーマ属とボレリア属はスピロヘータ科 Spirochaetaceae に，レプトスピラ属はレプトスピラ科 Leptospiraceae に属する．

E. スピロヘータ

図VI-25　スピロヘータの構造
多くの細菌の鞭毛は菌体外へ露出しているが，スピロヘータでは，外被の内側に鞭毛が存在する．
[増澤俊幸：薬学領域の病原微生物学・感染症学・化学療法学　第4版, p.187, 2018年，廣川書店，東京より許諾を得て転載]

a. トレポネーマ属 Treponema

ヒトや動物の口腔，腸管，生殖器に常在し，あるものは病原性を示す．

(i) 梅毒トレポネーマ T. pallidum subsp. Pallidum （感染症法五類）

性　状：コイル状を呈し，鞭毛は両端部付近から各3〜4本出ており，柔軟な運動性を示す（**図VI-26**）．最も重要な性感染症の一つである梅毒 syphilis の原因菌である．微好気性でスーパーオキシドディスムターゼ（SOD）やカタラーゼ，ペルオキシダーゼ，TCA回路を欠き，解糖系によりATPを産生する．宿主に多くの栄養源を依存していると考えられている．人工培養には未だ成功していない．ウサギの睾丸に接種して増殖させる．

疫　学：日本では戦後患者は減少し2012年頃までは約800人/年程度となっていたが，2013年頃より増加傾向に転じ，2019年には年間7,000人以上の患者が発生している．

病原性：梅毒は性交など直接接触により感染する．梅毒の経過は慢性的で3期に分けられる（**図VI-27**）．

［第1期］約3週間の潜伏期の後，感染局所に発赤，硬結，潰瘍の初期病変（**硬性下疳**）を生じ，病変部にトレポネーマが見いだされる．また，鼠径リンパ節の無痛性の腫脹（横痃，よこね）がみられる．

［第2期］初期病変は3〜4週で自然治癒するが2

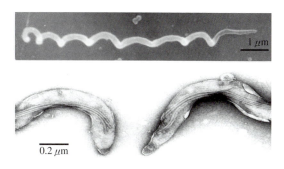

図VI-26　梅毒トレポネーマ Treponema pallidum subsp. pallidum の走査電子顕微鏡像（上）と陰染色像（下）
走査電顕像で菌体はらせん状を呈し，陰染色像ではエンベロープの内側の細胞端付近から3本（左）と4本（右）の鞭毛（periplasmic endo-flagella）が派生している．
[米国テキサス大学 Steven J. Norris 博士提供, Microbiol. Rev. **57**：p753, 1993, Fig.1.a,b]

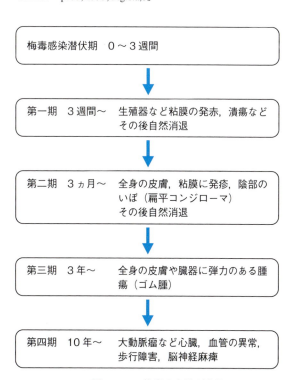

図VI-27　梅毒の病状の進行

〜12週後菌は血流に入り全身の皮膚，粘膜に発疹を生じ頸部や関節などに病変が広がる．外陰の**扁平コンジローマ**，口腔粘膜疹から感染力のある菌が排出される．数週から1年以内で自然消退し，1〜3年の早期潜伏期に入る．

［第3期］感染して約3年経過すると大動脈炎や皮膚，骨，内臓にゴム腫が形成される．晩期梅毒ともいい，3～20年続く．

［第4期］感染後10～15年以上経過すると中枢神経が侵され進行麻痺，脊髄癆など神経梅毒症状がみられるようになる．

［母子感染］妊婦の感染者では経胎盤的に菌が胎児に母子感染し，流産や死産の原因となる．これを免れた場合でも，先天性梅毒となり肝脾腫大，発疹，発熱，神経梅毒，肺炎などの症状が現れる．

診　断：梅毒感染により宿主細胞から漏出した脂質であるカルジオリピンに対する抗体を検出する病原体非特異的な試験法である梅毒血清試験 serological test for syphilis（STS）と T. pallidum に対する抗トレポネーマ特異的抗体検出法であるトレポネーマ感作赤血球凝集反応 T. pallidum hemagglutination test（TPHA），または梅毒トレポネーマ蛍光抗体試験 fluorescent treponemal antibody absorption test（FTA-ABS）を組み合わせて行う．STS法は感染早期の診断が可能であるが，非特異的反応も多い．一方，抗トレポネーマ抗体検出は特異性は高いが，治療後も抗体価は漸減するものの継続的に陽性となるため，過去の梅毒感染との区別がつきにくい．

治　療：早期にペニシリンやアモキシシリンの投与を行うが，菌体の溶菌による菌体成分の血液中への漏出により，発熱などの一過性の症状の増悪（ヤーリッシュ・ヘルクスハイマー反応，Jarisch-Herxheimer reaction）がみられることがある．ペニシリン過敏症患者にはドキシサイクリン，テトラサイクリンなどを用いる．

(ii) トレポネーマ・デンティコーラ Treponema denticola

嫌気性の口腔スピロヘータでヒトの歯周病発症と重症度に関連することが知られている．

b. ボレリア属 Borrelia

ヒトのボレリア感染症ではシラミ由来，カズキダニ，マダニ由来の回帰熱，ならびにマダニ由来のライム病がある．

(i) 回帰熱ボレリア relapsing fever Borrelia（感染症法四類）

性　状：微好気性のらせん状細菌で，両端にそれぞれ15～20本の鞭毛を有している．回帰熱 relapsing fever の病原体でダニまたはシラミをベクターとし約20種が知られている．ヒトに回帰熱を起こすボレリアのほとんどがダニ媒介性（tick-borne）で，シラミ媒介性（louse-borne）は1種である．

B. recurrentis はヒトを宿主とするコロモジラミにより伝播し，ヨーロッパ，南米，アフリカ，アジアに分布する回帰熱の原因菌である．また，ヒメダニ属のダニが媒介する地域流行性回帰熱の病原体として B. duttonii など10種余りと，日本で発見された Ixodes 属のシュルツェマダニ（口絵30）を媒介者とする新興回帰熱ボレリア B. miyamotoi が知られている．

疫　学：海外で感染し，帰国後に発症した数例を除き，国内での患者発生はない．一方，ライム病と診断された患者で血清学的に B. miyamotoi 感染が疑われる事例が報告されている．

病原性：ダニ刺咬により感染し血液中で増殖し，悪寒，発熱と激しい頭痛，筋肉痛，関節痛，脾と肝腫大や黄疸を起こす．3～4日で熱は下がり，1～2週の無熱期を経て次の回帰が起こり，これを繰り返す．発熱期には血中に多数の菌が検出されるが，無熱期には消失する．回帰現象はボレリアが主要表層変換タンパク質抗原を順次変換して免疫の攻撃を回避しているためである．

治　療：テトラサイクリンが用いられる．

(ii) ライム病ボレリア B. burgdorferi など（感染症法四類）

性　状：ゆるやかならせん状を呈する．細胞の両端付近からそれぞれ鞭毛7～11本が派生する．

疫　学：1970年代に米国コネチカット州 Lyme 地方で地域集積性に起こった関節炎に起因する．後に Ixodes 属マダニをベクターとする感染症であることが判明した．欧米では，年間数万人の患者が発生している．わが国では年間10数例の患者が発生しているが，多くは軽症である．北日本に生息するシュルツェ

マダニ（*Ixodes persulcatus*）（口絵 30）により媒介されるため，患者は主に北海道から本州中部以北にみられ，ダニの活動期の春から夏に患者が発生する．野生のネズミや野鳥などが病原体の主な保有体である（図 VI-28）．

病原性：ライム病 Lyme disease（ライムボレリア症 Lyme borreliosis）は全身性の疾患で，皮膚，関節，神経系，循環器，眼などに多様な臨床症状を呈する．第 1 期ではマダニ刺咬部を中心に遊走性紅斑（EM）を呈する．発熱，頭痛，頸痛，筋痛，関節痛，局所リンパ腺腫脹などをともなうこともある．第 2 期は房室ブロック，急性心筋心膜炎，不整脈などの循環器症状や，髄膜炎，脳膜炎，顔面神経麻痺，神経根炎などの神経症状がみられる．第 3 期は慢性の関節炎や神経病変，慢性萎縮性肢端皮膚炎などがみられる．

診　断：ダニ咬着の有無と臨床経過，疫学的背景ならびに間接蛍光抗体法，ELISA による血清診断などから総合的に判断する．

治　療：マダニ刺咬後の EM にはドキシサイクリンが，髄膜炎などの神経症状にはセフトリアキソンが用いられる．

c. レプトスピラ属 *Leptospira*

性　状：ワイル病 Weil disease 病原体として 1914 年稲田龍吉らにより発見された．好気性の繊細なスピロヘータで細胞両端部にそれぞれ 1 本の鞭毛を有し，細胞の末端部は「？」様にフックしている（図 VI-29）．

疫　学：高温多雨の熱帯地方で多発し，全世界で推定 50 万人以上/年の患者が発生している．国内では，沖縄を中心に年間数十例が発生している．農作業の他，水を介したスポーツ，レジャーなどでの感染も多い．ウシやウマなど家畜への被害もみられる．

病原性：野生齧歯類をはじめとする哺乳類，爬虫類など様々な動物が腎臓などにレプトスピラを保有し尿中に排泄する．ヒトはレプトスピラを含む尿や，汚染された土壌や水に経皮接触することで感染する．レプトスピラ症は軽症のものから重症のものまで多様である．最も重症なレプトスピラ症であるワイル病は *L. interrogans* 血清型 Icterohaemorrhagiae あるいは血清型 Copenhageni などに起因し，潜伏期は通常 7～10 日である．患者は発熱，悪寒，頭痛，眼球結膜充血，筋肉痛などを起こし，重症例では黄疸，腎不全，内臓や皮下の出血，タンパク尿などがみられる．わが国ではワイル病の他，秋疫（アキヤミ）A（血清型 Autumnalis），秋疫 B（血清型 Hebdomadis），秋疫 C（血清型 Australis）による秋季レプトスピラ症などが地方病と

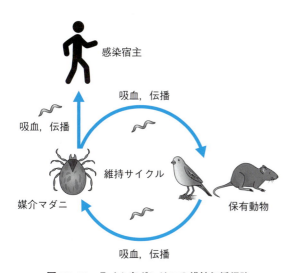

図 VI-28　ライム病ボレリアの維持伝播経路
ボレリアは保有動物と媒介動物（マダニ）の間で維持されこのサイクルにヒトが紛れ込むと，マダニ刺咬を受けて感染する．

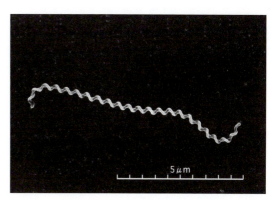

図 VI-29　*Leptospira interrogans* serovar Icterohaemorrhagiae の走査電子顕微鏡像
［愛知医科大学　角坂照貴博士提供］

して存在する．

　診　断：発熱期であれば血液からの培養，あるいはPCRによる遺伝子検出で診断する．回復期であれば，顕微鏡凝集試験により特異抗体を検出する．

　治　療：日本ではストレプトマイシンが推奨されるが，海外では副作用を危惧するためか使用されていない．重症ではペニシリン，軽症ではアンピシリン，アモキシシリン，エリスロマイシン，ドキサイクリン，セフォタキシムなどが使用される．ペニシリンなど溶菌性抗菌薬の場合は，溶菌により菌体内成分が血中に放出されることで，一過性に発熱，悪寒，血圧低下など病態の増悪（ヤーリッシュ・ヘルクスハイマー反応）が起こることがある．

F　グラム陰性無芽胞嫌気性菌

　病原性は強くないが日和見感染，院内感染の原因菌として重要である．

a.　バクテロイデス属 *Bacteroides*

　バクテロイデス科細菌は偏性嫌気性桿菌でヒトの腸管，気道，口腔，腟に常在し，大腸，糞便中の最優勢菌群で1gあたり10^{11}個にも達する．このうちでフラジリス菌 *B. fragilis* は比較的酸素耐性があり，数時間，酸素に曝露してもほとんど死滅しないといわれている．ヒトの口腔内から腸内までの細菌叢の最優勢菌種である．日和見感染，異所性感染を起こすことがある．重症化すると敗血症や腹膜炎等を起こす．治療にはメロペネムなどのカルバペネム系，メトロニダゾール，クリンダマイシンなどを用いる．

b.　ポルフィロモナス属 *Porphyromonas*

　グラム陰性，偏性嫌気性，糖非分解で黒色のポルフィリン色素を産生する．*P. gingivalis* はヒトの口腔から分離され，慢性歯周炎に関わる．*Tannerella forsythia* や *Treponema denticola* とともに慢性歯周炎の最重要細菌である．

c.　フソバクテリウム属 *Fusobacterium*

　Fusobacterium varium はヒトの腸内常在菌であり，腸内発酵により代謝産物として高濃度の酪酸を産生する．大腸の粘膜に潰瘍やびらんができる病因不明の疾患である潰瘍性大腸炎との関連性が疑われている．本菌の産生する酪酸と病変形成の関連が指摘されている．アモキシリン，テトラサイクリン，メトロニダゾールの3剤を潰瘍性大腸炎患者に投与したところ，症状の改善，再発の抑制が認められたとの報告もある．

第VII章 抗菌薬の働き

1 化学療法の歴史と現在の問題点

a. 化学療法とは

化学療法 chemotherapy とは「宿主に障害を与えずに，侵入してきた微生物を除去または障害するために化学物質を用いること」と定義されている．提唱したドイツの医学者 P. Ehrlich は，1909 年に秦佐八郎と見いだしたサルバルサンを梅毒の治療薬として臨床応用することで，自らの概念を実証した．もともと化学療法は色素など合成化合物（合成化学療法薬）からはじまったが，ペニシリンに代表される抗生物質（S. A. Waksman が「微生物が産生し，微生物の発育を阻害する物質」と定義した）も化学療法薬に含まれる．現在化学療法の対象は病原体（微生物）だけでなく，癌細胞にも及び，抗癌薬も化学療法薬である．

b. 化学療法の歴史

Ehrlich の概念は同じドイツ人に引き継がれ，1935 年，G. Domagk は試験管内では抗菌活性のない赤色染料のプロントジルが，化膿レンサ球菌感染症を治療できることを示した．その後，抗菌活性の本体はプロントジルが体内で代謝されてできるスルフォンアミドであることが解明され，多くの誘導体が合成された．サルファ薬と総称される誘導体は，種々の細菌による感染症に有効で，ペニシリンが開発されるまで感染症治療薬の主流となった．

ペニシリンは人類に福音をもたらした最初の魔法の弾丸であるが，その発見は 1928 年にさかのぼる．シャーレに混入した青カビ Penicillium notatum が黄色ブドウ球菌の生育を阻害していたという A. Fleming のペニシリン発見にまつわる話は，偶然の賜として語られることが多い．しかし溶菌酵素リゾチームの発見者であり，溶菌現象を誰よりも知る Fleming の観察眼をもってすれば，ペニシリンの発見は必然であった．1940 年に H. W. Florey と E. B. Chain により精製されたペニシリンは副作用がほとんどなく，ブドウ球菌やレンサ球菌による化膿性疾患に劇的な効果を示した．

ペニシリンの発見に端を発し，多くのカビや放線菌から抗菌活性をもつ物質の探索がはじまった．放線菌からは，1943 年に Waksman と A. Schatz によりストレプトマイシンが発見されたほか，クロラムフェニコール，テトラサイクリン，エリスロマイシンが，真菌からはセファロスポリン C が発見された．わが国でも，秦藤樹がキタサマイシンを，梅沢浜夫が結核に有効なカナマイシンを発見した．

一方，サルファ薬の後，合成化学療法薬の開発は滞っていたが，1962 年，抗マラリア薬の開発のために合成されたナリジクス酸がグラム陰性菌に有効であることがわかり，尿路感染症の治療薬に用いられるようになった．1980 年代に改良されたニューキノロン系抗菌薬は多種にわたる細菌に抗菌活性をもつ優れた抗菌薬になっていった．

'Golden era' と呼ばれる 1940 年代から 1960 年代は抗生物質や半合成抗生物質，合成化学療法薬の開発の全盛期であった．現在用いられている抗菌薬は 150 種類にのぼり，その主流の抗菌薬の原型のほとんどがこ

の時期につくられている．以降，この基本骨格を化学修飾することにより，抗菌スペクトルが広がり，経口，注射薬など投与方法も増え，抗菌薬は感染症の治療に優れた効果を発揮していった．

c. 化学療法が抱える現在の問題点

抗生物質発見当初は次々に新しい標的をもつ抗菌薬が開発された．しかし，これらの抗菌薬が汎用されるとすぐに耐性菌が出現，蔓延していった．耐性菌の耐性機構も明らかとなり，それに対応して，改良された抗菌薬も次々開発されたが，抗菌薬と耐性菌のいたちごっこは現在もなお続いている（図VII-1）．耐性菌の問題や開発コストの高騰もあり，新規作用点をもつ抗菌薬の開発は，ほとんど進んでいないのが現状である．

d. 化学療法における薬剤師の役割

臨床現場では，メチシリン耐性黄色ブドウ球菌（**MRSA**）や多剤耐性緑膿菌（**MDRP**）をはじめとする多剤耐性菌が出現し，耐性菌による院内感染が世界中で問題となっていった．2010年以降，多剤耐性アシネトバクターやNDM-1（ニューデリー・メタロβ-ラクタマーゼ-1）産生菌，2013年にはカルバペネム耐性腸内細菌科細菌（**CRE**）が出現するなど，細菌感染症治療の切り札とされるカルバペネム系抗菌薬をはじめ，抗菌薬のほとんどが効かない耐性菌が出現するに至った．事態を重く見たWHOは2015年，薬剤耐性 antimicobial resistant（**AMR**）に関するグローバル行動計画を採択し，加盟各国は2年以内に行動計画を策定することが求められた．これを受けてわが国では，2016年に6分野からなる薬剤耐性（AMR）対策アクションプランを策定した．「抗微生物剤の適正使用」の項目では，「適切な薬剤を適切な量と適切な期間使用する」という概念のもと，セフェム系抗菌薬，マクロライド系抗菌薬，ニューキノロン系抗菌薬の経口薬を中心に減量し，2020年までにヒトの抗微生物剤の使用量を，2013年度比で，抗菌薬全体で33%減ずるというアウトカムを示した．

このアウトカムを確実にするために，臨床現場では**抗菌薬適正使用支援**（antimicrobial stewardship program, **ASP**）が積極的に行われている．antimicrobial stewardshipとは，主治医が抗菌薬を処方する際に，専門の医療従事者が治療効果を高め，耐性菌の出現防止を実践するために支援を行うことである．薬剤師は抗菌薬の組織移行性，副作用，相互作用などを考慮した投与設計など，その職能を活かしてASPの実践において重要な役割を果すことが期待されている．病院のみならず市中においても耐性菌が広がっている現在，薬剤師は耐性菌の出現を防ぐと同時に，感染患者に対し，より有効かつ効率的な感染症治療を提供する義務をもつ．そのためには，抗菌薬の特性や使用方法を知り，「適切な薬剤」を「必要な場合に限り」，「適切な量と期間」使用するという抗菌薬適正使用を推進していく必要がある．

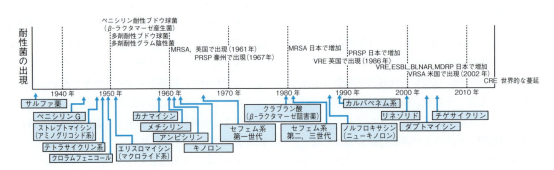

図VII-1 抗菌薬と耐性菌の歴史

MRSA：メチシリン耐性黄色ブドウ球菌，PRSP：ペニシリン耐性肺炎球菌，VRE：バンコマイシン耐性腸球菌，ESBL：基質拡張型β-ラクタマーゼ，BLNAR：β-ラクタマーゼ非産生アンピシリン耐性インフルエンザ菌，MDRP：多剤耐性緑膿菌，VRSA：バンコマシン耐性黄色ブドウ球菌，CRE：カルバペネム耐性腸内細菌科細菌

2 抗菌薬の性質

a. 抗菌薬の定義

感染症の治療に用いる化学療法薬は対象とする病原体により，抗菌薬（抗細菌薬），抗真菌薬，抗ウイルス薬，抗原虫薬，抗寄生虫薬等に分類される．細菌感染症の治療薬は，微生物が産生する抗生物質と化学合成された合成抗菌薬をあわせて抗菌薬といわれる．本章でいう化学療法薬は主に抗菌薬である．

b. 選択毒性

理想的な化学療法薬は病原体だけに強い毒性を発揮し，ヒトにはまったく毒性を示さない．この選択毒性は化学療法の根底にある概念である．Ehrlich は化学療法薬の評価の指標として化学療法係数 CI（chemotherapeutic index）を用いた．CI は化学療法薬の実験動物（宿主）に対する最大耐量 T と，感染動物の治療に要した化学療法薬の最小有効量 C との比 C/T で表すことができる．この係数が小さいものほど，選択毒性が高く優れた化学療法薬であることを示す．CI は 1/3 以下とされ，ペニシリンなど優れた抗菌薬の CI は 0.01 〜 0.001 である．

c. 抗菌作用

菌の生育を抑制する抗菌作用には殺菌作用 bactericidal action と静菌作用 bacteriostatic action がある．殺菌作用は菌を殺滅する効果のことで，ペニシリンに代表される細胞壁合成阻害薬などにみられる．静菌作用は菌の分裂・増殖を抑制する効果のことで，菌を殺滅するものではない．アミノグリコシド系を除くタンパク質合成阻害薬などにみられる効果である．静菌作用の場合は，とくに抗菌薬が作用している間に宿主免疫能で殺菌する必要がある．静菌的な抗菌薬も高濃度になれば殺菌的作用を示すようになる．

d. 抗菌薬に対する感受性

(i) 抗菌スペクトル

抗菌薬の効果がどの程度の病原体に及ぶのか，抗菌薬の有効な菌種の範囲を抗菌スペクトルという．多くの細菌に対し抗菌活性をもつ薬剤は「広域抗菌スペクトル」，限られた範囲の菌種にのみ有効な薬剤は「狭域抗菌スペクトル」をもつと表現される．広域抗菌スペクトルをもつ抗菌薬は起因菌が同定できない場合の治療には有効であるが，多くの常在細菌をも死滅させるため，菌交代症（後述）を起こす可能性が高くなる．また耐性菌を選択するおそれがある．起因菌が判明した場合はその菌のみに有効な「狭域抗菌スペクトル」を示す抗菌薬を使用するようにすること（デ・エスカレーション de escalation）で，菌交代症や耐性菌の選択を防ぐことができる．

(ii) 薬剤感受性

(1) 最小発育阻止濃度

抗菌薬には抗菌スペクトルがあるので，感染症の治療を有効に行うためには，原因となる菌がその抗菌薬に感受性があることを確認する必要がある．そこで，薬剤感受性試験を行い，それぞれの菌種について抗菌薬に対する最小発育阻止濃度 minimal inhibitory concentration（**MIC**）を求める．MIC は微生物の発育を阻止するのに必要な抗菌薬の最小濃度であり，MIC 値が小さいほど抗菌力が強いことを意味する．MIC の値が小さい菌種は，その抗菌薬に感受性があり，MIC 値が高ければ非感受性または耐性であるとする．最小殺菌濃度 minimum bactericidal concentration（**MBC**）とは，菌の生存がみられない最小濃度である．MBC 値と MIC 値が等しければ殺菌作用をもつ抗菌薬である．

(2) 薬剤感受性試験法

薬剤感受性試験法にはディスク拡散法と希釈法の 2 種類がある．ディスク拡散法は定性的方法で抗菌スペクトルや治療に有効な薬剤の選択を目指している．一濃度ディスク法と連続濃度ディスク法がある（図 **VII-2**）．一濃度ディスク拡散法では検定菌をあらかじめ接

種した寒天平板培地に一定量の抗菌薬を含むディスクを置き，ディスク周辺にできる濃度勾配を利用して，菌が生育できない部分，すなわち阻止円の直径を測る．阻止円の大きさにより，感受性（S：susceptible），中間（I：intermediate），耐性（R：resistant）を区別する．連続濃度ディスク法（E-test）は拡散法と希釈法の両方の機能を備えている．連続濃度ディスクは一枚の細長いディスク（E-test ストリップ）に抗菌薬が2倍希釈系列の濃度勾配となるようコーティングされている．阻止円がディスクと交差する部分の目盛り（単位は μg/mL）の値が MIC である．操作が簡便な拡散法でありながら，希釈法と同様に正確な MIC の判定ができる特徴がある．

(3) 希釈法

希釈法は MIC を求める方法であり，寒天培地希釈法と液体培地希釈法がある（図 VII-3）．いずれも2倍希釈系列の濃度に調整された抗菌薬を含む寒天培地または液体培地に菌を接種する．37℃で 18〜24 時間培養後，菌が生育しなくなった最小の濃度を調べ，この濃度を MIC とする．さらにこの生育していない濃度の抗菌薬が入った培養液を，薬剤無添加の新しい培地に接種して，37℃で 18〜24 時間培養後，菌の生育が認められるかどうかを確認する．菌の生育が認められない培養液の抗菌薬の濃度が MBC である．

(4) ブレイクポイント

MIC は試験管内で求められた値であるため，この

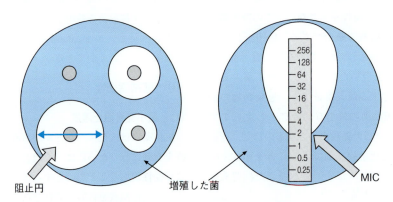

図 VII-2　一濃度ディスク法（左）と連続濃度ディスク法（E Test）（右）
一濃度の薬剤がしみ込ませてあるディスク．矢印で示すディスクの外側にできた阻止円の直径を測り基準にしたがって耐性を判断する．
連続濃度ディスク法ではストリップと阻止円が交差した場所のストリップの値が MIC となる．

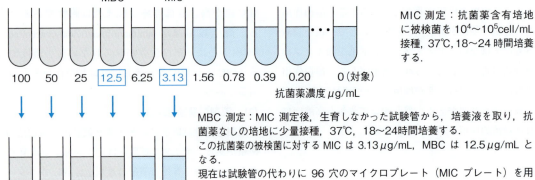

図 VII-3　液体培地希釈法による MIC と MBC の測定法

値だけで臨床効果を予測することはできない．そこで，起因菌のMIC値を求めたときにその抗菌薬が感染症の治療において，臨床的に有効かどうかの判断を行うため，国内外の機関においてブレイクポイントbreak pointが設けられている．わが国では，米国のCLSI (Clinical and Laboratory Standards Institute)が提唱するブレイクポイントを用いる場合が多い．CLSIのブレイクポイントは菌種ごとに定められており，S（感受性），I（中間），R（耐性）の3段階に区別されている．得られたMICから対象菌株への抗菌薬の感受性をブレイクポイントで確認し，抗菌薬の選択の指標とする．**表VII-1**に黄色ブドウ球菌の抗MRSA薬に対するMICに基づくCLSIの感受性検査基準を示す．

(5) PAE

MIC以上の濃度の抗菌薬にいったん接した菌は，抗菌薬がMIC以下の濃度になっても，一定の時間増殖が抑えられるという現象がある．これを**PAE**（post antibiotic effect）と呼ぶ．PAEは対象とする菌や抗菌薬の種類で大きく異なり，治療薬の投与間隔や投与量を決める際の要因となる．

表VII-1 黄色ブドウ球菌に対する抗MRSA薬のブレイクポイント（CLSI）

	感受性基準		
	感受性（S）	中間（I）	耐性（R）
バンコマイシン	≦2	4〜8	≧16
テイコプラニン	≦8	16	≧32
リネゾリド	≦4	NA	≧8
テジゾリド	≦0.5	1	≧2
ダプトマイシン	≦1	NA	NA

NA：該当なし

3 抗菌薬の作用機序

細胞壁合成や葉酸代謝など，微生物には存在するが，ヒトには存在しない合成経路や構造は抗菌薬が高い選択毒性を示すための標的となる（**図VII-4**）．また，宿主にも存在するが，細菌の方がより高い親和性をもつ合成経路も標的となり，タンパク質合成や核酸合成を阻害する抗菌薬も多数存在する．抗菌薬の作用を知るためには，細菌の生育に必須の経路となる上記の標的について，その構造と機能を理解する必要がある．

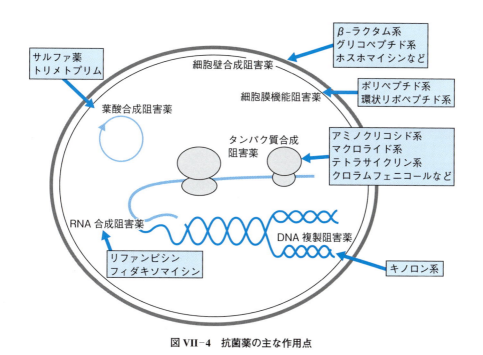

図VII-4 抗菌薬の主な作用点

a. 細胞壁合成と阻害薬

宿主となるヒトと細菌細胞の最も大きな違いは細胞壁をもつかどうかである．細菌細胞壁の構造はグラム陽性菌と陰性菌で大きく異なるが（p. 17 参照），いずれも**ペプチドグリカン**（壁を表すラテン語 murus にちなんでムレインと称されることもある）により構成されている．基本は糖鎖（N-アセチルグルコサミン（GlcNAc）と N-アセチルムラミン酸（MurNAc）が β-1,4 結合で連結）の MurNAc に四つのアミノ酸からなるテトラペプチド tetrapeptide が結合した構造である．ペプチドグリカンは細胞質内，細胞膜，ペリプラズムの3段階で合成される（**図VII-5**）．細胞壁合成阻害薬は5種類あり，以下に細胞壁合成の概要と阻害薬の阻害箇所を示す．

最初のステップは，細胞質内で行われるペプチドグリカン前駆体（UDP-MurNAc-pentapeptide）の合成である．フルクトース 6-リン酸を原料として GlcNAc ができ，さらに MurNAc が合成される．そこにアミノ酸が順次結合し，最後に別に合成された D-アラニ

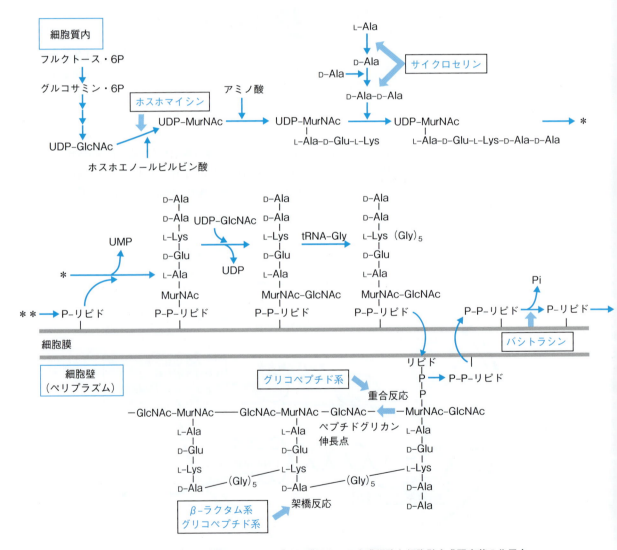

図VII-5 黄色ブドウ球菌におけるペプチドグリカンの合成経路と細胞壁合成阻害薬の作用点
P-リピド：バクトプレニルリン酸（C_{55}-undecaprenyl phosphate）のこと

ル–D–アラニン（D-Ala–D-Ala）が結合して，前駆体が完成する．このステップでは，ホスホマイシンがGlcNAcからMurNAcが合成される過程を阻害する．また，サイクロセリンはD-Ala–D-Ala合成を阻害する．

次のステップでは，ペプチドグリカン前駆体は，膜透過のためのキャリヤーであるP–リピド（バクトプレニルリン酸）とホスホジエステル結合し，細胞壁側に運ばれる．そこでは前駆体の糖鎖と伸長中のペプチドグリカンの糖鎖が，トランスグリコシラーゼ trans-glycosylaseによりβ–1,4グリコシド結合する（重合反応）．この反応と同時に，リン酸化されたバクトプレノール（P–P–リピド）は前駆体から遊離し，脱リン酸化され，P–リピドとなって再利用される（リピドサイクル）．バシトラシンはリピドサイクル中のP–P–リピドの脱リン酸化を阻害する．グリコペプチド系抗菌薬は細胞膜を運ばれてきたペプチドグリカン前駆体末端のD-Ala–D-Ala部分に結合して，重合反応と次に起こる架橋反応を阻害する．

合成の最後のステップとなる細胞壁側では，ペプチドグリカンの伸長が行われている．伸長点では隣接したペプチド鎖間でトランスペプチダーゼによるペプチド結合がなされ，架橋 cross linkingを形成する（架橋反応）．重合と架橋という二つの結合によって，横糸（糖鎖）と縦糸（ペプチド鎖）がそれぞれつながり，網目状のペプチドグリカンの合成が行われる．

ペプチドグリカンの伸長反応を担うペプチドグリカン合成酵素はいずれもペニシリンと結合するため，ペニシリン結合タンパク質 penicillin binding protein（**PBP**）と呼ばれる．大腸菌では少なくとも7種，黄色ブドウ球菌では4種の分子量の異なるPBPが存在する．高分子量PBPは一つのタンパク質の中にトランスグリコシラーゼ活性とトランスペプチダーゼ活性をもつ二機能性タンパク質である．β–ラクタム系抗菌薬は伸長点において，PBPのトランスペプチダーゼ活性部位に結合して架橋反応を阻害する．

b. 細胞膜機能を阻害する抗菌薬

細菌の細胞膜は，物質透過のバリアーとなるだけでなく，物質の輸送，分泌，エネルギー産生など様々な機能をもっている．ポリペプチド系抗菌薬のポリミキシンBとコリスチンは細胞膜に直接結合し，膜障害を起こして抗菌活性を示す．また環状リポペプチド系抗菌薬のダプトマイシンは細胞膜に結合後，チャネルを形成し，カリウムを流出させて膜の脱分極を起こすことで，細胞膜機能を阻害する．

c. タンパク質合成と阻害薬

タンパク質合成はリボソームで行われる．細菌リボソームの沈降係数は70Sで30Sサブユニットと50Sサブユニットから構成されている．一方，真核細胞は80S（40Sと60Sサブユニットからなる複合体）である．タンパク質合成阻害薬の選択毒性は細菌細胞と，ヒト細胞におけるリボソームの構造の差にある．細菌リボソームの30S，50SサブユニットはそれぞれrRNAと多種類のタンパク質からなっている．リボソームにおいてはタンパク質より，rRNAが重要な働きを担う．30Sの16S rRNAはmRNAがもつ情報を翻訳する機能をもつ．50Sの23S rRNAはペプチド結合を触媒する酵素であり，ペプチジルトランスフェラーゼ peptidyl transferase活性をもつリボザイム ribozyme（酵素活性をもつRNAのこと）である．転位は両方のrRNAが関与する．

タンパク質合成には開始，ペプチド鎖の伸長，終結の三つのステップがある（図VII-6）．開始の段階ではまず，mRNAに30Sサブユニットが結合する．ホルミルメチオニン（fMet）に結合したtRNA（fMet–tRNA）がmRNA上の開始コドンとなるP部位（ペプチジル部位，peptidyl site）に結合する．これに50Sサブユニットが結合し，タンパク質合成開始複合体である70Sリボソームとなる．リネゾリドおよびテジゾリド（オキサゾリジノン系抗菌薬）は50Sに結合し，70S開始複合体の形成を阻害する．アミノグリコシド系抗菌薬のうち，ストレプトマイシンは30Sに結合して開始の段階を阻害する．

ペプチドの伸長は，mRNA上の次のコドンに対応するアミノ酸と結合したtRNAがリボソームのA部位（アミノアシル部位 aminoacyl site）に結合するところからはじまる．fMetはP部位のtRNAから移動，A部位のtRNA上のアミノ酸との間にペプチジルトラン

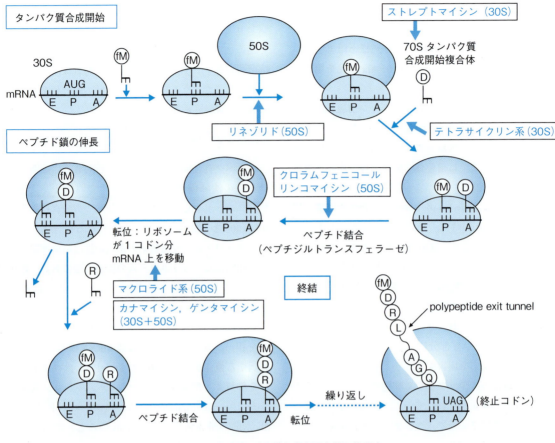

図VII-6　タンパク質合成と阻害薬の作用点

スフェラーゼによりペプチド結合が形成されて，ジペプチドとなる．空になったP部位のtRNAが出口（exit tunnel：E部位）に移動すると同時に，リボソームがmRNA上を次のコドン分進む．ジペプチドをもつtRNA（ペプチジルtRNA）が結合したA部位はリボソームの移動によりP部位となり，A部位があく．この過程は転位translocationと呼ばれる．A部位には次のコドンに対応する新しいアミノアシルtRNAが結合する．ペプチド鎖の伸長では，このようなアミノアシルtRNAのA部位への結合，ペプチド結合の形成，転位がサイクルとなり繰り返し行われて，ポリペプチド鎖が形成される．伸長したポリペプチド鎖はpolypeptide exit tunnelという通路を通ってリボソームの外に出ていく．最終的にはアミノ酸に対応しないコドン（終止コドン）を終結因子が認識し，タンパク質合成は終結する．テトラサイクリン系抗菌薬は30Sサブユニットに結合してアミノアシルtRNAのA部位への結合を阻害する．クロラムフェニコールとマクロライド系抗菌薬は50Sサブユニットに結合して，それぞれペプチド結合と転位の段階を阻害する．アミノグリコシド系抗菌薬のカナマイシン，ゲンタマイシンは50Sと30Sの両サブユニットに結合して，転位を阻害する．

d. 核酸合成経路と阻害薬

(i) DNA複製阻害薬

細胞が増殖するためにはDNA複製は必須である．複製の際に，超らせん構造supercoilをとるDNAは，ねじれを解消させなければならない．このねじれを解消したり，超らせん構造をつくったりするのがDNAトポイソメラーゼであり，I型とII型が存在する．I

型トポイソメラーゼは二本鎖のうち一方のみを切断し，再結合させる酵素であるが，細菌と動物細胞で違いがなく，選択毒性はない．一方，II型トポイソメラーゼは二本鎖DNAに結合して，DNAを2本とも切断，再結合させてDNAの高次構造の調整を行う複製や転写に必須の酵素である．細菌では**DNAジャイレース** DNA gyraseと**トポイソメラーゼIV**の二つの酵素がある（図VII-7）．環状DNAをもつ細菌と直鎖状のDNAのヒト細胞では，II型トポイソメラーゼの構造と機能が異なっており，選択毒性の標的になる．

細菌のDNAは通常は負の超らせん構造をとってコンパクトに折りたたまれて細胞質内に存在している．DNA複製の際には，複製フォークの根元（進行方向の前方）に巻き数の超過による正の超らせんが形成される．DNAジャイレースはこれを解消して，リラックス型とし，DNA複製をスムーズに進行させる．さらに，ATPからエネルギーの供給を受けて，DNAジャイレースは負の超らせんを導入し，DNAを通常の状態に戻す．細菌細胞のDNA複製直後の2分子の娘DNAは複製の終結部位で連環catenateしているが，トポイソメラーゼIVは二本鎖DNAを切断し，再結合させて二つの環状DNAを切り離すという細菌に特有の酵素である．これを分配またはデカテネーションdecatenationという．

キノロン系抗菌薬はDNAジャイレースやトポイソメラーゼIVに結合することにより，酵素活性を阻害し，DNA複製阻害薬として働く．

(ii) RNA合成阻害薬

DNA依存性RNAポリメラーゼはDNAからmRNAへの転写を行うRNA合成酵素である．細菌のRNAポリメラーゼは4種類のサブユニット（$\alpha, \beta, \beta', \omega$）からなるコア酵素に$\sigma$サブユニットが加わったホロ酵素として構成される．抗結核薬の**リファンピシン**と**リファブチン**はRNAポリメラーゼのβサブユニット

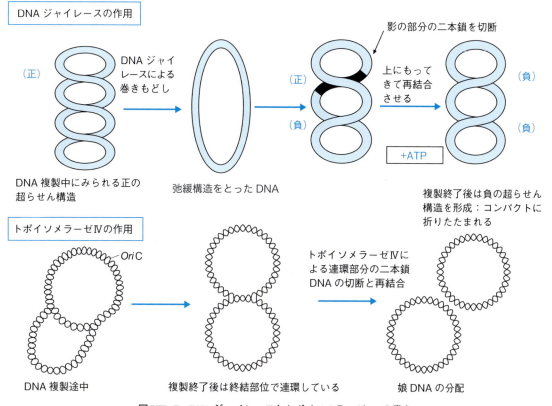

図VII-7　DNAジャイレースとトポイソメラーゼIVの働き

に高い親和性をもち，これに結合してRNA合成を阻害する．*Clostridioides difficile*による感染性腸炎の治療薬であるフィダキソマイシンは，RNAポリメラーゼのσサブユニットに結合して，RNA合成を阻害する．

e. 葉酸代謝と阻害薬

テトラヒドロ葉酸 tetrahydrofolic acid（THF）はプリン，チミジンの代謝，メチオニン，グリシン，セリンなどのアミノ酸代謝，タンパク質合成開始などに関与しており，生体構成成分の合成に必須な補酵素である．動物は食物から摂取した葉酸を用いて，ジヒドロ葉酸 dehydrofolic acid（DHF）からTHFを合成する．一方，細菌は葉酸を取り込むことができないので，自らDHFを合成する（図VII-8）．プテリジンとパラアミノ安息香酸 *p*-aminobenzoic acid（PABA）からジヒドロプテロイン酸がつくられ，グルタミン酸が縮合してDHFが合成される．サルファ薬は構造がPABAに類似しており，ジヒドロプテロイン酸合成酵素を競合的に阻害する．DHFからTHFへの変換はDHF還元酵素が行うが，この酵素は細菌細胞とヒト細胞の両者に存在し，それぞれに阻害薬がある．それぞれの細胞への親和性の違いを選択毒性として，細菌細胞ではトリメトプリム（抗菌薬），ヒト細胞ではメトトレキサート（抗癌薬，抗リウマチ薬）がある．マラリア原虫のDHF還元酵素に親和性が高いピリメタミンがある．

4 薬剤耐性機構

抗菌薬を使用する限り薬剤耐性菌は出現する．世界初の耐性菌は，ペニシリンを加水分解する酵素ペニシリナーゼを産生するペニシリン耐性菌であり，ペニシリン開発後ほどなくみつかった．このようにもとは一つの抗菌薬に対し，耐性になるだけであったが，使用される抗菌薬の種類の増加にともない，菌の間で耐性遺伝子の受け渡しがあったり，変異が蓄積されて，多くの耐性遺伝子をもつ多剤耐性菌が生まれて現在に至っている．

緑膿菌やセラチア菌などはもともと薬剤に低感受性の菌である．このように，もともと菌に備わっている耐性を自然耐性という．菌によっては染色体上に耐性遺伝子をもつ場合もあるが，多くは抗菌薬に接するこ

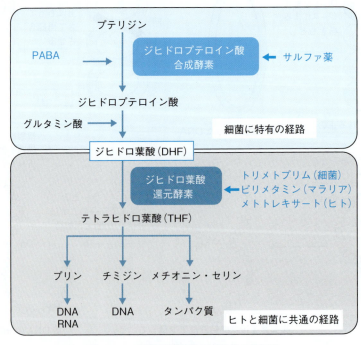

図VII-8 葉酸代謝経路と阻害薬の作用点

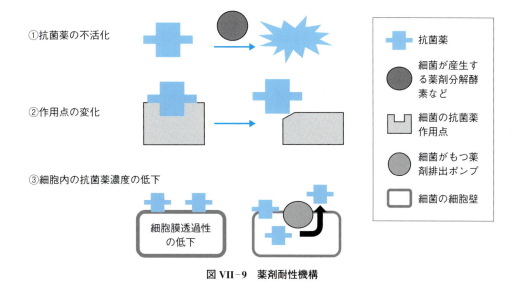

図 VII-9 薬剤耐性機構

とで遺伝子の発現が誘導されて耐性を獲得する．染色体上の変異もある確率で起こり，たまたま薬剤耐性になるよう遺伝子が変異した菌が，使用した抗菌薬で選択されて耐性菌となる．他の菌から耐性遺伝子を授与される場合もある．このように抗菌薬を使用することで耐性を獲得するものは獲得耐性と呼ばれる．細菌は外来性の耐性遺伝子を，Rプラスミドを介する接合伝達や，ファージを介する形質導入や，形質転換によって獲得する．耐性遺伝子の伝達にはトランスポゾンやインテグロンが重要な役割をもつ（p.59，遺伝子の伝達の項参照）．

耐性化のメカニズムは三つに分類される（図 VII-9）．①抗菌薬の修飾または分解による不活化，②抗菌薬作用点の変化，③細胞内の抗菌薬濃度の低下である．①，②は個別の抗菌薬に対応しているが，③の耐性機構を獲得すると一度に多系統の抗菌薬に耐性を獲得することになる場合が多い．

a. 抗菌薬の不活化

薬剤耐性菌の多くは抗菌薬を分解または修飾する酵素を産生する（図 VII-10）．ペニシリナーゼやセファロスポリナーゼなど β-ラクタム系抗菌薬を加水分解する酵素は β-ラクタマーゼ β-lactamase と総称される．アミノグリコシド系抗菌薬をリン酸化，アデニリル化，アセチル化するアミノグリコシド修飾酵素やク

図 VII-10 ペニシリナーゼによるペニシリンの加水分解

ロラムフェニコールのヒドロキシ基（-OH）にアセチル基を導入するクロラムフェニコールアセチル化酵素も存在する．これら不活化酵素をコードする遺伝子はプラスミド上に存在するものが多く，菌種を超えて伝播され，それぞれの抗菌薬の薬剤耐性に大きく関わっている．

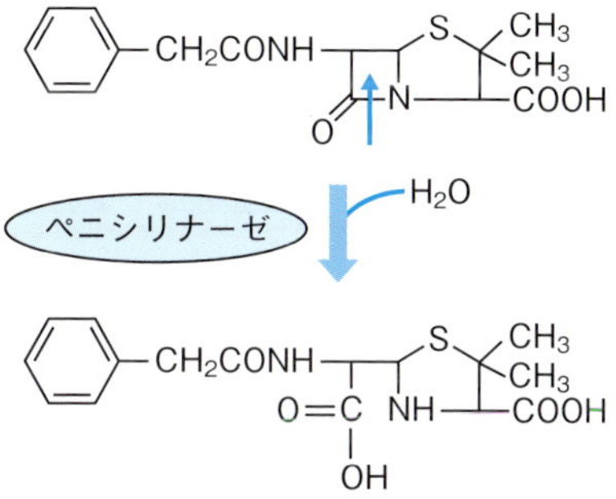

b. 抗菌薬の作用点の変化

細菌自ら，抗菌薬の作用点を変化させて，抗菌薬に対する作用点の親和性を低下させることで，耐性を獲得する．作用点を構成するタンパク質の遺伝子に変異が入り作用点が変化するもの，修飾酵素を産生して作用点を変化させるもの，作用点と同等の働きをする代替酵素を産生するものがある．肺炎球菌は外来遺伝子導入によって，β-ラクタム系抗菌薬の標的となるペ

ニシリン結合タンパク質PBPに変異が入り、ペニシリン耐性肺炎球菌 penicillin resistant *Stpreptococcus pneumoniae*（PRSP）になる（図VII-11a）．キノロン系抗菌薬の耐性菌では作用点であるDNAジャイレースやトポイソメラーゼIVに変異が起こる．マクロライド系抗菌薬の耐性菌はrRNAメチラーゼを産生し、作用点となる23S rRNAをジメチル化して、マクロライド系抗菌薬の結合を回避する．マクロライド系抗菌薬の作用点がジメチル化されると、構造は異なるが、作用点が同じであるリンコマイシン系抗菌薬やストレプトグラミン系抗菌薬にも耐性を示すようになる．このようにある抗菌薬に対する作用点が変化すると、同じ作用点をもつ別の抗菌薬にも耐性を示すことを交差耐性という．

一方MRSAのように、通常の四つのPBPに加え、*mecA*にコードされたβ-ラクタム系抗菌薬に低親和性のPBP2′（もしくはPBP2aと表記される）という代替酵素を産生し、β-ラクタム系抗菌薬に耐性を示す（図VII-11b）．バンコマイシンはペプチドグリカン末端のD-Ala-D-Alaに結合して、細胞壁合成を阻止する．バンコマイシン耐性腸球菌 vancomycin-resistant enterococci（VRE）では*vanA*などの耐性遺伝子を獲得することで、末端部分をD-Ala-D-lactateやD-Ala-D-Serなどに変化させて抗菌薬の結合を防ぐことにより、耐性化する（図VII-12）．

c. 薬剤の細胞内濃度の低下

薬剤の細胞内濃度の低下には、(i) 膜透過性の低下、(ii) 能動的排出が関わっている．

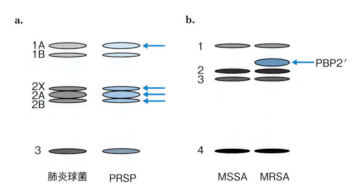

図VII-11　PRSPにおけるPBPの変異（a）とMRSAにおける代替酵素（PBP2′）の産生（b）
ペニシリン結合タンパク質PBPの電気泳動の模式図．PRSPでは矢印で示した4ヵ所に変異が入っている．メチシリン感受性黄色ブドウ球菌（MSSA）では4個のPBPが検出できるのに対し、MRSAではそれに加えPBP2′を産生している．

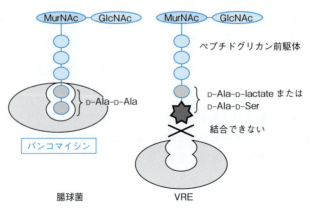

図VII-12　バンコマイシン耐性腸球菌（VRE）の耐性化

(i) 膜透過性の低下

抗菌薬は細菌内のそれぞれの作用部位に必要量が到達して，初めて効果を発揮する．細胞内に抗菌薬が到達するためにはまずバリアーの細胞膜を通過する必要がある．グラム陰性菌の外膜にはポーリンと呼ばれる親水性物質の透過経路が存在する．ポーリンは大腸菌で分子量 600 Da 程度までの物質を通過させるが，緑膿菌では 400 Da 程度までの大きさにとどまる．緑膿菌が多くの抗菌薬へ自然耐性をもつ一つの要因である．さらに，ポーリンが欠損したり，減少したり，孔が小さくなったりすることでより多くの薬剤が通過しにくくなり多剤耐性となることがある．

(ii) 能動的排出

細胞膜には薬剤排出ポンプが存在し，細胞内に透過した抗菌薬をエネルギー依存的（能動的）に排出する．もともとは不要になった二次代謝物や異物を排出するためのものと考えられている．能動的な排出ポンプはどの細菌の染色体上にも多数存在している．大多数は抗菌薬に接することにより誘導されて高発現したり，調節遺伝子に変異が入って発現量が増えて耐性を獲得する．テトラサイクリン排出ポンプ TetA に代表されるように基質特異性の高いポンプもあるが，多くは基質認識が低く，構造に類似性のない複数の抗菌薬を基質として排出する多剤排出ポンプである．多剤排出ポンプが高発現すると，細菌は多剤耐性を獲得し，多くの抗菌薬が効きにくくなる．

5 抗菌薬各論

今日，臨床で用いられる抗菌薬は 150 種近くあるとされるが，ここでは細菌感染症に対して用いられる化学療法薬の中の主要なものをとりあげた．作用部位別に，特徴，基本骨格，作用機序，耐性機構，抗菌スペクトル，組織移行性・薬物動態，相互作用，副作用などの基礎的な知識をまとめた．

a. 細胞壁合成阻害薬

(i) β-ラクタム系抗菌薬

特徴：有効性，安全性が高く，わが国で最も汎用される抗菌薬である．殺菌作用を有し，その効果は時間依存的である．血中濃度が MIC 以上となる時間 (time above MIC) を十分確保するため，投与間隔を短くした分割投与が有効である．β-ラクタム β-lactam 系抗菌薬は共通の構造として，β-ラクタム環をもち，ペナム penam，セファロスポリン cephalosporin（またはセフェム cephem），セファマイシン cephamycin，オキサセフェム oxacephem，カルバペネム carbapenem，ペネム penem，モノバクタム monobactam の 7 系統に分類される（図 VII-13）．

作用機序：β-ラクタム系抗菌薬は細菌の細胞壁の主成分であるペプチドグリカン生合成を阻害する．標的はペニシリン結合タンパク質 penicillin binding protein (PBP) のトランスペプチダーゼ (TP) である．TP はペプチドグリカン前駆体末端のジペプチド，D-アラニル-D-アラニン（D-Ala-D-Ala）を認識して，伸長点のアミノ酸とのペプチド結合（架橋反応）を触媒する．β-ラクタム系抗菌薬は D-Ala-D-Ala に立体構造が類似するため（図 VII-14），TP は β-ラクタム環と共有結合し，架橋反応が停止する．PBP には，糖鎖の重合反応に関わるトランスグリコシラーゼ (TG) 活性部位もあるが，β-ラクタム系抗菌薬はそこには結合せず糖鎖の結合は進む．グラム陽性菌で 20 気圧，グラム陰性菌で 5 気圧といわれる細胞内浸透圧の保持にはペプチドの架橋形成が重要である．架橋構造が不完全であると菌は浸透圧に耐えきれず容易に溶菌する．このようにして，β-ラクタム系抗菌薬は，分裂・増殖中の細菌に殺菌的に作用する．

耐性機構：主な耐性機構は β-ラクタマーゼの産生である．肺炎球菌やインフルエンザ菌では，β-ラクタム系抗菌薬の作用点である PBP の変異により耐性を獲得する．また MRSA では薬剤低感受性の新たな PBP2′ を産生することにより耐性を獲得する．PBP2′ を産生する MRSA には全ての β-ラクタム薬は無効である．グラム陰性菌では外膜の通路となるポーリンが

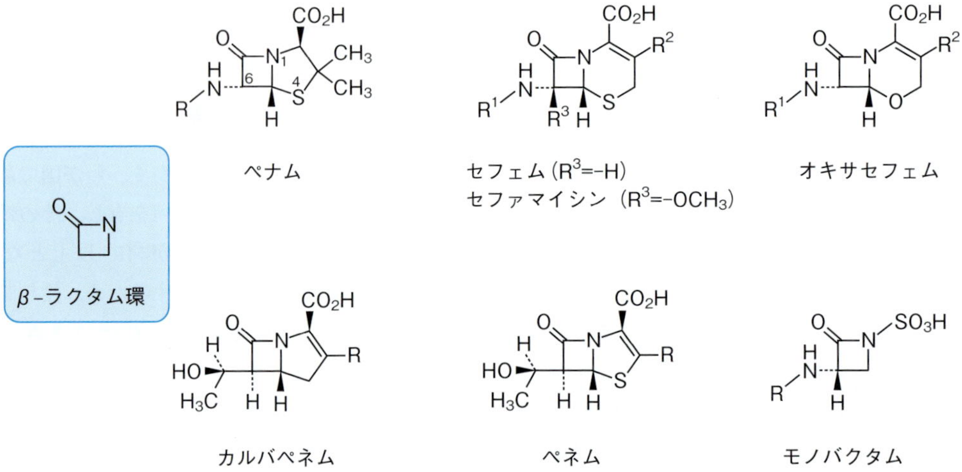

図VII-13　β-ラクタム環とβ-ラクタム系抗菌薬の基本骨格

図VII-14　D-Ala-D-Alaとペニシリンとの立体構造の類似性

欠損して透過性が低下したり，多剤排出ポンプの基質として排出されることにより，ペリプラズム間隙でのβ-ラクタム系抗菌薬の濃度が十分蓄積できず，耐性となる．

(1) ペニシリン系抗菌薬

特　徴：優れた抗菌活性を有するが，有効な菌種がグラム陽性菌や一部グラム陰性菌に限られるため，セフェム系など広域抗菌スペクトルをもつ他の抗菌薬にとって代わられ，必要性は減少した．しかし，原因菌が判明した後は，狭域抗菌スペクトルの薬剤に変更するというデ・エスカレーションが推奨されるようになってからは，ペニシリン系抗菌薬の臨床現場での必要性が高まってきている．

基本骨格：β-ラクタム環とチアゾリン環が結合したペナム骨格をもつ．6-アミノペニシラン酸 6-aminopenicillanic acid（6-APA）が母核となり，側鎖を修飾することにより，様々な化学修飾体が半合成されている（図VII-15）．

分類と抗菌スペクトル：ペニシリン系抗菌薬は抗菌スペクトルや性質の違いから四つのグループに分けられる．

① **天然ペニシリン**：天然ペニシリンとは，Flemingが青カビから発見した初の抗生物質のベンジルペニシリン benzylpenicillin（PCG）のことである．肺炎球菌，レンサ球菌，一部の嫌気性菌，髄膜炎菌や淋菌（グラム陰性球菌）に強い抗菌力を示す．梅毒トレポネーマに対し，第一選択薬となる．ブドウ球菌はβ-ラクタマーゼ（ペニシリナーゼ）を産生するものが多く，無効である．胃酸に不安定であり，経口吸収が悪いため，注射薬で用いる．経口用にはベンジルペニシリンベンザチン水和物が用いられる．

② **ペニシリナーゼ耐性ペニシリン**：メチシリン methicillin（DMPPC）はペニシリナーゼで分解されないペニシリンとして開発されたが，ほどなくメチシリンに耐性をもつMRSAが出現した．現在はクロキサシリン cloxacillin（MCIPC）のみが，ペニシリナーゼ

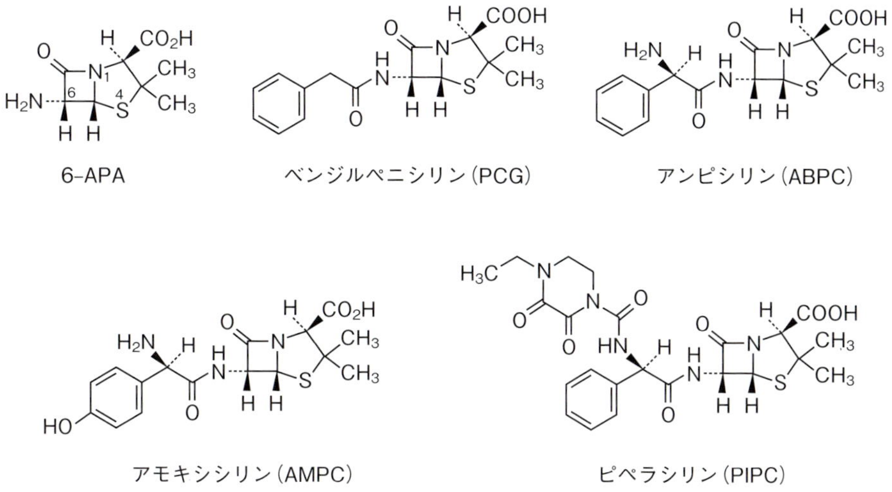

図VII-15 6-APAと主なペニシリン系抗菌薬の構造式

阻害薬としてアンピシリンとの合剤で用いられる.

③ **アミノペニシリン**：アンピシリン ampicillin（ABPC）は別名アミノベンジルペニシリンといわれるように，ベンジルペニシリンの側鎖にアミノ基が導入されている．グラム陽性菌のみならず，腸内細菌，インフルエンザ菌，サルモネラ属菌，赤痢菌などのグラム陰性桿菌（緑膿菌を除く）にまで抗菌スペクトルが拡大した．アンピシリンには注射薬と経口薬があるが，経口吸収が悪い．アンピシリンの2位のカルボキシ基をエステル化したプロドラッグのバカンピシリン bacampicillin（BAPC）が経口薬として使われる．

アンピシリンのベンゼン環にヒドロキシ基（-OH）を導入したアモキシシリン amoxicillin（AMPC）は，とくに腸管吸収も優れ，アンピシリンに代わる経口薬として汎用されている．クラリスロマイシンとプロトンポンプ阻害薬（ランソプラゾールなど）と3剤併用でヘリコバクター・ピロリ Helicobacter pylori の除菌に用いられる．アンピシリンとアモキシシリンはペニシリナーゼで分解される．臨床現場で分離されるグラム陰性菌の多くはβ-ラクタマーゼ産生菌であるため，両剤はβ-ラクタマーゼ阻害薬との合剤で用いられる場合が多い．

④ **抗緑膿菌用ペニシリン**：ピペラシリン piperacillin（PIPC）は，アンピシリンのアミノ基にピペラジン構造が導入されたことにより，極性が上がり，外膜の透過性が高まって，抗菌スペクトルが広がった．これまでのペニシリン系抗菌薬が効かなかった緑膿菌も含めたグラム陰性菌，嫌気性菌にも広い抗菌スペクトルをもつ．グラム陰性菌の産生するペニシリナーゼにもある程度安定であるが，依然一部のペニシリナーゼには分解されるため，β-ラクタマーゼ阻害薬であるタゾバクタム tazobactam（TAZ）との合剤が用いられる．ピペラシリンも，その合剤も注射薬である．

組織移行性・薬物動態：基本的には水溶性の抗菌薬で組織移行性は良好とはいえないが，腎臓や尿路への移行性はよい．髄膜への移行性は不良であるが，髄膜炎を起こしている場合はよく移行する．体内では代謝を受けにくく，そのままの形で腎排泄されることが多いため，腎機能低下時には，用法用量を考慮する必要がある．

相互作用：併用禁忌はない．ペニシリン以外はEBウイルスによる伝染性単核症を発症時に使用すると重度の皮疹が誘発されるため，用いることができない．

副作用：副作用の少ない抗菌薬の一つである．過敏反応により発熱，皮疹，まれに間質性腎炎を起こすことがある．重大な副作用はペニシリンショックと呼ばれるアナフィラキシー反応であり，出現率は0.01〜0.05%程度である．薬物アレルギーの既往を問診で確認する．まれではあるが，アンピシリンで偽膜性大腸炎が起こることがある．

(2) セフェム系抗菌薬

特　徴：真菌の *Cephalosporium acremonium* の抽出物から精製されたセファロスポリン C はペニシリン系抗菌薬の弱点であるアレルギー（p. 357 参照）などの出現頻度が低く，とくに安全性に優れていた．構造上，化学修飾を行いやすいため，ペニシリナーゼにも安定で，広範囲な抗菌スペクトルを有する多くの誘導体が開発された．わが国で開発されたものが多く，セフェム系抗菌薬の売り上げはわが国でとくに多い．

基本骨格：セファロスポリン C の母核である 7-アミノセファロスポラン酸 7-aminocephalosporanic acid (7-ACA) は β-ラクタム環と 6 員環のジヒドロチアジン環からなる．この骨格をもつものはセファロスポリン系（またはセフェム系）であり，6 員環中の硫黄の代わりに酸素をもつものはオキサセフェム系という．放線菌から見いだされたセファマイシン系は 7-ACA 骨格の 7 位の位置にメトキシ基（$-OCH_3$）をもつ．これら 3 系統は構造と薬理機能もほぼ同等であるため，あわせてセフェム系抗菌薬とする（図VII-16a）.

世代別特徴と抗菌スペクトル：セフェム系抗菌薬は開発時期，抗菌活性，抗菌スペクトルをもとにして，第一〜第四世代に分類される．グラム陽性菌に対する抗菌活性は第一世代が一番高く，世代が上がると抗菌活性が弱くなる．反対に世代が上がるにつれて，グラム陰性菌への抗菌活性が増強されている．ただし，第四世代セフェムはグラム陽性菌にも陰性菌にも抗菌活性を示すように改良された（図VII-16b）第三世代までは腸球菌に無効である．

① **第一世代セフェム系抗菌薬**：第一世代の抗菌スペクトルは狭く，グラム陽性菌と，肺炎桿菌，大腸菌などの一部のグラム陰性菌に限られる．ペニシリナーゼには安定であるが，セファロスポリナーゼで分解される．注射薬としてはセファロチン cefalotin（CET）があるが，その体内動態を改善したセファゾリン cefazolin（CEZ）が主流である．経口薬としてセファレキシン（CEX）と一部菌種で抗菌力が増強するよう改良されたセファクロル cefaclor（CCL）等がある．セファゾリンはメチシリン感受性黄色ブドウ球菌 methicillin-susceptible *S. aureus*（MSSA）による感染性心内膜炎と周術期感染予防に第一選択薬として用いられる．

② **第二世代セフェム系抗菌薬**：抗菌スペクトルは系統により若干異なる．セファロスポリン系のセフォチアム cefotiam（CTM），オキサセフェム系のフロモキセフ flomoxef（FMOX）では第一世代セフェムのグラム陽性菌に対する抗菌力を保っているが，セファマイシン系のセフメタゾール cefmetazol（CMZ）ではグラム陽性菌に対する抗菌力は第一世代セフェムに劣る．一方 3 系統とも，グラム陰性菌に対する抗菌力は強化されて，インフルエンザ菌，モラクセラなどグラム陰性菌に対し，抗菌スペクトルを広げている．緑膿菌には無効である．セフメタゾールやフロモキセフは，嫌気性菌にも有効である．両剤は 7 位にメトキシ基をもつことから，β-ラクタマーゼに安定で，セファロスポリナーゼで分解されない．3 剤とも注射薬である．経口薬としては腸管吸収性を改善するため，2 位のカルボキシ基をエステル化したプロドラッグ，セフロキシム　アキセチル cefuroxime axetil（CXM-AX）がある．

③ **第三世代セフェム系抗菌薬**：第三世代では，7-ACA 骨格の 3 位と 7 位の側鎖に置換基を導入することにより，グラム陰性菌の膜透過性と作用点（PBP）への親和性が増強し，さらに β-ラクタマーゼに対する安定性が増している．グラム陰性菌への抗菌活性は増強したが，グラム陽性菌に対する抗菌活性が減弱した．第三世代は 1980 年代に開発されると，抗菌スペクトルを無視する形で，全ての感染症に対し乱用されるようになった．その結果，それまで出現率の低かった MRSA が選択され，わが国における院内感染問題の端緒となった．注射薬として，セフォタキシム cefotaxime（CTX），セフチゾキシム ceftizoxime（CZX），セフメノキシム cefmenoxime（CMX），セフトリアキソン ceftriaxone（CTRX）などがある．セフトリアキソンは MSSA やレンサ球菌にも抗菌活性をもっている．また血中半減期が 7.5 時間と長く，1 日 1 回投与という利便性からよく利用される．抗緑膿菌作用をもつ注射薬は，セフタジジム ceftazidime（CAZ），セフォペラゾン cefoperazone（CPZ）である．セフタジジムは抗緑膿菌活性が最も強く，他のグラム陰性菌に対する抗菌活性もよい．セフォペラゾンは β-ラクタ

図VII-16a　セファロスポリン系，オキサセフェム系，セファマイシン系の基本骨格

図VII-16b　主要なセフェム系抗菌薬の構造式

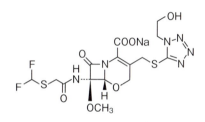は N-メチルテトラゾールチオメチル基を示す．○はピボキシル基を示す．

マーゼに不安定なため，阻害薬のスルバクタム sulbactam（SBT）との合剤で用いられる．オキサセフェムのラタモキセフ latamoxef（LMOX）はグラム陰性菌や嫌気性菌のバクテロイデス属にも有効だが，緑膿

菌，グラム陽性菌への抗菌活性は弱い．

経口薬としてはセフィキシム cefixime（CFIX），セフチブテン ceftibuten（CETB），セフジニル cefdinir（CFDN）がある．またプロドラッグとして，2位のカ

220　第 VII 章　抗菌薬の働き

第三世代（注射薬）

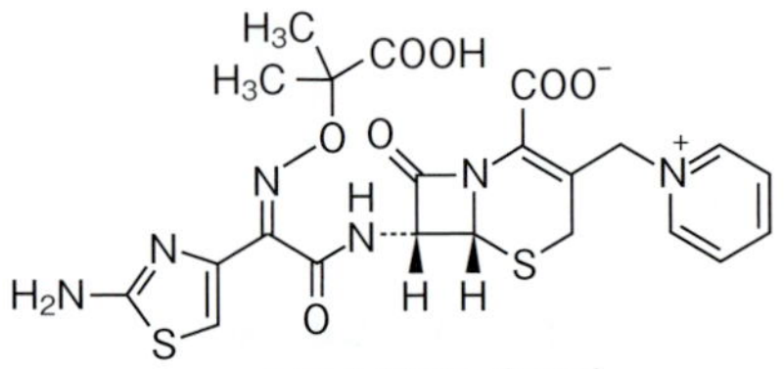

セフタジジム (CAZ)

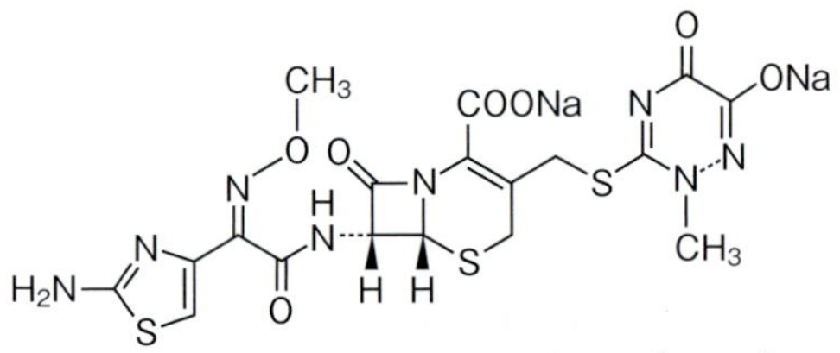

セフトリアキソン (CTRX)

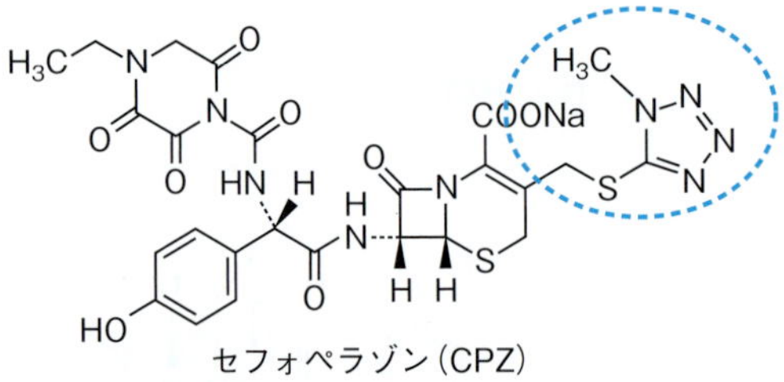

セフォペラゾン (CPZ)

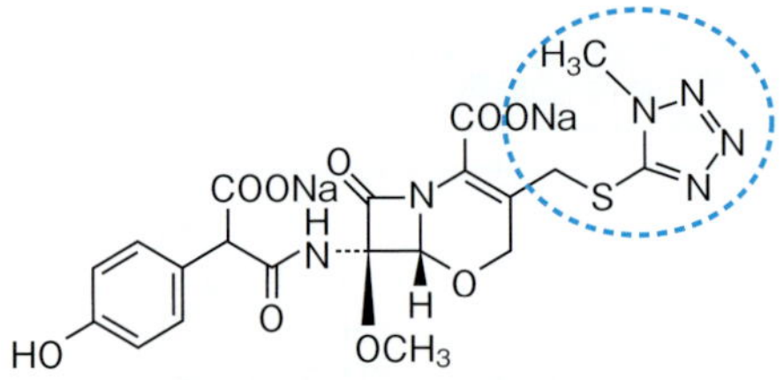

ラタモキセフ (LMOX)

第三世代（経口薬）

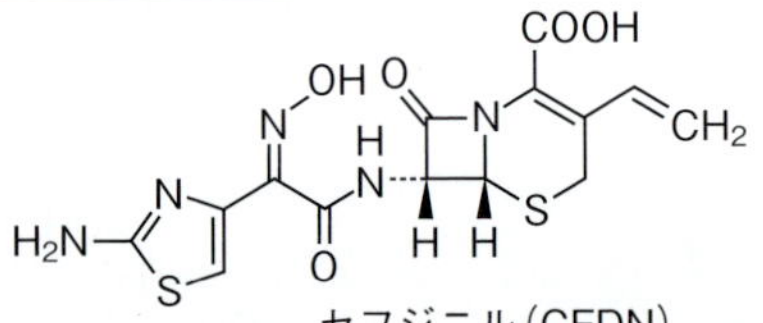

セフジニル (CFDN)

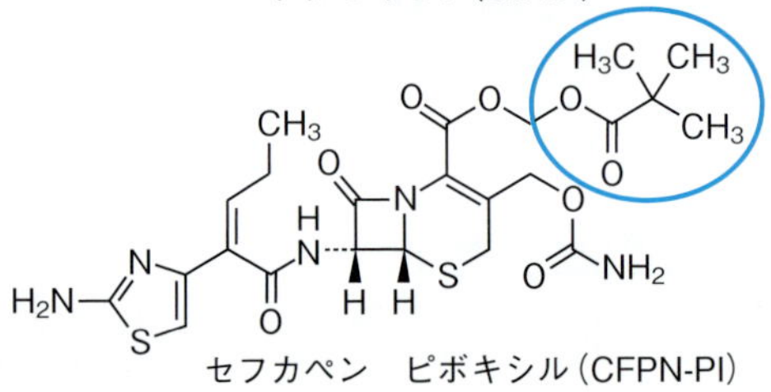

セフカペン　ピボキシル (CFPN-PI)

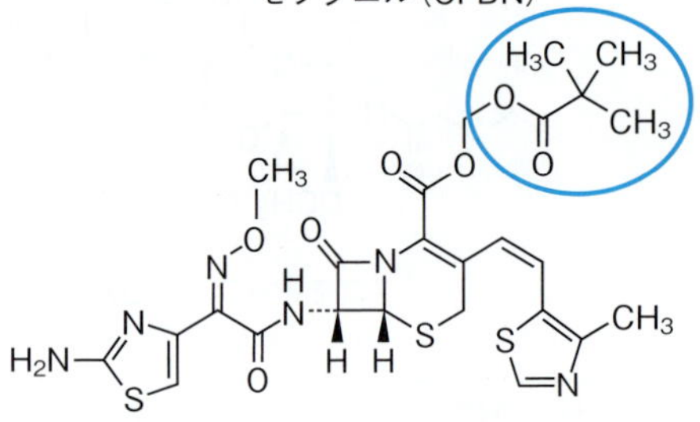

セフジトレン　ピボキシル (CDTR-PI)

第四世代（注射薬）

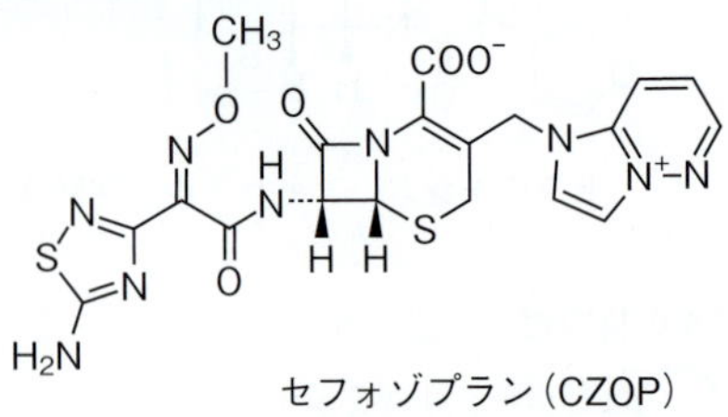

セフォゾプラン (CZOP)

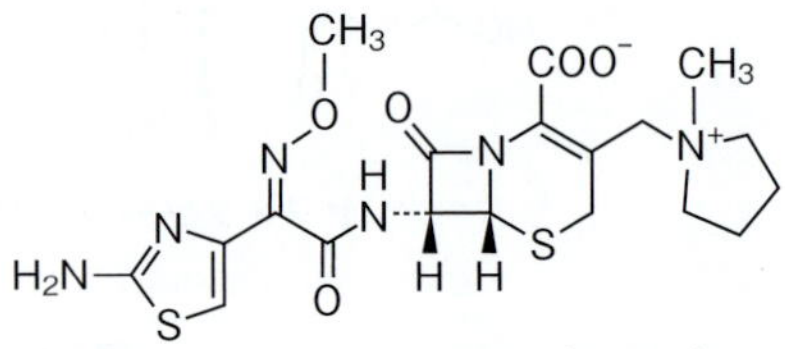

セフェピム (CFPM)

図 VII-16b　つづき

ルボキシ基をエステル化した，セフテラム　ピボキシル cefteram pivoxil（CFTM-PI），セフポドキシム　プロキセチル cefpodoxime proxetil（CPDX-PR），セフジトレン　ピボキシル cefditoren pivoxil（CDTR-PI），セフカペン　ピボキシル cefcapene pivoxil（CFPN-PI）がある．セフジニル，セフジトレン　ピボキシルはグラム陽性菌（腸球菌を除く）に高い抗菌活性を示す．いずれの経口薬も緑膿菌には無効であるが，一般的にインフルエンザ菌などグラム陰性桿菌に対する抗菌活性は高い．ただし，セフジニルは黄色ブドウ球菌やレンサ球菌属に強い抗菌活性をもつ一方で，インフルエンザ菌には抗菌活性が弱いため，注意を要する．

　④　第四世代セフェム系抗菌薬：第三世代セフェムの黄色ブドウ球菌と緑膿菌に対する抗菌力不足を補うために開発された．セフピロム cefpirome（CPR），セフェピム cefepime（CFPM），セフォゾプラン cefozopran（CZOP）が属す．セフピロムとセフォゾプランは腸球菌にも適応がある．いずれも注射薬である．

　組織移行性・薬物動態：第三世代以降は髄液への移行性がよく中枢神経感染症に有用である．基本的には腎排泄であるが，セフトリアキソンとセフォペラゾンは胆道系から排出されるため，両剤については，腎機能障害時の投与量の調整は不要である．経口第三世代セフェム系薬のバイオアベイラビリティは低く，50％以下であり，薬剤によっては十分な血中濃度が得られない場合があるため，注意が必要である．

　相互作用：経口第三世代セフェム系薬のセフジニルは金属カチオン含有製剤とキレートを形成し吸収が阻害される．併用の際，鉄剤では3時間以上，マグネシウムやアルミニウム含有製剤では，2時間以上間隔を空ける必要がある．

　副作用：ペニシリンより出現率は低いが，アナフィラキシーショックが起こることがある．セフメタゾール，セフミノクス，セフメノキシム，セフォペラゾン，ラタモキセフには，共通して3位にN-メチルテトラゾールチオメチル基が導入されている．この基をもつものはジスルフィラム作用（嫌酒作用）をもつため，投与中，投与後1週間は禁酒が必要である．またビタミンKの再利用を阻害するため，ビタミンK不足となり出血傾向を示すことがある．

　ピボキシル基を有する経口第三世代セフェム系薬では，ピボキシル基の代謝により生じたピバリン酸がカルニチン抱合を受けるため，カルニチンの尿中への排出が亢進する．その結果，血清カルニチンが低下し，小児では低血糖や痙攣，脳症の症状を示す低カルニチン血症を起こすことがある．

(3)　カルバペネム系抗菌薬

　特　徴：ペニシリン系，セフェム系抗菌薬よりはるかに強い抗菌力をもち，短時間で殺菌作用を示す．とくに抗緑膿菌作用が優れている．他のβ-ラクタム系抗菌薬ではみられないグラム陰性菌へのPAE（post antibiotic effect, p. 207 参照）もある．この特徴ゆえに，重症感染症治療薬として重宝され，とくに感染症の原因菌が不明の場合，経験的治療*empiric therapy薬として，初期治療に用いられる．しかし，カルバペネムはメタロ-β-ラクタマーゼ（後述）で分解されるので，長期使用により，メタロ-β-ラクタマーゼ産生菌を選択してしまう．院内感染で問題となる多剤耐性緑膿菌（MDRP）が出現する一因である．また近年ではカルバペネム耐性腸内細菌（CRE）**による院内感染も出現している．院内感染対策では適正使用が必要な抗菌薬の一つであり，カルバペネムを処方する場合は届出制を導入している病院が多い．

　基本骨格：1976年放線菌からみつかったチエナマイシンは，ペナムのチアゾリン環の4位の硫酸が炭素に置き換わり二重結合が導入されていた．広域抗菌スペクトルをもち，抗菌力も強かったが，不安定な化合物であったため，この骨格をもとにカルバペネム系抗

---

* 経験的治療：確実な診断が判明する前に，経験に基づいて行われる治療のこと．とくに感染症の場合，原因菌が判明するまで数日を要すが，その間は抗菌活性が強く，広い菌種をカバーできる広域抗菌スペクトルをもつ抗菌薬が選択される場合が多い．
** CREとは，カルバペネム耐性腸内細菌科細菌 Carbapenem-resistant *Enterobacteriaceae* と呼ばれるカルバペネム系抗菌薬に耐性を獲得した腸内細菌科の菌である．肺炎桿菌や大腸菌が主流で，日和見感染で敗血症など重症化する場合がある．海外での報告が多かったが，国内でも院内感染が起こっており，2014年，五類感染症（全数把握疾患）に指定されている．

菌薬が開発された（図VII-17）．

抗菌スペクトルと特徴：カルバペネムはグラム陽性菌，陰性菌，嫌気性菌にも有効である．さらに通常のβ-ラクタマーゼ（基質拡張型β-ラクタマーゼ extended spectrum β-lactamase（ESBL）を含む）に安定であるため，広い抗菌スペクトルをもつ．最初に開発されたイミペネムは腎のデヒドロペプチダーゼ-I dehydropeptidase-I（DHP-I）により加水分解を受けたり，強い腎毒性をもつなどの欠点があった．DHP-Iの阻害薬のシラスタチンはイミペネムの構造類似体であり，腎毒性をも軽減する効果があり，イミペネムと1：1の配合剤イミペネム・シラスタチン imipenem・cilastatin（IPM/CS）として臨床応用された．緑膿菌感染症を含む，重症感染症に優れた効果を発揮，汎用されるようになった．パニペネムは連続投与で腎毒性をもつため，腎毒性を軽減する作用をもつ有機アニオン輸送阻害薬のベタミプロンとの1：1の配合剤パニペネム・ベタミプロン panipenem・betamipron（PAPM/BP）で用いる．副作用の軽減，抗菌活性の増強を目的に改善を重ね，メロペネム meropenem（MEPM），ビアペネム biapenem（BIPM），ドリペネム doripenem（DRPM）が開発された．4位へのメチル基の導入により，DHP-Iへの安定性が増し，単剤で使用できるようになった．抗緑膿菌活性はドリペネムが最も強い．以上のカルバペネムは全て注射薬であったが，2位のカルボキシ基をエステル化したプロドラッグであるテビペネム ピボキシル tebipenem pivoxil（TBPM-PI）は経口薬として，小児用で，他の抗菌薬で効果が期待できない症例に限って使用される．

組織移行性・薬物動態：中枢神経系をはじめ，組織への移行性はよい．腎排泄のため，腎機能低下時に用法用量の調節が必要である．

相互作用：抗てんかん薬のバルプロ酸ナトリウムとは併用禁忌である．バルプロ酸の血中濃度が低下するため，てんかん発作が起こりやすくなる．

副作用：初期に開発されたイミペネムを高用量投与した場合，痙攣発作を起こすなど，中枢神経毒性が報告されている．

(4) **ペネム系抗菌薬**

ペネム系に分類されるのは1997年わが国で開発された経口薬のファロペネム faropenem（FRPM）のみである（図VII-18）．コンピューターにより分子設計されたもので，β-ラクタマーゼに安定で，細菌の高分子PBPとの親和性が高く，広域スペクトルをもつのが特徴である．グラム陽性菌，とくにペニシリン耐性肺炎球菌，インフルエンザ菌などグラム陰性菌，嫌気性菌にも強い抗菌活性を有する．ただし抗緑膿菌活性はない．

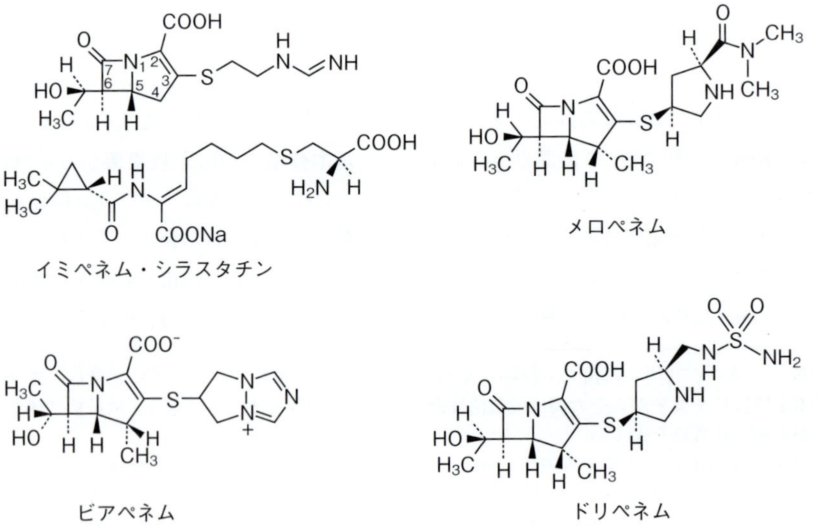

イミペネム・シラスタチン

メロペネム

ビアペネム

ドリペネム

図VII-17　主なカルバペネム系抗菌薬の構造式

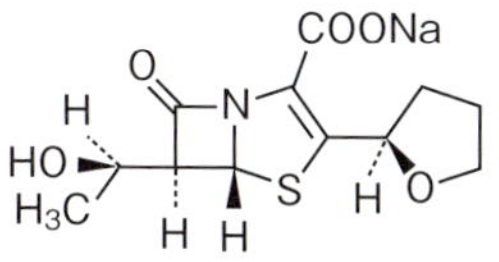

ファロペネム 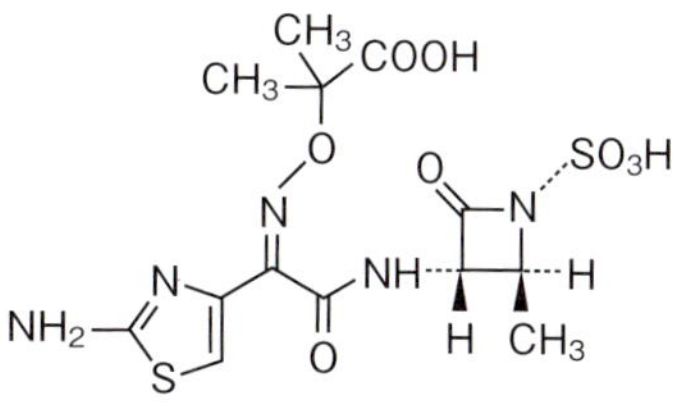　　　　　　　　　　アズトレオナム

図 VII-18　ファロペネムと主なモノバクタム系抗菌薬の構造式

表 VII-2　β-ラクタマーゼの分類と阻害薬の作用

分類		酵素型	基質	産生菌	阻害薬の有効性		
					CVA	SBT	TAZ
セリン-β-ラクタマーゼ	Class A	ペニシリナーゼ	PC1	ペニシリン系薬	黄色ブドウ球菌，淋菌，インフルエンザ菌	◎	○	◎
		基質拡張型β-ラクタマーゼ（ESBL）	TEM, SHV, CTX-M	セファマイシン系薬，カルバペネム系薬を除くβ-ラクタム系薬	腸内細菌科細菌，緑膿菌	△	△	△
		カルバペネマーゼ	KPC, GES, SME	β-ラクタム系薬 全て	腸内細菌科細菌	×	×	×
	Class C	セファロスポリナーゼ	AmpC, MOX, FOX	セフェム系薬	グラム陰性菌	×	△	○
	Class D	オキサシリナーゼ	OXA	オキサシリン，セフェム系薬	緑膿菌，腸内細菌科細菌	△	△	△
		カルバペネマーゼ	OXA-48	ペニシリン系薬，セフェム系薬，カルバペネム系薬	腸内細菌科細菌	×	×	×
メタロ-β-ラクタマーゼ	Class B	カルバペネマーゼ	IMP, VIM, NDM, SIM	モノバクタム以外のβ-ラクタム系薬	緑膿菌，セラチア属，アシネトバクター属など	×	×	×

◎は強い活性有，○は活性有，△は活性はあるが酵素により無効な場合もある，×は無効
CVA：クラブラン酸，SBT：スルバクタム，TAZ：タゾバクタム

(5) モノバクタム系抗菌薬

モノバクタムはβ-ラクタム環の単環構造をもつ．注射薬のアズトレオナム aztreonam（AZT）が開発されている（図 VII-18）．メタロ-β-ラクタマーゼに安定な唯一のβ-ラクタム系抗菌薬であるが，基質拡張型β-ラクタマーゼ（ESBL）では分解される．緑膿菌を含む好気性グラム陰性菌に有効である．安全性が高く，とくにアレルギーを起こしにくいとされる．

(6) β-ラクタマーゼ阻害薬

① β-ラクタマーゼ：ペニシリナーゼやセファロスポリナーゼはそれぞれペニシリンとセファロスポリンを加水分解する酵素である．いずれもβ-ラクタム環を分解するのでβ-ラクタマーゼと総称される（表 VII-2）．β-ラクタム系抗菌薬に対する，主たる耐性機構である．β-ラクタマーゼは酵素の活性部位がセリンのセリン-β-ラクタマーゼ serin-β-lactamase と活性部位が

亜鉛のメタロ-β-ラクタマーゼ metallo-β-lactamase の二つに分けられる．セリン-β-ラクタマーゼにはクラス A，クラス C，クラス D の 3 種類がある．クラス A はペニシリナーゼであり，ペニシリナーゼ耐性ペニシリンを除くペニシリン系抗菌薬を分解する．クラス C はセファロスポリナーゼであり，第一世代セフェム系抗菌薬を分解する．AmpC を産生する菌では第三世代セフェム系抗菌薬の一部を分解する．クラス D はペニシリナーゼに安定なオキサシリンを分解する．クラス B のメタロ-β-ラクタマーゼはモノバクタム系以外のほとんど全ての β-ラクタム系抗菌薬を分解する．広域抗菌スペクトルをもつカルバペネム系抗菌薬をも分解するので，カルバペネマーゼとも呼ばれる．またクラス A のペニシリナーゼに変異が入り，基質を第一，二，三，四世代セフェム系およびモノバクタム系抗菌薬にまで拡大した基質拡張型 β-ラクタマーゼ（ESBL）も医療現場で増加しつつある．クラス B 以外にクラス A やクラス D においても変異によりカルバペネマーゼを産生する腸内細菌科細菌が報告されている．

② β-ラクタマーゼ阻害薬：このように現在では臨床分離される多くの菌が，様々なタイプの β-ラクタマーゼを産生している．β-ラクタム系抗菌薬の抗菌活性を回復し，抗菌スペクトルを広げるためには β-ラクタマーゼを阻害することが必須であった．1974 年，放線菌の培養液からみつかったクラブラン酸 clavulanic acid（CVA）は β-ラクタム環をもち，β-ラクタム系抗菌薬より先にペニシリナーゼに結合して，これを不活化した．クラブラン酸の他，スルバクタム，タゾバクタムの 3 種類の β-ラクタマーゼ阻害薬が β-ラクタム系抗菌薬との合剤で用いられている（図 VII-19，p.385 付表参照）．スルタミシリン sultami-cillin（SBTPC）はアンピシリンとスルバクタムがエステル結合した相互プロドラッグで，腸管内でエステラーゼにより分解され，それぞれの薬剤の効果を発揮する．多様な酵素の分類，基質，各 β-ラクタマーゼ阻害薬による阻害活性を表 VII-2 に示した．クラブラン酸はクラス A，D に対し阻害活性をもち，ESBL にも阻害活性があり，アモキシシリンとの合剤で使われる．スルバクタムはこれに加えクラス C にも弱いながら活性をもち，アンピシリンやセフォペラゾンとの合剤で用いられる．タゾバクタムはクラス A，C，D に強い阻害活性をもち，ピペラシリンとの合剤は緑膿菌にも有効で，グラム陰性桿菌を中心に広い抗菌スペクトルを示す．タゾバクタムと新規セフェム系抗菌薬のセフトロザン ceftolozane（CTLZ）の合剤も緑膿菌に活性をもつ．3 剤ともに ESBL に対しても阻害作用があるが，酵素によって阻害効果は異なるため，第一選択薬とはされていない．いずれもメタロ-β-ラクタマーゼを含むカルバペネマーゼを阻害することはできない．

(ii) グリコペプチド系抗菌薬

特　徴：放線菌より分離された，バンコマイシン vancomycin（VCM）とテイコプラニン teicoplanin（TEIC）がある．バンコマイシンは 1958 年に臨床導入された古い薬であるが，当時のバンコマイシンは不純物による強い副作用があった．その後，製法が改善されて，安全性が高まった．MRSA による院内感染の拡大にともない，バンコマイシン注射薬が MRSA 感染症の治療薬として 1991 年に承認されて以降，バンコマイシンは抗 MRSA 薬として臨床で重要な役割を担っている．

基本骨格：グリコペプチド glycopeptide は糖鎖が結合したペプチドのことで，バンコマイシンはアミノ糖

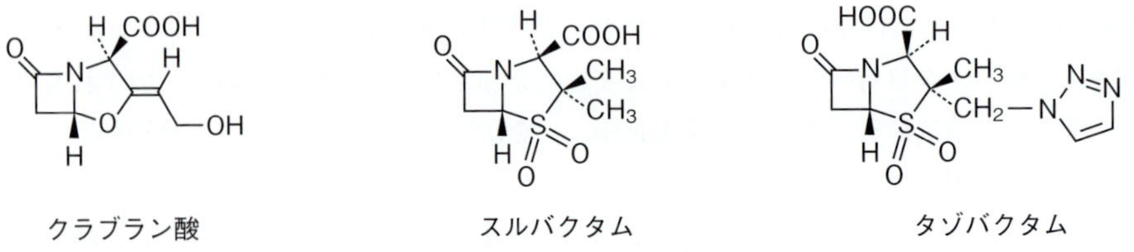

クラブラン酸　　　　スルバクタム　　　　タゾバクタム

図 VII-19　β-ラクタマーゼ阻害薬の構造式

を含む 2 分子の糖と 7 つのアミノ酸からなる環状ペプチドがグリコシド結合した巨大分子である．テイコプラニンはほぼ同じ構造であるが，純粋な物質ではなく，ペプチドに結合した糖の種類が異なる 6 種類のグリコペプチドを主成分とした混合物である．

作用機序：ペプチドグリカン前駆体のペンタペプチド末端の D-Ala-D-Ala 部分と水素結合することで，架橋反応や重合反応を阻害し，細胞壁合成を阻害する（図 VII-20）．

耐性機構：<u>バンコマイシン耐性腸球菌（VRE）</u>ではペプチドグリカン前駆物質末端部分の D-アラニンを D-乳酸や D-セリンに変換する酵素を産生するため，バンコマイシンが結合できなくなる．

抗菌スペクトル：グラム陽性桿菌に殺菌的，グラム陽性球菌には静菌的作用を示す．グラム陽性菌に対する抗菌スペクトルは広いが，高分子量のため，外膜のポーリンを通過できずグラム陰性菌には無効である．バンコマイシンは点滴静注で MRSA および PRSP 感染症に適応される．内服では骨髄移植時の腸管内殺菌，およびディフィシレ菌 *Clostridioides difficile* による抗菌薬関連下痢症や偽膜性大腸炎または MRSA 腸炎に適応が限られている．テイコプラニンは注射のみで MRSA 感染症に使用される．

組織移行性・薬物動態：水溶性の抗菌薬であり，点滴静注される．組織移行性は低い．経口投与では腸管からは吸収されないことを利用して，バンコマイシンの内服がグラム陽性菌による感染性腸炎の治療や消化管内殺菌に適応される．体内で代謝されず，未変化で腎排泄される．腎障害をもつ患者では用法用量を調節する．テイコプラニンは，血漿タンパク質結合率が高く（90～95％），速やかに目的の血中濃度に到達させるため，投与初日に負荷投与 loading dose を行う．

副作用：腎障害，第 8 脳神経障害（聴覚障害），ヒスタミン遊離により顔面に紅斑がみられるレッドマン（またはレッドネック）症候群，アナフィラキシー様作用がある．副作用を回避するために，点滴はバンコマイシンは 60 分以上，テイコプラニンは 30 分以上かけて行う．有効性および安全性の観点から血中濃度測定（TDM）を行う必要がある．

(iii) ホスホマイシン fosfomycin（FOM）

特　徴：低分子のため，アレルギー反応を起こしにくく，安全性の高い薬として，広く臨床で用いられている．単独では活性が弱いが，β-ラクタム系やアミノグリコシド系，ニューキノロン系抗菌薬との併用で相乗効果が認められている．併用薬のもつ腎毒性や聴器毒性の軽減作用や，抗アレルギー作用，炎症の改善など，抗菌活性以外の作用で症状の緩和という新しい

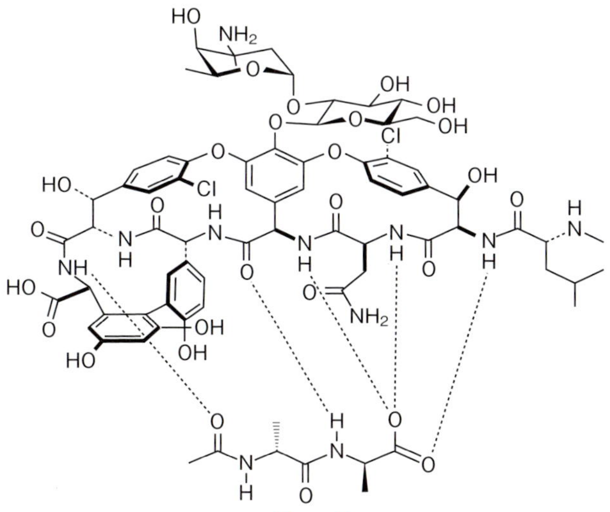

図 VII-20　バンコマイシンと D-Ala-D-Ala の結合様式

効果もわかってきている．分子量が小さいメリットは，血漿タンパク質との結合性がなく，組織移行性に優れる点にもある．副作用も少ない．

作用機序：ホスホマイシンは環が開裂すると，ペプチドグリカンの構成成分の原料であるホスホエノールピルビン酸に似ており，これと競合して，ピルビン酸トランスフェラーゼ（MurA）に不可逆的に結合する（**図 VII-21**）．細胞壁合成の初期の段階で UDP-N-アセチルグルコサミン（GlcNAc）から UDP-N-アセチルムラミン酸（MurNAc）の合成を阻害する．ホスホマイシンは能動輸送系を介し，細菌細胞内に高濃度に蓄積される．

耐性機構：輸送系の欠損や標的である MurA の変異，不活化酵素産生により耐性を獲得する．

(iv) サイクロセリン cycloserine（CS）

抗結核薬の第二選択薬として用いられる経口薬である．環が開裂したら，アラニンの構造類似体となるため，ペプチドグリカン前駆体の末端である D-Ala-D-Ala の合成に必要な 2 種類の酵素を競合阻害する（**図 VII-21**）．

(v) バシトラシン bacitracin（BC）

Bacillus 属から産生されるポリペプチド系抗菌薬である．ペプチドグリカン合成過程で前駆体が細胞質膜を通過する際に，リン酸化されたバクトプレノールに結合し複合体をつくる．脱リン酸化を妨げて，リピドサイクルを止めることにより細胞壁の合成を阻害する．グラム陽性菌のみに有効である．腎毒性があるため，使用は外用に限られている．

b. 細胞膜機能を阻害する抗菌薬

(i) ポリペプチド polypeptide **系抗菌薬**

ポリミキシン B polymyxin B（PL-B）と**コリスチン** colistin（CL）は緑膿菌を含むグラム陰性菌の細胞膜成分に強く結合し，リン脂質を分解して細胞膜傷害を起こす（**図 VII-21**）．グラム陽性菌には適応はない．コリスチンは他の抗菌薬に耐性を獲得したグラム陰性菌に限り適応がある．注射薬が多剤耐性緑膿菌

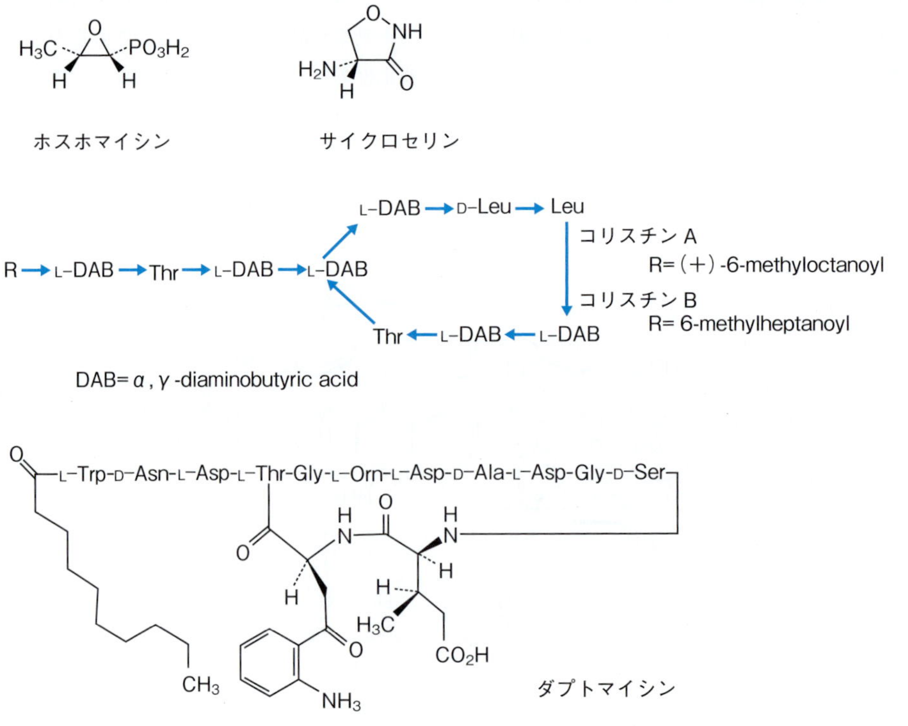

図 VII-21 ホスホマイシン，サイクロセリン，主なポリペプチド系抗菌薬とダプトマイシンの構造式

(MDRP)や多剤耐性アシネトバクター感染症等に用いられる．腎機能障害や神経系障害の発生頻度が高く，投与時にはとくに腎機能検査が必要となる．他の抗菌薬が無効な感染症への最終手段として用いられることが多い．全身投与の場合は，副作用を最小限に抑えるために，腎機能に応じて用量を調節するなど，経過観察が重要となる．

(ii) 環状リポペプチド cyclic lipopeptide 系抗菌薬

ダプトマイシン daptomycin（DAP）は新規作用点をもつ抗MRSA薬である．Ca^{2+}濃度依存的にグラム陽性球菌の細胞膜に結合した後，細胞膜にチャネルが形成され，カリウム流出により，細胞膜の膜電位が消失し，菌は速やかに死滅する．この他，DNA，RNAやタンパク質合成阻害も抗菌活性に関わる．グラム陰性菌では本剤が外膜を透過できないため抗菌活性を示さない．好気的なグラム陽性菌に有効であるが，わが国ではMRSAによる敗血症，感染性心内膜炎，深在性皮膚感染症などに限って適応される．肺サーファクタントに結合し，不活性化されるため，MRSA肺炎には使用できない．また左心系感染性心内膜炎に対する本剤の有効性は認められていない．血中クレアチンキナーゼCK（血中クレアチンホスホキナーゼCPK）の上昇が報告されていることから，投与中は定期的なCK値のモニタリングが必要となる．

c. タンパク質合成阻害薬

(i) アミノグリコシド aminoglycoside 系抗菌薬

特　徴：1943年にストレプトマイシン streptomycin（SM）が発見されて以来，カナマイシン kanamycin（KM），ゲンタマイシン gentamicin（GM）など次々に開発されている．他のタンパク質合成阻害薬が静菌的であるのに対し，アミノグリコシドは殺菌作用を示し濃度依存的に効果を発揮する．本来の静菌作用に加えて，誤読 miscoding によりできた異常タンパク質が致死的に作用し，殺菌的作用を示すと考えられている．アミノグリコシドはβ-ラクタム系抗菌薬との併用で相乗効果が現れ，両剤による併用治療が重症感染症に有効である．ただし，両剤を混和すると活性の低下が起こるので，同一ボトルでの混注は避ける．また，副作用が強く出るため，注意を要す抗菌薬の一つでもある．アミノグリコシドはマイシンで終わる薬剤が多いが，英語表記では streptomycin, gentamicin など，語尾が mycin と micin に分かれる．mycin は *Streptomyces* 属から，micin は *Micromonospora* 属から分離されたものである．

基本骨格：「アミノ基」と「グリコシド結合」を構造内にもつことから，アミノ配糖体とも呼ばれる．アミノ置換基を含む6員環構造をとるアミノシクリトール aminocyclitol に2個以上の糖鎖がグリコシド結合している．グリコシド結合のないアミノグリコシドはアミノシクリトール系と呼ばれる（図VII-22）．

作用機構：ストレプトマイシンの作用機構は細菌リボソームの30Sサブユニットに結合して，タンパク質合成系の70Sタンパク質合成開始複合体 initiation complex の崩壊を引き起こし，タンパク質の生合成の開始を阻害する．それと同時にmRNA上のコドンの誤読により正常なタンパク質の生合成を阻害する．他のアミノグリコシド系抗菌薬はリボソームの30Sおよび50Sの両方のサブユニットに結合し，誤読を引き起こす．また50Sに結合するアミノグリコシドはペプチド伸長過程の転位反応を阻害する．

耐性機構：臨床上最も問題となるのは，アミノグリコシド修飾酵素産生による薬剤の不活性化である．アセチル-CoAを利用するアミノグリコシドアセチル化酵素 aminoglycoside acetyltransferase（AAC），ATPを利用するアミノグリコシドリン酸化酵素 aminoglycoside phosphotransferase（APH），同じくATPを利用するアミノグリコシドアデニリル化酵素 aminoglycoside adenylyltransferase（AAD）の3種類がある．修飾酵素は，それぞれプラスミド上の遺伝子 *aac*, *aph*, *aad* にコードされているため，菌種を超えて伝達される．分子内に多数存在するヒドロキシ基やアミノ基など，それぞれの位置を認識して修飾するので，AAC（6′），AAD（4′），APH（3′）など，多数の修飾酵素が存在する（図VII-23）．新しく開発されるものは，修飾されやすいヒドロキシ基やアミノ基を除去したり，修飾酵素の影響を受けにくい置換基を導入したりして，修飾酵素による不活化を回避する．このようにして開発さ

ストレプトマイシン　　ゲンタマイシン C_1

スペクチノマイシン

	R^1	R^2	R^3	R^4
カナマイシン	OH	OH	OH	H
トブラマイシン	NH_2	H	OH	H
アミカシン	OH	OH	OH	
アルベカシン	NH_2	H	H	

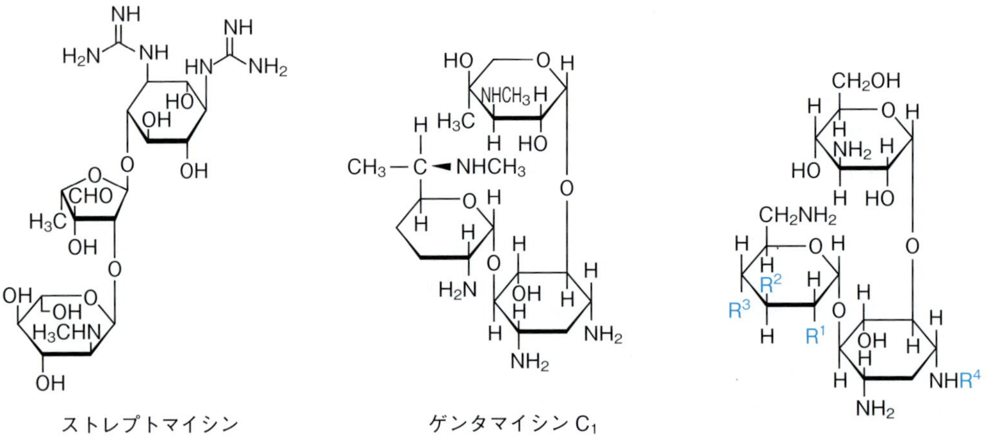

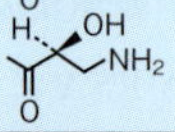

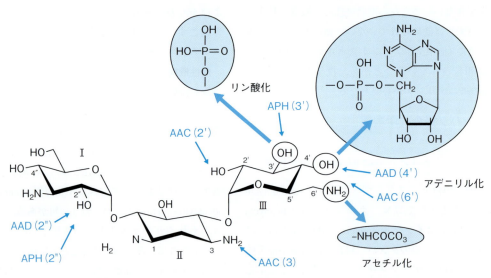

図 VII-22　主なアミノグリコシド系抗菌薬の構造式

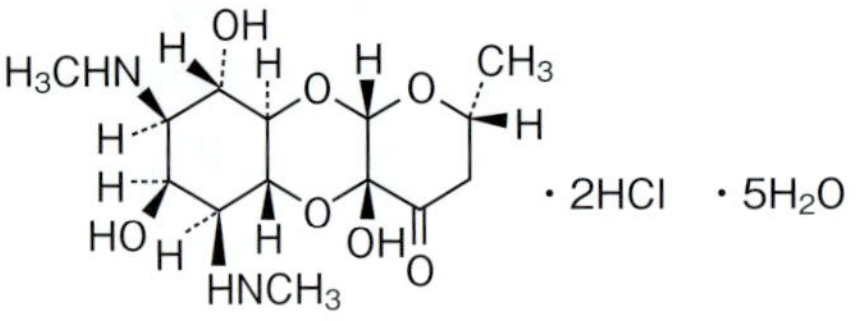

図 VII-23　アミノグリコシド修飾酵素によるカナマイシンの不活化

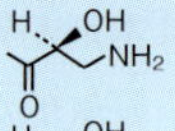

れた，アミカシン amikacin（AMK）やアルベカシン arbekacin（ABK）は耐性菌にも有効である．自然耐性として細菌細胞内へのアミノグリコシド系抗菌薬の透過性が低いことがあげられる．また，薬剤作用点であるリボソーム 30S の変化により薬剤とリボソームの結合を阻止し耐性を示すことも知られている．多剤排出ポンプの基質にもなり，細胞外に排出されて耐性化する．

抗菌スペクトルによる分類：概して抗菌スペクトルは広いが，適応が個々の薬剤により異なるため，抗菌スペクトルに沿って分類する．

① **抗結核作用をもつ薬剤**：ストレプトマイシンは広い抗菌スペクトルをもつが，現在では主に結核治療に多剤併用で用いられる．カナマイシンは結核菌感染症の治療の第二選択薬となっている．結核以外にも，グラム陽性菌および緑膿菌を含むグラム陰性菌に有効であるが，アミノグリコシド修飾酵素による耐性菌には無効である．カナマイシンには内服薬があり，腸管吸収されないことを利用して，腸管感染症や腸内殺菌の目的で経口投与される．肝性脳症の一因であるアンモニアを産生する腸内細菌の殺菌に用いられる．

② **緑膿菌以外のグラム陰性菌に有効な薬剤**：フラジオマイシン fradiomycin（FRM）はブドウ球菌属，肺炎球菌を除くレンサ球菌に有効だが，臓器毒性が強く外用薬のみである．

③ **緑膿菌を含むグラム陰性菌に有効な薬剤**：ゲンタマイシン群にはゲンタマイシンとイセパマイシン isepamicin（ISP）がある．ゲンタマイシンは主に緑膿菌やプロテウスなどのグラム陰性菌感染症に用いられるが，副作用を起こしやすい．カナマイシン群にはトブラマイシン tobramycin（TOB）やカナマイシンの耐性菌に有効なジベカシン dibecacin（DKB）がある．さらに改良されたアミカシンはゲンタマイシン耐性菌にも有効で，緑膿菌による重症感染症の治療薬として，切り札的存在となっている．

④ **淋菌のみに適応をもつ薬剤**：アミノシクリトール系に属するスペクチノマイシン spectinomycin（SPCM）はグラム陰性菌に有効である．臨床では増加するベンジルペニシリンやニューキノロン系抗菌薬に耐性をもつ淋菌感染症の治療に用いられる．

⑤ **MRSAのみに適応をもつ薬剤**：アルベカシンはMRSAが産生するアミノグリコシド修飾酵素に抵抗性をもつよう改良されたジベカシン誘導体である．グラム陰性桿菌にも効力を有するが，耐性菌の出現率を抑えるために，抗MRSA薬としてのみ適応される．すでに耐性をもつものもあり，感受性試験を行う．

組織移行性・薬物動態：水溶性が高く腸管から吸収されないため，注射薬として使用される．組織移行性，細胞内移行性はよくない．体内で代謝されずほぼ100％が未変化のまま，腎排泄される．腎障害のある場合には半減期の著しい延長がみられる．濃度依存的な短時間殺菌効果とグラム陽性菌にもグラム陰性菌にも優れたPAEを示す．さらに副作用の発現は血中濃度に依存することから，有効量の1日1回投与法（once-daily dosing）が推奨されている．安全性，有効性の面から，アルベカシン，アミカシン，ゲンタマイシン，トブラマイシンはTDMの対象となる．

副作用：アミノグリコシドは腎毒性，聴器毒性，高濃度で神経，筋遮断作用（クラーレ様作用）という特徴的な副作用をもつ．聴器毒性には，第8脳神経が関わる前庭機能障害と聴覚機能障害によるめまい，吐気，嘔吐，難聴や耳鳴りが含まれる．ストレプトマイシン，カナマイシンの連続投与による聴器毒性は不可逆的である．

(ii) マクロライド macrolide 系抗菌薬

特　徴：代表的なマクロライド系抗菌薬のエリスロマイシン erythromycin（EM）は1952年，放線菌の代謝産物から見いだされた古典的な抗生物質である．後年，改良を加えたマクロライド系抗菌薬が次々に開発され，さらに使いやすい薬として臨床での有用性が著しく高まった．副作用が少ないため，アレルギーを起こしやすいβ-ラクタム系抗菌薬の代替薬として用いられるほか，小児の感染症にも多くの適応をもつ．肺への移行性がとくに優れ，呼吸器疾患の治療では第一選択薬として使われることが多い．細胞内移行性もよく，マイコプラズマや食細胞内で増殖するレジオネラ，偏性細胞内寄生性のクラミジアにも著効を示す．14員環マクロライドによるびまん性汎細気管支炎 diffuse panbronchiolitis（DPB）の長期少量投与など，抗菌作用以外の作用として，臨床症状の緩和作用が注目されている．有用性の高まりとともに汎用され，耐性菌も増加している．とくに小児の感染症治療薬が限られている中，小児の市中肺炎の代表的な起因菌である肺炎球菌のマクロライド耐性化が進行しており，問題となっている．またβ-ラクタム系抗菌薬の適応がないマイコプラズマにおいても第一選択薬として用いられるが，マクロライド耐性マイコプラズマの報告も

出てきている．

基本骨格：14，15または16員環の大環状ラクトンを核として，1個または複数個の糖鎖が結合した配糖体である（図VII-24）．

作用機序：細菌リボソームの50Sサブユニットに結合してタンパク質合成を阻害する．マクロライドは，23S rRNA上のペプチジルトランスフェラーゼの活性中心部位の近傍に結合することがわかっている．

耐性機構：グラム陽性菌では erm（erythromycin resistance methylase）遺伝子の獲得により，rRNAメチラーゼを産生する．メチラーゼは薬剤の作用点である23S rRNAの2058番目のアデニンをジメチル化することでマクロライドの結合を防ぎ，耐性化する．erm 遺伝子をもつものは23S rRNAのマクロライド結合部位の近傍に結合するリンコマイシン系やストレプトグラミン系に対しても交差耐性を示す．また，グラム陽性菌のマクロライド排出ポンプ（肺炎球菌ではmefE遺伝子獲得による）やグラム陰性菌での多剤排出ポンプの基質となり，排出される．一般的にマクロライド系抗菌薬は分子量が大きいためグラム陰性菌の外膜を通過しにくく，グラム陰性桿菌は自然耐性を示す．

① **14員環マクロライド**：エリスロマイシンはグラム陽性菌，グラム陰性菌（緑膿菌を除く），嫌気性菌および，梅毒トレポネーマ，マイコプラズマ，クラミジアなど多くの菌に有効だが，インフルエンザ菌に対する抗菌活性は弱い．胃酸に不安定で，腸管からの吸収率が低く，消化器障害など副作用の頻度も高い．静菌的作用と時間依存的な作用をもつ．クラリスロマイシン clarithromycin（CAM）とロキシスロマイシン roxithromycin（RXM）は抗菌スペクトルを広げると同時に，エリスロマイシンのもつ上記欠点を補う形で改良されたニューマクロライドである．とくに，クラリスロマイシンはエリスロマイシンの抗菌スペクトルに加えて，インフルエンザ菌やモラクセラ・カタラリス，レジオネラ，カンピロバクターにも有効である．非結核性抗酸菌感染症の治療やアモキシシリンとプロトンポンプ阻害薬との併用投与で，ヘリコバクター・ピロリの除菌という独自の適応をもつ．

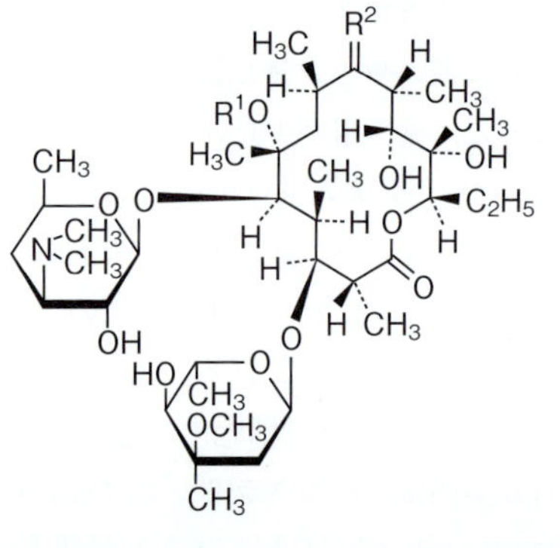

14員環マクロライド	R^1	R^2
エリスロマイシン	H	O
クラリスロマイシン	CH_3	O

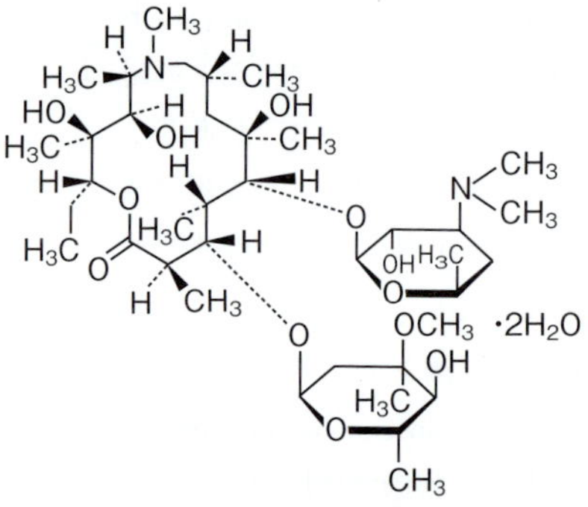

アジスロマイシン
（15員環マクロライド）

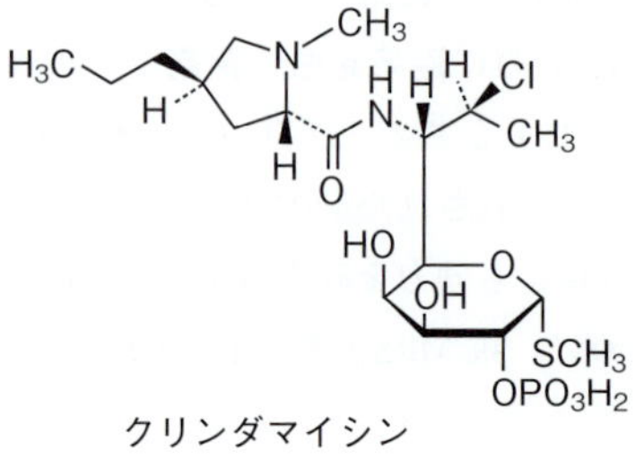

クリンダマイシン
（リンコマイシン系）

図VII-24　主なマクロライド系，リンコマイシン系抗菌薬の構造式

② **15員環マクロライド**：エリスロマイシンの誘導体であり，ラクトン環にメチル置換を導入したアジスロマイシン azithromycin（AZM）はアザライド azalide 系マクロライドとも呼ばれる．抗菌スペクトルはクラリスロマイシンとよく似ているが，グラム陰性菌，とくにインフルエンザ菌に対する抗菌活性は強い．また，組織および細胞内移行性が極めて高く，血中濃度に比べて組織内濃度が 100 倍にも到達することがある．高濃度に組織内に取り込まれ，徐々に放出されて，効果を発揮するため，68 時間という長い半減期と長い PAE をもつことができる．1 日 1 回 500 mg を 3 日間投与すれば効果が 7 日間持続する．

③ **16員環マクロライド**：ジョサマイシン josamycin（JM）の抗菌スペクトルは 14 員環とほぼ同程度である．スピラマイシン spiramycin（SPM）は梅毒トレポネーマに有効である．

組織移行性・薬物動態：マクロライド系抗菌薬は疎水性が極めて高いことから，ほとんどが経口薬である．エリスロマイシンとアジスロマイシンには注射薬と経口薬がある．経口吸収はよく，中枢神経系を除くほとんどの組織に良好に移行する．血中濃度より組織内や細胞内濃度の方が高い場合もある．肝臓の代謝酵素であるチトクローム P450 の CYP3A4 で代謝されて，ほとんどが肝臓から胆汁に排泄される．

相互作用：14, 16 員環マクロライドは CYP3A4 に対して，阻害作用をもつため，本酵素で代謝される併用薬の血中濃度が上昇する．14, 16 員環マクロライドではエルゴタミン製剤との併用で，四肢の虚血や血管収縮を，加えて 14 員環マクロライドではピモジドとの併用で，QT 間隔の延長による心室性不整脈を誘導することから，併用禁忌となっている．

副作用：下痢などの消化器症状が出る場合があるが，これは本剤のもつモチリン様作用（消化管運動機能亢進作用）によるとされる．また，苦味が強いので子供への服用には工夫が必要である．

(iii) **マクロライド系抗菌薬と同様の作用点をもつもの**

リンコマイシン系抗菌薬

リンコマイシン lincomycin（LCM）は放線菌の代謝産物であり，構造はまったく異なるがマクロライド系抗菌薬と作用点が同じである．クリンダマイシン clindamycin（CLDM）はリンコマイシンの誘導体で，抗菌活性が増強されている．細菌リボソームの 50 サブユニットの 23S rRNA に結合して，ペプチジルトランスフェラーゼによるペプチド結合形成を阻害することで，タンパク質合成を阻害する．マクロライドとは交差耐性を示す．14 員環マクロライドの抗菌スペクトルに加え，嫌気性菌にとくに有効で，バクテロイデス属などによる重篤な感染症の治療に用いられる．クリンダマイシンを長期投与すると，腸内細菌や嫌気性菌など常在細菌が死滅し，耐性の *Clostridioides difficile* による菌交代症の抗菌薬関連下痢症や偽膜性大腸炎を起こしやすい．

(iv) **テトラサイクリン系抗菌薬およびグリシルサイクリン系抗菌薬**

特　徴：1948 年放線菌からテトラサイクリン tetracycline（TC）が発見され，さらに，それを改良した半合成体のドキシサイクリン doxycycline（DOXY），ミノサイクリン minocycline（MINO）が開発された．広域抗菌スペクトルをもち，静菌的に作用する．ミノサイクリンのみ注射薬があるが，主には経口薬が用いられる．ドキシサイクリンとミノサイクリンは脂溶性で腸管からの吸収も非常によく，バイオアベイラビリティは 100% に近い．グリシルサイクリン系抗菌薬のチゲサイクリン tigecycline（TGC）は，院内感染が問題となっていた多剤耐性アシネトバクターに有効であるが，緑膿菌への適応はない．

基本骨格：四つの 6 員環が並んで結合した多環性の基本骨格をもつものをテトラサイクリン系抗菌薬と呼ぶ（図 VII-25）．チゲサイクリンはミノサイクリンの誘導体で，末端にグリシルアミノ基をもつ．

作用機構：リボソームの 30S サブユニット中の 16S rRNA に結合する．アミノアシル tRNA が mRNA のコ

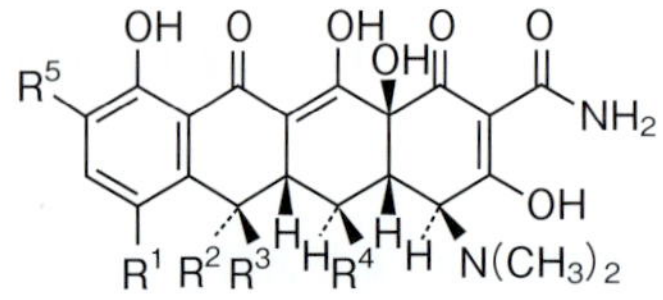

	R^1	R^2	R^3	R^4	R^5
テトラサイクリン	H	OH	CH_3	H	H
ドキシサイクリン	H	H	CH_3	OH	H
ミノサイクリン	$N(CH_3)_2$	H	H	H	H
チゲサイクリン	$N(CH_3)_2$	H	H	H	$NHCOCH_2NHC(CH_3)_3$

テトラサイクリン系抗菌薬

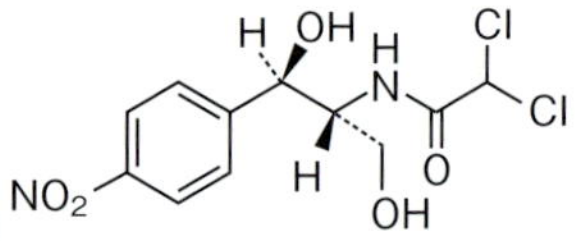

クロラムフェニコール

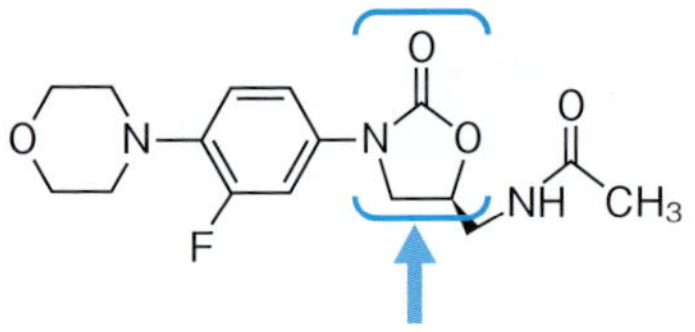

リネゾリド
（→の部分はオキサゾリジノン骨格）

図 VII-25　その他のタンパク質合成阻害薬の構造式

ドンに対応し，リボソームの A 部位に結合するのを競合的に阻害する．新たなアミノ酸を取り込むことができず，タンパク質合成は停止する．真核生物のリボソームにも作用するが，rRNA の構造が異なることと，細菌細胞ではテトラサイクリン系抗菌薬の能動輸送系により高濃度に蓄積されることで選択毒性を発揮する．

耐性機構：テトラサイクリン系抗菌薬に対しては，プラスミド上の R 因子で伝達される排出ポンプによる薬剤の能動的排出により耐性化する．グラム陰性菌にも陽性菌にもみられる．グラム陽性菌ではリボソームの変異による，薬剤との親和性低下も知られている．一方，チゲサイクリンはこれらの耐性機構の基質とはならないため，テトラサイクリンに耐性を示す菌にも有効である．

抗菌スペクトル：多剤耐性ブドウ球菌を含むグラム陽性菌，グラム陰性菌，スピロヘータ，マイコプラズマ，リケッチア，クラミジア，炭疽菌，嫌気性菌など幅広い菌種に有効である．とくに，細胞内寄生細菌によるクラミジア感染症，リケッチア感染症や人獣共通感染症（ボレリアによる回帰熱やライム病）の治療には第一選択薬となる場合もある．原虫にも効果をもつ．チゲサイクリンは，テトラサイクリン同様の広域抗菌スペクトルをもつが，適応は大腸菌，シトロバクター属，クレブシエラ属，エンテロバクター属，アシネトバクター属に対し，他の抗菌薬が耐性のときのみである．

組織移行性・薬物動態：ミノサイクリンは肝排泄，ドキシサイクリンは腎排泄または腸管から便中へ排泄される．チゲサイクリンも主として胆汁や便中に排泄されるため，いずれの薬剤も腎機能障害のある患者に対して用法用量の変更は行わなくてよい．細胞内移行性がよいので，リケッチアなどの細胞内寄生菌に有効性が高い．

相互作用：2 価および 3 価の金属カチオンとキレートを形成し，吸収が低下する．これらカチオンを含有する鉄剤や制酸剤，牛乳などは同時に服用しない．

副作用：Ca^{2+} とキレートを形成して胎児や小児の成

長過程の骨や歯に沈着し，歯芽の着色，エナメル質形成不全を起こすため，妊婦，新生児，小児（8歳未満）には使用しない．光線過敏症や，腸内細菌が減少して，菌交代症（偽膜性大腸炎）やビタミンKの減少を起こすこともある．

(v) クロラムフェニコール chloramphenicol (CM)系抗菌薬

1947年に放線菌から分離されたクロラムフェニコールは現在も臨床で用いられるが，全身感染症への使用頻度は高くない．細菌リボソーム50Sサブユニットの23S rRNAに結合しペプチジルトランスフェラーゼによるペプチド結合反応を阻害することによりタンパク質生合成を阻害する．耐性機構はクロラムフェニコールアセチルトランスフェラーゼ chloramphenicol acetyltransferase によるアセチル化である．この酵素をコードする cat 遺伝子はプラスミド性で伝達性である．広い抗菌スペクトルをもち，静菌的作用を示すが，インフルエンザ菌，髄膜炎菌，肺炎球菌には殺菌的作用をもつ．経口で極めて高い組織移行性を示し，髄液，脳にもよく移行する．骨髄の造血機能障害があり，ときに致死的な再生不良性貧血を起こす．小児にはグレイ症候群を起こすことがある．重篤な副作用があるため，全身投与されることはほとんどない．適応は腸チフス，パラチフス，リケッチア感染症などに限られ，他の抗菌薬が使用不能のときの代替薬である．通常は皮膚疾患に外用薬で用いられる．

(vi) その他のタンパク質合成阻害薬

(1) オキサゾリジノン系抗菌薬

リボソームに作用する薬剤のうち，唯一，全合成された薬剤がオキサゾリジノン骨格をもつリネゾリド linezolid（LZD）である（図VII-25）．30年ぶりに新規作用点をもつ抗菌薬として開発された．2018年テジゾリド tedizolid（TZD）も承認されている．静菌作用をもつ．

作用機序：作用点はタンパク質合成の初期の段階で，リボソームの50Sサブユニットの23S rRNAに結合して，30Sとの結合を妨げ70Sタンパク質合成開始複合体の形成を阻害する．

耐性機構：国内ではまれであるが海外では，23S rRNAの変異によるリネゾリド耐性菌が報告されている．

抗菌スペクトル：グラム陽性菌に有効であるが，わが国ではリネゾリドはMRSAとVRE感染症に，テジゾリドはMRSA感染症のみに適応される．リネゾリドはMRSAによる肺炎にはバンコマイシンとならんで第一選択薬である．皮膚・軟部組織感染症にも有効である．テジゾリドはMRSAによる深在性皮膚感染症，慢性膿皮症などに適応がある．

組織移行性・薬物動態：肺，髄液，皮膚，筋肉や骨への移行性は高い．腎臓や肝臓への影響が少なく，腎や肝機能障害患者においても投与量の変更の必要はない．両剤とも注射薬と経口薬があり，バイオアベイラビリティが100%に近いため，注射から経口へのスイッチ療法がスムーズに行える．

相互作用：リネゾリドはモノアミン酸化酵素（MAO）阻害作用を有することからアドレナリン作動薬，セロトニン作動薬の服用時またはチラミン含有食品（チーズ，ビール，ワイン等）の過剰摂取で，血圧上昇や動悸が起こることがある．また抗うつ薬などのセロトニン作動薬との併用でセロトニン症候群が出現することがある．セロトニン症候群とは，血中セロトニン濃度の上昇により精神症状（不安，いらいらするなど），錐体外路症状（震え，体の硬直など），自律神経症状（発熱，発汗など）が現れることである．

副作用：リネゾリドでは血小板減少や貧血など骨髄抑制がみられる．定期的に血液検査を行う必要がある．

(2) ムピロシン mupirocin

鼻腔用MRSA除菌薬として用いられている．イソロイシル tRNA 合成酵素を競合的に阻害して，タンパク質生合成を阻害する．体内で代謝され不活型になるため外用で用いられる．耐性を獲得しやすいことから，鼻腔内のMRSAの除菌のみに使用される．

d. 核酸合成阻害薬

(i) キノロン系抗菌薬（ピリドンカルボン酸系）

特　徴：1962年，抗マラリア薬のクロロキン合成

の副産物として合成された**ナリジクス酸** nalidixic acid（NA）は，緑膿菌を除くグラム陰性菌に抗菌活性を示した．その後，緑膿菌にも有効な**ピペミド酸**が開発された．初期のキノロン系抗菌薬はオールドキノロンと呼ばれたが，尿路感染症など使用用途が限られていたため，現在では使用されていない．わが国で開発され，1984年に上市された**ノルフロキサシン** norfloxacin（NFLX）は6位にフッ素を導入したことにより，抗菌活性の増強と抗菌スペクトルの拡大が実現した．これ以降に開発されたものは**ニューキノロン**またはフッ素をもつことから**フルオロキノロン** fluoroquinolone と呼ばれている．現在のニューキノロンは広域抗菌スペクトル，殺菌的作用をもつ高い抗菌活性，良好な組織移行性，優れた安全性など，抗菌薬の長所を全てもち合わせており，汎用されている．経口薬の飲みやすさもあり，院内のみならず市中での利用が多く，汎用による耐性化も問題となっている．開発年次により，抗菌活性，抗菌スペクトルが異なるため，便宜上，年代ごとに第一〜第四世代に分類した．

基本骨格：キノロン系抗菌薬は全て4-ピリドン-3-カルボン酸を基本骨格とし，2個の環状構造で構成される．ナリジクス酸の7位のメチル基をピペラジニル基に置換したピペミド酸 pipemidic acid（PPA）は緑膿菌への抗菌活性があり，組織移行性も改良された．その後開発されたニューキノロンでは7位にピペラジニル基またはその誘導体が導入されたものも多い．第二世代以降は6位にフッ素をもつ．第四世代になると6位にフッ素をもたない**ガレノキサシン** garenoxacin（GRNX）も開発されている．オフロキサシン ofloxacin（OFLX）は光学異性体のラセミ体であるが，**レボフロキサシン** levofloxacin（LVFX）はそのうち抗菌活性が強く，副作用が少ない S(−) 体のみを精製したものである（図VII-26）．

作用機構：細菌のDNA複製に必要なII型トポイソメラーゼである**DNAジャイレース**および**トポイソメラーゼIV**を特異的に阻害する．グラム陽性菌では主にトポイソメラーゼIVを，グラム陰性菌では主にDNAジャイレースを標的分子としている．

耐性機構：主に三つの耐性機構があげられる．①標的酵素の変異による薬剤感受性の低下．標的酵素である DNA ジャイレースの gyrA 遺伝子とトポイソメラーゼIV の parC 遺伝子のキノロン耐性決定領域（QRDR）の変異により，薬剤に対する親和性が低下する．②ポーリンタンパク質の減少により，薬剤の外膜透過性が減少する．③細胞膜に存在する薬剤排出ポンプの亢進により，細胞内薬剤蓄積量が低下する．緑膿菌では MexAB-OrpM や MexXY など多剤排出ポンプにより，黄色ブドウ球菌では NorA という多剤排出ポンプによりキノロンが排出される．

世代ごとの特徴と抗菌スペクトル（**表VII-3**）：キノロンのほとんどは経口薬である．第一，第二世代の一部は経口吸収されるが，血中濃度が低く，組織移行性が低いため，尿路，胆道感染症など局所に限られている．全身投与可能な第二世代では，経口薬と注射薬がある**シプロフロキサシン** ciprofloxacin（CPFX）と，注射薬のみの**パズフロキサシン** pazufloxacin（PZFX）がある．この世代になると，経口吸収がよく，組織移行性，細胞内移行性も優れている．第三世代以降は，肺への移行性が高く，呼吸器疾患の起因菌への殺菌効果が高いことから，とくに**レスピラトリーキノロン**と呼ばれる．小児に投与できるキノロン系はこれまでノルフロキサシンだけであったが，第三世代のトスフロキサシン tosufloxacin（TFLX）が開発され小児の呼吸器感染症に適応された．第四世代にはモキシフロキサシン moxifloxacin（MFLX），ガレノキサシン，シタフロキサシン sitafloxacin（STFX）およびラスクフロキサシン lascufloxacin（LSFX）があるが，これらの特徴としては耐性菌の出現率が低いことと，呼吸器感染症の起因菌への抗菌活性が強められていることがある．新しい世代のキノロンは殺菌的作用をもち，効果は濃度依存的である．グラム陽性菌にも陰性菌に対しても比較的長い PAE を示し，しかも PAE の長さは血中濃度に依存する．すなわち，血中濃度を高くすることで臨床効果が高まる．効果および服薬コンプライアンスの面から1日1回投与が推奨される．レボフロキサシンおよび第四世代は1日1回の投与が可能である．

組織移行性・薬物動態：キノロン系抗菌薬は経口薬が多いが，バイオアベイラビリティは高く，注射薬と同等の効果をもつ．腎排泄型のため，腎機能低下時の用法用量の調整が必要である．モキシフロキサシンは

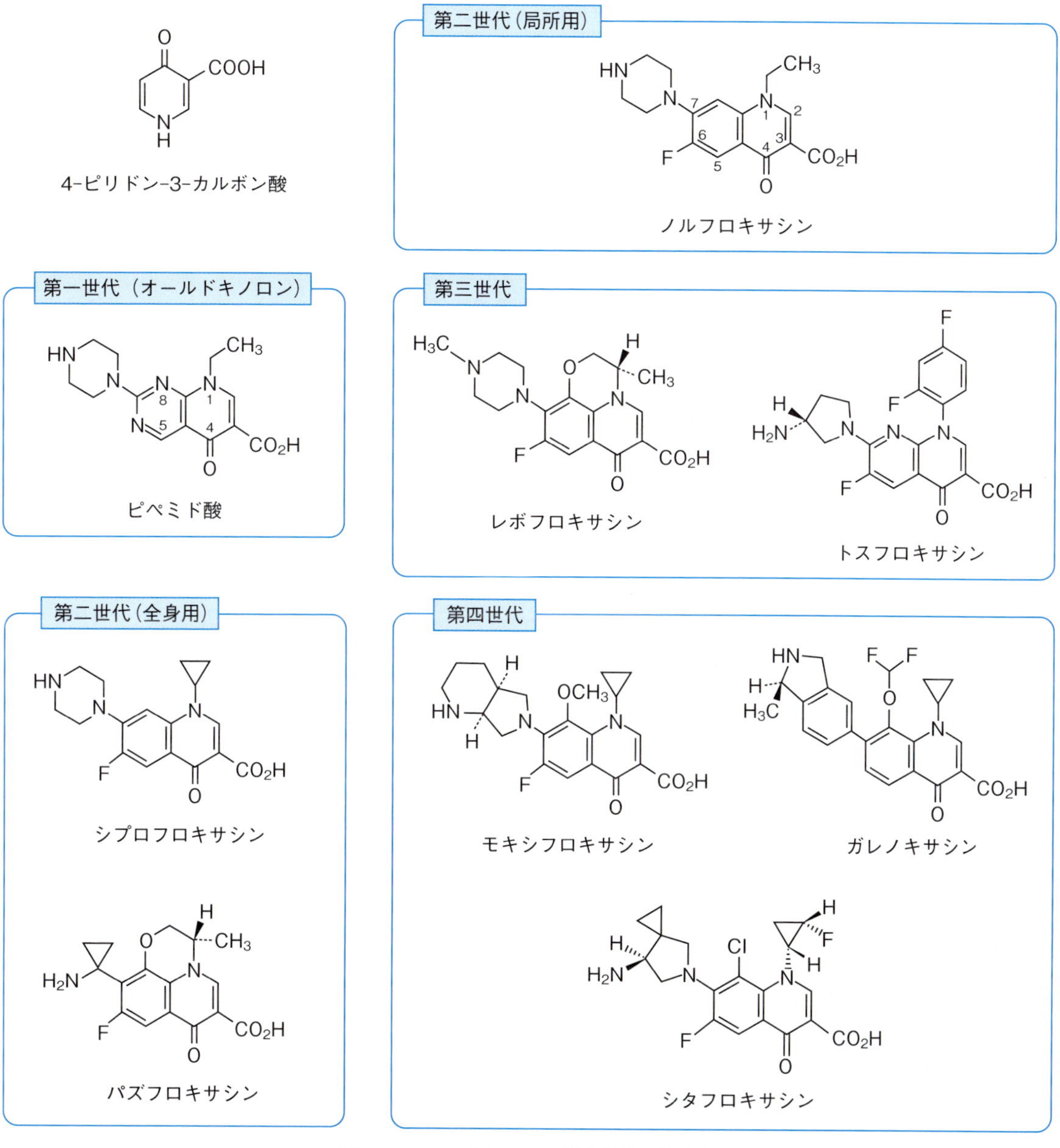

図 VII-26　主なキノロン系抗菌薬の構造式

60%が肝臓から排泄されるため，腎機能低下時も調整は不要である．細胞内移行性がよいので，クラミジアやレジオネラなどの細胞内寄生菌に対して有効である．

相互作用：ノルフロキサシン，ロメフロキサシン，プルリフロキサシンでは非ステロイド系抗炎症薬（NSAIDs）のフェンブフェンとフルルビプロフェンとの併用で，またシプロフロキサシンではケトプロフェンとの併用で痙攣を誘発するため禁忌である．シプロフロキサシンは CYP1A2 を阻害することからチザニジンとの併用で血圧低下，傾眠やめまいを誘発するため併用禁忌となっている．また金属カチオンを含有する製剤とはキレートをつくり，吸収が阻害されるので，2時間以上の間隔をあけて服用する．薬物相互作用に注意する必要がある．

表VII-3 世代別のキノロンとその特徴

世代	抗菌薬名	特徴	抗菌スペクトル	適応症
第一世代（オールドキノロン）	ピペミド酸	・経口吸収，組織移行性が低い ・代謝されず腎排泄されるため，単純尿路感染症など局所感染に適す	・緑膿菌を含むグラム陰性桿菌に有効	・膀胱炎，腎盂腎炎，前立腺炎，淋菌感染症，感染性腸炎，中耳炎，副鼻腔炎
第二世代（局所用）	ノルフロキサシン ロメフロキサシン	・組織移行性は第一世代よりは良好だが，血中濃度が低い ・腎排泄型で，尿路感染症に適す	・緑膿菌を含むグラム陰性菌に有効	・第一世代と同等の局所感染症 ・ノルフロキサシンは小児に適応
第二世代（全身用）	オフロキサシン シプロフロキサシン パズフロキサシン プルリフロキサシン	・組織移行性が良好で，血中濃度が高い ・細胞への移行性もよく，細胞内寄生細菌にもよい ・腎排泄	・緑膿菌を含むグラム陰性菌への抗菌活性が増強 ・グラム陽性菌に対して抗菌活性が弱い ・クラミジア，レジオネラ，マイコプラズマにも有効	・全身性感染症 ・髄膜炎や敗血症
第三世代	レボフロキサシン トスフロキサシン	・第二世代の特徴に加え，肺への移行性が高い ・トスフロキサシンは腎および肝臓排泄 ・レボフロキサシンは経口薬と注射薬がある	・第二世代に加え，グラム陽性菌への抗菌活性が増強 ・肺炎球菌やインフルエンザ菌など，呼吸器感染症の起因菌にとくに有効	・第二世代に加え，とくに呼吸器感染症に適応が広がる
第四世代	モキシフロキサシン ガレノキサシン シタフロキサシン ラスクフロキサシン	・DNAジャイレース，トポイソメラーゼIVの両方に結合し，耐性菌ができにくい ・モキシフロキサシンは腎および肝臓排泄	・第三世代より肺炎球菌に対する抗菌活性が増強 ・嫌気性菌にも有効で，抗菌スペクトルが広い	・第四世代の適応は主に呼吸器感染症に限られ，第三世代より適応範囲が狭い

副作用：頭痛やめまいなどの中枢神経系の副作用がみられる場合がある．

(ii) メトロニダゾール

低分子量のメトロニダゾール metronidazole (MNZ) は菌体内でニトロ基が還元される際形成されるフリーラジカルがDNA分子を損傷することで抗菌活性をもつ（図VII-27）．還元は還元酵素をもつ原虫，嫌気性菌または微好気性菌でしか起こらない．細菌では，微好気性菌の Helicobacter pylori 感染症に，アモキシシリン，プロトンポンプ阻害薬と3剤併用で用いられる．これは従来のクラリスロマイシンとの3剤併用で除菌できず，二次除菌を行う場合に限られる．バクテロイデス Bacteroides 属など，嫌気性菌による感染症や，菌交代症である Clostridioides difficile による偽膜性大腸炎に第一選択薬として経口投与される．副作用ではジスルフィラム様作用を示すことがあり，投与中，投与後は禁酒とする．

(iii) フィダキソマイシン

放線菌が産生するフィダキソマイシンは，RNAポリメラーゼ阻害作用をもち，18員環マクロライド構造をとる新規抗菌薬である（図VII-28）．RNAポリメラーゼのβサブユニットに結合するリファンピシンとは異なり，本酵素のコア酵素に結合したσサブユニット（σ因子）を阻害して転写の過程を阻害するという新規作用点をもつ．腸管吸収が極めて低いため，腸管内の薬剤濃度が保たれ，腸管内のみで作用する．ま

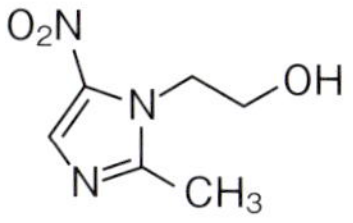

図VII-27 メトロニダゾールの構造式

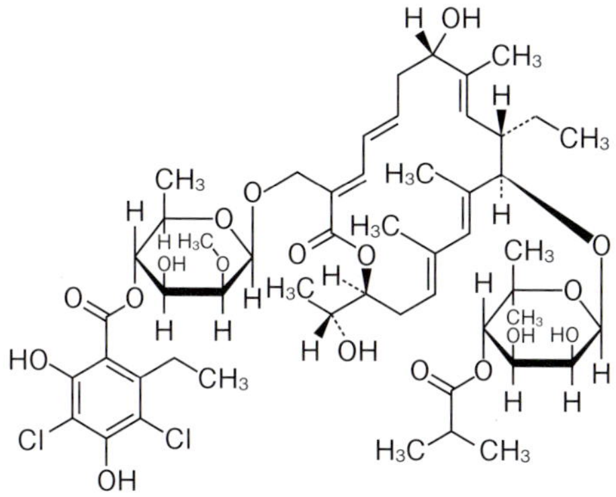

図VII-28 フィダキソマイシンの構造式

た，抗菌スペクトルが狭く，*Clostridioides difficile* に選択的に作用する特徴をもつことから，腸内細菌叢への影響が少ないという特徴がある．*C. difficile* の抗菌薬関連下痢症や偽膜性大腸炎等を含む感染性腸炎の第一選択薬はメトロニダゾール，第二選択薬はバンコマイシンであるが，フィダキソマイシンは難治例や再発例で利用される．

e. 葉酸代謝阻害薬

スルファミン sulfamine 骨格をもつ合成抗菌薬のサルファ薬は，ペニシリンより古く1935年に臨床に登場している（図VII-29）．活性型葉酸のテトラヒドロ葉酸（THF）の合成経路を阻害する薬剤を葉酸代謝阻害薬と呼ぶ．合成経路のうち，パラアミノ安息香酸（PABA）に拮抗して，ジヒドロ葉酸（DHF）合成を阻害するサルファ薬と，DHFからTHFの合成を阻害するトリメトプリム trimethoprim およびピリメタミン pyrimethamine がある．サルファ薬への耐性はPABAの過剰産生，作用点のジヒドロプテロイン酸合成酵素 dihydropteroate synthase の変異や膜透過性の低下により起こる．トリメトプリムに対しても作用点のジヒドロ葉酸還元酵素 dihydrofolate reductase（DHFR）の変異により耐性を獲得する．

スルファメトキサゾールとトリメトプリム

サルファ薬は細菌感染症に，長期にわたり使用されてきたため，耐性菌が拡大しており，単独で用いられることはない．現在ではスルファメトキサゾール sulfamethoxazole とトリメトプリムを配合比5:1で組み合わせた **ST合剤** が用いられている．ST合剤はテトラヒドロ葉酸合成経路の異なる2ヵ所を阻害することにより，相乗的な抗菌活性を示す．ST合剤は経口薬で広い抗菌スペクトルをもち，腸球菌の他，多くのグラム陰性菌に適応がある．消化管からの吸収がよく，組織，体液への移行性も良好である．AIDS患者にみられる真菌ニューモシスチス・イロベチー *Pneumocystis jirovecii* によるニューモシスチス肺炎には，第一選択薬となり，注射薬が投与される．腎臓から排泄されるため，腎機能低下時の調整が必要である．再生不良性貧血をはじめ白血球減少症，赤血球減少症など血液障害やショックなどの重篤な副作用があるため，他剤が無効，または使用できない場合にのみ投与される．

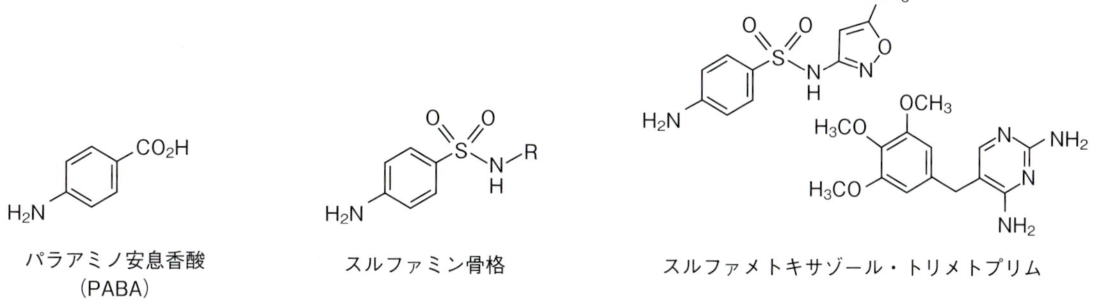

パラアミノ安息香酸（PABA）

スルファミン骨格

スルファメトキサゾール・トリメトプリム

図VII-29 PABAと主な葉酸代謝阻害薬

f. 抗結核薬・ハンセン病治療薬

抗酸菌の結核菌やらい菌は脂質に富む細胞壁をもち，通性細胞内寄生性でとくにマクロファージ内で増殖する．通常の抗菌薬が効きにくく，独自の治療薬が開発されている（図VII-30）．

(i) 抗結核薬

結核菌 *Mycobacterium tuberculosis* の細胞壁はペプチドグリカンの外側にアラビノガラクタン，さらに長鎖脂肪酸（炭素数60～90）であるミコール酸 mycolic acid が結合した構造をとる（図VII-31）．マクロファージ内で増殖し，増殖速度が極めて遅い（世代時間は14～16時間）などの特徴がある．そのため，抗結核薬は菌体内への浸透性が高く，宿主の組織内や細胞内への移行も良好でなければならない．現在，わが国で第一選択薬として用いられているのはイソニアジド isoniazid（INH），リファンピシン rifampicin（RFP），

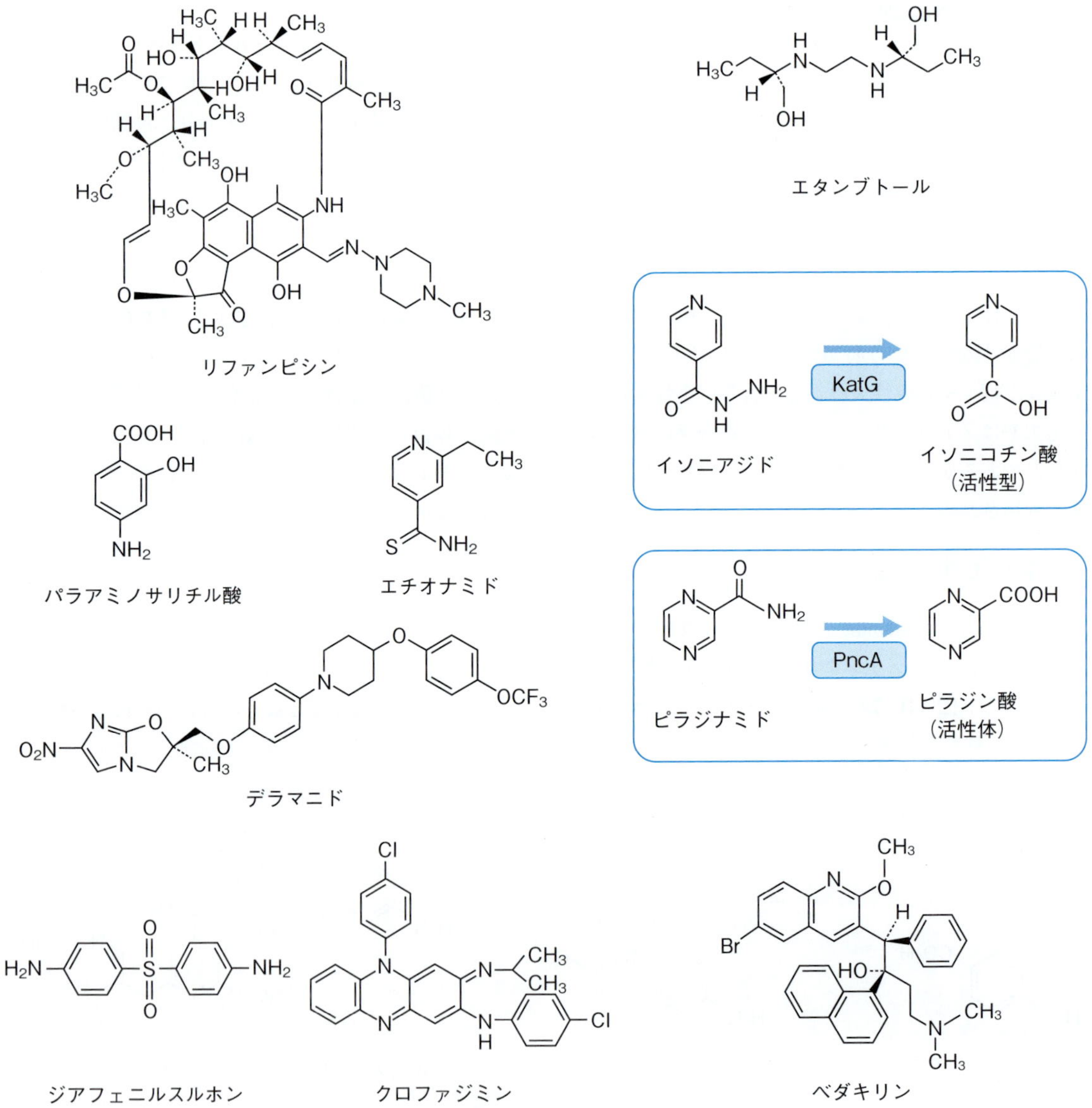

図VII-30 主な抗結核薬およびハンセン病治療薬の構造式

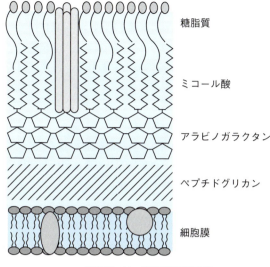

図 VII-31　結核菌の細胞壁

ピラジナミド pyrazinamide（PZA），ストレプトマイシン（SM），エタンブトール ethambutol（EB）である．中でもイソニアジド，リファンピシン，ピラジナミドは殺菌作用による強力な抗結核作用をもつ．また多剤併用により効果が期待される第二選択薬としてはカナマイシン／アミカシン，エチオナミド ethionamide（ETH），エンビオマイシン enviomycin（EVM），パラアミノサリチル酸 p-aminosalicylic acid（PAS），サイクロセリン，レボフロキサシンの5薬剤がある．リファンピシンの代替薬として，リファブチン rifabutin（RBT）が承認されている．結核菌の増殖が遅いために，結核の治療には抗結核薬の長期投与が必要とされる．完全な結核菌の排除と耐性菌の出現を阻止するためには，確実な治療を行うことが大切であり，結核患者の服薬のコンプライアンスを向上させなければならない．WHO は DOTS（直接服薬確認療法，短期コース directly observed treatment short-course）を推奨している．DOTS とは患者が薬を服用するところを医療従事者が目の前で確認し，治癒するまでの経過を観察する治療方法である．4剤併用となり，以前よりは治療期間が短くなったため短期コースといわれる．

(1) イソニアジド（イソニコチン酸ヒドラジド）

菌体内のカタラーゼペルオキシダーゼ KatG で活性化されイソニコチン酸となり，細胞壁のミコール酸合成に関わる脂肪酸合成酵素 II（FAS II）を阻害する．分裂中の菌には殺菌的，休止期の菌には静菌的に作用する．耐性菌の出現頻度は高いため，リファンピシンと併用で用いられる．標的部位の変異の他，KatG の変異による耐性もみられる．経口薬と注射薬がある．経口吸収は良好で，体液，細胞中にもよく移行する．主に腎排泄される．イソニアジドはアセチル化されるが，この代謝速度は人種や代謝酵素（N-アセチル転移酵素 NAT2）の遺伝子型により異なる．日本人は迅速に代謝されるため，副作用は少ないとされる．抗結核薬の中では安全性は最も高いとされる．しかし，まれであるが，重篤な劇症肝炎の報告があり，投与時は定期的な肝機能検査が必要である．イソニアジドを服用すると，ビタミン B_6 欠乏による末梢神経炎を起こすため，ビタミン B_6 が同時に投与される．併用の際，注意すべき薬剤は多く，服薬中の薬の確認が必要である．また，MAO 阻害作用があるため，ヒスチジン含有魚（マグロ），チラミンを含むチーズなどでも血圧上昇，発汗，動悸などの症状が発現することが報告されており，食べ物との相互作用もある．

(2) リファンピシンとリファブチン

両剤ともリファマイシン系抗菌薬に属し，細菌の DNA 依存性 RNA ポリメラーゼに選択的に作用し，RNA 合成を阻害する．リファブチンは加えて DNA 合成も阻害し，リファンピシン耐性菌にも有効とされる．リファンピシンはグラム陽性菌，陰性菌，抗酸菌と広い抗菌スペクトルをもつが，わが国では結核とハンセン病にのみ適応される．MRSA や非結核性抗酸菌，緑膿菌に対しても抗菌活性を示す．分裂中，休止期の結核菌に殺菌的に作用する．耐性は標的部位の変異により起こる．耐性菌の出現率は高く単剤では用いられない．経口薬であり，1日1回朝食前に服薬するが，空腹時の経口吸収率は 98% と高い．組織，細胞内の移行性もよく，マクロファージ内の結核菌にも殺菌的に作用する．オレンジ色であるため，服用中は尿や便，唾液，汗などが着色する．主に肝排泄である．頻度は低いが，肝障害が起こるため，重篤な肝障害をもつ患者には投与禁忌である．リファンピシンにはチトクローム P450（CYP3A4）の誘導作用があり，本酵素で代謝される薬物の血中濃度半減期が短くなるので，

併用時には薬物相互作用に注意しなくてはならない．

リファブチンの適応症は結核，マイコバクテリウム・アビウムコンプレックス（MAC）症を含む非結核性抗酸菌症，および HIV 感染患者における播種性 MAC 症の発生抑制である．CYP3A4 の誘導作用があるが，リファンピシンより弱い．副作用は白血球減少症，肝機能異常や尿変色などである．リファンピシンに代わり，リファブチンの使用を検討すべき状況は，① 薬物相互作用のためリファンピシンの使用が制限される場合（抗 HIV 薬のプロテアーゼ阻害薬，非核酸系逆転写阻害薬使用時），② 副作用のため使用できない場合，とされる．

(3) ピラジナミド

細胞内で酸性（pH5.0〜5.5）条件下，ピラジナミダーゼ（PncA）により活性型のピラジン酸となり抗菌活性をもつが作用機序は不明である．結核菌が存在する病変部やマクロファージのファゴソーム内は酸性条件であるため，殺菌的に作用する．抗結核菌活性は強くはないが，イソニアジドとの相乗効果がみられる．経口薬のみで，吸収は良好で体内に広く分布する．重篤な肝障害や間質性腎炎を起こすことがあり，ピラジナミドは治療初期の 2 ヵ月間に限って使用する．

(4) エタンブトール

アラビノース転移酵素を阻害して，細胞壁成分のアラビノガラクタン合成を阻害するが，作用は静菌的である．視神経炎や視力低下など視覚障害を起こすことがあるため，服薬中は定期的な眼科検診を受ける必要がある．

(5) エチオナミド

イソニアジドと同じく，FAS II を阻害し，ミコール酸合成を阻害する．抗結核菌活性は弱く，第二選択薬として用いる．他の抗結核薬との併用時に重篤な肝障害を起こすことがあり，定期的な肝機能検査が必要である．

(6) エンビオマイシン

ペプチド系化合物のツベラクチノマイシン N と O の混合物である．タンパク質合成阻害という作用はカナマイシンと同じと考えられ，交差耐性を示す．他剤が併用できないときのみ用いられる．

(7) パラアミノサリチル酸

サリチル酸に拮抗して増殖を抑制し，静菌作用を示すと考えられる．またパラアミノ安息香酸と拮抗し，葉酸を阻害する作用もあるといわれる．活性は弱いが，併用でイソニアジドやストレプトマイシンの効果を増強する．

(8) デラマニドとベダキリン

耐性菌出現防止の観点から，両剤ともイソニアジドおよびリファンピシンに耐性となる多剤耐性肺結核にのみ適応され，抗結核薬の 3 剤以上と併用することを原則とする．

デラマニド delamanid（DLM）は抗結核薬として約 50 年ぶりに承認された薬剤である．結核菌に特異的なミコール酸合成を阻害して，細胞内結核菌に対しても殺菌的に作用する．不眠症，頭痛や傾眠の他，重大な副作用として QT 延長の発現が報告されている．

ベダキリン bedaquiline（BDQ）はわが国においては ATP 合成を阻害するという新規作用点をもつ抗結核薬で，2018 年に承認された．すなわち，ATP 合成酵素を特異的に阻害し，増殖期・休眠期のどちらの結核菌に対しても強い殺菌作用を示す．本剤の投与により，QT 延長が有意に多くみられることや，肝障害が多いことが報告されている．本剤投与中は定期的に心電図検査や肝機能検査を行う必要がある．

(ii) ハンセン病治療薬

ハンセン病はらい菌 *Mycobacterium leprae* による感染症である．ジアフェニルスルホン diaphenylsulfone（DDS），リファンピシン，クロファジミン clofazimine の 3 剤による多剤併用療法が標準的治療である．ニューキノロン系抗菌薬のオフロキサシンも適応される．DDS はサルファ薬と同様の葉酸代謝拮抗作用をもつといわれる．

6 重要な薬剤耐性菌

a. メチシリン耐性黄色ブドウ球菌 methicillin-resistant *Staphylococcus aureus*（MRSA）

ペニシリナーゼに分解されないメチシリンが 1960

年に開発されたが，その翌年にはメチシリンに耐性をもつMRSAが英国で報告された．わが国ではグラム陽性菌への抗菌活性が弱い，第三世代セフェムが台頭した1980年代から急激に増加し，現在では院内で分離される黄色ブドウ球菌の60%がMRSAといわれる．

オキサシリンのMICで4 μg/mL以上，または mecA 遺伝子（p. 214参照）を保有する黄色ブドウ球菌をMRSAと定義する．MRSAの染色体上には mecA 遺伝子と同時に種々の耐性遺伝子を含むSCC mec（staphylococcal cassette chromosome mec）という外来性のDNA領域が挿入されている．また，MRSAは耐性遺伝子をプラスミド上にも有しており，多剤耐性を示す．バンコマイシンが汎用される米国では，2002年にはバンコマイシン耐性黄色ブドウ球菌 vancomycin-resistant Staphylococcus aureus（VRSA）が分離された．このVRSAはプラスミド上にVREがもつ vanA 遺伝子を有し，バンコマイシンに高度耐性化していた．わが国ではVRSAの報告はないが，バンコマイシン低感受性MRSAの分離率が増加しており，バンコマイシンによるMRSA感染症の治療失敗の一因となっている．

MRSAは易感染者に敗血症，心内膜炎，肺炎，腸炎，腹膜炎や骨髄炎を起こし，重症化する．MRSA感染症の治療薬としてバンコマイシン，テイコプラニン，リネゾリド，テジゾリド，アルベカシンおよびダプトマイシンがある．1990年代から院内感染型 hospital-acquired MRSA（HA-MRSA）に対して市中感染型 community-acquired MRSA（CA-MRSA）と呼ばれるMRSA感染が報告されるようになった．入院歴や抗菌薬の履歴といった感染リスクのない患者から分離されたMRSAは，病院内のMRSAとは異なるタイプのSCC mec をもっていた．米国やオーストラリアでみられるCA-MRSAは，多剤耐性化は進んでいないが，強い毒性のある Panton-Valentine leukocidin（PVL）をもつ株が多く，健常な若年層にも感染症を起こし，伝播力が強いのが特徴である．わが国においてはPVLを保有するCA-MRSAは少ないが，市中から院内に定着し，拡大している．

b. バンコマイシン耐性腸球菌 vancomycin-resistant enterococci（VRE）

バンコマイシンに対し，MIC≧16 μg/mLを示す，または vanA, vanB, vanC 遺伝子のいずれかを保有する腸球菌をVREと定義する．欧州，アジアを中心に，バンコマイシンに構造が類似したアボパルシン avoparcin が発育促進剤としてニワトリやブタの飼料に混ぜて使用されていたため，VREが腸管内で選択され，ヒトにも拡がったと考えられている．欧米ではバンコマイシンが汎用されるので，VRE，とくに En-terococcus faecium の出現率が高い．わが国ではバンコマシンの使用が制限されているため，報告数は年間100件以下であるが，年々増加傾向にある．VREで問題となるのは E. faecium と E. faecalis である．適応できる抗菌薬がほとんどない．バンコマイシン耐性遺伝子として現在までに vanA, vanB, vanC, vanD, vanE, vanG の6種が報告されている．臨床上問題となるのはVanA，VanB型であり，VanA型はバンコマイシンにもテイコプラニンにも高度耐性を獲得する．VanB型はバンコマイシンには高度耐性を示すがテイコプラニンには感受性である．VREのうちアンピシリン感受性の E. feacalis にはアンピシリンの大量投与が有効である．E. faecium は多剤耐性率が高く，とくにアンピシリン耐性を示すため，リネゾリドが第一選択薬となる．

c. 多剤耐性緑膿菌 multidrug-resistant Pseudomonas aeruginosa（MDRP）

抗菌薬に自然耐性を示すことから，緑膿菌感染症はもともと難治化する傾向にある．臨床ではカルバペネム，抗緑膿菌用アミノグリコシドとニューキノロンの3系統の抗菌薬が有効とされるが，近年これら3系統全てに耐性を獲得した多剤耐性緑膿菌（MDRP）が出現している．MDRPの耐性メカニズムは多岐にわたり，カルバペネムに対しては，メタロ-β-ラクタマーゼの産生および外膜ポーリンタンパク質であるOprD（D2ポーリンとも呼ばれる）の減少がある．またアミノグリコシドに対しては，アミノグリコシド修飾酵素（AAC A4）の産生と作用点の変異，多剤排出ポンプ

の亢進による耐性獲得がある．ニューキノロンに対する耐性は，標的部位の変化と，多剤排出ポンプの発現亢進である．MDRP 感染症では，感受性のある薬剤の大量投与や，薬剤の併用療法を行う．注射薬のコリスチンには感受性を残しているが，使用に際しては副作用が強いなど注意を要する．MDRP を出現させないためにも，分離される緑膿菌の薬剤感受性に目を配り，有効な薬剤の使用を制限するなど，適正使用の推進を図ることで，治療薬を確保しておくことが重要である．

d. ペニシリン耐性肺炎球菌 penicillin-resistant *Streptococcus pneumoniae*（PRSP）

ペニシリンは本来は肺炎球菌には極めて強い抗菌活性を示すが，1960 年代後半からペニシリン低感受性肺炎球菌が出現してきた．髄膜炎から分離されたものでは，MIC≧2 µg/mL を示す菌を PRSP とし，他の疾患から分離されたものでは 8 µg/mL 以上を PRSP とする．肺炎球菌は細菌性髄膜炎ではインフルエンザ桿菌に次ぐ起因菌である．PRSP の多くはマクロライド系抗菌薬やミノサイクリンなどにも耐性を拡大し，多剤耐性化している．小児や高齢者では肺炎球菌による髄膜炎や重症肺炎を起こすことも多いため小児と高齢者への肺炎球菌ワクチンの定期接種が行われている．

e. β-ラクタマーゼ非産生アンピシリン耐性菌 β-lactamase negative ABPC resistant（BLNAR）

BLNAR は β-ラクタマーゼを産生しないが，アンピシリンに耐性を示す菌の総称である．とくにインフルエンザ菌 *Haemophilus influenzae* に多くみられる．インフルエンザ菌は市中肺炎や中耳炎，副鼻腔炎の起因菌である．小児の細菌性髄膜炎では主たる起因菌であり，60％ を占めている．乳幼児の髄膜炎から分離されるインフルエンザ菌の 30％ が BLNAR となり，治療効果に影響を与えている．BLNAR は細胞壁合成酵素の PBP3 をコードする遺伝子（*ftsI*）の変異により，β-ラクタム系抗菌薬耐性となっている．治療にペニシリン系を用いる欧米では，ペニシリナーゼ産生菌による耐性菌が多いのに対し，わが国では経口セフェムが汎用されるために BLNAR の出現率が高いとされる．肺炎球菌ワクチンと同時にインフルエンザ菌 b 型に対する小児用の Hib ワクチンが定期接種になったことから，小児の細菌性髄膜炎罹患者が減少している．

f. 超多剤耐性結核菌 extensively drug resistant *tuberculosis*（XDR-TB）

結核菌は薬剤非存在下でも耐性菌が出現する．単剤では耐性を獲得しやすいため，結核の治療は多剤併用で行われている．第一選択薬であるイソニアジドとリファンピシンに同時に耐性を獲得した結核菌を多剤耐性結核菌 multidrug-resistant *tuberculosis*（MDR-TB）と呼ぶ．MDR-TB のうち，第二選択薬に含まれる六つの系統のうち，三つ以上に耐性をもっている結核菌を超多剤耐性結核菌 XDR-TB と定義する．先進国の MDR-TB の分離率は 22％，XDR-TB の出現率は 2.1％ という報告がある．通常の結核の標準療法による治癒率は 80％ とされるが，MDR-TB では 50％ に，XDR-TB では 30％ にまで低下する．結核菌の多剤耐性化は服薬コンプライアンスの低さに関連するため，DOTS の強力な推進が重要である．

g. 基質拡張型 β-ラクタマーゼ extended spectrum β-lactamase（ESBL）産生菌

ESBL は変異により，ペニシリンのみならず，第一～第四世代セフェム系やモノバクタム系抗菌薬も分解できるようになったペニシリナーゼである．ESBL 産生菌は腸内細菌科に属する大腸菌や肺炎球菌，プロテウス菌などで出現しており，尿路感染症のほか，院内では日和見感染で，肺炎や髄膜炎，敗血症を起こすなど，院内感染で集団感染を起こし問題となっている．セファマイシンと一部の β-ラクタマーゼ阻害薬には感受性とされるが，確実な治療を行うためにはカルバペネム系抗菌薬が第一選択薬となる．ESBL 産生菌による感染症が拡大すればカルバペネム系抗菌薬の使用量が増大し，カルバペネム耐性菌を選択することになるため，院内感染対策上重要な菌である．

h. カルバペネム耐性腸内細菌科細菌 Carbapenem-resistant *Enterobacteriaceae*（CRE）

　CREは，カルバペネム系抗菌薬に耐性を獲得した腸内細菌科に属する菌である．肺炎桿菌や大腸菌が主流で，日和見感染で敗血症など重症化する場合がある．海外での報告が多かったが，わが国でも院内感染が起こっており，2014年，五類感染症（全数把握疾患）に指定された．CREのカルバペネム耐性機構にはメタロ-β-ラクタマーゼ（MBL）などのカルバペネマーゼ産生のほか，クラスCや基質拡張型のβ-ラクタマーゼ産生，細胞膜透過性低下などがあげられる．本菌の多くは，他の抗菌薬にも耐性を示し，多剤耐性菌となっていることから，発症した場合，治療の選択が少ない点，カルバペネマーゼをコードする遺伝子の中にはプラスミドにより腸内細菌科細菌の中で菌種を超えて伝播する点において問題となっている．

第VIII章 ウイルス学総論

1 ウイルスの発見

現在のウイルスに関する概念の導入は，1892年にロシアのIvanovskiが当時流行していたタバコモザイク病の病原体を調べる中で，病気の葉の汁をChamberlandの細菌濾過器で濾過しても，感染力を失わないことを見いだしたことに始まる．

1898年LöfflerとFroschはウシの口蹄疫が細菌濾過器を通過する病原因子によることを報告し，さらにその後，1900年代初頭において，それまで病原体が不明であった天然痘，黄熱病，狂犬病など多くの感染症に関しても濾過性病原体の存在が確認された．

Löfflerはさらにこの濾過性因子が毒素のようなものでなく，宿主内で増殖することを確かめ，ultrafiltrable virus（virusはラテン語の毒venomに由来する）と称し，今日のウイルスという言葉が生まれた．

1929年スウェーデンの物理化学者であるSvedbergは世界で初めて超遠心機を開発した．これにより非常に小さなナノサイズの粒子を効率的に分離することが可能になった．また，1931年米国のElfordはニトロセルロースをエーテルとアルコールに溶かしたものを乾燥させることで穴のサイズが異なる膜（コロジオン膜：限外濾過膜）を作製した．この限外濾過膜を用いることで，陶器製の細菌濾過器を通過する病原因子を分離することに成功した．さらに，同年ドイツのRuskaにより透過型電子顕微鏡が開発され，1938年にはVon Borriesらによって天然痘の原因であるポックスウイルスの形態が明らかにされた．このような経緯により，細菌よりも小さく，ごく一部の例外を除いて光学顕微鏡では観察されない微小な構造をなし，無細胞培地ではまったく培養できない病原体が分離された．それまでの微生物の概念とは異なる新しい病原体としてウイルスの存在が明らかになったのである．

2 ウイルスの性状

a. 特　徴

ウイルスの大きさは20〜1,000 nmで，最も小さな部類のパルボウイルスから2013年に発見された最も巨大なパンドラウイルスまで様々な大きさのウイルスが知られている．ウイルスは核酸としてDNAかRNAのどちらか一方だけを含有し，RNAウイルスとDNAウイルスの二つに大別される．最も単純なウイルスは核酸とカプシドcapsidと呼ばれるタンパク質からなり，ウイルスによってはさらにその外側をタンパク質（糖タンパク質）や脂質からなる外殻（エンベロープenvelope）が包んでいる．ウイルスは自分自身でエネルギー代謝やタンパク質合成を行う能力をもたず，代謝を細胞に依存しているために，宿主細胞内でのみ自己複製する偏性細胞内寄生性であり，その複製は二分裂（細胞分裂）ではない．ウイルスは宿主細胞中に侵入する過程で解体され，ウイルスの核酸が細胞内に放出される．感染細胞内ではウイルス核酸の遺伝情報に基づき，細胞内の核酸合成機能やタンパク質合成機能を活用して，ウイルス核酸の複製やタンパク質の合成が進行し，最終的に合成されたウイルス核酸とタンパ

表 VIII-1　細菌，リケッチア，クラミジアとウイルスの性状比較

性　状	細　菌	リケッチア	クラミジア	ウイルス
光学顕微鏡での可視性	＋	＋	＋	－
増殖様式	二分裂	二分裂	二分裂	各素材の合成とその会合
リボソームの有無	＋	＋	＋	－
無細胞培地での増殖	＋	－	－	－
自己代謝系	＋	＋ただし不完全	＋ただし不完全	－
増殖サイクル中のエクリプス期	－	－	－*	＋
細胞壁成分としてのムラミン酸	＋	＋または－	－	－
保有核酸	RNA と DNA	RNA と DNA	RNA と DNA	RNA か DNA のどちらか一方
抗菌薬感受性	＋	＋	＋	－
媒介節足動物	＋または－	＋	－	＋または－

*クラミジアにはウイルスのように感染性を消失した時期がみられる（p. 196〜198 参照）．

ク質が集合して子孫ウイルス粒子が形成される．

このようにウイルスはタンパク質と核酸を中心とした分子の複合体のようなものであり，細胞性微生物である真菌，原虫や細菌はもちろん，偏性細胞内寄生性細菌であるリケッチアやクラミジアともまったく異なっている．ウイルスと他の微生物の性状比較を表 VIII-1 に示す．

b.　形　　態

ウイルスの大きさは種類により異なる．図 VIII-1 に動物ウイルス粒子の相対的大きさと形を模式図で示す．多くのウイルスは球形であるが，ラブドウイルスのように弾丸型のもの，タバコモザイクウイルスのように桿状のもの，フィロウイルスのように紐状のものや T4 ファージのような特殊な形態（p. 307 図 IX-30 参照）のものがある．ウイルス粒子（ビリオン virion）中の核酸はその周りをタンパク質からなる殻（カプシド）に囲まれている．カプシドはカプソメア capsomere と呼ばれる単位構造が正二十面体 icosahedral またはらせん状 helical に規則正しく配列した集合体である．ウイルス粒子中の核酸は大型ウイルスの場合を除けば，2×10^7 Da 以下であり，これは数十種類のタンパク質分子を産生するだけの情報しかもたない．このような限られた種類のタンパク質からカプシドを形成するには同じタンパク質分子を組み上げるより他に方法はなく，その最も妥当な理論的方法は各サブユニットが対称配列構造 symmetric objects をなすことである．すなわち，ウイルスのカプシドは球形の場合は正多面体（正四面体，正六面体，正八面体，正十二面体，正二十面体）のうちの正二十面体構造の球対称 cubic symmetry をとり，桿状の場合はらせん対称 helical symmetry を示す．こうした球対称やらせん対称カプシド中にウイルス核酸が包含されている構造をヌクレオカプシド nucleocapsid と呼ぶ．球対称のヌクレオカプシドを構成するカプソメアの数はウイルスの種類により決まっている（表 VIII-2）．例えばアデノウイルスは 252 個の直径 8 nm のカプソメアからなり，6 個のカプソメアが一辺をなす正三角形が正二十面体を形成する（図 VIII-2）．252 個のカプソメアのうち，12 個の各頂点のカプソメアはペントン基と呼ばれ，その他の 240 個のカプソメアはヘキソンと呼ばれる．ペントン基からはアンテナ状の繊維（ファイバー）が張りだしている．

らせん対称のカプシドをもつ代表的なウイルスはタバコモザイクウイルス（TMV）である．このウイルスはカプソメアが右巻きらせん状に積み重なり（図 VIII-3），1 回転につき 16 個のカプソメアが並ぶ．遺伝子である RNA 核酸はちょうど数珠玉の糸のように各カプソメアの中にはまり込み，らせん状に巻いている．ヌクレオカプシドは全体として中空の桿状をなす．

パルボ，ポリオーマ，パピローマ，ピコルナ，アデノ，レオウイルスや TMV などのウイルスはこのようなヌクレオカプシドで形成されているが，トガ，オルトおよびパラミクソ，レトロウイルスなどはヌクレオカプシドがさらに外被（エンベロープ envelope）に包まれている．トガウイルスやヘルペスウイルスは球対称ヌクレオカプシドがエンベロープに包まれている

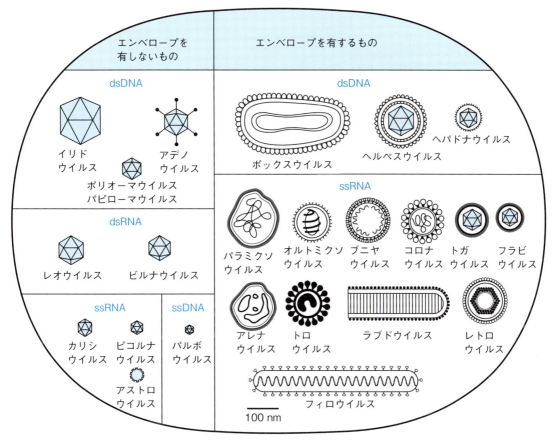

図 VIII-1　動物ウイルスの分類，大きさ，形態の模式図
外側のリングは各ウイルスの大きさに対応して，1.2×1.6 μm に作図したもので，ほぼ一般細菌の大きさに相当する．

が，オルトミクソウイルスやその他のウイルスの場合は，長いらせん対称のヌクレオカプシドが折りたまれて，その外側をエンベロープが包んでいる．エンベロープは宿主細胞内で合成されたヌクレオカプシドが，細胞の小胞体膜，ゴルジ装置あるいは細胞の形質膜などを被ってできたものである．したがってエンベロープの組成は宿主細胞の膜に類似するが，宿主の膜がそのままではなく，そこにはウイルスに特異的な構造物や抗原性が付加されている．ウイルスによってはこのエンベロープの外面に多数の突起（**スパイク** spike）をもつものがある．A 型あるいは B 型インフルエンザウイルスの場合には 2 種のスパイクタンパク質（**ヘマグルチニン**と**ノイラミニダーゼ**）がエンベロープの表面に存在する（**図 VIII-4**）．2019 年末に出現した人の新型コロナウイルスである SARS-CoV-2 の場合には S タンパク質がエンベロープの表面に存在する（**図 VIII-5**）．

動物ウイルスの中で最も大型のポックスウイルス粒子は煉瓦（レンガ）状ないし卵形で，およそ 1～2×10^6 Da の線状二本鎖 DNA をもつ．30 種類以上のタンパク質からなり，内部構造も複雑化している．ウイルスの表面はエンベロープに包まれているが，このエンベロープは宿主細胞質中で合成されたもので，直径 9 nm の糸状または紐状構造物が複雑に絡み合って，網状の袋のようになったものである．

この他，分化した特異な構造を有するウイルスとして T 偶数系バクテリオファージ T-even bacteriophage（p. 306 参照）がある．

表 VIII-2 ウイルスの分類，形態，大きさ，性状，含有核酸

DNA 型ウイルス

ウイルス科名	粒子の形態	粒子の大きさ (nm)	カプシドの対称性	カプソメアの数	エンベロープの有無	エーテル感受性	含有核酸 (DNA) の性状 一本鎖，二本鎖の別	直鎖または環状の別	総分子量 (×10⁶)	G＋C 含量	主要構成タンパクの種類
パルボ	正二十面体	18～22	球対称		無	抵抗性	一本鎖	直鎖	1.5～2.0	41～51	3～4
ポリオーマ，パピローマ	〃	40～60	〃	72	〃	〃	二本鎖	環状	3～5	40～50	6～9
アデノ	〃	70～90	〃	252	〃	〃	〃	直鎖	20～25	48～61	10
イリド	〃	125～300	〃		*1	抵抗性または感受性	〃	〃	100～250	20～58	13～35
ヘパドナ	球形	40～48	〃	180	有	〃	*2	環状	1.6～2.0*2	48	6
ヘルペス	〃	120～200	〃	162	〃	〃	二本鎖	直鎖	79～145	35～75	20 以上
ポックス	レンガ状	(220～450) ×(140～260)	複雑		〃	抵抗性または感受性	〃	〃	86～250	35～64	100 以上

RNA 型ウイルス

ウイルス科名	粒子の形態	粒子の大きさ (nm)	カプシドの対称性	カプソメアの数	エンベロープの有無	エーテル感受性	含有核酸 (RNA) の性状 一本鎖，二本鎖の別	プラス鎖またはマイナス鎖の別	総分子量 (×10⁶)	分節の有無	主要構成タンパクの種類
ピコルナ	正二十面体	2～30	球対称	60	無	抵抗性	一本鎖	＋鎖	2.4～2.7	無	4
カリシ	球形	35～39	〃	180	〃	〃	〃	〃	2.6～2.8	〃	4
トガ	球形	60～70	〃	32	有	感受性	〃	〃	4	〃	5～7
フラビ	〃	40～60	〃	32	〃	〃	〃	〃	4	〃	3～4
トロ	多形性	120～140	らせん対称		〃	〃	〃	〃	6.8～		3
レトロ	球形	80～100	〃		〃	〃	〃	〃	4.8～6.8	2倍体*3	4
コロナ	球形(多形性)	60～200	〃		〃	〃	〃	〃	9.0～11.0	無	3～4
オルトミクソ	〃	20～120	〃		〃	〃	〃	－鎖	4～5	6～8 分節	7
パラミクソ	〃	150～	〃		〃	〃	〃	〃	5～7	無	10 以上
ブニヤ	〃	80～100	〃		〃	〃	〃	〃	3.5～8.0	3 分節	4
アレナ	〃	110～130	?		〃	〃	〃	〃	3.3～3.9	3 分節*4	4
ラブド	弾丸型	(100～430) ×(45～100)	らせん対称		〃	〃	〃	〃	3.5～4.6	無	5
フィロ	繊維状	(800～1,000) ×80			〃	〃	〃	〃	4.5		7
レオ	正二十面体	60～80	球対称		無	抵抗性	二本鎖	〃	12～20	10～12分節	6～10
ビルナ	〃	60	〃		〃	〃	〃	〃	5～6	2分節	4

*1 宿主細胞由来の外被を有することがあるが，感染性には関係ない．
*2 二本鎖のうちの一方の鎖（−鎖）は 3.02～3.32 kb で，もう一方の鎖は 1.7～2.8 kb である．すなわち部分的な二本鎖領域と部分的な一本鎖領域とがある．
*3 同じ分子の dimer である．
*4 他に宿主由来の 3 種の RNA（28S，18S，4～6S RNA）を保持する．

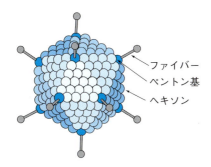

図 VIII-2　アデノウイルスの模式図

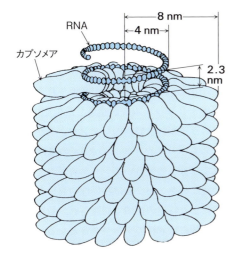

図 VIII-3　タバコモザイクウイルスの形態模式図

c. ウイルスの構成成分

(i) 化学組成

　エンベロープを被らないウイルスは一般に核酸とタンパク質のみからなり，ウイルスをエーテルで処理しても感染性を失わない．これに対しエンベロープを被るウイルスはいずれもエンベロープの構成成分として脂質を含有するため，エーテルで処理するとウイルス粒子は解体されて，感染性を消失する（**表 VIII-2**）．ただしポックスウイルスは例外で，エーテル抵抗性のものがある．このウイルスのエンベロープは他のウイルスのものと性状が異なる．

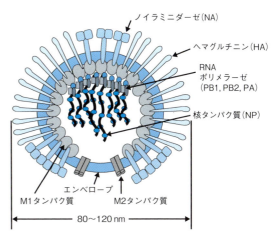

図 VIII-4　A 型インフルエンザウイルスの形態模式図
エンベロープ上に赤血球凝集素 hemagglutinin（HA）とノイラミニダーゼ neuraminidase（NA）の 2 種類のスパイクタンパク質が突出している．またプロトンチャネル活性をもつ M2 タンパク質が存在する．HA は三量体で棒状，NA は四量体でキノコ状の形状を示す．エンベロープの内側は M1 タンパク質で裏打ちされており，粒子内部に分節した 8 本の RNA が NP タンパク質や 3 種類の RNA ポリメラーゼと複合体を形成している．

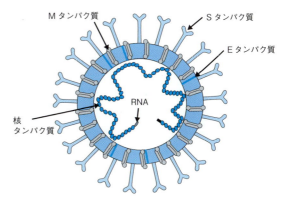

図 VIII-5　SARS-CoV-2 の形態模式図
エンベロープ上にスパイクタンパク質の S タンパク質が突出している．

(ii) ウイルス核酸

　上述したようにウイルスは RNA か DNA どちらか一方の核酸を保有し，両方の核酸を併せもつものはない．一般に自然界に存在するウイルスの RNA は一本鎖で，DNA は二本鎖である．このような一般性は大部分のウイルスにもあてはまるが，例外もある．レオおよびビルナウイルスは二本鎖 RNA をもち，パルボ

ウイルスは一本鎖 DNA を保有する．二本鎖 DNA をもつウイルスの場合，その DNA が直鎖状のものと，断端のない環状構造のものがある．

ウイルス粒子中の核酸の分子量は，RNA 型ウイルス（二本鎖 RNA ウイルスを除く）の場合 $2〜11 \times 10^6$，DNA 型ウイルスのそれは $1.5〜250 \times 10^6$ の範囲にある．いくつかのウイルスではその含有核酸を注意深く抽出すると，粒子内の全核酸量に対応する 1 分子の核酸が得られる．しかしオルトミクソウイルスなどのいくつかの RNA 型ウイルスは分節した RNA を保有し，これらウイルスから核酸を抽出すると，数個の断片化した RNA が得られる．それぞれの断片は 1 ゲノムサイズに対応しており，感染細胞内でそれぞれの断片の遺伝情報に対応したタンパク質がつくられる．

ピコルナ，トガ，レトロウイルスなどの一本鎖 RNA はそれ自身メッセンジャー RNA（mRNA）としての活性を保持している．このような RNA を プラス鎖 RNA plus strand RNA という．一方，オルトミクソ，パラミクソあるいはラブドウイルスなどの一本鎖 RNA はそのままでは mRNA になり得ない．このような RNA は マイナス鎖 RNA minus strand RNA と呼ばれ，ウイルスが宿主細胞に感染後，そのマイナス鎖 RNA からプラス鎖 RNA がつくられ，それが mRNA となって，初めてタンパク質合成が開始される．

比較的小さな核酸をもつピコルナ，トガ，タバコモザイクウイルスなどの RNA 型ウイルスやポリオーマウイルス，パピローマウイルスなどの DNA 型ウイルスからは 感染性核酸 が得られる．これらのウイルスから抽出した核酸を宿主細胞に入れると，その細胞内に正常な子孫ウイルスが産生される．感染性核酸の特徴は，①ウイルス粒子の場合よりも感染可能な宿主域が広がる，②感染性核酸は核酸分解酵素により容易に分解されてしまうが，ウイルス粒子中に存在する場合にはこれらの酵素の影響を受けない，などである．感染性核酸の発見は核酸が遺伝情報の担い手であることを証明した重要な発見であった．また上述の事実は，ウイルス核酸を包むカプシドやエンベロープが核酸分解酵素の攻撃から自己の核酸を保護し，一方で，ウイルスの宿主細胞の選択とそれへの吸着，侵入に役割を果たしていることを明らかにした．

近年，分子生物学的技術の進歩によって各種核酸の塩基配列が解明されるようになり，様々なウイルス遺伝子核酸の全構造が解明された．さらにウイルス遺伝子を組み込んだプラスミドを細胞に導入することで，遺伝子改変したウイルスを人工的に作製する技術（リバース・ジェネティクス法）が開発された．これらの技術によりウイルスの機能発現と核酸構造との相関性が克明に調べられている．

(iii) ウイルスタンパク質

最も小形のウイルス，例えばポリオウイルスが保有する核酸の分子量は 2×10^6 で，これは 6,000 ヌクレオチドに相当する．この核酸の全領域が読み取られた場合には 3×10^5 Da のタンパク質が産生されると考えられる．事実ポリオウイルスが感染した細胞内では 2.5×10^5 Da のウイルスに特異的なタンパク質が合成される．すなわちポリオウイルスの RNA のほぼ全域が読み取られて 1 分子の大きいタンパク質がつくられている．その後このタンパク質は特異性の高いタンパク質分解酵素により特定の部域で切断され，数段階の過程を経て最終的には 6 種のタンパク質となる．このうち 4 種はビリオン構成タンパク質となるが，他の 2 種は感染細胞中に残存する．

このようにウイルスのもつ遺伝情報は限られていて，ビリオンを構成するタンパク質は一般に数種から十数種である．オルトミクソウイルスの場合は，9〜11 種類のウイルスタンパク質が合成される．ビリオン中に存在する主タンパク質は 7〜8 種である．アデノウイルスの場合には，ヘキソンに 3 種，ペントン基に 1 種，ペントン繊維に 1 種，ビリオン内部に 3 種の他，少なくとも全部で 10 種のタンパク質がある．もちろん大きな核酸を保持する大型ウイルスではそれだけ遺伝情報量も増え，粒子構造も複雑になると構成タンパク質の種類も増加する．ポックスウイルスは 100 種以上のタンパク質を保有する．

(iv) ウイルス粒子中の酵素

ウイルスは一般の細胞性生物のようなエネルギー産生などの代謝活性をもたず，各種の酵素類も保持しな

い．したがって，自己の複製反応はほとんど全て宿主細胞の代謝系に依存している．一方，ウイルス遺伝子には数種の特定の酵素を産生するゲノムが存在することが判明している．これらの酵素のうちいくつかのものはビリオン中にその構成成分として含有しているものもある．ビリオン中に含有される酵素類について特記すべき点は，①二本鎖 RNA をもつレオウイルスとマイナス鎖 RNA をもつオルトミクソ，パラミクソ，ラブドウイルスなどは RNA 依存性 RNA 合成酵素をもつこと，②レトロウイルスは逆転写酵素 reverse transcriptase（RNA 依存性 DNA 合成酵素）をもつこと，③ポックスウイルスは転写酵素（DNA 依存性 RNA 合成酵素）をもつこと，④オルトミクソウイルスの表面にはノイラミニダーゼ（シアリダーゼ）あるいはエステラーゼが存在すること，などである．これらの酵素の意義については後述のウイルス素材の複製の項（p.255）を参照されたい．

3 ウイルスの分類

ウイルスはその自然宿主によって，動物ウイルス animal virus，植物ウイルス plant virus，細菌ウイルス（バクテリオファージ bacteriophage），の三つに大別される．動物ウイルスのうち，昆虫に寄生するものを昆虫ウイルスと呼ぶことがあるが，日本脳炎ウイルスのようにカおよびヒトを含めた哺乳動物の両方に寄生する節足動物媒介性ウイルス arthropod-borne virus のようなものもある．ヒトに病原性を有するのは当然全て動物ウイルスである．

動物ウイルスの分類は一般に次のようなウイルスの性状に基づいて分類される．上から重要なものの順に並べてある．

1. 含有核酸の性状：
   a. 核酸の種類：RNA 型と DNA 型に 2 大別される．
   b. 一本鎖か二本鎖か．
   c. プラス鎖かマイナス鎖か．
   d. 核酸の大きさや塩基配列の相向性，分節の有無など．
2. 形態：ビリオンの大きさ，形，カプシドの対称性（球対称，らせん対称），カプソメアの数，エンベロープの有無など．
3. 素材複製機構の特殊性：逆転写酵素（反応）の有無など．
4. 物理・化学的性状：とくにエーテル感受性．
5. 血清学的性状：抗原性の差異．
6. 自然界での伝播方法：昆虫媒介性など．
7. 宿主動物の種類（宿主域）：組織親和性など．
8. 感染組織の病理学的所見：封入体の形成など．
9. ウイルスの現す病型（症候学的観点）：神経系疾患，呼吸器系疾患など．

このような分類基準によって，動物ウイルスは**表 VIII-2** に示すようなウイルス科に分類される．なお，2014 年の報告によれば，7 目 order，104 科 family，23 亜科 subfamily，505 属 genera，3,186 種 species に分類されるという．**表 VIII-2** に主なウイルス科名とその性状を示した．

4 ウイルスの増殖

a. ウイルスの培養

ウイルスは偏性細胞内寄生性であるため必ず生きた宿主細胞中でのみ増殖する．したがって，ウイルスの実験室内培養には宿主の選択が必要である．

(i) 実験動物

一般にウイルスによって感染可能な動物や細胞の種類が決まっており，この性質をトロピズム（感染指向性 tropism）という．このようにウイルスは動物種に対して特異性を示すので適当な動物を選択する必要がある．通常，ウサギ，マウス，モルモット，ハムスター，サルなどが多用される．一般に幼若な動物ほど感受性が高いので，乳呑みマウスが使われたり，免疫系が欠落したヌードマウスが使われることもある．またヒト以外では病原性を示さないウイルスもあり，このようなときはチンパンジーでそのウイルスに対する感受性が調べられる．

(ii) 発育鶏卵

鶏卵は孵卵開始後 21 日でヒナにかえるが，孵卵途

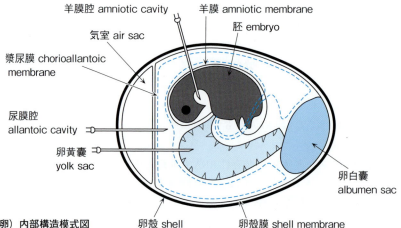

図 VIII-6 発育鶏卵（10 〜 12 日卵）内部構造模式図

中の発育（孵化）鶏卵 embryonated chicken egg が種々のウイルスの培養に使用されてきた．図 VIII-6 に孵卵開始 10 日目前後の発育鶏卵内部構造を示す．この頃になると胚はかなり大きくなり，羊膜腔や尿膜腔などが形成される．ウイルスの培養には多くの場合 6 日ないし 10 日卵が使われる．尿膜，尿膜腔，羊膜腔，卵黄嚢内接種法などが多用される．鶏卵は入手が容易で，扱いやすく，ウイルス収量も多いため，ワクチンの生産などに利用価値の大きい培養方法である．

(iii) 培養細胞

1950 年前後に動物細胞をガラス容器中で培養する方法が確立されて以来，培養細胞系がウイルスの培養に使用されるようになった．動物の組織やニワトリの胚をトリプシンでほぐして個々の細胞をばらばらにして，細胞培養用フラスコに植えて培養すると，細胞が培養用フラスコの底面に単一層を形成する．このような細胞を初代培養細胞 primary cultured cell という．こういう細胞は培養用フラスコ中で数代は植え継げるが，間もなく育たなくなる．

これに対し長期にわたって培養用フラスコ中で植え継がれている細胞を株（化）細胞 established cell line という．現在，ヒトを含めた各種動物組織から多数の株（化）細胞が樹立されている．HeLa 細胞（ヒト子宮腺癌由来），FL 細胞（ヒト羊膜由来），L 細胞（マウス繊維芽細胞由来），A549 細胞（ヒト肺腺癌由来），MDCK 細胞（イヌ腎臓尿細管上皮細胞由来）などがよく知られている．細胞は平底の培養用フラスコ容器中で静置培養するとフラスコ底面に 1 層に配列して増殖し積み重なるようにはならない．これを単層培養法という．また細胞によっては培地中に浮遊状態で培養できるものもある．こういう細胞はタンク培養が可能で，大量培養に適している．

培養細胞にウイルスを接種して，経時的に観察すると，ウイルスの増殖にともなって細胞が変性死滅したり，円形化したり，収縮あるいは膨化したり，融合して巨大な多核細胞（**合胞体** syncytium）を形成したりする．このようなウイルスによる細胞の変化を，**細胞変性効果** cytopathogenic effect /cytopathic effect（**CPE**）と呼ぶ．CPE の形態は各ウイルスに特徴的である（図 VIII-7）．

b. ウイルスの定量法

(i) ウイルス粒子数の計数法

ウイルス浮遊液に一定数のラテックス粒子を混じ，電子顕微鏡下にウイルス粒子数とラテックス粒子数を計数して，両者の比率からウイルスの粒子数を算出する．

(ii) 終末点希釈法

ウイルス含有試料の段階希釈した系列を作製し，その一定量を数匹ずつのマウスなどの実験動物に接種して 50％ 致死量 **LD_{50}**（50％ lethal dose）を求める．この方法は発育鶏卵の場合，胚の死亡を指標にする場合も

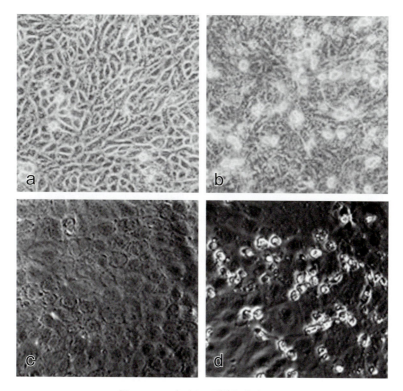

図 VIII-7　ウイルス感染による CPE
a. VeroE6 細胞（正常）
b. ムンプスウイルス感染 VeroE6 細胞の CPE
c. MDCK 細胞（正常）
d. A 型インフルエンザウイルス感染 MDCK 細胞の CPE

ある（EID_{50}, 50% egg infectious dose）. さらに 48 〜 96 穴マイクロプレートに単層培養した細胞を用いて CPE の出現を検する方法もある（$TCID_{50}$, 50% tissue culture infectious dose）.

(iii) プラーク計数法

　適当に希釈したウイルス液を 6 cm 径のシャーレもしくは 6 〜 12 穴プレートに単層培養した細胞上に接種し，寒天で固めた固形培地中で培養すると，最初にウイルスの感染を受けた細胞の周囲の細胞がウイルスの増殖にともなって順次感染して CPE を起こして死滅する．数日間培養後に細胞層をニュートラルレッド neutral red やクリスタルバイオレット crystal violet などで染色する．これらの色素は生細胞のみ染めるため，ウイルスの感染により死滅した細胞の部域は白く抜けてみえる（**図 VIII-8**）．これをプラーク plaque と呼び，このプラークの数を計数する．

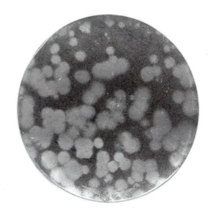

図 VIII-8　A 型インフルエンザウイルス感染 MDCK 細胞のプラーク形成

(iv) 蛍光抗体・酵素抗体法

CPEやプラークを起こしにくいウイルスの感染を受けた細胞をウイルス抗原に特異的な抗体とその抗体に反応する蛍光色素もしくは酵素（ペルオキシダーゼやアルカリホスファターゼなど）で標識された抗体（二次抗体）を用いて検出し，染色されたウイルス感染細胞の数を計数する．

(v) ウイルス核酸の検出

最近の核酸増幅技術の進歩により，生体内に極めて微量にしか存在しないウイルス核酸を鋭敏に検出することができるようになった．PCR法（ポリメラーゼ連鎖反応 polymerase chain reaction 法），リアルタイムPCR法，LAMP法（loop-mediated isothermal amplification 法）などがウイルス核酸の検出，同定，定量の他，感染ウイルスの型別にも使用される．1 mL中に数個ないし数十個のウイルス核酸が存在すれば検出可能といわれる．

(vi) 赤血球凝集反応 hemagglutination

ある種のウイルスはヒツジやニワトリなどの動物赤血球と混合すると赤血球を凝集する．これはウイルス表面に赤血球凝集素を保持するためである（赤血球凝集反応，p. 260 参照）．ウイルス浮遊液を段階希釈して，どの希釈度のものまで赤血球を凝集し得るかを調べると試料中のウイルスの相対濃度を知ることができる．

c. ウイルスの増殖機構

ウイルスの増殖は，宿主細胞への吸着と侵入，ウイルスの外被を脱ぎ去って内部核酸を露呈する脱殻，ウイルス素材を合成する複製，合成された各素材が会合して子孫ウイルス粒子を形成する成熟，および宿主細胞からの放出，の各段階に分けられる（図VIII-9）．

(i) 吸 着 adsorption

ウイルスは宿主細胞に遭遇するとその表面に吸着する．この吸着の第1段階は静電的結合であって，これには Ca^{2+}，Mg^{2+} などの二価イオンが必要である．この段階での吸着は可逆的で，再遊離したウイルスは正常な活性を保持している．吸着の第2段階は不可逆的吸着である．ウイルスは細胞表面の各ウイルスに特異的な受容体（レセプター receptor）と反応して吸着す

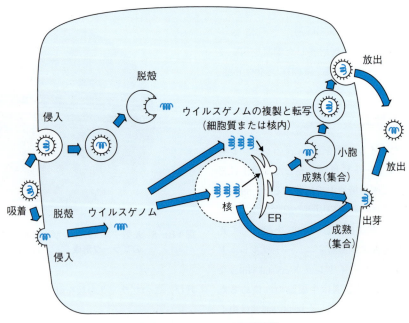

図VIII-9　ウイルスの増殖機構

る．このとき，ウイルス表面の性状も変化する．レセプターの種類はウイルスによって異なるが，反応特異性が高く，レセプターの存在しない細胞にウイルスは吸着しない．これまでにいくつかのウイルスについて，ウイルスのレセプターとそれに対応するウイルス側のレセプター結合分子（リガンド）が同定され，その機能が詳しく調べられている．例えば，ポリオウイルスは VP1 カプシドタンパク質を介して CD155 に，ヒト免疫不全ウイルスは gp120 スパイクを介してヘルパー T 細胞の CD4 に，A 型インフルエンザウイルスは赤血球凝集素（HA）を介して宿主細胞上のシアル酸（シアル酸含有糖鎖）に結合して感染を開始する．

(ii) 細胞への侵入 penetration

吸着したウイルスは短時間内に細胞中に侵入する．侵入には三つの過程がある．一つの侵入形式は細胞が細胞外の物質を取り込む機構（エンドサイトーシス endocytosis）を利用するものである．ウイルスの吸着した部分の細胞膜に凹みが生じ，ウイルスは細胞膜に包み込まれるように空胞（エンドソーム）中に取り込まれる．次いで，ウイルスエンベロープと空胞膜とが融合してウイルスのヌクレオカプシドが細胞質中に放出される．

別の侵入形式は，ウイルスの吸着後に細胞表面でウイルスエンベロープと細胞膜が融合して，ヌクレオカプシドが細胞中に放出されるものである．さらにエンベロープをもたないウイルスの場合，そのまま細胞膜を貫通するか，または細胞の空胞中に取り込まれるものである（図 VIII-10）．

(iii) 脱　殻 uncoating

次にウイルスはエンベロープだけでなく外殻カプシドタンパク質も脱ぎ去って，最終的には裸の核酸が細胞中に放出される．この過程は脱殻と呼ばれる．エンドサイトーシスで取り込まれたウイルスは，リソソームのタンパク質分解酵素によりカプシドタンパク質が分解される．DNA ウイルスの場合，脱殻により遊離したウイルスの核酸は核内に移行する．ポックスウイルスは例外的であり，細胞質で複製される．

(iv) ウイルス素材の複製

放出されたウイルス核酸の保持する遺伝情報は宿主細胞のもつ各種の合成反応系によって機能が発現され，ウイルス素材が合成される．その過程は次のようにウイルスの種類により異なる．

(1) 二本鎖 DNA を保持するウイルス

ポリオーマ，パピローマ，アデノ，イリド，ヘルペス，ポックスウイルスは二本鎖 DNA を保持する．このうち，ポックスウイルスを除く各ウイルスはそれらのウイルス DNA が宿主細胞の核内にまで運ばれ，核内で宿主細胞が保持する RNA ポリメラーゼ II を用いてウイルスに特異的な mRNA が合成される．合成された mRNA は細胞質中に運ばれて初期タンパク質合成が進行する．ウイルス DNA の複製は核内で行われるが，その場合宿主 DNA ポリメラーゼを使用するものと初期タンパク質合成により産生されたウイルスゲノム由来の DNA ポリメラーゼを利用するものがある．次に，その新たに合成された子孫 DNA を転写して後期 mRNA の合成およびビリオンタンパク質を含む後期タンパク質合成が進行し，それが会合してウイルスヌクレオカプシドが形成される．

ポックスウイルスの場合，複製は宿主細胞質内で行われる．ところが細胞質中には核酸合成酵素は存在しないので，宿主の酵素は利用できない．しかしこのウイルスはビリオン中に独自の DNA 依存性 RNA 合成酵素を保持していて，それにより自己の DNA の情報

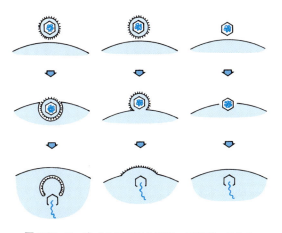

図 VIII-10　ウイルスの宿主細胞への吸着，侵入と脱殻過程の模式図

をmRNAに転写する．タンパク質合成系は宿主細胞の合成系を使用する．合成されたタンパク質中には自己の複製に必要な酵素類，例えばDNA合成酵素なども含まれていて，それらにより細胞質中で自己の複製が可能になるものと思われる．

(2) 一本鎖DNAを保持するウイルス

パルボウイルスは一本鎖DNAをゲノムとして保持する．このゲノムは多くの場合マイナス鎖である．これは宿主細胞のDNAポリメラーゼαにより二本鎖DNAとなり，この二本鎖DNAからRNAポリメラーゼIIによりmRNAが合成される．ウイルスのゲノムとなるマイナス鎖DNAも二本鎖からつくられる．

(3) ヘパドナウイルスの場合

このウイルスは部分的に一本鎖の部分がある不完全二本鎖DNAをゲノムとして保持する．ゲノムの機能発現には，ゲノムDNAが完全な二本鎖DNAに修復された後，mRNAが合成される．また，このウイルスは粒子中に逆転写酵素活性をもつDNAポリメラーゼがある．ゲノムの複製には，宿主のRNAポリメラーゼによりmRNAやゲノムよりやや長いプラス鎖RNA（プレゲノム）が合成され，それを鋳型としてウイルスが保持する逆転写酵素活性によりマイナス鎖DNAがつくられ，それからDNAポリメラーゼによりウイルスDNAが合成される．すなわち，DNA→RNA→DNAと，逆転写過程を含む複製過程をとる．

(4) プラス鎖一本鎖RNAを保持するウイルス

ピコルナ，トガ，コロナウイルスのようなプラス鎖RNAを保持するウイルスのRNAは，そのままmRNAとなって宿主細胞のタンパク質合成系によりウイルス複製に必要なタンパク質が合成される．宿主細胞中にはウイルスRNAの複製に必要なRNA依存性RNA合成酵素はないが，ウイルスRNAはこの酵素を合成するゲノムを保持しているため，感染後合成されたタンパク質中にこの酵素が含まれている．この酵素はまずウイルスRNAを鋳型としてマイナス鎖RNAをつくり，さらにそれをコピーしてプラス鎖RNAであるウイルスRNAを複製する．さらに産生された子孫のプラス鎖RNAはmRNAとして動き，ウイルスのカプシドタンパク質など必要なタンパク質の産生に動員される．

(5) マイナス鎖一本鎖RNAを保持するウイルス

オルトミクソ，パラミクソ，ラブドウイルスなどマイナス鎖RNAを保持するウイルスのRNAは直接mRNAとしての機能を発揮できず，しかも細胞中にはRNA依存性RNA合成酵素が存在しないため，そのままでは複製反応は進行しない．ところがこれらのウイルスはビリオン中にRNA依存性RNA合成酵素を保持しており，まずそれによりプラス鎖RNAを合成する．その結果，宿主細胞の合成系によってタンパク質合成反応が進行する．以下，プラス鎖一本鎖RNAウイルスの場合と同様にウイルス素材の複製が進行する．

(6) 二本鎖RNAを保持するウイルス

レオウイルスは分節した二本鎖RNAを保持する．また，ウイルス中にはRNAポリメラーゼが存在する．まず，二本鎖のうちのマイナス鎖を鋳型としてウイルスのRNAポリメラーゼによりプラス鎖RNAが合成され，これがmRNAとして働く．一方，それを鋳型として，ウイルスゲノムである二本鎖RNAが合成される．

(7) レトロウイルスの場合

このウイルスの保持するRNAはプラス鎖であるが，ウイルス粒子中には逆転写酵素 reverse transcriptase（RNA依存性DNA合成酵素）が存在している．ウイルスRNAはまずDNAに転写され，産生されたウイルスDNAは宿主細胞DNA中に組み込まれてプロウイルスの形となり，宿主細胞が分裂すると子孫細胞へと受けつがれていく．またときとして細胞の腫瘍化を引き起こす．レトロウイルスに腫瘍原性があるのはこのためである．子孫ウイルスの産生は，ウイルスDNAから細胞の酵素系により転写されてmRNAがつくられ，ウイルスタンパク質の合成が進行する．

(v) 成　熟 maturation

細胞内で合成されたウイルスタンパク質や核酸は細胞内の特定領域（封入体）に集積され，それらが会合 assembly してヌクレオカプシドを形成する．会合の機構については不明な点が多い．

Bacteriophage MS2 の会合ではウイルスゲノムにより産生される成熟タンパク質 maturation protein と呼ば

れるタンパク質が関係している．ヌクレオカプシドそのものがウイルスである場合は，細胞中に感染性を有するウイルスが集積される．エンベロープを被ったウイルスの場合（ポックスウイルスを除く）は，ヌクレオカプシドが細胞質周辺（または核周辺や小胞体周辺）に移行し細胞膜，核膜または小胞体膜を押し上げるような形で表面に突出する（図 VIII-11）．これを出芽 budding という．被った膜はウイルスのエンベロープとなってウイルスの成熟は完了する．インフルエンザウイルスやヒト免疫不全ウイルスなどは細胞膜から出芽し，C 型肝炎ウイルスは小胞体の内腔へ出芽する．またポックスウイルスのエンベロープは細胞質内のウイルス封入体中で形成される．このようにウイルスのエンベロープは宿主細胞膜，核膜あるいは小胞体膜に由来するので，ウイルスのエンベロープの化学組成は宿主細胞の膜系に類似する．ただしウイルスは宿主の膜をそのままの形でエンベロープとして保持するのではなく，ウイルスに特異的なタンパク質（ペプロマー peplomer（ノブ状の太い突起）もしくはスパイク spike（長く細い突起））などが含有されている．またレトロウイルス，フィロウイルス（エボラウイルス）などの出芽は細胞内のエンドソーム輸送選別複合体 endosomal sorting complex required for transport（ESCRT）を利用している．

(vi) 放　出

エンベロープを有するウイルスは出芽によって放出される．すなわち成熟と放出が同時に進行する．細胞内で成熟するウイルスは順次細胞膜を貫通して放出される場合もあるが，細胞が CPE を起こして変性破壊されるのにともなって一挙に放出される．

(vii) 欠損ウイルスの産生

宿主細胞内でのウイルスタンパク質や核酸の合成は常に効率よく完全な形で進行するとは限らない．ときにはカプシドタンパク質が余剰に産生されたり，一部が脱落した核酸が合成されたりする．その結果，遺伝的性質の一部が欠落した欠損干渉粒子 defective interfering particle（DIP）が産生される．

またマウス肉腫ウイルスはもともと遺伝的欠陥をもったウイルスで，このウイルス単独で細胞に感染した場合には感染性粒子を産生し得ないが，マウス白血病ウイルスと混合感染させると感染性ウイルスを産生する．この白血病ウイルスのような場合をヘルパー（介助）ウイルス helper virus，マウス肉腫ウイルスをサテライトウイルス satellite virus という．同様に D 型肝炎ウイルスは，サテライトウイルスであるため，ヘルパーウイルスである B 型肝炎ウイルスの存在下で複製が行われる．

流産感染：DNA 型腫瘍ウイルスの場合に，ある細胞にウイルスを感染させると子孫ウイルスが産生される．しかし，別のある細胞への感染ではウイルスは確かに細胞に感染していて，ウイルス遺伝子も細胞中に存在しているにもかかわらず，子孫ウイルスを産生しないことがある．子孫ウイルスを産生する細胞を許容細胞 permissive cell，子孫ウイルスを産生しない細胞を非許容細胞 nonpermissive cell といい，このような非許容細胞への感染を流産感染 abortive infection という．

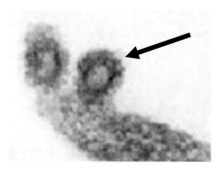

図 VIII-11　MDCK 細胞から A 型インフルエンザウイルスの出芽 budding 像（矢印の部分）

(viii) ウイルス感染にともなう細胞の変化

これはウイルスと宿主細胞との組み合わせによって様々であるが，大別すると次のようになる．

増殖感染：ウイルス感染により細胞の核酸やタンパク質などの高分子合成は停止し，ほとんどの合成反応はウイルス産生に向かう．結果的にリソソームの傷害，細胞膜の変化，アポトーシス apoptosis 誘導などにより細胞は破壊され，CPE などがみられて変性死滅する．一方，ウイルス感染によって細胞の核酸合成が促進され，活発化する場合もある．パポバウイルスやヘルペスウイルスの一部にみられる．

不稔感染：ウイルス感染により誘導されたウイルス増殖抑制因子（インターフェロン）によりウイルス産生が抑制されるため，あるいはウイルスの増殖に必要な要素が欠損するために細胞破壊は起こらない．

持続感染：細胞内でウイルス産生が進行し，ウイルスは細胞から放出され続けるが，細胞も増殖・分裂を続ける．こういう感染を持続感染 persistent infection と呼び，パラミクソウイルスの一部のものなどにみられる．

(ix) ウイルスの細胞内増殖領域，封入体の形成

ウイルスの増殖は核酸をどこで合成するかにより異なり，宿主細胞質で増殖するもの，核内で増殖するものやその両方で行われるものなどがある．ウイルスによっては特有の封入体が形成され，染色法によって光学顕微鏡レベルで封入体を観察できる場合がある．ポックスウイルスの細胞質内封入体（A 型および B 型封入体），ヘルペスウイルスの核内好酸性封入体（Cowdry A 型封入体），アデノウイルスの核内塩基性封入体，狂犬病ウイルスの細胞質内好酸性封入体（Negri 小体，図 VIII-12）などが代表例で，他にも種々のウイルスで観察されている．これらの封入体の多くは，それがウイルス増殖領域（マトリックス域 matrix area）であるが，中にはウイルス産生にともなう二次産物によるものもある（ポックスウイルスの A 型封入体）．これらの封入体の形成と形態はウイルスの種類に特徴的で，ウイルス感染症の病理学的診断に用いられる．

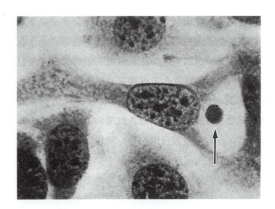

図 VIII-12 狂犬病ウイルスの封入体
Negri 小体（矢印）

(x) ウイルスの増殖曲線

ウイルスは宿主細胞に感染するとそれ自身解体して遺伝子である核酸が細胞内に放出される．したがって，この時期にはウイルスの粒子形態は電子顕微鏡下でもみられず，細胞内ウイルス量を感染価を指標として測定すると，接種ウイルス量に対して感染価の低下がみられる．この時期を暗黒期（エクリプス期 eclipse phase）と呼ぶが，細菌やその他の細胞性生物の増殖曲線とは本質的差異を示すウイルスに特徴的な時期である．図 VIII-13 にウイルスの一段増殖曲線を示す．ウイルスを細胞に接種すると，まず感染価の低下がみられる．この時期はウイルスの細胞への吸着，侵入，脱殻の過程が進行する時期である．その後，細胞内感

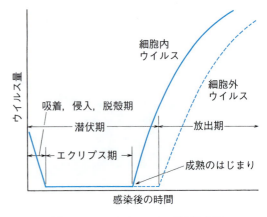

図 VIII-13 ウイルスの一段増殖曲線

染価は低値を持続するが，これがエクリプス期で，細胞内で活発にウイルス核酸やタンパク質が複製されている時期である．次にウイルスの成熟段階に入り，子孫ウイルスが形成されはじめると感染価の急上昇がみられるようになる．なお図 VIII-13 は宿主細胞中で感染性ウイルスが産生され，それが細胞外に放出されるようなウイルスの一段増殖曲線を模式的に示したものである．持続感染系のウイルスの場合はこのような増殖曲線とは異なる．

5 ウイルスの干渉現象

a. 干渉現象

あるウイルスを動物または細胞に感染させてから，短時間後に同一ウイルスまたは異種ウイルスを接種すると，後から感染させたウイルスの増殖が抑制される現象がみられる．これを干渉現象 interference phenomenon という．これは先に感染したウイルスによって抗体が産生されるよりはるかに短時間内にみられること，抗原的に異なるウイルス間にも成立すること，抗体産生に関係のない細胞系でもみられること，などにより，抗原抗体反応による免疫現象とは異なるものである．このような干渉現象の発現様式には次のような場合がある．

(i) ウイルスレセプターの占有や破壊による場合

2種の近縁のウイルスを同一細胞に感染させたとき，先に感染したウイルスによりウイルスレセプターを占有されてしまうため，あるいは細胞表面構造が変化し，ウイルスレセプターが破壊されてしまうために，後から感染したウイルスが細胞に吸着，侵入できなくなることがある．ラウス肉腫ウイルスと白血病ウイルス，ニューカッスル病ウイルスと他のパラミクソウイルスなどの間でこの型の干渉現象がみられる．

(ii) 欠損ウイルスによる場合

前述したようにウイルスが感染した細胞内では感染性を有するウイルスの他に多数の欠損粒子が産生される．このような欠損粒子が混在するウイルス試料を高濃度のまま細胞に感染させると，ウイルスの産生は極度に抑制される．インフルエンザウイルスの発育鶏卵での継代に際して最初に見いだされ，von Magnus 現象と呼ばれている．このような例は他のウイルスでも認められ，こういう欠損ウイルスのことを欠損干渉粒子あるいは欠陥干渉粒子 defective interfering particle（DIP）という．DIP による完全ウイルス産生阻害機構は明らかでないが，ウイルスによって異なっているようで，ポリオウイルスの場合にはカプシドタンパク質の合成が阻害され，水疱性口内炎ウイルス（VSV）の場合にはウイルス RNA の合成が阻害され，麻疹ウイルスの場合には M タンパク質やスパイクタンパク質の合成が阻害される．

(iii) インターフェロンによる場合

長野ら（1954 年）および Isaacs ら（1957 年）はそれぞれ独立に，ウイルスに感染した細胞からウイルス増殖抑制因子が産生されることを見いだし，抑制因子 inhibitory factor およびインターフェロン interferon と名付けた．

b. インターフェロン interferon（IFN）

(i) インターフェロンの種類

インターフェロン（IFN）は 20 kDa 前後のタンパク質で，ヒトでは三つのタイプ（I 型，II 型，III 型）に分類されている．I 型 IFN（type I interferon）としては IFN-α（14 種類以上）や IFN-β（1 種類）などが知られており，リンパ球，マクロファージ，線維芽細胞など様々なタイプの細胞からウイルス感染などにより分泌され，多様な生物活性を誘導する．またナチュラルキラー細胞（NK 細胞）の活性化など多くの免疫反応に関与する．II 型 IFN（type II interferon）としては IFN-γ が知られている．IFN-γ は IFN-α や IFN-β とは異なり，ウイルス感染細胞から直接誘導されることはなく，活性化された T 細胞や NK 細胞あるいはナチュラルキラー T 細胞（NKT 細胞）から産生され，免疫反応や炎症反応に関与する．また IFN-γ のアミノ酸配列は IFN-α や IFN-β と相同性はない．III 型 IFN（type III interferon）としては IFN-λ（3 種類）

が知られており，当初**インターロイキン**（IL-28A, IL-28B, IL-29）として発見された．IFN-λ は IFN-α や IFN-β と同様に抗ウイルス活性を示すが，I 型 IFN と異なるレセプターを介して抗ウイルス作用を誘導する．また IFN-α や IFN-β のレセプターは広範囲の細胞に発現しているが，IFN-λ のレセプターは分化した樹状細胞など限られた細胞だけにみられる．

(ii) インターフェロンの抗ウイルス作用

インターフェロンは直接ウイルスを不活化しない．またウイルスの細胞への吸着，侵入の過程を阻害しない．インターフェロンで処理した細胞内には新しいタンパク質が誘導合成され，そのタンパク質がウイルスの複製段階を阻害する．これまでに，プロテインキナーゼにより eIF-2 をリン酸化し，ウイルス mRNA の転写が阻害されること，**2′,5′-オリゴアデニル酸合成酵素**（2-5AS）の活性化により産生された 2-5A が**リボヌクレアーゼ L**（RNase L）を活性化し，ウイルス mRNA の分解が起こることなどが知られている．

インターフェロンの特筆すべき性状は，細胞に関しては種特異性を示すという点である．例えばヒトの細胞が産生したインターフェロンは，ヒトの細胞ならどの組織由来のものでもその細胞に抗ウイルス活性を付与するが，マウスの細胞にヒトのインターフェロンを与えても何の効果も示さない．逆にマウスのインターフェロンはマウス由来の細胞にのみ有効で，マウス以外の動物由来の細胞には無効である．一方，インターフェロンにより処理された細胞はインターフェロンを誘発したウイルスの種類にかかわらず各種のウイルスの増殖を抑制する．すなわちウイルスに対しては特異性を示さない．

(iii) インターフェロンの誘発因子

インターフェロンは一般にはウイルスが感染したときに産生される．また次の（ような）様々な因子によっても誘発される．

1. 微生物：ウイルス，リケッチア，クラミジア，マイコプラズマ，細菌，原虫など．
2. 微生物由来物質：二本鎖 RNA，微生物の表層糖タンパク質，内毒素，ツベルクリンなど．
3. 合成高分子化合物：合成多糖体（pyran），polyvinyl sulfate, dextran phosphate, 合成核酸（poly I：C）など．
4. 合成低分子化合物：フルオレノン誘導体，アントラキノン誘導体など．
5. その他：分裂誘発因子（phytohemagglutinin など），抗リンパ球抗体など．

(iv) インターフェロンの多様な生物活性

インターフェロンは抗ウイルス作用のみでなく，様々な生物活性を示す．とくにサイトカインの一種である IFN-γ は免疫系の細胞に対して種々の生物活性を示す（p. 99 参照）．また，IFN には抗腫瘍活性があることが知られている．これは IFN-γ の NK 細胞や NKT 細胞に対する働きと関連するものと考えられている．

(v) インターフェロンの臨床応用

インターフェロンは単純ヘルペス感染症，帯状疱疹，慢性 B 型肝炎，慢性 C 型肝炎などのウイルス感染症の治療に臨床的に使用されている．また，抗腫瘍薬として，腎癌，皮膚癌，悪性リンパ腫，多発性骨髄腫，ヘアリ細胞白血病，脳腫瘍，成人 T 細胞白血病などの治療に用いられている．

6 赤血球凝集反応 hemagglutination

1941 年 Hirst はインフルエンザウイルスとニワトリ赤血球を低温で混じると赤血球が凝集することを発見した．この凝集は 37℃ に加温すると解消され，ウイルスと赤血球は遊離する．遊離したウイルスは別の新しい赤血球と 4℃ で混じると再び凝集を起こすが，一度遊離した赤血球は別の新しいウイルスと混ぜても凝集しない．その理由は次のように考えられた．すなわちウイルス表面には赤血球凝集素 hemagglutinin（**HA**）があって，それと赤血球表面にあるレセプター receptor とが特異的に結合するために凝集が生ずる．ところがウイルスの表面にはレセプター破壊酵素 receptor destroying enzyme（**RDE**）があって，37℃ に加温するとレセプターが破壊され，凝集が解けるとと

もに，その赤血球はもはや新しいウイルスと混ぜても凝集しなくなる．その後の研究から，細胞表面のレセプターは N-acetylneuraminic acid などのシアル酸 sialic acid を含む糖成分であることが判明した．さらに，インフルエンザウイルスの表面には2種のスパイクタンパク質があって，一つはシアル酸に結合性をもつ HA であり，他のスパイクタンパク質はシアル酸分解酵素活性をもつノイラミニダーゼ neuraminidase（NA）であることが判明した（図VIII-4参照）．

HA 反応はインフルエンザウイルス以外にも種々のウイルスで見いだされている．ただし HA 反応を示さないウイルスや特定の動物赤血球のみを凝集するウイルスもあり，レセプターおよび HA の性状は各ウイルスで異なっている．またレセプター破壊酵素を保持しないウイルスもあり，このようなウイルスの場合には凝集は加温しても解けない．

HA 反応を示すウイルスの場合，内部に欠落のある核酸を保持する DIP でも HA 活性を示すため，HA 活性の程度は必ずしもそのウイルスの感染価とは一致しない．しかし HA 活性の測定はウイルスの定量を容易にし，また抗ウイルス抗体の存在により HA 活性は阻害されるので，HA 反応を指標として患者血清中の抗体価が測定できる．この抗体検査法は赤血球凝集阻止試験 hemagglutination-inhibition（HI）test と呼ばれ，ウイルス中和試験のような無菌操作や特別な試薬等が不要であり，検査が簡便なことからウイルス感染歴，ワクチン免疫の効果や疫学的調査などに多用される．

7 ウイルスと宿主との関係

a. 細胞レベル

ウイルスはどの細胞にも無選択に感染するのではなく，感受性細胞と非感受性細胞とがある．細胞の感受性は，①そのウイルスに対するレセプターが細胞表面に存在するか，②ウイルスタンパク質や核酸を合成するのに必要な分子や合成機構が細胞中にそろっているか，によって決まる．例えばポリオウイルスは通常ヒト由来の細胞でしか増殖しないが，このウイルスから得られた感染性 RNA をマウスの細胞に取り込ませると，マウス細胞中で感染性ウイルス粒子が合成される．しかし産生されたウイルス粒子は別のマウス細胞には感染し得ない．これはマウス細胞にはウイルス合成に必要な分子は保持されているが，ウイルスが吸着するのに必要なレセプターが存在しないので，ウイルスは細胞に侵入できないためである．

ウイルス感染による細胞の変化としては，①細胞変性効果 CPE の出現，②封入体の形成，③細胞表面構造の変化，④細胞融合（隣接する細胞同士が融合した多核の巨大細胞を形成），⑤染色体異常，⑥細胞の異常増殖（腫瘍原性を有するウイルスの感染による細胞のトランスフォーメーション transformation，不死化 immortalization）などがみられる．

また感染様式としては，①増殖感染（ウイルスは正常に増殖して，子孫ウイルスが産生される），②不稔感染，③持続感染に分けられる（p. 258 参照）．

b. 個体レベル

(i) 種特異性

ウイルスの動物への感染は動物種に特異的である．狭い宿主域のものから，比較的広範囲の動物に感染性を示すものまで様々である．例えば，ポリオウイルスはヒトおよび霊長類の動物には病原性を示すが，その他の動物は感受性を示さない．ポリオウイルスと同じピコルナウイルスに属するコクサッキーウイルスはヒトの他に新生仔マウスにも病変を起こす．

また同じ動物種でも年齢や性別によって感受性の異なる場合もある．一般に幼若動物は成熟動物に比して高い感受性を示す．

(ii) 顕性感染と不顕性感染

ウイルスなどの感染後，症状の現れる場合を顕性感染といい，明らかに感染を受けているにもかかわらず症状の現れない場合を不顕性感染という．日本脳炎やポリオウイルスの流行期に，大多数のヒトはこれらウイルスに対する抗体価の上昇が認められ（ポリオウイルスの場合にはさらに糞便中にウイルスの排泄が認められる），明らかに感染を受けているにもかかわらず発症しない．日本脳炎の場合の発症率は 0.1% 以下と

いわれる．一方，麻疹，痘瘡や狂犬病の場合には，ウイルスが感染すると 100% に近い顕性度（発症率）を示す．とくに狂犬病ウイルスは感染すると必ず発症し全員が死亡する．

(iii) 発病形式：局所感染と全身感染

インフルエンザウイルスは呼吸器粘膜に限局した感染を起こす．このような感染形式を局所感染という．これに対し麻疹やその他の多くのウイルスでは，まず侵入局所や所属リンパ節で増殖後，血流やリンパを介して第一次のウイルス血症 viremia を起こして肝や脾などの臓器に達して増殖する．そして第二次ウイルス血症を起こして特定の標的臓器に達してさらに増殖して発症する．これを全身感染という．例えばポリオウイルスは経口的に感染し，腸管壁細胞で増殖→第一次ウイルス血症→各種臓器で増殖→第二次ウイルス血症→神経組織に到達し，神経症状が現れるという経路をとる．

(iv) 感染様式

急性感染 acute infection：ウイルス感染後数日から 2～3 ヵ月の潜伏期 latent period を経て発症し，回復後はウイルスが体内から消滅するような感染様式をいう．

持続感染 persistent infection：宿主の防御機構の低下などにより顕性感染が長期に持続する感染様式をいう．

潜伏感染 latent infection：ウイルスが感染後，または一度発症したが治癒した後も，宿主に症状を発現することなく，ウイルスは体内のどこかに潜んでいる状態をいう．ヘルペスウイルスは三叉神経節や脊髄神経節などに潜み無症状に経過するが，発熱，日光，外傷などの刺激により，ときに発症・再発することが知られている．

遅発性感染 slow virus infection：非常に長い潜伏期（1 年以上，ときに数年に及ぶ）の後に徐々に症状が進行して発症するものをいう．多くの場合死の転帰をとる．

腫瘍原性感染 oncogenic infection：腫瘍原性を有するウイルス感染により，腫瘍形成のみられる場合をいう．

c. ウイルスの伝播様式

(i) 水平伝播（水平感染）
horizontal transmission（horizontal infection）

同一世代の同種または異種動物間を伝播する様式をいう．これには，飛沫感染（インフルエンザウイルスなど），接触感染，経口感染（エンテロウイルスなど），創傷感染，昆虫媒介感染（日本脳炎ウイルスなど），咬傷感染（狂犬病ウイルスなど），などがある．

(ii) 垂直伝播（垂直感染）
vertical transmission（vertical infection）

異なる世代の個体間，すなわち親から子に伝播する様式である．これには，経胎盤感染（風疹ウイルス，サイトメガロウイルスなど），経卵感染（ニワトリ白血病ウイルスなど），経産道での感染（ヘルペスウイルス，B 型肝炎ウイルス，ヒト免疫不全ウイルスなど）の他，経母乳感染（成人 T 細胞白血病ウイルスなど）が知られている．

d. ウイルス感染症の免疫：特異抗体と自然抗体

免疫には異物の特徴に関係なく迅速に働くマクロファージなどの免疫細胞による自然免疫と，ウイルスなどの異物に接することにより獲得され，同じ異物が再び侵入したときにその異物に特異的なリンパ球が応答する獲得免疫がある．

一部例外はあるが，一般にウイルスに感染するとその個体に獲得免疫が成立する．その免疫の主体は体液性免疫と細胞性免疫である．前者は早期に IgM 抗体が産生され，つづいて IgG 抗体の上昇がある．局所感染，とくに粘膜上皮感染の場合の免疫は分泌型 IgA 抗体によるものである．これらの液性抗体はウイルス感染前に存在する場合には感染防御に役立つが，ウイルスが細胞内に侵入した後は細胞外から抗体を与えてもウイルスを不活化しない．それゆえウイルス感染症の治療に免疫血清療法はウイルス血症を起こしている場合のような細胞外に存在するウイルスの除去にのみ有効である．

ウイルスによる感染症の治癒機転にあずかる働きは主に細胞性免疫によるものである．その主たるもの

は，①マクロファージの非特異的反応，または感染後に現れる感作Tリンパ球による働き，②感染細胞表面に産生されるウイルス抗原に抗体および補体が結合することによる感染細胞の破壊，③キラー細胞による抗体依存性細胞性細胞傷害反応，④インターフェロンを含む各種サイトカインの産生などである．これらにより，体内でのウイルスの拡散が抑制される．

このような特異的防御反応の他に，宿主には非特異的自然抵抗性の存在が知られている．動物種，系統による感受性の差異，年齢にともなう抵抗性の増大，などは一種の自然抵抗性によるものである．栄養状態の不良による感受性の増大，体温の上昇によるウイルスの誘発などは自然抵抗性の低下によるものと考えられる．

この他に例えばインフルエンザウイルスの場合に血清中に中和反応を示す3種類のインヒビター（α，β，γ）の存在が知られている．αおよびγインヒビターはシアル酸を含む糖タンパク質性のものである．一方，βインヒビターは糖鎖に結合する血清レクチンである．

表 VIII-3　主な腫瘍ウイルス

ウイルス科名	ウイルス名
ポリオーマウイルス	ヒトポリオーマウイルス SV40 BKウイルス
パピローマウイルス	各種のヒトパピローマウイルス
アデノウイルス	アデノウイルス12型，18型 サル-，ウシ-，トリ-アデノウイルス
ヘルペスウイルス	EBウイルス マレック病ウイルス サルヘルペスウイルス
ポックスウイルス	ウサギ粘液腫ウイルス ウサギ線維腫ウイルス 伝染性軟属腫ウイルス ヤバサル腫瘍ウイルス
ヘパドナウイルス	B型肝炎ウイルス ウッドチャック肝炎ウイルス
フラビウイルス	C型肝炎ウイルス
レトロウイルス	マウス白血病ウイルス マウス肉腫ウイルス マウス乳癌ウイルス トリ白血病ウイルス トリ肉腫ウイルス ヒトT細胞白血病ウイルス

8　ウイルスと発癌

すでに述べたように，ウイルスが細胞に感染すると，細胞が死滅する場合（lytic infection），持続感染系をつくる場合（persistent infection），細胞の増殖促進による異常増殖がみられる場合の三つがある．この3番目の現象は，腫瘍ウイルスの感染にみられるもので，ウイルスにより細胞が形質転換 transformation を起こした結果であり，ウイルス感染による細胞の悪性形質転換 viral cell transformation といわれる．腫瘍ウイルス tumor virus（癌ウイルス oncogenic virus）は表 VIII-3 に示すように，多数みつかっている．RNA型ウイルスとしてはヒトT細胞白血病ウイルス1型などのレトロウイルスとC型肝炎ウイルスだけであるが，DNA型ウイルスではポリオーマ，パピローマ，アデノ，ヘルペス，ヘパドナ，ポックスの各科にわたって広く存在する．これらの腫瘍ウイルスは宿主細胞を癌化させる癌遺伝子を保持している．以下に，これらのウイルスの発癌機構について述べる．

a. ウイルスDNAの細胞染色体への組み込み

ポックスウイルス科のものを除くDNA型腫瘍ウイルスは，細胞に侵入後，核内に達して，ウイルスDNAを細胞の染色体DNA中に組み込む（integration）．ウイルスDNAは細胞分裂とともに子孫細胞に伝達され，ウイルスの癌遺伝子が発現し続けることになる．また，RNA型のレトロウイルスの場合も，レトロウイルス自身が保持する逆転写酵素の作用により産生されたウイルスDNAがプロウイルスの形で細胞DNA中に組み込まれて，その機能が発現し続けることになる．その結果，細胞は形質転換して，異常増殖がみられるようになる．

b. レトロウイルスによる発癌機構

生体内で多くの細胞はG_0期にあり，必要なときにG_1期からS期に移行して増殖するが，必要回数の増殖が済めば，またG_0期に戻る．常にS期にあるのではない．細胞の増殖開始，あるいは増殖停止という過

程は細胞の巧妙な機構により絶妙にコントロールされているのである．このコントロールが，ウイルス感染を含む様々な外的要因によって乱されたときに発癌という結果を生ずる．こうした発癌のメカニズムに関する研究の端緒はレトロウイルスの研究から始まった．まず，レトロウイルスのうちで強い発癌性を有するラウス肉腫ウイルス（RSV）はそのゲノム中に癌遺伝子 **viral oncogene**（v-*onc*）をもっていることが明らかとなった．しかし間もなく，この v-*onc* に類似の遺伝子が宿主細胞 DNA 中にも存在し，それが細胞の増殖に際して機能していることが明らかになった．宿主細胞内のこうした遺伝子を一般的に **c-*onc*** と呼ぶ．生体がある細胞の増殖を必要としたときには，細胞の増殖を促すようなホルモンやサイトカインが細胞表面のレセプターに結合する．その情報は細胞膜内に伝えられ，さらに細胞質中を運ばれて，核内に伝達されて，細胞は増殖を開始する．こうした細胞内のシグナル伝達機構には，それぞれのステップで，正常な細胞の c-*onc* 遺伝子が産生するタンパク質が関与している．RSV は c-*onc* が変異した形の v-*onc* を保持しており，このウイルスが感染して，v-*onc* 遺伝子が機能を発現すると，正常な c-*onc* の働きが阻害され，細胞内のシグナル伝達が異常に亢進し，細胞が異常増殖を開始するのである．これがウイルスによる細胞の癌化 viral cell transformation という現象である．そして，レトロウイルスが保持する v-*onc* 遺伝子はもともと宿主に存在した c-*onc* 遺伝子が起源であって，その変異したものをウイルスが自己のゲノム中に取り込んだものであると考えられるようになった．したがって，細胞が保持する c-*onc* 遺伝子は癌原遺伝子（**プロトオンコジーン** protooncogene）と呼ばれる．**表 VIII-4** にいくつかのレトロウイルスの v-*onc* の呼び名とそれに対応する宿主の c-*onc* の産生物のシグナル伝達上の機能を示す．表にあるように RSV の v-*onc* は v-*src* と呼ばれる．

レトロウイルスには RSV のように癌遺伝子を保持し，かつ自己増殖能も併せもつものもあるが，一方では，癌遺伝子をもつが自己増殖のための遺伝子の一部が欠落して，ヘルパーウイルスの介助なしには自己を複製できないウイルスもある．また逆に自己複製能は完全な形でもつが，癌遺伝子をもたないウイルスもある（p.298 参照）．癌遺伝子を保持するウイルスを感受性の動物に接種すると，数週間以内に癌の発生が認められる．ところが癌遺伝子を保持しないレトロウイルスを同じように動物に接種すると，発癌が観察されるまでには 1 年以上の長期期間が必要であるが，やは

表 VIII-4　主なレトロウイルスの癌遺伝子とそれに対応する細胞の癌原遺伝子およびその産生物質の機能

ウイルス名	v-*onc* により生ずる異常部域	癌遺伝子	対応する癌原遺伝子	癌原遺伝子産生物質の機能
サル肉腫ウイルス	細胞増殖因子	v-*sis* 異常な細胞増殖因子（28 kDa）を産生	c-*sis*	血小板由来細胞増殖因子（PDGF）B 鎖
トリ赤芽球症ウイルス	細胞表面レセプター	v-*erbB* 65 kDa の糖タンパク質産生	c-*erbB*	上皮細胞増殖因子 EGF のレセプター
ラウス肉腫ウイルス	細胞内伝達異常	v-*src* 60 kDa タンパク質産生	c-*src*	外界の増殖刺激を細胞膜から細胞質内へ伝達するシグナル伝達因子（チロシンキナーゼ）
ハーバー肉腫ウイルス	細胞内伝達異常	v-H-*ras* 21 kDa タンパク質産生	c-H-*ras*	外界の増殖刺激を細胞膜から細胞質内へ伝達するシグナル伝達因子（GTP 結合タンパク質）
カーステン肉腫ウイルス	細胞内伝達異常	v-K-*ras* 21 kDa タンパク質産生	c-K-*ras*	外界の増殖刺激を細胞膜から細胞質内へ伝達するシグナル伝達因子（GTP 結合タンパク質）
トリ骨髄球症ウイルス	核内伝達異常	v-*myc* 100 kDa タンパク質産生	c-*myc*	核内転写因子

り発癌がみられる場合がある．その発癌メカニズムは次のように考えられている．すなわち，レトロウイルスゲノムはプラス鎖RNAで，5′側にはキャップ構造，3′側にはポリA構造があるが，それらを除いた内側には，5′側にU_5配列（ユニーク配列）とR配列（反復配列）があり，3′側にはU_3配列とR配列がある．これが逆転写され，二本鎖DNAとなって細胞染色体に組み込まれたときには，特殊な転写機構によって，5′側および3′側の両方にU_3–R–U_5という配列が存在するようになる．このU_3–R–U_5という配列はLTR（long terminal repeat）配列と呼ばれる．RSVの場合をゲノムの遺伝子配列も含めて表すと，

–LTR–*gag*–*pro*–*pol*–*env*–v–*src*–LTR–

となっている．このLTRはレトロウイルスゲノムが細胞染色体に組み込まれたときには，その両端に必ず存在する．このLTRは転写の強力なプロモーターであり，近隣の遺伝子の働きを著しく促進する．したがって癌遺伝子をもたないウイルスゲノムがc–*onc*遺伝子のすぐ上流に組み込まれた場合には，LTRのプロモーター機能によってc–*onc*遺伝子が常に発現する状態となる．それが癌遺伝子をもたないウイルスが細胞を癌化する機構と考えられている．

c. DNA型腫瘍ウイルスの発癌機構

よく研究されたSV40，ポリオーマ，ヒトパピローマ，アデノ12型などの腫瘍ウイルスは，いずれも癌遺伝子を保持している．この癌遺伝子はレトロウイルスの場合のような宿主細胞由来の遺伝子ではなく，ウイルス特有のものである．これらのウイルスのDNAが宿主細胞DNAに組み込まれて機能を発現すると，まず初期タンパク質が合成され，その後，後期タンパク質が合成されるという時間的にずれた2段階の機能発現がある．この場合，前期タンパク質合成でウイルスの癌遺伝子産物であるT抗原（tumor antigen, 腫瘍抗原の意）が産生され，後期タンパク質合成でウイルス粒子構成タンパク質が合成されて，子孫ウイルスが産生されるようになる．これらのウイルスは許容細胞（p.257参照）中では，前期および後期タンパク質合成が正常に進行して子孫ウイルスが産生される結果，細胞は死滅してしまって，腫瘍化はみられない．とこ

ろが非許容細胞への感染では，前期タンパク質であるT抗原は産生されるが，後期タンパク質は産生されない場合があり，このような細胞中にはウイルス産生はなく，細胞は生き続けることができる．その結果，細胞は長期にわたりT抗原の影響を受け続けることになる．

SV40の感染では，初期タンパク質として大型T抗原と小型T抗原を産生するが，大型T抗原 large T antigen（約90 kDa）は，細胞の代表的な癌抑制遺伝子産物であるRbタンパク質とp53タンパク質の両方に結合して，これを不活化する．このRbおよびp53タンパク質は増殖刺激を受けた細胞がDNA合成を開始し，分裂をはじめる一連の過程に抑制的に働いて調節するという重要な役割を担っている．そのRbとp53タンパク質の両方がT抗原により機能が阻害される結果，細胞増殖抑制機能が働かなくなり，細胞は無制限増殖をはじめる．

アデノウイルスの場合も，初期タンパク質として合成されるE1Aタンパク質がRbタンパク質と結合し，E1BタンパクタンパクがP53タンパク質と結合して宿主細胞の癌化に導く．E1Bタンパク質は感染細胞のアポトーシス（細胞の自然死）にも抑制的に作用して，癌化を増強する作用も有する．

ヒトパピローマウイルスの場合も，初期遺伝子の産物であるE6タンパク質はp53に，E7タンパク質はRbタンパク質と結合してこれら癌抑制遺伝子産物の機能を不活化して癌化に導く．一方，ポリオーマウイルスの場合は少し様相を異にする．この場合は初期タンパク質として合成される大型T抗原（約100 kDa）がRbタンパク質と結合してこれを不活化する一方で，中型T抗原（約60 kDa）が癌原遺伝子c–*src*の産物である$p60^{c-src}$と結合してこれを活性化することにより癌化に導く．すなわちこの場合はウイルス産生タンパク質が，細胞の癌原遺伝子産物と癌抑制遺伝子産物の両方に作用して癌化を進めるわけである．

このように，レトロウイルスによる癌化は，細胞の癌原遺伝子の機能を異常にすることによるものであり，DNAウイルスによる癌化は細胞の癌抑制遺伝子産物の正常な働きを障害することによるものである．

ポックスウイルスによる細胞の腫瘍化機構について

は，ウイルスゲノム中に上皮成長因子様のタンパク質をコードする遺伝子が含まれているためと考えられている．

d. ヒトの癌の原因となる腫瘍ウイルス

表VIII-3に主な腫瘍ウイルスを示したが，これらの多くはヒト以外の動物に腫瘍をつくることでみつかったものである．その多くは，実験室でのin vivoおよびin vitro実験で発癌性が確認されている．一方，ヒトに対して発癌性を示すかどうかを確認することは容易ではない．現在のところ，ヒトの発癌に関与していると考えられているものを表VIII-5に示した．EBウイルス（EBV）はin vitroでもBリンパ球を容易にトランスフォームすることが知られている．バーキットリンパ腫も上咽頭癌の場合も，患者血清中の抗EBV抗体価が高いこと，これらの腫瘍細胞中にEBVゲノムが存在し，発癌タンパク質が産生されていることなどが，このウイルスがこれらの癌の原因とみなされる論拠となっている．EBVはほとんどのヒトに感染しているが，健康なヒトでは免疫防御力が強力に働くためにトランスフォーム細胞の増殖は抑制され，排除される．

HTLV-1の場合には，感染ヘルパーT細胞中で，ウイルスゲノム中の tax 遺伝子がつくる p40^{tax} タンパク質が，T細胞増殖因子レセプター遺伝子の発現を高めることが発癌の原因と考えられている．

ヒトパピローマウイルスのE6およびE7タンパク質については前述した．B型肝炎ウイルス（HBV）については，不顕性感染妊婦の出産時に新生児感染した患者ではしばしば慢性化し，肝炎，肝硬変へ移行後，その中から肝癌が引き起こされる．発癌機構は不明な点が多いが，HBVのXタンパク質がp53タンパク質に結合して，これを不活化することにより癌化に導くと考えられている．

一方，C型肝炎ウイルス（HCV）については，HCVのコア遺伝子を導入したトランスジェニックマウスで肝細胞癌の発生が報告された．HCVコアタンパク質はWnt-1，TGF-β，p53，p57，NF-kBなど種々の細胞内シグナル伝達分子に影響を与えることから，肝発癌に関連したウイルスタンパク質の一つと考えられているが，まだ明確なことはわかっていない．

9 ウイルスの分離，同定，診断

(i) 分離

血液，髄液，うがい液，咽頭ぬぐい液，尿，糞便，膿，水疱や局所剖検材料，その他ウイルスを含む材料を，動物，発育鶏卵または培養細胞などに接種し感染させる．病原材料，接種宿主，分離時期，培養方法などの選択が適切でなければならない．

(ii) 同定と診断

ウイルスの同定や診断は，接種された宿主の病理組織学的検索，分離ウイルスと既知の抗血清との反応性（中和試験，蛍光抗体法，ラジオイムノアッセイ，酵素抗体法など），患者血清と既存標準ウイルスとの反応性（中和試験，赤血球凝集阻止試験，酵素抗体法，

表VIII-5 ヒトの癌に関連するウイルス

ウイルス	疾患	標的細胞
EBウイルス（ヘルペスウイルス科）	バーキットリンパ腫 上咽頭癌	Bリンパ球 上咽頭上皮細胞
ヒトT細胞白血病ウイルス1（HTLV-1） （レトロウイルス科）	成人T細胞白血病	CD陽性Tリンパ球
ヒトパピローマウイルス16型，18型 （パピローマウイルス科）	子宮頸癌	子宮頸部上皮細胞
B型肝炎ウイルス（ヘパドナウイルス科）	急性肝炎，慢性肝炎，肝硬変，肝癌	肝細胞
C型肝炎ウイルス（フラビウイルス科）	急性肝炎，慢性肝炎，肝硬変，肝癌	肝細胞

蛍光抗体法など），分離ウイルスの動物への接種による発症の観察，ウイルス遺伝子診断，電子顕微鏡による形態観察，物理・化学的性状検査などによる．

(1) **血清学的方法**

患者血清中に産生される抗体を次のような方法で検出する．この場合，感染初期に採取した血清と，その後，時期をおいて採取したペア血清を用いて抗体価の変動を観察するとより確実である．

1. 中和試験：ウイルスと患者血清を混合し，宿主（動物，培養細胞）に接種したときにみられる感染力の低下を観察する．
2. 赤血球凝集阻止試験：赤血球凝集反応を示すウイルスでは，ウイルスと抗血清をあらかじめ混合してから赤血球と反応させると，凝集が抑制される．患者血清中の抗体価の測定に用いられる．
3. 蛍光抗体法：スライド上に塗布したウイルス抗原に患者血清を反応させ，次に蛍光色素を標識した抗ヒト抗体を反応させる（間接法）．反応の有無は蛍光顕微鏡により観察する．組織中のウイルス抗原を検出するには直接蛍光抗体法も用いられる．
4. 不活化ウイルス材料を抗原として皮内反応による遅延型過敏症反応の成立の有無を観察する．

なお，分離したウイルスに関しても同様に，既知の抗血清を用いて宿主動物や培養細胞への感染力の低下を中和試験により評価し，ウイルスと抗血清の反応性を蛍光抗体法，ラジオイムノアッセイ，酵素抗体法などにより調べることでウイルスの血清型を判定する．

(2) **遺伝子診断法**

ウイルス血症を起こしている時期の血液あるいは感染組織より核酸を抽出し，適当なプライマーを用いて **PCR法**（polymerase chain reaction法），**RT-PCR法**（reverse transcriptase-polymerase chain reaction法）やLAMP法（loop-mediated isothermal amplification法）によりウイルス核酸を増幅して，ウイルス感染の有無を診断する．またPCRの増幅量を経時的に測定してウイルスの核酸量を定量するリアルタイムPCR法（real-time PCR法）がある．この他にもPCR法と比べると検出感度は低いが，組織を用いた遺伝子診断法として**サザンブロット法**（Southern blotting）が用いられる．

(3) **電子顕微鏡観察**

電子顕微鏡はウイルス粒子を直接観察できることから，ヒトロタウイルスなど現在細胞での培養が困難なウイルスの検出に有効である．ネガティブ染色法が主に用いられている．

第IX章 ウイルス学各論

ウイルスの分類法としてゲノムの種類と発現様式によってウイルスを次の7群に分類するデビッド・ボルチモア David Baltimore による分類法が用いられている。この章ではボルチモア分類に基づいてヒトの病原性ウイルスを中心に説明し，最終節では二本鎖DNAウイルスに属し，細菌に感染するバクテリオファージについても解説する．

1. 二本鎖 DNA ウイルス
2. 一本鎖 DNA ウイルス
3. 二本鎖 RNA ウイルス
4. マイナス鎖一本鎖 RNA ウイルス
5. プラス鎖一本鎖 RNA ウイルス
6. 逆転写酵素活性を有する二本鎖 DNA ウイルス
7. 逆転写酵素活性を有する一本鎖 RNA ウイルス

1 二本鎖 DNA ウイルス

二本鎖DNAをもつウイルスはポックスウイルス科，ヘルペスウイルス科，アデノウイルス科，ポリオーマウイルス科，パピローマウイルス科に分類される．

a. ポックスウイルス科 *Poxviridae* のウイルス

総論でも述べたように，ポックスウイルスは動物ウイルスの中で最も大型で，大きさはおよそ 200×300 nm であり，ウイルスの表面はエンベロープに包まれている．粒子は種によって形状が異なり，煉瓦（レンガ）状ないし卵形である．およそ $1～2×10^6$ Da の線状二本鎖DNA（ゲノムサイズ 130～375 kbp）をもち，30種類以上のタンパク質からなり内部構造も複雑化している．他の二本鎖DNAウイルスが宿主細胞のDNA依存性RNAポリメラーゼを利用しているのと異なり，自身のDNA依存性RNAポリメラーゼをもつために細胞質で複製する．

(i) 痘瘡ウイルス variola virus

飛沫感染や接触感染により上気道から感染し，7～16日の潜伏期間を経て痘瘡（天然痘）を発症する．非常に感染力が強く，天然痘の死亡率は 20～50% であり，ワクチンが開発されるまで不治の病として紀元前から恐れられた疾患である．治療薬はない．ワクチン接種が最初に行われた疾患であり，WHOの根絶計画に協力した各国の努力の結果，1980年5月にはWHOが地球上からの天然痘根絶宣言を発表した．一類感染症に指定されている．

(ii) 種痘ウイルス vaccinia virus

18世紀後半に Edward Jenner が天然痘を予防するために，ウシが感染する牛痘の膿から採取し，上腕部に刺して皮下接種する方法（種痘）に長く用いられたウイルスである．種痘ウイルスは遺伝子の解析から牛痘ウイルスに起源をもつと思われるが，何十年もの間，繰り返し継代されており，ウイルスの由来は不明である．近年は遺伝子組換え分野において遺伝子発現ベクターとして広く利用されている．

(iii) サル痘ウイルス monkeypox virus

1970年にアフリカで天然痘様疾患として初めて報告された．自然宿主はアフリカの齧歯類（リス）で，

サルに感染すると天然痘に類似した症状を示すが，ヒトの致死率は1～10%であり，天然痘と比べ高くない．サル痘ウイルスは主にコンゴ型と西アフリカ型に分類され，ヒトに感染すると，発熱，頭痛等の症状を呈する．ヒトからヒトへの感染はまれである．米国で2003年にアフリカから輸入された齧歯類を介してプレーリードッグに感染し，数十名の発症が確認された．

(iv) 伝染性軟属腫ウイルス molluscum contagiosum virus

ヒトのみを宿主とするウイルスで，感染により白色，ピンク，または肌色の円形に隆起し，平たく中央が凹んだ水いぼ（伝染性軟属腫）を生じる．水いぼの大きさは，通常直径2～5 mmである．小児に多く，プール等で皮膚の接触により感染する．手掌および足底を除く全身で発生する．通常6～12ヵ月以内に瘢痕なしに治癒するが，2～3年持続することもある．

b. ヘルペスウイルス科 *Herpesviridae* のウイルス

ヘルペスウイルスは動物界に広く分布しており，アルファヘルペスウイルス亜科，ベータヘルペスウイルス亜科，ガンマヘルペスウイルス亜科に分類されている．ヒトヘルペスウイルス human herpesvirus（HHV）は8種類（HHV-1～8）が知られている．

ヘルペスウイルスは162個のカプソメアからなる正二十面体のカプシドがエンベロープに包まれた130～250 kbpの二本鎖DNAをゲノムとしてもち，直径120～200 nmの球状粒子である（**図IX-1**）．カプシドとエンベロープの間にテグメント tegumentを含有する．ウイルスの増殖は宿主細胞の核内で行われる．

ヘルペスウイルスは主に接触感染によって感染する．一度感染して生体内に侵入したヘルペスウイルスは潜伏感染し，宿主がストレス等で免疫力が低下すると，再活性化して増殖し，再び病気を引き起こす（回帰発症）．アシクロビルなどの抗ヘルペス薬が開発されている．

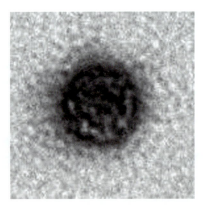

図IX-1 ヘルペスウイルスの電子顕微鏡像
［静岡県環境衛生科学研究所提供］

(i) ヒトヘルペスウイルス1, 2 human herpesvirus 1, 2（HHV-1, 2）

アルファヘルペスウイルス亜科に属し，単純ウイルス属に分類される．単純ヘルペスウイルス1型 herpes simplex virus 1（HSV-1）と単純ヘルペスウイルス2型 herpes simplex virus 2（HSV-2）が知られている．

感染症：ウイルスは患者の唾液に含まれており，わが国では母子感染によってほとんどが幼少期に感染する．単純ヘルペスウイルス1型には日本人の70～80%，2型には2～10%が感染している．型により感染部位が異なる特徴があり，主に1型により単純疱疹，歯肉口内炎（口唇ヘルペス），咽頭扁桃炎，角膜炎（角膜ヘルペス），虹彩毛様体炎，全ぶどう膜炎などを，主に2型により外陰部の水疱性潰瘍（性器ヘルペス）などを発症する．初期感染は無症候の場合が多い．まれに脳脊髄膜炎を起こす場合もある．妊娠中の単純ヘルペスウイルス感染は **TORCH症候群** の原因の一つである．初期感染の場合に比べて，潜伏感染したウイルスによる回帰発症の場合は一般に軽症である．

治療：アシクロビルなどの抗ヘルペス薬を含む軟膏や経口剤が使用される．

(ii) ヒトヘルペスウイルス3 human herpesvirus 3（HHV-3）

アルファヘルペスウイルス亜科に属し，水痘ウイルス属に分類される．

感染症：一般に水痘帯状疱疹ウイルス varicella-zoster virus（VZV）は，主に小児期の飛沫核感染（空気感染）により水痘（varicella, chicken pox）を発症する．ウイルス感染2週間程度で，全身の皮膚に直径3〜5 mmの紅斑が出現し，その後水ぶくれができ，2〜3日でかさぶたになり治癒する．小児期に感染したウイルスが神経節に潜在感染し，疲労やストレスあるいは免疫の低下にともなって回帰発症することで，神経支配領域に強い痛みと帯状の水疱性発疹を特徴とした帯状疱疹（herpes zoster, shingles）を生じる．帯状疱疹を発症したヒトの約70％は50歳以上である．

予防と治療：ワクチンが開発されている．治療にはアシクロビル，バラシクロビルなどが使用される．

(iii) ヒトヘルペスウイルス4 human herpesvirus 4 （HHV-4）

ガンマヘルペスウイルス亜科に属し，リンフォクリプトウイルス属に分類される．1964年に Michael Anthony Epstein と Yvonne Barr により中央・西アフリカの子供の顎に好発する悪性リンパ腫 Burkitt lymphoma の培養細胞から発見されたウイルスで，発見者の名から EB ウイルス Epstein-Barr virus（EB virus）と呼ばれている．

感染症：日本人では成人となるまでに9割以上の人が唾液などを介して EB ウイルスに感染している．思春期以降の初感染では，倦怠，発熱，リンパ節腫脹，咽頭炎，肝脾腫などの症状を示す伝染性単核症 infectious mononucleosis を発症する．また合併症として，髄膜脳炎，ギラン・バレー症候群 Guillain-Barre syndrome，ベル麻痺 Bell's palsy，横断性脊髄炎，間質性肺炎，腎不全などを示す．EB ウイルス感染は伝染性単核症の他にバーキットリンパ腫，ホジキンリンパ腫 Hodgkin lymphoma，上咽頭癌などの多様な癌の原因となる．バーキットリンパ腫はアフリカやニューギニアなどの赤道地帯に多く，上咽頭癌は東南アジア，中国南部や台湾に多い．このため発癌には EB ウイルス感染だけでなく，地域的な特性，遺伝的背景や食習慣など複数の因子が関連しているものと思われる．

(iv) ヒトヘルペスウイルス5 human herpesvirus 5 （HHV-5）

一般にサイトメガロウイルス cytomegalovirus と呼ばれており，ベータヘルペスウイルス亜科，サイトメガロウイルス属に分類される．

感染症：ウイルスは唾液，尿，精液，母乳などに含まれ，性交による水平感染や妊娠中の子宮内や出産時に母子間で垂直感染することが知られている．幼少期に多くの人が潜伏感染しており，わが国では成人の半数以上が，米国では40歳までに5割から8割の人が感染している．多くの人は不顕性感染であるが，発熱をともなうサイトメガロウイルス単核症やサイトメガロウイルス性急性肝炎を起こす場合もある．また TORCH 症候群を引き起こすことがある．とくに血液透析患者，癌患者，臓器移植での免疫抑制薬使用患者，HIV 感染による後天性免疫不全症候群 acquired immuno-deficiency syndrome（AIDS）発症者などの免疫不全者にとって，サイトメガロウイルス感染症は深刻な疾患である．

治療：ガンシクロビルなどが使用される．

(v) ヒトヘルペスウイルス6，7 human herpesvirus 6，7（HHV-6，7）

ベータヘルペスウイルス亜科，ロゼオロウイルス属に分類される．小児の突発性発疹 exanthema subitum の原因ウイルスであり，唾液に含まれ，主に生後4ヵ月から1歳頃までに両親や家族から水平感染する．HHV-6 は1986年に AIDS 患者から発見された．その後，HHV-6 とは異なりTリンパ球が活性化された状態で増殖するウイルスとして HHV-7 が分離された．突発性発疹の多くは HHV-6 による．

(vi) ヒトヘルペスウイルス8 human herpesvirus 8 （HHV-8）

ガンマヘルペスウイルス亜科，ラジノウイルス属に分類される．一般に悪性腫瘍（皮膚癌）の一種であるカポジ肉腫に関連するヘルペスウイルス Kaposi's sarcoma-associated herpesvirus（KSHV）として知られている．AIDS 発症者のような免疫力の極度に低下した

患者に発症がみられる．健常人における HHV-8 の抗体陽性率はアフリカ諸国で 40 〜 50%，北米やわが国では 5% 以下である．ウイルスは唾液，粘膜分泌液を介した経口，性交渉，母子間で感染すると思われるが，感染機構は不明な点が多い．

● ヘルペスウイルス治療薬（図 IX-2）

単純ヘルペスウイルス（ヒトヘルペスウイルス 1 型，2 型）や水痘帯状疱疹ウイルス（ヒトヘルペスウイルス 3 型）などの一般ヘルペスウイルスの治療薬には，アシクロビル，バラシクロビル，ファムシクロビル，ビダラビン，アメナメビルが用いられる．サイトメガロウイルス（ヒトヘルペスウイルス 5 型）の治療薬には，ガンシクロビル，バルガンシクロビル，ホスカルネット，予防薬にはレテルモビルが用いられる．抗ヘルペスウイルス薬は構造的にアシクロビルやガンシクロビルに代表されるヌクレオシド類似体と，ホスカルネット，アメナメビルやレテルモビルの非ヌクレオシド体に分類される．アメナメビルとレテルモビル以外の治療薬は，ヘルペスウイルスのゲノム DNA を複製するウイルス DNA ポリメラーゼを阻害することで抗ウイルス効果を発揮する．

(1) アシクロビル，バラシクロビル，ファムシクロビル

作用機序：アシクロビルはグアノシンアナログで，ヘルペスウイルス感染細胞内に発現するウイルス由来のチミジンキナーゼ（TK）によってリン酸化され

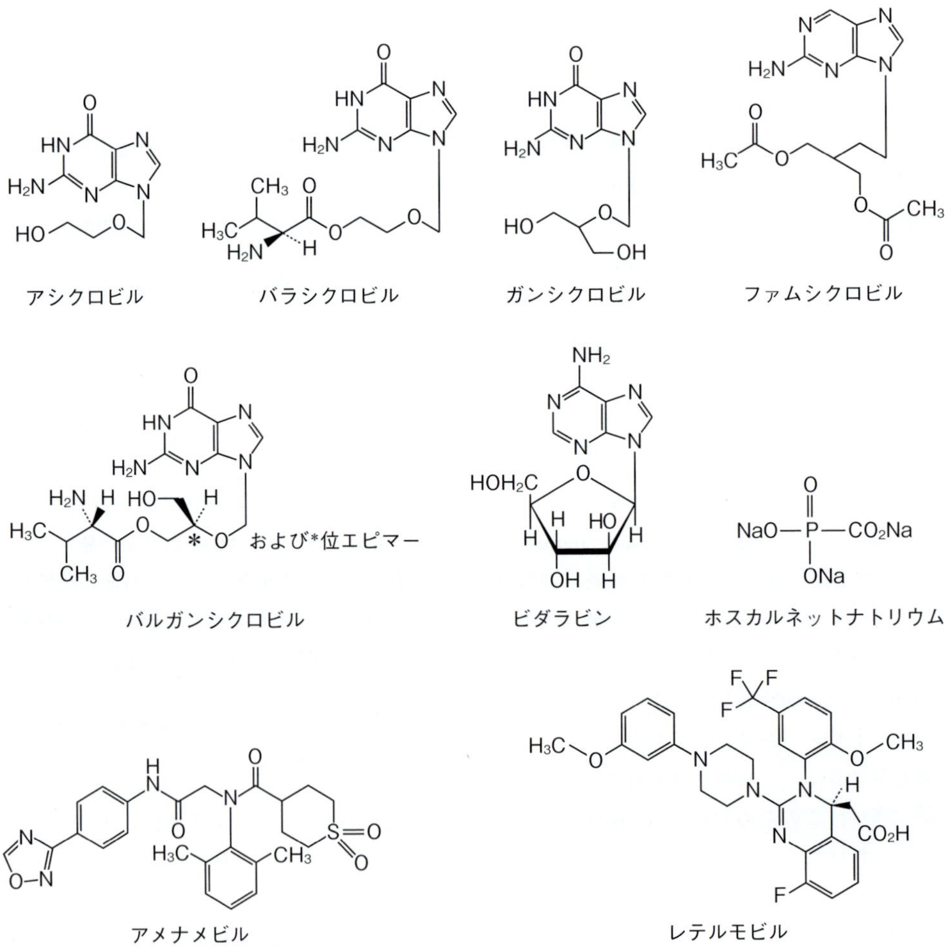

図 IX-2 ヘルペスウイルス治療薬・予防薬の構造

て，アシクロビル一リン酸になる．アシクロビル一リン酸は，細胞内に内在するヌクレオチドキナーゼによりアシクロビル二リン酸，そしてアシクロビル三リン酸まで変換される．アシクロビル三リン酸はデオキシグアノシン三リン酸（dGTP）に構造が似ていることから，ウイルス DNA ポリメラーゼを競合的に阻害する．さらに，アシクロビル三リン酸が DNA 合成の基質としてウイルス DNA に取り込まれると，アシクロビル三リン酸には次のヌクレオチドと結合するために必要なデオキシリボース構造の 3′ 位の水酸基に相当する部位がないことから，ウイルス DNA 鎖の伸長は停止する（chain termination）．これにより，ウイルス増殖を阻害する．また，ウイルスに感染してない正常細胞で発現する酵素では，アシクロビル一リン酸は合成されず，細胞への影響は少ない（**図 IX-3**）．

バラシクロビルは経口における生物学的利用率を高めるため，アシクロビルに L-バリンをエステル結合させたプロドラッグである．肝臓のエステラーゼによって抗ウイルス活性体のアシクロビルに変換される．妊娠中または妊娠している可能性のある患者には，治療上の有益性が危険性を上回ると判断される場合にのみ投与する．

ファムシクロビルは経口剤であり，肝臓で代謝されて活性体のペンシクロビル（わが国では未承認）になる．作用機構はアシクロビルと同様である．経口剤としての生物学的利用率はバラシクロビルよりもやや高い．アシクロビル耐性ウイルス株は，ファムシクロビルにも耐性になる．

適 応：アシクロビルには点滴静注，経口，軟膏・眼軟膏があり，単純ヘルペスウイルスや水痘帯状疱疹ウイルスに起因する単純疱疹，水痘，帯状疱疹，角膜炎などに使用する．

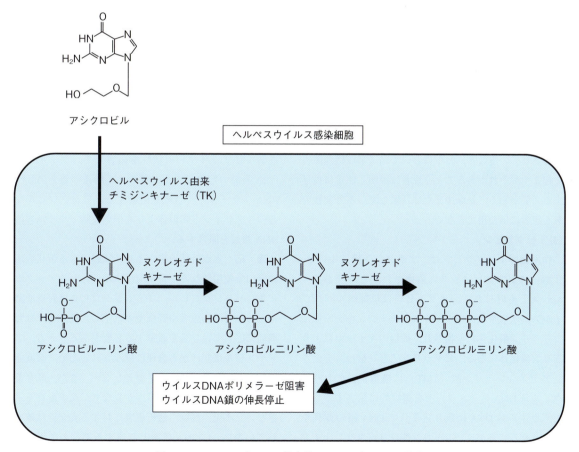

図 IX-3　ヘルペスウイルス治療薬アシクロビルの作用機序

副作用：アシクロビル，バラシクロビル，ファムシクロビルは消化器症状，発疹，眠気などが現れることがあるが副作用は比較的少ない．

(2) **ガンシクロビル，バルガンシクロビル**

作用機序：ガンシクロビルは，サイトメガロウイルスのUL97プロテインキナーゼにより，ガンシクロビル一リン酸に変換される．ガンシクロビル一リン酸は細胞のキナーゼにより三リン酸化体にまで変換され，ウイルスDNAポリメラーゼ阻害効果やウイルスDNA鎖の伸長阻害効果を示す．

バルガンシクロビルは経口における生物学的利用率を高めるため，ガンシクロビルにL-バリンをエステル結合させたプロドラッグである．

適応：ガンシクロビルは後天性免疫不全症候群，臓器移植・造血幹細胞移植，悪性腫瘍におけるサイトメガロウイルス感染症に使用される．バルガンシクロビルはこれに追加して臓器移植（造血幹細胞移植を除く）におけるサイトメガロウイルス感染症の発症抑制にも使用される．ガンシクロビルは点滴静注で，バルガンシクロビルは錠剤やドライシロップの経口で使用される．ガンシクロビルの初期治療や再投与において報告されている副作用等の発現症例率は3割程度であり，とくに白血球減少や血小板減少など血液系への影響がみられる．動物実験において催奇形性，発癌性が報告されていること，ヒトにおいて精子形成機能障害を起こすおそれがあることを患者に説明し慎重に投与する必要がある．妊娠中または妊娠している可能性のある患者には使用できない．

(3) **ビダラビン**

作用機序：ビダラビンは，アデノシン構造中のD-リボースがアラビノースに置換されたものであり，Ara-Aとも呼ばれる．ビダラビンは単純ヘルペスウイルス，水痘帯状疱疹ウイルスのチミジンキナーゼにより一リン酸化体に変換され，細胞のキナーゼにより三リン酸化体になる．ビダラビン三リン酸は，デオキシアデノシン三リン酸（dATP）に構造が似ており，ウイルスDNAポリメラーゼを選択的に阻害する．また，ウイルスDNAに取り込まれてDNA鎖の伸長を停止させる．ビダラビン三リン酸はリボヌクレオチドレダクターゼを阻害し，DNAの材料であるデオキシリボヌクレオチドの合成も阻害する．ヘルペスウイルスのタンパク質合成にはS-アデノシルホモシステインヒドロラーゼが必要とされるが，リン酸化されていないビダラビンはこの酵素を阻害する．

副作用：点滴静注では精神神経障害や骨髄機能抑制がみられることがあるが，軟膏では副作用はほとんどない．

(4) **ホスカルネット**

作用機序：ホスカルネットはピロリン酸と構造が似ていることから，ウイルスのDNAポリメラーゼのピロリン酸結合部位に選択的に結合して，ウイルスDNA鎖の伸長を阻害する．

適応：後天性免疫不全症候群や造血幹細胞移植におけるサイトメガロウイルス感染症に点滴静注で使用される．2019年3月に，造血幹細胞移植後のヒトヘルペスウイルス6脳炎が効能に追加された．作用機序にウイルスのチミジンキナーゼが必要ないため，チミジンキナーゼ欠損によりアシクロビルやガンシクロビルに耐性化したウイルス株にも有効である．

副作用：嘔吐，貧血，電解質異常がみられる．

(5) **アメナメビル**

作用機序：アメナメビルは単純ヘルペスウイルス1型や水痘帯状疱疹ウイルスのヘリカーゼ・プライマーゼ複合体のDNA依存的ATPase活性，ヘリカーゼ活性およびプライマーゼ活性を阻害して，ウイルスのDNA複製の起点である二重らせん構造の巻き戻しやRNAプライマーの合成を阻害する．アシクロビルなどのヌクレオシド類似体よりも早い段階でウイルスのDNA複製を阻害する．

適応：水痘帯状疱疹ウイルスに起因する帯状疱疹に経口で使用される．帯状疱疹に用いられるアシクロビル，バラシクロビル，ファムシクロビルは腎排泄型のため，腎障害患者や腎機能の低下した高齢者では腎機能に応じて投与量を減量する必要がある．一方，アメナメビルは胆汁から糞便に排泄されるため，腎機能に応じた投与量の調節を必要としない．また，既存薬のアシクロビルとは作用機序が異なり，交差耐性を示さない．小児，妊婦，透析患者に対する安全性は確立していない．CYP3A代謝と関連する薬剤の併用は注意が必要で，リファンピシンは併用禁忌である．

(6) レテルモビル

作用機序：レテルモビルはサイトメガロウイルスの **DNA ターミナーゼ複合体（UL56 と UL89 の複合体）** を阻害する．ウイルス DNA はウイルス粒子 1 個の単位で複製されるわけではなく，数多くのウイルスゲノムが連続した長い線状二本鎖 DNA（コンカテマー）として合成される．DNA ターミナーゼ複合体は，ウイルス粒子 1 個単位のウイルスゲノムをウイルスカプシドの中に格納してコンカテマーから切断する（ウイルスゲノムのパッケージング）．レテルモビルはウイルス粒子 1 個単位のウイルスゲノムのパッケージングを阻害して，ウイルス粒子形成を阻害する．

適　応：経口あるいは点滴静注で使用される．2020 年 9 月の時点で適応は，同種造血幹細胞移植患者におけるサイトメガロウイルス感染症の発症抑制の予防目的に限られ，治療目的の適応は承認されていない．レテルモビルは胆汁から糞便に排泄されるため，腎機能が一定以上あれば投与量の調節を必要としない（点滴静注薬は注意．副作用を参照）．既存薬のガンシクロビルやホスカルネットとは作用機序が異なり，交差耐性を示さない．CYP3A 代謝と関連するピモジドとエルゴタミン含有製剤は併用禁忌である．

副作用：胎児に悪影響を及ぼす可能性がある．点滴静注薬には添加剤にヒドロキシプロピル-β-シクロデキストリンが含まれており，腎障害患者や長期に継続して投与する患者では添加剤の蓄積により腎機能障害の悪化等を引き起こすおそれがある．

c. アデノウイルス科 *Adenoviridae* のウイルス

直鎖状の二本鎖 DNA ウイルスで，小児のアデノイド組織から分離された．エンベロープはもたず，カプシドは直径 70 ～ 100 nm の正二十面体構造からなる（図 IX-4，p.249 図 VIII-2 参照）．エーテルなどの有機溶媒に抵抗性であり，酸やタンパク質分解酵素にも比較的安定である．B 群以外のアデノウイルスは，宿主細胞膜上の **免疫グロブリンスーパーファミリー** に属する CAR（Coxsackie-adenovirus receptor）を受容体として吸着し，エンドサイトーシスにより宿主細胞内に侵入する．ウイルスゲノムは核内に取り込まれ，転写，複製が行われる．

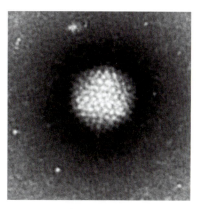

図 IX-4　アデノウイルスの電子顕微鏡像
［静岡県環境衛生科学研究所提供］

ヒトアデノウイルス human adenovirus

ヒトアデノウイルスは 60 種の血清型 serotype と 52 型の遺伝型 genotype がある．糞口感染や飛沫感染により広がる．5 ～ 7 日の潜伏期間を経て，扁桃腺やリンパ節の中で増殖する．ウイルスの血清型が多いため，何度も感染し，ある種の血清型では不顕性感染する．ヒトアデノウイルスによる感染症としては，プール熱と呼ばれ，夏季に小児で流行する咽頭結膜熱，成人に多い流行性角結膜炎，胃腸炎などが知られている．治療薬はない．

d. ポリオーマウイルス科 *Polyomaviridae* のウイルス

ポリオーマウイルス polyomavirus は約 5 kbp の環状二本鎖 DNA ウイルスで，エンベロープはもたず，直径 40 ～ 50 nm の正二十面体構造をとる．

動物では腫瘍形成に関わっているウイルスとして，アカゲザルなどから分離された **simian virus 40（SV40）** とマウスのポリオーマウイルスがよく知られている．ヒトポリオーマウイルスは，これまでに 10 種類以上が分離されており，1971 年に進行性多巣性白質脳症 progressive multifocal leukoencephalopathy 患者の脳から分離された **JC ウイルス** と出血性膀胱炎 hemorrhagic cystitis を起こした腎移植患者の尿から分離された **BK ウイルス**，またメルケル細胞癌患者から分離されたメルケル細胞ポリオーマウイルス（MCV），あるいは KI

ポリオーマウイルス，WU ポリオーマウイルスなどが知られている．

感染症：JC ウイルスと BK ウイルスは多くの人が不顕性感染しており，免疫不全などの特別な状況下において，進行性多巣性白質脳症（JC ウイルス）や出血性膀胱炎（BK ウイルス）を発症する．

e. パピローマウイルス科 Papilloviridae のウイルス

パピローマウイルス papillomavirus はエンベロープをもたず，72 個のカプソメアからなるカプシドが集合した直径 50〜55 nm の正二十面体構造の球形粒子である．ウイルスゲノムは約 8 kbp の環状二本鎖 DNA からなり，長い転写調節領域 long control region（LC 領域），初期（遺伝子）領域 early region（E 領域），後期（遺伝子）領域 late region（L 領域）の三つの領域をもつ．パピローマウイルスは L1 遺伝子領域の塩基配列の相同性の違いにより，18 属（α〜σ）に分類されている．

ヒトパピローマウイルス human papillomavirus（HPV）

ヒトパピローマウイルス（HPV）は乳頭腫ウイルスとも呼ばれ，現在までに 150 種類以上の存在が確認されている．

感染症：HPV は接触感染により皮膚の微小な傷や子宮頸部の粘膜上皮から侵入し，扁平上皮基底部の細胞に感染する．ウイルスの増殖にともないケラチンの過剰産生と細胞の角質化や肥厚を生ずる．ウイルスは皮膚から剥離した角層に含まれているために新たな感染源になる．HPV は感染細胞を破壊するような著しい増殖を生じないため，抗原提示細胞の活性化や抗原認識性が低く，免疫が誘導されにくい．このため，同じ型のウイルスに再感染すると考えられている．

HPV は組織親和性の違いにより，皮膚型と粘膜型に分類され，さらに腫瘍原性の違いにより，低リスク群と高リスク群に分類されている．一般に上皮に対する親和性が強く，ウイルスの種類により異なる疾患を生じ，手足や顔にできる尋常性疣贅，足の裏にできる足底疣贅，平たく顔や腕にできる扁平疣贅，外陰部・肛門の周囲にできる尖圭コンジローマ，咽頭乳頭腫，子宮頸癌が知られている．子宮頸癌組織中には，HPV の DNA が検出され，断片化したウイルス遺伝子が，染色体中に組み込まれていることが判明している．ドイツの Harald zur Hausen 博士が 1983 年に子宮頸癌の患者から HPV の DNA を発見し，2008 年にノーベル生理学医学賞を受賞している．

予　防：子宮頸癌を予防するために，これまでに 2 種類の HPV のワクチンが開発され，多くの国で使用されている．わが国では 2013 年から定期接種（A 類疾病）となったが，接種後の有害事象としてみられた慢性疼痛や運動障害などの症状と接種との因果関係が否定できないため，「積極的な接種勧奨」は中止され，本ワクチンの使用により副作用を生じた認定者に予防接種健康被害救済制度が適用されている．

2　一本鎖 DNA ウイルス

一本鎖 DNA をもつウイルスは，パルボウイルス科とサーコウイルス（シルコウイルス）科に分類される．

パルボウイルス科 Parvoviridae のウイルス

直鎖一本鎖 DNA ウイルスで，約 5 kb のプラス鎖あるいはマイナス鎖のいずれかのゲノムを含有しており，DNA 鎖はウイルスの種類により異なる．パルボウイルスは直径約 20 nm の球状粒子で，カプシドは正二十面体構造を形成し，エンベロープはもたない．

ヒトパルボウイルス human parvovirus

ヒトパルボウイルスとしては，ヒトパルボウイルス B19 human parvovirus B19 などが知られている．ヒトパルボウイルス B19 は，プラス鎖 DNA を含有し，患者の唾液または飛沫により感染し，10〜20 日の潜伏期間を経て一般に"りんご病"と呼ばれる両頬に出現するびまん性の紅斑を特徴とする伝染性紅斑を発症する．ウイルスは血液型抗原の一種である P 型血液型抗原（糖脂質のグロボシド）を受容体とし，CD36 陽性の骨髄中の赤血球前駆細胞や赤芽球に感染する．このため，ヒトパルボウイルス B19 の感染は，妊娠時

の流産や胎児水腫，先天性溶血性貧血患者の無形成発作，免疫が低下した患者の慢性骨髄不全を引き起こす．

もある．

予　防：2020年10月より定期予防接種（A類）が行われている．

3　二本鎖RNAウイルス

二本鎖RNAウイルスはレオウイルス科とビルナウイルス科に分類されている．ヒトではレオウイルス科のロタウイルスが重要である．

レオウイルス科 *Reoviridae* のウイルス

レオウイルス科のウイルスは直径60〜80 nmの正二十面体構造で，エンベロープをもたず，10〜12本の線状の二本鎖RNAを含有しており，15属に分類されている．ウイルスは細胞質内で増殖し，核周辺において細胞質内封入体を形成する．

ロタウイルス rotavirus

ロタウイルスは内部に11分節からなる二本鎖RNAのゲノムをもつ．"rota"の語源は車輪の意味で，電子顕微鏡で車輪状の形態にみえるためである（図IX-5）．

感染症：ロタウイルスは乳児嘔吐下痢症の原因ウイルスで，糞口感染で広がり，1〜4日の潜伏期間を経て発症する．2歳以下で重症化することが多く，乳幼児を中心に世界中で毎年数十万人以上が死亡している．腎炎・腎不全・心筋炎・脳炎などを併発すること

4　マイナス鎖一本鎖RNAウイルス

マイナス鎖一本鎖RNAウイルスはオルトミクソウイルス科，パラミクソウイルス科，ラブドウイルス科，フィロウイルス科，ブニヤウイルス科，アレナウイルス科に分類される．

a. オルトミクソウイルス科 *Orthomyxoviridae* のウイルス

エンベロープを有し，内部に6〜8本の分節化したマイナス鎖一本鎖RNAをゲノムとしてもち，球状（80〜120 nm）または不定形，あるいはフィラメント状（300 nm以上）の形態である．インフルエンザA，B，C属，トゴトウイルス属，アイサウイルス属，クアランジャウイルス属の6属に分類される．

インフルエンザウイルス influenza virus（図IX-6）

ヒトに感染するインフルエンザウイルスは内部タンパク質の核タンパク質 nucleoprotein（NP）とマトリックスタンパク質1 matrix protein（M1）の抗原性に基づいてA型，B型，C型に分類される（p.249 図VIII-4参照）．また，ウシを主な宿主とするD型ウイルスが，2011年にブタから初めて分離され，2016年に国

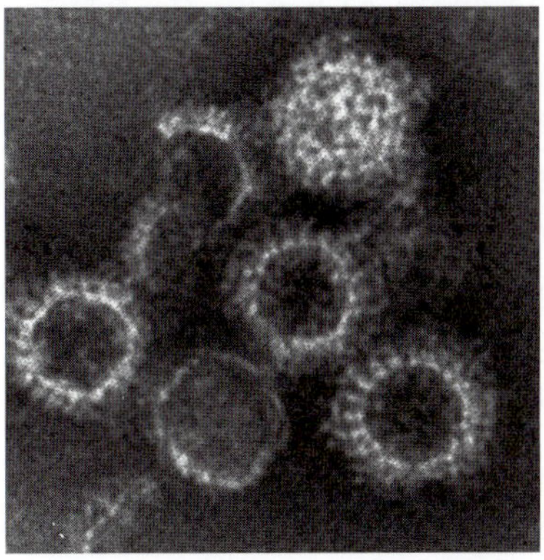

図IX-5　ロタウイルスの電子顕微鏡像
［静岡県環境衛生科学研究所提供］

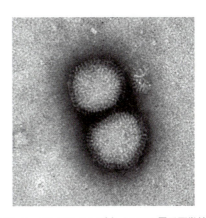

図IX-6　インフルエンザウイルスの電子顕微鏡像
［静岡県環境衛生科学研究所提供］

際ウイルス分類委員会で認められた．ヒトの呼吸器病原ウイルスとして問題になるのは流行性の強いA型とB型ウイルスであり，C型ウイルスは大きな流行を起こすことはなく，主に小児に感染する．A型ウイルスはブタ，ウマ，フェレット，クジラなどの哺乳類や，カモやニワトリなどの鳥類を宿主とする．ウイルスゲノムはA型とB型は8本，C型とD型は7本の分節に分かれている．

A型とB型ウイルスは膜表面にヘマグルチニン hemagglutinin（HA）とノイラミニダーゼ neuraminidase（NA）の二つのスパイクタンパク質をもっている．インフルエンザワクチンは，エーテル処理や界面活性剤処理でウイルスエンベロープ脂質を除去後にホルマリンで不活化したHAを使用している．A型ウイルスのHAとNAは抗原性の違いから，HAは1〜18，NAは1〜11の亜型に分類される．H17N10型とH18N11型はコウモリを宿主とするが，それ以外の全ての亜型はカモに代表される水禽類にみられることから，水禽類がA型ウイルスの自然宿主といわれている．

増　殖：HAはインフルエンザウイルスの受容体であるシアル酸を有する糖鎖に結合性があり，細胞表面の糖鎖と結合して感染を開始する．細胞表面に吸着したA型ウイルスはエンドサイトーシスを介して細胞内へと運ばれる．HAはトリプシン様タンパク質分解酵素でHA1とHA2に開裂している．エンドソームの酸性環境によりHAは構造変化を起こし，HA2のフュージョンペプチドがエンドソーム膜に突き刺さり，ウイルス膜とエンドソーム膜が融合する．ウイルス膜に埋め込まれているマトリックスタンパク質2 matrix protein 2（M2）イオンチャネルを介してプロトンがウイルス内部へ流入することでウイルス内部を酸性化し，M1とウイルスゲノム–核タンパク質複合体 viral ribonucleoprotein complex（vRNP）の解離を促す．アマンタジンはM2のイオンチャネルを阻害するが，現在流行しているA型ウイルスの大部分はアマンタジンに耐性化している．

vRNPは細胞質内へ放出され（脱殻または uncoating と呼ぶ），細胞核内へと輸送される．核内では，ウイルスRNAポリメラーゼ（PB1，PB2，PA）によりウイルスRNAゲノムが複製されるとともに，宿主細胞由来するmRNA前駆体のキャップ構造を利用して，ウイルスタンパク質をコードするmRNAが転写される．新しく合成されたPB1，PB2，PAおよびNPは核内へと移行し，ウイルスRNAゲノムとvRNPを形成する．vRNPはウイルス膜の裏打ちタンパク質であるM1と結合し，M1は核外移行シグナルをもつ非構造タンパク質2 nonstructural protein 2（NS2）と結合する．これにより，vRNPは核膜を通過して細胞質へと移行し，細胞膜下まで運ばれる．新しく合成されたHAとNAはゴルジ装置でN結合型糖鎖が付加され，細胞膜上へと運ばれる．M2チャネルもゴルジ装置を通って細胞膜へと運ばれる．感染細胞表面上では宿主由来の脂質二重膜がくびれて（出芽 budding と呼ぶ），vRNP，M1，NS2，HA，NA，M2を含んだ子孫ウイルス粒子が放出される．

NAは糖鎖からシアル酸を切断する受容体破壊酵素（シアリダーゼ）をもっている．ウイルス膜スパイクタンパク質上の糖鎖のシアル酸を切断することで，子孫ウイルス同士の凝集を防いでいる．さらに，感染細胞上の糖鎖のシアル酸を切断することで，子孫ウイルスの放出も促進する（図 IX–7）．非構造タンパク質1 nonstructural protein 1（NS1）はウイルスに取り込まれず，感染細胞のインターフェロンの産生抑制や，mRNAのプロセシング阻害に機能する．PB1のフレームシフト体のPB1–F2タンパク質もウイルスには取り込まれず，ミトコンドリアに局在し，免疫細胞を含むある種の細胞にアポトーシスを誘導する．

感染症：A型ウイルスやB型ウイルスは毎年みられる季節性の流行（エピデミック）を起こす．HAの点変異による抗原連続変異 antigenic drift を起こしたウイルスは，過去の感染やワクチン接種によって獲得された免疫で排除され，小規模な流行にとどまる．ウイルスの抗原性は経年的に変化し，ワクチンの有効性を低下させたり，季節性の流行を繰り返したりする．一方，ヒトが数十年以上感染していない新しい抗原亜型のA型ウイルスは世界規模の大流行（パンデミック）を発生させる．トリを宿主とするA型ウイルスとヒトを宿主とするA型ウイルスが同時に感染したブタなどの中間宿主の感染細胞内では，ウイルス間で分節状のウイルスゲノムの交換（交雑と呼ばれる）が

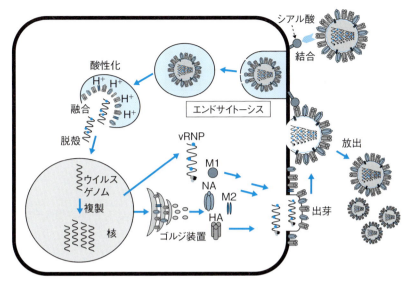

図 IX-7　A 型インフルエンザウイルスの感染と増殖

起こる．このウイルスゲノムの交雑により，ウイルスが新しい亜型の HA 遺伝子や NA 遺伝子を獲得した抗原不連続変異 antigenic shift を生じる．このような新型ウイルスに対して免疫を獲得していないヒトの間で，感染が世界中に拡大する．過去にパンデミックを起こしたウイルスは，1918 年のスペインインフルエンザ（H1N1 型），1957 年のアジアインフルエンザ（H2N2 型），1968 年の香港インフルエンザ（H3N2 型），2009 年のブタウイルスに由来する H1N1 型ウイルスである．ヒトウイルス（H2N2 型）とトリウイルス（H3 型）が中間宿主としてブタに同時に感染し，ブタ体内でウイルス間の遺伝子交雑が生じることで新亜型の H3N2 型ウイルスが発生した．ヒトはこのウイルスの新亜型に免疫を獲得していないため，1968 年の香港インフルエンザのパンデミックへと発展した（図 IX-8）．

臨床上，問題となるのは A 型および B 型ウイルスである．感染者の咳やくしゃみによる飛沫感染，あるいはウイルスが付着したドアノブや電車のつり革などを介した接触感染により伝播する．感染の流行はわが国などの温帯地域では冬に，熱帯・亜熱帯地域では主に雨期に発生する．潜伏期間は 1～5 日間ほどで，気管・気管支炎の炎症症状のほか，炎症性サイトカインの作用により 38～40℃の高熱，悪寒，頭痛，筋肉痛，関節痛，倦怠感などの全身症状を示す．感染が下気道に及ぶ場合はウイルス性肺炎に，乳幼児，高齢者や慢性疾患のある場合は細菌の二次感染による肺炎に至ることで死亡する例もある．幼児に A 型ウイルスが感染すると，インフルエンザ脳症を発症して重篤化することがある．合併症などがみられない場合，通常，発症 6 日目までに回復に向かう．

予　防：インフルエンザのワクチン成分は不活化 HA であり，血中の IgG 抗体産生を誘導する．従来の不活化 HA ワクチンには，気道粘膜の免疫に重要な役割を担う IgA 抗体の産生が低いこと，HA 上の抗体結合部位に経年的な点変異が蓄積することで抗体の反応性が低下あるいは消失すること，さらにパンデミック時の抗原がシフトした新型ウイルスには対応できないことなどの課題がある．米国では，弱毒ウイルス株の HA と NA の遺伝子を置き換えた経鼻用生ワクチンがすでに認可され，使用されている．この生ワクチンは IgA 抗体や抗 NA 抗体を産生できる点で，従来の不活化 HA ワクチンの課題を改善している．

診　断：迅速診断キットを使用して咽頭・鼻腔ぬぐい液あるいは鼻汁に含まれるウイルス抗原を検出することで行われる．診断キットではウイルスの内部抗原

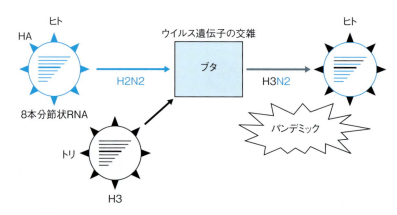

図 IX-8　香港インフルエンザのパンデミック（1968 年）におけるウイルス遺伝子の交雑

性（A 型と B 型）の判別はできるが，A 型ウイルスの亜型（H1N1 型と H3N2 型）の判別はできない．

治　療：A 型および B 型ウイルスがもつ NA の酵素活性部位に特異的な競合阻害薬（NA 阻害薬）を使用する．NA 阻害薬は NA をもたない C 型および D 型ウイルスには効果がない．発症後 48 時間以内の投与により罹病期間の短縮が期待できる．予防目的で使用する場合もある．2007 年に北欧で発生した NA 阻害薬の一つであるオセルタミビルに耐性化した A ソ連 H1N1 型ウイルスは，2008 年には世界中に感染拡大した．このオセルタミビル耐性ウイルスには別の NA 阻害薬のザナミビルが有効であったが，薬剤耐性ウイルスの流行が心配されている．対症療法としての解熱薬は，非ステロイド抗炎症薬（アスピリン，メフェナム酸，ジクロフェナクナトリウム）がインフルエンザ脳症の悪化因子として原則禁忌で，アセトアミノフェンを使用する．アセトアミノフェンは小児も使用できる．ウイルス RNA ポリメラーゼ阻害薬（ファビピラビル）も条件付きで承認されたが，動物実験での催奇形性の可能性が指摘され，現在のところ，その製造と供給にはパンデミック発生時に国からの要請が必要とされている．2018 年 3 月に，キャップ依存性エンドヌクレアーゼ阻害薬のバロキサビル マルボキシルの国内販売が開始され，NA 阻害薬以外の選択が可能となった．

● インフルエンザ治療薬（図 IX-9）

(1)　M2 イオンチャネル阻害薬

パーキンソン病治療薬のアマンタジンは経口用錠剤で，A 型インフルエンザウイルスのもつプロトンイオンチャネル M2 タンパク質を阻害することでウイルスの脱殻を抑制するインフルエンザ治療薬である．現在，アマンタジンに耐性化したウイルスが拡大したことから世界的に使用されなくなっている．アマンタジンは A 型以外のインフルエンザウイルスには効果がない．

(2)　ノイラミニダーゼ阻害薬

作用機序：A 型および B 型インフルエンザウイルスの表面に存在する NA はシアリダーゼ活性を示す．NA のシアリダーゼ活性は，感染細胞膜の表面から子孫ウイルス粒子が遊離する際にウイルス受容体のシアル酸を切断することで，他の細胞へのウイルスの感染拡大を助ける．NA 阻害薬は，シアリダーゼ活性を阻害することでウイルスの増殖を阻害する．インフルエンザ治療薬の NA 阻害薬としては，ザナミビル，オセルタミビル，ラニナミビル，ペラミビルが使用されている．ザナミビルとラニナミビルは吸入剤，ペラミビルは点滴剤，オセルタミビルは経口用カプセル剤およびドライシロップ剤である．

オセルタミビルはプロドラッグであり，肝臓で代謝されてエチルエステルが加水分解されると活性体になる．インフルエンザ治療薬の服用の有無または種類に

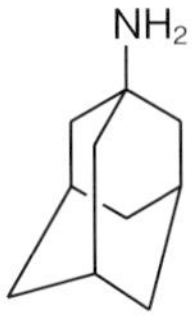

アマンタジン 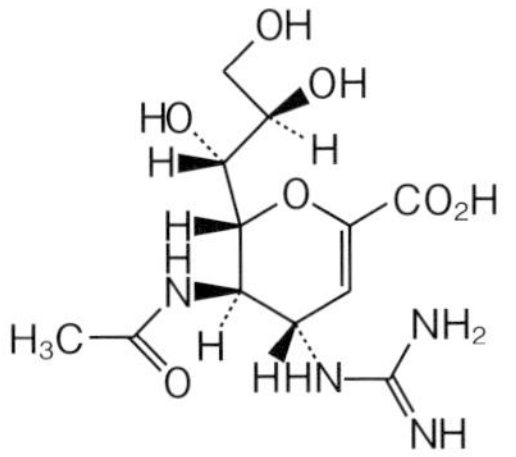　　　　ザナミビル 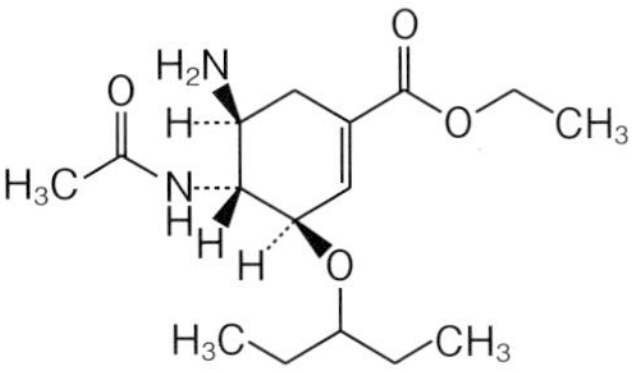　　　　　オセルタミビル 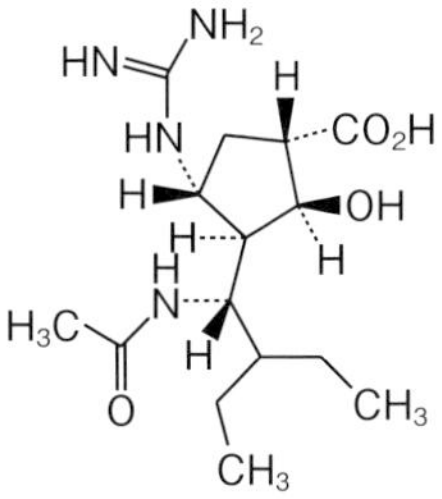　　　　ペラミビル

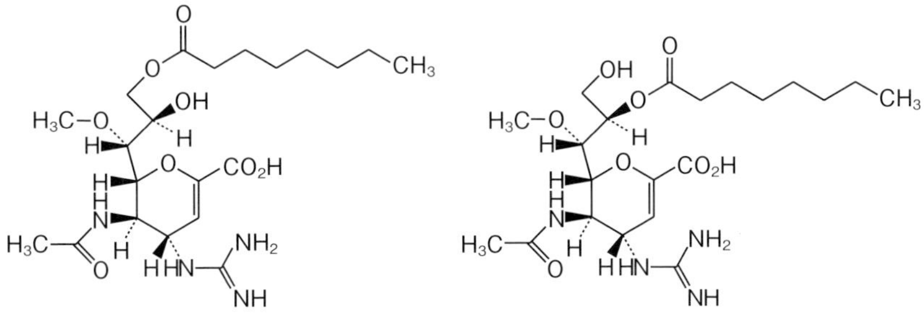

ラニナミビル オクタン酸エステル 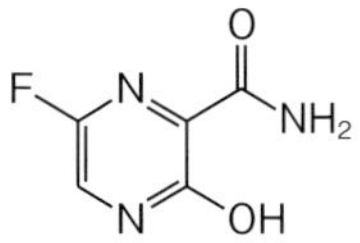　　　　ファビピラビル

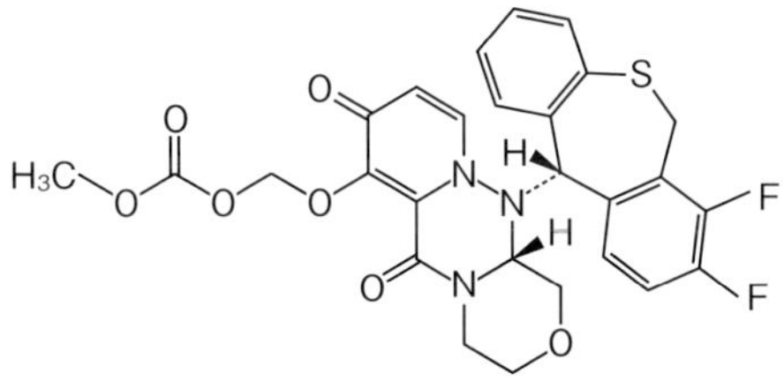

バロキサビル マルボキシル

図 IX-9　インフルエンザ治療薬の構造

かかわらず，インフルエンザ罹患時には異常行動を発現した例（発熱から2日間以内で就学以降の小児・未成年者の男性に多い）が報告されている．異常行動による転落などの事故防止のため，異常行動の発現のおそれがあること，少なくとも発熱から2日間は患者を1人にさせないなどの事故防止対策を講じること，について患者・家族に対し説明する必要がある．

ラニナミビル オクタン酸エステルはラニナミビルにオクタン酸をエステル結合させたプロドラッグで，肺や気道の加水分解酵素によって活性体のラニナミビルに変換されると推測されている．長時間作用型NA阻害薬であり，1回の投与で5日間有効であることから服薬忘れなどを心配する必要がない．

ペラミビルも長時間作用型NA阻害薬であり，1回15分以上の点滴投与で5日間程度作用する．ペラミビルは点滴剤のため，NA阻害薬などの経口投与や吸入投与が難しい患者に投与可能である．NA阻害薬はウイルス増殖がすでに進んだ状態では効果が薄いため，症状発現から48時間以内に投与を開始することが推奨される．

適　応：ザナミビル，オセルタミビル，ラニナミビル，バロキサビル マルボキシルは治療以外に予防目的の使用も可能である．ただし，発症患者の同居家族または共同生活者で高齢者（65歳以上）や慢性疾患患者など，感染すると重症化リスクの高い者を対象としている．

副作用：NA 阻害薬は悪心や下痢が報告されているが，A 型および B 型インフルエンザウイルスの NA に対して特異性が極めて高く，ウイルスタンパク質を標的としていることからも副作用は比較的少ない．

(3) ウイルス RNA ポリメラーゼ阻害薬

作用機序：A 型および B 型インフルエンザウイルスは RNA を遺伝情報としている．感染細胞の核内では，ウイルスの RNA 依存性 RNA ポリメラーゼの作用によってウイルスの RNA が複製される．ファビピラビルは核酸アナログのプロドラッグの経口用錠剤であり，細胞内でリボフラノシル三リン酸化体となってインフルエンザウイルスの RNA ポリメラーゼを選択的に阻害することでウイルス増殖を抑制する．NA 阻害薬耐性ウイルスにも作用機序が異なることから有効である．

適応：動物実験で催奇形性が確認されたことから，ファビピラビルの供給は，新型または再興型インフルエンザウイルスの発生時，NA 阻害薬などが無効または効果不十分であり，厚生労働大臣からの要請を受けた場合に限られる．しかし，実験的にはエボラウイルスやノロウイルスなどにも効果がみられ，他のウイルス感染症への適応が期待されている．

(4) キャップ依存性エンドヌクレアーゼ阻害薬

作用機序：A 型および B 型インフルエンザウイルスの RNA 依存性 RNA ポリメラーゼはキャップ依存性エンドヌクレアーゼ活性によって，宿主細胞に由来する mRNA 前駆体のキャップ構造を含む RNA 断片を切断する．このキャップ構造を含む RNA 断片がプライマーとなり，ウイルス RNA を鋳型にウイルスの mRNA の転写が開始される．2018 年 2 月に「先駆け審査指定制度」で国内承認されたバロキサビル マルボキシルは経口薬として使用され，肝臓で代謝されて活性体となる．バロキサビル マルボキシルの活性体は，ウイルス RNA ポリメラーゼの PA サブユニットに結合して，キャップ依存性エンドヌクレアーゼ活性を阻害する．ウイルスの mRNA の転写は阻害され，それに続くウイルスタンパク質の合成も抑制される（図 IX-10）．従来の NA 阻害薬よりもウイルス増殖の早い段階を抑制する．ペラミビルやラニナミビルのように長時間作用型で，一回の投与で 5 日間有効である．

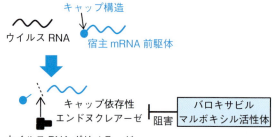

図 IX-10 バロキサビル マルボキシルの作用機構

適応：耐性ウイルスが出現しているが，12 歳未満の小児への投与で出現率リスクが高い．そのため，2019 年 10 月に日本感染症学会から，12 歳未満の小児に対して慎重投与すべきと提言された．2020 年 11 月に予防について効能・効果に追加された．血便，鼻血，血尿など出血が現れることがある．

b. パラミクソウイルス科 *Paramyxoviridae* のウイルス

15〜19 kb のマイナス鎖一本鎖 RNA をゲノムにもつ 150〜250 nm の球状または不定形，あるいはフィラメント状（100 nm 以上）のウイルスである．エンベロープを有し，2 種類の糖タンパク質スパイクが表面に突き出している．細胞融合能をもち，多核巨細胞を形成するものが多い．ウイルスゲノムやタンパク質は細胞質内で複製，転写，翻訳され，細胞膜に運ばれて，成熟粒子を形成し，細胞膜表面から出芽をする．パラミクソウイルス亜科とニューモウイルス亜科に分類される．

(i) 麻疹ウイルス measles virus

パラミクソウイルス亜科モルビリウイルス属に属する．

感染症：「はしか」とも呼ばれ，極めて感染力が強く，重篤な症状を示す．飛沫感染，飛沫核感染（空気感染），接触感染によりヒトの間で感染が拡大する．免疫を獲得していないヒトが感染すると 90％ 以上が

発症する．一度感染して免疫を獲得すると，終生感染しないとされる．

潜伏期間は10～12日間で，38℃前後の発熱が2～4日間継続した後，鼻炎，結膜炎，上気道炎など粘膜部位の炎症により多量の粘液を分泌するカタルcatarrh症状を起こす．この状態を カタル期 と呼ぶ．カタル期には口の頬の裏側の粘膜に，隆起した1mm程度の特徴的な白色斑点が出現する．これを コプリック斑 Koplik spot と呼び，麻疹を診断する上で非常に有効な臨床症状である．熱が半日程度下がり，再び39.5℃以上の高熱が3～4日間継続する（二峰性の発熱）．発熱と同時に発疹が耳後部，頸部から出はじめ，24時間後には顔面，体幹部に現れ，48時間後には四肢末端へと全身に広がっていく．この状態を 発疹期 と呼び，カタル症状も激しくなる．合併症がない場合，回復期で発熱やカタル症状は快方に向かう．麻疹の流行状況と特徴的な臨床所見から診断は容易であるが，ワクチン接種者は典型的な症状が現れないことがあるため注意が必要である．ウイルスが免疫系細胞に感染することから，麻疹ウイルス以外のウイルスや細菌に対して著しく免疫を減弱させるため，中耳炎，肺炎，咽頭炎などの二次感染が合併しやすい．脳に麻疹の変異ウイルスが持続感染することで発症する中枢神経系の疾患が 亜急性硬化性全脳炎 subacute sclerosing panencephalitis（SSPE）である．麻疹ウイルスに感染してから7～10年を経て100万例に8.5例の頻度で発症する．

予防・治療：麻疹ウイルスに感染した場合は特異的な治療法はなく，対症療法となる．わが国では麻疹・風疹混合（MR）の弱毒生ワクチンの定期予防接種（A類）が行われている．かつては国内麻疹患者の多くは幼児であったが，若い世代でのワクチン接種率の増加にともない，2015年3月27日，わが国は世界保健機関World Health Organization（WHO）から麻疹排除状態にあると認定された．

(ii) ムンプスウイルス mumps virus

パラミクソウイルス亜科ルブラウイルス属に属する．一度感染して免疫を獲得すると，終生感染しないとされる．

感染症：ムンプスウイルスは感染者の唾液などの気道分泌物に含まれ，経気道的に飛沫感染あるいは接触感染する．潜伏期間は2～3週間（通常16～18日）で，約30％の例では明確な症状が現れず不顕性感染となる．主症状は感染者の60～70％に現れる発熱をともなう突然の両側あるいは片側の耳下腺（最大の唾液腺）の腫脹と痛みであることから，ムンプスウイルス感染は「流行性耳下腺炎」あるいは「おたふくかぜ」とも呼ばれる．思春期以降の男子で精巣炎，女子で卵巣炎が合併し，まれに不妊に至る例がある．ムンプス難聴 は耳下腺腫脹1ヵ月以内に呈する高度の感音性難聴（神経系の難聴）で，永続的な障害のため予後が不良な合併症である．

流行性耳下腺炎の発生は冬から初春にかけて多いが，一年中みられる．春は，集団生活に入る入園・入学の時期と重なるため流行が多くなる．3～4年ごとに大きな流行が発生している．

予防・治療：ムンプスウイルス感染に特異的な治療法はなく，対症療法のみである．ムンプスウイルス感染は不顕性感染があることから発症患者の隔離のみで流行は阻止できず，ワクチンが現在の唯一の特異的予防法になっている．1989年4月からは1～6歳の男女を対象に麻疹・おたふくかぜ・風疹混合（MMR）ワクチン接種が始まったが，ムンプスウイルスの弱毒生ワクチンが原因と考えられる無菌性髄膜炎が1千～2千人に1例の頻度で多発したことで，1993年までに中止された．現在，わが国でのムンプスワクチンは任意接種となっている．

(iii) ヒトパラインフルエンザウイルス human parainfluenza virus

ヒトパラインフルエンザウイルスは，respiratory syncytial（RS）ウイルスに次いで重要な5歳未満の小児呼吸器感染症の原因ウイルスである．血清型により，ムンプスウイルスと同じルブラウイルス属の2型と4型，マウス呼吸器ウイルスのセンダイウイルスと同じパラミクソウイルス亜科レスピロウイルス属の1型と3型に分類される．

感染症：飛沫感染や接触感染で拡大し，潜伏期間は1～7日で主に上気道症状を起こす．1型や2型（とくに1型）は秋に流行し，小児に重篤な クループ を起

こす．クループとは咽頭が炎症を起こし，犬吠様咳嗽，嗄声，吸気性喘鳴，呼吸困難を呈する症状である．3型は春から初夏にかけて頻繁に流行し，小児に細気管支炎や肺炎などの下気道症状を起こす．4型は重篤な症状は少なく，検出数も少ない．生涯を通して何度も感染するウイルスで，高齢者や免疫力の低下した患者に深刻な呼吸器症状を起こす原因にもなる．

予防・治療：特異的なワクチンや治療薬はない．

(iv) RS ウイルス respiratory syncytial virus

ニューモウイルス亜科ニューモウイルス属に属する．

感染症：生涯にわたり感染を繰り返す呼吸器感染症の原因ウイルスで，2歳までにほぼ100%の小児が初感染を受ける最も重要な小児呼吸器ウイルスである．A，Bの二つの血清型が存在する．冬から初春にかけて流行する．主な感染経路は飛沫感染と接触感染で2～8日の潜伏期間を経て，発熱，鼻汁などの上気道炎が数日間継続する．とくに乳幼児では，細気管支炎や肺炎などの重篤な呼吸器症状を示すことが多い．

予防・治療：特異的なワクチンはないが，抗RSウイルスヒト化モノクローナル抗体のパリビズマブが認可されている．

● **RS ウイルス予防薬**

パリビズマブはRSウイルス感染流行初期に，早産児や心疾患などの先天性疾患のある新生児，乳児および幼児におけるRSウイルスによる重篤な下気道疾患の発症を予防する目的で使用される．

作用機序：パリビズマブは遺伝子組換えヒト化モノクローナル抗体で，マウス抗RSモノクローナル抗体の相補性決定部位とヒトIgG1定常部および可変部フレーム配列から形成されている．マウスミエローマ細胞を使用して製造されている．RSウイルス膜と細胞膜との融合に関わるウイルス表面のFタンパク質の抗原部位A領域に特異的に結合することで，RSウイルスが宿主細胞に侵入することを抑制する．

適応：RSウイルスのサブタイプAおよびBに有効である．パリビズマブとして15 mg/kgをRSウイルス流行期を通して月1回筋肉内に注射する．

(v) ヒトメタニューモウイルス human metapneumovirus

ヒトメタニューモウイルスはニューモウイルス亜科メタニューモウイルス属に属する．A，Bの二つの血清型が存在する．春を中心に流行し，RSウイルスと類似した症状を示す．小児に肺炎や気管支炎を起こし，RSウイルスやヒトパラインフルエンザウイルスと同様に重要な小児呼吸器感染症の原因ウイルスである．

c. ラブドウイルス科 *Rhabdoviridae* のウイルス

ラブドウイルスはマイナス鎖一本鎖非分節のRNAをゲノムとするウイルスで，エンベロープを有し，直径が45～100 nm，長さ100～400 nmの砲弾型もしくは桿菌型の形状で，1種類のスパイク糖タンパク質（Gタンパク質）を利用して受容体に結合し，エンドサイトーシスにより細胞内に侵入する（図IX-11）．

狂犬病ウイルス rabies virus

リッサウイルス属に属する．

感染症：ウイルスを保持する宿主は，キツネ，タヌキ，アライグマ，スカンク，マングースなどの食肉目とコウモリの翼手目に限られている．これらの感染動物ではウイルスが唾液に含まれる．そのため狂犬病の発生の多くは，ウイルスを保持する動物（多くはイヌ）に咬まれることによる．潜伏期間は多くは1～2ヵ月と長い．患者の半数に激しい痛みをともなう咽喉頭筋の痙攣発作による呼吸困難や嚥下困難がみられる．これらの症状により，患者は発作の原因となる飲水や

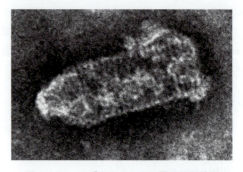

図 IX-11　ラブドウイルスの電子顕微鏡像
［静岡県環境衛生科学研究所提供］

風などの刺激を避けるようになり，これらを「恐水症」や「恐風症」と呼んでいる．発症後の治療法は確立しておらず，最終的には昏睡状態後に呼吸筋麻痺に至り，ほぼ100％死亡する．

予　防：わが国では，1950年の狂犬病予防法施行によりイヌに年1回の狂犬病ワクチン接種が義務付けられ，さらに放浪犬の捕獲，動物の輸入検疫などが功を奏し，1957年のネコにおける1例を最後に国内の狂犬病の撲滅に成功している．

d. フィロウイルス科 *Filoviridae* のウイルス

フィロウイルスは，マイナス鎖一本鎖非分節のRNAをゲノムとするウイルスで，エンベロープを有し，直径約80 nm，長さ約800～1,000 nmのウイルス粒子で，フィラメント状，環状，分枝状，U型などの形態を示す．"filo"はラテン語で紐や糸の意味である．エボラウイルス属，マールブルグウイルス属が知られている．これらウイルスの自然宿主はオオコウモリと考えられている．

(i) エボラウイルス ebola virus

フィロウイルス科エボラウイルス属のウイルスで，細胞組織内では棒状を示し，700 nm前後の大きさのウイルスの感染性が高い（**図IX-12**）．ウイルス性出血熱の一つであるエボラ出血熱 ebola hemorrhagic feverの原因ウイルスである．

1976年にアフリカ中部のスーダンで最初の報告があり，その後突発的に発生と流行を繰り返し，2014年にはギニアからリベリア，シエラレオネへと流行地が拡大し，これまでで最も大きな流行となっている．

感染症：患者の血液，分泌物，排泄物や唾液などから感染し，2～21日の潜伏期間を経て，発熱，筋肉痛，頭痛，喉の痛みなどに始まり，嘔吐，下痢，肝機能および腎機能の異常がみられ，悪化すると全身毛細血管からの出血がみられる．必ずしも出血症状をともなうわけではないことなどから，近年ではエボラウイルス病 ebola virus disease（EVD）と呼ばれる．致死率は50～80％と高い．一類感染症に指定されている．

(ii) マールブルグウイルス Marburg virus

マールブルグ出血熱 Marburg hemorrhagic fever，マールブルグ病 Marburg disease あるいはミドリザル出血熱 vervet monkey hemorrhagic fever と呼ばれるウイルス性出血熱の原因ウイルスである．1967年に最初に報告され，ドイツとユーゴスラビアにおいて実験用としてウガンダから輸入されたアフリカミドリザルから感染した．その後も中央アフリカで散発的な発生がみられており，2004～2005年にはアンゴラで250人以上が感染し，90％が死亡している．エボラウイルスと電子顕微鏡上の外見は非常に似ている．

感染症：患者の血液，体液，分泌物，排泄物などとの接触により感染し，3～10日の潜伏期間を経て，全身倦怠感，発熱，頭痛，嘔吐，下痢，筋肉痛の後，吐血や下血し，最終的には播種性血管内凝固症候群

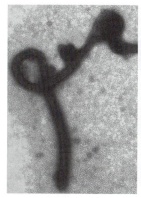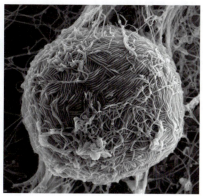

図IX-12　エボラウイルス（左）とウイルス感染細胞（右）の電子顕微鏡像
［京都大学ウイルス研究所教授　野田岳志博士提供］

disseminated intravascular coagulation（DIC）などを起こす．一類感染症に指定されている．

e. ブニヤウイルス科 Bunyaviridae のウイルス

3分節（S, L, M）に分かれたマイナス鎖一本鎖RNAをゲノムとするウイルスで，直径90〜100 nmの球状または不定形で，エンベロープを有し，4種の構造タンパク質をもち，エンドサイトーシスと膜融合により細胞内に侵入し，細胞質内で増殖し，ゴルジ装置腔内で出芽する．

オルトブニヤウイルス属，ハンタウイルス属，ナイロウイルス属，フレボウイルス属，トスポウイルス属の5属に分類される．トスポウイルス属は植物を宿主とし，他の4属はヒトや脊椎動物を宿主とする．

(i) クリミア・コンゴ出血熱ウイルス Crimean-Congo hemorrhagic virus

ウイルスに感染したマダニに咬まれたり，感染動物の血液や組織，感染者の血液や血液の混入した排泄物などに接触することで感染する．3〜12日間の潜伏期間を経て，高熱，頭痛，筋肉・関節痛や結膜炎，徐脈，下痢などを発症し，肝・腎機能障害をともなう．致死率は15〜30%である．ウイルスはダニ間でも維持されており，経卵巣伝播経路で成虫ダニから幼ダニへ伝播されている．一類感染症に指定されている．

(ii) ハンタウイルス属のウイルス hantaviruses

ネズミなどの齧歯類に持続感染しており，腎症候性出血熱，ハンタウイルス肺症候群が重要である．ハンタウイルス肺症候群では，感染初期はかぜの症状に似ており，頻呼吸，頻脈，下背部疼痛，肺の両側性間質性の浸潤による呼吸困難がみられる．腎症候性出血熱では，軽症型では上気道炎症状と微熱，軽度のタンパク尿と血尿を，重症では腎不全を呈し，致死率は3〜15%である．韓国および中国では不活化ワクチンが開発されている．

f. アレナウイルス科 Arenaviridae のウイルス

マイナス鎖一本鎖RNAをゲノムとするウイルスで，直径50〜300 nmの球状または不定形で，エンベロープを有し，NPはマイナス鎖に，糖タンパク質前駆体（GPC）はプラス鎖にコードされるプラスとマイナスのモザイク構造をもつアンビセンスな構造をとる．マムアレナウイルス属とレプトアレナウイルス属に分類される．増殖様式はブニヤウイルスと似ている．

(i) ラッサウイルス lassa virus

マムアレナウイルス属のウイルスで，アフリカ一帯にみられる急性ウイルス性出血熱疾患（ラッサ熱）を引き起こす．自然宿主は野ネズミの一種であるマストミス Mastomys natalensis で，年間20〜30万人程の感染者があると推定されている．ウイルスを保有するマストミスの尿や唾液に接触することで，あるいはマストミスに咬まれることで感染する．また患者の血液や体液などを介して二次感染する．発熱や全身倦怠感を初発症状とし，39〜41℃の高熱を示す．致死率は1〜2%である．一類感染症に指定されている．

(ii) 新世界アレナウイルスのグループに分類されるウイルス new world arenaviruses

新世界アレナウイルスのグループに分類され，出血熱疾患を引き起こすアレナウイルスとして南米各地の野ネズミからマムアレナウイルス属に属するウイルスが多数見いだされている．これらウイルスは，アルゼンチン出血熱（フニンウイルス），ボリビア出血熱（マチュポウイルス），ベネズエラ出血熱（グアナリトウイルス），ブラジル出血熱（サビアウイルス）などの南米ウイルス出血熱を引き起こす．致死率は10〜30%と高く，一類感染症に指定されている．

5 プラス鎖一本鎖 RNA ウイルス

プラス鎖一本鎖RNAウイルスはピコルナウイルス科，トガウイルス科，フラビウイルス科，カリシウイルス科，コロナウイルス科，アストロウイルス科に分類される．

a. ピコルナウイルス科 Picornaviridae のウイルス

エンベロープはなく，60個のカプソメアからなる

直径 20 〜 30 nm の正二十面体のカプシドに包まれたプラス鎖一本鎖 RNA をもつウイルスである．ピコルナウイルスはゲノム内部にキャップ構造に依存せずにリボソーム複合体が結合する IRES（internal ribosome entry sites）と呼ばれる領域をもつため，キャップ構造に依存した宿主 mRNA のタンパク質翻訳過程が阻害されても，ウイルスタンパク質を効率よく合成することができる．ピコルナウイルス科はエンテロウイルス属，ヘパトウイルス属などに分類される．

(i) ポリオウイルス poliovirus

ポリオウイルスはエンテロウイルス属，enterovirus C に分類され，抗原性の異なる 1 型，2 型，3 型の 3 種類がある（図 IX-13）．

感染症：4 〜 35 日間（平均 15 日間）の潜伏期間を経て発症する．感染者の 90 〜 95% は不顕性感染で，1 〜 2% は麻痺をともなわない無菌性髄膜炎となるが，約 0.1% が急性灰白髄炎（ポリオ）を発症する．ウイルスは糞口感染により咽頭や小腸粘膜で増殖し，血中を循環し，一部のウイルスは脊髄前角の中枢神経系に，さらに血液脳関門を通過し，中枢神経系に達し，脳幹，大脳皮質運動野を破壊することで運動麻痺を起こす．

予　防：1964 年から国産の経口生ワクチンの接種が開始され，1981 年以降国内では野生のポリオウイルスによる患者は発生していない．経口生ワクチンは安価で接種が容易である反面，生ワクチンの副作用として極まれにポリオ様の麻痺が起こるため，2012 年 9 月から単独の不活化ポリオワクチンが導入され，さらに同年 11 月からジフテリア，百日咳，破傷風の 3 種混合ワクチンに不活化ポリオワクチンを加えた 4 種混合ワクチン（DPT-IPV）が導入された．これらのワクチンは A 類疾病の定期予防接種に分類されている．

(ii) コクサッキーウイルス coxsackievirus

エンテロウイルス属，human enterovirus A，B に分類される（図 IX-14）．ほとんどの感染は無症候性であるが，3 〜 5 日の潜伏期間を経て，発熱，咽頭痛などの症状とともに水疱性の発疹，食欲不振，全身倦怠などの全身症状をともない，頭痛，下痢，嘔吐，筋肉痛などの症状を示す．幼児，小児に多くみられ，夏季から秋季に流行することが多い．手の平，足の裏，口内に水疱が発生する手足口病や発熱と口腔粘膜に現れる水疱性の発疹を特徴とした急性のウイルス性咽頭炎であるヘルパンギーナの原因となる．

(iii) エコーウイルス echovirus

夏かぜや胃腸炎の原因ウイルスの一つであり，4 〜 6 日の潜伏期間を経て発症し，発熱や発疹等が認められる．また小児の感染において無菌性髄膜炎を引き起こすことがある．

(iv) ライノウイルス rhinovirus

ライノウイルスはエンテロウイルス属に分類され，

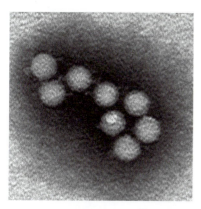

図 IX-13　ポリオウイルスの電子顕微鏡像
［静岡県環境衛生科学研究所提供］

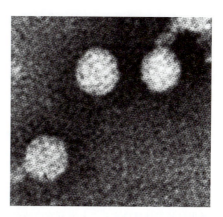

図 IX-14　エンテロウイルスの電子顕微鏡像
［静岡県環境衛生科学研究所提供］

かぜ症候群（普通感冒）の代表的な原因ウイルスである．飛沫感染などにより上気道に感染し，1〜2日の潜伏期間を経て，くしゃみ，咽頭炎，発熱，頭痛などの症状を示す．

(v) A型肝炎ウイルス hepatitis A virus (HAV)

A型肝炎ウイルスはヘパトウイルス属に分類され，ウイルスを含む糞便で汚染された水や貝類などの食品を介して糞口感染し，約4週間の潜伏期間を経て，発熱，頭痛，筋肉痛，腹痛などの症状を呈し，肝炎を発症する．一般に，劇症化して死亡する例（約0.1%）を除き，慢性化せずに1〜2ヵ月後に回復する．不活化ワクチンが開発されている．

b. トガウイルス科 Togaviridae のウイルス

トガウイルスはエンベロープを有し，プラス鎖一本鎖RNAをゲノムとする．直径約70 nmの球形粒子であり，エンベロープの外側に2種類のスパイク糖タンパク質をもつ．アルファウイルス属とルビウイルス属に分類される．

風疹ウイルス rubella virus

ルビウイルス属に属する．ヒト以外の自然宿主をもたない．血清学的には亜型のない単一の抗原性である．そのため，一度感染して免疫を獲得すると，終生感染しないとされる．

感染症：風疹ウイルスは経気道的に飛沫感染するが，麻疹ウイルスや水痘ウイルスと比べて感染力は弱い．風疹の流行は春から初夏にかけて多いが，冬にも発生して不規則である．風疹の症状は麻疹と比べて軽いことから，「三日はしか」と呼ばれている．風疹の三主症状は，発熱，発疹，リンパ節腫脹（耳介後部，後頭部，頸部）である．国内の風疹は1976年から，およそ5年ごとに大流行を起こしている．

妊婦にとって，風疹は極めて危険な感染症である．妊娠初期の20週頃（とくに12週）までに風疹ウイルスに初めて感染すると，ウイルス血症を起こして胎盤を経由して胎児にも感染する．多くは死産や流産となるが，胎児に持続性感染することで細胞増殖が抑制されて奇形をもたらすことがある．これを先天性風疹症候群 congenital rubella syndrome (CRS) と呼んでいる．CRSでは心奇形，難聴，白内障が特徴的である．

予　防：風疹ワクチンは生ワクチンであるので，妊婦には接種できない．CRSを予防するためにも，妊娠を希望する女性と家族などの周囲の者は，妊娠前のワクチン接種と抗体価の確認が極めて重要である．MR2種混合ワクチンが使用される．このワクチンはA類疾病の定期予防接種に分類されている．近年の風疹の流行および先天性風疹症候群の報告数の増加から，MRワクチンの公的な予防接種の対象が拡大された．2019年4月から2022年3月までは，公的な予防接種を受ける機会がなかった1962年4月2日から1979年4月1日までに生まれた男性，2020年4月1日以降は妊娠を希望している女性やその配偶者，あるいは妊婦の同居者で，十分な抗体価がない者が対象となっている．

c. フラビウイルス科 Flaviviridae のウイルス

直径40〜60 nmでエンベロープをもち，フラビウイルス属，ペスチウイルス属，ペギウイルス属，ヘパシウイルス属の4属に分類される．フラビウイルス属の多くはカやダニを媒介して感染する．

(i) 日本脳炎ウイルス Japanese encephalitis virus

日本脳炎ウイルスはフラビウイルス属に属し，1935年にヒトの感染脳から初めて分離された（図IX-15）．ウイルスの流行地域は，東アジア，東南アジア，南ア

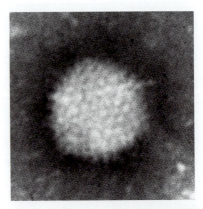

図IX-15　日本脳炎ウイルスの電子顕微鏡像
［静岡県環境衛生科学研究所提供］

ジア，北部オーストラリアの一部である．わが国などの温帯地域では，水田などで発生するコガタアカイエカ Culex tritaeniorhynchus によってウイルスが媒介される．ヒトが感染すると，重篤な急性脳炎を起こすことがある．ヒトからヒトへの感染はなく，ヒトは終末宿主である．日本脳炎ウイルスに感染したブタの血液中には多量のウイルスが含まれ，日本脳炎ウイルスの最適な増幅動物となっている．ほとんどの感染は，ブタ-カ-ヒトの経路で起こる．

予　防：日本脳炎はA類疾病に分類され，Vero細胞を用いて培養したウイルスから製造された不活化ワクチンが開発されている．わが国における日本脳炎ウイルスの流行は，コガタアカイエカの活動時期と重なる夏（7～10月）に多い．そのため最も重要な対策はワクチン，コガタアカイエカの駆除，養豚の大規模化・衛生環境の改善・住宅地からの隔離などである．

(ii) デングウイルス dengue virus

デングウイルスはフラビウイルス属に分類される直径40～50 nm の球状ウイルスで，ネッタイシマカやヤブカによって媒介される．通常，ヒト間での直接感染は起こらない．ウイルスに感染したヒトスジシマカから約10％の割合でウイルスが卵に垂直伝播する．デングウイルスは，血清型として四つの型（DENV-1～4）に分類される．

感染症：ウイルス感染後3～14日の潜伏期間を経て発症し，一過性の発熱，頭痛，筋肉痛，関節痛や特徴的な皮膚発疹を生じる．デングウイルス感染者の50～80％は通常不顕性感染であるが，5％は重症化する．重症化すると出血や血小板の減少，出血性ショックを呈する．一度目に感染したウイルスとは異なる血清型のウイルスに二度目に感染すると，出血傾向をともなうデング出血熱 dengue hemorrhagic fever の発症率が高まる．全世界で年間約1億人の患者が発生し，約25万人がデング出血熱を発症する．わが国でも2014年に約70年ぶりに国内感染が報告された．

予　防：感染予防のための生ワクチンや不活化ワクチンの臨床試験が進められており，2015年に世界初のデング熱ワクチンが国外で認可された．

(iii) C型肝炎ウイルス hepatitis C virus（HCV）

HCVはヘパシウイルス属に分類され，直径35～65 nm のエンベロープをもつ球状粒子であり，1a型，2a型など10種類以上の**遺伝子型 genotype** に分類される．わが国では1b型（約70％），2a型（約20％），2b型（約10％）が多い．HCVの全ゲノムは，約9.6 kbp からなる一本鎖のプラス鎖RNAからなり，ウイルス粒子を形成する**構造タンパク質**（C, E1, E2）とウイルス粒子に含まれない**非構造タンパク質**（NS2, NS3, NS4A, NS4B, NS5A, NS5B）の10種類のタンパク質がつくられる．これらのウイルスタンパク質は，最初に前駆体のタンパク質として翻訳され，宿主細胞由来のシグナルペプチダーゼにより構造タンパク質は，コアタンパク質（C）と二つのエンベロープタンパク質（E1とE2）に，また，非構造タンパク質の一部は，NS1とNS2に切断される．HCVはシステインプロテアーゼ（メタロプロテアーゼ）とセリンプロテアーゼの二つのプロテアーゼを有している．NS2からシステインプロテアーゼが産生され，NS3からヘリケース活性を有するセリンプロテアーゼが産生される．非構造タンパク質の一部は，システインプロテアーゼによりNS2とNS3に切断され，また，セリンプロテアーゼによりNS3, NS4A, NS4B, NS5A, NS5Bに切断される（**図IX-16**）．NS5BはRNA依存性RNAポリメラーゼ活性を有する．NS5Aは感染細胞内で二量体を形成し，HCVの複製および細胞内シグナル伝達経路の調節などに関与する．

感染症：HCVは主に輸血や血液製剤の投与，臓器移植，適切な消毒をしない器具を使っての医療行為など感染者の血液を介して感染する．わが国では汚染血液を原料とした血液製剤フィブリノゲンにより感染が拡大した．HCV感染者の約70％はウイルスが排除されず，持続感染へと移行する．さらに，慢性肝炎持続の場合，約60％が肝硬変へと進展し，その7～8％が肝細胞癌を発症する．わが国では100～200万人のHCV感染者がおり，慢性肝炎，肝硬変，肝癌患者の75％がHCV感染者であり，年間3万人が肝癌により死亡する．

予防・治療：感染予防のためのワクチンは開発され

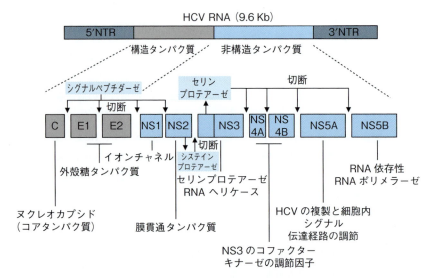

図 IX-16 HCV の遺伝子構造と産生タンパク質

ていないが，**NS3/4A 阻害薬**，**NS5A 阻害薬**，**NS5B 阻害薬**などの治療効果の高い新規抗ウイルス薬が開発されている．

(iv) ジカウイルス zika virus

ジカウイルスはフラビウイルス属に分類される直径約 40 nm の球状ウイルスで，ネッタイシマカやヒトスジシマカによって媒介される．デングウイルスと血清学的には交差反応が認められるが，単一の血清型である．

感染症：ウイルス感染後 3～12 日の潜伏期間を経てジカウイルス感染症（ジカ熱）を発症する．不顕性感染率は約 80% とされている．発熱，斑状丘疹性発疹，関節痛，関節炎，筋肉痛，後眼窩痛を生じる．下痢，腹痛，嘔吐などの症状を呈する場合もある．また，ギラン・バレー症候群を発症することもある．妊娠中に母親がジカウイルスに感染すると，胎児に小頭症などの先天的な発達障害を引き起こすことが報告されている．

d. ヘペウイルス科 *Hepeviridae* のウイルス

直径約 30 nm のエンベロープをもたない球状粒子で，オルソヘペウイルス属とピスキヘペウイルス属に分類される．

E 型肝炎ウイルス hepatitis E virus（HEV）

HEV はヘペウイルス科のオルソヘペウイルス属に分類され，ウイルスのゲノムは 7.2 kbp の一本鎖のプラス鎖 RNA からなる．

感染症：経口感染により，約 6 週間の潜伏期間を経て発症し，発熱，悪心・腹痛などの消化器症状，肝腫大，肝機能の悪化を生じる．妊婦で劇症肝炎の割合が高く，致死率が 20% にも達することがある．人獣共通感染症である可能性が示唆されており，野生のシカやイノシシ肉の生食による感染が報告されている．現在ワクチンの開発が進められている．

● 肝炎ウイルス治療薬

作用機序：インターフェロンはウイルス感染において生体反応により生産されるサイトカインの一種である．細胞表面のインターフェロン受容体に結合して，細胞内にウイルスタンパク質の転写・合成を抑制するタンパク質の発現を誘導して，ウイルス増殖を抑制する働きがある．その一つの例として，インターフェロンは細胞内の 2′,5′-オリゴアデニル酸合成酵素を誘導して RNA 分解酵素 RNase L を活性化し，ウイルスの RNA や mRNA の分解を促進する．HBV および HCV の感染症治療に，天然型または遺伝子組換え型

のインターフェロンα製剤，インターフェロンβ製剤が使用される．ただし，最近のHCV治療はインターフェロンを使用しない「インターフェロンフリー治療」が主流となっている．インターフェロンはタンパク質であることから体内で分解されやすく，遺伝子組換え型インターフェロンα-2b製剤では1日1回週3回または週6回の筋肉注射，天然型インターフェロンβ製剤では1日1回毎日または週3回の静脈内注射または点滴静注が必要である．体内での吸収・分解を遅らせる目的で，インターフェロンに分枝ポリエチレングリコール（PEG：ペグ）を共有結合させたペグインターフェロンα-2aおよびペグインターフェロンα-2bは，週1回の皮下注射で済む．

副作用：インターフェロン療法には，頭痛や発熱などの比較的軽微なものから間質性肺炎のような重篤なものまで様々な副作用がともなう．抗ウイルス療法の他，肝機能の改善を目的にグリチルリチン，ウルソデオキシコール酸，肝臓加水分解物，小柴胡湯も用いられる．

相互作用：機序は不明であるが，インターフェロン製剤と小柴胡湯の併用は間質性肺炎が現れることがあり，併用禁忌となっている．

● **HCV治療薬**（図IX-17，図IX-18）

作用機序：HCVのジェノタイプは1a，1b，2a，2b型などに分類される．日本人でみられるHCVのジェノタイプは1型と2型がほとんどで，最も多いのは1b型である．1型はインターフェロン感受性が低いとされる．HCVのインターフェロン療法は，インターフェロンα-2b，ペグインターフェロンα-2bまたはインターフェロンβとともにリバビリンの併用投与が一般的であった．しかし，副作用は多く，HCV駆除の確率は低かった．その後，インターフェロン，リバビリン，NS3/4A阻害薬の併用でHCV駆除の確率は高くなった．しかし，インターフェロンの使用できない患者（自己免疫疾患や副作用など）には治療できなかった．最近のHCV治療はインターフェロンを使用しない「インターフェロンフリー治療」が主流となっている．リバビリンは細胞内のキナーゼでリン酸化体となる．リバビリン－リン酸は，イノシン－リン酸脱水素酵素を阻害してイノシン－リン酸からGTPの合成を阻害し，GTPを枯渇させる．さらにHCVのRNA鎖へのGTPの取り込みを抑制することでHCVのRNAゲノム合成を阻害する．また，HCVのRNAゲノムの突然変異も誘発させて抗ウイルス作用を示すと考えられている．リバビリンは単独で投与されず，ソホスブビルまたはソホスブビル・ベルパタスビル配合剤と併用される．リバビリンとソホスブビルの併用は，ジェノタイプ1型には使用しない．リバビリンは動物実験で催奇形性が認められているため，妊婦または妊娠の可能性のある婦人には使用できない．リバビリンは貧血やうつ症状の悪化・再燃にも注意を要する．

HCVに直接作用する治療薬（直接作用型抗ウイルス薬 direct acting antiviral，DAA）は NS3/4A 阻害薬，NS5A 阻害薬，NS5B 阻害薬に分類される．これらの治療薬は経口剤であり，インターフェロンフリー治療として NS3/4A 阻害薬と NS5A 阻害薬，NS5A 阻害薬と NS5B 阻害薬，あるいはリバビリン（RBV）との併用で使用される．NS3/4A 阻害薬には，グラゾプレビル（GZR），グレカプレビル（GLE）がある．NS3/4A 阻害薬はHCVの NS3/4A プロテアーゼを阻害し，ウイルスの非構造タンパク質を成熟させるためのプロセシング（セリンプロテアーゼ切断部位の切断）を抑制する．NS5A 阻害薬には，レジパスビル（LDV），エルバスビル（EBR），ピブレンタスビル（PIB），ベルパタスビル（VEL）がある．NS5A 阻害薬は対称形の構造が特徴でNS5Aの二量体構造に結合し，HCV複製過程に重要な複製複合体の形成を阻害する．NS5B 阻害薬はソホスブビル（SOF）がある．ソホスブビルはUTP型のヌクレオチドプロドラッグである．ソホスブビルの代謝活性体（ヌクレオチド類似体の二リン酸体）は，NS5Bの RNA 依存性 RNA ポリメラーゼ活性を阻害することで，ウイルスゲノム複製を抑制する．ソホスブビルの代謝は，HBV治療薬のテノホビル アラフェナミド フマル酸塩と同様である．

併用療法：インターフェロンフリー治療が主流となっているが，直接作用型抗ウイルス薬の使用は薬剤耐性ウイルスを生じる．そのためHCV治療には，NS3/4A 阻害薬＋NS5A 阻害薬，NS5A 阻害薬＋NS5B 阻害薬，あるいはソホスブビル＋リバビリンの2剤が

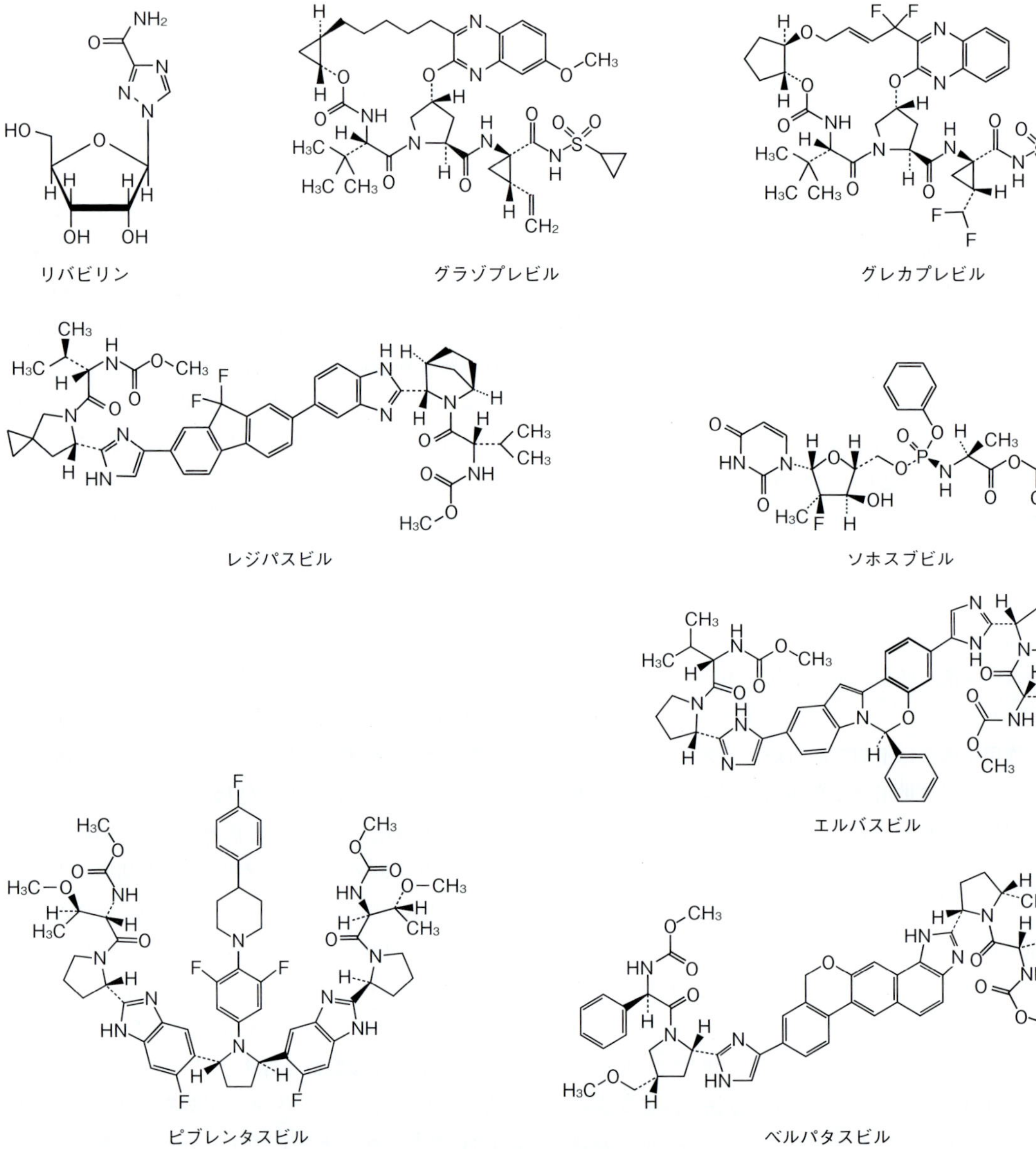

リバビリン　グラゾプレビル　グレカプレビル

レジパスビル　ソホスブビル

エルバスビル

ピブレンタスビル　ベルパタスビル

図 IX-17　HCV 治療薬の構造

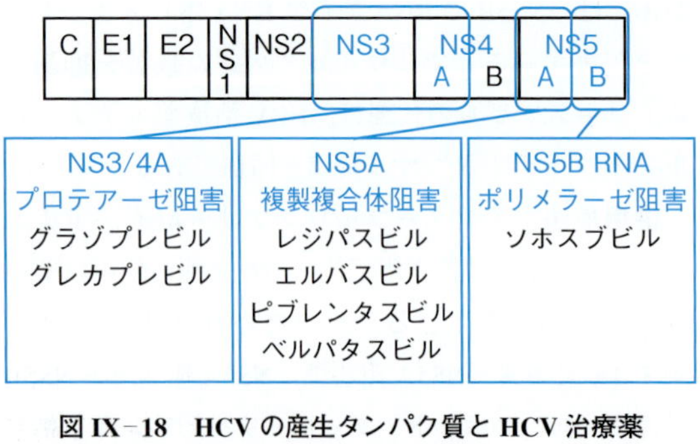

C	E1	E2	NS1	NS2	NS3	NS4A	NS4B	NS5A	NS5B

NS3/4A プロテアーゼ阻害
グラゾプレビル
グレカプレビル

NS5A 複製複合体阻害
レジパスビル
エルバスビル
ピブレンタスビル
ベルパタスビル

NS5B RNA ポリメラーゼ阻害
ソホスブビル

図 IX-18　HCV の産生タンパク質と HCV 治療薬

併用される．NS3/4A 阻害薬と NS5A 阻害薬はジェノタイプ 1 型のみの適応が多かった．しかし，現在では，グレカプレビル，ピブレンタスビル，レジパスビルと NS5B 阻害薬のソホスブビルがジェノタイプ 1 型と 2 型の両方に適応されている．日本肝臓学会の C 型肝炎治療ガイドライン（第 7 版，2019 年 6 月）では，直接作用型抗ウイルス薬の治療歴がない慢性肝炎の患者には次のような治療方針となる．

・ソホスブビル/レジパスビル配合剤，12週間，ジェノタイプ1型・2型，重度腎障害なし
・エルバスビル＋グラゾプレビル，12週間，ジェノタイプ1型のみ
・グレカプレビル/ピブレンタスビル配合剤，8週間，全ジェノタイプ
・ソホスブビル＋リバビリン，12週間，ジェノタイプ1型を除く，重度腎障害なし

リバビリンとソホスブビルは腎排泄型のため，これらの一方を使用する併用療法は重度の腎機能障害に投与禁忌である．また，リバビリン以外の薬剤もリファンピシンなどの併用禁忌薬が多い．グレカプレビルとピブレンタスビルの配合剤は，HCVの全ジェノタイプに使用できるが，肝機能障害の副作用のため重度の肝機能障害には投与禁忌である．近年のHCV治療薬は新薬と販売中止薬の移り変わりが激しく，最新の治療ガイドラインを参照することが必要である．なお，エルバスビルとグラゾプレビルは2021年10月末に発売中止となる．

e. カリシウイルス科 *Caliciviridae* のウイルス

直径27〜40 nmのエンベロープをもたないウイルスで，1種のポリペプチドの二量体から構成された正二十面体構造のカプシドに包まれた一本鎖RNAをもち，ラゴウイルス属，ネボウイルス属，ノロウイルス属，サポウイルス属，ベシウイルス属の5属に分類される．ウイルスの名は電子顕微鏡で観察される特徴的な杯状のウイルス表面（calix：杯）に由来する．カリシウイルスのカプシドは強く，低濃度の塩素や酸性条件での短時間処理などにも抵抗性を示す．ウイルス性胃腸炎や下痢症の主要な原因ウイルスである．

ノロウイルス norovirus（図 IX-19）

ゲノムには三つのタンパク質をコードする領域が存在し，VP1領域の遺伝子型の分類では36種以上が知られている．

感染症：ノロウイルスによる感染性胃腸炎や食中毒は冬場に多く発生する傾向がある．原因は，ノロウイルスに汚染された水や食品であり，とくにカキを含む二枚貝が多い．ウイルス感染後1〜2日の潜伏期間を

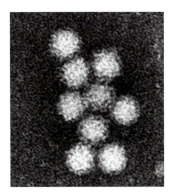

図 IX-19 ノロウイルスの電子顕微鏡像
[静岡県環境衛生科学研究所提供]

経て嘔吐や下痢などの急性胃腸炎症状を起こす．腹痛，頭痛，発熱，悪寒，筋痛，咽頭痛，倦怠感などをともなうこともある．通常は数日で回復する．感染者の便や吐瀉物に接触したり飛散したりすることにより二次感染を起こす．症状が収まった後も便からのウイルスの排出は1〜3週間程度続く．ヒトへの感染経路は主に経口感染である．感染者の用便後の手洗いが不十分な場合，食品等を汚染することにより感染が拡大することから注意が必要である．ヒトからヒトへの感染として飛沫感染や空気感染の報告もある．

予 防：ノロウイルスは，培養細胞で増殖させることができない．そのため，抗ウイルス薬やワクチンは開発されていない．ウイルスの感染性を消失させるためには，消毒用エタノールは無効であり，次亜塩素酸ナトリウムなどで消毒するか，85℃以上で1分以上加熱する必要がある．

f. コロナウイルス科 *Coronaviridae* のウイルス

コロナウイルスはニドウイルス目に属し，コロナウイルス亜科とトロウイルス亜科に分類され，さらにコロナウイルス亜科はアルファコロナウイルス属，ベータコロナウイルス属，デルタコロナウイルス属，ガンマコロナウイルス属の4属に，トロウイルス亜科はバフィンウイルス属とトロウイルス属の2属に分類される．ウイルスは直径約100 nmの球形エンベロープをもち，ウイルスの名は，糖タンパク質のスパイクが電子顕微鏡で太陽のコロナのような形状にみえることに由来する．

(i) ヒトコロナウイルス human coronavirus

かぜ症候群（普通感冒）を引き起こす主要なウイルスの一つで，ウイルス感染後2〜5日の潜伏期間を経て上気道粘膜に急性の炎症（鼻炎，咽頭炎，喉頭炎など）を生じる．

(ii) 新型コロナウイルス

(1) SARSコロナウイルス severe acute respiratory syndrome coronavirus

中国広東省で2002年に報告された重症急性呼吸器症候群 severe acute respiratory syndrome（SARS）の原因ウイルスで，ベータコロナウイルス属に分類される．人獣共通感染症のウイルスで，自然宿主はコウモリと考えられている．

感染症：主に飛沫および糞口感染により伝播し，感染性のある血液や体液への直接的接触でも感染する．2〜10日の潜伏期間を経て発症し，発熱，悪寒戦慄，筋肉痛，下痢などを示す．発症者の約20％が重症化し，急性呼吸窮迫症候群を生じる．SARSの致死率は年齢によって異なり，平均で約10％であるが，65歳以上では50％以上である．SARSコロナウイルスの感染は現在終息しているが，2002〜2003年の10ヵ月間に32の地域や国に感染が拡大し，約8,000人の感染者と800人近い死者を出している．

予　防：ワクチンや有効な治療法は確立されていない．消毒用エタノールや次亜塩素酸ナトリウムで感染性は消失する．

(2) MERSコロナウイルス Middle East respiratory syndrome coronavirus

中東呼吸器症候群 Middle East respiratory syndrome（MERS）の原因ウイルスで，ベータコロナウイルス属に分類されている．人獣共通感染症のウイルスであり，自然宿主はコウモリやラクダと考えられている．2012年に中東へ渡航歴のある英国の重症肺炎患者から分離された．

感染症：ウイルス感染2〜14日後に発症し，呼吸器症状（発熱，咳，重症化により呼吸困難，肺炎）を引き起こす．症状が現れない場合もある．主に飛沫感染により感染する．MERSコロナウイルスの死亡率は2002〜2003年に流行したSARSコロナウイルスの死亡率と比べて35％前後（2015年7月現在）と非常に高い．2015年までに約1,300人の感染者と500人近い死者を出している．

予　防：ワクチンや有効な治療法は確立されていない．消毒用エタノールや次亜塩素酸ナトリウムで感染性は消失する．

(3) SARS-CoV-2

2019年12月8日，中国湖北省の武漢で原因不明の肺炎が報告されたことに端を発し，2020年3月11日にWHOから「パンデミック」と表明された．SARS-CoV-2に感染すると，主に発熱のほか，咳，呼吸困難などの呼吸器症状を起こす．潜伏期間は1〜14日間で，5日程度が多い．感染者の約8割が無症状か軽症だが，重症化に至ることもある．

● 新型コロナウイルス（SARS-CoV-2）治療薬

作用機序：コロナウイルスは，感染した宿主細胞内でウイルスのRNA依存性RNAポリメラーゼによってウイルスRNAを合成する．抗エボラウイルス薬として開発されていた経緯をもつレムデシビル（図IX-20）はアデノシンヌクレオシドのプロドラッグである．わが国では「SARS-CoV-2による感染症」の治療薬として2020年5月7日に特例承認された．レムデシビルは，加水分解などの代謝を受けてヌクレオシド類似体の一リン酸体となった後，細胞内で三リン酸体の活性体となる．この活性体は天然基質ATPと競合してウイルスのRNAポリメラーゼを阻害する．さらに，ウイルスRNA鎖に取り込まれて伸長反応を少し遅れて停止させる．レムデシビルのプロドラッグとしての構造は，ソホスブビルやテノホビル アラフェナミド フマル酸塩に類似している．重症感染症に適

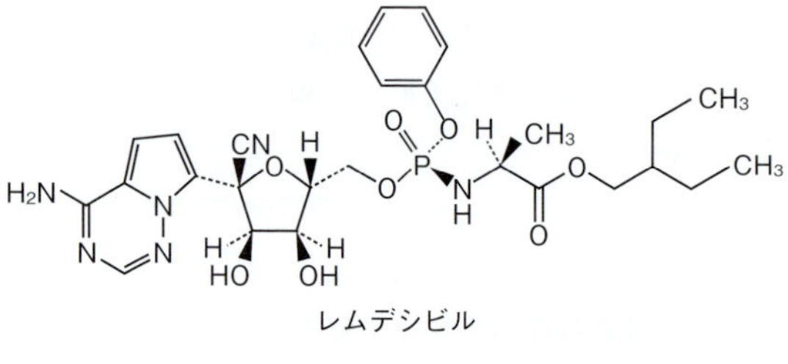

レムデシビル

図IX-20　SARS-CoV-2治療薬の構造

応のあるデキサメタゾンも治療薬として認められた．また，関節リウマチやアトピー性皮膚炎に使用されるJAK阻害薬のバリシチニブが，2021年4月23日にSARS-CoV-2治療薬として追加承認された．経口剤であり，レムデシビルとの併用で使用される．SARS-CoV-2感染により，酸素吸入を必要とする肺炎患者に限定して投与される．

g. アストロウイルス科 *Astroviridae* のウイルス

ウイルスは直径約30 nmの粒子で表面に星状の構造（astron）が観察される．ヒトアストロウイルスは1975年に急性胃腸炎の小児の糞便中から分離された．8種類の血清型が報告されており，感染後1〜4日の潜伏期間を経て発症し，主に乳幼児に急性胃腸炎，嘔吐，発熱を生じるが，一般に軽症で5日以内に回復する．ウイルス性胃腸炎の2〜9％を占める．

6 逆転写酵素活性を有する二本鎖DNAウイルス

逆転写酵素活性を有する二本鎖DNAウイルスは，ヘパドナウイルス科とカリモウイルス科に分類される．

ヘパドナウイルス科 *Hepadnaviridae* のウイルス

名前の由来は肝臓を標的とするDNAウイルスであることに由来する．オルソヘパドナウイルス属とアビヘパドナウイルス属に分類される．

ウイルスは直径40〜48 nmの球形粒子で，エンベロープを有し，300〜3,000 bpの部分的一本鎖領域のある環状二本鎖DNAを含む．1種類のコアタンパク質（HBc）から構成される正二十面体のヌクレオカプシドからなり，ウイルスゲノムは逆転写酵素活性をもつDNAポリメラーゼ遺伝子などをコードする．エンベロープにはスパイク糖タンパク質（HBs）が存在する．培養細胞での増殖が困難なために，感染侵入機構は不明な点が多い．ウイルスのゲノムDNAは宿主細胞内で完全な二本鎖DNAとなり，マイナス鎖DNAからプラス鎖RNAが転写される．さらにこのRNAからウイルスDNAポリメラーゼの有する逆転写酵素活性によりマイナス鎖DNAが合成され，このDNAを鋳型にして二本鎖DNAが合成される．ウイルス粒子は小胞体膜から出芽する．

B型肝炎ウイルス hepatitis B virus（HBV）

B型肝炎ウイルス（HBV）はオルソヘパドナウイルス属のウイルスで，9種類の遺伝子型に分類され，さらに複数の亜型が存在する．血清型としては4種類（adr, adw, ayr, ayw）が知られている．わが国ではadrが多い．

感染症：HBV感染による肝炎の症状は細胞傷害性T細胞が関与する宿主免疫反応による．成人が感染した場合は，1〜6ヵ月の潜伏期間を経て，ほとんどが急性肝炎を発症し，全身倦怠感，食欲不振，悪心，嘔吐，褐色尿，黄疸を示す．発症時にはHBs抗原，HBe抗原が陽性であり，1〜2ヵ月でHBs抗原，HBe抗原は陰性化し，その後HBe抗体，HBs抗体が順次出現し，一過性に回復する．持続感染（慢性キャリア）の場合，思春期を過ぎると自己の免疫力が発達し，HBe抗体，HBs抗体が出現する．10〜20％は慢性肝炎へと移行し，一部のヒトは肝硬変や肝癌になる．HBV感染による肝癌の発症機序に関しては，ウイルス由来のHBxタンパク質による細胞の腫瘍化やウイルスの持続炎症による肝細胞の再生と加齢による遺伝子変異の蓄積などが提唱されている．

予防：血液や体液（唾液，性器分泌液），母乳などを介して感染する．性行為による感染と母子感染（妊娠中の胎内感染，出産時の産道感染，出生後の経母乳感染など）が主な感染経路であるが，危険薬物常用者間での注射器の共用，HBV感染者の血液などに汚染された医療器具による感染もある．わが国では集団予防接種の際に注射器が連続使用されたことにより感染が拡大した．HBVは免疫原性が低いために，新生児期や幼児期に感染すると免疫寛容状態となり，ウイルスは排除されず，持続感染化する頻度が高い．出産時の産道感染の場合は約90％がキャリア（病原性のあるウイルスを体内に持続的に排出している状態）となる．世界で約4億人の慢性キャリアが存在し，わが国では約140万人が慢性キャリアと推定されている．ただし，母親がHBe抗体陽性の場合，キャリア

化することはまれである．また，出生後のできる限り早期に**高力価 HBs ヒト免疫グロブリン（HBIG）**を筋注し，1～2ヵ月後から **B 型肝炎ワクチン（HB ワクチン）**を接種することにより，HBV の母子感染を 90％ 以上の割合で予防することができる．2016 年 10 月より定期予防接種（A 類）が行われている．

治 療：HBV 感染の治療としては，インターフェロン療法（p.291 参照）に加え，ヌクレオシドアナログである**エンテカビル，テノホビル ジソプロキシル フマル酸塩，テノホビル アラフェナミド フマル酸塩**などが使用されている．

● **HBV 治療薬（図 IX-21，図 IX-22）**

作用機序：HBV は不完全な二本鎖 DNA をもつウイルスである．HBV が宿主細胞に感染すると，細胞の核内でウイルス DNA 鎖の不完全な部分は修復されて，covalently closed circular DNA（cccDNA）と呼ばれる閉環状の二本鎖 DNA を形成する．cccDNA から転写されたプレゲノム RNA は，HBV の **DNA ポリメラーゼ**の**逆転写酵素活性**により自身のマイナス鎖 DNA に変換される．この DNA を鋳型にプラス鎖 DNA が合成され，ウイルスゲノムとなる．ウイルスに直接作用する HBV 治療薬には**ラミブジン**

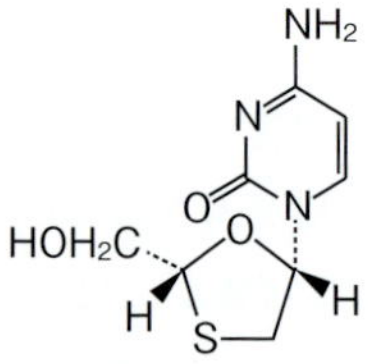

ラミブジン

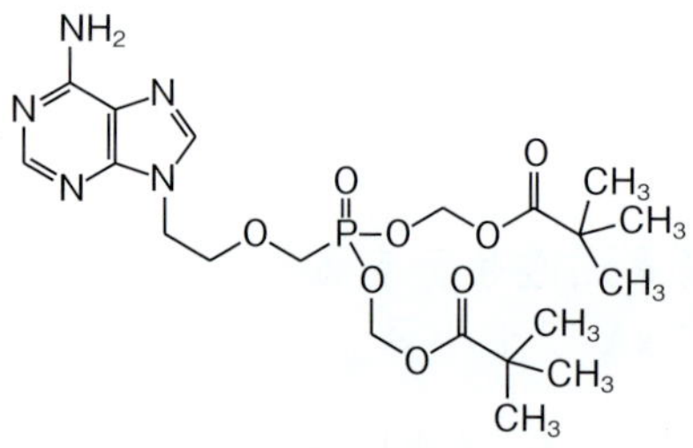

アデホビル ピボキシル

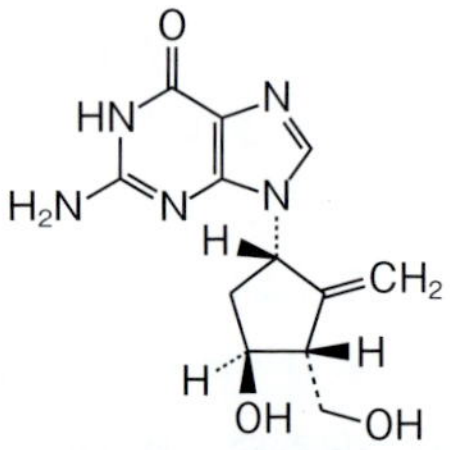

エンテカビル

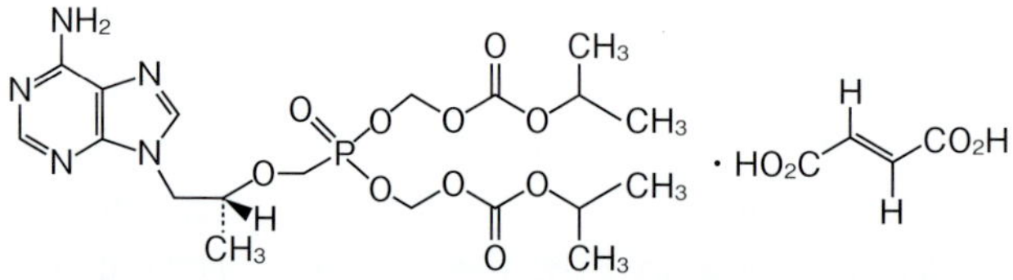

テノホビル ジソプロキシル フマル酸塩

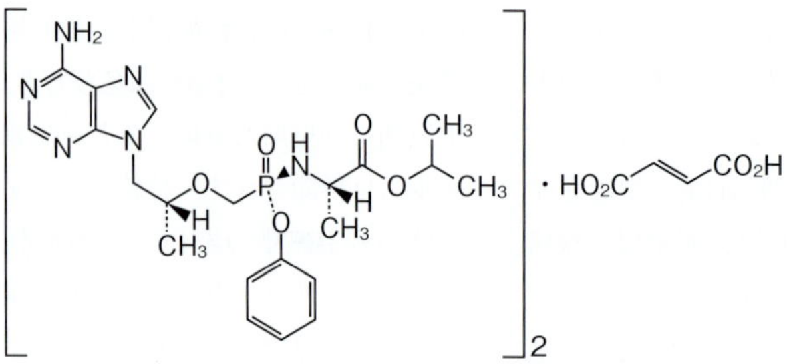

テノホビル アラフェナミド フマル酸塩

図 IX-21　HBV 治療薬の構造

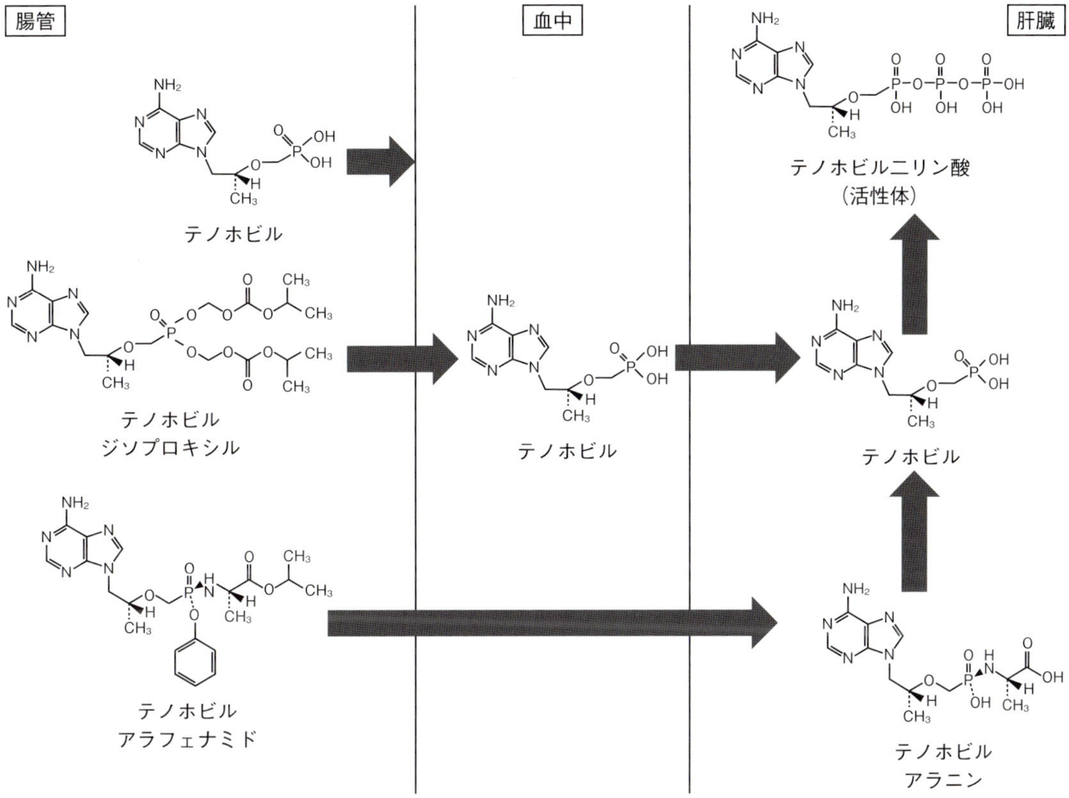

図IX-22 テノホビルのプロドラッグ体の代謝

(LAM)，アデホビル ピボキシル（ADV），エンテカビル（ETV），テノホビル ジソプロキシル フマル酸塩（TDF），テノホビル アラフェナミド フマル酸塩（TAF）があり，経口薬として使用される（図IX-21）．HBV治療薬はヌクレオシド類似体あるいはヌクレオチド類似体で，細胞内でリン酸化される．活性体のラミブジン三リン酸はdCTP，エンテカビル三リン酸はdGTP，アデホビル二リン酸およびテノホビル二リン酸はdATPのアナログである．これらの活性体は，天然基質と競合してHBVのDNAポリメラーゼの逆転写酵素活性を阻害するとともに，DNAポリメラーゼ活性によるHBVのプラス鎖DNAの合成も阻害し，さらに基質としてHBVのDNA鎖に取り込まれて伸長反応を停止させる．HBV治療を行っても感染細胞からcccDNAを排除できないため，HBVを完全に駆除することはできない．HBV治療薬は長期間継続した投与が必要である．

ヌクレオチド類似体のテノホビルは腸管から吸収されないため，プロドラッグ化されている．テノホビル ジソプロキシル フマル酸塩はジエステル化プロドラッグであり，経口吸収後，速やかに血中のエステラーゼによりテノホビルに変換される．ヌクレオシド一リン酸類似体のテノホビルは，細胞内で活性体のテノホビル二リン酸となる．2017年2月に国内販売が開始されたテノホビル アラフェナミド フマル酸塩はテノホビルをホスホンアミデートで修飾したプロドラッグである．テノホビル アラフェナミド フマル酸塩は血中で安定であり，HBVの標的臓器の肝臓でカルボキシルエステラーゼ1などにより加水分解されて，テノホビル アラニンに変換される．テノホビル アラニンはリソソームでの酸加水分解を受けて，テノホビルとなり，活性体のテノホビル二リン酸となる（図IX-22）．テノホビル アラフェナミド フマル酸塩（1錠25 mg）は標的細胞の肝臓で代謝されて活性化さ

れるため，テノホビル ジソプロキシル フマル酸塩（1錠 300 mg）と比べて低用量で作用する．テノホビルやアデホビルの長期投与は腎尿細管を障害し，低リン血症をきたす可能性がある．低リン血症から骨軟化症が現れ，骨折することがある．テノホビル アラフェナミド フマル酸塩は腎および骨への安全性が高い．

適応症：HBV 量を減少させるため HBV 治療薬は原則として長期継続投与であり，薬剤耐性ウイルスを発生させるリスクがある．耐性頻度はラミブジンが最も高く，次にアデホビルが高い．エンテカビルの耐性頻度は低く，テノホビルは明確な耐性化がみられていないことから，HBV 治療にはエンテカビル，テノホビル ジソプロキシル フマル酸塩，あるいはテノホビル アラフェナミド フマル酸塩を第一選択薬とする．日本肝臓学会の B 型肝炎治療ガイドライン（第 3.1 版 2019 年 3 月）では，慢性肝炎の患者で HBV DNA 2,000 IU/mL 以上かつ ALT 31 U/L 以上（HBe 抗原は問わない）が治療開始基準となる．初回治療の治療方針は次のとおりである．

・ペグインターフェロン，24 〜 48 週間
・エンテカビル，テノホビル ジソプロキシル フマル酸塩，あるいはテノホビル アラフェナミド フマル酸塩

初回治療後の再燃時，再治療にはペグインターフェロンまたはエンテカビル，テノホビル ジソプロキシル フマル酸塩，テノホビル アラフェナミド フマル酸塩を使用する．ただし，インターフェロンの効果がみられない場合の再治療は，HBV 治療薬を選択する．治療開始時に腎機能障害，低リン血症，骨粗鬆症が認められる場合はエンテカビル，テノホビル アラフェナミド フマル酸塩が第一選択薬となる．HBV DNA 陽性の肝硬変では代償性・非代償性にかかわらず，初回治療はエンテカビル，テノホビル ジソプロキシル フマル酸塩，あるいはテノホビル アラフェナミド フマル酸塩を第一選択薬とする．動物実験でエンテカビルは胎仔毒性があるが，テノホビル ジソプロキシル フマル酸塩は胎仔への蓄積は認められず，テノホビル アラフェナミド フマル酸塩では催奇形性は認められていない．HBV 治療薬の妊婦への投与に関する安全性は確立していない．

7 逆転写酵素活性を有する一本鎖 RNA ウイルス

逆転写酵素活性を有する一本鎖 RNA ウイルスとしてはレトロウイルス科のウイルスが知られている．

レトロウイルス科 *Retroviridae* のウイルス

レトロウイルス科のウイルスは直径約 100 nm の球状粒子であり，エンベロープを有し，スプマウイルス亜科，レンチウイルス亜科，オンコウイルス亜科，オルソレトロウイルス亜科に分類される．

ウイルスのゲノム RNA は，約 7 〜 10 kb の一本鎖 RNA を 2 本（通常同一の配列）もち，各 RNA は構造タンパク質（*gag*）遺伝子，プロテアーゼ（*pro*）遺伝子，逆転写酵素 reverse transcriptase と**インテグラーゼ** integrase をコードする *pol* 遺伝子，エンベロープタンパク質（*env*）遺伝子から構成されている．同一の遺伝子を 2 本含有する理由は明らかでない．ウイルスは宿主細胞の受容体に結合後，エンベロープと宿主細胞膜が融合することで，ウイルスゲノムを含むウイルス内部タンパク質を細胞内に注入する．ウイルス内部タンパク質の脱殻後，ウイルス RNA ゲノムはウイルス由来の逆転写酵素で二本鎖 DNA に逆転写される．この二本鎖 DNA は宿主細胞の核内に移行し，ウイルス由来のインテグラーゼで染色体 DNA に組み込まれる．ウイルス DNA が宿主の染色体 DNA に組み込まれた形態をプロウイルスと呼ぶ．プロウイルス DNA は宿主由来の RNA ポリメラーゼとウイルス由来の調節タンパク質の機能により mRNA に転写され，前駆体ウイルスタンパク質が合成される．前駆体ウイルスタンパク質は，ウイルスのプロテアーゼの切断により機能的な成熟タンパク質となり，一部はウイルスのゲノム RNA とヌクレオカプシドを形成し，細胞膜直下においてゴルジ装置を経由して運ばれたスパイク糖タンパク質と会合する過程でエンベロープを被覆し，細胞膜表面から出芽する．

(i) ヒトT細胞白血病ウイルス1 human T cell leukemia virus type 1（HTLV-1）

オンコウイルス亜科に属する．**HTLV-1**はヒトの**CD4**陽性T細胞に感染し，染色体DNAにプロウイルスDNAの形態で組み込まれる．そのため，一度感染すると生涯，持続感染する．国内キャリアは西南日本に集中してみられ，中でも九州・沖縄地方に多い．全国のHTLV-1感染者（キャリア）数は人口の1％弱の約108万人と推定される．

感染症：HTLV-1感染は**成人T細胞白血病** adult T cell leukemia（**ATL**），**HTLV-1関連ミエロパシー**（脊髄症）HTLV-1 associated myelopathy（**HAM**），**HTLV-1関連ぶどう膜炎** HTLV-1 associated uveitis（**HU**）の原因となる．キャリアのATL生涯発症率は2.5～5％程度で，発症までの潜伏期間は40年以上と長い．キャリアのHAMおよびHU生涯発症率はそれぞれ0.3および0.1％程度で，発症までの潜伏期間は数年以上とされる．

予　防：感染経路は母子感染（垂直感染），性感染（水平感染），輸血の三つである．母乳を介した母子感染は約20％にみられ，主な感染経路である．沖縄・九州地方ではキャリアの母親の授乳を停止している地域もあり，育児用ミルクを使用するなどの対策が取られている．1986年以降，全献血中のHTLV-1抗体検査を開始し，献血を介した新たな感染はない．

(ii) ヒト免疫不全ウイルス human immunodeficiency virus（HIV）

レンチウイルス亜科に属する．2コピーのプラス鎖一本鎖RNAゲノムを含む脂質二重膜のエンベロープをもつ直径約110 nmの球状ウイルスである．ウイルスゲノム構造から**HIV-1**と**HIV-2**に大別され，世界の流行の約半数がHIV-1でグループM，サブタイプCに属するものである．日本国内で2003～2008年に分離されたHIV臨床株の約88％は，HIV-1のグループM，サブタイプBであった．

増　殖：ウイルス表面には一つの**gp120**と一つの**gp41**からなる表面スパイクタンパク質の単量体が，三量体化して存在している．gp120とgp41は，前駆体であるウイルススパイクタンパク質gp160が，感染細胞に由来するプロテアーゼにより小胞体内で切断されることで生成される．ウイルスが免疫細胞表面へ吸着する際に，gp120は受容体の**CD4**に結合する．その後，gp120は構造変化を起こして，ヘルパーT細胞では**ケモカイン受容体CXCR4**へ，マクロファージでは**ケモカイン受容体CCR5**に結合する．これらのケモカイン受容体はコレセプターと呼ばれる．gp120はさらに構造変化を起こし，gp41の膜融合活性を活性化する．宿主細胞膜とウイルス膜が融合することで，ウイルスゲノムを含むウイルス内部タンパク質を細胞内に注入する．ウイルス内部タンパク質の脱殻後，ウイルスRNAゲノムはウイルス由来の**逆転写酵素**で二本鎖DNAに逆転写される．この二本鎖DNAは宿主細胞の核内に移行し，ウイルス由来の**インテグラーゼ**で染色体DNAに組み込まれプロウイルスとなる．プロウイルスDNAは宿主由来のRNAポリメラーゼとウイルス由来の調節タンパク質Tatの機能により，mRNAに転写される．このmRNAは，ウイルス由来の調節タンパク質Revにより核から細胞質へ輸送され，ウイルスタンパク質を合成する．ウイルス構造を形成するタンパク質は細胞膜に集合し，宿主細胞の脂質二重膜をエンベロープとしてまとったウイルス粒子が細胞外へ出芽・放出される．その後，ウイルスの**プロテアーゼ**によりgagタンパク質の前駆体が切断されて，感染性を有する成熟ウイルス粒子となる（**図IX-23**）．

感染症：HIVの主な感染経路は血液や体液を介した，性感染（水平感染），母子感染（垂直感染），血液感染（輸血，臓器移植，医療事故など）があげられる．1980年代に，ウイルスを不活性化していない非加熱の血液凝固因子製剤が主に血友病患者に使用された．HIVに汚染された血液凝固因子製剤を投与された患者の多数がHIVに感染した（薬害エイズ）．HIVの増殖は感染初期からリンパ組織で活発にみられる．HIV感染後の経過は，適切な治療が行われない場合，感染初期の急性期，無症候期，後天性免疫不全症候群 acquired immunodeficiency syndrome（AIDS）発症期の3期間に分けられる．急性期はインフルエンザ様症状が2～4週間持続する．その後，一般に数年から十数年は無症候期が続く．AIDS発症期ではCD4陽性T

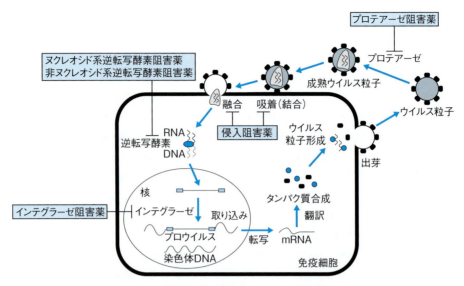

図 IX-23　HIV-1 の複製機構と HIV 治療薬の作用点

細胞が急激に減少し，その数が 200 個/μL を下回るようになると，サイトメガロウイルス感染症，ニューモシスチス肺炎，カポジ肉腫などの日和見感染症をともなうようになる．食欲低下，下痢，低栄養状態が顕著になり，2～3 年で死亡するとされる．AIDS 発症後，認知障害などの脳神経症状（AIDS 脳症）もみられる．

治　療：現在，わが国において認可されている HIV 治療薬は，**ヌクレオシド系逆転写酵素阻害薬** nucleoside reverse transcriptase inhibitors（NRTI），**非ヌクレオシド系逆転写酵素阻害薬** non-nucleoside reverse transcriptase inhibitors（NNRTI），**プロテアーゼ阻害薬** protease inhibitors（PI），**インテグラーゼ阻害薬** integrase strand transfer inhibitors（INSTI），**侵入阻害薬**（**CCR5 阻害薬**）に分けられる（**図 IX-23**）．ヌクレオシド系逆転写酵素阻害薬 2 剤と，非ヌクレオシド系逆転写酵素阻害薬，プロテアーゼ阻害薬，インテグラーゼ阻害薬のうち 1 剤を組み合わせた多剤併用の**抗レトロウイルス療法** combination anti-retroviral therapy（**cART**）あるいは anti-retroviral therapy（**ART**）が標準的な治療法となる．多剤併用は抗ウイルス効果の向上や，薬剤耐性ウイルスの出現率および副作用の低減につながっている．治療の中断は HIV の再増殖を許し，治療前の状態に戻ることを意味する．このように完治は困難

であることから，HIV の増殖を抑える治療薬を長期（生涯）にわたって継続服用する必要がある．血中の HIV RNA 量が検出限界以下となっても，治療を中断すればウイルスは再増殖し，治療前の状態に戻る．そのため，服薬遵守が重要となる．多剤を 1 錠にした合剤の使用により，長期に継続して服薬しやすくなった．以前の HIV 治療の開始は，CD4 陽性 T 細胞数（350～500/μL）が目安であった．しかし近年では，CD4 陽性 T 細胞数にかかわらず，全ての HIV 感染者に治療開始が推奨されている．早期の治療開始が可能となったことから，服薬遵守の重要性を教育することや医療費減免のための社会資源の活用方法などについても詳しく説明することが以前にも増して重要となっている．

● **HIV 治療薬**

　HIV 治療薬は経口投与で多剤が併用されるため，服用が大変であった．しかし近年では，多剤を 1 錠にした合剤の多くは 1 日 1 回の経口投与で服用しやすくなっている．これらの治療薬は HIV 増殖を阻害する薬剤であり，HIV を完全に排除させるわけではないため，服用をし続けなければならない．近年に開発された治療薬の副作用の頻度は，以前の治療薬に比べて格段に減少した．しかし，軽微な副作用を含めると，ど

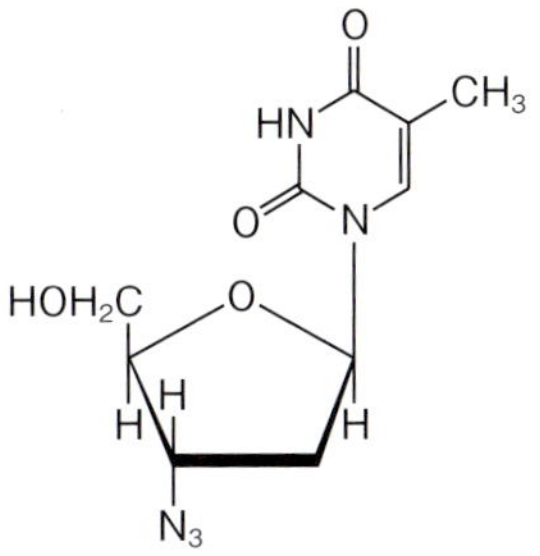

ジドブジン

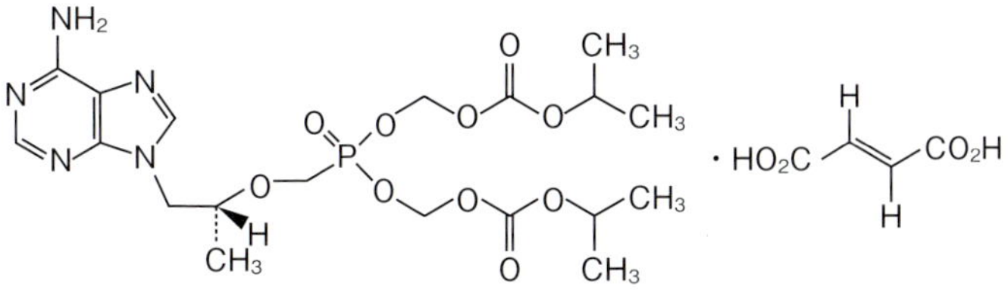

テノホビル ジソプロキシル フマル酸塩

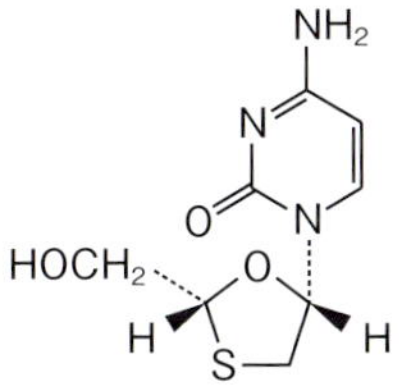

ラミブジン

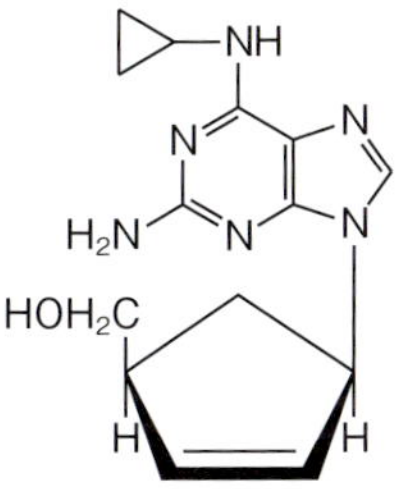

アバカビル

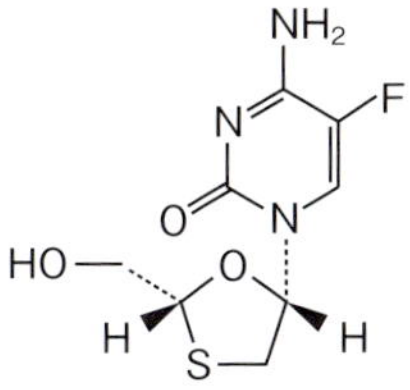

エムトリシタビン

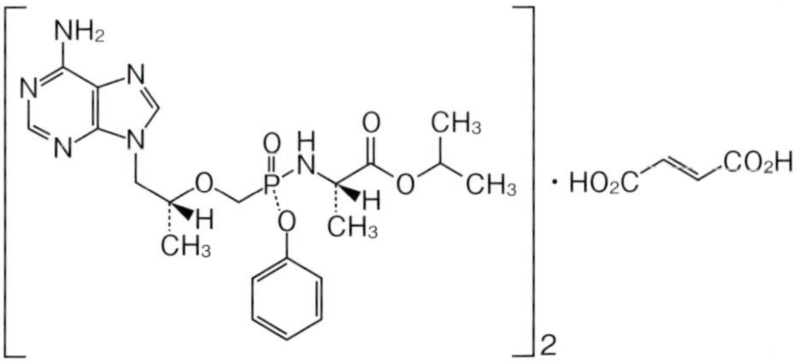

テノホビル アラフェナミド フマル酸塩

図 IX−24　HIV 治療薬のヌクレオシド系逆転写酵素阻害薬の構造

の治療薬の組み合わせでも何らかの副作用が生じる．

(1)　ヌクレオシド系逆転写酵素阻害薬（図 IX−24）

作用機序：構造中にヌクレオシド類似体を含み，細胞内で活性体の三リン酸化体となって HIV の逆転写酵素の基質として取り込まれて競合的に阻害する．さらに HIV の DNA に取り込まれた基質はリボース部分の 3′ 位の水酸基がないため，DNA 鎖の伸長を停止させる．このような治療薬には**ジドブジン**（AZT），**ラミブジン**（3TC），**アバカビル**（ABC），**エムトリシタビン**（FTC），**テノホビル ジソプロキシル フマル酸塩**（TDF），**テノホビル アラフェナミド フマル酸塩**（TAF）がある．エムトリシタビン，テノホビル ジソプロキシル フマル酸塩，テノホビル アラフェナミド フマル酸塩の適応は HIV−1 感染症のみである．テノホビルは一リン酸をもつヌクレオチド類似体であるが，便宜上，ここに分類されている．テノホビル アラフェナミド フマル酸塩は，HIV の標的となる末梢血単核細胞 peripheral blood mononuclear cells（PBMC）およびマクロファージの細胞内のカテプシン A により加水分解を受けてテノホビルとなる．活性体は二リン酸化体である（代謝は HBV 治療薬を参照）．ヌクレオシド系逆転写酵素阻害薬は，すでに感染した細胞

からの新しい HIV の産生は抑制できないが，HIV 感染細胞の増加を抑制する．

副作用：悪心，下痢，嘔気などの消化器症状は比較的頻度が高いが，徐々に軽減することが多い．ヌクレオシド系逆転写酵素阻害薬は，宿主のミトコンドリア DNA 合成を担当する DNA ポリメラーゼ γ の基質として取り込まれる傾向があるため，ミトコンドリアの増殖を障害することがある．ミトコンドリア障害は貧血，末梢神経障害，乳酸アシドーシスなどの副作用を引き起こすと考えられている．主に肝臓で代謝され，その代謝物や未変化体は腎臓で排泄される．肝機能または腎機能の低下している患者では，高い血中濃度が持続する可能性があり，注意が必要である．アバカビルは発疹（薬疹）の報告が多い．テノホビル ジソプロキシル フマル酸塩は血中のエステラーゼにより速やかにテノホビルへ代謝される．テノホビルは腎尿細管のミトコンドリアを障害する．そのため長期投与は低リン血症をきたし，骨軟化症が現れることがある．

テノホビル アラフェナミド フマル酸塩は HIV の標的細胞で代謝されるため，腎および骨への安全性が高い．ただし，インテグラーゼ阻害薬と併用する初回治療では，テノホビル アラフェナミド フマル酸塩はテノホビル ジソプロキシル フマル酸塩を用いたときよりも体重増加が大きいと報告されている．

相互作用：テノホビル アラフェナミド フマル酸塩は CYP3A の基質であるため，強い CYP3A 阻害作用を示すリトナビルやコビシスタットを併用する際は低用量を選択する必要がある．

(2) 非ヌクレオシド系逆転写酵素阻害薬（図 IX-25）

作用機序：ヌクレオシドの基本骨格をもたず，HIV-1 の逆転写酵素の活性部位近傍の疎水ポケットに直接結合することで，天然基質とは非競合的に酵素活性を阻害する．このような治療薬にはネビラピン（NVP），エファビレンツ（EFV），エトラビリン（ETR），リルピビリン（PRV），ドラビリン（DOR）がある．HIV-

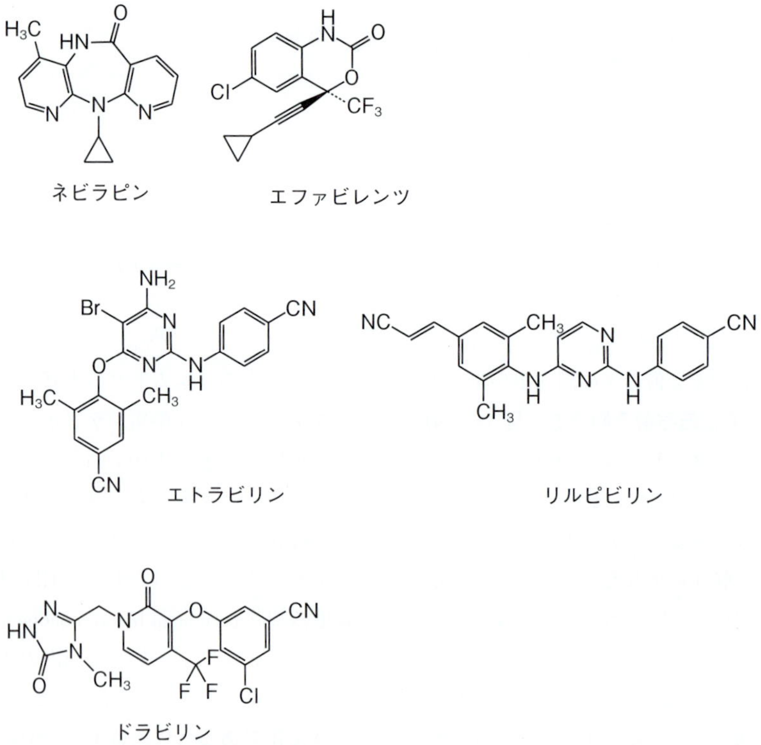

図 IX-25　HIV 治療薬の非ヌクレオシド系逆転写酵素阻害薬の構造

1の逆転写酵素に選択性が高く，HIV-2の逆転写酵素を阻害しないことから，適応はHIV-1感染症のみである．一つの非ヌクレオシド系逆転写酵素阻害薬に対して耐性を獲得したHIVは，他の同系薬剤に対して交差耐性を示すことが多い．エトラビリンは構造がねじれやすく，複数の立体配座をとることが可能であり，逆転写酵素の複数個所で結合するものとされる．そのため，エトラビリンは交差耐性が少ない．2020年2月に国内販売が開始されたドラビリンは，非ヌクレオシド系逆転写酵素阻害薬に対する主な耐性変異部位K103NとY181Cから離れて結合することから，両方の耐性変異の影響を受けにくい．リルピビリンは食事中または食直後の経口投与となるが，ドラビリンは食事の有無にかかわらず経口投与できる．非ヌクレオシド系逆転写酵素阻害薬は，すでに感染した細胞からの新しいHIVの産生は抑制できないが，HIV感染細胞の増加を抑制する．

副作用：下痢，悪心などの消化器症状や，頭痛，めまい，不眠などの精神神経系症状が現れることがある．エファビレンツはめまいなどの精神神経系症状の頻度が高いため，就寝時の投与が推奨されている．エファビレンツ，ネビラピン，エトラビリン，リルピビリンは発疹（薬疹）の報告が多い．

相互作用：非ヌクレオシド系逆転写酵素阻害薬は，いずれもCYPにより代謝を受けるため，CYPによって代謝される薬剤との併用は相互作用に注意する．リルピビリンは胃内のpH上昇により吸収が低下するため，胃酸分泌を抑えるプロトンポンプ阻害薬とは併用禁忌である．胃内pHを上昇させるH_2受容体拮抗薬や制酸薬の併用にも注意する．

(3) プロテアーゼ阻害薬（図IX-26）

作用機序：HIVプロテアーゼはHIVの前駆体タンパク質を切断してマトリックス，カプシド，ヌクレオカプシドを形成することで，感染性のないウイルス粒子を感染性のあるウイルス粒子へと成熟させる．活性部位にアスパラギン酸をもつアスパルティックプロテアーゼである．ネルフィナビル（NFV），ホスアンプレナビル（FPV），アタザナビル（ATV），リトナビル（RTV），ロピナビル（LPV），ダルナビル（DRV）は，HIVプロテアーゼの活性部位に結合して酵素活性を阻害するプロテアーゼ阻害薬である．アタザナビルの適応はHIV-1感染症のみである．HIVプロテアーゼはホモ二量体構造をとることで，活性部位を形成している．ダルナビルはこの二量体構造の形成も阻害する．プロテアーゼ阻害薬は，すでに感染した細胞からの新しいHIVの産生（成熟）を抑制できる．リトナビルはコビシスタット（図IX-26）と同様に，CYP3A4の薬物代謝酵素活性を強力に阻害する．CYP3A4で代謝されるプロテアーゼ阻害薬を少量のリトナビル（100 mg程度）もしくはコビシスタット（150 mg程度）と併用することで，プロテアーゼ阻害薬の代謝を意図的に減少させて有効血中濃度を維持させることができる．ここで使用される少量のリトナビルもしくはコビシスタットは，薬物動態学的増強因子（ブースター）という．

副作用：下痢，悪心などの消化器症状や，頭痛，めまいなどの精神神経系症状，脂質異常が現れることがある．ホスアンプレナビル，ネルフィナビル，ダルナビルは発疹（薬疹）の報告が多い．アタザナビルは腎結石症や胆石症が報告されている．ロピナビル／リトナビル配合剤は徐脈性不整脈の発現が報告されている．

相互作用：プロテアーゼ阻害薬の多くは肝臓や小腸のCYP3A4などの薬物代謝酵素を阻害するため，健康食品を含めて他の薬剤との併用による相互作用に注意する必要がある．アタザナビルは胃内pHの上昇により吸収が低下するため，胃酸分泌を抑えるプロトンポンプ阻害薬とは併用禁忌である．

(4) インテグラーゼ阻害薬（図IX-27）

作用機序：HIVインテグラーゼは，HIVの一本鎖RNA遺伝子から逆転写酵素によって生成したHIVの二本鎖DNAを核内のヒト染色体DNAに組み込む酵素である．この宿主DNAへの組み込みは三つの過程，3′-プロセシング，ストランドトランスファー反応（ジョイニング反応），修復に分けられる．インテグラーゼは3′-プロセシングとストランドトランスファー反応を触媒する．3′プロセシングでは，HIVの二本鎖DNAの3′末端の2塩基を除去する．ウイルスDNAは核膜孔を介して核内へ移行し，宿主DNAを切断すると同時に，宿主DNAの5′-リン酸基とウイル

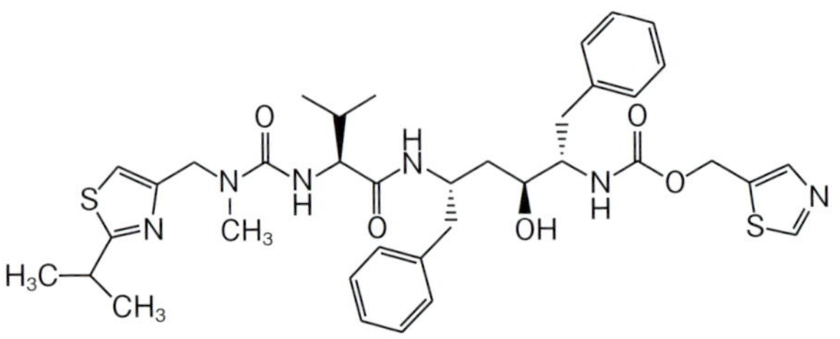

リトナビル 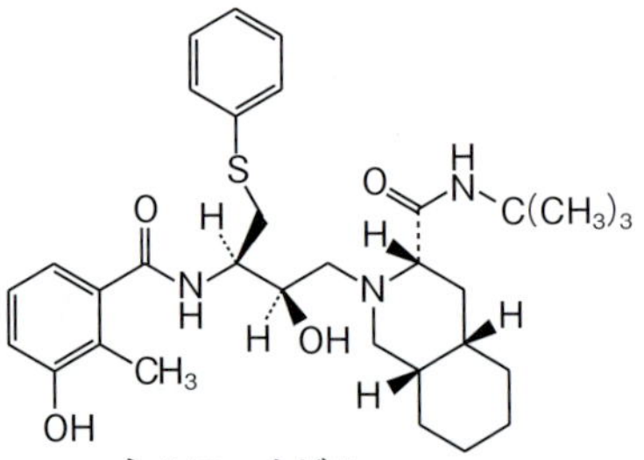　　　　　　　　　　　　　　　ネルフィナビル

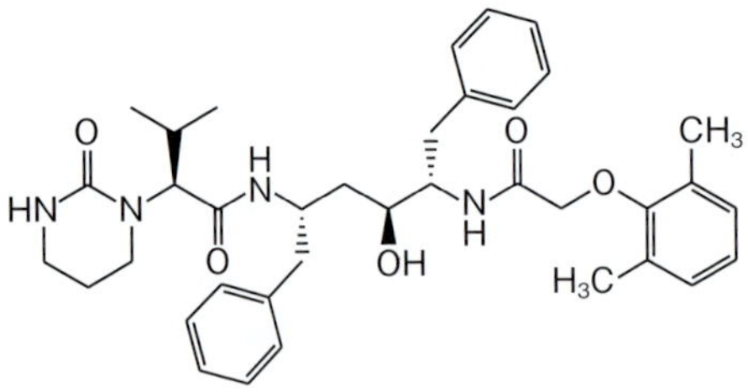

ロピナビル 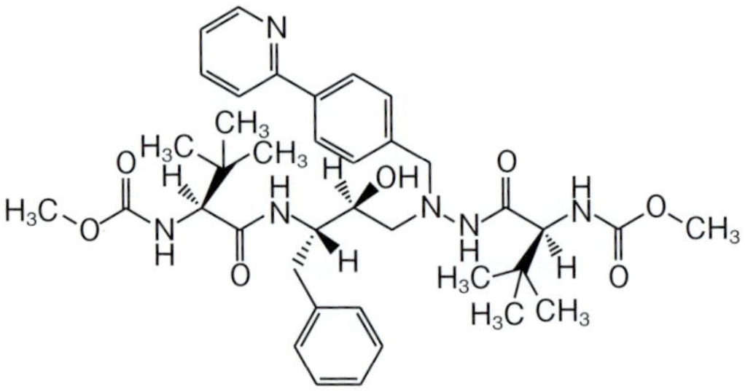　　　　　　　　　　　　　　　アタザナビル

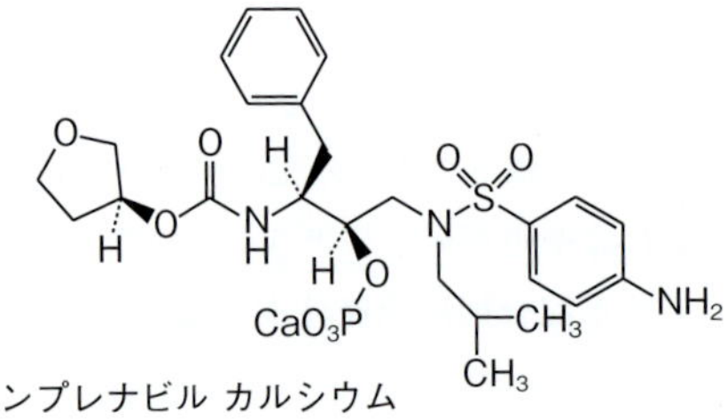

ホスアンプレナビル カルシウム 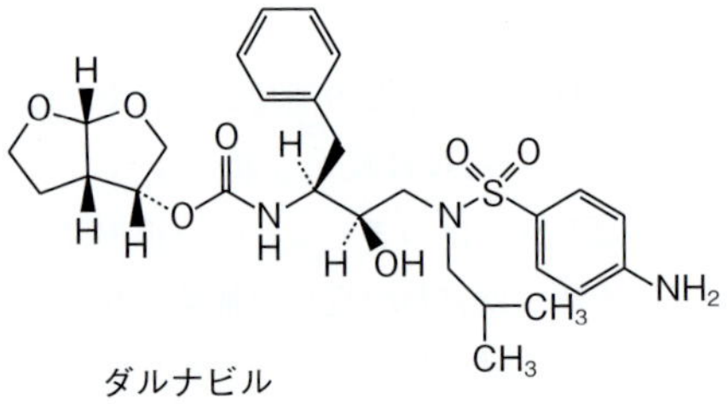　　　　　　ダルナビル

図 IX-26　HIV 治療薬のプロテアーゼ阻害薬の構造

ス DNA の両端の 3′-水酸基を Mg^{2+} を利用してエステル結合させる（ストランドトランスファー反応）．その後，宿主 DNA 修復酵素により修復され，完全に宿主 DNA と同化したプロウイルス DNA となる（修復）．インテグラーゼ阻害薬はラルテグラビル（RAL），エルビテグラビル（EVG），ドルテグラビル（DTG），ビクテグラビル（BIC）があり，インテグラーゼの活性部位の二つの Mg^{2+} とキレートを形成することで酵素活性を抑制し，ストランドトランスファー反応を選択的に阻害する．そのため，integrase strand transfer inhibitors の略名から INSTI と呼ばれる．エルビテグラビルとビクテグラビルの適応は HIV-1 感染症のみである．インテグラーゼ阻害薬は，すでに感染した細胞からの新しい HIV の産生は抑制できないが，HIV 感染細胞の増加を抑制する．

副作用：他の HIV 治療薬と比較して副作用は少ない．頭痛，めまいなどの精神神経系症状や，悪心，下痢などの消化器症状が現れることがある．ラルテグラビルとドルテグラビルは横紋筋融解症が報告されている．ドルテグラビルは胎児において，無脳症や二分脊椎などの神経管障害による催奇形性のリスクが示唆されている．

相互作用：ラルテグラビルは CYP3A4 による代謝を受けず，主に UDP-グルクロノシルトランスフェラーゼの UGT1A1 により代謝を受け，インテグラーゼ阻害薬の中で薬物相互作用が最も少ない．ドルテグラビルは主に UGT1A1 で代謝され，一部は CYP3A4 で代謝される．ビクテグラビルは UGT1A1 と CYP3A4 の両方で代謝される．エルビテグラビルは CYP3A4 で代謝され，ブースターとして CYP3A4 阻害薬のコ

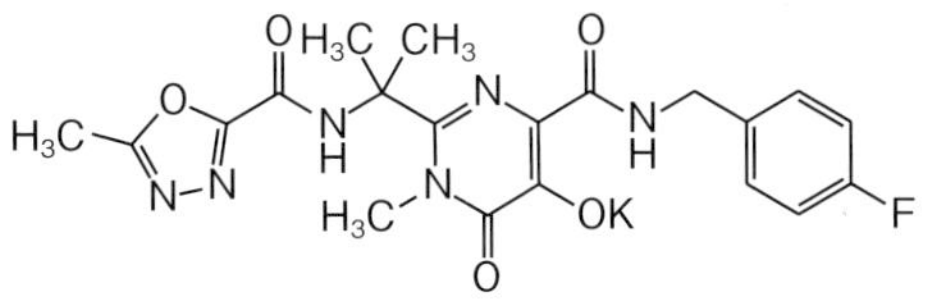

ラルテグラビル カリウム 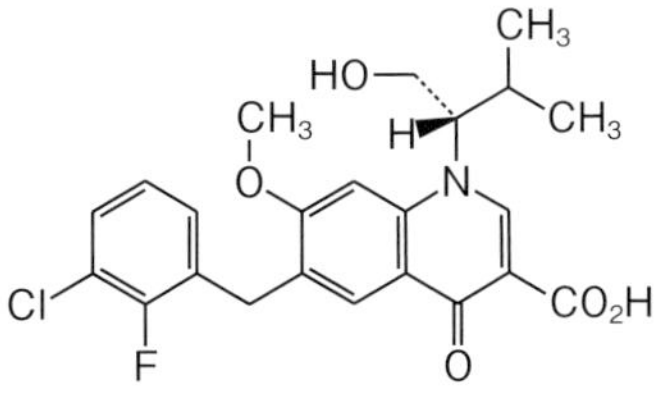   エルビテグラビル

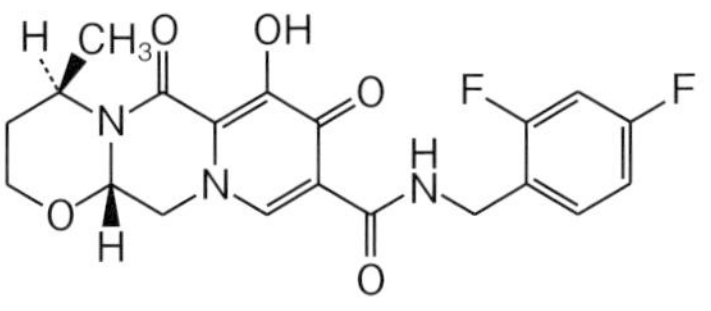

ドルテグラビル 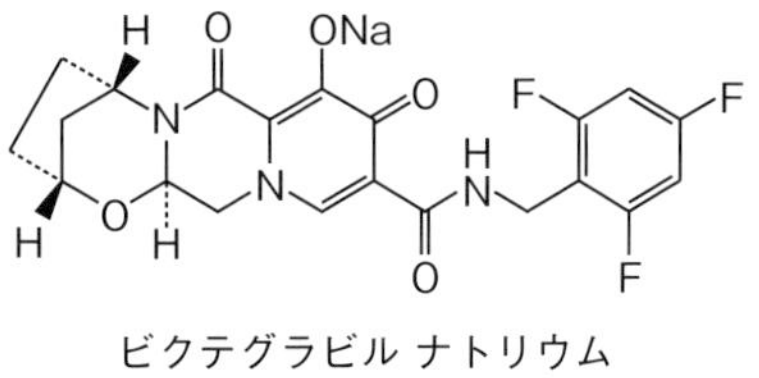   ビクテグラビル ナトリウム

図 IX-27　HIV 治療薬のインテグラーゼ阻害薬の構造

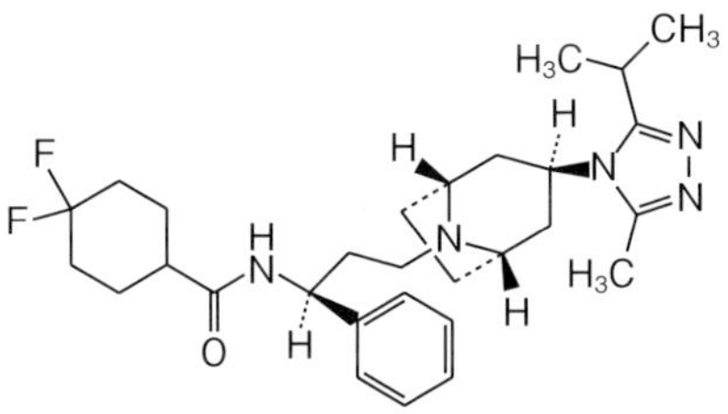

マラビロク

図 IX-28　HIV 治療薬の侵入阻害薬の構造

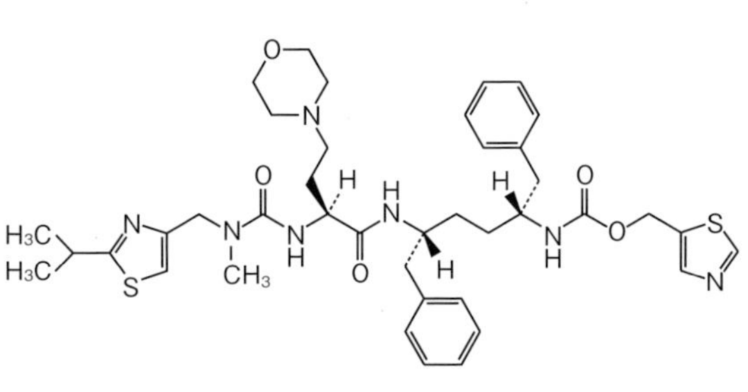

図 IX-29　コビシスタットの構造

ビシスタットが併用されることから，CYP3A4 を阻害または誘導する薬剤との併用に注意する．2 価金属（Mg，Al，Fe，Ca，Zn）などの多価陽イオンを含む薬剤，食品，サプリメントとの併用は，キレートを形成して吸収が低下するおそれがある．

(5) CCR5 阻害薬（図 IX-28）

作用機序：HIV の感染において，最初のステップは CD4 陽性細胞上の CD4 と HIV-1 表面スパイクタンパク質 gp120 が特異的に結合することである．さらに HIV が細胞に侵入するためには，CD4 が結合した状態の gp120 とコレセプターの結合が必要である．マラビロク（MVC）は，HIV のコレセプターであるケモカイン受容体の一つ，CCR5 に選択的に結合する．マラビロクが結合した CCR5 は構造が変化し，gp120 が認識できなくなるものと考えられている．マラビロクは，gp120 と CCR5 との相互作用を遮断することで CCR5 に指向性の HIV-1 の細胞侵入を阻害する．なお，ケモカイン受容体の一つ，CXCR4 に指向性および CCR5/CXCR4 二重指向性の HIV-1 の細胞内への侵入は阻害しない．そのため，CCR5 指向性 HIV-1 感染症のみに有効である．マラビロクの効果はウイルスのケモカイン受容体の指向性に依存するため，治療にあたっては指向性検査が必要である．マラビロクは，既存の HIV 治療薬に耐性化した HIV にも有効である．

副作用：下痢，便秘，悪心などの消化器症状や，頭痛，めまい，味覚障害などの精神神経系症状が現れることがある．

相互作用：CYP3A4 および P 糖タンパク質の基質であり，これらの酵素もしくはトランスポーターに影響する薬剤との併用に注意する．

(6) 多剤併用療法（図 IX-29）

HIV 治療薬の中でウイルス抑制効果が強力な治療薬は「キードラッグ」，ウイルス抑制効果を高める治療薬は「バックボーン」と呼ばれている．抗レトロウイルス療法（ART）は，バックボーンとしてヌクレオシド系逆転写酵素阻害薬（NRTI）を 2 剤と，キードラッグとして NRTI 以外の 1 剤を組み合わせた多剤併用療法が一般的となっている．リトナビルもしくはコビシスタットをキードラッグのブースターとして併用することもある（図 IX-29）．HIV 感染患者への初回治療として推奨される一般的な ART は，「インテグラーゼ阻害薬（INSTI）1 剤 + NRTI 2 剤」，「プロテアーゼ阻害薬（PI）1 剤 + NTRI 2 剤」，「非ヌクレオシド系逆転写酵素阻害薬（NNRTI）1 剤 + NRTI 2 剤」のいずれかとなる．ただし，現在の HIV 治療は薬剤の改善などにより長期にわたって良好な状態が維持できるようになっている．それにともない，長期的な有害事象の軽減や医療費の抑制の観点から，キードラッグ 1 剤と NRTI 1 剤，もしくはキードラッグ 2 剤を組み合わせた 2 剤併用療法も選択肢の一つと考えられるようになっている．具体的な HIV 治療薬の選択は，抗ウイルス効果，副作用，内服のしやすさなどから決定する．抗 HIV 治療ガイドライン（HIV 感染症およびその合併症の課題を克服する研究班，2020 年 3 月版）にて，初回治療として推奨される HIV 治療薬の組合せを以下に示す．

最も推奨される組合せ
・「INSTI 1 剤 + NRTI 2 剤」
　ビクテグラビル/テノホビル アラフェナミド フマル酸塩/エムトリシタビン合剤
　ドルテグラビル/アバカビル/ラミブジン合剤
　ドルテグラビル + テノホビル アラフェナミド フマル酸塩/エムトリシタビン合剤
　ラルテグラビル + テノホビル アラフェナミド フマル酸塩/エムトリシタビン合剤
・「PI 1 剤 + NRTI 2 剤」
　ダルナビル/コビシスタット/テノホビル アラフェナミド フマル酸塩/エムトリシタビン合剤
　ダルナビル + リトナビル（ブースター）+ テノホビル アラフェナミド フマル酸塩（低用量）/エムトリシタビン合剤
・「NNRTI 1 剤 + NRTI 2 剤」
　リルピビリン/テノホビル アラフェナミド フマル酸塩/エムトリシタビン合剤

その他の推奨される組合せ
・「INSTI 1 剤 + NRTI 1 剤もしくは 2 剤」
　ドルテグラビル/ラミブジン合剤
　エルビテグラビル/コビシスタット/テノホビル アラフェナミド フマル酸塩/エムトリシタビン合剤
・「NNRTI 1 剤 + NRTI 2 剤」
　ドラビリン + テノホビル アラフェナミド フマル酸塩/エムトリシタビン合剤

プロテアーゼ阻害薬の使用は，少量のリトナビルもしくはコビシスタットをブースターとして併用する．インテグラーゼ阻害薬のエルビテグラビルも CYP3A で代謝されることから，コビシスタットをブースターとして併用する．ただし，ブースター併用時は薬物相互作用に注意する．投与に食事の有無の制限は無いものが多いが，ダルナビルやリルピビリンは食事中または食直後の経口投与となる．ラルテグラビルは 600 mg 錠の 2 錠（1200 mg）を 1 日 1 回か，400 mg 錠の 1 錠を 1 日 2 回か選択できる．ドルテグラビル/アバカビル/ラミブジン合剤とドルテグラビル/ラミブジン合剤は B 型肝炎の合併がない患者にのみ推奨される．リルピビリンはプロトンポンプ阻害薬の内服患者には使用しない．近年の HIV 治療薬は配合剤を含めて新薬と販売中止薬の移り変わりが激しく，最新の治療ガイドラインを参照することが必要である．

8 バクテリオファージ

カウドウイルス目 Caudovirales のサイフォウイルス科 Siphoviridae に分類され，細菌を宿主として増殖する細菌ウイルスで，単にファージと略称される（bacteriophage, bacterial virus phage）．最もよく研究されている T 偶数系ファージは「おたまじゃくし型」の A 群で，頭部が 65×95 nm，尾部が 25×110 nm である．頭部は正二十面体が上下に少し伸びた形で，この中に二本鎖 DNA を包んでいる．尾部は収縮性のある尾部鞘とその中心を通る尾部芯，尾部末端には尾線維や尾部ピ

ン（スパイク）がある（図 IX-30）．

T偶数系ファージは尾部先端（尾線維）で細菌表層に吸着し（a），尾部ピンを菌体に突き刺し（b），続いて尾部鞘が収縮しファージ頭部中の核酸（DNA）が菌体中に注入される（c）（図 IX-31）．菌体内に子孫ファージが蓄積するとファージ自体が保持するリゾチーム作用によって，菌体は溶菌し，菌体内ファージは一挙に菌体外に放出される．

ビルレントファージとテンペレートファージ

宿主細菌に感染するとそこで増殖し，溶菌を起こすファージをビルレントファージ virulent phage という．これに対し，ファージによっては遺伝子の機能が抑制され，宿主に感染後ファージゲノムが宿主細菌の染色体中に組み込まれ（これをプロファージ prophage という），細菌の分裂とともにファージ遺伝子が子孫菌に伝達される場合がある．これらのファージをテンペレートファージ temperate phage といい，このような状態になった宿主菌を溶原菌 lysogenic strain という．溶原菌中でファージ産生はない．しかし紫外線やある種の薬物の刺激によって，プロファージを染色体から分離させ，ファージ産生を誘導することができる．このとき産生されたファージは，プロファージとして染色体に組み込まれていた付近の宿主染色体の一部を一緒にもち出すので，そのファージが別の細菌に感染すると，前の宿主の遺伝子の形質の一部が，新たに感染した細胞に導入されることになる．これをファージによる形質導入と呼ぶが，この現象は遺伝生化学的研究の発展に大きく貢献したばかりでなく，遺伝子工学の分野で広く利用されるようになった．それらの点についての詳細は，第 III 章を参照されたい．

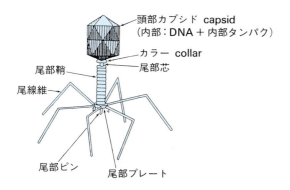

図 IX-30　T偶数系ファージの構造モデル

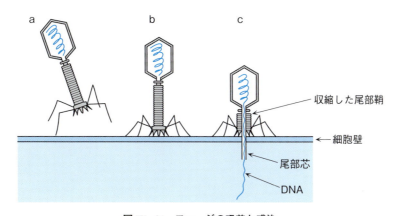

図 IX-31　ファージの吸着と感染

第 X 章 ウイロイド，プリオン

1 ウイロイド viroid

ウイルス粒子はDNAまたはRNAを遺伝情報として，その外側はタンパク質の殻で囲まれている．一方，ウイロイドは約250〜400bの環状一本鎖RNAで，タンパク質の殻をもたない現在知られている最小の病原体である．このRNAはタンパク質をコードする遺伝子を含んでいない．ウイロイドは様々な宿主植物に感染し，宿主の転写系に依存して核または葉緑体で自律複製する．細胞内で増殖したウイロイドは，原形質連絡を介して隣接細胞へ感染し，やがて師部の輸送系によって植物の全身に拡大する．動物に感染するウイロイドは知られていない．ウイロイドの宿主域は一般的に狭く，各ウイロイド種は1種類あるいは数種類の植物にしか感染しない．多くのウイロイドは，宿主植物に病気を起こさずに潜伏感染し，自然界で生存し続ける．一方，世界各地で発生が認められるジャガイモやせいも病を引き起こすポスピウイロイドは，近年トマトや観葉植物からも検出されるようになり，自然宿主域が拡大しているようである．トマトやジャガイモに感染すると激しい病気を引き起こすことから，多大な経済的損失の原因となる．

2 デルタ因子 hepatitis D virus

HBVに感染した患者からみつかったウイルス様構造を示す直径36 nmの球状のデルタ因子が，D型肝炎ウイルスと呼ばれている．D型肝炎ウイルスは約1.7 kbからなるプラス鎖一本鎖環状RNAウイルスであり，ウイルスとウイロイドの両方の特徴をもつ．そのゲノムにはデルタ抗原と呼ばれるタンパク質をコードする遺伝子が含まれている．一本鎖環状RNAゲノムは分子内で塩基対を形成し，二本鎖閉環状（線状）構造をとる．デルタウイルス属に分類されているが，ウイルスの科名は未定である．血液や体液を介して伝播する．D型肝炎ウイルスは宿主細胞に感染しても単独では増殖できない欠損ウイルスである．ヘルパーウイルスとしてHBVが感染した細胞でのみ増殖する．このようなウイルスをサテライトウイルスという．細胞に感染したD型肝炎ウイルスのゲノムRNAは，核内の宿主細胞由来RNAポリメラーゼIIによって複製される．ゲノム長のRNAが多数連結されたコンカテマー構造がつくられた後，RNA自身が有するリボザイム酵素活性によってゲノムRNAの切断と環状化が行われる．ゲノムRNAの複製過程における開始と切断は，デルタ抗原により制御される．ゲノムRNAは細胞質に移行し，HBs抗原の殻をまとって細胞外へ放出される．慢性B型肝炎患者にD型肝炎ウイルスが重感染すると劇症化しやすく，HBVの活動性を高めて肝硬変や肝細胞癌の発生頻度を上昇させる．B型肝炎が治癒すると，D型肝炎も同様に治癒する．日本国内におけるD型肝炎の自発的発生はないものとされる．

3 プリオン prion

伝達性海綿状脳症 transmissible spongiform encephalopathy（TSE）の病原因子がプリオンとする「プリオ

ン説」は 1982 年に米国のプルシナー Prusiner により提唱され，今日まで多くの研究結果の支持を受けている．プリオンとは，これまでの病原微生物とは異なる病原体の概念として，「タンパク質性の感染粒子」という意味で造られた言葉である．プリオン病は人獣共通感染症であり，特徴的な病理像から TSE としてヒトではクロイツフェルト・ヤコブ病 Creutzfeldt-Jacob disease（**CJD**）やクールー kuru，ヒト以外ではヒツジやヤギのスクレイピー scrapie，ウシのウシ海綿状脳症 bovine spongiform encephalopathy（BSE），シカの慢性消耗病 chronic wasted disease（CWD），ネコのネコ海綿状脳症，ミンクの伝染性ミンク脳症などが知られている．プリオン病は正常プリオン（PrP^C と呼ばれる）が感染伝播性を有する異常プリオン（PrP^{Sc} と呼ばれる．Sc は最初に発見されたプリオン病でヒツジやヤギの疾患であるスクレイピー scrapie に由来）に変化し，主に脳などの中枢神経系に蓄積して神経細胞変性を起こす致死性疾患の一群である．

発症機序：正常プリオンのタンパク質をコードする遺伝子は第 20 染色体上に存在している．ヒトのプリオンは 253 個のアミノ酸で構成されているグリコシルホスファチジルイノシトール（GPI）アンカー型糖タンパク質で銅結合部位を有し，主に中枢神経系で，少量はリンパ系組織で細胞表面に発現している．プロテイナーゼ K に感受性であり，感染性はない．正常プリオンは，細胞レベルで抗酸化作用やミエリン鞘の維持機能などが知られているが，マウス個体の発生段階では関与は認められず，タンパク質の機能はよくわかっていない．タンパク質のアミノ酸配列は同一であるが，βシート構造は正常プリオンでは 3% 以下であるのに対し，異常プリオンでは 40% 以上と増加している．そのため，正常プリオンは水に可溶性であるが，異常プリオンは難溶性で互いに凝集しやすく，アミロイド繊維となって脳内に蓄積する．異常プリオンは一般的にプロテイナーゼ K に耐性であることから消化酵素にも耐性があると考えられ，経口感染性を示す．経口摂取された異常プリオンが腸管に至ると，粘膜下の神経叢に取り込まれて迷走神経を逆行し，延髄の迷走神経背側核から中枢神経系に達するとされる．異常プリオンと接触した宿主細胞の正常プリオンは，

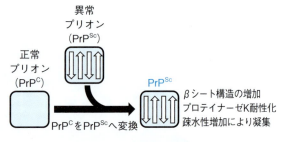

図 X-1　プリオンの構造変換

立体構造の変化（βシート構造の増加）により異常プリオンに変換されるものと考えられている（図 X-1）．異常プリオンが TSE を発症する機序はよくわかっていない．

ヒトのプリオン病：クールーはニューギニア原住民に発症する TSE の一種であり，ヒト屍肉食の習慣によってヒトの間で感染伝播した．このときの異常プリオンに感染した脳乳剤をチンパンジーに脳内接種することで，TSE は伝播することが示された．食人禁止措置以降，クールーの発生は激減したが，50 年以上経過してもクールーの発病は未だに認められる．感染したプリオンの潜伏期間が長期であるという認識が必要である．

ヒトのプリオン病は突発性，遺伝性，獲得性の三つに分けられる．突発性は孤発性 CJD やプロテアーゼ感受性を示す非典型的な孤発性プリオン病 variably protease-sensitive prionopathy（VPSPr），遺伝性は家族性 CJD，ゲルストマン・ストロイスラー・シャインカー病 Gerstmann-Sträussler-Scheinker（GSS）および致死性家族性不眠症 fatal familial insomnia（FFI），獲得性はクールー，変異型 CJD variant CJD（vCJD）および医原性 CJD がある（**表 X-1**）．プリオン病の発症率は，人口 100 万人に対して年間 1 人程度である．国内サーベイランスにおけるプリオン病の頻度は，孤発性 CJD 76.4%，遺伝性プリオン病 18.7%，獲得性プリオン病 4.5% であった．孤発性 CJD や VPSPr にはプリオンの遺伝子変異はなく原因は不明であり，多くは 50 歳以上で発症する．

遺伝性プリオン病はプリオンをコードする遺伝子に変異が生じることで発症し，臨床症状が孤発性 CJD

表 X-1 ヒトのプリオン病の種類

突発性	孤発性クロイツフェルト・ヤコブ病（CJD） プロテアーゼ感受性の孤発性プリオン病（VPSPr）
遺伝性	家族性 CJD ゲルストマン・ストロイスラー・シャインカー病（GSS） 致死性家族性不眠症（FFI）
獲得性	クールー 変異型 CJD（vCJD） 医原性 CJD（ヒト下垂体から抽出した成長ホルモン製剤，ヒト乾燥硬膜による硬膜移植など）

に類似する遺伝性 CJD，脊髄小脳変性症に類似し経過が数年と長い GSS，不眠などの自律神経症状を呈する FFI に大別される．国内でのプリオンのアミノ酸置換は，遺伝性 CJD の V108I，M232R，E200K と GSS の P102L が多い．V108I や M232R は家族歴がほとんどなく，孤発性として発症する．

1985 年から英国で流行した BSE は 1993 年には 3 万件以上に至り，1995 年からはヒトで vCJD と呼ばれる今までみられなかった新しい CJD が発生した．vCJD は 30 歳頃の比較的若い世代で発症し，英国に次いでフランス，その後に少人数がヨーロッパ各国で発生した．この vCJD の発生は，BSE に汚染された牛肉が英国からヨーロッパ各国へ輸出されたことによるものと考えられている．vCJD では中枢神経系以外の一般臓器にもプリオン感染がみられる．

国内の獲得性プリオン病：国内の獲得性プリオン病は 1 例の vCJD を除き，全て医原性 CJD である．医原性 CJD の多くは，ヒト下垂体から抽出されていた成長ホルモン製剤と脳神経外科手術に使用された硬膜移植によって発生したものとされる．成長ホルモン製剤による医原性 CJD は米国，フランス，英国を中心に発生した．硬膜移植による医原性 CJD はわが国が圧倒的に多く，1997 年 3 月にヒト乾燥硬膜の使用禁止の緊急措置がとられ，2012 年 9 月までに 144 例の患者が発生している．一部のヒト乾燥硬膜に異常プリオンが混入していたことが原因とみられる（薬害ヤコブ病）．

症　状：ヒトのプリオン病の約 8 割を占める孤発性 CJD は一般的に三つの臨床病期に分けられる．第 1 期は倦怠感，ふらつき，めまい，視覚異常などの非特異的症状がみられる．第 2 期は急速進行性の認知症，錐体路/錐体外路症状，ミオクローヌス（不随意運動の一つで突発的な体の一部の素早い筋肉運動）が出現する．第 3 期は無動無言状態から除皮質硬直や屈曲拘縮への進展とミオクローヌスの消失を経て 1〜2 年程度で死亡する．

プリオンの不活化法：プリオンは通常の滅菌法や洗浄法では破壊できず，その不活化法は一般の感染症とは大きく異なる．2008 年のプリオン病感染予防のためのガイドラインで推奨される不活化法は，①焼却，② 3% ドデシル硫酸ナトリウム（SDS）溶液で 100℃，3〜5 分間煮沸後にプレバキューム方式のオートクレーブ滅菌 134℃，8〜10 分間，③適切な洗浄後（普段使用する洗浄剤を用いたウォッシャーディスインフェクターによる洗浄）に 3% SDS 溶液で 100℃，3〜5 分間煮沸，④ pH 11 以上のアルカリ洗浄剤を用いたウォッシャーディスインフェクター（90〜93℃）洗浄およびプレバキューム方式オートクレーブ滅菌 134℃，8〜10 分間，⑤適切な洗浄剤による十分な洗浄およびプレバキューム方式オートクレーブ滅菌 134℃，18 分間，⑥適切な洗浄剤による十分な洗浄および過酸化水素低温ガスプラズマ滅菌である．

第XI章 真菌学

真菌は，植物，動物，あるいは原生生物と同様の真核生物であり，糸状菌（俗にいう「カビ」），酵母やキノコの総称である．分類学的には菌界 Kingdom Fungi という独立した分類群を形成しており，10万種以上が知られている．有史以来，人類は経験に基づいて微生物を利用してきた．その代表例が酒や醤油の生産に用いられている醸造酵母（*Saccharomyces cerevisiae*）や麹菌（*Aspergillus oryzae*）といった真菌である．また，初めて開発された抗生物質のペニシリンはアオカビ（*Penicillium chrysogenum*）が産生する．一方で，一部の真菌はヒトに感染症あるいはアレルギー疾患を引き起こす．*Aspergillus* 属菌や *Cryptococcus* 属菌は環境中に存在し，それを吸入することで真菌感染症に進展するが *Candida* 属菌はヒト常在菌であるため易感染性宿主に日和見感染症として発症する．今日の超高齢化あるいは高度医療化社会により日和見感染症患者の数は増加の一途であり，その対策が求められている．真菌はヒトと同じ真核細胞であるため抗真菌薬としての作用点は細菌やウイルスに比べて著しく限られている．これが真菌症治療を困難にする一因となっている．本章では，病原真菌の性状，病原因子ならびに治療について述べる．

1 真菌の一般的性状

真菌 fungi は生物の中で，一つの界（Kingdom）をつくり，以下の特徴をもって定義づけられる．①真核細胞，②従属栄養性，③栄養型の細胞は分岐性の菌糸あるいは単細胞性および④有性あるいは無性的な胞子を産生する．

a. 形態および微細構造

真菌は有性生活環と無性生活環からなる生活環を示す．有性生殖能をもつ真菌は有性生活環に加えて無性生活環も示すが，有性生殖能を欠く真菌は無性生活環しか示さない．

(i) 真菌の形態

真菌は発育形態として，菌糸形と酵母形を示す．菌糸から構成された細胞を糸状菌 filamentous fungus と呼ぶ．分類学的用語ではないが，俗に"かび mould"と呼ばれることもある．後者は，単細胞性の栄養型で酵母 yeast とも呼ばれる．通常は，単一の形態を示すが，菌糸形と酵母形を示す真菌も存在する．これを二形性真菌 dimorphic fungus と呼ぶ．ヒストプラズマ症の原因菌である *Histoplasma capsulatum* やカンジダ症の原因菌である *Candida albicans* は代表的な二形性真菌である（図 XI-1, 2）．

(1) 菌 糸

菌糸 hypha は直径 2〜20 μm の管状が伸長した構造をとる．この菌糸の集合体を菌糸体 mycelium と呼ぶ．菌糸を構成する細胞単位は隔壁 septum で仕切られており，これを有隔菌糸 septate haypha という．子嚢菌や担子菌はこのタイプである．一方，隔壁をつくらない無隔菌糸 aseptate hypha も存在する．*Mucor* spp. や *Absidia* spp. などの接合菌がこれに該当する．有隔菌糸も孔 pore を介して細胞同士の原形質の移動が可能となる．さらに菌糸は発育過程において二つに分類で

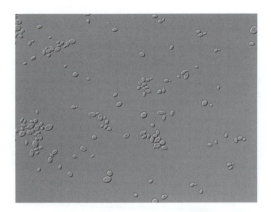

図 XI-1 *Candida albicans* の酵母形

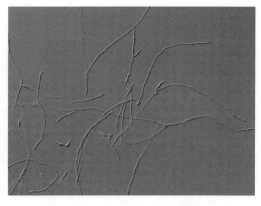

図 XI-2 *Candida albicans* の菌糸形

きる．培地などの基質表面に接しながら栄養を取り込む栄養菌糸 vegetative hypha と，基質表面から空中に向かって伸長する気性菌糸 aerial hypha である．後者が無性胞子を産生した場合を生殖菌糸 reproductive hypha と呼ぶ．酵母の場合，*Schizosaccharomyces* のように分裂により増殖する場合もあるが，多くは出芽 budding により増殖する．出芽した酵母細胞が連なって菌糸状態にみえることがあるが，これは本来の菌糸ではないことから，仮性（偽）菌糸 pseudohypha と呼ぶ．*Candida albicans* で観察される．

(2) 胞　子

真菌の胞子には生活環の過程で減数分裂を経てつくられる有性胞子 sexual spore と，その過程を経ない無性胞子 asexual spore がある．有性生殖においては，個体間で性的な交配 mating が起こる．性的に適合する菌株間で交配する場合をヘテロタリック heterothallic と呼び，交配型は"＋と－"あるいは"a と α"と表記する．同一菌株間でみられる交配はホモタリック homothallic と呼ばれる．病原真菌では，有性生殖過程が確認されない菌種の方が多い．

接合菌，子嚢菌および担子菌の生活環をそれぞれ図 XI-3, 4, 5 に示す．それぞれに，有性胞子として接合胞子 zygospore，子嚢胞子 ascospore および担子胞子 basidiospore がある（図 XI-6）．

接合菌では，＋と－の菌糸に由来する配偶子 gamete が接合し配偶子嚢 gametangium がつくられて接合胞子が産生される．子嚢菌では，雌雄の配偶子嚢が形成された後に子嚢胞子がつくられる．担子菌は菌糸の

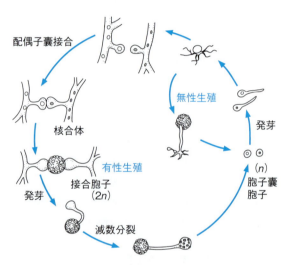

図 XI-3 接合菌の生活環

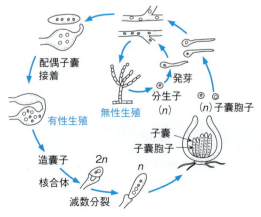

図 XI-4 子嚢菌の生活環

1. 真菌の一般的性状

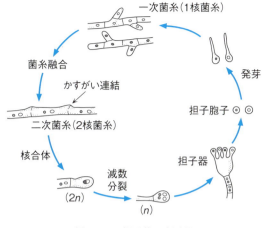

図 XI-5　担子菌の生活環

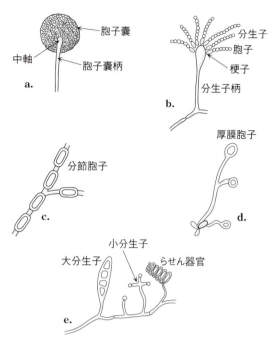

図 XI-7　代表的な病原真菌にみられる無性胞子と着生様式
a. *Mucor* の胞子嚢胞子，b. *Aspergillus* の分生子，c. *Coccidioides* の分節胞子，d. *Candida* の厚膜胞子，e. *Trichophyton* の大分生子，小分生子とらせん器官

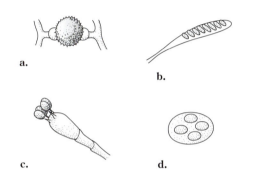

図 XI-6　真菌の有性胞子模式図
a. 接合菌，b. 子嚢菌，c. 担子菌，d. 酵母［a. b. c：Brock：Biology of Microorganisms（2nd. ed.），1974 を参考に作成］

末端に生じた担子器 basidium が産生される．

無性生殖過程では無性胞子が産生される．生殖器官の内部に形成される内生胞子 endospore と栄養型細胞の外部に形成される外生胞子 exospore がある．内生胞子は接合菌にみられ，胞子嚢胞子 sporangiospore と呼ぶ．接合菌以外の無性胞子の全ては外生胞子である．胞子嚢胞子以外の無性胞子を分生子 conidium と呼ぶ．代表的な無性胞子を図 XI-7 に示す．

(3) 真菌の微細構造

真菌は真核細胞であるため，細菌とは多くの点で生物学的特徴が異なる．二重膜構造による核膜が存在し，その内部に核が存在する（図 XI-8）．細胞質内には，細菌には存在しないミトコンドリア mitochondria，小胞体 endothelial reticulum，液胞 vacuole（動物

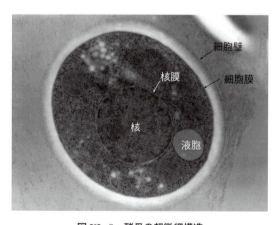

図 XI-8　酵母の超微細構造

細胞のリソソーム lysosome に該当）などの細胞小器官 organelle がある．リボソームのタイプは細菌の 70S（50S＋30S）に対して真菌は 80S（60S＋40S）である．真菌の細胞構造の特徴は，細胞膜 cell membrane と細胞壁 cell wall にみられる．細胞膜は脂質成分としてエルゴステロールを含有する．これは後述するポリ

エン系やアゾール系抗真菌薬などの標的となる．細胞壁の組成は大部分が多糖（80〜90％）で構成され，その他にタンパク質や脂質が含まれている．多糖の組成はキチンとβ-グルカンであるが，接合菌はキチンの代わりにキトサンを含むが，β-グルカンをほとんど含有しない．Cryptococcus neoformans などの一部の担子菌酵母では細胞壁の外側にヘテロ多糖からなる莢膜 capsule をもつ．真菌と細菌の違いを表 XI-1 にまとめた．

(ii) ゲノム

1996年に，酵母のモデル細胞である Saccharomyces cerevisiae の全ゲノムが解読されて以来，現在では，大部分の病原真菌のゲノムの解読が完了している．真菌ゲノムのサイズは，約 8〜40 Mb であり，遺伝子数は約 4,000〜10,000 である．このサイズは細菌より大きく植物・動物よりも小さい．ゲノム解析は，病原因子の解明や抗真菌薬の創薬にも役立つ．

b. 真菌の分類

真菌の分類は，リボソーム RNA 遺伝子の DNA 塩基配列に基づく分子系統解析により行われており，またその命名は「国際藻類・菌類・植物命名規約」に基づく．真菌界 Kingdom Fungi は，表 XI-2 に示す 7 門からなる．子嚢菌門と担子菌門は高等真菌，それ以外を下等真菌と呼ぶことがある．前者の菌糸は隔壁を有するが，後者は隔壁を欠く．酵母は，子嚢菌門と担子菌門のみに存在する．表 XI-2 に示すように，病原真菌は特定の門あるいは亜門に位置している．

表 XI-1　真菌と細菌の違い

	真菌	細菌
細胞小器官		
ミトコンドリア	＋	－
小胞体	＋	－
液胞	＋	－
リボソームのタイプ	80S（60S＋40S）	70S（50S＋30S）
細胞膜中のステロール	＋	－
細胞壁成分	キチン，β-グルカン	ペプチドグリカン

表 XI-2　真菌の分類

界	門	亜門，綱	代表的な病原真菌
菌界 Fungi	子嚢菌門 Ascomycota		Aspergillus, Candida*, Exophiala, Trichophyton, Pneumocystis, Sporothrix
	担子菌門 Basidiomycota		Cryptococcus*, Malassezia*, Trichosporon*
	ケカビ門 Mucoromycota	グロムス亜門 Glomeromycotina	病原真菌は知られていない
		ケカビ亜門 Mucoromycotina	Lichtheimia, Mucor, Rhizomucor, Rhizopus, Cunninghamella
	トリモチカビ門 Zoopagomycota	トリモチカビ亜門 Zoopagomycotina	病原真菌は知られていない
		クックセラ亜門 Kickxellomycotina	病原真菌は知られていない
		ハエカビ亜門 Entomophthoromycotina	Conidiobolus, Basidiobolus, Entomophthora
	微胞子虫門 Microsporidia		病原真菌は知られていない
	コウマクノウキン門 Blastocladiomycota		病原真菌は知られていない
	ツボカビ門 Chytridiomycota	ツボカビ綱 Chytridiomycetes	病原真菌は知られていない
		ネオカリマスティクス綱 Neocallimastigomycetes	病原真菌は知られていない

*は酵母

2 真菌症

真菌症 fungal infection, mycosis は，真菌を原因とする感染症であり解剖学的部位によって，深在性真菌症 deep-seated mycosis，深部皮膚真菌症 subcutaneous mycosis および表在性真菌症 superficial mycosis に大別される．

a. 深在性真菌症

感染巣が深部臓器・組織にある感染症を指す．多臓器に播種する場合もある．一般に症状は重篤であり予後不良の場合も少なくない．さらに，疫学・病因論的な点から深在性真菌症は日和見感染症 opportunistic infection と地域流行型感染症に分けられる．日和見感染症は，ヒトや動物の常在菌や環境中に生息している真菌が原因となる．日和見感染菌は致死的な毒素は産生せず，AIDS，臓器移植や強力な化学療法を施行された易感染性宿主 immunocompromised host に発症する．したがって，易感染患者の治療上，日和見感染症対策は重要な課題の一つとなる．地域流行型感染症は，特定の地域に限局して生息する真菌によって発症する感染症を指す．地域流行型感染菌は日和見感染菌に比べると病原性は一般に強い．多くは不顕性感染であるが，健常者にも原発性の感染症を引き起こすこともある．わが国では，典型的な地域流行型感染症は存在しないが，海外の流行地域で感染し国内で発症する例がある．この場合を輸入真菌症 imported mycosis と呼ぶ．

(i) アスペルギルス症 aspergillosis

本症の発症数は世界的に増加傾向であり，わが国での深在性真菌症患者数の第1位を占める．環境中に広く生息する *Aspergillus* が経気道的に生体内に侵入し，上気道あるいは肺に一次感染巣をつくる．好発臓器は肺である．病型により三つに分類される．① 非侵襲性肺アスペルギルス症 non-invasive pulmonary aspergillosis（NIPA）：肺アスペルギローマ pulmonary aspergilloma に代表される．② 肺限局型の侵襲性肺アスペルギルス症 invasive pulmonary aspergillosis（IPA）：急性的に進行し最も重篤化しやすい．好中球減少がリスクファクターである．③ アレルギー性気管支肺アスペルギルス症 allergic bronchopulmonary aspergillosis（ABPA）：*Aspergillus* の分生子を吸入して発症する．感染症というよりもむしろアレルギー性疾患である．I型，II型およびIII型アレルギー反応が関与すると考えられている．

原因菌：*Aspergillus* 属の中で，代表的な病原菌は，*A. fumigatus*，*A. flavaus*，*A. niger* および *A. terreus* である．空中に向かって菌糸が伸び，それが肥大して頂嚢 vesicle をつくる．さらにその上部には分生子 conidium が産生される（図 XI-9）．分生子の宿主上皮細胞への接着を促進する接着因子や上皮細胞の損傷に関与する分泌性加水分解酵素などの複数の病原因子が発症に関与すると考えられる．

治療：アムホテリシンB，イトラコナゾール，ボリコナゾールやミカファンギンが有効である．

(ii) カンジダ症 candidiasis

アスペルギルス症についで発症数が多い感染症である．病原性を示す *Candida* は，口腔，消化管，上気道，腟あるいは皮膚に定着しているヒト常在真菌である．とくに，消化管に常在する菌が化学療法などの施行にともない損傷した消化管粘膜から血流に入り，侵襲性あるいは播種性の感染症を引き起こす．皮膚 *Candida* が留置カテーテルから侵入し，カテーテル感染を引き起こすこともある．カンジダ血症が最も代表

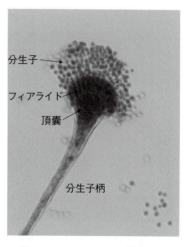

図 XI-9　*Aspergillus* の基本形態

的な病型である．その予後は不良で約 40% の死亡率を示す．肺，腎臓，髄液，肝臓，脾臓，心臓や眼にも発症する．

原因菌：*Candida* 属の中で代表的な病原菌は *C. albicans*，*C. glabrata*，*C. tropicalis* や *C. parapsilosis* である．最多原因菌は *C. albicans* であるが，近年では *C. glabrata* が増加傾向にある．*C. albicans* は単細胞で出芽増殖する酵母であるが，一定の環境下では菌糸も形成する二形性真菌である．特殊な培地では，厚膜胞子 chlamydospore を観察することができる（図 XI-10）．生体に侵入した菌による感染成立の初期過程には宿主細胞への接着が必要である．接着因子としてアグルチニン様タンパク質をコードする ALS（agglutinin-like sequence）遺伝子ファミリーが同定されている．宿主の細胞・組織を損傷させる分泌性アスパラギン酸プロテアーゼ secretory aspartic proteases やホスホリパーゼ phospholipase も代表的な病原因子である．細胞壁由来の多糖がバイオフィルムを形成し抗真菌薬に耐性になることもある．

治療：一般にアムホテリシン B，5-FC，アゾール系薬やキャンディン系薬など多くの抗真菌薬が有効である．

(iii) クリプトコックス症 cryptococcosis

環境中に存在する *Cryptococcus* が経気道的に吸入され，肺に病巣がつくられる．その後，血行性に播種することがある．播種の病態としては脳髄膜炎がみられ，これは全クリプトコックス症例の大部分を占め，重篤な転帰をとることがある．播種性クリプトコックス症は，感染症法の五類に指定されている．

原因菌：本症の大部分は，*Cryptococcus neoformans* および *C. gattii* が原因菌となる．前者の感染源は主としてハト糞である．ハト自身は保菌していないがハト糞中の成分が，本菌の増殖に選択性を有するからと考えられている．後者はユーカリの樹木が感染源となる．わが国での原因菌の大部分は *C. neoformans* である．細胞壁の外側に厚い莢膜を産生し（図 XI-11），これにより食細胞からの貪食を阻止し宿主防御の回避に働く．また，ラッカーゼによって合成されるメラニンは，酵素ラジカルのスカベンジャーとして働き，食細胞の酸化的殺菌から菌自身を守る働きがある．

治療：アムホテリシン B，5-FC やアゾール系薬が有効であるが，キャンディン系薬は無効である．

(iv) ムーコル症 mucoromycosis

本症の最多病型は鼻脳型であり，副鼻腔から脳へと進展する．予後は極めて不良である．その他，肺や皮膚にも感染を引き起こす．以前は接合菌症 zygomycosis と呼ばれていた．

原因菌：ケカビ亜門 Mucoromycotia に属する *Rhizopus oryzae*，*Rhizomucor microsporus*，*R. pusillus* および *Absidia corymbifiera* が原因菌の大部分を占める．有性胞

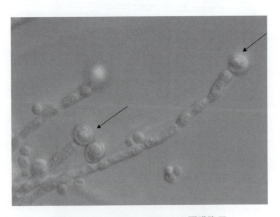

図 XI-10 *Candida albicans* の厚膜胞子
矢印が厚膜胞子

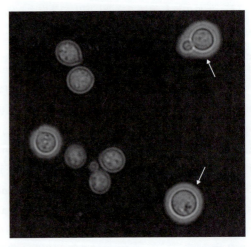

図 XI-11 *Cryptococcus neoformans* の莢膜（墨汁染色）
矢印が莢膜

子として接合胞子を，無性胞子として胞子嚢胞子をつくる．仮根 rhizoid，胞子嚢柄 sporangiophore，アポフィシス apophysis および胞子嚢 sporangium の形態学的特徴は原因菌の同定指標となる．

治　療：アムホテリシン B とポサコナゾールが有効である．ポサコナゾールを除くアゾール系薬やキャンディン系薬には無効である．むしろ，アゾール系薬の投与はブレイクスルー感染症*のリスクがある．

(v)　その他の真菌症

(1)　トリコスポロン症 trichosporonosis

Trichosporon asahii を原因菌として，好中球減少患者に日和見感染症として発症する．予後は極めて不良で本症の致死率は約 70% 以上に達する．近年では，キャンディン系薬投与後のブレイクスルー感染症として発症率が上昇している．治療にはアゾール系薬を用いる．分生子を吸入して発症するⅢ型およびⅣ型のアレルギー反応を示す夏型過敏性肺炎の原因菌でもある．

(2)　ニューモシスチス肺炎 pneumocystis pneumonia（PCP）

Pneumocystis jirovecii により易感染性宿主，とくに AIDS 患者に好発する．侵入門戸は上気道である．真菌ではあるが，細胞膜にエルゴステロールを含まないなど，他の真菌と異なる性状を示すため抗真菌薬には効果を示さない．ペンタミジンや ST 合剤（スルファメトキサゾール，トリメトプリム）あるいはアトバコンを用いる．

(3)　輸入真菌症 imported mycosis

コクシジオイデス症（原因菌：*Coccidioides immitis*），ヒストプラズマ症（*Histoplasma capsulatum*），パラコクシジオイデス症（*Paracoccidioides brasiliensis*），マルネッフェイ型ペニシリウム症（*Penicillium marneffei*）およびブラストミセス症（*Blastomyces dermatitidis*）は，北米，南米あるいは東南アジアなどを流行地としている．わが国ではこれらの原因菌は生息していないが，汚染地域で感染を受けて国内発症する例がある．コクシジオイデス症は感染症法で四類に分類されている．

b.　深部皮膚真菌症

皮膚の深部または皮下組織に病変を生じる．わが国での発症率は決して高くない．

(i)　スポロトリコーシス sporotrichosis

土壌中の *Sporothrix schenkii* と接触することにより，主に顔面や上肢に発症する．外傷部に膿瘍や皮下結節をつくり，病巣はここに限局する（固定型（限局型）スポロトリコーシス）．また，初発病巣からリンパ管を介して他の皮膚組織に新たな病巣をつくる（リンパ管型スポロトリコーシス）．

原因菌：*Sporothrix schenkii* のみが原因となる．組織中では酵母形であるが，20 〜 25℃の培地上では菌糸形を呈する二形性真菌である．

治　療：イトラコナゾールやテルビナフィンが適応となる．局所温熱療法を用いることもある．これは本菌が 37℃以上では増殖できない性質を利用したものである．

(ii)　黒色真菌感染症 chromomycosis

培地上で黒色のコロニーをつくることから黒色真菌と呼ばれている．したがって，黒色真菌は分類学的呼称ではない．クロモミコーシス chromomycosis とフェオヒフォミコーシス phaeohyphomycosis の二つの病型がある．前者は顔面や上肢に病変を認め，丘疹性あるいは落屑性の局面から隆起する典型的な慢性肉芽腫性疾患であり，健常人に発症する．後者は，易感染性宿主に発症し，皮下の膿瘍または嚢腫の形成を主病変とする．

原因菌：クロモミコーシスは，主に *Fonsecaea pedrosoi*，*Phialophora verrucosa*，*Cladosporium bantiana* あるいは *Rhinocladiella aquaspersa* を原因菌とし，フェオヒフォミコーシスは，主に *Wangiella dermatitidis* や *Exophiala jeanselmei* を原因菌とする．いずれも土

---

* ブレイクスルー感染症：抗真菌薬の投与中に現れる新たな真菌感染症をいう．抗真菌薬を投与されていても，実際にはそれに効果を示さない菌による感染である場合などに発症する．

壌中に生息する．

治　療：病巣の外科的切除が確実な治療法である．イトラコナゾールも適応となる．

c. 表在性真菌症

(i) 皮膚糸状菌症 dermatophytosis

表在性真菌症は，皮膚糸状菌 dermatophyte によって引き起こされる感染症を指す．皮膚糸状菌は臨床的に用いられる便宜的な菌種名であり，分類学的な意味はない．皮膚糸状菌は表皮の角質，毛髪あるいは爪に侵入して局所的な感染症を引き起こす．わが国では1,000万人以上が本症に罹患していると考えられ，ヒトーヒトやヒトー動物間での伝播が起きる．体部白癬，股部白癬，頭部白癬は俗に，それぞれ"ぜにたむし"，"いんきんたむし"，"しらくも"とも呼ばれる．皮膚糸状菌症と白癬 tinea は基本的に同義語である．

原因菌：主たる原因菌種は，*Trichophyton rubrum* と *T. mentagrophytes* である．近年，柔道やレスリングなどの格闘技選手を中心に *T. tonsurans* を原因菌とする体部・頭部白癬が蔓延している．*Epidemophyton floccosum* もまれに分離される．*Microsporum canis* は動物好性の菌種である．皮膚糸状菌は大小の分生子を産生することが形態学的特徴である．

治　療：アゾール系薬，アリルアミン系薬，ベンジルアミン系薬，チオカルバメート系薬やモルホリン系薬による局所療法を行う．これに奏効しない場合はテルビナフィンやイトラコナゾールによる全身療法を行う．

(ii) 表在性カンジダ感染症 cutaneous candidiasis

深在性カンジダ感染症と同様にヒト常在菌が原因となる．大部分の感染部位は口腔と腟粘膜である．前者は大部分の AIDS 患者に，後者は成人女性の約10%程度に発症する．まれに爪にも感染が生じる．

原因菌：深在性カンジダ感染症と同様に *C. albicans* が主要原因菌である．

治　療：アゾール系薬，アリルアミン系薬やモルホリン系薬の局所療法やイトラコナゾールの全身療法を行う．

(iii) 皮膚マラセチア感染症 cutaneous malasseziasis

ヒト皮膚常在菌である酵母 *Malassezia* を原因菌として発症する．主な病型は，癜風 tinea versicolor，マラセチア毛包炎 *Malassezia* folliculitis，脂漏性皮膚炎 seborrheic dermatitis であり，体幹，頭頸部や前胸部に好発する．ふけ症 dandruff は脂漏性皮膚炎の軽症型の一つである．

原因菌：*Malassezia globosa* および *M. restricta* が主な原因菌種である．本菌は好脂性であるため，脂漏部位に定着している．分泌されたリパーゼにより皮脂が分解され，その分解産物が炎症を惹起すると考えられている．また，本菌は成人のアトピー性皮膚炎の増悪因子でもある．

治　療：多くの外用抗真菌薬に効果がある．

3　抗真菌薬

抗真菌薬は抗細菌薬や抗ウイルス薬に比べるとその数は多くはない．それは，真菌はヒトと同じ真核細胞であるため薬剤の標的部位が少ないからである．抗真菌薬の標的部位を図 XI-12，化学構造を図 XI-13，適応疾患については表 XI-3 にまとめた．

(i) ポリエンマクロライド系

ポリエンマクロライド系とはマクロライド環に4～7個の共役二重結合をもつ化合物の総称である．これは放線菌が産生し多くの化合物が単離された．このなかから，アムホテリシンB（AMPH-B）が臨床の場に供されている．

作用機序：ヒドロキシ基に富む親水性領域が，真菌細胞膜の主要ステロール成分であるエルゴステロールと不可逆的に結合する．その結果，細胞膜の脱分極が起こり，膜透過性に障害を与える（図 XI-14）．効果は殺菌的である．

臨床適応：アムホテリシンBは広域な抗菌スペクトルを示し，40年以上にわたって使用されているにもかかわらず耐性菌はほとんど存在しない．しかしながら，いずれも消化管吸収が悪いため，経口投与では「消化管におけるカンジダ異常増殖」のみが適応とな

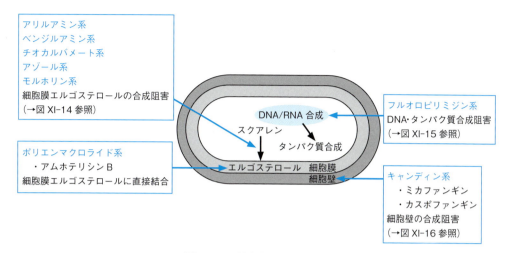

図 XI-12　抗真菌薬の標的部位

る．アムホテリシン B 注射剤は，カンジダ症やアスペルギルス症など大部分の深在性真菌症に効果を示すが，副作用として重篤な腎障害を起こすことがある．これを軽減させる目的，すなわち腎臓への移行性を下げるためにリポソーム製剤が開発された．アムホテリシン B の使用にあたっては，定期的な腎機能，肝機能，血清電解質などの検査が必要である．

(ii)　フルオロピリミジン系

フルオロピリミジン系薬であるフルシトシン（5-FC）がある．

作用機序：DNA 合成阻害と異常 RNA の生成により抗真菌作用を示す（図 XI-15）．真菌特異的酵素シトシンパーミアーゼにより真菌細胞に取り込まれた 5-FC は，さらにシトシンデアミナーゼにより 5-フルオロウラシル（5-FU）に変換される．この代謝物である 5-フルオロデオキシウリジン酸（5-FdUMP）がデオキシウリジン一リン酸（dUMP）からデオキシチミジン一リン酸（dTMP）への酵素反応を阻害することにより，DNA 合成が阻害される．また，5-FU は 5-フルオロウリジン三リン酸（5-FUTP）に変換され，これがウリジン三リン酸（UTP）の代わりに RNA に取り込まれて異常 RNA が生成されるため，結果としてタンパク質の合成が阻害される．

臨床適応：カンジダ症，クリプトコックス症やアスペルギルス症などの深在性真菌症に効果を示す．本薬の単独投与では耐性菌の出現率が高まるため，アムホテリシン B と併用する．

本薬と抗悪性腫瘍薬テガフール・ギメラシル・オテラシルカリウム配合剤を併用すると，配合剤中のギメラシルが生成された 5-FU の異化代謝を阻害するため血中 5-FU 濃度が著しく上昇する．このため，本配合剤とは併用禁忌である．

(iii)　アゾール系

アゾール系は化学構造的にさらにイミダゾール系とトリアゾール系に大別される．

作用機序：真菌細胞膜エルゴステロールの生合成過程での合成酵素 $C14\alpha$-ラノステロールデメチラーゼ（14DM）を阻害する（図 XI-14）．14DM は P450 ファミリーに属する．これは動物細胞にも存在するが，真菌の P450 14DM とは構造上の大きな差異がある．

臨床適応：多くの抗真菌薬が存在する（表 XI-3）．深在性真菌症の治療はトリアゾール系薬が汎用される．ホスフルコナゾールはフルコナゾールのリン酸化プロドラッグであり，これにより水溶性がさらに高められたため，ボーラス投与が可能となった．ボリコナゾールは，フルコナゾールと化学構造が類似しているが，フルコナゾールよりも抗菌スペクトルが広域化し，またアスペルギルス症に対しても治療効果を有する．ムーコル症には，一般にアゾール系薬は無効であるが，ポサコナゾールは唯一有効である．

a. ポリエンマクロライド系

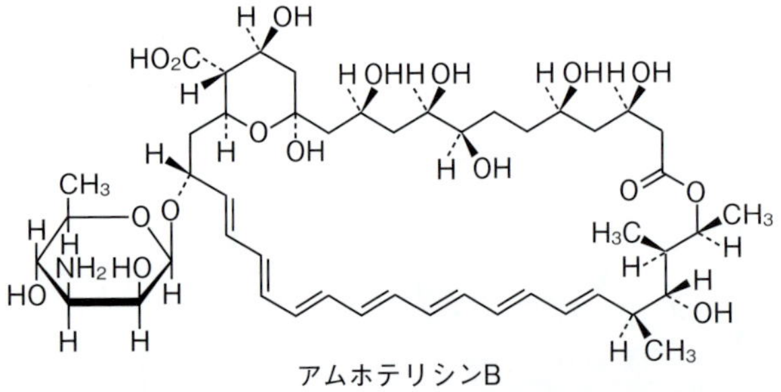

アムホテリシンB

b. フルオロピリミジン系

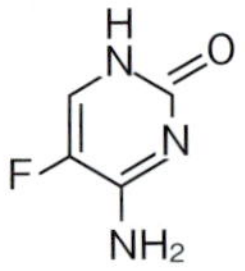

フルシトシン

c. トリアゾール系

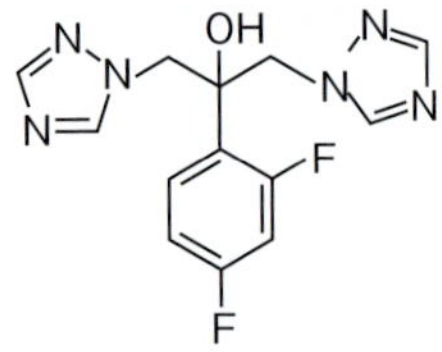

フルコナゾール 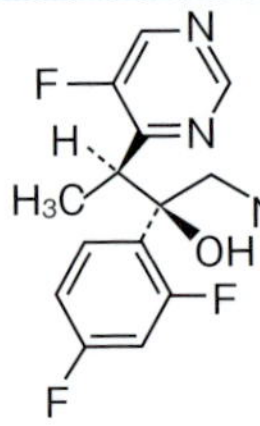　　ボリコナゾール 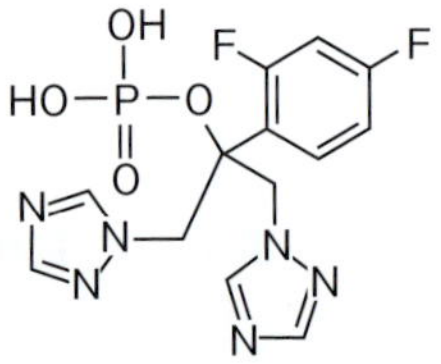　　ホスフルコナゾール 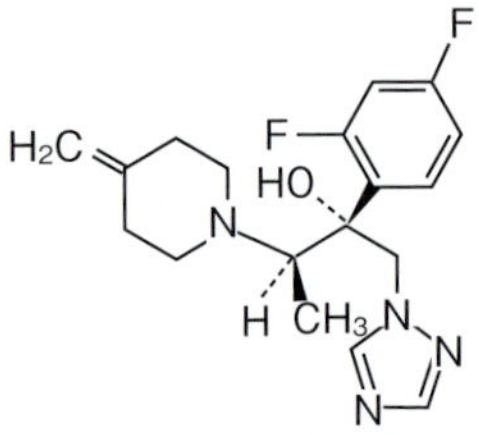　　エフィナコナゾール

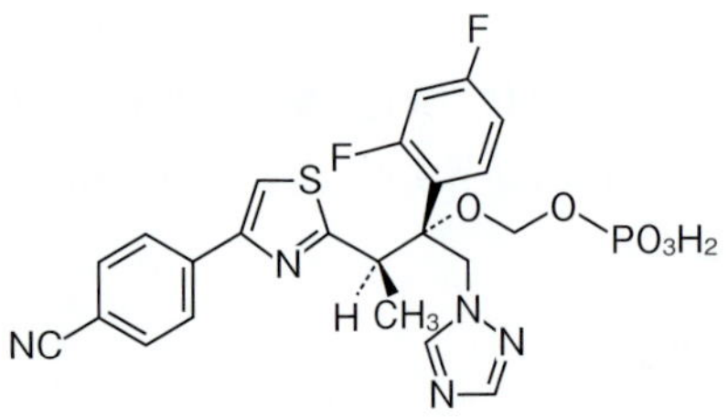

ホスラブコナゾール

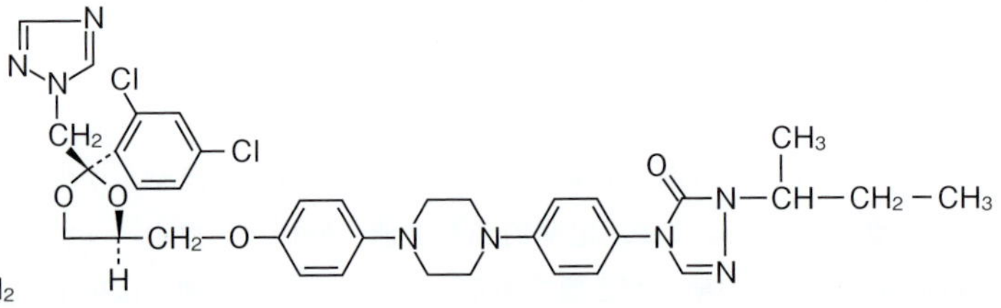

イトラコナゾール

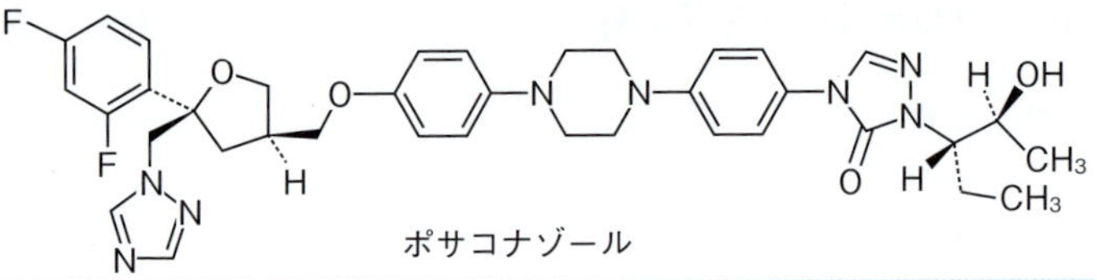

ポサコナゾール

d. イミダゾール系

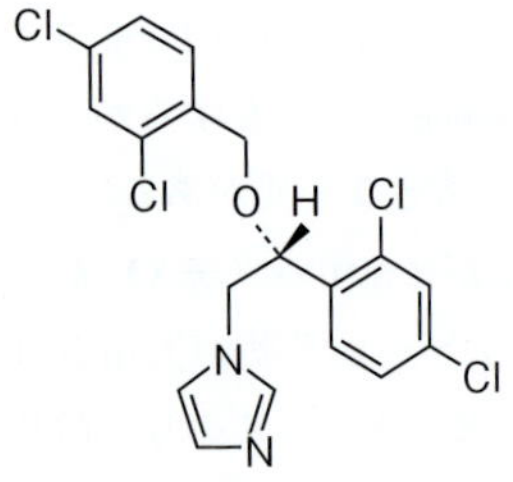

ミコナゾール 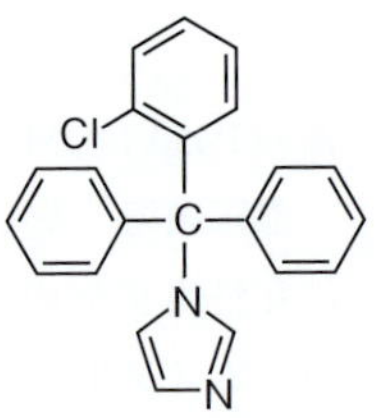　　クロトリマゾール 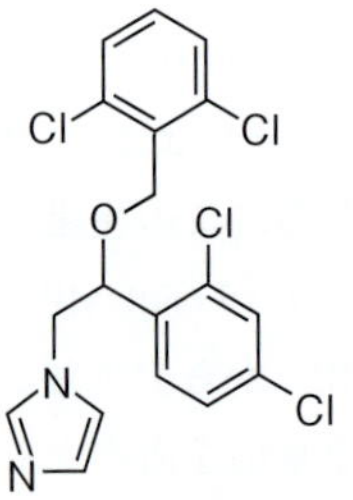　　イソコナゾール 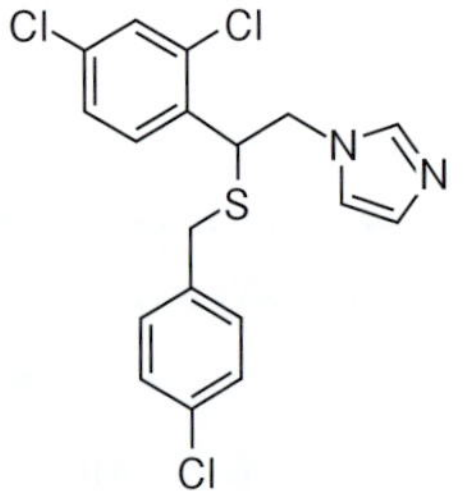　　スルコナゾール

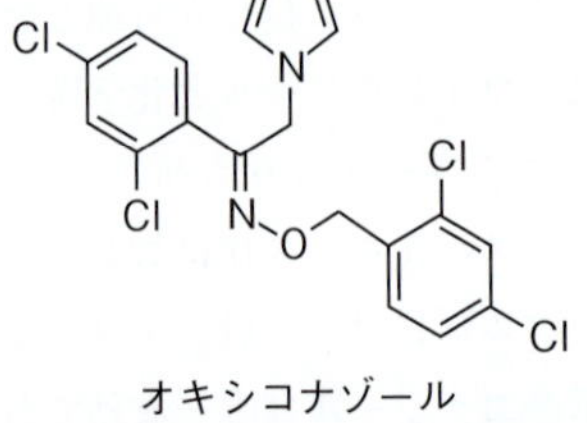

オキシコナゾール 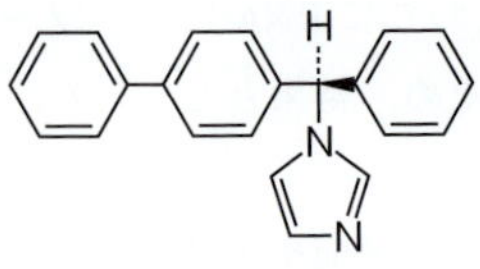　　ビホナゾール 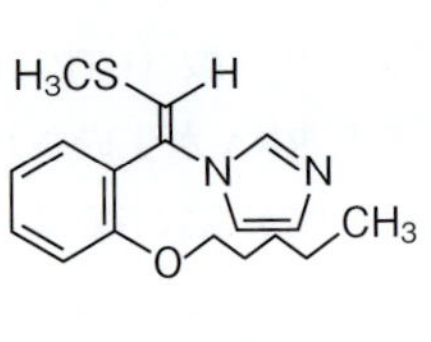　　ネチコナゾール

図 XI-13　抗真菌薬の化学構造

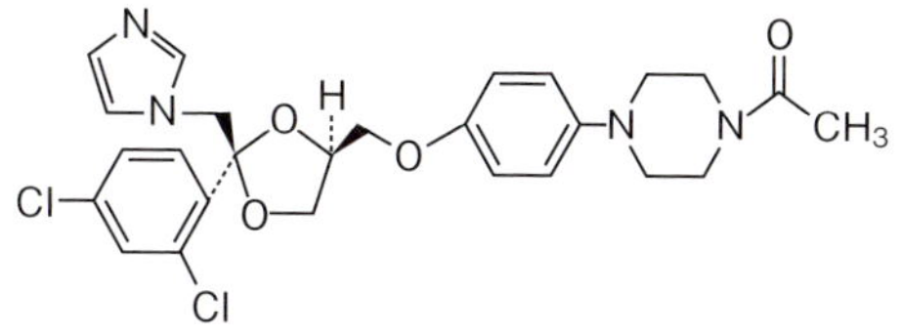

3. 抗真菌薬　323

ケトコナゾール 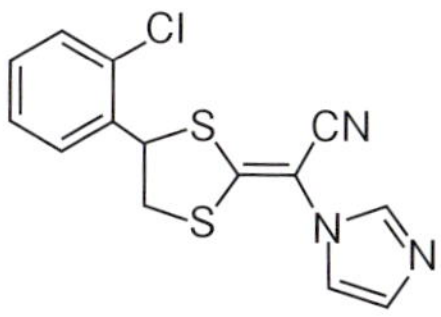　　　　　ラノコナゾール 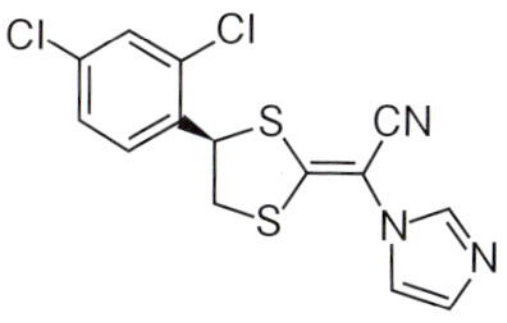　　　　　ルリコナゾール

e. キャンディン系

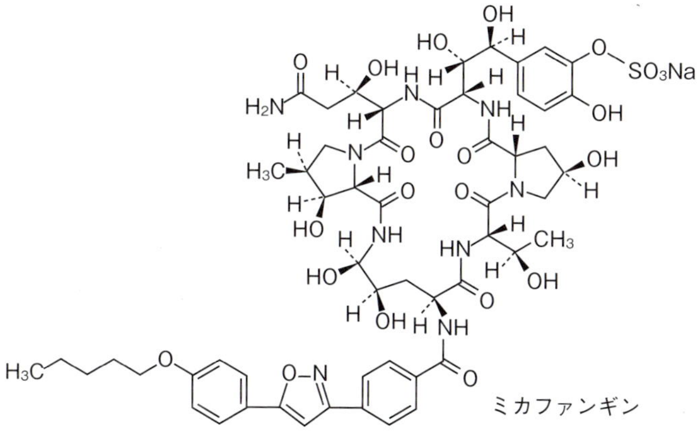

ミカファンギン

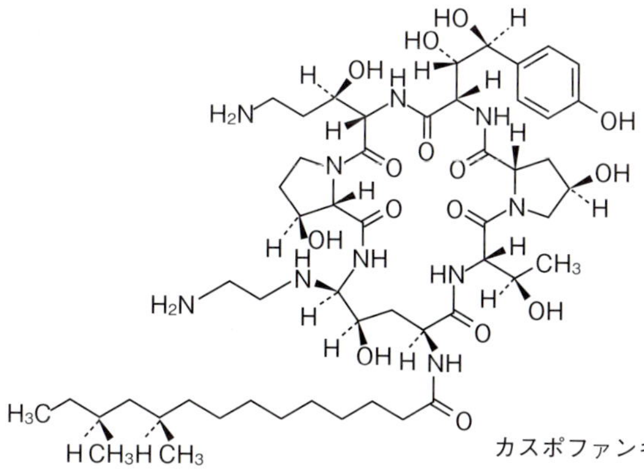

カスポファンギン

f. アリルアミン系

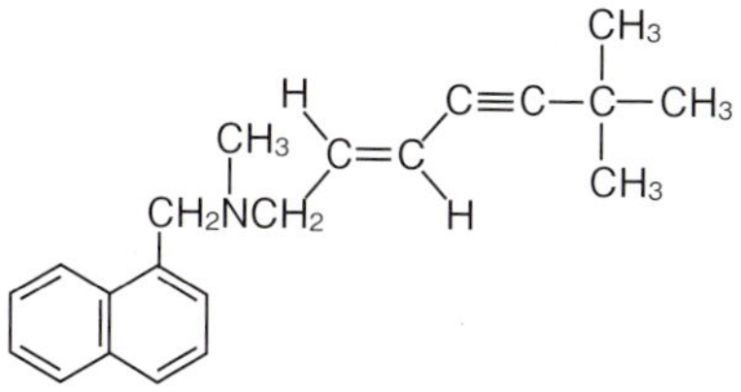

テルビナフィン

g. チオカルバメート系

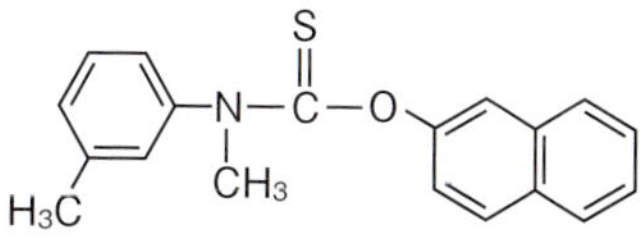

トルナフタート

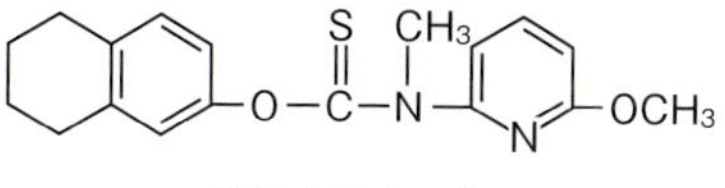

リラナフタート

h. ベンジルアミン系

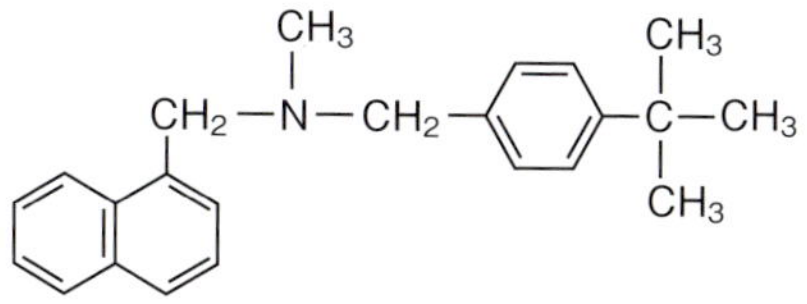

ブテナフィン

i. モルホリン系

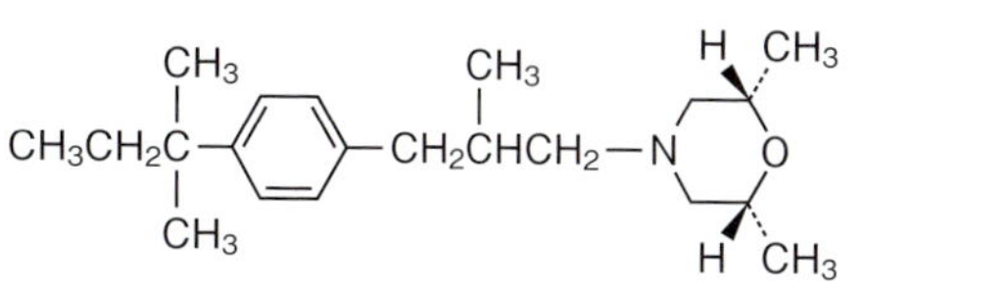

アモロルフィン

図 XI–13　つづき

表 XI-3　抗真菌薬と適応疾患

化学構造による分類	薬剤名	病型			適応疾患				投与経路	重大な副作用	併用禁忌
		深在性真菌症	深在性皮膚真菌症	表在性真菌症	カンジダ症	アスペルギルス症	クリプトコックス症	白癬	癜風			
ポリエンマクロライド系	アムホテリシンB（注射）	○			○	○	○			注射	心停止、心不全、不整脈、粘膜眼症候群、壊死融解症、アナフィラキシー、無顆粒球症、横紋筋融解症、腎障害、急性肝不全、中毒性表皮壊死融解症（toxic epidermal necrolysis：TEN）、Stevens-Johnson症候群、肺水腫、低カリウム血症、中枢神経障害	白血球輸注（機序は不明）
	アムホテリシンB（経口）			○	○					経口	皮膚粘膜眼症候群（Stevens-Johnson症候群）、中毒性表皮壊死症（Lyell症候群）	なし
	アムホテリシンB（リポソーム製剤）	○			○	○	○			注射	ショック、アナフィラキシー、重篤な腎障害、重篤な肝機能障害、無顆粒球症、汎血球減少、白血球減少、血小板減少、播種性肺炎等の重篤な感染症、心停止、心不全、不整脈、痙攣や意識障害等の中枢神経症状、投与時関連反応、横紋筋融解症	白血球輸注（機序は不明）
フルオロピリミジン系	フルシトシン（5-FC）	○			○	○	○			経口	汎血球減少、無顆粒球症、腎不全	テガフール・ギメラシル・オテラシルカリウム配合剤（TS-1）（血中5-FU濃度の上昇）
トリアゾール系	フルコナゾール	○			○		○			注射、経口	ショック、アナフィラキシー、皮膚粘膜眼症候群（Stevens-Johnson症候群）、中毒性表皮壊死融解症（toxic epidermal necrolysis：TEN）、血液障害、急性腎不全、肝障害、意識障害、痙攣、高カリウム血症、心室頻拍、QT延長、不整脈、間質性肺炎、偽膜性大腸炎	トリアゾラム、エルゴタミン、ジヒドロエルゴタミン、キニジン、ピモジド（併用禁忌薬の血中濃度の上昇）
	ホスフルコナゾール	○			○		○			注射		
	イトラコナゾール	○	○	○	○	○	○	○	○	注射、経口	ショック、アナフィラキシー、うっ血性心不全、肺水腫、肝障害、胆汁うっ帯、黄疸、皮膚粘膜眼症候群（Stevens-Johnson症候群）、中毒性表皮壊死融解症（toxic epidermal necrolysis：TEN）、急性汎発性発疹性膿疱症、剥脱性皮膚炎、多形紅斑	ピモジド、キニジン、ベプリジル、リアナジル、シンバスタチン、アゼルニジピン、ニソルジピン、エルゴタミン、ジヒドロエルゴタミン、エルゴメトリン、メチルエルゴメトリン、バルデナフィル、シルデナフィル、タダラフィル、エプレレノン、ブロナンセリン、アリスキレン、ダビガトラン*、リバーロキサバン、リオシグアト（併用禁忌薬の血中濃度の上昇）*ダビガトランは、経口薬のみ

表 XI-3 つづき

化学構造による分類	薬剤名	病型 深在性真菌症	病型 深部皮膚真菌症	病型 表在性皮膚真菌症	適応疾患 カンジダ症	適応疾患 アスペルギルス症	適応疾患 クリプトコックス症	適応疾患 白癬	適応疾患 癜風	投与経路	重大な副作用	併用禁忌
トリアゾール系	ボリコナゾール	○			○	○				注射, 経口	ショック, アナフィラキシー, 皮膚粘膜眼症候群 (Stevens-Johnson 症候群), 中毒性表皮壊死融解症 (toxic epidermal necrolysis：TEN), 多形紅斑, 肝障害, QT延長, 心室頻拍, 心室細動, 不整脈, 完全房室ブロック, 心不全, 腎障害, 呼吸窮迫症候群, ギラン・バレー症候群, 血液障害, 偽膜性大腸炎, 横紋筋融解症, 間質性肺炎, 低血糖, 意識障害	リファンピシン, リファブチン, エファビレンツ, リトナビル, リトナビル含有製剤, カルバマゼピン, 長時間作用型バルビツール酸誘導体, ピモジド, キニジン硫酸塩水和物, トリアゾラム, 麦角アルカロイド, トリアゾラム (併用禁忌薬の血中濃度の上昇)
	ポサコナゾール	○			○	○	○			注射, 経口	肝機能障害, 溶血性尿毒症症候群 (HUS), 血栓性血小板減少性紫斑病 (TTP), QT延長, 心室頻拍 (Torsades de pointes を含む), 副腎機能不全, 低カリウム血症, 皮膚粘膜眼症候群 (Stevens-Johnson 症候群), 血管攣縮, 急性腎障害, 腎不全, 白血球減少, 汎血球減少症	エルゴタミン酒石酸塩・無水カフェイン・イソプロピルアンチピリン配合剤, ジヒドロエルゴタミンメシル酸塩, エルゴメトリンマレイン酸塩, メチルエルゴメトリンマレイン酸塩, シンバスタチン, アトルバスタチン, ピモジド, キニジン (併用禁忌薬の血中濃度の上昇)
	ホスラブコナゾール			○				○		経口	肝機能障害, 多形紅斑	なし
	エフィナコナゾール			○				○		外用	なし	なし
イミダゾール系	ミコナゾール (注射)	○			○	○	○			注射	ショック, アナフィラキシー, 肝機能障害, 急性腎不全, QT延長, 心室性不整脈 (心室頻拍等, torsades de pointes を含む心室頻拍等), 白血球減少, 血小板減少	ピモジド, キニジン, トリアゾラム, シンバスタチン, アゼルニジピン, ニソルジピン, プロブコール, エルゴタミン酒石酸塩, ジヒドロエルゴタミンメシル酸塩, リバーロキサバン, アスナプレビル (併用禁忌薬の血中濃度の上昇)
	ミコナゾール (経口)				○					経口	なし	
	ミコナゾール (膣錠)				○					経膣	なし	
	クロトリマゾール (経口, 膣錠)			○	○				○	外用, 経膣	なし	なし
	クロトリマゾール (外用)			○	○			○	○	外用	なし	
	イソコナゾール (膣錠)				○					経膣	なし	
	イソコナゾール (外用)			○	○			○	○	外用	なし	
	スルコナゾール			○	○			○	○	外用	なし	
	オキシコナゾール (膣錠)				○					経膣	なし	

表 XI-3 つづき

化学構造による分類	薬剤名	病型			適応疾患					投与経路	重大な副作用	併用禁忌
		深在性真菌症	深部皮膚真菌症	表在性真菌症	カンジダ症	アスペルギルス症	クリプトコックス症	白癬	癜風			
イミダゾール系	オキシコナゾール(外用)			○	○			○	○	外用	なし	
	ビホナゾール			○	○			○	○	外用		
	ケトコナゾール			○	○			○	○	外用	なし	なし
	ネチコナゾール			○	○			○	○	外用		
	ラノコナゾール			○	○			○	○	外用		
	ルリコナゾール			○	○			○	○	外用		
キャンディン系	ミカファンギン	○			○	○				注射	血液障害、ショック、アナフィラキシー、肝機能障害、黄疸、急性腎不全、中毒性表皮壊死融解症(toxic epidermal necrolysis：TEN)皮膚粘膜眼症候群(Stevens–Johnson症候群)、多形紅斑	なし
	カスポファンギン	○				○				注射	アナフィラキシー、肝機能障害	なし
アリルアミン系	テルビナフィン(経口)		○	○	○			○		経口	重篤な肝障害、汎血球減少症、無顆粒球症、血小板減少、皮膚粘膜眼症候群(Stevens–Johnson症候群)、中毒性表皮壊死融解症(toxic epidermal necrolysis：TEN)、急性全身性発疹性膿疱症、紅皮症(剥脱性皮膚炎)、横紋筋融解症、ショック、アナフィラキシー、薬剤性過敏症症候群、重症筋無力症エリテマトーデス	なし
	テルビナフィン(外用)			○	○			○	○	外用	なし	なし
チオカルバメート系	トルナフタート			○				○		外用	なし	なし
	リラナフタート			○				○		外用	なし	なし
ベンジルアミン系	ブテナフィン			○				○	○	外用	なし	なし
モルホリン系	アモロルフィン			○	○			○	○	外用	なし	なし

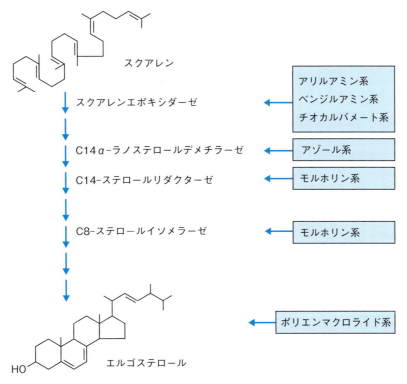

図 XI-14　真菌細胞膜エルゴステロール生合成経路阻害薬

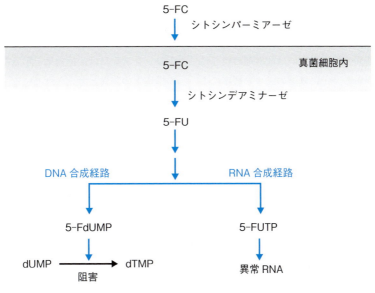

図 XI-15　フルシトシンの代謝経路とその作用機序

表在性真菌症の治療の多くは，イミダゾール系薬が用いられる．外用で白癬，皮膚カンジダ症や癜風の治療に用いられる．ケトコナゾールは，これらに加えて脂漏性皮膚炎の治療にも用いる．

エフィナコナゾールは，爪白癬の治療に用いることができる唯一の外用薬である．

イトラコナゾールはトリアゾール系薬で深在性真菌症の治療に用いられる一方，皮膚・爪組織への移行性もよいことから，深部皮膚真菌症や爪白癬の治療にも用いられる．爪白癬に対しては治療効果を向上させるために，「1週間の投与と3週間の休薬」を1サイクルとして，これを3サイクル繰り返すパルス療法がある．本薬は水に難溶性であるため腸管吸収が不安定である．このため，本薬をヒドロキシプロピル-β-シクロデキストリンに包摂して可溶化した内用液剤と注射剤が開発された．

ホスラブコナゾールはトリアゾール系薬で経口で爪白癬の治療に用いる．

アゾール系薬は動物細胞のチトクローム P450 の酵素（**CYP3A4**）と高い親和性を有するため CYP3A4 で代謝される薬剤の代謝を阻害し，血中濃度を上昇させる可能性がある．したがって，トリアゾラムやシンバスタチンなどの CYP3A4 で代謝される薬剤との併用は禁忌である．

近年，アゾール系薬に対する耐性株が出現し臨床上問題となっている．外用薬の投与では耐性株はほとんど生じないが，長期間の経口あるいは注射剤の投与により出現することがある．主に以下の三つの機序による．① 真菌細胞膜に局在する薬剤排出ポンプが過剰発現する．② アゾール系薬の標的分子である 14DM が過剰に産生される．③ 14DM にアミノ酸変異が生じ，アゾール系薬との結合親和性が低下する．

(iv) キャンディン系

環状ペプチドと疎水性のアシル基側鎖から構成されるポリペプチドであり，ミカファンギンやカスポファンギンがある．ミカファンギンは真菌 *Coleophoma empetri* の二次代謝産物を起源として，それを化学修飾することにより抗真菌薬としてわが国で創出された．海外では類薬として，アニデュラファンギンがある．

作用機序：真菌細胞壁の β-1,3-D-グルカンの生合成を阻害する（図 XI-16）．この生合成には，二つの触媒サブユニット Fks1p と Fks2p および調節サブユニット Rho1p が関与する．Fks1p 上で UDP-グルコースの重合反応が起こり，β-1,3-D-グルカンの伸長が起こる．ミカファンギンは，Fks1p と結合することにより，β-1,3-D-グルカンの生合成を阻害する．動物細胞には細胞壁が存在しないため，これが本薬の高い選択性となる．

臨床適応：本薬の水溶性は高いが，分子量が大きいため経口投与では腸管からの吸収が悪い．したがって，投与経路は静脈内となる．適応は深在性真菌症の中でカンジダ症とアスペルギルス症に限られ，クリプトコックス症には治療効果を示さない．これは細胞壁の構造上の差異と考えられている．さらに造血幹細胞

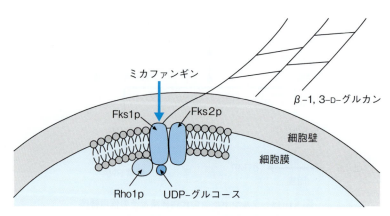

図 XI-16 キャンディン系抗真菌薬の作用部位

移植患者におけるこれらの真菌症の発症予防にも用いられる．安全性は高くアゾール系薬耐性株にも交差耐性を示さない．

(v) チオカルバメート系，ベンジルアミン系，アリルアミン系

いずれの薬剤も真菌細胞膜エルゴステロールの生合成過程において，スクアレンエポキシダーゼを阻害する（図 XI-14）．チオカルバメート系薬（トルナフタートとリラナフタート）とベンジルアミン系薬（ブテナフィン）は外用で白癬などの表在性真菌症の治療に用いる．

アリルアミン系薬のテルビナフィンは表皮角質層や爪へ良好な薬物移行性を示すため，外用のみならず経口でも投与ができる．白癬などの表在性とスポロトリコーシスなどの深部皮膚真菌症の治療に用いる．

(vi) モルホリン系

真菌細胞膜エルゴステロールの生合成を阻害するが，モルホリン系薬（アモロルフィン）はC14-ステロールリダクターゼとC8-ステロールイソメラーゼを標的分子とする（図 XI-14）．外用で白癬などの表在性真菌症の治療に用いる．

第XII章 寄生虫学―原虫と蠕虫

ある生物が，別の生物「宿主 host」の体表あるいは体内で，宿主に害を及ぼしながら生命活動を行うことを狭義の「寄生 parasitism」という．したがって，細菌や真菌の感染も，寄生と呼ぶことができるが，医薬学分野では動物性真核細胞生物である「寄生虫 parasite」と呼ばれる生物が，ヒトや動物を宿主とする場合に，とくに，寄生と呼ぶことが多い．寄生虫には，蚊，ノミ，シラミ，ダニなど，体表に寄生する外部寄生虫 ectoparasite と，体内に寄生する内部寄生虫 endoparasite がある．本書では，主に，内部寄生虫について記述する．衛生環境の整った今日の日本では，寄生虫症が問題となることは多くないが，世界的にみれば，寄生虫症は，開発途上国を中心に蔓延しており，医療上重要である（図XII-1）．

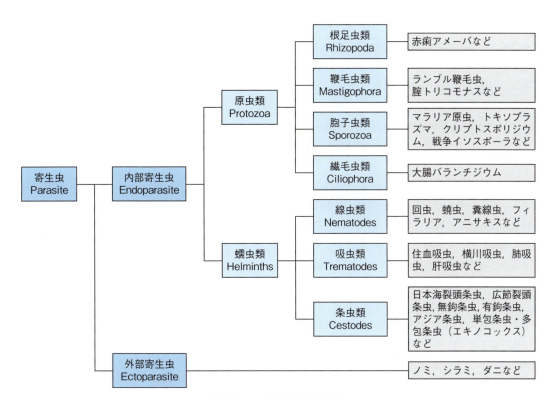

図XII-1　人体寄生虫の分類

内部寄生虫には，単細胞の原虫と多細胞の蠕虫（ぜんちゅう）がある．多くの寄生虫は宿主特異性があり，限られた宿主にしか寄生できない．幼生の寄生虫は，それぞれ固有の発育や変態を行って，成熟し，次の世代を生ずるが，この一連の発育の流れを，寄生虫の生活史または生活環と呼ぶ．寄生虫は，その生活史の中で，宿主を変えることがある（宿主の転換）．寄生虫が，その体内で，「成虫になることができる」または「有性生殖を行うことができる」宿主のことを，終宿主または固有宿主，その体内で「成虫となることができない」または，「無性生殖しかできない」宿主のことを中間宿主と呼ぶ．

A 原虫類 protozoa

原虫 protozoa は，運動性のある従属栄養の動物性真核単細胞生物で，原生動物とも呼ばれる．原虫は，一般に，細菌に比べはるかに大型で細胞径が数 μm～50 μm 程度のものが多い．単細胞で，摂食，運動，代謝，生殖など全ての生命活動を行っているが，多くの原虫は，いくつかの発育段階を有しており，形態が大きく変化する．原虫の細胞の基本構造は，動物細胞と大きく変わらず，細胞質膜に取り囲まれ，その外側には多糖類よりなる外被があり，核膜に囲まれた核と 80S リボソームを有し，真核生物としての特徴を備えている．原虫の細胞の細胞質の中心部は内肉と呼ばれ，ミトコンドリア（ただし，ランブル鞭毛虫，トリコモナス，赤痢アメーバなどはミトコンドリアを有さない），小胞体，ゴルジ体，リソソーム，食胞などが存在する．原虫の外側部を占める外肉は，種類によって，特徴的に分化し，偽足，鞭毛，繊毛，波動膜，細胞口器，細胞肛門などの種々の器官を形成する．ヒトに寄生する主な原虫は，根足虫類，鞭毛虫類，胞子虫類，繊毛虫類の四つのグループに分類される．表 XII-1 に，人体に寄生して病気を起こす各グループの主な原虫とその原虫によって引き起こされる原虫症名を示している．この中で，わが国で頻度が高い，または，世界的にとくに重要な原虫・原虫症について解説する．

1 根足虫類 Rhizopodea

偽足を出して運動する原虫類で，医療上，アメーバ類が重要である．栄養型／栄養体 trophozoite（トロフォゾイト）と嚢子型／嚢子 cyst（シスト）の発育時期を有し，鞭毛期を有するものもある．有性生殖は行わず，二分裂増殖する．

a. エントアメーバ Entamoeba 属原虫：

赤痢アメーバ *Entamoeba histolytica*

赤痢アメーバ症を起こす．感染症法では，赤痢アメーバ症を，アメーバ赤痢と称す（感染症法 5 類感染症全数把握疾患）．ヒトが主な宿主で，自由生活は行えない．感染源となるのは嚢子のみである．嚢子（直径 12～15 μm）が経口摂取されると，小腸で脱嚢して，栄養体（直径 20～50 μm）となり，大腸で，赤血球を捕食しながら，偽足を出して盛んに運動し（図 XII-2），二分裂増殖して，組織を破壊して大腸に潰瘍を形成する．腹痛，下痢，重症の場合は特有のイチゴゼリー状の粘血便をきたす［腸（管）アメーバ症］．肝臓，肺，脳などに転移して膿瘍を形成することもある［腸（管）外アメーバ症］．大腸で，栄養体の一部は，4 個の核をもつ成熟嚢子となり，これが感染性を有する．下痢便中に排出される栄養体には，感染性はなく，外界ですぐ死滅するが，主に固形便中に排出される成熟嚢子は，外界で生存して，ヒトからヒトへ直接的，あるいは食物や水を介して間接的に感染する．性行為による感染もある．わが国では年間 800 例

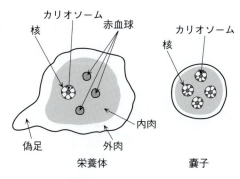

図 XII-2 赤痢アメーバ

表 XII-1 主な人体寄生原虫の分類と病名

分類		原虫種名		病名
原虫分類	属名	学名	和名	原虫症名
根足虫類 Rizopoda	エントアメーバ	Entamoeba histolytica	赤痢アメーバ	赤痢アメーバ症（アメーバ赤痢）[*1]
	アカントアメーバ	Acanthamoeba castellanii	カステラーニアメーバ	アメーバ性角膜炎
		Acanthamoeba polyphaga	多食アメーバ	
		Acanthamoeba culbertsoni	カルバートソンアメーバ	アメーバ性肉芽腫性脳炎
	ネグレリア	Naegleria fowleri	フォーラーネグレリア	原発性アメーバ性髄膜脳炎
鞭毛虫類 Mastigophora	ジアルジア	Giardia intestinalis	ランブル鞭毛虫	ジアルジア症
	トリコモナス	Trichomonas vaginalis	腟トリコモナス	腟トリコモナス症
	トリパノソーマ	Trypanosoma brucei gambiense	ガンビアトリパノソーマ	アフリカ睡眠病（アフリカトリパノソーマ症）
		Trypanosoma brucei rhodesiense	ローデシアトリパノソーマ	
		Trypanosoma cruzi	クルーズトリパノソーマ	シャーガス病（アメリカトリパノソーマ症）
	リーシュマニア	Leishmania donovani	ドノバンリーシュマニア	内臓リーシュマニア症
		Leishmania tropica	熱帯リーシュマニア	皮膚リーシュマニア症
		Leishmania mexicana	メキシコリーシュマニア	
		Leishmania braziliensis	ブラジルリーシュマニア	粘膜皮膚リーシュマニア症
胞子虫類 Sporozoa	プラスモジウム	Plasmodium falciparum	熱帯熱マラリア原虫	熱帯熱マラリア
		Plasmodium. vivax	三日熱マラリア原虫	三日熱マラリア
		Plasmodium malariae	四日熱マラリア原虫	四日熱マラリア
		Plasmodium ovale	卵形マラリア原虫	卵形マラリア
		Plasmodium knowlesi	二日熱マラリア原虫[*2]	二日熱マラリア[*2]
	トキソプラズマ	Toxoplasma gondii	トキソプラズマ	トキソプラズマ症
	クリプトスポリジウム	Cryptosporidium hominis	クリプトスポリジウム・ホミニス	クリプトスポリジウム症
		Cryptosporidium parvum	クリプトスポリジウム・パルブム	
	イソスポーラ	Isospora belli	戦争イソスポーラ	イソスポーラ症
	サイクロスポーラ	Cyclospora cayetanensis	サイクロスポーラ	サイクロスポーラ症
	サルコシスティス	Sarcocystis fayeri	サルコシスティス・フェアリー	サルコシスティス食中毒
	バベシア	Babesia microti	ネズミバベシア[*2]	（ヒト）バベシア症
有毛虫類（繊毛虫類） Ciliophora	バランチジウム	Balantidium coli	大腸バランチジウム	バランチジウム症

[*1] 一般に赤痢アメーバ症の中で、大腸に病変をきたしているものを腸(管)アメーバ症または、アメーバ性大腸炎と呼び、とくに激しい粘血便をともなう場合、アメーバ赤痢と呼ぶことが多い。一方、肝膿瘍など腸管外に病変をきたしているものを、腸(管)外アメーバ症と呼ぶ。（ただし、感染症法のアメーバ赤痢は赤痢アメーバ症のことを意味している。）

[*2] 二日熱マラリア、ネズミバベシアという用語は和名として確立していない。

程度の報告があり，約2割が海外での感染で，8割は国内感染である．

b. アカントアメーバ Acanthamoeba 属原虫，ネグレリア Naegleria 属原虫

カステラニアメーバ *Acanthamoeba castellanii*；**多食アメーバ** *Acanthamoeba polyphaga*；**カルバートソンアメーバ** *Acanthamoeba culbertsoni*；**フォーラーネグレリア** *Naegleria fowleri* など

土壌や水中で自由生活を営んでいるアメーバ類原虫が病害を起こすことがある．アカントアメーバ属のカステラニアメーバ，多食アメーバなどは主にコンタクトレンズ保存液を汚染し，難治性のアカントアメーバ性角膜炎を起こす．一方，カルバートソンアメーバは，呼吸器，生殖器，皮膚等から侵入し，脳に至り，アメーバ性肉芽腫性脳炎を起こす．フォーラーネグレリアは，鞭毛期を有し，鼻粘膜から侵入し，嗅神経を伝って脳に至り，原発性アメーバ性髄膜脳炎を起こす．

2 鞭毛虫類 Mastigophora（flagellates）

運動のための鞭毛を1～数本もつ原虫類で，有性生殖は行わず，二分裂増殖する．

a. ジアルジア Giardia 属原虫：

ランブル鞭毛虫 *Giardia intestinalis*（*Giardia lamblia*）

人獣共通感染症として，下痢を主症状とするジアルジア症 giardiasis（感染症法5類感染症全数把握疾患）を起こす．栄養体と嚢子の発育時期がある．栄養体（長径12～15 μm）は，サンタクロース帽のような形をしており，かぶり口に相当する部分にある吸着円盤で粘膜に吸着する．2つの核を持ち，4対の遊離鞭毛を有し，縦に二分裂して，増殖する．感染力があるのは嚢子（長径8～12 μm）で，4つの核を有す（図XII-3）．糞便中に排泄された嚢子が経口摂取されると，十二指腸で脱嚢し，栄養体が十二指腸，小腸上部，胆管や胆囊などに寄生し，軟便から水様性下痢，典型例では脂肪性下痢をきたす．わが国では年間100例前後

の報告があり，旅行者下痢症として重要だが，国内感染例もある．

b. トリコモナス Trichomonas 属原虫：

腟トリコモナス *Trichomonas vaginalis*

性感染症の一つである腟トリコモナス症を起こす原虫である．栄養体のみで，嚢子の時期はない．栄養体（15 × 20 μm）は，西洋梨子状で，4本の遊離鞭毛/前鞭毛と1本の後鞭毛を有し，後鞭毛は，虫体との間に波動膜をつくる（図XII-4）．性行為によって感染し，女性に腟炎，外陰部びらん，尿道炎やバルトリン腺炎，ときに子宮頸管炎，卵管炎などを起こす．黄緑色泡沫状の帯下が出現し，外陰部不快感などを訴える．この症状は，腟内のグリコーゲンを消費することによる，デーデルライン桿菌の自浄作用の阻害が関与するとされる．男性は，尿道炎や前立腺炎などを起こすことがあるが，ほとんどの場合，無症状である．

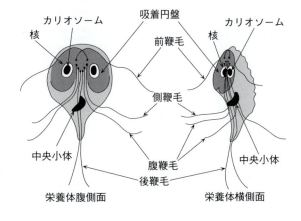

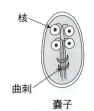

図XII-3 ランブル鞭毛虫

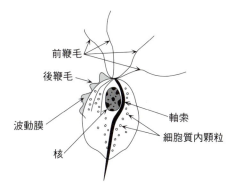

図 XII-4　腟トリコモナス

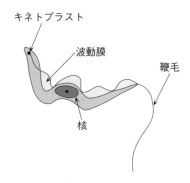

図 XII-5　ガンビアトリパノソーマの錐鞭毛期

c. トリパノソーマ Trypanosoma 属原虫：

ガンビアトリパノソーマ *Trypanosoma brucei gambiense*；**ローデシアトリパノソーマ** *Trypanosoma brucei rhodesiense*；**クルーズトリパノソーマ** *Trypanosoma cruzi*

ガンビアトリパノソーマ，ローデシアトリパノソーマは，アフリカ大陸に流行するアフリカ睡眠病（アフリカトリパノソーマ症）を起こす．ツェツェバエによって媒介され，ツェツェバエの刺咬で唾液中の発育終末トリパノソーマと呼ばれる錐鞭毛期原虫が体内に侵入し，血液，リンパ節，ついには中枢神経系で，錐鞭毛期の原虫が増殖し（図 XII-5），発熱，貧血，リンパ節腫脹，傾眠，昏睡をきたし，死亡する．一方，クルーズトリパノソーマは，主に南米に流行するシャーガス病 Chagas' disease（アメリカトリパノソーマ症）を起こす．サシガメによって媒介され，サシガメの糞の中の発育終末トリパノソーマ原虫が，血液から筋肉，肝臓，脾臓，心臓などの細胞内に侵入し，無鞭毛期で増殖する．急性の経過で死亡することもあるが，多くは，数年から十数年後に，心肥大，巨大食道，巨大結腸症などを起こす．わが国には分布しない．

d. リーシュマニア Leishmania 属原虫：

ドノバンリーシュマニア群；熱帯リーシュマニア群；メキシコリーシュマニア群；ブラジルリーシュマニア群

ドノバンリーシュマニア *Leishmania donovani* に代表されるドノバンリーシュマニア群の原虫は，発熱，貧血，脾腫を三徴とする重篤な全身性疾患である内臓リーシュマニア症（カラ・アザールと呼ばれる）を起こす．熱帯リーシュマニア群，メキシコリーシュマニア群の原虫は皮膚リーシュマニア症を，ブラジルリーシュマニア群の原虫は，皮膚粘膜リーシュマニア症を起こす．いずれも，大きさ 2 ～ 3 mm のサシチョウバエ（スナバエ）によって媒介され，前鞭毛期原虫がマクロファージなど細網内皮系細胞内に侵入し（図 XII-6），無鞭毛期で増殖する．わが国には分布しない．

3　胞子虫類 Sporozoea

胞子虫類の原虫は，有性および無性生殖を行う．

a. プラスモジウム Plasmodium 属原虫（マラリア原虫 malaria parasite）：

熱帯熱マラリア原虫 *Plasmodium falciparum*；**三日熱マラリア原虫** *Plasmodium. vivax*；**四日熱マラリア原虫** *Plasmodium malariae*；**卵形マラリア原虫** *Plasmodium ovale*；*Plasmodium knowlesi*

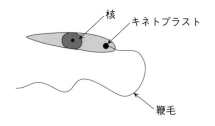

図 XII-6　ドノバンリーシュマニアの前鞭毛期

ハマダラカ Anopheles 属の蚊によって媒介されるマラリア malaria（感染症法4類感染症）を起こす．ヒトを固有の宿主とするマラリア原虫には，熱帯熱マラリア原虫，三日熱マラリア原虫，四日熱マラリア原虫，卵形マラリア原虫の4種類があり，それぞれ，熱帯熱，三日熱，四日熱，卵形マラリアを起こす．さらに，最近，サルを宿主とする Plasmodium knowlesi が，ヒトにも寄生することが示され，第5のヒトマラリア，二日熱マラリアなどと呼ばれている．マラリアは，世界の三大感染症の一つに挙げられ，2018年現在，世界に2億2,800万人の患者がいるとされ，年間死亡者数は推定40万人を超えている．一方，わが国には，現在，土着のマラリアはなく，年に50例前後の輸入症例がある．

ハマダラカの唾液腺のスポロゾイトと呼ばれる原虫が，肝細胞に侵入し，分裂体となって内部に数千個のメロゾイトを生じる［赤外型（肝細胞内）原虫/赤外発育］．肝細胞を壊して出たメロゾイトは赤血球に侵入する．しかし，三日熱，卵形マラリア原虫では，肝細胞に侵入した原虫の一部は休眠体となって，すぐには分裂せずに，宿主の抵抗力が落ちたときなどに，分裂を開始し，メロゾイトを生じ，再発を起こす．赤血球に侵入したメロゾイトは，輪状体，アメーバ体と姿を変え，分裂体となり，内部に十数個のメロゾイトを生じ，赤血球を壊して飛び出したメロゾイトは，再度，赤血球に侵入し，同じサイクルを繰り返し［赤内型（赤血球内）原虫/赤内発育］，発熱，脾腫，貧血を三大徴候とするマラリアを起こす．発熱は血中にメロゾイトが出現する際に起こり，急激に上昇して39～41℃に達し，2～4時間後には，急激に解熱する（間欠熱）．赤血球に侵入した原虫の一部は，雌雄の生殖母体となり，これがハマダラカに吸血されると，蚊の中腸内で雌雄の生殖体となって，受精して，融合体となり，虫様体となって，中腸壁外に出て，オオシストを形成する．オオシストの内部には，数千個のスポロゾイトが形成され，オオシストを飛び出したスポロゾイトは，蚊の唾液腺に集まってくる．このように，マラリア原虫はヒト体内では無性生殖で増殖し，蚊体内では有性生殖で増殖しており，蚊を介してヒトに伝播する（図XII-7）．

熱帯熱マラリアは，1～2週間程度の潜伏期の後，典型例では，48時間周期で発熱する．適切に治療されないと，発症後1～2週間で，脳症（脳マラリア），腎不全，肺水腫，高度貧血，出血傾向，多臓器不全をきたし，致死的となり，悪性マラリアとも呼ばれる．三日熱，卵形，四日熱マラリアは，種によって，2～6週間程度の潜伏期の後，三日熱，卵形マラリアでは，48時間おきに，四日熱マラリアでは，72時間おきに発熱する．いずれも致死的となることは比較的少ない良性マラリアと呼ばれる．

b. トキソプラズマ Toxoplasma 属原虫：

トキソプラズマ Toxoplasma gondii

ネコ科の動物を終宿主とするが，ヒトを含む種々の動物にも寄生し，ヒトにトキソプラズマ症を起こす．

ネコ科動物の小腸上皮細胞に侵入した原虫は，分裂体となり，メロゾイト（2×6μm）を生じ，このサイクルを繰り返し，無性生殖で増殖する．一部は，雌雄の生殖母体を経て雌雄の生殖体となり，受精してオーシスト oocyst（12×10μm）となって，糞便内に排出される．小腸以外の組織に侵入したメロゾイトは，急増虫体（タキゾイト tachyzoite）として無性増殖し，やがて，筋肉内や脳内に嚢子 cyst（シスト）（直径～100μm）を形成し，嚢子内で，緩増虫体（ブラディゾイト bradyzoite）として増殖する（図XII-8）．

ヒトは，ネコ科以外の動物と同様に，ネコの糞便中に排出されたオーシスト，または，食肉中の嚢子を経口摂取すると，トキソプラズマに感染する．ときに急性期に，リンパ節炎，網脈絡膜炎などを起こすが，ほとんどは不顕性感染の経過をとり，脳内や筋肉内に嚢子を形成して潜伏感染する．しかし，AIDSなどで免疫不全状態になると，トキソプラズマ脳炎を発症することがあり，AIDSの指標疾患となっている（後天性トキソプラズマ症）．また，妊婦がトキソプラズマに初感染すると，胎児に経胎盤感染を起こし，水頭症，網脈絡膜炎，脳内石灰化，精神運動障害を四大徴候とする先天性トキソプラズマ症を起こす．

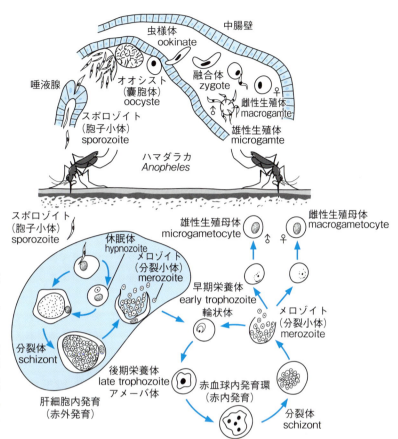

図 XII-7 三日熱・卵形マラリア原虫生活史

生殖母体には雌雄があり，吸血によってハマダラカ中腸内に取り込まれ有性生殖を行う．熱帯熱マラリア原虫の生殖母体は，その形態的特徴から半月体 crescent と呼ばれる（口絵23）．メロゾイトは赤血球に侵入し，ヒト体内において無性生殖を行う．赤血球の栄養体は，その形態からリングフォーム ring form，アメーバ体 ameboid form と呼ばれる．

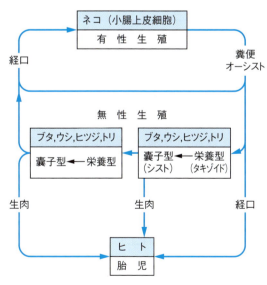

図 XII-8 トキソプラズマの生活環と感染経路

c. クリプトスポリジウム Cryptosporidium 属原虫，イソスポーラ Isospora 属原虫，サイクロスポーラ Cyclospora 属原虫：

クリプトスポリジウム・ホミニス Cryptosporidium hominis；**クリプトスポリジウム・パルブム** Cryptosporidium parvum；**戦争イソスポーラ** Isospora belli；**サイクロスポーラ・ケイタネンシス** Cyclospora cayetanensis

クリプトスポリジウム属原虫は，哺乳類，鳥類，爬虫類，魚類の消化管に寄生する多数の種が報告されているが，ヒトを主な宿主とする**クリプトスポリジウム・ホミニス（ヒトクリプトスポリジウム）** と牛など反芻動物に寄生するクリプトスポリジウム・パルブムが主に，ヒトに**クリプトスポリジウム症** cryptospridiosis を起こし，腹痛と激しい水様性下痢をきたす（感染症法5類感染症全数把握疾患）．オオシスト（直径 4.5 ～ 5

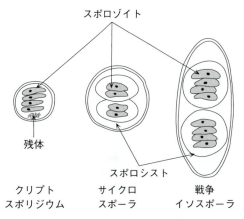

図XII-9 オオシストの比較

μm）の経口摂取で感染し，オオシスト内のスポロゾイトはヒトの小腸粘膜上皮細胞の微絨毛で無性生殖を繰り返して増殖し，一部は，雌雄の生殖母体から生殖体となって，受精してオオシストとなり，糞便中に現れる．オオシストは塩素抵抗性で，飲料水を汚染し，水系感染症を起こす．最近では，プールでの感染も多く報告されている．典型的な新興感染症で，先進国，発展途上国を問わず集団，散発発生が多数報告されている．免疫低下者では，下痢が止まらず致死的となることがある（AIDSの指標疾患）．水系感染の予防には，水道水の1分以上煮沸が有効である．

戦争イソスポーラ，サイクロスポーラ・ケイタネンシスは，いずれも，クリプトスポリジウムの生活史によく似た生活史を有し，ヒトの小腸粘膜細胞質に寄生し，下痢を起こす（戦争イソスポーラ症，サイクロスポーラ症）．免疫低下者では，難治性の下痢となり重症化する．戦争イソスポーラ症はAIDSの指標疾患に挙げられている．

三者はオオシストの大きさ，形態が異なり，鑑別が可能である（**図XII-9**）．

d. サルコシスティス *Sarcocystis* 属原虫：

サルコシスティス・フェアリー *Sarcocystis fayeri*

サルコシスティス属の原虫は，一般に，肉食動物を終宿主，草食動物を中間宿主とし，肉食動物が，草食動物の筋肉内のサルコシスティスの肉胞嚢を経口摂取すると，腸管内で肉胞嚢内のメロゾイトが現れ，腸管上皮細胞に侵入すると，すぐに有性生殖を行い，雌雄の生殖体を形成して，両者が受精し，オオシストが形成され糞便中に排出される．草食動物がこのオオシストを経口摂取すると，腸管内でスポロゾイトが現れ，血管内皮細胞で増殖した後，筋肉内で肉胞嚢を形成し，肉胞嚢内に多数のメロゾイトを内蔵するようになる．ヒトを終宿主とするサルコシスティスがヒトに寄生してもほとんどの場合無症状である．最近，馬刺肉を摂食して，嘔吐や下痢を呈する症例が相次いで報告されるようになり，イヌを終宿主，ウマを中間宿主とするサルコシスティス・フェアリーが原因であることが明らかになった（2012年末食品衛生法施行規則一部改正で食中毒の病因物質に追加）．サルコシスティス・フェアリーはヒトには寄生せず，サルコシスティス・フェアリーの特定のタンパク質により下痢症状を来すと考えられている．−20℃で48時間以上などの条件の冷凍で不活化できる．

4 繊毛虫類 Ciliophora（Ciliata）

細胞表面にある無数の短い繊毛で運動する．二分裂増殖するもの，また寄生型のもの，自由生活型のものがある．病原性のあるものとして大腸バランチジウムが知られており，大腸炎を起こす．

蠕虫類 helminthes
（寄生性後生動物 parasitic metazoa）

蠕虫という言葉は，もともとは，腸に寄生する虫，という意味で用いられたようだが，現在は，寄生性の後生動物（多細胞の動物）を意味して用いられることが多い．医療上重要な蠕虫は，線虫類 nematodes，吸虫類 trematodes，条虫類 cestodes に分けられる．蠕虫は，二つ以上の宿主を有し，複雑な生活史をもつものが多い．大部分の蠕虫は卵を産んで子孫を増やすが（卵生），体内で卵から孵化した幼虫を産下するものもある（卵胎生）．また，幼虫が成虫にならないまま多数の幼虫を生ずる幼生生殖を行うものもある．ヒトが終宿主とならない蠕虫の虫卵や幼虫をヒトが摂取した場合に，幼虫が成虫になれないまま体内をさまよって

表 XII-2 主な人体寄生蠕虫の分類と病名および宿主と寄生部位

分類	寄生虫・寄生虫症名			病名	主な感染経路	寄生虫症の感染様式・宿主など		
	和名（慣用名）	学名				主なヒトの寄生部位など	主な終宿主	主な中間宿主・媒介者など
線虫類 (Roundworms) Nematodes	蟯虫 (pinworm)	Enterobius vermicularis		蟯虫症	虫卵経口摂取	盲腸	ヒト	なし
	回虫 (roundworm)	Ascaris lumbricoides		回虫症		小腸	ヒト	なし
	イヌ回虫	Toxocara canis		イヌ回虫幼虫移行症		眼、肝臓	イヌ	なし
	鞭虫 (whipworm)	Trichuris trichiura		鞭虫症		盲腸 大腸	ヒト	なし
	鉤虫 (hookworm)	Ancylostoma duodenale / Necator americanus		鉤虫症	幼虫経口感染 & 幼虫経皮感染	小腸	ヒト	なし
	糞線虫 (threadworm)	Strongyloides stercoralis		糞線虫症		小腸	ヒト	なし
	バンクロフト糸状虫	Wuchereria bancrofti		バンクロフト糸状虫症	幼虫経皮感染	リンパ組織（成虫） 肺毛細血管 末梢血管（幼虫）	ヒト	イエカ ハマダラカ ヤブカ
	マレー糸状虫	Brugia malayi		マレー糸状虫症			ヒト ネコ サル	スマカ ハマダラカ ヤブカ
	回旋糸状虫	Onchocerca volvulus		回旋糸状虫症		皮下（成虫、幼虫）眼 眼神経（幼虫）	ヒト	ブユ
	イヌ糸状虫	Dirofilaria immitis		イヌ糸状虫症		幼虫移行症：肺	イヌ	イエカ ハマダラカ ヤブカ
	旋毛虫	Trichinella spiralis		旋毛虫症		筋肉内	肉食動物 ヒト	なし
	アニサキス科線虫	Anisakis simplex / Anisakis physeteris / Pseudoterranova decipiens 他		アニサキス症		幼虫移行症：胃 腸 その他	海棲哺乳動物	オキアミ（中間宿主） 魚介類、イカなど（待機宿主）
	旋尾線虫 [typeX 幼虫]	Crassicauda giliakiana		旋尾線虫幼虫症	幼虫経口摂取	幼虫移行症：腸 皮膚	ツチクジラ	ホタルイカ
	広東住血線虫	Angiostrongylus cantonensis		広東住血線虫症		幼虫移行症：クモ膜下腔など	ネズミ	陸棲貝類、ナメクジ
	顎口虫	Gnathostoma spp.		顎口虫症		幼虫移行症：皮膚、眼、脳	イヌ、ネコ、ブタ、イノシシ、イタチ	第 1 中間宿主：ケンミジンコ 第 2 中間宿主：ドジョウ、カエル、雷魚、サンショウウオ、マムシ
吸虫類 (Flukes) Trematodes	日本住血吸虫	Schistosoma japonicum		日本住血吸虫症	幼虫経皮感染	門脈	種々の哺乳動物	淡水産巻貝（ミヤイリガイ）
	マンソン住血吸虫	Schistosoma mansoni		マンソン住血吸虫症		門脈	ヒト	淡水産巻貝
	ビルハルツ住血吸虫	Schistosoma haematobium		ビルハルツ住血吸虫症		膀胱静脈叢など	ヒト	淡水産巻貝
	メコン住血吸虫	Schistosoma mekongi		メコン住血吸虫症		門脈	ヒト	淡水産巻貝
	横川吸虫	Metagonimus yokogawai		横川吸虫症	幼虫経口摂取	小腸	種々の哺乳動物	淡水産巻貝（カワニナ）
	肝吸虫	Clonorchis sinensis		肝吸虫症		肝内胆管	ヒト	淡水産巻貝（マメタニシ）
	肝蛭、巨大肝蛭	Fasciola hepatica / Fasciola gigantica		肝蛭症		胆管	ヒト	淡水産巻貝（モノアラガイ ヒメノアラガイ）
	ウェステルマン肺吸虫	Paragonimus westermani		肺吸虫症		肺	ヒト	淡水産巻貝（カワニナ）
	宮崎肺吸虫	Paragonimus miyazaki				胸腔	ヒト	淡水産巻貝（ホラアナミジンニナ）
条虫類 (Tapeworms) Cestodes	日本海裂頭条虫	Diphyllobothrium nihonkaiense		裂頭条虫症	虫卵経口摂取	小腸	ヒト	第 1 中間宿主：ケンミジンコ 第 2 中間宿主：サケ、マス、バイカ
	広節裂頭条虫	Diphyllobothrium latum				小腸	ヒト	
	無鉤条虫	Taenia saginatus		無鉤条虫症		小腸	ヒト	ウシ
	有鉤条虫	Taenia solium		有鉤条虫症 / 人体有鉤嚢虫症		小腸 筋肉 神経（幼虫）	ヒト	ブタ
	アジア条虫	Taenia asiatica		アジア条虫症		小腸	ヒト	ブタ
	単包条虫	Echinococcus granulosus		エキノコッカス症	虫卵経口摂取	肝臓 肺 脳（幼虫）	イヌ科動物	草食動物（単包条虫） ヒト げっ歯類（多包条虫）
	多包条虫	Echinococcus multicularis						

病害を起こすことがあり，幼虫移行症と呼ぶ．ヒトに寄生する蠕虫の中で，わが国で比較的よく認められる，または，世界的に重要な蠕虫を表 XII-2 にまとめた．この中でとくに重要なものについて解説する．

1 線虫類 nematodes（Nematoda）

線虫は，線状の細長い虫で，雌雄異体である．線虫の多くは，土壌中に生息して，自由生活を営んでおり，一部の線虫のみが寄生する．受精卵から孵化した第 1 期幼虫は計 4 回脱皮して第 2〜期 4 期幼虫を経て第 5 期幼虫は成虫となる．

a. 蟯虫 Enterobius vermicularis

ヒトが主な終宿主で，幼虫形成卵を経口摂取して感染し，蟯虫症を起こす．小腸内で孵化した幼虫は，盲腸周辺に寄生して成虫となる（体長：雄 2〜5 mm；雌約 1 cm）．雌はヒトの就寝時に腸管を下降して，肛門周囲に約 1 万個の虫卵を産みつけるが，これらは，数時間で幼虫形成卵となり，感染性をもつようになる．肛門周囲搔痒感，不眠などをきたし，多数寄生で，腹痛，下痢が起こる．潰瘍，肉芽腫などを形成したり，虫垂炎を起こしたりすることもある．現在，わが国で最も感染率の高い蠕虫症であり，保育所などでの集団感染に注意が必要である．

b. 回虫 Ascaris lumbricoides

ヒトが主な終宿主で，野菜などに付着した幼虫形成卵の経口摂取で感染し，回虫症を起こす．小腸で孵化した幼虫は，小腸壁を貫き，血流に乗って，門脈から肝臓，心臓経由で肺に至り，肺胞に出て，気管支から気管，咽頭に至り，嚥下されて，小腸に戻り，成虫（体長：雄 20 cm；雌 30 cm）となる（幼虫の体内移行）．多数寄生で，腹痛や腸閉塞を起こすが，少数寄生でも，胃に迷入すると，激しい胃痙攣を起こして成虫を吐出したり，胆管や膵管に迷入して，胆管炎，膵炎を起こしたりすることがある．なお，幼虫が肺に移行するときに一過性の肺炎様症状を起こすことがある（レフレル症候群）．わが国では，第二次世界大戦前後では国民の大多数が感染しており，国民病といわれていたが，現在はほとんど認められない．しかし，世界での感染者は十数億人ともいわれ，衛生環境の悪い地域で未だに蔓延している．

c. 糞線虫 Strongyloides stercoralis

ヒトが主な終宿主であるが，その他霊長類やイヌも終宿主となる．土壌中にいる感染型幼虫（フィラリア型幼虫）が経皮感染し，血流，リンパ流に乗って，心臓から肺に達し，気管をさかのぼり，咽頭で嚥下されて，小腸で成虫となり，小腸粘膜内に寄生する．成虫は全て雌で，単為生殖で産卵する．粘膜内で孵化した幼虫（ラブジチス型幼虫）は，糞便とともに体外に出る．外界で，2 回脱皮してフィラリア型幼虫となり，直接感染する場合（直接発育）と，4 回脱皮して雌雄の成虫となり，交尾して産卵し，孵化した幼虫がフィラリア型幼虫になる場合（間接発育）がある．反復する下痢が，糞線虫症の主症状である．ラブジチス型幼虫が腸管内や肛門周囲皮膚上などでフィラリア型幼虫となって，自家感染を起こすことがある．免疫不全者では，自家感染を繰り返し，幼虫が全身に播種して，肺炎，髄膜炎，敗血症を起こし，重症化することがある（播種性糞線虫症）．とくに HTLV-1（ヒト T 細胞リンパ球向性ウイルス-1）との重複感染例での重症化が指摘されている．熱帯，亜熱帯に広く分布するが，わが国では，沖縄・奄美を含む南西諸島が浸淫地である．

d. フィラリア（糸状虫）filaria

バンクロフト糸状虫 Wuchereria bancrofti；マレー糸状虫 Brugia malayi；回旋糸状虫（オンコセルカ）Onchocerca volvulus

フィラリア（糸状虫）は，糸状虫科（上科）の線虫の総称で，イヌの心臓に寄生するイヌ糸状虫が単にフィラリアと呼ばれることがあり，よく知られている．

バンクロフト糸状虫，マレー糸状虫は，ヒトが終宿主となるフィラリアで，いずれも中間宿主である蚊の吸血時に幼虫が経皮感染し，数ヵ月後にリンパ管で成虫（体長：雄 2〜4 cm；雌 5〜8 cm）となる．ミク

ロフィラリアと呼ばれる幼虫（体長：200〜300 μm）は，雌成虫の体内で孵化し産出され（卵胎生），昼間は肺毛細血管にいるが，夜間に末梢血に現れる．リンパ管炎やリンパ節炎を起こし，熱発作を繰り返し，慢性期にはリンパのうっ滞が生じ，下腿の象皮病などをきたす．バンクロフト糸状虫症では，泌尿生殖器に病変が及び，陰嚢水腫や乳糜尿を起こす．マレー糸状虫症では，泌尿生殖器系に病変が及ぶことはほとんどない．ミクロフィラリアが蚊の吸血時に蚊体内に取り込まれると，蚊体内で感染幼虫となり，次の感染源となる．

回旋糸状虫（オンコセルカ）は，中間宿主であるブユの吸血時に幼虫がヒトに経皮感染すると，皮下で成虫となり，皮下結節を形成する．雌虫は皮下でミクロフィラリアを産出するが，ミクロフィラリアが眼球に移行すると，失明をきたすことがあり，オンコセルカ症は河川盲目症とも呼ばれる．患者の皮下のミクロフィラリアがブユに吸血されると，ブユ体内で，感染幼虫となる．

e. アニサキス *Anisakis*

ヒトが終宿主とならない寄生虫の虫卵や幼虫をヒト摂取したときに起こる病害を幼虫移行症といい，アニサキスは幼虫移行症を起こす代表的な線虫である．アニサキスは，アニサキス科（または亜科）の線虫の総称で，アニサキス属およびシュードテラノバ属の線虫が含まれ，成虫は終宿主であるクジラやイルカなど海棲哺乳動物の胃に寄生している．糞便とともに海水中に排出された虫卵から孵化した幼虫は，第1中間宿主のオキアミの体内で第3期幼虫にまで成長し，サバ，アジ，イカ等の魚介類に摂取され，その体内で第3期幼虫のまま待機する（待機宿主）．クジラやイルカが，第3期幼虫（体長1〜4 cm）を保有するオキアミや魚介類を食べると，第3期幼虫は，胃内で成虫になるが，ヒトが魚介類の生食により幼虫を摂取しても，ヒト体内では成虫になれずに，消化管やその他組織に迷入して病害を起こす（アニサキス症）．胃壁や小腸壁に穿入して激しい腹痛を起こすことが最も多く（胃・腸アニサキス症），初めての寄生では，比較的軽症に経過することが多いが（緩和型），2度目から

は，即時型過敏反応を起こし，激しい症状を引き起こすとされる（劇症型）．胃アニサキス症は，内視鏡で，胃粘膜の虫体を取り除く治療が行われる．2012年末の食品衛生法施行規則の一部改正で，アニサキスが食中毒の病因物質に追加されたが，すぐに食中毒事件数では，ノロウイルス，カンピロバクターに次いで，アニサキスによるものが第3位となり，2018年，2019年には，アニサキスによるものが最も多くなっている．原因食材としては，サバ，ニシン，スルメイカ，タラ，イワシなどの刺身やシメサバなどが多い．−20℃で24時間以上冷凍，または60℃で1分の加熱，70℃で一瞬の加熱で食中毒を予防することができる．

2 吸虫類 trematodes（Trematoda）

種々の動物に感染している吸虫が，ヒトに人獣共通感染症を起こす．ヒトに寄生する吸虫は，住血吸虫類と住血吸虫類以外の吸虫に分けることができる．いずれも二つの吸盤を有し，住血吸虫類は線虫様で雌雄異体である．住血吸虫類以外の吸虫は，木の葉状，ラグビーボール状で，雌雄同体である．

a. 住血吸虫類 *Schistosoma* 属の吸虫

日本住血吸虫 *Schistosoma japonicum*；**マンソン住血吸虫** *Schistosoma mansoni*；**ビルハルツ住血吸虫** *Schistosoma haematobium*

名前の通り，血液に寄生する吸虫で，終宿主の門脈，静脈系に成虫が寄生する．ヒトが終宿主となる種としては，日本住血吸虫，マンソン住血吸虫，ビルハルツ住血吸虫がよく知られている．セルカリアと呼ばれる幼虫がヒトに経皮感染すると，血流に乗って心臓から肺循環を経て大循環に入り，日本住血吸虫とマンソン住血吸虫は門脈で，ビルハルツ住血吸虫は膀胱および肛門静脈叢で成虫（種や雌雄によるが概ね体長5〜25 mm）となる．雌雄の虫が抱合して門脈・静脈細血管で産卵して，消化管や膀胱の血管を塞栓すると，周囲粘膜は壊死を起こし，虫卵とともに脱落する．水中で虫卵から孵化したミラシジウムは，淡水産

巻貝の中で，幼生生殖で増殖しながら発育し，スポロシスト，娘スポロシストを経て，感染幼虫であるセルカリアとなる．セルカリアが皮膚から侵入するとき，かゆみをともなう発疹が生じることがある（セルカリア性皮膚炎）．消化管血管や膀胱血管の塞栓で，それぞれ粘血便，血尿が生じる．日本住血吸虫，マンソン住血吸虫では，肝臓で虫卵が細血管を塞栓して，炎症が起こり，ついには肝硬変となり，著明な腹水を生じ，食道静脈瘤の破裂により死亡することが多い．脳の細血管を虫卵が塞栓し，痙攣発作などを起こすこともある．一般に，日本住血吸虫が最も重症化する．アフリカ，南アメリカ，アジアの亜熱帯地域で推定2億人以上が住血吸虫に感染しているとされる．日本住血吸虫はわが国で発見され，わが国では，中間宿主であるミヤイリ貝のコントロールなどによって根絶に成功したが，中国，フィリピンなどの東南アジアではまだ多くの感染者が発生している．

b. 住血吸虫類以外の吸虫

(i) 消化管に寄生する吸虫

横川吸虫 *Metagonimus yokogawai*；**肝吸虫** *Clonorchis sinensis*；**肝蛭** *Fasciola hepatica* と **巨大肝蛭** *Fasciola gigantica*

種々の動物が横川吸虫，肝吸虫，肝蛭および巨大肝蛭の終宿主となるが，ヒトも終宿主となり，成虫は終宿主の小腸または胆管に寄生する．そして，親虫から産下された虫卵は糞便とともに外界に排出される．虫卵が，第1中間宿主の淡水産巻貝に取り込まれると，ミラシジウムと呼ばれる幼虫が孵化し，幼生生殖で増殖しながら，スポロシスト，レジア，セルカリアと呼ばれる幼虫に発育する．セルカリアは淡水産巻貝から遊出して，第2中間宿主の淡水魚に侵入し，または，水草などの表面で，感染被嚢幼虫であるメタセルカリアとなる．終宿主に経口摂取されたメタセルカリアは，小腸で脱嚢し，小腸や胆管で成虫となって寄生する．

横川吸虫の第1中間宿主は淡水産巻貝のカワニナ，第2中間宿主はアユやシラウオである．成虫（1〜1.5 mm × 0.5〜0.8 mm）は小腸に寄生し，多数寄生で腹痛，下痢が起こる．肝吸虫の第1中間宿主はマメタニシ，第2中間宿主はコイ科やワカサギ科の淡水魚である．成虫（体長10〜20 mm × 数mm）は肝内胆管に寄生し，多数寄生で，胆汁のうっ滞，慢性炎症を生じ，肝硬変をきたし，重篤となる．肝蛭および巨大肝蛭は，第2中間宿主を有さない．中間宿主は淡水産巻貝のヒメモノアラガイなどで，成虫（20〜60 mm × 10〜13 mm）は胆管に寄生する．胆石様症状を示し，著明な好酸球増多をきたす．

(ii) 肺吸虫 *Paragonimus*

ウェステルマン肺吸虫 *Paragonimus westermani*；**宮崎肺吸虫** *Paragonimus miyazaki*

種々の動物が肺吸虫の終宿主となるが，ヒトも終宿主となり，肺吸虫の成虫（10〜20 mm × 7〜10 mm）は終宿主の肺に寄生する．ウェステルマン肺吸虫は，ヒトの肺実質に寄生するか，脳などに異所寄生することも多い．宮崎肺吸虫は，胸腔や肺に寄生する．喀痰中，または，喀痰が飲み込まれて糞便中に排泄された虫卵から，ミラシジウムが孵化し，第一中間宿主である淡水産巻貝のカワニナ（ウェステルマン肺吸虫），ホラアナミジンニナまたはカワネミジンツボ（宮崎肺吸虫）に侵入し，スポロシスト，レジア，セルカリアとなる．セルカリアは淡水産巻貝から遊出して，第2中間宿主であるモクズガニやサワガニなどの体内に移行し，メタセルカリア（感染被嚢幼虫）となる．ヒトはメタセルカリアの経口摂取で感染し，小腸で脱嚢した幼虫は腸管を貫き，腹腔，腹壁で成長し，横隔膜を貫いて胸腔に入り，肺に侵入して成虫となる．ウェステルマン肺吸虫症では咳，喀血，胸痛などが主な症状であり，宮崎肺吸虫症では突然の胸痛や気胸などが起こる．

3 条虫類 cestodes（Cestoidea）

条虫は，一般に，サナダムシとも呼ばれ，「真田紐（さなだひも）」または「きしめん」のような扁平な形態をしている（図XII-10）．全て寄生種で，自由生活

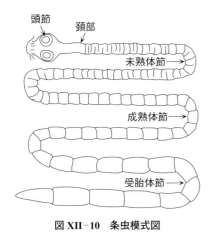

図 XII-10　条虫模式図

を営むものはない．頭節，頚部につづいて，生殖器の未発育な未熟体節，生殖器の成熟した成熟体節，受胎体節が連なって1個体を形成している．各体節に雌雄生殖器を持ち，雌雄同体である．消化管はなく，体表面から栄養を吸収する．種によって，宿主の腸管に固着するために，頭節に吸溝または吸盤や鉤を有し，数m〜10mもの長さに達するものもある．頚部で新しい体節がつくられており，体節の連なりの途中でちぎれてもまた伸長する．

a.　日本海裂頭条虫 Diphylobothrium nihonkaiense；広節裂頭条虫 Diphylobothrium latum

　サクラマスやカラフトマス，サケなどの回遊魚（日本海裂頭条虫）またはカワカマスなどの淡水魚（広節裂頭条虫）を生食し，魚の筋肉内に寄生しているプレロセルコイドと呼ばれる幼虫を経口摂取して感染する．ヒトは終宿主となり，プレロセルコイドは小腸で成虫となり寄生する．成虫の体長は10mにもなる．腹部不快感，腹痛，下痢など症状は比較的軽く，長く連なった体節（ストロビラ）が排泄されて初めて気がつくことも多い．体節から産下された虫卵は糞便とともに排出され，水中で孵化し，コラシジウムと呼ばれる幼虫が現れ，これが第1中間宿主のケンミジンコに摂取されると，プロセルコイドと呼ばれる幼虫に成長し，これが第2中間宿主に食べられると，筋肉内でプレロセルコイドとなる．日本で主に認められるのは，日本海裂頭条虫とされるが，遺伝子レベルの鑑別が必要である．

b.　無鉤条虫 Taenia saginatus；有鉤条虫 Taenia solium；アジア条虫 Taenia asiatica

　無鉤条虫，有鉤条虫の終宿主はヒトで成虫（体調数m）はヒトの小腸に寄生する．

　ヒトが生・不完全加熱のウシ，ブタを食べて筋肉内の嚢虫を経口摂取すると，嚢虫は小腸で成虫となる．虫卵は体節外に産下されず，成虫の受胎体節が，1節ずつ切れて，肛門より這い出てくる．中間宿主であるウシ（無鉤条虫）またはブタ（有鉤条虫）が虫卵を経口摂取すると，ウシ，ブタの腸内で幼虫が孵化し，腸壁を貫き，筋肉内などで被嚢して，嚢虫となる．ヒトが生・不完全加熱のウシ，ブタを食べて筋肉内の嚢虫を経口摂取すると，嚢虫は小腸で成虫となる．一方，ヒトが有鉤条虫の虫卵を摂取したり，腸内で成虫の体節が壊れて虫卵が腸内に飛び出たりすると，ヒトの腸内で孵化した幼虫が，腸壁を貫き，ヒトの筋肉，脳，内臓，皮下組織で，嚢虫となり，有鉤嚢虫症と呼ばれる．ヒトが無鉤条虫の虫卵を経口摂取しても，ヒト体内で嚢虫を形成することはない．また，近年，これまでわが国には分布しないとされていたアジア条虫のヒト寄生例が，日本でもみつかっている．アジア条虫は，形態的に無鉤条虫に似るが，終宿主はヒト，中間宿主はブタで，ブタの肝臓内に嚢虫を形成する．ヒトはアジア条虫の中間宿主とならず，嚢虫症は起こさない．

c.　単包条虫 Echinococcus granulosus；多包条虫 Echinococcus multilocularis

　単包条虫と多包条虫は，エキノコックスといわれる条虫であり，ヒトにエキノコックス症（感染症法4類感染症）を起こす．わが国では，多包条虫が北海道のキタキツネに高率に寄生しており，注意が必要である．単包条虫と多包条虫はともに，イヌ科の動物が終宿主で，体長数mmと非常に小さい成虫（図 XII-11）が，イヌ科の動物の小腸に寄生し，糞便とともに虫卵が排出される．単包条虫では，主にヒツジやヤギが，多包条虫では，主にネズミが中間宿主で，中間宿主が虫卵を経口摂取すると，小腸内で孵化した幼虫は肝

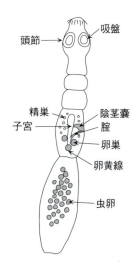

図 XII-11　多包条虫成虫

臓，肺，脳などに移行し，幼生生殖で増殖し，包虫と呼ばれる嚢胞を形成する．ヒトは，中間宿主である動物と同様に，虫卵を飲料水，食物などとともに経口摂取して感染し，5〜15年くらいかけて，肝臓，肺，脳などに包虫が形成される．包虫が形成された場所により，肝機能障害・肝不全，肺機能障害，痙攣発作などを起こし，致死的となる．また，嚢胞が破れて内容物が漏出して，アナフィラキシーショックを起こすこともある．

その他の寄生性後生動物
parasitic metazoa

1 粘液胞子虫類

クドア *Kudoa* **属の寄生虫**
クドア・セプテンプンクタータ *Kudoa septempunctata*

粘液胞子虫は，長らく，原生動物であるか後生動物であるかで，論争となってきた．近年，rRNA の遺伝子配列に基づく分子系統学的解析などにより，刺胞動物（クラゲの仲間）に近縁で，後生動物であるという考えが広く受け入れられるようになっている．

クドア属を始めとする粘液胞子虫類のほとんどは，魚類に寄生し，魚に病害を引き起こし，また，可食部筋肉に寄生して，筋肉内に肉眼でみえるシストを形成したり，魚肉をドロドロのジェリーミートにしたりして，漁業・水産業上問題となってきた．しかし，ヒトに寄生する粘液胞子虫類は知られておらず，また，ヒトに直接病害を引き起こすこともなかった．ところが，21世紀になった頃より，食後数時間で下痢・嘔吐が起こる原因不明の食中毒が報告されるようになり，病因を調査した結果，養殖ヒラメに寄生しているクドア属の寄生虫が，食中毒の原因となっていることが判明し，2010年，新種のクドア・セプテンプンクタータとして報告され，2012年末の食品衛生法施行規則の一部改正で，食中毒の病因物質として新たに追加された．

クドア・セプテンプンクタータの生活史はまだ解明されていないが，粘液胞子虫のほとんどは，魚とミミズやゴカイなどの環形動物を交互宿主とする寄生虫であり，魚体内で，粘液胞子を形成する．ヒトがヒラメ体内の胞子を大量に摂取すると，数時間以内に激しい嘔吐と下痢が出現する．ヒトの腸管内に，胞子原形質が侵入することにより下痢などの症状が引き起こされると考えられている．−20℃で4時間以上，−80℃で2時間の冷凍，中心部75℃で5分以上の加熱で食中毒は予防できる．

2 ダニ類

ヒゼンダニ（疥癬虫）*Sarcoptes scabiei*

ヒゼンダニの雌雄成虫が皮膚上で交尾した後，雌成虫（約 0.3 mm × 0.4 mm）は，ヒトの皮膚の角皮内にトンネルを掘って寄生し，トンネル内に毎日2〜3個の虫卵を産む．虫卵は数日で孵化して，現れた幼虫は毛包内に寄生し，若虫を経て1週間程で成虫となり，交尾を行う．成虫の寿命は2ヵ月程度で，虫体数が増えて，疥癬を起こす．疥癬では，皮膚に発赤または水疱，潰瘍をともなう皮疹が多数生じ，掻痒感が著しい．性感染症に位置づけられているが，衣類や，寝具を介して感染することもある．とくに免疫力の低下し

た患者の場合，全身に寄生が広がり重症化することがあり，ノルウェー疥癬（角化型疥癬）と呼ばれ，院内感染，養護老人ホームなどにおける集団感染を起こし，しばしば問題となる．

D 抗寄生虫薬 antiparasitic agents

原虫も，蠕虫も，基本的には，ヒトと同じ動物性真核細胞生物であり，薬剤の開発は容易ではないが，通常，寄生虫と宿主の間の代謝系，神経伝達系などにおける差異を標的とする．また，ヒトの消化管寄生虫には，消化管から吸収されない薬剤が用いられることもある（ルミナルドラッグ）．

衛生環境の整った今日の日本では，多くの寄生虫症は制圧されており，かえって，承認されている治療薬が限られている．ところが，開発途上国では，寄生虫症は，現在でも最も頻度の高い感染症であり，国際交流が活発な今日，寄生虫症は，わが国では，輸入感染症として発生する．このため，治療薬がすぐに入手できなかったり，保険適用外の治療薬や，国内未承認薬を使うことになる場合が多い．「わが国における熱帯病・寄生虫症の最適な診断治療体制の構築」班（略称：熱帯病治療薬研究班）では，国内未承認薬の多くを保管して，必要な場合にすぐに入手できる仕組みを確立している．また，寄生虫症薬物療法の手引きをインターネットからダウンロードできるので，参考にしてほしい（https://www.nettai.org/）．

1 抗原虫薬 antiprotozoal agents（図 XII-12）

a. アメーバ赤痢（赤痢アメーバ症），ジアルジア症（ランブル鞭毛虫症），腟トリコモナス症治療薬

ニトロイミダゾール nitroimidazole 系のメトロニダゾール metronidazole，チニダゾール tinidazole が有効である（チニダゾールは腟トリコモナス症にのみ保険適用がある）．これらの薬は原虫内で還元されて，ニトロソ化合物（R-NO）に変化し，また，反応過程でヒドロキシラジカルが生じ，これらが，DNA を切断し，抗原虫作用を発揮する．アセトアルデヒドデヒドロゲナーゼを阻害するので，服用中はアルコールの摂取を避ける．また，催奇形作用があるため妊娠3ヵ月以内の妊婦には，経口薬，注射薬の使用は原則禁忌である．

赤痢アメーバ症（アメーバ赤痢）では，重症例，難治性例には，メトロニダゾール静注薬が用いられるが，無症候キャリアの治療には，ニトロイミダゾール系薬は囊子には効果が少ないため，アミノグリコシド系抗生物質のパロモマイシン paromomycin が経口投与される．パロモマイシンは消化管から吸収されにくく，赤痢アメーバの栄養体，囊子に効果がある．

ジアルジア症では，メトロニダゾール，チニダゾール（保険適用外）に対する耐性が報告されており，効果がない場合，ベンズイミダゾール系のアルベンダゾール albendazole（保険適用外）や，パロモマイシン（保険適用外），ニタゾキサニド nitazoxanide（国内未承認）の使用を検討する．

腟トリコモナス症の治療には，メトロニダゾールの経口剤と腟剤が使用可能である．また，セックスパートナーも同時に治療を行うことが強く望まれる．

b. トリパノソーマ症治療薬

アフリカ睡眠病の治療は，ペンタミジン（ガンビアトリパノソーマ），スラミン（ローデシアトリパノソーマ）が用いられる．原虫の中枢神経侵入後には，血液脳関門を通過するエフロルニチンとニフルチモックスの併用（ガンビアトリパノソーマ），ヒ素化合物であるメラルソプロール（両原虫）などが有効とされる（ペンタミジンは保険適用外；それ以外は国内未承認）．

シャーガス病には，ニフルチモックス（国内未承認），ベンズニダゾール（国内未承認）が用いられる．

c. リーシュマニア症治療薬

リポゾーム化アンホテリシン B（保険適用外），アンチモン化合物であるスチボグルコン酸ナトリウム（国内未承認），ミルテホシン（国内未承認）などが用いられる．

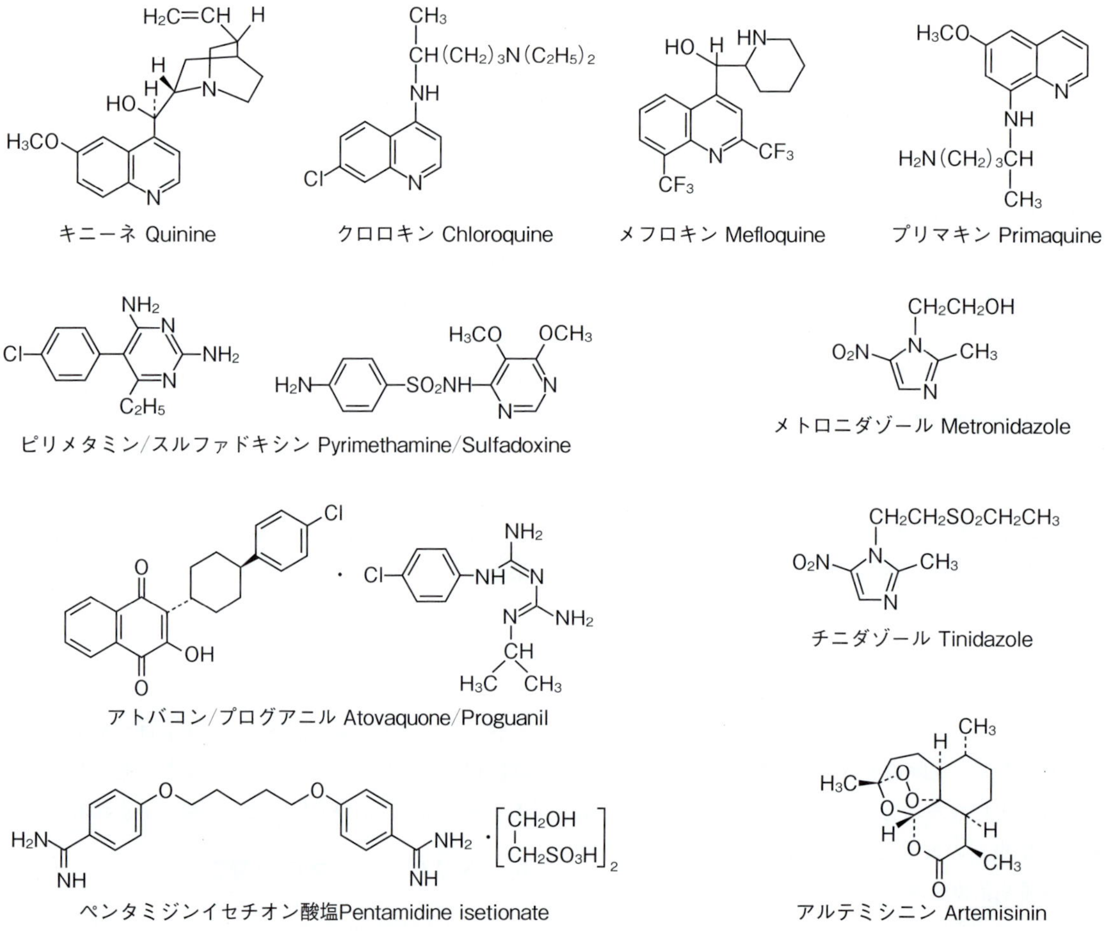

図 XII-12 抗原虫薬

d. マラリア治療薬

ほとんどの抗マラリア薬は赤内型原虫にしか効果がなく,肝細胞内原虫(休眠体)に効果のあるのは,プリマキンにほぼ限られており,三日熱マラリア,卵形マラリアの根治治療に用いられる.

マラリア治療薬の大きな問題点は,熱帯熱マラリアにおける薬剤耐性の問題である.最近では,耐性を誘発しないように,2剤以上の薬剤の併用が推奨されている.

(i) キノリン化合物

南米原住民が抗マラリア薬として用いていたキナ(*Cinchona succirubra* とその同属植物)の樹皮から単離されたキニーネ quinine は,優れた抗マラリア作用を有する.副作用は比較的強いが,薬剤耐性が生じにくく,現在でも,重症マラリアには点滴静注が行われる(静注薬は国内未承認).キニーネの構造を基に開発された 4-アミノキノリン誘導体のクロロキン chloroquine は強い抗マラリア作用を示したが,すぐに耐性熱帯熱マラリアが現れ,使用頻度は下がった.しかし,熱帯熱マラリア以外のマラリアには多くの場合有効である(わが国では 1975 年に販売中止).つづいて,キノリン-4-メタノール構造を有するメフロキン mefloquine が開発されたが,やはり,耐性熱帯熱マラリアが出現している.これらキノリン化合物の作用機序の詳細は不明であるが,ヘモゾイン(マラリア色素)の合成を阻害することが,作用機序の一つと考えられている.

プリマキン primaquine もキノリン化合物であるが，抗マラリア薬の中で，唯一，三日熱マラリアと卵形マラリアの休眠体に効果がある．

(ii) 葉酸代謝拮抗薬

原虫の葉酸合成経路を阻害するスルファドキシン sulfadoxine・ピリメタミン pyrimethamine 合剤（SP 合剤，ファンシダール）が優れた抗マラリア作用を発揮する．サルファ剤であるスルファドキシンは，葉酸生合成経路のジヒドロプテロイン酸合成酵素 dihydropteroate synthase を阻害し，ピリメタミンは葉酸合成経路のジヒドロ葉酸還元酵素 dihydrofolate reductase を阻害するが，耐性熱帯熱マラリアが出現している（わが国では 2010 年に販売中止）．後述するマラロン Malarone®に含まれるプログアニルも葉酸合成阻害薬で，ピリメタミンと同様，ジヒドロ葉酸還元酵素を阻害する．

(iii) チンハオ由来の抗マラリア薬

中国で，古くから抗マラリア薬として使われてきた生薬の青蒿（セイコウ；チンハオ；和名：クソニンジン）の有効成分アルテミシニン artemisinin（青蒿素；チンハオス）は，低毒性で，即効性に優れる．しかし，再燃率が高い．現在では，アルテミシニンとその誘導体（アルテメル artemether，アーテスネート artesunate など）が，他の薬剤と併用で，東南アジアおよびアフリカで使用されている（アルテミシニン併用療法）．アルテミシニン artemisinin を発見した中国人トゥーユーユー博士はその功績で 2015 年ノーベル医学生理学賞を受賞した．

(iv) 新しい抗マラリア薬合剤

抗マラリア薬を 2 剤併用すれば，薬剤耐性の出現を遅らせることができるため，アトバコン atovaquone とプログアニル proguanil との合剤であるマラロン Malarone®や，アルテメルとルメファントリン lumefantrine 合剤のリアメット Riamet®が開発され，わが国でも 2016 年に承認された．マラロン®に含まれるアトバコンは，マラリア原虫のミトコンドリアの電子伝達系複合体 III（シトクロム bc1 複合体）を阻害し，プログアニルは葉酸代謝阻害薬である．リアメット®のアルテメルは原虫に対して即効的作用を示し，ルメファントリンは持続性があり，アルテメルの欠点である再燃を抑止する．

e. トキソプラズマ症治療薬

妊婦の初感染が判明した場合で，胎児の感染が未確認の間は，胎児への感染予防を期待して，マクロライド系スピラマイシン spiramycin が用いられる．胎児への感染が明らかとなった場合には，妊婦に対して，ピリメタミンとスルファジアジン sulfadiazine を出産まで投与し，出産後は出生児に対して同 2 剤を投与する．網脈絡膜炎，脳炎の治療にも，ピリメタミンとスルファジアジンを用いる．脳炎には，ピリメタミンとクリンダマイシン clindamycin またはピリメサミンと ST 合剤（サルファメトキサゾール sulfamethoxazole・トリメトプリム trimethoprim）に，クラリスロマイシン clarithromycin，アトバコン，アジスロマイシン azithromycin，ジアフェニルスルホン diaphenylsulfone のいずれかを併用して治療することもある（ピリメタミンとスルファジアジン国内未承認，それ以外いずれも保険適用外）．ピリメタミンはジヒドロ葉酸還元酵素を阻害し，スルファジアジンはサルファ剤で，ジヒドロプテロイン酸合成酵素を阻害する．骨髄抑制を予防するために葉酸製剤であるロイコボリンを用いる．

f. クリプトスポリジウム症治療薬

治療にはニタゾキサニド（国内未承認），パロモマイシン（保険適用外），アジスロマイシン（保険適用外）などが，免疫正常者の下痢期間を短縮させるのに有効とされるが，免疫不全者への有効性は確立していない．

2 抗蠕虫薬 antihelminthic agents（図XII-13）

a. 抗線虫薬

蟯虫症，回虫症，鉤虫症の治療（駆虫）には，テトラヒドロピリミジン系のパモ酸ピランテル pyrantel pamoate，ベンズイミダゾール系のメベンダゾール

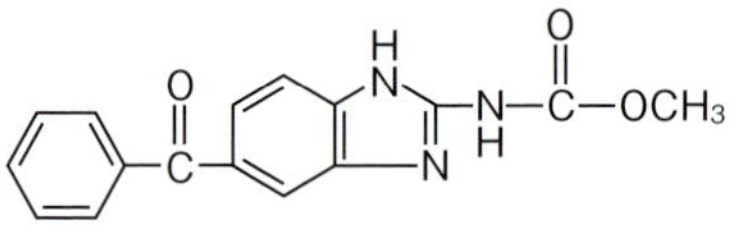

メベンダゾール Mebendazole 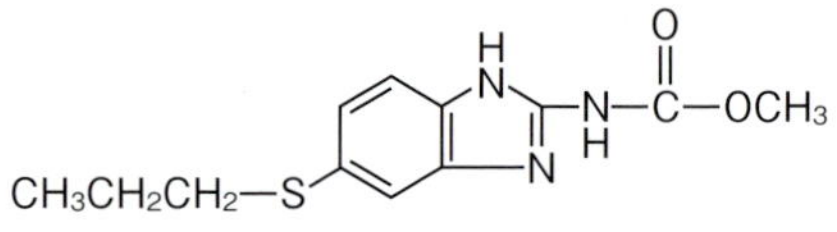　　アルベンダゾール Albendazole

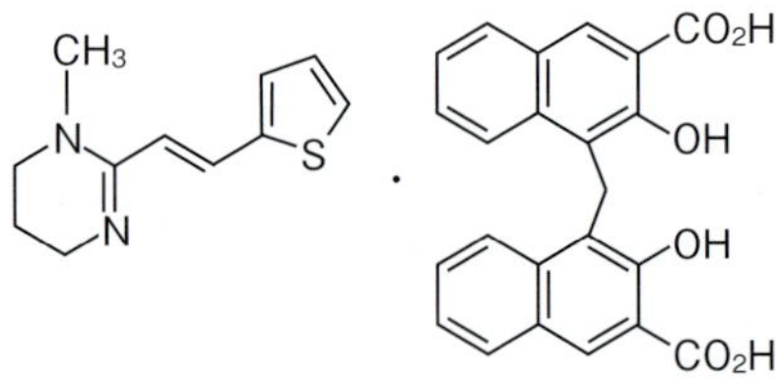

ピランテルパモ酸塩 Pyrantel pamoate 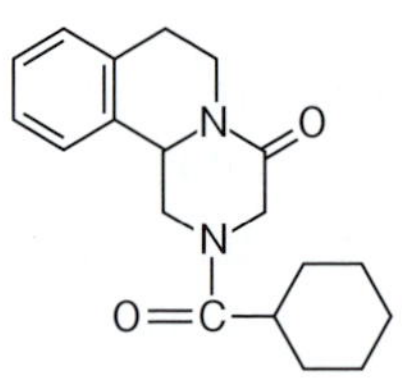　　プラジカンテル Praziquantel 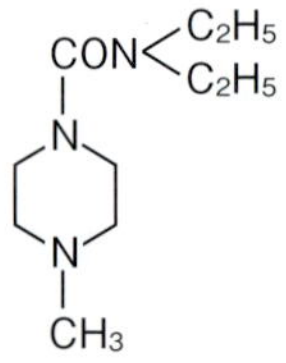　　ジエチルカルバマジン Diethylcarbamazine

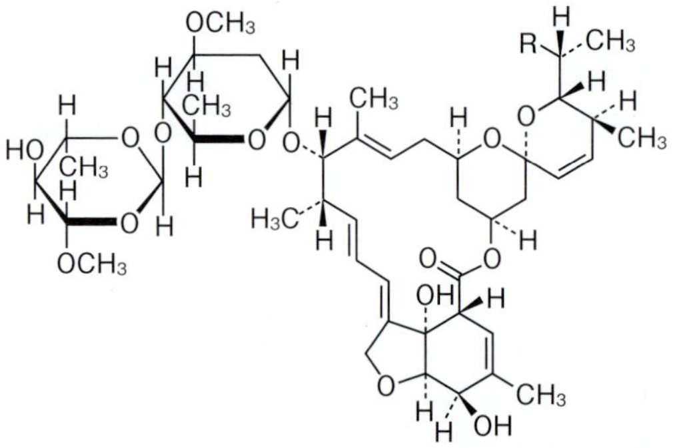

イベルメクチン Ivermectin B_{1a}（R：-C_2H_5），＞90％：イベルメクチン B_{1b}（R：-CH_3），＜10％

図 XII-13　抗蠕虫薬

mebendazole（保険適用外），アルベンダゾール（保険適用外）が有効である．パモ酸ピランテルは線虫のニコチン様アセチルコリン受容体を直接刺激して筋肉の硬直性麻痺を起こす．メベンダゾール，アルベンダゾールは微小管形成阻害とフマル酸還元酵素阻害などが抗寄生虫作用に関与しているとされる．鞭毛虫症には，パモ酸ピランテルは無効とされ，メベンダゾール，アルベンダゾール（保険適用外）が用いられる．一方，糞線虫の治療にはイベルメクチン ivermectin が用いられる．イベルメクチンは，グルタミン作動性クロライドチャネルに結合して，過分極を起こし，線虫に弛緩性麻痺をきたす．この麻痺には，線虫の γ-アミノ酪酸（GABA）機構の活性化が関与するとの報告もある．大村智博士，ウィリアム・キャンベル博士は，イベルメクチンを発見した功績でアルテミシニンを発見したトゥーユーユー博士とともに，2015年ノーベル医学生理学賞を受賞した．バンクロフト糸状虫症，マレー糸状虫症にはジエチルカルバマジン diethylcarbamazine が用いられる．回旋糸状虫症（オンコセルカ症）にはイベルメクチン（保険適用外）が用いられる．ジエチルカルバマジンもイベルメクチンも抗ミクロフィラリア作用はあるが，抗成虫作用はない．最近，殺成虫作用を期して，テトラサイクリン系のドキシサイクリン doxycycline（保険適用外）を用いることがあるが，ドキシサイクリンは，糸状虫細胞内に共生するリケッチアを死滅させることにより抗成虫作用を発揮する．

b. 抗吸虫薬

肝蛭以外の吸虫類による寄生虫症の治療には，カルシウムイオンの細胞内流入を促進し，虫体筋肉の麻痺を起こすプラジカンテル praziquantel が用いられる

（住血吸虫には保険適用外）．1日2回2日間以内の投与で完治する．肝蛭の治療には，トリクラベンダゾール triclabendazole が推奨されている（国内未承認）．

c. 抗条虫薬

条虫症では，頭節を含む虫全体を排出させることが重要で，治療には，プラジカンテルが有効である（保険適用外）．プラジカンテルは，カルシウムイオンの細胞内流入を促進して虫体筋肉を麻痺させる．有鉤条虫症にプラジカンテルを用いると，虫体が破壊され，有鉤嚢虫症を起こす危険性があるといわれるが，欧米ではプラジカンテルが推奨されている．ガストログラフィンを内服させて，X線透視下で，虫体を壊さず駆虫する方法があるが，安全性は高いが，患者の負担が大きい．有鉤嚢虫症には，アルベンダゾール（保険適用外）が用いられるが，炎症反応が起こることがあるため予防的にステロイド剤を併用する．エキノコックス症の治療は，外科的摘出が最も確実である．術後，あるいは手術適応がない場合に，アルベンダゾールが用いられる．

d. 疥癬治療薬

塗布薬として，フェノトリンローション（スミスリン®），硫黄華軟膏，クロタミトン軟膏，安息香酸ベンジル軟膏などが用いられる．2006年に，わが国で，糞線虫症，回旋糸状虫症の特効薬であるイベルメクチン（内服）が疥癬治療について保険適用となった．

第XIII章 感染症に対する薬物治療

病原微生物に対する化学療法を学習するには，「宿主 host ―寄生体 parasite ―抗微生物薬 drug（antimicrobial agent）の関係」を理解することが重要である．すなわち，病原微生物（寄生体）は宿主に感染し，宿主は寄生体を免疫機構により排除する．また，抗微生物薬は寄生体に抗微生物作用を示し，寄生体は耐性を獲得して抵抗する．さらに，抗微生物薬は宿主内で吸収，分布，代謝，排泄という体内動態を受ける一方，宿主に副作用（有害作用）を誘発する（図XIII-1）．

1 抗菌薬・抗真菌薬の有効性

a. 抗菌薬・抗真菌薬の薬物動態学・薬力学

(i) 抗菌薬・抗真菌薬の組織移行性

抗微生物薬は，水溶性と脂溶性に分けられる（表XIII-1）．水溶性の抗微生物薬は，消化管での吸収が悪く，肝臓で代謝を受け難く，組織移行性が低く，分布容積 volume of distribution（V_d：薬物が血中濃度と等しい濃度で分布する体液の容積）が小さい．一方，脂溶性の抗微生物薬は消化管での吸収がよく，肝臓で代謝を受け，組織移行性が高く，V_dが大きい．

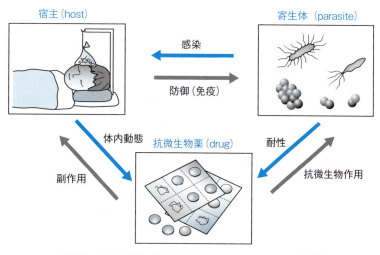

図XIII-1 感染症と化学療法（host-parasite-drug の関係）

表 XIII-1　抗微生物薬の溶解性と組織移行性

抗微生物薬	水溶性	脂溶性
抗菌薬	β-ラクタム系薬 アミノグリコシド系薬 グリコペプチド系薬 ホスホマイシン系薬 オキサゾリジノン系薬	キノロン系薬 マクロライド系薬 リンコマイシン系薬 テトラサイクリン系薬 リファンピシン
抗真菌薬	フルオロピリミジン系薬 キャンディン系薬	ポリエンマクロライド系薬 トリアゾール系薬 アリルアミン系薬
抗ウイルス薬	抗インフルエンザ薬* 抗ヘルペス薬（大部分） 抗サイトメガロウイルス薬 ラクテグラビル 抗肝炎ウイルス薬（一部）	ファムシクロビル 抗HIV薬（大部分） 抗肝炎ウイルス薬（大部分）
組織移行性	不良	良好

*ザナミビルは両性イオンを形成

表 XIII-2　抗菌薬の組織移行性

抗菌薬	組織移行性			
	肺・気道	肝・胆汁	腎・尿路	髄液
β-ラクタム系薬	○	○	◎	△
アミノグリコシド系薬	○	△	◎	△
グリコペプチド系薬	△	△	◎	△
マクロライド系薬	◎	◎	○	○
リンコマイシン系薬	◎	◎	○	○
テトラサイクリン系薬	◎	◎	◎	○
キノロン系薬	◎	◎	◎	○
リファンピシン	◎	◎	○	○
クロラムフェニコール	○	○	○	◎

◎：良好，○：普通，△：不良

　抗菌薬では水溶性のβ-ラクタム系薬，アミノグリコシド系薬およびグリコペプチド系薬は組織移行性が低く，脂溶性のマクロライド系薬，リンコマイシン系薬，テトラサイクリン系薬およびキノロン系薬は，組織移行性が高い（**表 XIII-2**）．なお，水溶性のβ-ラクタム系薬，アミノグリコシド系薬およびグリコペプチド系薬が腎臓や尿路に移行性が高いのは，腎排泄型の薬剤であることに起因する．

　また，β-ラクタム系薬の胆汁移行性は各種薬剤により異なり，ペニシリン系薬のピペラシリン（PIPC），セフェム系薬のセフトリアキソン（CTRX）およびセフォチアム（CTM），β-ラクタマーゼ配合剤のスルバクタム/セフォペラゾン（SBT/CPZ）は胆汁移行性が高く，胆道感染症に有効である．

　抗真菌薬ではポリエンマクロライド系薬，アゾール系薬，アリルアミン系薬は組織移行性が高く，各種真菌症に用いられるが，とくにアゾール系薬の中でもトリアゾール系薬は組織移行性が高く，フルコナゾール（FLCZ）とボリコナゾール（VRCZ）は髄液移行性に優れ真菌性髄膜炎に有効である．

(ii)　sub-MIC 効果と PAE

　sub-MIC 効果とは，最小発育阻止濃度（MIC：第 VII 章 p. 205 参照）以下で抗菌薬が細菌に与える効果

表 XIII-3　抗菌薬の抗菌作用

抗菌効果		抗菌薬	PAE (*in vivo*, 時間)	
			グラム陽性菌	グラム陰性菌
殺菌的作用	濃度依存性 持続効果長い	アミノグリコシド系薬	4〜10	2〜8
		キノロン系薬		
	時間依存性 持続効果短い	β-ラクタム系薬	2〜6	<1
		グリコペプチド系薬		—
静菌的作用	時間依存性 持続効果長い	テトラサイクリン系薬	4〜10	2〜8
		マクロライド系薬		—
		リンコマイシン系薬		

—：効果なし

を示す．例えば，多形核白血球の走化性・食菌能や血清成分の殺菌作用の増強，細菌の粘膜上皮細胞への接着能やバイオフィルム形成と病原性の抑制効果などがあげられる．14 および 15 員環マクロライド系薬は，低感受性の緑膿菌に対して菌体表層構造に変化とバイオフィルム形成の阻害（多糖体アルギン酸産生抑制）をもたらし，補体や免疫細胞への感受性を高める．さらに，菌体毒素の作用で起こる多形核白血球からの炎症性サイトカイン（IL-1 や IL-8）の産生を，14 員環マクロライド系薬は抑制する．臨床では血中・組織内濃度が MIC 以下となる時間が長いため，臨床上の sub-MIC 効果は重要である．

Post antibiotic effect（PAE）とは，「抗微生物薬が微生物と短時間接触した後，持続してみられる微生物の増殖抑制効果」と定義される．血中や組織内から抗微生物薬が消失した後も，微生物の増殖を一定時間抑制できることを意味している．試験管内では，細菌に MIC の 5〜10 倍の抗菌薬を 1 時間以上接触させてから薬剤を除去した場合と薬剤で処理しない場合を比較して，細菌が 10 倍増殖するのに要する時間の差で算出される．生体内では，免疫防御機構が加わるため，時間差はさらに大きくなる．PAE の有無や程度は，各種の抗微生物薬や各種の微生物によって異なる．抗菌薬では，グラム陽性菌に対してはほとんど全ての抗菌薬が PAE を示す（表 XIII-3）．一方，グラム陰性菌に対しては，タンパク質合成阻害薬（アミノグリコシド系薬，テトラサイクリン系薬など）や核酸合成阻害薬（キノロン薬など）は PAE を認めるが，細胞壁合成阻害薬（β-ラクタム系薬など）は認めない．

(iii) PK/PD パラメータによる抗菌薬投与法

抗菌薬の投与計画は，薬物動態学 pharmacokinetics（PK）的特性と薬力学 pharmacodynamics（PD）的特性を生かした PK/PD 分析が行われている．PK パラメータとして最高血中濃度 maximum plasma concentration（C_{max}，ピーク peak 値ともいう）と血中濃度曲線下面積 area under the curve（AUC）を用い，PD パラメータとして抗菌活性を示す MIC を用いている．また，PK/PD パラメータとしては C_{max}/MIC，AUC/MIC（AUC は通常 24 時間値 AUC_{24} で表示）および血中濃度が MIC を超えている時間 time above MIC（T > MIC or TAM，通常 24 時間に対するパーセントで表示）を用いている．PK/PD パラメータと抗菌薬の薬物効果（治療効果，除菌など）の相関性では，C_{max}/MIC と相関する抗菌薬はアミノグリコシド系薬と一部のキノロン系薬，AUC/MIC と相関する抗菌薬は一部のキノロン系薬，テトラサイクリン系薬，アジスロマイシン（AZM）などのマクロライド系薬およびオキサゾリジノン系薬のリネゾリド（LZD），TAM と相関する抗菌薬は β-ラクタム系薬とリンコマイシン系薬である（図 XIII-2）．

C_{max}/MIC タイプの典型的薬剤であるアミノグリコシド系薬は，濃度依存的に殺菌作用を示すことから血中濃度のピーク値を高めることが有効性を保つ上で重要である（表 XIII-4）．また，アミノグリコシド系薬は PAE が長いため，最低血中濃度 minimum plasma concentration（C_{min}，トラフ trough 値ともいう）を MIC 以上に保つ必要はない．さらに，アミノグリコシド系

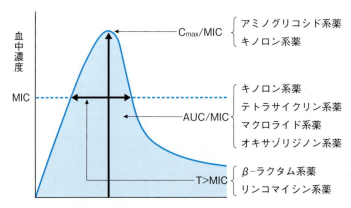

図 XIII-2　PK/PD パラメータによる抗菌薬の分類

表 XIII-4　抗菌薬・抗真菌薬の至適血中濃度

抗微生物薬	薬剤	至適治療域血中濃度（μg/mL）			
		1日単回投与法		1日複数回投与法	
		ピーク値	トラフ値	ピーク値	トラフ値
アミノグリコシド系薬	ゲンタマイシン* トブラマイシン*	15〜25	<1	5〜8	<2
	アミカシン*	56〜64	<1	20〜25	<10
	イセパマイシン	不明	不明		
	アルベカシン*	9〜20	<2		
	ストレプトマイシン カナマイシン	56〜64	<1	5〜20 20〜25	<5 5〜10
グリコペプチド系薬	バンコマイシン*				10〜20
	テイコプラニン*				15〜30
抗真菌薬	ボリコナゾール*				1〜4

*治療薬物モニタリング（TDM）対象医薬品

薬による腎障害の発現はトラフ値，聴器障害の発現は累積投与量・投与期間の関連性が指摘されている．したがって，アミノグリコシド系薬は **1日単回投与法** が有効性と安全性から推奨される（**表 XIII-4**）．また，アミノグリコシド系薬の C_{max}/MIC の効果目標値は $\geq 8〜10$ とされている．

キノロン系薬は，**C_{max}/MIC** あるいは **AUC/MIC タイプ** の薬剤である．C_{max}/MIC に基づいた投与法，すなわち1日単回投与法は，**レボフロキサシン**（LVFX），**モキシフロキサシン**（MFLX），**ガレノキサシン**（GRNX），**シタフロキサシン**（STFX）および**ラスクフロキサシン**（LSFX）のキノロン系薬に適応されている．**AUC/MIC タイプ** の薬剤は，キノロン系薬の**シプロフロキサシン**（CPFX），**オフロキサシン**（OFLX），**トスフロキサシン**（TFLX），**プルリフロキサシン**（PUFX）テトラサイクリン系薬，マクロライド系薬の AZM や**クラリスロマイシン**（CAM）およびオキサゾリジノン系薬の LZD がある．曝露量を高めることが有効性を保つ上で重要であるため，AUC/MIC タイプの薬剤は1回の投与量を上げることが推奨される．キノロン系薬の AUC/MIC の効果目標値は，肺炎球菌に対して ≥ 30，グラム陰性桿菌・ブドウ球菌に対して ≥ 100 とされている．

TAM（T > MIC）タイプ の典型的薬剤である β-ラクタム系薬は，時間依存的に殺菌作用を示すことから血中濃度が MIC 以上の時間が長く保持されているこ

とが有効性を示す上で重要である（**表XIII-3**）．そのため，1回の投与量を上げるよりも頻回に投与を繰り返して血中濃度が感受性濃度をできるだけ長く上回るように1日4回の投与方法が推奨される．β-ラクタム系薬のTAMは，最大殺菌作用ではペニシリン系薬：≧40%，セフェム系薬：≧60〜70%，カルバペネム系薬：≧40〜50%とされている．

b．TDMの実際

抗微生物薬における治療薬物モニタリングtherapeutic drug monitoring（TDM）の意義は，病原微生物を減少させるために有効な濃度に達しているかを確認する点（offensive TDM）と副作用を招くような濃度で推移していないかを確認する点（defensive TDM）の2点であるが，最近では微生物の耐性化を防ぐことにも活用されている．抗微生物薬の中で臨床上TDMの対象となる抗菌薬・抗真菌薬（特定薬剤治療管理料対象薬剤）は，アミノグリコシド系薬のゲンタマイシン（GM），トブラマイシン（TOB），アミカシン（AMK），アルベカシン（ABK），グリコペプチド系薬のバンコマイシン（VCM）とテイコプラニン（TEIC）およびトリアゾール系抗真菌薬のボリコナゾール（VRCZ）である．

（i）ゲンタマイシンのTDM

アミノグリコシド系薬は，血中濃度が高過ぎると腎障害や第8脳神経障害などの有害反応が発現するため，TDMによる管理が必要となる．C_{max}/MIC タイプのアミノグリコシド系薬は，有効性の指標としてピーク値はできるだけ高く，安全性の指標としてトラフ値はできるだけ低く設定することが重要となる．アミノグリコシド系薬のTDMにおける指標濃度域は，ピーク至適濃度域（点滴静注は薬剤終了直後，筋注は1時間後に測定：1日複数回投与法では3回目以降に測定，1日単回投与法では適宜測定可能），トラフ至適濃度域（投与直前に測定）となる（**表XIII-4**）．

健常人のGM 60 mgの30分間の点滴静注のピーク値は約7 μg/mLで，近年の緑膿菌に対するGMのMIC_{50}とMIC_{90}*は，2 μg/mLと4 μg/mLである．1日複数回投与法ではピーク値は至適濃度域に達しているが（**表XIII-4**），この場合のC_{max}/MIC_{50}は3.5（=7/2），C_{max}/MIC_{90}は1.8（=7/4）で，効果目標値の$C_{max}/MIC≧8〜10$にまったく達していない．GM 180 mgの1日単回投与法では，計算上ピーク値は約21（=7×3）μg/mL，C_{max}/MIC_{50}は10.5，C_{max}/MIC_{90}は5.3となり，効果が期待できることになる．また，GMの$T_{1/2}$は約3.3時間で，GM 180 mgの1日単回投与法では計算上トラフ値≦0.2 μg/mLとなり，安全性も高いことになる（**表XIII-4**）．以上をふまえて，緑膿菌感染症ではGMは1日単回投与法でトラフ値<2 μg/mL，ピーク値15〜25 μg/mLに設定されている．

（ii）バンコマイシンのTDM

グリコペプチド系薬は時間依存性作用を有し，PK/PDではTAMと相関すると考えられるが，VCMは抗菌効果がAUC/MICと相関するという報告や頻回投与により耐性菌の出現率が増すという報告もあり，さらに頻回投与によりトラフ値上昇にともなう腎障害のリスクも考慮する必要がある．一般的に，TDMは次回投与直前のトラフ値のみでよいとされている．

VCMの注射剤は，添付文書では1回500 mgを1日4回，または1回1 gを1日2回で60分以上かけて点滴静注することになっているが，トラフ値上昇による腎障害のリスクを考えると1日2回の投与法が推奨される．腎障害はトラフ値が30 μg/mL以上で発症するという報告がある．聴器毒性はピーク値が40 μg/mL以上で発症しやすい，あるいは血中濃度とは関連しないとする報告もあり，TDMと副作用の相関性は明らかになっていない．VCMのタンパク質結合率が約34%，組織移行性が不良（肺10%未満，髄液15%，骨組織10%未満）などを考慮して，VCMの有効性を確保するために目標トラフ値は10〜20 μg/mLに設定されている（**表XIII-4**）．さらに，近年のメチシリン耐性黄色ブドウ球菌（MRSA）に対するVCMの

---

* MIC_{50}とMIC_{90}：分離菌の50%の株の発育が阻止されるMIC値をMIC_{50}，90%の株の発育が阻止されるMIC値をMIC_{90}という．

MIC_{50} と MIC_{90} はともに 1 μg/mL であるが，肺への移行性を考慮して，重症例ではトラフ値 15 〜 20 μg/mL が推奨されている．

(iii) ローディング・ドーズ

グリコペプチド系薬の TEIC は，VCM より組織の移行性（10 〜 15%）がよく，半減期 half-life period（$T_{1/2}$）が長く，タンパク質結合率が高く，PAE が長く，腎障害が少なく，ヒスタミン遊離作用が少ないなどの特徴を有し，目標トラフ値が 10 〜 30 μg/mL に設定されている．しかし，血中半減期が 45 〜 56 時間と極めて長く，Vd が比較的大きく，クリアランスが小さいため，定常状態への到達が遅れる．そこで，TEIC は初期投与時に注射剤 1 回 400 mg を 12 時間ごとに 3 回投与するローディング・ドーズ*（負荷投与量）を施行して早期に血中濃度を目標値まで上昇させ，その後 TDM でトラフ値を管理する方法が推奨されている．抗真菌薬のイトラコナゾール（ITCZ），ホスフルコナゾール（F-FLCZ），VCZ，カポスファンギン（CPFG）もローディング・ドーズ法が行われる．

(iv) 腎機能に応じた薬物の投与設計

アミノグリコシド系薬やグリコペプチド系薬は大部分が未変化体のまま腎臓から排泄されるため，腎機能の評価が重要となる．また，腎毒性の強いアミノグリコシド系薬，グリコペプチド系薬，ポリペプチド系薬だけでなく，腎排泄型抗菌薬のキノロン系薬や β-ラクタム系薬も腎機能に応じた投与設計を行う必要がある．

一般的に，腎機能の状態を示す糸球体濾過率 glomerular filtration rate（GFR）はクレアチニンクリアランス creatinine clearance（Ccr）に基づいて評価されている．しかし，クレアチニンは筋肉から産生されるため，高齢者や女性では血清クレアチニン serum creatinine（Scr）値が上昇しにくいことがあり，Scr が腎機能を正確に反映していないことがある．そこで，この点を考慮して Scr から Ccr を求める計算方法に Cockcroft-Gault の式がある．また，肥満患者では理想体重 ideal body weight（IBW）と脂肪組織の脂肪外液を考慮する必要があるため，除脂肪体重 lean body mass（LBM）を用いる．

Cockcroft-Gault の式

① 男性の Ccr = (140 − 年齢) × 体重(kg) / 72 × Scr(mg/dL)
② 女性の Ccr = 男性の Ccr × 0.85

肥満患者の場合

③ 男性の LBM = 50 + (身長 − 152.4) × 0.89
④ 女性の LBM = 45.4 + (身長 − 152.4) × 0.89

次に，腎機能に応じた投与設計（投与量，投与間隔）は Giusti-Hayton 法によって求められる．

Giusti-Hayton 法

⑤ 半減期（$T_{1/2}$）より求める方法

投与補正係数 = (腎不全患者の薬物消失速度定数)/(健常者の薬物消失速度定数)
= (健常者の $T_{1/2}$)/(腎不全患者の $T_{1/2}$)

⑥ 薬物の尿中未変化体排泄率と患者のクレアチニンクリアランス（Ccr）から求める方法

投与補正係数 = 1 − 尿中未変化体排泄率 × (1 − 腎不全患者の Ccr / 健常人の Ccr)

* 一般的に，健常人の Ccr = 100 mL/min と考えてよいため，

投与補正係数 = 1 − 尿中未変化体排泄率 × (1 − 腎不全患者の Ccr / 100)

以上の式から得られた投与補正係数から

⑦ 投与量 = 常用量 × 投与補正係数
⑧ 投与間隔 = 健常人の投与間隔 / 投与補正係数

例えば，80 歳の女性で，身長が 150 cm，体重が 45 kg であり，腎不全のため血清クレアチニン（Scr）値が 2.0 mg/dL である患者の VCM の投与設計を考えてみる．ただし，VCM の尿中未変化体排泄率は 95% とする．

② 式より，患者の Ccr = (140 − 80) × 45 × 0.85 / (72 × 2.0) ≒ 15.9 mL/min

⑥ 式より，投与補正係数 = 1 − 0.95 × (1 − 15.9/100) ≒ 0.20

---

* ローディング・ドーズ：一過性に血中濃度目標値まで上昇させる投与方法で，目標濃度と分布容積によって決定され，排泄能力（クリアランス）に影響されない．

⑦式より，投与量＝1 g（1 日 2 回の 1 回常用量）× 0.20÷200 mg（1 回量）

⑧式より，投与間隔＝12 時間/0.20≒60 時間

したがって，この患者の場合，1 回投与量を 200 mg（常用量の 1/5）とし，投与間隔も 60 時間ごと（実際に医療現場で難しいため 2 日 1 回）にする必要があり，加齢や腎機能によりかなりの投与補正が求められる．

2 抗菌薬・抗真菌薬の安全性

a. 抗菌薬・抗真菌薬の副作用

抗菌薬（とくに β-ラクタム系薬）は選択毒性が強く，安全性の高い薬剤が多いが，抗真菌薬は副作用の頻度が高い．各種抗菌薬・抗真菌薬の主な副作用を表 XIII-5 に示す．

(i) アレルギー

薬剤アレルギーの起因薬は，抗微生物薬の頻度が高い．この原因は病原微生物によるアジュバント効果によるところが大きい．薬剤アレルギーの症状は，皮疹，発熱（薬剤熱），ショックなどの他に，肝障害，肺障害（間質性肺炎や好酸球性肺炎），腎障害（間質性腎炎），血液障害（血球減少）など多様である．中でも，皮疹の頻度が最も高く，皮疹の中でも播種状紅斑（丘疹紅斑）が最も多く，次に多型紅斑や蕁麻疹が続く．頻度は低いが，後遺症（失明など）や生命に危険を及ぼすスティーブンス・ジョンソン症候群 Stevens-Johnson syndrome（SJS）や中毒性表皮壊死症 toxic epidermal necrosis（TEN）などの重症型もある．また，生命の危険に直結するアナフィラキシーショックは抗菌薬の中でβ-ラクタム系薬が最も多く，ペニシリン系薬で 0.04％，セフェム系薬で 0.01％ の発現率といわれている．

抗菌薬の抗原性は，ペニシリン系薬≒カルバペネム系薬＞セフェム系薬＞テトラサイクリン系薬＞アミノグリコシド系薬＞キノロン系薬＞マクロライド系薬の順で，薬剤アレルギーではβ-ラクタム系薬がとくに問題（表 XIII-5）で，さらにβ-ラクタム系薬は化学構造の類似性から交差アレルギーが起こりやすいため，注意が必要である．また，スルファメトキサゾール/トリメトプリム（ST）合剤や抗結核薬のリファンピシン（RFP）とリファブチン（RBT）もアレルゲン性が高く，RFP と RBT はお互いに交差アレルギーが起こるので要注意である．抗真菌薬も決してアレルゲン性は低くなく，皮疹などの過敏反応に注意を要する．

(ii) 肝毒性

抗菌薬では胆汁排泄型のテトラサイクリン系薬や腎排泄型の抗結核薬のイソニアジド（INH）とピラジナミド（PZA）は肝毒性を示す（表 XIII-5, 6）．抗結核薬の RFP はアレルギー性肝障害を誘発する．一方，マクロライド系薬は胆汁排泄型であるが，肝毒性は高くない．INH は胆汁排泄型ではないが肝臓で N-アセチル転移酵素 2 N-acetyltransferase 2（NAT2）によりアセチル化代謝産物になり腎臓から体外に排出される．NAT2 には遺伝子多型が存在し，rapid acetylator（RA），intermediate acetylator（IA），slow acetylator（SA）の 3 群の表現型に分けられ，SA の人はアセチルヒドラジンを蓄積し，生体高分子と共有結合して肝障害を引き起こす．SA の NAT2 の遺伝子多型を有する人は白人では約 50％ であるが，日本人では約 10％ である．PZA も腎排泄型であるが，肝臓への移行性も認められ，肝毒性を示すので肝障害に要注意である．

また，ST 合剤は高ビリルビン血症を起こすリスクがあるので新生児には禁忌である．サルファ剤は血中でビリルビンと置換してアルブミンと結合するため，遊離ビリルビンが脳内に移行して核黄疸を起こすと考えられている．

抗真菌薬では胆汁排泄型のポリエンマクロライド系薬，アゾール系薬，アリルアミン系薬，キャンディン系薬は肝毒性を示す（表 XIII-5, 6）．腎排泄型のフルオロピリジン系薬のフルシトシン（5-FC）は肝毒性を有するので注意を要する．

(iii) 腎毒性

一般的に，腎排泄型の抗菌薬が腎臓への影響を示す．とくに，表 XIII-6 に示す腎排泄型 II のアミノグリコシド系薬，グリコペプチド系薬，およびポリペプチド系薬は腎毒性が強いので要注意である．

表 XIII-5　各種抗菌薬・抗真菌薬の主な副作用

抗微生物薬	副作用						
抗菌薬	過敏反応	肝障害	腎障害	血球障害	神経障害	消化管障害	その他
ペニシリン系薬	●						
セフェム系薬	●						偽膜性大腸炎
カルバペネム系薬	●				●		偽膜性大腸炎
ホスホマイシン系薬		△					
グリコペプチド系薬			●		●		red neck 症候群
オキサゾリジノン系薬				●			乳酸アシドーシス
アミノグリコシド系薬			●		●		
マクロライド系薬		△					
リンコマイシン系薬		△					偽膜性大腸炎
テトラサイクリン系薬	●	●				●	エナメル形成不全，光線過敏症
キノロン系薬					●		光線過敏症，血糖異常，関節異常，横紋筋融解症
クロラムフェニコール系薬				●		●	グレイ症候群
サルファ剤（ST合剤）	●	●	●				光線過敏症，電解質異常，横紋筋融解症
抗結核薬	●				●		

抗真菌薬	過敏反応	肝障害	腎障害	血球障害		消化管障害	その他
ポリエンマクロライド系薬	●	●	●			●	電解質異常
アゾール系薬	●	●					電解質異常，心不全
アリルアミン系薬	●	●		●			
キャンディン系薬	●	●				●	高血圧
フルオロピリミジン系薬	●	●	●	●		●	

注1）過敏反応と消化管障害（経口剤）はどの薬剤群でも起こるが，●は頻度が高く，とくに注意を要する薬剤群を示す．
注2）偽膜性大腸炎は多くの広域性抗菌薬で起こるが，とくに頻度の高い薬剤群だけを示す．
注3）△は頻度も重症度も高くない．

表 XIII-6　抗菌薬・抗真菌薬の主な排泄経路

分類	胆汁排泄型	腎排泄型 I	腎排泄型 II
抗菌薬	テトラサイクリン系薬 マクロライド系薬 リンコマイシン系薬 リファンピシン	β-ラクタム系薬 ホスホマイシン系薬 キノロン系薬 オキサゾリジノン系薬 イソニアジド（抗結核薬）	アミノグリコシド系薬 グリコペプチド系薬 ポリペプチド系薬 サルファ剤（ST合剤）[*2]
抗真菌薬	ポリエンマクロライド系薬[*1] アゾール系薬 アリルアミン系薬 キャンディン系薬		フルオロピリミジン系薬[*2]
注意すべき毒性	肝毒性	毒性はあまり強くない	腎毒性

[*1] ポリエンマクロライド系薬：アムホテリシン B は胆汁排泄型の薬剤であるが，腎毒性が強い．
[*2] サルファ剤（ST合剤），フルオロピリミジン：腎排泄型の薬剤であるが，肝毒性を示す．

アミノグリコシド系薬は近位尿細管の上皮細胞の脂質代謝酵素（ホスホリパーゼ A_1 など）を阻害してホスホリピドーシスを誘発し，上皮細胞の壊死を引き起こし，β_2 ミクログロブリン（β_2-MG）や N-アセチル-β-D-グルコサミニダーゼ（NAG）の尿中排泄が増加する．アミノグリコシド系薬の腎毒性の程度は，GM ＞ TOB ＞ AMK ≒ カナマイシン（KM）＞ストレプトマイシン（SM）であり，GM や TOB にとくに注意が必要である．

グリコペプチド系薬の VCM は尿細管上皮細胞に蓄積して腎障害を引き起こす．カルバペネム系薬のイミペネム（IPM）は近位尿細管刷子縁膜に存在するデヒドロペプチダーゼⅠにより分解され，その代謝産物が尿細管を強く障害する．ただし，デヒドロペプチダーゼⅠ阻害薬のシラスタチン（CS）は，IPM の腎障害を著しく軽減するため，イミペネム／シラスタチン（IPM／CS）合剤が使用される．

抗真菌薬のポリエンマクロライド系薬のアムホテリシン B（AMPH-B）は，胆汁排泄型であるが，腎臓にも排泄され，一部腎臓にも移行して近位尿細管上皮細胞膜のステロールと結合し，膜透過性亢進により細胞内成分を漏出させ，尿細管障害を引き起こす．また，ITCZ 注射剤の添加物のヒドロキシプロピル-β-シクロデキストリンは腎臓や膀胱で高張物質を排泄する過程で生じる適応性変化と考えられる浸透圧性腎症を誘発するため，中等度以上の腎障害患者には ITCZ 注射剤を使用しない方が望ましい．

(iv) 血球障害

抗菌薬のオキサゾリジノン系薬の LZD は，骨髄抑制作用を有し，血小板減少，貧血（赤血球減少）および白血球減少を引き起こすので，血液障害（血球減少）に注意が必要である．クロラムフェニコール（CP）も骨髄抑制作用を有し，重大な副作用である再生不良性貧血を引き起こす．また，ST 合剤は葉酸合成阻害作用を示し，巨赤芽球性貧血や再生不良性貧血を起こす．

抗真菌薬のアリルアミン系薬のテルビナフィン（TBF）やフルオロピリミジン系薬の 5-FC も骨髄抑制作用があり，顆粒球減少症など血液障害に注意を要する．

(v) 中枢神経障害

抗菌薬のカルバペネム系薬は，中枢神経を障害して痙攣や意識障害を起こす．とくに，腎障害や中枢神経障害のある患者に起こりやすいので，注意が必要である．また，カルバペネム系薬の中でも，メロペネム（MEPM）とドリペネム（DRPM）は中枢神経障害が軽減されている．

キノロン系薬は，γ-アミノ酪酸（GABA）と競合的に拮抗して GABA 受容体との結合を阻害し，痙攣を誘発する．とくに，GABA 受容体結合の阻害作用の強いノルフロキサシン（NFLX），CPFX およびロメフロキサシン（LFLX）は注意を要する．

アミノグリコシド系薬は，第 8 脳神経を障害して聴覚器障害を起こす．聴覚器障害には，難聴や耳鳴りなどの症状を呈する蝸牛障害とめまいを呈する前庭障害がある（蝸牛障害が多い）．アミノグリコシド系薬の耳毒性の程度は，GM ＞ TOB ＞ KM ＞ AMK ＞ SM の順で，腎毒性と同様に GM や TOB が強く，とくに要注意である．

その他，グリコペプチド系薬の VCM や TEIC にも第 8 脳神経障害作用を有するので注意が必要である．

(vi) 末梢神経障害

抗結核薬の INH は，ピリドキサールホスホキナーゼを阻害してピリドキシン（ビタミン B_6）のリン酸化を抑制し，ビタミン B_6 とキレートを形成してビタミン B_6 不足状態を誘発し，末梢神経障害（筋力低下や歩行障害）を起こすことがある．また，抗結核薬のエタンブトール（EB）は，坐骨神経や視神経の軸索を障害して足のしびれや視力障害など末梢神経障害を起こすことがある．

(vii) 消化管障害

テトラサイクリン系薬の経口剤と ST 合剤は，悪心・嘔吐，食欲不振などの消化管障害を起こすので注意が必要である．さらにテトラサイクリン系薬の経口薬は食道に停留し，崩壊すると，まれに食道潰瘍を起こすことがあるため，多めの水で服用し，就寝直前の服用

を避けるのが望ましい．

また，ペニシリン系薬のクラブラン酸/アモキシシリン（CVA/AMPC = 1：2 製剤）配合剤，ペネム系薬のテビペネム（TBPM），ファロペネム（FRPM），キノロン系薬の経口剤は，腸内細菌叢の破壊により下痢を誘発するため，とくに小児への投与に注意が必要である．大部分の抗真菌薬は悪心・嘔吐，下痢，食欲不振などの消化管障害を起こすことがあるので注意が必要である．

(viii) その他

(1) ビタミン欠乏症

ビタミン K 欠乏症は，出血傾向を招き，消化管出血（下血，吐血），さらには血尿や鼻出血を誘発する．N-メチルテトラゾールチオール N-methyl-tetrazolethiol（NMTT）基を含有するセフェム系薬であるセフメタゾール（CMZ），ラタモキセフ（LMOX）および SBT/CPZ などの頻度が高い．原因は，NMTT 基がビタミン K の再利用に必要なビタミン K エポキシド還元酵素を阻害するためと考えられている．そのため，腎不全，悪性腫瘍，肝疾患，術後患者，新生児，乳児および高齢者のようなハイリスク患者には，NMTT 基を有する抗菌薬の投与は避けた方が望ましい．

ビタミン B 群欠乏症は，腸内細菌の抑制に起因して起こり，舌炎，口内炎，食欲不振および神経炎を引き起こす．広域抗菌スペクトラムを有する第三，第四世代のセフェム系薬，カルバペネム系薬およびテトラサイクリン系薬に注意が必要である．

(2) 菌交代症（偽膜性大腸炎）

グラム陽性嫌気性菌に強いリンコマイシン系薬のリンコマイシン（LCM）やクリンダマイシン（CLDM）の連用で偽膜性大腸炎が起こる．グラム陽性嫌気性桿菌であるクロストリディオイデス・ディフィシレ C.difficile は，もともと大腸の常在菌で，成人では約 10% が保有しているが，リンコマイシン系薬の連用により大腸内で菌交代現象が起こり，異常に増殖する．産生された毒素（エンテロトキシン）によって大腸粘膜が傷害されて偽膜が形成され，下痢や腹痛を起こし，大腸の粘膜表面で出血便を誘発する．なお，偽膜性大腸炎は広域抗菌スペクトラムを有する β-ラクタム系薬（とくに第三，第四世代セフェム系薬とカルバペネム系薬）やキノロン系薬の連用でも発症するので，注意を要する．詳細および治療は抗菌薬関連腸炎の項（p.381）を参照．

(3) レッドネック症候群

グリコペプチド系薬の VCM は，好塩基球や肥満細胞からのヒスタミン遊離作用を有し，静注や短時間の点滴静注を行うとレッドネック症候群（レッドマン症候群：顔，頸，躯幹の紅斑性充血や搔痒などを発現）や血圧低下を引き起こす．そのため，VCM では 60 分以上，TEIC では 30 分以上かけてゆっくりと点滴静注を行う必要がある．

(4) 歯牙の着色・エナメル形成不全

テトラサイクリン系薬は歯牙形成への色素沈着（＝歯牙黄染）やエナメル質形成不全，および一過性の骨発育不全を起こすので，妊婦，授乳中の母親，そして 8 歳未満の小児への投与は避けるのが原則である（他剤が無効の場合以外は使用しない）．

(5) 光線過敏症

薬物による光線過敏症は，光毒性反応と光アレルギー反応で起こる．光毒性反応は光を吸収する化合物が直接フリーラジカルや炎症メディエーターの産生を促し，疼痛および紅斑の形（日焼け様症状）で皮膚炎を引き起こす．光アレルギー反応は光が吸収されると薬物または物質の構造が変化してハプテンとなり，組織のタンパク質に結合して抗原となってIV型のアレルギー反応による湿疹を引き起こす．抗菌薬の中では，テトラサイクリン系薬は光毒性反応，キノロン系薬とサルファ剤（ST 合剤）は光毒性反応と光アレルギー反応で起こると考えられている．キノロン系薬の中ではロメフロキサシン（LFLX）に注意が必要である．

(6) 血糖降下

キノロン系薬は，膵臓の β 細胞の膜上に存在する ATP 感受性カリウムチャネルを阻害し，低血糖を引き起こすことがある．キノロン系薬の血糖降下作用は用量依存性で，とくに LFLX に注意を要する．

(7) 横紋筋融解症

キノロン系薬や ST 合剤は，筋毒性を有し，発現頻度は低いが，横紋筋融解症を起こすことがある．横紋筋融解症は，骨格筋細胞の融解・壊死により筋成分が

血中へ流出した病態で，筋肉痛，筋力低下および疲労感などの症状を引き起こす．また，流出した大量のミオグロビンにより尿細管に負荷がかかり，急性腎不全を併発することが多い．

(8) 関節異常

大部分のキノロン系薬は，成長期の関節軟骨を傷害して関節異常を起こす恐れがあるため小児には禁忌であるが，NFLX と TFLX は小児へ投与は可能である．ただし，NFLX は乳児以下は禁忌である．

(9) グレイ症候群

CP は腹部膨満，嘔吐，体色の灰白化，進行性のチアノーゼ，呼吸停止など循環虚脱状態になり，数時間または数日以内に死に至るグレイ症候群 grey baby syndrome を発症する恐れがあるため新生児には投与禁忌である．ミトコンドリア障害の可能性が示唆されている．

(10) 電解質異常

抗真菌薬の AMPH-B は細胞膜の傷害により透過性を亢進し，カリウムやマグネシウムの細胞外への漏出やカリウムの尿細管腔への排泄促進により低カリウム血症や低マグネシウム血症を起こすことがある．また，アゾール系抗真菌薬は尿細管におけるカリウムの再吸収阻害により低カリウム血症を起こし，QT 延長などの心不全に至ることもある．

(11) 高血圧

抗真菌薬のアゾール系薬の F-FLCZ，キャンディン系薬のミカファンギン（MCFG）やカスポファンギン（CPFG）は，血圧が上昇することがあるので，高血圧に要注意である．

b. 抗菌薬・抗真菌薬の薬物相互作用

薬物相互作用 drug interaction は，薬力学的相互作用 pharmacodynamic drug interaction と薬物動態学的相互作用 pharmacokinetic drug interaction に基づく場合があるが，薬物動態学的相互作用は吸収 adsorption，分布 distribution，代謝 metabolism，排泄 excretion，すなわち ADME（各文字の頭文字）の各段階で起こる．抗菌薬と抗真菌薬の相互作用による併用禁忌薬を表 XIII-7 と表 XIII-8 に示す．

(i) 薬力学的相互作用

(1) キノロン系薬の相互作用

キノロン系薬の GABA 受容体阻害作用による痙攣（p. 359 参照）は，非ステロイド抗炎症薬 non-steroidal anti-inflammatory drugs（NSAIDs）により増強される．キノロン系薬と NSAIDs との併用禁忌は，LFLX とフルルビプロフェン，NFLX や PUFX とフェンブフェンやフルルビプロフェン，CPFX とケトプロフェンである．

キノロン系薬の MFLX は QT 延長作用が強く，抗不整脈薬のクラス IA（ナトリウムチャネル遮断）薬であるキニジン，プロカインアミド，ジソピラミドなどやクラス III 薬であるアミオダロン，ソタロールなどと併用すると相加効果により QT 延長してトルサード・ド・ポアンツ torsades de pointes（TdP）*を誘発するので併用禁忌である．

(2) リンコマイシン系薬とエリスロマイシンの相互作用

リンコマインシン系薬の LCM や CLDM は，作用点が細菌のリボソーム 50S サブユニットであるが，マクロライド系薬のエリスロマイシン（EM）の方が 50S リボソームへの親和性が高いため，競合的拮抗により効果が弱まるため併用禁忌である．

(3) アムホテリシン B の相互作用

抗真菌薬のポリエンマクロライド系薬の AMPH-B は機序は不明であるが，白血球輸注中に急性肺障害を起こす恐れがあるので併用禁忌である．

(4) ペンタミジンの相互作用

ニューモシスチス肺炎治療薬のペンタミジン（PM）は，相加作用によりアミオダロン注射剤との併用で QT 延長して TdP のリスクを高め，抗サイトメガロウイルス（CMV）薬ホスカルネット（PFA）との併用で重篤な低カルシウム血症や腎障害を誘発するので併用禁忌である．

---

* トルサード・ド・ポアンツ（TdP）：心室性頻拍の一種であり，QRScomplex がねじれながら続いているような心電図波形を示す不整脈で，突然死の原因となり得る．

表 XIII-7　抗菌薬の相互作用（併用禁忌）

分類	対象抗菌薬	併用禁忌薬	有害反応/効果減弱
セフェム系	セフメタゾール，セフミノクス，セフメノキシム，ラタモキセフ，セフォペラゾン/スルバクタム	アルコール（飲酒）	ジスルフィラム様症状
カルバペネム系	イミペネム/シラスタチン パニペネム/ビタミプロン メロペネム，ビアペネム ドリペネム，テベペネム	バルプロ酸ナトリウム	バルプロ酸→BDC↓（→痙攣）
マクロライド系	エリスロマイシン	ピモジド エルゴタミン含有製剤：クリアミン® アスナプレビル	心室性不整脈（QT延長）四肢の虚血，血管攣縮 肝障害→重症化
	クラリスロマイシン	ピモジド クリアミン® アスナプレビル スボレキサント，ロミタピド，タダラフィル：アドシルカ®，チカグレロル，イブルチニブ，イバブラジン，ベネトクラクス（用量漸増期） 肝・腎障害者でコルヒチン	心室性不整脈（QT延長）四肢の虚血，血管攣縮 肝障害→重症化／併用薬の作用増強／中毒症状（→汎血球減少）
	ロキシスロマイシン ジョサマイシン	クリアミン®	四肢の虚血，血管攣縮
リンコマイシン系	リンコマイシン クリンダマイシン	エリスロマイシン	交差耐性（→効果なし）
キノロン系	ロメフロキサシン	フルルビプロフェン	GABA受容体阻害増強（→痙攣）
	ノルフロキサシン プルリフロキサシン	フェンブフェン フルルビプロフェン	
	シプロフロキサシン	ケトプロフェン	
		チザニジン	チザニジン→BDC↑（血圧低下，眩暈など）
	モキシフロキサシン	抗不整脈薬：クラスIA群（プロカインアミド，ジソピラミド，キニジン，シベンゾリン，ピルメノール），クラスIII群（アミオダロン，ソタコール，ニフェカラント）	QT延長，TdP
抗結核薬	リファンピシン	アメナメビル，ホスアンプレナビル，アタザナビル，リルピビリン，エルビテグラビル配合剤：スタリビルド®，ゲンボイヤ®，アスナプレビル，グラゾプレビル，ダクラタスビル，エルバスビル，ソホスブビル，マヴィレット®，テノホビルアラフェナミド，ボリコナゾール，プラジカンテル，リアメット®，アドシルカ®，マシテンタン，チカグレロル	併用薬→BDC↓（→作用減弱）
	リファブチン	アスナプレビル，グラゾプレビル，ダクラタスビル，エルバスビル，ボリコナゾール，チカグレロル	

クリアミン®：エルゴタミン/無水カフェイン/イソプロピルアンチピリン，スタリビルド®：エルビテグラビル/コビシスタット/エムトリシタビン/テノホビルジソプロキシル，ゲンボイヤ®：エルビテグラビル/コビシスタット/エムトリシタビン/テノホビルアラフェナミド，マヴィレット®：グレカプレビル/ピブレンタスビル，リアメット®：アルテメテル/ルメファントリン

BDC：blood drug concentration（血中薬物濃度），TdP：torsades de pointes（トルサード・ド・ポアンツ）

表 XIII-8 抗真菌薬の相互作用（併用禁忌）

分類	対象抗菌薬	併用禁忌薬	有害反応/効果減弱
ポリエンマクロライド系薬	アムホテリシン B	白血球輸注	急性肺機能障害の誘発
フルオロピリミジン系薬	フルシトシン	TS-1®（投与後7日間）	対象薬の BDC ↑
アゾール系薬 （イミダゾール系）	ミコナゾール （ゲル経口・注射）	ワルファリン，リバーロキサバン，ピモジド，ブロナンセリン，トリアゾラム，シンバスタチン，ロミタピド，キニジン，アゼルニジピン，ニソルジピン，クリアミン®，アスナプレビル	併用薬の BDC ↑ （→副作用増強）
アゾール系薬 （トリアゾール系）	フルコナゾール ホスフルコナゾール	トリアゾラム，クリアミン®，キニジン，ピモジド，ブロナンセリン，アゼルニジピン，ロミタピド，アスナプレビル	併用薬の BDC ↑ （→副作用増強）
	イトラコナゾール	フルコナゾールの対象薬（−ロミタピド）＋ベプリジル，シンバスタチン，ニソルジピン，エルゴメトリン，メチルエルゴメトリン，バルデナフィル，エプレレノン，レバチオ®，アドシルカ®，バニプレビル，スボレキサント，イブルチニブ，チカグレロル，アリスキレン，ダビガトラン，リバーロキサバン，リオシグアト	併用薬の BDC ↑ （→副作用増強）
		コルヒチン投与中の肝・腎障害	コルヒチンの BDC ↑
	ボリコナゾール	リファンピシン，リファブチン，カルバマゼピン，バルビタール，フェノバルビタール，エファビレンツ，リトナビル	対象薬の BDC ↓ （→作用減弱）
		ピモジド，キニジン，クリアミン®，トリアゾラム，（リファブチン）	併用薬の BDC ↑ （→副作用増強）
ニューモシスチス肺炎治療薬	ペンタミジン	アミオダロン（注射） ホスカルネット	相加作用（QT 延長，TdP） 重篤な低カルシウム血症

TS-1®：テガフール/ギメラシル/オテラシル，クリアミン®：エルゴタミン/無水カフェイン/イソプロピルアンチピリン
BDC：blood drug concentration（血中薬物濃度），TdP：torsades de pointes（トルサード・ド・ポアンツ）

(ii) 薬物動態学的相互作用

(1) 吸収抑制

キノロン系薬やテトラサイクリン系薬は，金属カチオン（アルミニウム，マグネシウム，鉄，カルシウムイオンなど）とキレート錯体を形成して腸管吸収が抑制されるため，金属カチオンを含む製剤（制酸剤や鉄剤）を服用する際には2時間程度あける必要がある．ただし，薬剤の中でも影響度が異なり，影響が大きいキノロン系薬の NFLX，CPFX，PUFX，TFLX，GRNX および STFX とテトラサイクリン系薬は，とくにカルシウムを含む牛乳にも注意を要する．LVFX や MFLX は牛乳との相互作用はとくに問題とならない．

(2) チトクローム P450 の阻害

薬物間相互作用で最も多いのは，肝臓における薬物代謝への作用であり，脂溶性の薬物が問題となる．薬物代謝には，薬物の酸化・還元を行う第1相反応と薬物の抱合を行う第2相反応がある．第1相反応で酸化を行う薬物代謝酵素がチトクローム P450[*] cytochrome P450（CYP）であり，数十種類存在し，それぞれ基

---

[*] チトクローム P450：アミノ酸配列の相同性に基づいて，40％以上相同のものをファミリー，55％以上相同のものをサブファミリーとして分類する．例えば，「CYP1A1」のように表記し，最初の数字「1」はファミリー 1，「1A」はサブファミリー 1A，最後の数字「1」が特定のタンパク質を示す．

質特異性がある.

　マクロライド系薬は**CYP3A4**で代謝され，薬物代謝の競合的阻害作用と同時に，CYP3A4と**マクロライド・ニトロソアルカン複合体**を形成してCYP3A4の機能を抑制する．そのため，マクロライド系薬の14員環のEM，CAMおよびロキシスロマイシン（RXM）と16員環のジョサマイシン（JM）はCYP3A4の基質薬であるエルゴタミン製剤（クリアミン®）との併用でエルゴタミンの血中濃度を上昇させ四肢の虚血や血管攣縮を誘発するため，併用禁忌である．さらに，EMとCAMは，抗精神病薬ピモジドと併用するとQT間隔の延長を引き起こし，心室性不整脈を誘発するので併用禁忌である．CAMは睡眠薬スボレキサント，高脂血症治療薬ロミタピド，肺高血圧治療薬タダラフィル（アドシルカ®）などの血中濃度を上昇させ，肝・腎障害患者における痛風治療薬コルヒチンの血中濃度を上昇させるので併用禁忌である．

　キノロン系薬は**CYP1A2**阻害作用を有しており，CPFXはCYP1A2の基質薬である筋弛緩薬のチザニジンとの併用によりチザニジンの血中濃度を上昇させ血圧低下，めまい，傾眠などを引き起こすため併用禁忌である．

　抗真菌薬のトリアゾール系薬は多くの**CYP3A4基質薬**の血中濃度を著しく上昇させ，副作用を増強するため併用禁忌である．例えば，イミダゾール系薬の**ミコナゾール**（MCZ）はワルファリン（抗血栓薬），トリアゾラム（睡眠薬）など12薬剤，トリアゾール系薬のFLCZとF-FLCZはブロナンセリン（抗精神病薬），アゼルニジピン（降圧薬：Ca拮抗薬）など8薬剤，ITCZはベプリジル（抗不整脈薬：Ca拮抗薬），シンバスタチン（高脂血症治療薬）など25薬剤，VRCZはキニジン（抗不整脈）など5薬剤と併用禁忌である（表XIII-8）．

(3)　チトクロームP450の誘導

　抗結核薬のRFPとRBTは，**CYP3A4誘導作用**を有し，多くの基質薬の代謝を促進し，血中濃度およびAUCを低下させる．とくに，RFPはアメナメビル（抗ヘルペスウイルス薬），ホスアンプレナビル〔抗ヒト免疫不全ウイルス（HIV）薬〕，アスナプレビル〔抗C型肝炎ウイルス（HCV）薬〕など20薬剤のCmaxやAUCを低下して作用を減弱するため併用禁忌である（表XIII-7）．RBTはRFPほどCYP3A4誘導作用は強くないが，グラゾプレビル（抗HCV薬），VRCZ（抗真菌薬），チカグレロル（抗血栓薬）など6薬剤の血中濃度を低下させるため併用禁忌である．

(4)　ジスルフィラム様反応

　アルコールは肝臓でアルコール脱水素酵素alcohol dehydrogenase（ADH）によりアセトアルデヒドに代謝され，さらにアルデヒド脱水素酵素aldehyde dehydrogenase（ALDH）により酢酸になり，最終的に炭酸ガスと水に分解される．抗酒療法薬ジスルフィラムはALDHを阻害してアセトアルデヒドを蓄積させ，重篤な二日酔い症状（顔面紅潮，悪心・嘔吐，心悸亢進，めまい，頭痛など）を惹起する．セフェム系薬の3位側鎖に用いられている**NMTT基**は**ジスルフィラム様症状**を誘発する（図XIII-3）．NMTT基を有す

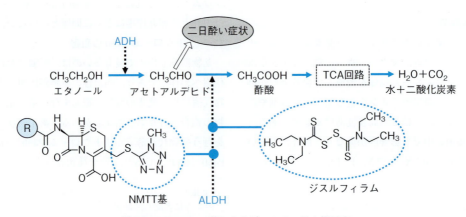

図XIII-3　NMTT基によるジスルフィラム様反応

るセフェム系薬のCMZ，セフミノクス（CMNX），セフメノキシム（CMX），LMOX，SBT/CPZは，服用後7日間は禁酒が必要である．また，メトロニダゾール（MNZ）もジスルフィラム様症状を誘発するため投与中は禁酒が必要である．

(5) カルバペネム系薬とバルプロ酸の相互作用

カルバペネム系薬のIMP/CS，パニペネム/ベタミプロン（PAPM/BP），MEPM，ビアペネム（BIPM），DRPMおよびTBPMはバルプロ酸ナトリウムの血中濃度が最大40％まで低下してバルプロ酸の作用を減弱し，痙攣が再発するため，併用禁忌である．カルバペネム系薬がUGP-グルクロン酸転移酵素（UGT）を活性化して，バルプロ酸ナトリウムの肝臓でのグルクロン酸抱合を促進するためと考えられている．

(6) P糖タンパク質の阻害

P糖タンパク質 P-glycoprotein（P-gp，別名 MDR1：multidrug resistance protein 1）は消化管粘膜，腎尿細管上皮細胞，脳血管内皮細胞（血液脳関門）などに存在し，異物や薬物などを細胞外へ排出するABCトランスポーターファミリーの一つである．EMやCAMなどのマクロライド系薬は，P-gpを阻害して基質薬であるジゴキシンの吸収を促進し，排泄を抑制して血中濃度を上げて悪心・嘔吐や不整脈などの有害反応を誘発することがある．また，マクロライド系薬によるジゴキシンの血中濃度上昇は，腸内細菌叢によるジゴキシンの代謝分解の阻害も原因の一つと考えられている．

3 ウイルス治療薬の使用上の注意

a. 各種ウイルス治療薬の基本的注意点

(i) インフルエンザウイルス治療薬

症状発現から48時間以内に投与を開始する．予防投与は原則として高齢者（65歳以上），慢性呼吸器疾患・慢性心疾患・代謝性疾患（糖尿病など）・腎機能障害患者と対象とする．注射剤は経口・吸入困難な重症例に使用する．

(ii) ヘルペスウイルス治療薬

単純疱疹では皮疹発現後72時間以内，帯状疱疹では皮疹発現後5日以内に投与を開始する．注射剤は悪性腫瘍や自己免疫疾患などの免疫機能低下患者に適応される．性器ヘルペスの発症を繰り返す患者には再発抑制療法を行う．

(iii) サイトメガロウイルス（CMV）治療薬

後天性免疫不全症候群（AIDS），臓器移植（造血幹細胞移植含），悪性腫瘍におけるCMV感染症に投与し，先制治療はCMV感染症の確定診断で投与開始してCMV血症陰性化確認時点で初期治療を終了する．バルガンシクロビル（VGCV）の予防投与は臓器移植（造血幹細胞移植除く）でCMV抗体ドナー陽性かつレシピエント陰性の場合に行う．レテルモビル（LTV）の予防投与は造血幹細胞移植で適応される．

(iv) ヒト免疫不全ウイルス（HIV）治療薬

多剤併用療法 combination antiretroviral therapy（CART）が基本であり，治療目標は血中ウイルス量（HIV-RNA量）を検出限界以下に抑え続けることで，免疫能のいくつかの指標が改善しても中止してはならない．その意味で，抗HIV療法の効果維持にはアドヒアランスが重要である．

(v) 肝炎ウイルス治療薬

B型肝炎治療にはインターフェロン（IFN）製剤とB型肝炎ウイルス（HBV）治療薬による治療法があるが，HBV治療薬は核酸系逆転写酵素阻害薬（核酸アナログ）であり，長期投与が必要で治療中止後の持続効果は低率である．一方，副作用の頻度は少なく，非代償性肝硬変への投与が可能であり，治療に対する反応は良好である．C型肝炎治療はIFN製剤＋直接作用型ウイルス治療薬 direct acting antivirals（DAAs）とIFNフリーのDAAs併用による治療法があり，DAAsにはRNAポリメラーゼ阻害薬，NS3/4Aプロテアーゼ阻害薬，NS5A複製複合体阻害薬，NS5Bポリメラーゼ阻害薬，HCV治療薬配合剤など多種類あるが，IFNフリーのDAAs併用療法は耐性ウイルスの

表 XIII-9　ウイルス治療薬の主な副作用

ウイルス治療薬	副作用							
	過敏反応	肝障害	腎障害	血液障害	神経障害	精神障害	消化管障害	その他
インフルエンザウイルス治療薬		●		●	?	●	●	
ヘルペスウイルス治療薬	●	●	●			●	△	
CMV 治療薬	△	●	●	●			△	電解質異常
肝炎ウイルス治療薬	△	●	△	●	●	●	●	
HIV 治療薬	△	●	△	●			●	電解質異常 リポアトロフィー

注1）過敏反応と消化管障害はどの薬剤群でも起こるが，●は頻度が高く，とくに注意を要する薬剤群を示す．
注2）△は一部の薬剤が発現する．
注3）？は医薬品との因果関係は不明．

出現に注意が必要である．

(vi) TDM や腎機能に応じたウイルス治療薬の投与設計

腎排泄型のインフルエンザ治療薬のノイラミニダーゼ（NA）阻害薬（吸入剤除外），ヘルペスウイルス治療薬（アメナメビル：AMNV 除外），CMV 治療薬（LTV 除外），HBV 治療薬は腎機能に応じた用量・用法設定を行う必要がある．

4　ウイルス治療薬の安全性

a.　ウイルス治療薬の副作用

ウイルス治療薬は抗菌薬から比べれば副作用の頻度は高いが，抗悪性腫瘍薬に比べたらはるかに少ない．各種ウイルス治療薬の主な副作用を表XIII-9に示す．

(i)　アレルギー

ヘルペスウイルス治療薬，HCV 治療薬，HIV 治療薬のプロテアーゼ阻害薬 protease inhibitors（PI），CMV 治療薬のホスカルネット（PFA）などは β-ラクタム系抗菌薬と比べてもアレルゲン性は決して低くなく，皮疹などの過敏反応に注意を要する．

(ii)　肝毒性

胆汁排泄型の HIV 治療薬の非核酸系逆転写酵素阻害薬（NNRTI），PI，インテグラーゼ阻害薬（INSTI）などや HCV 治療薬の NS3/4A プロテアーゼ阻害薬と NS5A 複製複合体阻害薬は肝毒性を示すため注意を要する．また，インフルエンザウイルス治療薬，ヘルペスウイルス治療薬，CMV 治療薬などは腎排泄型であるが，肝臓へも移行して肝毒性を示すため肝障害に注意を要する．

(iii)　腎毒性

腎排泄型のヘルペスウイルス治療薬（AMNV 除外），CMV 治療薬（LTV 除外），HIV 治療薬の核酸系逆転写酵素阻害薬（NRTI），HCV 治療薬のポリメラーゼ阻害薬，HBV 治療薬は腎毒性に注意を要する．

(iv)　血球障害

インフルエンザウイルス治療薬のペラミビル，ヘルペスウイルス治療薬のビダラビン（Ara-A），CMV 治療薬のガンシクロビル（GCV）とバルガンシクロビル（VGCV），HCV 治療薬のリバビリン（RBV），HIV 治療薬のジドブジン（AZT）とラミブジン（3TC）は骨髄抑制作用を有しているため，白血球減少，血小板減少，貧血に注意が必要である．

(v)　末梢神経障害

HIV 治療薬の NRTI は，γ-DNA ポリメラーゼを阻害してミトコンドリア機能を障害し，有痛性の感覚性遠位性多発ニューロパチー（足の灼熱感やうずくような痛み）を起こすことがある．

(vi) 精神障害

　インフルエンザウイルス治療薬は，服用の有無にかかわらずインフルエンザ罹患時に異常行動発現のおそれがあるため，自宅療養では発熱から2日間，保護者などは小児・未成年者が一人にならないように転落などの事故の防止対策を講じる必要がある．

　ヘルペスウイルス治療薬のAra-Aは精神神経障害作用を有して幻覚や錯乱を誘発し，HCV治療薬のRBV，HIV治療薬のNNRTIとくにエファビレンツ：EFVは精神障害作用を有し，不眠症やうつ病を誘発することがあるので注意を要する．

(vii) 消化管障害

　インフルエンザウイルス治療薬の経口剤，ヘルペスウイルス治療薬のAra-A，CMV治療薬のPFAとLTV，HCV治療薬，HIV治療薬は胃腸障害の頻度が高い．

(viii) 電解質異常

　HIV治療薬のNRTIはγ-DNAポリメラーゼ阻害によりミトコンドリアDNAを欠乏させて乳酸産生を亢進し，乳酸アシドーシスを起こすことがある．

　CMV治療薬のPFAは，2価の金属イオンとキレートを形成して低カルシウム血症や低マグネシウム血症などの電解質異常を起こす．

(ix) リポジストロフィー

　HIV治療薬のPIは，脂質の代謝異常や脂肪の分布異常により腹部内臓脂肪が増加して手足・顔面の皮下脂肪が減少するリポジストロフィー（脂肪異栄養症）を起こすことがある．

b. ウイルス治療薬の薬物相互作用

　ウイルス治療薬の相互作用による併用禁忌薬を表XIII-10と表XIII-11（HIV治療薬）に示す．

(i) 薬力学的相互作用

(1) ホスカルネット（PFA）とペンタミジン（PM）との相互作用

　CMV治療薬のPFAはニューモシスチス肺炎治療薬のPMと併用禁忌である（p.361参照）．

(2) ジブトシン（AZT）とイブプロフェンの相互作用

　HIV治療薬のNRTIのジブトシン（AZT）は，機序は不明であるが，血友病患者でイブプロフェンとの併用で出血傾向を助長するため併用禁忌ある．

(ii) 薬物動態学的相互作用

(1) チトクロームP450の阻害

　CMV治療薬のLTVはCYP3A4阻害によりピモジドの血中濃度を上昇させQT延長，クリアミン®やエルゴタミンの血中濃度を上昇させ麦角中毒を誘発するため併用禁忌である．

　HCV治療薬のNS3/4Aプロテアーゼ阻害薬のグラゾプレビル（GZR）はCYP3A4阻害によりシクロスポリン，アタザナビル（ATV），ダルナビル（DRV），ロピナビル・リトナビル配合剤（カレトラ®）の血中濃度を上昇させ，アスナプレビル（ASV）はCYP3A4を阻害してイトラコナゾール（ITCZ），クラリスロマイシン（CAM）など20薬剤以上の血中濃度を上昇させ副作用を増強するため併用禁忌である（表XIII-10）．

　HIV治療薬のNNRTIのエファビレンツ（EFV）はCYP3A4への競合的阻害によりトリアゾラム，ミダゾラムなど9薬剤の血中濃度を上昇させ副作用を増強するため併用禁忌である．

　HIV治療薬のPIはCYP3A4への競合的阻害により多くの薬剤の血中濃度を上昇させ副作用を増強する．例えば，ホスアンプレナビル（FPV）はベプリジル，バルデナフィルなど5薬剤以上，ATVはイリノテカン，シンバスタチンなど20薬剤以上，DRVはブロナンセリン，アゼルニジピンなど15薬剤以上，リトナビル（RTV）はプロパフェノン，アミオダロンなど30薬剤以上と併用禁忌である．同様に，PI配合剤のカレトラ®とプレジコビックス®やPI/INSTI配合剤のスタリビルド®（またはゲンボイヤ®）とシムツーザ®もCYP3A4阻害により多くの併用禁薬剤がある．なお，RTV含有配合剤のカレトラ®の方が禁忌薬剤が少ないのはRTVの含有量が少ないからである．また，RTV，DRV，カレトラ®はCYP3A4阻害により肝・腎障害患者でコルヒチンの血中濃度を上昇させるため併

用禁忌である（**表 XIII-11**）.
(2) チトクローム P450 の誘導

　ヘルペスウイルス治療薬の AMNV と HIV 治療薬の PI のホスアンプレナビル（FPV）はリファンピシン（RFP）の CYP3A4 誘導作用，HIV 治療薬の PI のアタザナビル（ATV）と HBV 治療薬のテノホビルアラフェナミド（TAF）は RFP とセント・ジョーンズ・ワート（SJW）含有食品の CYP3A4 誘導作用，HIV 治療薬の NNRTI のエトラビリン（ETV）は ASV の CYP3A4 誘導作用により作用が減弱するので併用禁忌である（**表 XIII-10, 11**）.

　HCV 治療薬の NS3/4A プロテアーゼ阻害薬の GZR はリファブチン，エファビレンツなど 5 薬剤以上，ASV はデキサメタゾン（全身投与），モダフィニルなど 10 薬剤以上，NS5A 複製複合体阻害薬のダクラタスビル（DCV）とエルバスビル（EBR）はフェニト

表 XIII-10　ウイルス治療薬（HIV 治療薬以外）の相互作用（併用禁忌）

分類		対象薬	併用禁忌薬	有害反応/効果減弱
ヘルペスウイルス治療薬		ビダラビン	ペントスタチン	対象薬の副作用増強
		アメナメビル	リファンピシン	対象薬の作用減弱
CMV 治療薬		ホスカルネット	ペンタミジン	腎障害・低 Ca 血症増強
		レテルモビル	ピモジド エルゴタミン含有製剤：クリアミン®，エルゴメトリン，メチルエルゴメトリン	QT 延長，心室性不整脈 麦角中毒
HCV 治療薬	NS3/4A PI	グラゾプレビル	シクロスポリン，アタザナビル，ダルナビル，カレトラ®	併用薬の BDC ↑ （→副作用増強）
			カルバマゼピン，フェニトイン，ホスフェニトイン，フェノバルビタール，リファンピシン，リファブチン，エファビレンツ，SJW 含有食品	対象薬の作用減弱
		アスナプレビル	イトラコナゾール，フルコナゾール，ホスフルコナゾール，ボリコナゾール，ミコナゾール（経口/注射），クラリスロマイシン，エリスロマイシン，ジルチアゼム，ベラパミル，フレカイニド，プロパフェノン，リトナビル，アタザナビル，ダルナビル，ネルフィナビル，ホスアンプレナビル，カレトラ®，スタリビルド®，ゲンボイヤ®，プレジコビックス®，シムツーザ®	併用薬の BDC ↑ （→副作用増強）
			グラゾプレビルの対象薬＋デキサメタゾン（全身投与），モダフィニル，エトラビリン，ネビラピン，ボセンタン，シクロスポリン	対象薬の作用減弱
	NS5A RCI	ダクラタスビル	グラゾプレビルの対象薬（－エファビレンツ）＋デキサメタゾン（全身投与）	対象薬の BDC ↓ （→作用減弱）
		エルバスビル	グラゾプレビルの対象薬と同様	
	NS5B I	ソホスブビル	カルバマゼピン，フェニトイン，リファンピシン，SJW 含有食品	
HBV 治療薬	NRTI	テノホビルアラフェナミド	リファンピシン，SJW 含有食品	

クリアミン®：エルゴタミン/無水カフェイン/イソプロピルアンチピリン，カレトラ®：ロピナビル/リトナビル，スタリビルド®：エルビテグラビル/コビシスタット/エムトリシタビン/テノホビルジソプロキシル，ゲンボイヤ®：エルビテグラビル/コビシスタット/エムトリシタビン/テノホビルアラフェナミド，プレジコビックス®：ダルナビル/コビシスタット，シムツーザ®：ダルナビル/コビシスタット/エムトリシタビン/テノホビルアラフェナミド
CMV：サイトメガロウイルス，HCV：C 型肝炎ウイルス，HBV：B 型肝炎ウイルス，NS3/4A PI：NS3/4A プロテアーゼ阻害薬，NS5A RCI：NS5A 複製複合体阻害薬，NS5B I：NS5B ポリメラーゼ阻害薬，NRTI：核酸系逆転写酵素阻害薬，SJW：セント・ジョーンズ・ワート，BDC：血中薬物濃度

表 XIII-11 HIV 治療薬の相互作用（併用禁忌）

分類	対象薬	併用禁忌薬	有害反応/効果減弱
NRTI	ジドブジン	イブプロフェン	出血傾向増強
NNRTI	ネビラピン	経口避妊薬	併用薬の作用減弱
	エファビレンツ	トリアゾラム，ミダゾラム，クリアミン®，エルゴメトリン，メチルエルゴメトリン，ボリコナゾール シメプレビル，アスナプレビル，エルバスビル，グラゾプレビル	併用薬の BDC ↑（→副作用増強） 併用薬の作用減弱
	リルピビリン	リファンピシン，カルバマゼピン，フェノバルビタール，フェニトイン，ホスフェニトイン，デキサメタゾン（全身投与），PPI，セイヨウオトギリソウ（SJW）含有食品	対象薬の作用減弱
	エトラビリン	アスナプレビル	対象薬の作用減弱
PI	ホスアンプレナビル	ベプリジル，ピモジド，トリアゾラム，ミダゾラム，クリアミン®，エルゴメトリン，メチルエルゴメトリン，バルデナフィル リファンピシン	併用薬の BDC ↑（→副作用増強） 対象薬の作用減弱
	アタザナビル	ホスアンプレナビルの対象薬（-ベプリジル）+イリノテカン，シンバスタチン，ロミタピド，ブロナンセリン，アスナプレビル，アゼルニジピン，リバーロキサバン，リオシグアト，グラゾプレビル，マヴィレット®，PPI リファンピシン，+SJW 含有食品	併用薬の BDC ↑（→副作用増強） 対象薬の作用減弱
	ダルナビル	ホスアンプレナビルの対象薬（-ベプリジル，リファンピシン）+シルデナフィル：レバチオ®，タダラフィル：アドシルカ®，ブロナンセリン，アゼルニジピン，アスナプレビル，グラゾプレビル，リバーロキサバン +コルヒチン投与中の肝・腎障害	併用薬の BDC ↑（→副作用増強） コルヒチンの BDC ↑
	カレトラ®	ダルナビルの対象薬（-アスナプレビル）+ロミタピド，リオシグアト，ボリコナゾール コルヒチン投与中の肝・腎障害 +ボリコナゾール	併用薬の BDC ↑（→副作用増強） コルヒチンの BDC ↑ 併用薬の作用減弱
	リトナビル	カレトラ®の対象薬（-グラゾプレビル）+キニジン，フレカイニド，プロパフェノン，アミオダロン，ピロキシカム，アンピロキシカム，エレトリプタン，リファブチン，ジアゼパム，クロラゼプ酸二カリウム，エスタゾラム，フルラゼパム コルヒチン投与中の肝・腎障害 ボリコナゾール	併用薬の BDC ↑（→副作用増強） コルヒチンの BDC ↑ 併用薬の作用減弱
	プレジコビックス®	スタリビルド®の対象薬+グラゾプレビル，チカグレロル スタリビルド®の対象薬と同様	併用薬の BDC ↑（→副作用増強） 対象薬の作用減弱
INSTI	スタリビルド® ゲンボイヤ®	ピモジド，トリアゾラム，ミダゾラム，クリアミン®，エルゴメトリン，メチルエルゴメトリン，バルデナフィル，レバチオ®，アドシルカ®，ブロナンセリン，アゼルニジピン，アスナプレビル，バニプレビル，シンバスタチン，ロミタピド，リバーロキサバン カルバマゼピン，フェノバルビタール，フェニトイン，ホスフェニトイン，リファンピシン，SJW 含有食品	併用薬の BDC ↑（→副作用増強） 対象薬の作用減弱
	ビクタルビ®	スタリビルド®の対象薬と同様	対象薬の作用減弱
	シムツーザ®	スタリビルド®の対象薬+グラゾプレビル，チカグレロル スタリビルド®の対象薬と同様	併用薬の BDC ↑（→副作用増強） 対象薬の作用減弱

クリアミン®：エルゴタミン/無水カフェイン/イソプロピルアンチピリン，マヴィレット®：グレカプレビル/ピブレンタスビル，カレトラ®：ロピナビル/リトナビル，プレジコビックス®：ダルナビル/コビシスタット，スタリビルド®：エルビテグラビル/コビシスタット/エムトリシタビン/テノホビルジソプロキシル，ゲンボイヤ®：エルビテグラビル/コビシスタット/エムトリシタビン/テノホビルアラフェナミド，ビクタルビ®：ビクテグラビルナトリウム・エムトリシタビン・テノホビルアラフェナミド，シムツーザ®：ダルナビル/コビシスタット/エムトリシタビン/テノホビルアラフェナミド
NRTI：核酸系逆転写酵素阻害薬，NNRTI：非核酸系逆転写酵素阻害薬，PI：プロテアーゼ阻害薬，INSTI：インテグラーゼ阻害薬，PPI：プロトンポンプ阻害薬；オメプラゾール，ランソプラゾール，ラベプラゾール，エソメプラゾール，ボノプラザン，SJW：セント・ジョーンズ・ワート，BDC：血中薬物濃度

イン，SJW 含有食品など5薬剤以上，NS5B ポリメラーゼ阻害薬のソホスブビル（SOF）はカルバマゼピン，フェニトイン，リファンピシン，SJW 含有食品の CYP3A4 誘導作用により血中濃度が低下するため併用禁忌である（表 XIII-10）．

HIV 治療薬の NNRTI のリルピビリン（RPV）はフェニトイン，カルバマゼピンなど10薬剤以上，PI/INSTI 配合剤のスタリビルド®（またはゲンボイヤ®），ビクタルビ®，シムツーザ®はフェノバルビタール，ホスフェニトインなど5薬剤以上の CYP3A4 誘導作用により血中濃度が低下するため併用禁忌である（表 XIII-11）．

HIV 治療薬の NNRTI の EFV は CYP3A4 阻害作用によりシメプレビル（SMV），ASV，EBR，GZR の血中濃度を下げるため併用禁忌である．抗 HIV 薬の PI の RTV とカレトラ®は CYP3A4 誘導作用により VRCZ の血中濃度を下げるため併用禁忌である（表 XIII-11）．

(3) アデノシンデアミナーゼ（ADA）酵素の阻害

CMV 治療薬の Ara-A は，抗悪性腫瘍薬のペントスタチンによる ADA 酵素の阻害により血中濃度が上昇して腎不全，肝不全，神経毒性などの重篤な副作用を誘発するので併用禁忌である．

(4) 機序不明の相互作用

HIV 治療薬の NNRTI のネビラピン（NVP）はエチニルエストラジオール，ノルエチンドロンなどの経口避妊薬の血中濃度を下げるため併用禁忌である．

5 抗感染症療法の実際

a. 感染症の診断

感染症の診断には大きく三つの項目，すなわち炎症所見，臓器症状，起因菌の同定が必要である．そのため，医療面接により患者の主訴，現病歴，既往歴などを問診し，視診，聴診，触診，打診により身体所見を診察し，生化学・血液検査など一般検査により感染症の部位や重症度および基礎疾患の有無を診断する（図 XIII-4）．例えば，肺炎の場合，発熱，呼吸数の増加，白血球数の増加，好中球の左方移動（好中球の動員），C 反応性タンパク質 C-reactive protein（CRP）の上昇，胸部 X 線陰影画像などは有力な診断根拠になるが，重症度分類では血圧，酸素濃度，尿素窒素 blood urea nitrogen（BUN）または脱水，意識障害，年齢の5項目のうち5指標ともまったくもたない肺炎を軽症，1または2件の指標をもつ肺炎を中等症，3件以上を有する肺炎を重症，4または5件を有する肺炎を超重症としている．また，重症度分類により，治療の場を軽症肺炎は外来治療，中等症肺炎は入院または外来治療，重症は一般病棟入院，超重症肺炎は集中治療室 intensive care unit（ICU）入院としている．

b. エンピリック治療

感染部位や重症度を診断した後，図 XIII-4 に示すように細菌検査を実施して起因菌を同定する順序をたどるが，起因菌の同定と同時に薬剤の感受性試験も行い，耐性菌の把握や治療薬の選択の指針に役立てる．しかし，臨床の現場では，肺炎球菌，レジオネラ，インフルエンザウイルスなどの迅速診断キットによる検査は例外として起因菌の同定には数日間かかってしまうのが現状である．その数日間に感染症が進行して重篤な状態に陥るケースが予想される．そこで登場する治療法がエンピリック治療 empiric therapy である．起因菌が同定される前に，感染部位や重症度を基に過去の感染微生物の出現頻度のデータから最適な抗微生物薬を選択して治療を行うことである．その意味で，抗微生物薬の第一選択はエンピリック治療に起因しており，エンピリック治療を支える情報として当該医療機関あるいは地域での病原微生物に関する疫学データが重要となる．

c. 抗微生物薬（とくに抗菌薬）の選択

細菌感染症の場合，薬剤感受性試験結果の MIC 値が最も低値の薬剤が最適な抗菌薬として選択される場合が多い．しかし，MIC 値は試験管内での抗菌薬と病原菌の関係を示すもので，感染症患者の感染部位における抗菌薬と病原菌の関係を反映するものではない．すなわち，感染症患者における抗菌薬の選択は，$in\ vitro$ における MIC 値に加えて，患者の病態，基礎疾患，感染部位，抗菌薬の体内動態および副作用など

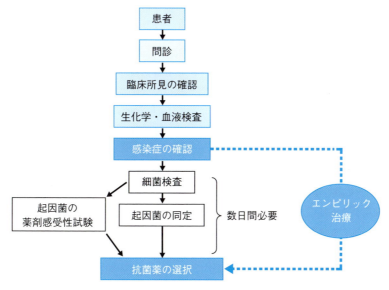

図XIII-4 感染症の診断とエンピリック治療

の要因を考慮して判断されなければならない．そこで，欧米ではブレイクポイント break point（**BP**）の概念が早くから臨床の現場に導入されている．BP・MICは，抗菌薬の血中濃度（C_{max}），作用時間（$T_{1/2}$），組織移行性（＝最高組織内濃度/最高血中濃度），抗菌作用特性（PAE，殺菌および静菌作用）の4項目により求められ，in vitro の MIC 値が BP・MIC 値以下の菌種であれば，80%以上の臨床効果が期待できるとしている．日本化学療法学会では，複雑性尿路感染症，呼吸器感染症，敗血症について BP・MIC を公表している．BP・MIC が高い薬剤は，有効性が期待できる MIC 幅が広いことを意味し，BP・MIC は特定の起因菌による特定の感染症における抗菌薬の選択の一つの指針となる．しかし，BP・MIC は比較的全身状態の良好な患者群の臨床成績から導かれたもので，肝・腎機能障害や宿主免疫不全にともなう重症感染症ではそのまま適用できず，TDM に基づいた投与量の増減が必要となる．

d. 耐性菌出現の防止対策

薬剤耐性菌の出現は，日和見感染や院内感染と関連する．薬剤耐性菌はそれ自体の毒力が弱いものが多く，健常者に感染しても疾患の原因になることは少ない．しかし，免疫機能が低下した状態にある易感染者では，弱毒性の病原体によっても感染症（日和見感染症）を発症する場合がある．病院などの医療機関では，易感染者が多いのに加えて，多種類の抗微生物薬が使用される機会が多いため，病原体が薬剤耐性を獲得する機会が多く，院内感染が発生しやすい状況にある．

薬剤耐性菌の出現を防ぐためには，計画的な化学療法の実施と薬剤耐性菌の発生状況の監視と把握が必要である．耐性獲得を防ぐために，起因菌にのみ著効を示す抗菌薬を単独投与し，短期間のうちに治療して起因菌が耐性を獲得する前に速やかに排除し，起因菌以外の常在微生物が耐性を獲得する機会をなくすことが理想的な抗菌薬療法である．しかし，多くの抗菌薬療法は，起因菌が特定されないうちにエンピリック治療を実施せざるを得ないため，特定の起因菌に著効を示し，抗菌スペクトラムの狭い薬剤を選択することは困難である．そこで，治療と並行して起因菌の分離と薬剤感受性試験を進め，有効な薬剤が判明した時点で，広域性抗菌薬から起炎菌の感受性に絞った狭域スペクトラムの抗菌薬に切り替えるデ・エスカレーション de escalation という抗菌薬療法が行われている．

一方，HIV 感染症や結核などの慢性疾患の場合，起因菌が宿主に潜伏感染しているため，有効な薬剤であっても短期間の投与では十分に排除できず，長期に

わたる投与が必要になる．このような場合では，起因菌が耐性を獲得する機会が多いため，作用機序が異なる複数の薬剤を併用（多剤併用）し，計画にそった服薬（服薬指導）を徹底することが重要である．

近年，わが国では抗菌スペクトラムと抗菌力に優れたカルバペネム系薬の乱用により，カルバペネム耐性緑膿菌が急増している．そこで，耐性菌の出現を防ぐために緑膿菌に有効な抗菌薬を四つのクラス（第四世代セフェム系薬，フルオロキノロン系薬，カルバペネム系薬，β-ラクタマーゼ阻害薬配合広域ペニシリン系薬）に分けて，使用を3ヵ月ごとにローテーションして行うサイクリング療法も試みられている．

感染症の発生状況を監視し，把握することも重要な感染対策である．感染症法に基づいてバンコマイシン耐性黄色ブドウ球菌（VRSA），VRE，カルバペネム耐性腸内細菌科細菌（CRE），多剤耐性アシネトバクター（MDRA）（以上全数把握→発生後7日以内），ペニシリン耐性肺炎球菌（PRSP），MRSA，薬剤耐性緑膿菌（MDRP）（以上定点把握→月単位）の7種類の薬剤耐性菌による感染症が五類感染症に指定され，届け出が義務づけられている．

e. 年齢・生理的要因に応じた抗感染症療法

(i) 新生児・小児における抗感染症療法

小児感染症の病因微生物と抗微生物療法は表XIII-12に示す．新生児・小児では病因微生物，抗微生物薬の体内動態および副作用が成人と異なるため，小児感染症の抗微生物療法には慎重な配慮が必要である．新生児期は腎や肝機能が未熟であるが，肝代謝酵素は生後6ヵ月頃から上昇して4歳頃に成人レベルとなり，GFRも生後6ヵ月頃から急上昇して3歳頃に成人レベルに達する．体重換算した抗微生物薬の小児用量が成人量を超えている場合が少なくないが，これは肝臓や腎臓の体重当たりの重量が成人と比較して小児期に重いことに起因している．また，新生児ではキノロン系薬（TFLX除く），クロラムフェニコール系薬，ST合剤，小児ではキノロン系薬（NFLXとTFLX除く）は禁忌で，8歳未満はテトラサイクリン系薬は原則使用しない（p.372参照）．

新生児期の感染症では呼吸器感染症，皮膚感染症，尿路感染症などが問題となるが，重篤な感染症として敗血症と髄膜炎がある．敗血症や髄膜炎の起炎菌であるB群溶血性レンサ球菌 Group B Streptococcus（GBS）感染症は代表的な新生児感染症で敗血症ではアンピシリン（ABPC）静注または点滴1回25 mg・1日2～4回＋セフォタキシム（CTX）静注または点滴1回50 mg・1日2～4回，髄膜炎ではABPC静注または点滴1回50 mg・1日2～4回＋GM点滴1回2.5 mg・1日2～3回と新生児期は免疫防御能が低いため濃厚な治療を行う．

小児期の感染では一般的には呼吸器感染症，皮膚感染症，尿路感染症および腸管感染症，重症例では敗血症や髄膜炎が問題となる．上気道炎のA群溶血性レンサ球菌 Group A Streptococcus（GAS）感染症は急性咽頭炎から全身性の猩紅熱を発症させることがあり，アモキシシリン（AMPC）経口・1回10～20 mg/kg・1日3回（咽頭炎5日間，猩紅熱10日間）などの治療を行う．市中肺炎は起炎菌が肺炎球菌やインフルエンザ菌で，軽症ではABPC経口・1回10～15 mg/kg・1日3回，中等症以上ではABPC静注または点滴・1回30～50 mg/kg・1日3回，院内肺炎は起炎菌に腸内細菌，黄色ブドウ球菌，緑膿菌などが加わるため，軽症・中等症ではセフタジジム（CAZ）静注または点滴・1回50 mg/kg・1日3回，重症ではMEPM静注または点滴・1回20 mg/kg・1日3回の治療を行う．

非定型肺炎ではマイコプラズマ肺炎が大部分を占め，とくに乳幼児や学童に多く，飛沫感染や接触感染するため集団感染する場合が少なくない．アジスロマイシン（AZM）経口・1回10 mg/kg・1日1回・3日間，あるいはマクロライド耐性ではTFLX経口・1回6 mg/kg・1日2回・10日間の治療を行う．

皮膚感染症は起炎菌がブドウ球菌の蜂窩織炎では軽症に①CVA/AMPC（1：14製剤）経口・1回48.2 mg/kg・1日2回，②セファレキシン（CEX）経口・1回10～25 mg/kg・1日4回などを投与し，市中感染にはミノサイクリン（MINO）経口・1回1～2 mg/kg・1日2回，中等症ではスルバクタム/アンピシリン（SBT/ABPC）点滴・1回25～50 mg/kg・1日4回，重症で

表 XIII-12　小児感染症の病因微生物と抗微生物療法

疾患領域		原因微生物	抗微生物薬療法
新生児期	皮膚感染症	黄色ブドウ球菌（熱傷様皮膚症候群）	CEZ 点滴/静注 1 回 20〜40 mg/kg・1 日 3 回
		ヘルペスウイルス（小水疱性発疹）	ACV 点滴 1 回 10〜20 mg/kg・1 日 3 回
	尿路感染症	腸内細菌，緑膿菌	ABPC 点滴/静注 + GM 点滴
	肺炎	B 群溶血性レンサ球菌，大腸菌，ブドウ球菌，リステリア菌	ABPC 点滴/静注 + CTX 点滴・静注 院内肺炎：CAZ 点滴/静注 + GM 点滴/AMK 点滴
	敗血症		ABPC 点滴/静注 + CTX 点滴/静注
	髄膜炎		ABPC 点滴/静注 + GM 点滴
小児期	皮膚感染症	ブドウ球菌（蜂窩織炎，蜂巣炎）	軽症：7 日間，① CVA/AMPC（1：14）経口 1 回 48.2 mg/kg・1 日 2 回，② CEX 経口 1 回 10〜25 mg/kg・1 日 4 回 市中感染（MRSA）：7 日間，MINO 経口 1 回 1〜2 mg/kg・1 日 2 回 中等症：① SBT/ABPC 点滴 1 回 25〜50 mg/kg・1 日 4 回，② CEZ 点滴 1 回 20〜40 mg/kg・1 日 3 回 重症：VCM 併用も考慮，MEPM 点滴 1 回 10〜30 mg/kg・1 日 3 回
		A 群溶血性レンサ球菌（痂皮性膿痂疹）	投与期間：10 日間，① AMPC 経口 1 回 5〜10 mg/kg・1 日 3〜4 回，② CVA/AMPC（1：14）経口 1 回 48.2 mg/kg・1 日 2 回
		ヘルペスウイルス（単純疱疹，水痘，突発性発疹）	単純疱疹・水痘：ACV 経口・1 回 20 mg/kg・1 日 4 回 突発性発疹：対症療法（アセトアミノフェンなど）
		コクサッキーウイルス，エンテロウイルス（手足口病）	対症療法（抗ヒスタミン薬，アセトアミノフェンなど）
	上気道炎	A 群溶血性レンサ球菌（急性咽頭炎，猩紅熱）	咽頭炎：5 日間，猩紅熱：10 日間 ① AMPC 経口 1 回 10〜20 mg/kg・1 日 3 回 ② CFDN 経口 1 回 3〜6 mg/kg・1 日 2 回 ③ CDTR-PI 経口 1 回 3 mg/kg・1 日 3 回
		インフルエンザウイルス	乳児：OSV 経口 1 回 3 mg/kg・1 日 2 回 5 日間，37.5 kg 未満：OSV 経口 1 回 2 mg/kg・1 日 2 回 5 日間，37.5 kg 以上：OSV 経口 1 回 75 mg・1 日 2 回 5 日間，吸入可能：ZNV 吸入 1 回 10 mg・1 日 2 回 5 日間
		風疹ウイルス，麻疹ウイルス	ワクチン接種
		ライノウイルス，コロナウイルス，RS ウイルス，アデノウイルス	対症療法（鎮咳薬，抗ヒスタミン薬，アセトアミノフェンなど）
	中耳炎	肺炎球菌，インフルエンザ菌	中等症以上：5 日間，① AMPC 経口 1 回 25〜30 mg/kg・1 日 3 回，② CVA/AMPC（1：14）経口 1 回 48.2 mg/kg・1 日 2 回，③ CDTR-PI 経口 1 回 6 mg/kg・1 日 3 回
	気管支炎	肺炎球菌，インフルエンザ菌（市中肺炎）＋腸内細菌，黄色ブドウ球菌，緑膿菌（院内肺炎）	市中肺炎：軽症；ABPC 経口 1 回 10〜15 mg/kg・1 日 3 回，中等症以上：ABPC 点滴/静注 1 回 30〜50 mg/kg・1 日 3 回 院内肺炎：軽症・中等症；CAZ 点滴静注 1 回 50 mg/kg・1 日 3 回，重症：MEPM 点滴/静注 1 回 20 mg/kg・1 日 3 回
	肺炎		
		マイコプラズマ（非定型肺炎）	AZM 経口 1 回 10 mg/kg・1 日 1 回・3 日間 マクロライド耐性：TFLX 経口 1 回 6 mg/kg・1 日 2 回・10 日間
	尿路感染症	大腸菌	① CEZ 点滴/静注 1 回 30〜40 mg/kg・1 日 3 回 ② CMZ 点滴/静注 1 回 30〜40 mg/kg・1 日 3 回
	腸管感染症	サルモネラ，大腸菌	FOM 経口 1 回 10〜40 mg/kg・1 日 3〜4 回 5 日間
		カンピロバクター	CAM 経口 1 回 5〜7.5 mg/kg・1 日 2〜3 回 5 日間
		ロタウイルス，ノロウイルス	ロタウイルス：ワクチン接種 ノロウイルス：対症療法（経口補給液，整腸薬など）
	敗血症	肺炎球菌，インフルエンザ菌，ブドウ球菌	① CTRX 点滴/静注 1 回 50〜100 mg/kg・1 日 2 回，② CTX 点滴/静注 1 回 50 mg/kg・1 日 4 回，MRSA：VCM 点滴 1 回 15 mg/kg・1 日 4 回
	髄膜炎		① PAPM/BP 点滴 + CTX 点滴/静注，② MEPM 点滴 + CTRX 点滴/静注，③ VCM 点滴 + CTRX 点滴/静注，①②③ + DX 点滴
	全身性感染症	サイトメガロウイルス	① GCV 点滴 1 回 60 mg/kg・1 日 2 回 ② PFA 点滴 1 回 90 mg/kg・1 日 3 回
		EB ウイルス（伝染性単核症）	対症療法（アセトアミノフェンなど），ペニシリン系薬禁忌

ABPC：アンピシリン，ACV：アシクロビル，AMK：アミカシン，AMPC：アモキシシリン，AZT：アジスロマイシン，CAM：クラリスロマイシン，CAZ：セフタジジム，CEX：セファレキシン，CEZ：セファゾリン，CDTR-PI：セフジトレンピボキシル，CMZ：セフメタゾール，CTRX：セフトリアキソン，CTX：セフォタキシム，CVA/AMPC：クラブラン酸/アモキシシリン，DX：デキサメタゾン，FOM：ホスホマイシン，GCV：ガンシクロビル，GM：ゲンタマイシン，MEPM：メロペネム，MINO：ミノサイクリン，OSV：オセルタミビル，SBT/ABPC：スルバクタム/アンピシリン，TFLX：トスフロキサシン，ZNV：ザナミビル

はMEPM点滴・1回10〜30 mg/kg・1日3回の治療を行う．

腸管感染症は起炎菌がサルモネラや大腸菌ではホスホマイシン（FOM）経口・1回10〜40 mg/kg・1日3〜4回5日間，起炎菌がカンピロバクターではCAM経口・1回5〜7.5 mg/kg・1日2〜3回5日間の治療を行う．

(ii) 高齢者における抗感染症療法

市中肺炎の約3割，院内肺炎の約半数が80歳以上の高齢者といわれている．また，長期臥床中の高齢者は誤嚥性肺炎，気管支炎，慢性複雑性尿路感染症，褥瘡感染症などの頻度が高い．高齢者では，感染症の原因菌は若年者と同じであるが，加齢により抗菌薬の体内動態が変化するため副作用に慎重な配慮が必要である．高齢者では，潜在的に腎機能が低下しており，薬物の尿中排泄率が低くなり，薬物の$T_{1/2}$が延長し，AUCが増大する．

また，高齢者の薬物の副作用は，患者自身の訴えが乏しく気づかれにくいため重篤化しやすい．高齢者は，脱水に陥りやすく，胃酸分泌量や腸管運動が低下しているため，経口剤服用時に十分な水の摂取が重要である．

抗菌薬療法では，抗菌薬のC_{max}は成人と変わらないので，経口剤は常用量の使用が可能であるが，$T_{1/2}$が延長してAUCが増大するため，一般的に投与間隔は1日2回を基本とし，$T_{1/2}$が長い抗菌薬では1日1回とする．注射剤は，AUCが増大するため1回投与量を成人量の50〜70%を基準とし，静脈内投与では，$T_{1/2}$が短い抗菌薬は1日2回，$T_{1/2}$が長い抗菌薬は1日1回を基本とする．とくに，腎排泄型のアミノグリコシド系薬，グリコペプチド系薬，キノロン系薬およびβ-ラクタム系薬の用量と投与間隔に注意が必要であり，Ccr（p. 356参照）に応じた投与設計を行う必要がある．

抗真菌療法では，腎排泄型のフルオロピリミジン系薬は高齢者に対してCcrに応じた投与設計が必要であるが，胆汁排泄型のポリエンマクロライド系薬のAMPH-Bも腎毒性が強いため，高齢者ではノモグラムによる投与量の調整が必要である．

ウイルス治療薬療法では，腎排泄型のヘルペス治療薬やCMV治療薬は高齢者に対して注意が必要であり，Ccrに応じた投与設計が必要である．また，C型慢性肝炎では，高齢者は発癌リスクが高くなるため，早期のHCV治療薬療法が必要となる．

(iii) 妊婦における抗感染症療法

妊娠の薬物投与は，初期では胎児死亡や催奇形性，中期では胎児発育抑制，末期では胎児への移行が問題となるため，胎児に影響を与えない抗微生物薬に限定される．妊婦への抗菌薬の第一選択は，ペニシリン系薬とセフェム系薬である（表XIII-13）．とくに，セ

表 XIII-13 妊婦における抗微生物薬の選択

抗微生物薬	使用可能な薬剤	使用を避けたい薬剤	使用が禁忌な薬剤
抗菌薬	ペニシリン系薬 セフェム系薬 カルバペネム系薬 マクロライド系薬 クリンダマイシン系薬 ホスホマイシン系薬 グリコペプチド系薬	アミノグリコシド系薬 テトラサイクリン系薬 クロラムフェニコール系薬 オキサゾリジノン系薬	キノロン系薬 ST合剤* デラマニド メトロニダゾール（妊娠3ヵ月まで）
抗ウイルス薬	抗インフルエンザ薬 抗HIV薬（一部） 抗肝炎ウイルス薬（一部）	抗ヘルペス薬 抗HIV薬（一部） 抗肝炎ウイルス薬（一部）	抗CMV薬 ファビピラビル リバビリン ダクラタスビル
抗真菌薬	アリルアミン系薬	キャンディン系薬 ポリエンマクロライド系薬	フルオロピリミジン系薬 アゾール系薬

*ST合剤：スルファメトキサゾールとトリメトプリムの合剤

フェム系薬は経胎盤性移行に優れ，前期破水時の羊水感染に有効である．第二選択は，マクロライド系薬，リンコマシン系薬およびホスホマイシン系薬である．マクロライド系薬はクラミジア感染症やトキソプラズマ症に用いられる．アミノグリコシド系薬（妊娠初期の投与で新生児の聴覚器障害），テトラサイクリン系薬（胎児の骨組織沈着，歯牙黄色，先天性白内障），クロラムフェニコール系薬（グレイ症候群）およびオキサゾリジノン系薬（動物実験で胎児毒性）は避けるのが望ましい．キノロン系薬とサルファ剤は催奇形性の可能性が否定できないため禁忌である．また，メトロニダゾールは初期（妊娠3ヵ月迄）の投与は禁忌である．

抗真菌薬の妊婦への投与は，アリルアミン系薬のTBFは投与可能であるが，キャンディン系薬とポリエンマクロライド系薬のAMPH-Bは臨床上安全性が確立されていないため有益性＞安全性の場合に限り投与する．フルオロピリミジン系薬とアゾール系薬は禁忌である．

インフルエンザ治療薬のノイラミニダーゼ阻害薬，HIV治療薬のETV，RPV，ATV，DRV，DGV，マラビロク（MVC），肝炎ウイルス治療薬のASV，GZR，EBV，SOFなどは投与可能である．ヘルペス治療薬のACV，VACV，FCVとHIV治療薬のAZT，3TC，NVP，RTV，FPV，肝炎ウイルス治療薬のTAFなど（臨床上の安全性が確立していない）は有益性＞安全性の場合に限り投与する．ヘルペス治療薬のAra-A（動物実験で催奇形性の報告）は使用を避ける方が望ましい．CMV治療薬のGCVとVGCV，インフルエンザ治療薬のファビピラビル（FPV），肝炎ウイルス治療薬のRBVとDCVは禁忌である．

TORCH症候群（V章 p.162参照）の病原体が母体から胎児に移行した場合は重症化しやすく，子宮内胎児発育遅延，子宮内胎児死亡，先天奇形を生じる恐れがあるため，妊婦の治療は重要である．トキソプラズマ症は初感染（胎児感染に至っていない）の場合スピラマイシン（SPM）・1回300万単位・1日3～4回，梅毒はペニシリン系薬のアモキシシリン（AMPC）・1回500 mg・1日3回28日間で治療する．風疹は非妊娠時の抗体価検査やワクチン接種が重要である．

CMV感染は，出産児に対してガンシクロビル（GCV）点滴・1回60 mg/kg・1日2回などのCMV治療薬療法を行う（表XIII-10）．単純ヘルペスウイルス（SHV）感染は，アシクロビル（ACV）が用いられ，妊娠初期ではACV軟膏1日数回患部塗布，妊娠中～後期ではACV経口1回200 mg・1日5回5日間，重症例ではACV点滴・1回5 mg/kg・1日3回7日間の治療を行う．

f. 代表的感染症に対する抗微生物薬治療

(i) 呼吸器感染症

(1) 市中（肺炎球菌性）肺炎

肺炎球菌は細菌性肺炎で最も多い病原菌で，成人の市中肺炎の20～30％を占め，その30～50％がペニシリン中等度耐性肺炎球菌 penicillin-intermediate S.pneumoniae（PISP）+ ペニシリン耐性肺炎球菌 penicillin-resistant S.pneumoniae（PRSP）と考えられている．そのため，外来治療では経口剤が中心となり，第一選択はβ-ラクタマーゼ阻害薬配合ペニシリン系薬のスルタミシリン（SBTPC）経口剤（1回750 mg，1日3～4回）またはCVA/AMPC（1：2製剤）経口剤（1回（AMPCとして）500 mg，1日3～4回）である．第二選択薬はレスピラトリーキノロン薬のLVFX経口剤（1回500 mg，1日1回），ガレノキサシン（GRNX）（PRSPに強い）経口剤（1回400 mg，1日1回），MFLX経口剤（1回400 mg，1日1回），TFLX経口剤（1回300 mg，1日2回）などである．ただし，ニューキノロン系薬の使用は，活動性結核の存在がないことを厳重に検討してから投与する．入院治療では注射薬が中心となり，SBT/ABPCの点滴静注（1回3 g，1日3～4回）またはCTRXの点滴静注（1回1 g，1日2回）などを第一選択薬とし，LVFXの点滴静注（1回500 mg，1日1回）を第二選択薬として用いる．

(2) MRSA肺炎

MRSA（第VI章 p.160，第VII章 p.240参照）は院内感染で最も重要な細菌であるが，市中感染の起因菌として市中感染型MRSA community-acquired MRSA（CA-MRSA）も注目されている．MRSAの出

現と蔓延は，外来診療での第三世代セフェム系抗菌薬の多用と，術後の不適切な濃度のMRSA抗菌薬の使用により低感受性のMRSA株が交差感染したことが原因と考えられている．

MRSA定着の90％以上が鼻前庭であるため，術後の免疫低下などMRSA易感染患者で保菌が確定した場合は，原則としてMRSAの除菌を行う．鼻腔のMRSA除菌はムピロシン軟膏を1日3回，3日間鼻腔内塗布し，咽頭でMRSAが認められた場合はポビドンヨードガーグル液による1日数回の含嗽を併用する．また，術前に便細菌培養検査によりMRSAが検出された場合は，VCMの経口投与（1日0.5 g，1日4回）を行い，3日後の便細菌培養検査の結果で再評価する．

MRSAの抗菌薬治療開始の原則は，感染と診断した場合とする．長期化する術後管理では，感染状態か，定着状態かを評価することが大切である．血液，胸水，腹水などの本来無菌検体からの検出は炎症源と評価し，抗菌薬治療を開始する．一方，喀痰，皮膚，尿，便などの非無菌の検体より検出された場合は，局所症状と炎症所見（発熱，白血球数，CRPなど）により，感染か定着かを評価する．感染と評価した場合にのみ抗菌薬治療を行う．MRSAの抗菌薬療法は，第一選択として①オキサゾリジノン系薬のLZD点滴または経口剤（1回600 mg，1日2回），グリコペプチド系薬の②VCM点滴（1回1 g，1日2回），③TEIC点滴・2日間ローディング（1回400 mg，1日2回，3日目以降1回400 mg，1日1回）など，第二選択としてアミノグリコシド系薬のABK点滴（1回200 mg，1日1回）の治療を行う．ただし，VCM，TEICおよびABKはTDMによる投与管理が必要である（p.355参照）．

(3) レジオネラ肺炎

レジオネラ肺炎 legionellosis（第Ⅵ章 p.183参照）は非定型肺炎（異型肺炎）に分類され，感染力が弱く，健康な人にはあまり感染しないが，乳幼児や高齢者など免疫力の低い人に感染しやすい．レジオネラ肺炎は，通常ヒトからヒトへの感染はなく，市中肺炎の約5％を占め，その潜伏期間は2〜10日で全身倦怠感，頭痛，筋肉痛で始まり，高熱，悪心・嘔吐，呼吸困難，下痢，意識障害がみられるようになる．また，特徴的な神経症状として健忘，幻覚，振戦，小脳失調などが現れる．

レジオネラは，細胞内寄生菌で白血球やマクロファージなどの貪食細胞の中でも増殖するため，水溶性のβ-ラクタム系薬やアミノグリコシド系薬は無効である．細胞内・肺・気道への移行性の高いマクロライド系薬やキノロン系薬が用いられる（表XIII-2）．そのため，抗菌薬療法は①LVFX点滴（1回500 mg，1日1回），②CPFX点滴（1回300 mg，1日2回），③AZM点滴（1回500 mg，1日1回）などの治療を行う．なお，対症療法として去痰薬のアンブロキソール塩酸塩やカルボシステインが併用される．

(4) マイコプラズマ肺炎

マイコプラズマ肺炎 mycoplasma pneumonia（第Ⅵ章 p.176参照）は，代表的な非定型肺炎で，市中肺炎の約20％を占める．乳幼児・学童や若年者に多く，飛沫感染や接触感染するため，集団感染する場合が少なくない．

マイコプラズマは細胞壁を有していないため，細胞壁合成阻害薬であるβ-ラクタム系薬は無効である．したがって，治療には，タンパク質やDNA合成阻害薬であるマクロライド系薬，テトラサイクリン系薬およびキノロン系薬が用いられる．マクロライド系薬は副作用が少ないため小児科や内科領域で第一選択として用いられるが，近年マクロライド耐性菌が急増しており，マクロライド系薬の前投与がある場合の耐性率は90％以上，前投与がない場合の耐性率は50％以下と報告されている．そこで，マクロライド系薬の前投与がない場合は①AZM徐放製剤経口（1回2 g，単回投与），②CAM経口剤（1回200 mg，1日2回），前投与がある場合は①MINO経口剤（1回100 mg，1日2回），②LVFX経口剤（1回500 mg，1日1回）の治療法が推奨される．

(5) 市中（混合感染）肺炎

細菌性肺炎と非定型肺炎の混合感染も少なくないため，β-ラクタム系薬とマクロライド系薬の併用療法を行う場合もある．さらに，非定型病原体と市中肺炎で最も多い肺炎球菌に有効なレスピラトリーキノロン薬が用いられる場合も少なくない．レスピラトリーキ

ノロン薬として LVFX，TFLX，MFLX，GRNX，STFX および**ラスクフロキサシン**（LSFX）があるが，高齢者には **LVFX**，小児には **TFLX**，腎機能障害患者には **MFLX**，PRSP には **GRNX** を用いることが推奨されている．

(6) 結核

結核は感染後に一定の潜伏期を経て発症する慢性・進行性感染症で，肺（湿性咳，胸痛，呼吸困難が出現）に最も好発する．結核治療の基本的目標は，結核患者の体内の結核菌を撲滅することであるが，結核菌（第 VI 章 p.177 参照）は細胞内寄生菌で，増殖が遅く，**肉芽腫**を形成するため，抗菌薬が効きにくく，**長期間の抗菌薬治療**が必要となる．また，最短でも 6 ヵ月間の抗菌薬投与により結核菌の耐性化が起こってくるため，**多剤併用療法**が基本である．また，結核治療の基本は計画された薬剤が予定された期間確実に継続服薬されることであるため，**直接服薬確認療法** directly observed treatment（DOT，**直接観察療法**または**対面服薬療法**, directly observed therapy ともいう）を実施する．そのため，有効血中濃度と DOT 推進の観点から 1 日 1 回の投与法が原則である．

日本結核・非結核性抗酸菌症学会（旧日本結核病学会）は「結核医療の基準の改訂-2018 年」を発表している．初回標準治療では初期強化期として 2 ヵ月間 RFP 経口・1 回 10 mg/kg（最大 600 mg/日）〔または RBT 経口・1 回 5 mg（最大 300 mg/日）〕＋ INH 経口・1 回 5 mg/kg（最大 300 mg/日）＋ PZA 経口・1 回 25 mg/kg（最大 1,500 mg/日）＋ EB 経口・1 回 20 mg/kg（最大 1,000 mg/日）〔または SM 筋注・1 回 15 mg/kg・1 日 1 回（最大 750 mg/日）または週 3 回（最大 1,000 mg/日）〕で治療し，その後維持期として 4 ヵ月間 RFP 経口・1 回 10 mg/kg（最大 600 mg/日）〔または RBT 経口・1 回 5 mg（最大 300 mg/日）〕＋ INH 経口・1 回 5 mg/kg（最大 300 mg/日）を継続して全治療期間を 6 ヵ月（180 日）とする．

なお，下記の条件がある場合には維持期を 3 ヵ月延長して全治療期間 9 ヵ月（270 日）とすることができる．その条件は①結核再治療例，②治療開始時結核が重症（有空洞例，粟粒結核，結核性髄膜炎），③排菌陰性化遅延（初期強化治療後も培養陽性），④免疫低下を伴う合併症（HIV 感染，糖尿病，塵肺，関節リウマチなど），⑤免疫抑制剤等の使用（ステロイド剤，免疫抑制薬など），⑥その他（骨関節結核で病巣改善遅延など）である．

また，第二選択薬に LVFX，KM，エチオナミド（TH），エンビオマイシン（EVM），パラアミノサリチル酸（PAS），サイクロセリン（CS）があり，RFP，INH，PZA が使用できない場合に LVFX 経口・1 回 500 mg・1 日 1 回に代用できる．さらに，多剤耐性結核（MDR-TB）の治療薬にデラマニド（DLM）とベダキリン（BDQ）が承認されている．

(7) 非結核性抗酸菌症

非結核性（非定形）抗酸菌症（第 VI 章 p.178 参照）は，結核菌以外の抗酸菌による感染症で，大部分は肺の慢性感染症であるが，リンパ節炎や皮膚感染症もあり，AIDS などの細胞性免疫の低下状態では全身播種型の重篤な病態を呈することもある．わが国での非結核性抗酸菌症の 80% 近くは **MAC 症**（第 VI 章 p.178 参照）が占めている．結核菌がヒトからヒトへと感染するのと異なり，非結核性抗酸菌はヒトからヒトへと感染することはない．そのため，患者を隔離する必要はなく，入院が必要な患者でも一般病棟で管理するのが原則である．

MAC 症に対する有効薬剤は乏しく，とくに**肺 MAC 症**は難治であるため，結核のように完治させることが難しい．そのため，70 歳以上の結節・気管支拡張型で，とくに症状が軽微な場合は，診断基準を満たしても治療しないで経過観察することもある．70 歳未満で，とくに症状が強い場合や進行が早い場合には薬物治療の適応となる．現在，わが国で MAC 症に保険適用されている抗菌薬は CAM，RBT，RFP，EB，SM および KM である．**CAM** 経口・1 回 600 〜 800 mg・1 日 1 回（800 mg → 1 日 2 回）＋ **RFP** 経口・1 回 300 〜 600 mg・1 日 1 回（RFP に効果がない場合：**RBT** 経口・1 回 300 mg に変更）＋ **EB** 経口・1 回 500 〜 750 mg・1 日 1 回の併用で，重症例では初期 2 〜 3 ヵ月間週に 2 〜 3 回 SM 筋注・1 回 15 mg/kg を加える．このレジメン regimen を排菌陰性化から 1 年間続けるというのが一般的な薬物療法となっている．このレジメンで 80% 近くの症例が排菌陰性化を認めるが，排菌

陰性化が治癒とは限らず，治療終了後再排菌する例も認められる．

(8) インフルエンザ

インフルエンザは，インフルエンザウイルス influenza virus による感染症で，流行性のインフルエンザは A 香港型（H3N2），A ソ連型（H1N1），B 型，および新型（H1N1）があり，感染 1 ～ 3 日の潜伏期間後，38℃ 以上の高熱や筋肉痛などの全身症状が現れる．健常人は 1 週間後治癒に向かうが，65 歳以上の高齢者や慢性疾患患者は気管支炎や肺炎を併発しやすく，小児ではインフルエンザ脳症を呈し重篤化する場合がある．ワクチン接種で予防できる．流行シーズンを迎える前の 11 月頃の接種が推奨される．原則的に 13 歳未満は 2 回接種で，1 回目接種 2 ～ 4 週後に 2 回目を接種する．効果は約 2 週間後から現れ，約 5 ヵ月間の持続が期待できる．65 歳以上の高齢者は定期接種の対象になっている．迅速診断キットとノイラミニダーゼ阻害薬の登場により，診断と治療は格段に向上した．現在，わが国では抗ウイルス薬にはアマンタジン（A 型のみ）の他にノイラミニダーゼ阻害薬 4 種類とポリメラーゼ阻害薬 1 種類が承認されている．ノイラミニダーゼ阻害薬のオセルタミビル（OSV）は 1 回 75 mg・1 日 2 回 5 日間経口，ザナミビル（ZNV）は 1 回 10 mg（2 ブリスター）・1 日 2 回 5 日間吸入，ラニナミビルは 1 回 40 mg（2 容器）・単回吸入，ペラミビルは 1 回 300 mg・単回点滴（重症は 1 回 600 mg・複数回可）で治療するが，症状発現後 48 時間以内の使用が有効性を左右する．キャップ依存性エンドヌクレアーゼ阻害薬のバロキサビルは 1 回 40 mg・単回経口投与．ポリメラーゼ阻害薬のファビピラビルは国家備蓄（パンデミック流行）用で 1 日目：1 回 1600 mg・1 日 2 回，2 ～ 5 日目：1 回 600 mg・1 日 2 回投与し，既存の薬剤が無効な新型や再興型インフルエンザウイルスの出現に限って使用が認められるが，新型コロナウイルス感染症（COVID-19）にも有効性が報告され，2020 年に臨床試験が行われている．

(ii) 発熱性好中球減少症

発熱性好中球減少症 Febrile Neutropenia（FN）は，抗癌化学療法に伴って好中球減少と発熱を呈する．末梢血好中球 500/mm^2 未満，もしくは 48 時間以内に末梢血好中球 500/mm^2 未満が予想される + 1 回の腋窩体温 37.5℃ 以上，もしくは口腔体温 38.0℃ 以上である．FN では消化管，抗癌薬による粘膜障害の部位，気道，血管内カテーテルのデバイス刺入部などから緑膿菌などのグラム陰性桿菌，ブドウ球菌（MRSA 含む）などのグラム陽性球菌，ときにカンジダやアスペルギルスなど真菌の感染が 20 ～ 30% に起こっていると考えられる．

抗微生物療法では，低リスク群では①LVFX 経口・1 回 500 mg・1 日 1 回，②CVA/AMPC 経口・1 回（AMPC として）250 mg・1 日 4 回などを投与する．高リスク群では①TAZ/PIPC 点滴・1 回 4.5 g・1 日 4 回，②MEPM 点滴・1 回 1 g，1 日 3 回，③セフェピム（CFPM）点滴・1 回 2 g・1 日 3 回などに①GM 点滴・1 回 5 mg/kg・1 日 1 回，②TOB 点滴・1 回 5 mg/kg・1 日 1 回，③AMK 点滴・1 回 15 mg/kg・1 日 1 回などを投与する．なお，抗菌薬療法を行って 1 週間以上好中球減少や発熱が継続する場合は①MCFG 点滴・1 回 150 ～ 300 mg・1 日 1 回，②CPFG 初日 1 回 70 mg・1 日 1 回，2 日以降 1 回 50 mg・1 日 1 回，③ボリコナゾール（VRCZ）点滴・初日 1 回 6 mg/kg・1 日 2 回，2 日目以降は 1 回 3 ～ 4 mg/kg・1 日 1 回などの抗真菌療法を併用する．

(iii) 性感染症

性感染症（STD）は，性的な接触により病原微生物に感染することによって生じる疾患である．わが国で多い STD は，性器クラミジア感染症（第 1 位），淋菌感染症（第 2 位），性器ヘルペスウイルス感染症（第 3 位），尖圭コンジローマである．STD の治療は早期発見，早期治療が原則で，コンドームによる感染予防も有効であるが，口腔・咽頭，直腸などの性器以外の粘膜部位への感染もあり，注意が必要である．また，STD はいったん治癒しても再び感染することもあるため，患者本人だけでなく，パートナーの診療も併せて行うことが重要である．

(1) 性器クラミジア感染症

病原体のクラミジア・トラコマチス（第 VI 章 p.197 参照）は，性器クラミジア症，非淋菌性尿道炎起因菌

として重要であるヘテロセクシャルによる性感染症の中で最も頻度が高く，非淋菌性尿道炎の約50％がクラミジア感染症で，淋菌感染症の約30％にクラミジア感染が併発している．症状は淋病よりも軽いが，女性では子宮頸部腺細胞に感染して子宮頸管炎，子宮内膜炎，卵管炎などを起こすことがある．

クラミジアは細胞内寄生菌であるため，治療には，細胞内移行性の高いマクロライド系薬，テトラサイクリン系薬およびキノロン系薬が用いられる．第一選択は① AZM 経口・1回 1 g・単回投与，②ドキシサイクリン（DOXY）経口・1回 100 mg・1日 2回 7日間，第二選択は① CAM 経口・1回 200 mg・1日 2回 7日間，② MINO 経口・1回 100 mg・1日 2回 7日間，③ LVFX 経口・1回 500 mg・1日 1回 7日間の治療を行う．

(2) 淋 病

病原体の淋菌（第Ⅵ章 p. 180 参照）は，粘膜細胞に親和性をもつため，感染は粘膜をもつ組織のペニス，直腸，咽頭などに限られる．感染原因は，ほとんどが性交による．

近年，有効とされていたペニシリン系薬，セフェム系薬，テトラサイクリン系薬，キノロン系薬の耐性化が進んでいる．第一選択は CTRX 点滴・1回 1 g・単回投与，第二選択はスペクチノマイシン（SPCM）筋注・1回 2 g・単回投与の治療を行う．なお，淋菌性咽頭感染症には CTRX 点滴・1回 1 g・単回投与を行う．

(3) 性器ヘルペスウイルス感染症

単純ヘルペスウイルス1型（HSV-1）と2型（HSV-2）の感染により性器に浅い潰瘍性または水疱性病変が形成される．出産時にヘルペスの病変部がある場合は，母子感染防止のため帝王切開が推奨される．薬物療法はヘルペス治療薬の① ACV 経口・1回 200 mg・1日 5回 5〜10日間，②バラシクロビル（VACV）経口・1回 500 mg・1日 2回 5〜10日間投与し，重症では ACV 点滴・1回 5 mg/kg，1日 3回 7日間投与する．

(iv) ヘリコバクター胃潰瘍

日本人では胃潰瘍患者の約70％，十二指腸患者の約90％がヘリコバクター・ピロリに感染している（第Ⅵ章 p. 192 参照）．胃潰瘍の治療は NSAIDs の未服用を確認した上で，ヘリコバクター・ピロリ感染の有無を調べ，陽性の場合は除菌療法を最優先の治療とする．一次除菌は，プロトンポンプ阻害薬（PPI）：ランソプラゾール（LPZ）経口・1回 30 mg またはオメプラゾール（OPZ）経口・1回 20 mg またはラベプラゾール（RPZ）1回 10 mg またはエソメプラゾール（EPZ）経口・1回 20 mg またはボノプラザン（VPZ）経口・1回 20 mg・1日 2回 + AMPC 経口・1回 750 mg・1日 2回 + CAM 経口・1回 200〜400 mg・1日 2回の3剤併用療法を7日間投与する．3剤併用療法の除菌率は LPZ が 83.7〜91.1％，OPZ が 78.8％，RPZ が 85.7〜89.0％，EPZ が 67.5〜69.4％，VPZ が 92.6％で，VPZ の有効性が高い．一次除菌が不成功だった場合の二次除菌は PPI（一次除菌と同様）+ AMPC（一次除菌と同様）+ MNZ 経口・1回 250 mg・1日 2回の3剤併用療法を7日間投与する．この場合の除菌率は LPZ が 84.3〜93.4％，OPZ が 92.4〜92.9％，RPZ が 91.6〜92.9％，EPZ が 83.9％，VPZ が 98.0％である．

(v) 腸管感染症

腸管感染症は病原微生物が消化管内に侵入し，大腸，小腸などの下部消化管に炎症性病変を生じさせる．病原体は，細菌，ウイルスおよび原虫であり，細菌性腸管感染では感染性腸炎 infectious enteritis とチフス性疾患（腸チフス・パラチフス：第Ⅵ章 p. 187 参照）に分類され，感染性腸炎の原因菌は感染型と毒素型に分けることができる．感染型の細菌はカンピロバクター，サルモネラ属菌，腸管出血性大腸菌，腸炎ビブリオ，ウエルシュ菌，コレラ菌，赤痢菌などで，毒素型の細菌はブドウ球菌，ボツリヌス菌，セレウス菌などである．腸管感染ウイルスは，ノロウイルス，ロタウイルス，腸管アデノウイルスなど，腸管感染原虫は赤痢アメーバやランブル鞭毛虫などである．また，広域抗菌薬の二次的副作用による抗菌薬関連腸炎 antibiotic-associated colitis の大部分の原因菌はクロストリディオイデス・ディフィシルである．

腸管感染症はチフス性疾患を除いて，禁食や水分補

給などの対症療法だけで回復し，抗菌薬療法を要しないことも少なくない．したがって，抗菌薬療法の適応は重症あるいは菌血症が疑われる患者，腸管出血性大腸炎が疑われる患者，免疫機能が低下している患者，発展途上国からの帰国者，食品取扱者ならびに集団生活者などである．また，腸管感染症は基本的に止痢薬，コデイン，モルヒネなどの腸管運動抑制薬は使用しない．原因菌不明のエンピリック治療（LVFX 経口・1 回 500 mg・1 日 1 回・3 日間投与）を含めて発症頻度の高い腸管感染症の抗微生物薬療法を表XIII-14 に示した．

(1) 細菌性腸管感染症

①**カンピロバクター腸炎**：近年急増して細菌性腸管感染症で最も多い（第VI章 p. 192 参照）．原因食品は鶏肉や牛レバーなどの肉類およびその加工品が大部分を占め，肉の生食や加熱不十分が主な要因である．感染 1～8 日程経過後，悪心，嘔吐，下痢，腹痛，発熱が現れ，下痢の程度は軟便から水様便まで様々であるが，血便になることもある．抗菌療法は，マクロライド系薬の CAM 経口・1 回 200 mg・1 日 2 回を 3～5 日間投与する．

②**腸管出血性大腸菌感染症**：主に腸管出血性大腸菌 O157（第VI章 p. 184 参照）により引き起こされる腸炎で，重症化すると血便を排出し，罹患者の 6～8% で数日後に溶血性尿毒症症候群 hemolytic uremic syndrome（HUS）や脳症を発症し，小児や高齢者の死亡率を高める．発病後 3 日以内に抗菌薬療法を開始すれば，HUS へ進展する危険率が低くなるため，早期診断治療が必要である．第一選択は LVFX 経口・1 回 500 mg・1 日 1 回を 3 日間，第二選択は FOM 経口・1 回 500 mg・1 日 4 回を 3 日間投与する．一方，キノロン系薬がファージを誘導して志賀毒素（第VI章 p. 185 参照）産生を増強することや抗菌薬による溶菌によって志賀毒素が大量に遊離することが報告されており，欧米では抗菌薬を使用すべきでないという意見が強い．この点を考慮して，抗菌薬は感染初期に開始し，投与期限を最小限にとどめることが重要である．

③**サルモネラ感染症**：腸炎菌 *S.enterica* が病原菌で，鶏卵食品やイカ菓子などが原因食品である．38℃ 以上の発熱，1 日 10 回以上の水様性下痢，血便，腹痛などを呈する重症が多く，白血球数や CRP が上昇して炎症反応を認め，トランスアミナーゼも上昇することがある．抗菌療法は LVFX 経口・1 回 500 mg・1 日 1 回を 3～7 日間投与する．

④**ウエルシュ菌感染症**：ウエルシュ菌 *C.perfringens* が腸管内で増殖して芽胞を形成する際に産生・放出するエンテロトキシンにより発症する．原因食品は学校給食などの大なべでの調理品（カレー，チャーシューなど）である．主な症状は腹痛と下痢で，潜伏時間は

表XIII-14 代表的な腸管感染症の抗微生物薬療法

原因菌	抗微生物薬療法
原因菌不明	LVFX 経口 1 回 500 mg・1 日 1 回 3 日間 経口摂取困難：3 日間 LVFX 点滴 1 回 500 mg・1 日 1 回 CPFX 点滴 1 回 300 mg・1 日 2 回
カンピロバクター属	CAM 経口 1 回 200 mg・1 日 2 回 3～5 日間
腸管出血性大腸菌（O157, O26, O111 など）	第一選択：3 日間 LVFX 経口 1 回 500 mg・1 日 1 回 第二選択：3 日間 FOM 経口 1 回 500 mg・1 日 4 回
サルモネラ属	LVFX 経口 1 回 500 mg・1 日 1 回 3～7 日間
ウエルシュ菌	対症療法（水分補給，整腸薬など）
腸炎ビブリオ	対症療法（水分補給，整腸薬など）
ノロウイルス	対症療法（水分補給，整腸薬など）
赤痢アメーバ	MNZ 経口 1 回 500 mg・1 日 3 回 3～7 日間
ランブル鞭毛虫	MNZ 経口 1 回 250 mg・1 日 3～4 回 3～7 日間
抗菌薬関連腸炎：*C.difficile*	軽症～中等症：10～14 日間 MNZ 経口 1 回 250 mg・1 日 4 回 VCM 経口 1 回 125 mg・1 日 4 回 重症：10～14 日間 VCM 経口 1 回 125～500 mg・1 日 4 回 経口摂取困難：10～14 日間 MNZ 点滴 1 回 500 mg・1 日 3 回

LVFX：レボフロキサシン，CPFX：シプロフロキサシン，FOM：ホスホマイシン，MNZ：メトロニダゾール，VCM：バンコマイシン

6〜18時間，下痢は水様便と軟便で回数は1日1〜3回程度である．嘔吐や発熱は少なく，症状は一般的に軽くて1〜2日で回復する．治療は水分補給などの対症療法である．

　⑤腸炎ビブリオ感染症：腸炎ビブリオが病原菌で，原因食品は海産性魚介類である．感染12時間前後で激しい腹痛があり，水様性や粘液性の下痢（数回〜十数回）がみられ，まれに血便がみられる．しばしば発熱（37〜38℃）や嘔吐，悪心が認められる．下痢などの主症状は一両日中に軽快する．抗菌療法は行わず，水分補給など対症療法を行う．

(2) ウイルス性腸管感染症

　ウイルス性腸管感染症は冬季に流行し，とくにノロウイルスは近年腸管感染症の起因病原体で最も多い．生ガキなどの二枚貝に存在し，感染性が強いため嘔吐物や便が感染源になることも多い．嘔気・嘔吐，水様便，胃腹痛などを生じ，37〜38℃台の発熱，脱水，全身倦怠感をともなうこともある．現在，有効なウイルス治療薬がないため，脱水や全身倦怠感が非常に強い場合は点滴による補液療法を行う．

(3) 抗菌薬関連腸炎（薬剤性腸炎）

　抗菌薬関連（薬剤性）腸炎 antibiotic-associated colitis の大部分は，C.difficile による偽膜性大腸炎 pseudomembranous colitis（PMC）である．その病態は C.difficile 症 C.difficile-associated disease（CDAD）と総称され，院内感染が大多数を占める．C.difficile は嫌気性菌で芽胞を有し，院内感染は芽胞を介して経口感染により生じる．芽胞は病院に広く存在し，20〜70％の場所から検出される（芽胞は通常の室内に数ヵ月〜数年間存在する）．C.difficile は胃酸に強く，経口的に容易に腸管に到達し，成人では2％，老人では10〜20％，乳幼児では最大50％に無症候性の腸内菌叢集落をつくる．危険因子は長期入院，抗菌薬（とくにCLDM と広域性のβ-ラクタム系薬）の使用，経管栄養，高齢などである．CDAD 全体の10〜30％が抗菌薬関連下痢症と推定されている．CDAD 患者は抗菌薬服用1〜2週後に下痢（ときに血性），発熱，腹痛がほとんどの症例で認められる．

　軽症の C.difficle 腸炎では乳酸菌製剤の投与で改善する場合も少なくないが，一般的に軽症〜中等症では①MNZ 経口・1回 250 mg・1日4回または②VCM 経口・1回 125 mg・1日4回を 10〜14日間投与する．重症の場合は VCM 経口・1回 125〜500 mg・1日4回を 10〜14日間経口投与する．経口摂取困難の場合は，MNZ 点滴・1回 500 mg・1日3回を 10〜14日間を投与する．脱水症状が認められる場合は輸液を実施する．

(vi) 院内感染症

　わが国の院内感染（第 V 章 p. 156 参照）で問題となっている薬剤耐性菌は，MRSA，多剤耐性緑膿菌 multi-drug resistant P.aeruginosa（MDRP），VRE，基質特異性拡張型β-ラクタマーゼ産生菌 extended-spectrum β-lactamase（ESBL）などで，細菌性日和見感染症には，MRSA 感染症，緑膿菌感染症，レジオネラ肺炎，セラチア感染症などがある．院内感染症としての MRSA 感染症については前項で述べたので，ここでは緑膿菌感染症について言及する．

(1) 緑膿菌感染症

　緑膿菌感染症（第 VI 章 p. 182 参照）の治療は，ペニシリン系薬とβ-ラクタマーゼ阻害薬の合剤のタゾバクタム（TAZ）/PIPC，第三世代セフェム系薬のセフタジジム CAZ，第四世代セフェム系薬の CFPM，セフピロム（CRP）およびセフォソプラン（CZOP），カルバペネム系薬の IPM/CS，PAPM/BP，MEPM，BIPM，DRPM，モノバクタム系薬のアズトレオナム（AZT），アミノグリコシド系薬の GM，TOB，DKB，AMK，注射用キノロン系薬の LVFX，CPFX および PZFX，ポリペプチド系薬のコリスチン（CL）注射剤などである．ただし，現在ではカルバペネム系薬・アミノグリコシド系薬・キノロン系薬の3系統全てに耐性を示す MDRP（IPM，AMK，CPFX の3剤に耐性）も出現している．MDRP に対しては CL 以外の薬剤は単剤で臨床的効果を上げることは難しいため，相乗効果を期待して TAZ/PIPC＋AZT＋ABK の3剤併用療法が試みられている．

　CL は緑膿菌の細胞膜機能を阻害し，MDRP のもつ耐性機構に影響されないため，臨床的有効性が示されている．さらに，MDRA にも有効である．CL 療法は1回 1.25 mg〜2.5 mg/kg を1日2回，30分以上かけ

て点滴静注する．なお，CL は腎毒性と神経毒性が強いため，Scr，血中尿素窒素 blood urea nitrogen（BUN），尿検査を3～5日ごとに実施し，推算糸球体濾過率（e-GFR）を算出しながら投与し，基本的に 10～14 日以内の投与にとどめる．

(vii) 真菌感染症

真菌感染症は表在性真菌症と深在性真菌症に分類され，さらに深在性真菌症は深部皮膚真菌症と内臓真菌症に分けられる（第 XI 章 p. 316 参照）．表在性真菌症は皮膚糸状菌症（白癬），皮膚カンジダ症，皮膚マラセチア症で，原則的に抗真菌薬の外用剤を用いる．三つの真菌症全てに有効な外用剤としては1日1回塗布のイミダゾール系薬のケトコナゾール（KCZ），ラノコナゾール（LCZ），アリルアミン系薬のテルビナフィン（TBF），モルホリン系薬のアモロルフィンがある．ただし，爪白癬は難治性のため，トリアゾール系薬の① ITCZ 経口のパルス療法（1回 200 mg・1日2回を1週間投与後3週間休薬して3サイクル繰り返す），②ホスラブコナゾール（F-RVCZ）経口・1日1回 100 mg，アリルアミン系の③ TBF 経口・1日1回 125 mg などの経口剤の治療を行うが，ルリコナゾール（LNC）とエフィナコナゾール（EFCZ）は外用剤で用いられる．深部皮膚真菌症はスポロトリコーシスと黒色真菌症で，原則的に抗真菌薬の経口剤を用い，ITCZ 経口・1日1回 100～200 mg，TBF 経口・1日1回 125 mg（両剤とも 6～8 週間）が使用される．また，スポロトリコーシスの第一選択薬はヨウ化カリウム（1日 0.3～1 g，1～3回経口投与）で，黒色真菌症にはフルオロピリミジン系薬の 5-FC（1日 100～200 mg，4回経口投与）が用いられる．

内臓真菌症は，真菌血症，呼吸器真菌症，真菌髄膜炎，尿路真菌症，消化管真菌症などのように多くの感染部位が存在するが，病原真菌はアスペルギルス症（主に肺，血液），カンジダ症（主に口腔，食道，血液，心臓，尿），クリプトコックス症（主に肺，脳），接合菌（ムコール）症（主に肺，血液）が大部分を占める．内臓真菌症の抗真菌薬には，ポリエンマクロライド系薬の AMPH-B，イミダゾール系薬のミコナゾール（MCZ），トリアゾール系薬の FLCZ，F-FLCZ，ITCZ，VRCZ，キャンディン系薬の MCFG と CPFG，フルオロピリミジン系薬の 5-FC がある．AMPH-B の注射剤は病原真菌4種全てに有効で，腎毒性などの副作用を軽減したリポソーム製剤（L-AMB）もある．

(viii) 抗菌薬の特殊な使用法

(1) マクロライド系薬の少量療法

1984年にびまん性汎細気管支炎 diffuse panbronchiolitis（DPB）に対する EM の少量長期療法の有効性が認められて以来，DPB に EM の他に CAM や RKM，AZM などのマクロライド系薬も有効であることがわかり，注目されてきた．マクロライド系薬の抗菌活性以外の薬理作用には，生体側に対する作用として気道上皮細胞の粘液分泌抑制，好中球の浸潤抑制，炎症性サイトカインの産生抑制など気道炎症改善作用がある．菌体側に対する作用としては緑膿菌の細菌間相互の情報伝達システムであるクオラムセンシング機構の抑制によるバイオフィルム形成抑制，毒素産生抑制，菌表層構造の変化など細菌の弱体化・弱毒化作用がある．

耳鼻科領域では慢性副鼻腔炎 chronic paranasal sinusitis，内科領域では慢性閉塞性肺疾患 chronic obstructive pulmonary disease（COPD），小児科領域ではインフルエンザ，欧米では膿胞性線維症 cystic fibrosis の治療などが試みられている．マクロライド系薬の少量長期療法は，DPB では第一選択に EM 経口・1回 200 mg・1日2～3回，第二選択に① CAM 経口・1回 200 mg・1日1～2回，② RKM 経口・1回 150 mg・1日2～3回を6ヵ月から2年間継続投与するのが一般的である．また，慢性副鼻腔炎では3～6ヵ月と比較的治療期間は短い．

(2) β-ラクタム系薬の大量投与

抗菌薬の投与量は，開発された時代の起因菌，起因菌の薬剤感受性分布，薬剤の体内動態，臨床成績などから決められる．そのため，抗菌薬が市販され数年，数十年を経ると起因菌の変貌などから，常用量が必ずしも充分量でなくなり，常用量以上の投与量が使われる場合がある．一般的に，β-ラクタム系薬は選択毒性が高く，生体への影響が少ないため，投与量を増量

することは可能であり，増量によって臨床効果を上げることができる．例えば，敗血症，化膿性髄膜炎，感染性心内膜炎，神経梅毒，先天梅毒ではベンジルペニシリン（PCG）の注射剤（常用量：1回30〜60万単位・1日2〜4回→60〜240万単位/日）は1回400単位・1日6回（最大3,000万単位/日），ABPCの注射剤（常用量：1日1g・1日2回→2g/日）は1回2g・1日6回（最大12g/日）の大量投与を行う．

ただし，β-ラクタム系薬でも大量療法では凝固障害などの副作用が起きることもあるため，大量投与による併用療法は慎重に行う必要がある．

(ix) 細菌感染症における免疫グロブリン療法

(1) 重症感染症におけるヒト免疫グロブリン

一般に，細菌感染症の症状が重く，抗菌薬を3日間投与しても症状が改善しない場合は重症感染症と考える．主な重症感染症は，髄膜炎，敗血症，肺炎，腎盂炎，腹膜炎，胆嚢炎，やけど，手術後に起きる感染症などで生命に関わる．抗菌薬だけでは症状が改善しないことがあり，易感染者ではとくに重症化しやすいため，免疫補強として免疫グロブリン製剤が併用される．

免疫グロブリン製剤には，ペプシン処理，スルホ化，ポリエチレングリコール処理，pH4処理，イオン交換樹脂処理したものがある．免疫グロブリン療法は，成人では，通常免疫グロブリン製剤2.5〜5gを1日1回，小児では通常50〜150mg/kgを1日1回3日間連続して点滴静注する．

(2) B型肝炎発症予防における抗HBsヒト免疫グロブリン

B型肝炎の医療従事者の針刺し事故は後を絶たない．また，B型肝炎のキャリア母体からの母子感染も社会的な問題である．抗HBs免疫グロブリンはHBVを中和して発症を防ぐための製剤でHBs抗原陽性血液の針さし事故などと新生児のB型肝炎予防に使用する．事故発生7日以内（48時間以内が望ましい）に1,000〜2,000単位（小児：32〜48単位/kg）を点滴（静注）・筋注する．新生児の予防では初回生後5日内（12時間以内が望ましい）に100〜200単位を筋注し，追加免疫は32〜48単位/kg筋注する（原則として沈降B型肝炎ワクチンと併用）．また，肝移植後のレシピエントのB型肝炎発症や再発抑制にも点滴（静注）を用いる場合がある．

(3) 外傷時における抗破傷風免疫グロブリン

破傷風tetanusは，広く土の中にいる破傷風菌（第VI章 p.173参照）が外傷などで傷口から侵入・増殖し，その毒素によって全身の痙攣や呼吸停止を引き起こす重篤な疾患である．基本的には予防接種（DPT-IPV 4種混合ワクチンや破傷風トキソイド）で破傷風に対する免疫をつけて予防するが，抗破傷風免疫グロブリンは外傷の際に速やかに投与することにより，破傷風菌の毒素を中和して発症を予防するために用いる．破傷風の発症予防では通常250国際単位，重症の外傷には1,500国際単位を筋注する．破傷風発症後の症状軽減のための治療では軽症〜中症等に1,500〜3,000国際単位，重症に3,000〜4,500国際単位を筋注する．

付　表

■細胞壁合成阻害薬

抗菌薬（一般名）	英語表記	略号	投与方法	商品名（ジェネリックを除く）
ペニシリン系				
ベンジルペニシリン	benzylpenicillin	PCG	注射	注射用ペニシリンGカリウム
ベンジルペニシリンベンザチン	benzylpenicillin benzathine	DBEGPCG	経口	バイシリンG
アンピシリン	ampicillin	ABPC	注射/経口	ビクシリン
アモキシシリン	amoxicillin	AMPC	経口	アモリン, サワシリン, パセトシン
ピペラシリン	piperacillin	PIPC	注射	ペントシリン
スルタミシリン	sultamicillin	SBTPC	経口	ユナシン
ペニシリナーゼ阻害薬配合剤				
アンピシリン・クロキサシリン	ampicillin・cloxacillin	ABPC・MCIPC（1：1）	注射/経口	ビクシリンS
アンピシリン・スルバクタム	ampicillin・sulbactam	ABPC・SBT（2：1）	注射	ユナシン-S
アモキシシリン・クラブラン酸	amoxicillin・clavulanate	AMPC・CVA（2：1）	経口	オーグメンチン
アモキシシリン・クラブラン酸	amoxicillin・clavulanate	AMPC・CVA（14：1）	経口（小児）	クラバモックス
タゾバクタム・ピペラシリン	tazobactam・piperacillin	TAZ・PIPC（1：8）	注射	ゾシン
第一世代セフェム				
セファロチン	cefalotin	CET	注射	コアキシン
セファゾリン	cefazolin	CEZ	注射	セファメジンα
セファレキシン	cefalexin	CEX	経口	ケフレックス
セフロキサジン	cefroxadine	CXD	経口	オラスポア
セファクロル	cefaclor	CCL	経口	ケフラール
第二世代セフェム				
セフォチアム	cefotiam	CTM	注射	パンスポリン, ハロスポア
セフメタゾール（セファマイシン）	cefmetazole	CMZ	注射	セフメタゾン
フロモキセフ（オキサセフェム）	flomoxef	FMOX	注射	フルマリン
セフロキシムアキセチル	cefroxime axetil	CXM-AX	経口	オラセフ

■細胞壁合成阻害薬（つづき）

抗菌薬（一般名）	英語表記	略号	投与方法	商品名（ジェネリックを除く）
第三世代セフェム				
セフォタキシム	cefotaxime	CTX	注射	クラフォラン，セフォタックス
セフメノキシム	cefmenoxime	CMX	注射	ベストコール
セフトリアキソン	ceftriaxone	CTRX	注射	ロセフィン
セフタジジム	ceftazidime	CAZ	注射	モダシン
ラタモキセフ（オキサセフェム）	latamoxef	LMOX	注射	シオマリン
セフジニル	cefdinir	CFDN	経口	セフゾン
セフチブテン	ceftibuten	CETB	経口	セフテム
セフジトレン ピボキシル	cefditoren pivoxil	CDTR-PI	経口	メイアクトMS
セフィキシム	cefixime	CFIX	経口	セフスパン
セフテラム ピボキシル	cefteram pivoxil	CFTM-PI	経口	トミロン
セフポドキシム プロキセチル	cefpodoxime proxetil	CPDX-PR	経口	バナン
セフカペン ピボキシル	cefcapene pivoxil	CFPN-PI	経口	フロモックス
第四世代セフェム				
セフピロム	cefpirome	CPR	注射	ブロアクト，ケイテン
セフォゾプラン	cefozopran	CZOP	注射	ファーストシン
セフェピム	cefepime	CFPM	注射	マキシピーム
セファロスポリナーゼ阻害薬配合剤				
セフォペラゾン・スルバクタム	cefoperazone・sulbactam	CPZ・SBT（1:1）	注射	スルペラゾン
タゾバクタム・セフトロザン	tazobactam・ceftolozane	TAZ・CTLZ（1:2）	注射	ザバクサ
カルバペネム系				
イミペネム・シラスタチン	imipenem・cilastatin	IPM・CS（1:1）	注射	チエナム
パニペネム・ベタミプロン	panipenem・betamipron	PAPM・BP	注射	カルベニン
メロペネム	meropenem	MEPM	注射	メロペン
ビアペネム	biapenem	BIPM	注射	オメガシン
ドリペネム	doripenem	DRPM	注射	フィニバックス
テビペネム ピボキシル	tebipenem pivoxil	TBPM-PI	経口	オラペネム
ペネム系				
ファロペネム	faropenem	FRPM	経口	ファロム
モノバクタム系				
アズトレオナム	aztreonam	AZT	注射	アザクタム
グリコペプチド系				
バンコマイシン	vancomycin	VCM	注射/経口	塩酸バンコマイシン
テイコプラニン	teicoplanin	TEIC	注射	タゴシット
ホスホマイシン				
ホスホマイシン	fosfomycin	FOM	注射/経口	ホスミシン，ホスミシンS
細胞膜機能阻害薬　ポリペプチド系・環状リポペプチド系				
コリスチン	colistin	CL	経口	オルドレブ，コリマイシン
ポリミキシンB	polymyxin B	PL-B	経口/軟膏	硫酸ポリミキシンB
ダプトマイシン	daptomycin	DAP	注射	キュビシン

■タンパク質合成阻害薬

抗菌薬（一般名）	英語表記	略号	投与方法	商品名（ジェネリックを除く）
アミノグリコシド系				
ストレプトマイシン	streptomycin	SM	注射	硫酸ストレプトマイシン
カナマイシン	kanamycin	KM	注射/経口	カナマイシン，硫酸カナマイシン
ゲンタマイシン	gentamicin	GM	注射	ゲンタシン
トブラマイシン	tobramycin	TOB	注射	トブラシン
ジベカシン	dibekacin	DKB	注射	パニマイシン
アミカシン	amikacin	AMK	注射/吸入	硫酸アミカシン，ビクリン，アミカマイシン
イセパマイシン	isepamicin	ISP	注射	イセパシン，エクサシン
スペクチノマイシン	spectinomycin	SPCM	注射	トロビシン
アルベカシン	arbekacin	ABK	注射	ハベカシン
フラジオマイシン	fradiomycin	FRM	貼付剤等	ソフラチュール
マクロライド系				
エリスロマイシン	erythromycin	EM	注射/経口	エリスロシン
クラリスロマイシン	clarithromycin	CAM	経口	クラリス，クラリシッド
ロキシスロマイシン	roxithromycin	RXM	経口	ルリッド
アジスロマイシン	azithromycin	AZM	経口	ジスロマック
ジョサマイシン	josamycin	JM	経口	ジョサマイシン，ジョサマイ
スピラマイシン	spiramycin	SPM	経口	アセチルスピラマイシン
リンコマイシン系				
リンコマイシン	lincomycin	LCM	注射/経口	リンコシン，ペラコシン
クリンダマイシン	clindamycin	CLDM	注射/経口	ダラシン，ダラシンS，クリンダマイシン
テトラサイクリン系・グリシルサイクリン系				
テトラサイクリン	tetracycline	TC	経口	アクロマイシン
オキシテトラサイクリン	oxytetracycline	OTC	軟膏	テラマイシン
デメチルクロルテトラサイクリン	demethylchlortetracycline	DMCTC	経口	レダマイシン
ドキシサイクリン	doxycycline	DOXY	経口	ビブラマイシン
ミノサイクリン	minocycline	MINO	注射/経口	ミノマイシン
チゲサイクリン	tigecycline	TGC	注射	タイガシル
クロラムフェニコール				
クロラムフェニコール	chloramphenicol	CP	経口/軟膏	クロロマイセチン，クロマイ
オキサゾリジノン系				
リネゾリド	linezolid	LZD	注射/経口	ザイボックス
テジゾリド	tedizolid	TZD	注射/経口	シベクトロ

■核酸合成阻害薬

キノロン系

抗菌薬（一般名）	英語表記	略号	投与方法	商品名（ジェネリックを除く）
ナリジクス酸	nalidixic acid	NA	経口	ウイントマイロン
ピペミド酸	pipemidic acid	PPA	経口	ドルコール
ノルフロキサシン	norfloxacin	NFLX	経口	バクシダール
オフロキサシン	ofloxacin	OFLX	経口	タリビット
レボフロキサシン	levofloxacin	LVFX	経口	クラビット
シプロフロキサシン	ciprofloxacin	CPFX	注射/経口	シプロキサン
ロメフロキサシン	lomefloxacin	LFLX	経口	ロメバクト，バレオン
トスフロキサシン	tosufloxacin	TFLX	経口	オゼックス，トスキサシン
パズフロキサシン	pazfloxacin	PZFX	注射	パシル，パズクロス
プルリフロキサシン	prulifloxacin	PUFX	経口	スオード
モキシフロキサシン	moxifloxacin	MFLX	経口	アベロックス
ガレノキサシン	garenoxacin	GRNX	経口	ジェニナック
シタフロキサシン	sitafloxacin	STFX	経口	グレースビット
ラスクフロキサシン	lascufloxacin	LSFX	注射/経口	ラスビック

RNA 合成阻害薬

抗菌薬（一般名）	英語表記	略号	投与方法	商品名（ジェネリックを除く）
フィダキソマイシン	fidaxomicin	FDX	経口	ダフクリア

葉酸代謝阻害薬

抗菌薬（一般名）	英語表記	略号	投与方法	商品名（ジェネリックを除く）
スルファメトキサゾール・トリメトプリム	sulfamethoxazole・trimethoprim	ST	注射/経口	バクタ，バクトラミン

■抗結核薬

抗菌薬（一般名）	英語表記	略号	投与方法	商品名（ジェネリックを除く）
イソニアジド	isoniazid	INH	注射/経口	イスコチン，ヒドラ
パラアミノサリチル酸	p-aminosalicylate	PAS	経口	ニッパスカルシウム
ピラジナミド	pyrazinamide	PZA	経口	ピラマイド
エタンブトール	ethambutol	EB	経口	エサンブトール，エブトール
リファンピシン	rifampicin	RFP	経口	リファジン，リマクタン
リファブチン	rifabutin	RBT	経口	ミコブティン
エンビオマイシン	enviomycin	EVM	注射	ツベラクチン
エチオナミド	ethionamide	ETH	経口	ツベルミン
サイクロセリン	cycloserine	CS	経口	サイクロセリン
デラマニド	delamanid	DLM	経口	デルティバ
ベダキリン	bedaquiline	BDQ	経口	サチュロ

■ ヘルペスウイルス治療薬・予防薬

一般名	英語表記	略号	投与方法	商品名（ジェネリックを除く）
アシクロビル	aciclovir	ACV	注射/経口/軟膏	ゾビラックス
バラシクロビル	valaciclovir	VACV	経口	バルトレックス
ファムシクロビル	famciclovir	FCV	経口	ファムビル
ガンシクロビル	ganciclovir	GCV	注射	デノシン
バルガンシクロビル	valganciclovir	VGCV	経口	バリキサ
ビダラビン	vidarabine	Ara−A	注射/軟膏	アラセナ−A
ホスカルネット	foscarnet	FOS	注射	ホスカビル
アメナメビル	amenamevir	AMNV	経口	アメナリーフ
レテルモビル	letermovir	LTV	経口/注射	プレバイミス

■ HIV 治療薬

一般名	英語表記	略号	投与方法	商品名（ジェネリックを除く）
ヌクレオシド系逆転写酵素阻害薬				
ジドブジン	zidovudine	AZT	経口	レトロビル
ラミブジン	lamivudine	3TC	経口	エピビル
アバカビル	abacavir	ABC	経口	ザイアジェン
テノホビル ジソプロキシル	tenofovir disoproxil	TDF	経口	ビリアード
エムトリシタビン	emtricitabine	FTC	経口	エムトリバ
テノホビル アラフェナミド	tenofovir alafenamide	TAF	経口	ゲンボイヤ（エルビテグラビル・コビシスタット・エムトリシタビン・テノホビルアラフェナミド配合），デシコビ（エムトリシタビン・テノホビルアラフェナミド配合），オデフシィ（リルピビリン・エムトリシタビン・テノホビルアラフェナミド配合），ビクタルビ（ビクテグラビルナトリウム・エムトリシタビン・テノホビルアラフェナミド配合），シムツーザ（ダルナビル・コビシスタット・エムトリシタビン・テノホビルアラフェナミド配合）
非ヌクレオシド系逆転写酵素阻害薬				
ネビラピン	nevirapine	NVP	経口	ビラミューン
エファビレンツ	efavirenz	EFV	経口	ストックリン
エトラビリン	etravirine	ETR	経口	インテレンス
リルピビリン	rilpivirine	RPV	経口	エジュラント
ドラビリン	doravirine	DOR	経口	ピフェルトロ

■ HIV治療薬（つづき）

プロテアーゼ阻害薬				
リトナビル	ritonavir	RTV	経口	ノービア
ネルフィナビル	nelfinavir	NFV	経口	ビラセプト
ロピナビル	lopinavir	LPV	経口	カレトラ（ロピナビル・リトナビル配合）
アタザナビル	atazanavir	ATV	経口	レイアタッツ
ホスアンプレナビル	fosamprenavir	FPV	経口	レクシヴァ
ダルナビル	darunavir	DRV	経口	プリジスタ
インテグラーゼ阻害薬				
ラルテグラビル	raltegravir	RAL	経口	アイセントレス
エルビテグラビル	elvitegravir	EVG	経口	スタリビルド（エルビテグラビル・コビシスタット・エムトリシタビン・テノホビル・ジソプロキシル配合）
ドルテグラビル	dolutegravir	DTG	経口	テビケイ
ビクテグラビル	bictegravir	BIC	経口	ビクタルビ（ビクテグラビルナトリウム・エムトリシタビン・テノホビルアラフェナミド配合）
侵入阻害薬				
マラビロク	maraviroc	MVC	経口	シーエルセントリ

■ インフルエンザウイルス治療薬

一般名	英語表記	略号	投与方法	商品名（ジェネリックを除く）
アマンタジン	amantadine		経口	シンメトレル
ザナミビル	zanamivir		吸入	リレンザ
オセルタミビル	oseltamivir		経口	タミフル
ラニナミビル	laninamivir		吸入	イナビル
ペラミビル	peramivir		注射	ラピアクタ
ファビピラビル	favipiravir		経口	アビガン（条件付き承認）
バロキサビル　マルボキシル	baloxavir marboxil		経口	ゾフルーザ

■ HBV 治療薬

一般名	英語表記	略号	投与方法	商品名（ジェネリックを除く）
ラミブジン	lamivudine	3TC	経口	ゼフィックス
アデホビル ピボキシル	adefovir pivoxil	ADV	経口	ヘプセラ
エンテカビル	entecavir	ETV	経口	バラクルード
テノホビル ジソプロキシル	tenofovir disoproxil	TDF	経口	テノゼット
テノホビル アラフェナミド	tenofovir alafenamide	TAF	経口	ベムリディ

■ HCV 治療薬

一般名	英語表記	略号	投与方法	商品名（ジェネリックを除く）
リバビリン	ribavirin	RBV	経口	レベトール，コペガス
ソホスブビル	sofosbuvir	SOF	経口	ソバルディ
レジパスビル	ledipasvir	LDV	経口	ハーボニー（レジパスビル・ソホスブビル配合）
グラゾプレビル	grazoprevir	GZR	経口	グラジナ
グレカプレビル	glecaprevir	GLE	経口	マヴィレット（グレカプレビル・ピブレンタスビル配合）
ピブレンタスビル	pibrentasvir	PIB	経口	マヴィレット（グレカプレビル・ピブレンタスビル配合）
エルバスビル	elbasvir	EBR	経口	エレルサ
ベルパタスビル	velpatasvir	VEL	経口	エプクルーサ（ソホスブビル・ベルパタスビル配合）

■ RS ウイルス予防薬

一般名	英語表記	略号	投与方法	商品名（ジェネリックを除く）
パリビズマブ	palivizumab		注射	シナジス

■ SARS-CoV-2 治療薬

一般名	英語表記	略号	投与方法	商品名（ジェネリックを除く）
レムデシビル	remdesivir		注射	ベクルリー
デキサメタゾン	dexamethasone		注射/経口	デカドロン
バリシチニブ	baricitinib		経口	オルミエント錠

■抗真菌薬

一般名	英語表記	略号	投与方法	商品名
ポリエンマクロライド系				
アムホテリシンB	amphotericin B	AMPH-B	注射/経口	ファンギゾン，アムビゾーム
フルオロピリミジン系				
フルシトシン	5-fluorocytosine	5-FC	経口	アンコチル
トリアゾール系				
フルコナゾール	fluconazole	FLCZ	注射/経口	ジフルカン
ホスフルコナゾール	fosfluconazole	F-FLCZ	注射	プロジフ
イトラコナゾール	itraconazole	ITCZ	注射/経口	イトリゾール
ボリコナゾール	voriconazole	VRCZ	注射/経口	ブイフェンド
ポサコナゾール	posaconazole	PSCZ	注射/経口	ノクサフィル
ホスラブコナゾール	fosravuconazole	F-RVCZ	経口	ネイリン
エフィナコナゾール	efinaconazole		外用	クレナフィン
イミダゾール系				
ミコナゾール	miconazole	MCZ	注射/経口/経腟/外用	フロリード
クロトリマゾール	clotrimazole		経口/経腟/外用	エンペシド
イソコナゾール	isoconazole		経腟/外用	アデスタン
スルコナゾール	sulconazole		外用	エクセルダーム
オキシコナゾール	oxiconazole		経腟/外用	オキナゾール
ビホナゾール	bifonazole		外用	マイコスポール
ケトコナゾール	ketoconazole	KCZ	外用	ニゾラール
ネチコナゾール	neticonazole		外用	アトラント
ラノコナゾール	lanoconazole		外用	アスタット
ルリコナゾール	luliconazole		外用	ルリコン
キャンディン系				
ミカファンギン	micafungin	MCFG	注射	ファンガード
カスポファンギン	caspofungin	CPFG	注射	カンサイダス
アリルアミン系				
テルビナフィン	terbinafine		経口/外用	ラミシール
チオカルバメート系				
トルナフタート	tolnaftate		外用	ハイアラージン
リラナフタート	liranaftate		外用	ゼフナート
ベンジルアミン系				
ブテナフィン	butenafine		外用	メンタックス，ボレー
モルホミン系				
アモロルフィン	amorolfine		外用	ペキロン

付表 393

抗菌薬の抗菌スペクトル表

系統	一般名	ブドウ球菌	レンサ球菌	腸球菌	肺炎球菌	ジフテリア菌	ディフィシル	淋菌	髄膜炎菌	モラクセラ・カタラーリス	インフルエンザ菌	百日咳菌	大腸菌	赤痢菌	サルモネラ	クレブシエラ	シトロバクター	セラチア	緑膿菌	プロテウス	アシネトバクター	バクテロイデス	梅毒トレポネーマ	肺炎マイコプラズマ	リケッチア	肺炎クラミジア
ペニシリン系	ベンジルペニシリン（注）	△		●	●	●			○														●			
	アンピシリン（注、内）	△	○	●	●	○		△	●		△		△	○	△											
	アモキシシリン（内）	△	○	●	○	○			○		△		△	○	△											
阻害薬合剤	アモキシシリン・クラブラン（内）	○	○	○	○	○				●	●		○	○	○	○				○		●				
	アンピシリン・スルバクタム（注）	○	○	○	○	○				○	●		○	○	○	○				○		○				
	タゾバクタム・ピペラシリン（注）	○	○	○	○	○				○	●		○	○	○	○	●	○	○	○	△	●				
第一世代セフェム	セファゾリン（注）	●	○		○	○							○			○				○						
	セファレキシン（内）	○	○		○	○							○			○				○						
	セファクロール（内）	○	○		○	○							○			○				○						
第二世代セフェム	セフォチアム（注）	○	○		○	○		△			△		○			○				○						
	セフメタゾール（注）	○	○		○	○							○			○				○		○				
	フロモキセフ（注）	○	○		○	○							○			○				○		○				
	セフロキシムアキセチル（内）	○	○		○	○				○	○		○			○				○						
第三世代セフェム	セフォタキシム（注）	○	○		○	○		○			○		○			○	△	○		○			○			
	セフトリアキソン（注）	△	○		○	○		●	●		●		○			○	△	○		○						
	セフタジジム（注）		△								○		○			○	○	○	●	○						
	セフカセフ（注）	○	○		○						○		○			○				○						
	ラタモキセフ（注）		△					△			○		○			○	○			○		○				
	セフジニル（内）	○	○		○						○		○			○				○						
	セフジトレンピボキシル（内）	○	○		○						○		○			○				○						
	セフテラムピボキシル（内）	○	○		○						○		○			○	△			○						
	セフポドキシムプロキセチル（内）	○	○		○						○		○			○				○						
	セフカペンピボキシル（内）	○	○		○						○		○			○				○						
第四世代セフェム	セフォゾプラン（注）	○	○	△	○						○		○			○	●	○	○	○	△					
	セフェピム（注）	○	○		○						○		○			○	●	○	○	○	△					
阻害薬合剤	タゾバクタム・セフトロザン（注）												○			○			○	○						
	スルバクタム・セフォペラゾン（注）	○	○		○						○		○			○			○	○						
カルバペネム系	イミペネム・シラスタチン（注）	●	○	○	○						○		○			○	●	○	○	○	○	●				
	パニペネム・ベタミプロン（注）	●	○	○	○						○		○			○	●	○	○	○	○	●				
	メロペネム（注）	○	○		○						○		○			○	●	○	○	○	○	●				
	ビアペネム（注）	○	○		○						○		○			○	●	○	○	○	○	●				
	ドリペネム（注）	○	○		○						○		○			○	●	○	○	○	○	●				
	テビペネムピボキシル（内）	○	○		○						○		○			○										
ペネム系	ファロペネム（内）	○	○	△	○																	○				
グリコペプチド系	バンコマイシン（注）	○	○	○	○		○（内）															△				
	テイコプラニン（注）	○	○	△	○																					

■抗菌スペクトル一覧（つづき1）

表 1　主な抗菌薬の選択の指標の指標を参考に作成

	一般名	ブドウ球菌	レンサ球菌	腸球菌	肺炎球菌	ジフテリア菌	ディフィシル	淋菌	髄膜炎菌	モラクセラ・カタラリス	インフルエンザ菌	百日咳菌	大腸菌	赤痢菌	サルモネラ	クレブシエラ	エンテロバクター	セラチア	緑膿菌	プロテウス	アシネトバクター	バクテロイデス	梅毒トレポネーマ	肺炎マイコプラズマ	リケッチア	肺炎クラミジア
ホスホマイシン系	ホスホマイシン（注/内）												○													
アミノグリコシド系	ストレプトマイシン（注）	△	△					△			△		△			△	△	△	△	△						
	ゲンタマイシン（注）	△	△					△			△		△			△	△	△	△	△						
	トブラマイシン（注）	△	△					△			△		△			△	△	△	△	△						
	アミカシン（注）	△	△								△		△			△	△	△	△	△	△					
	スペクチノマイシン（注）							●																		
	アルベカシン（注）	○	△		△								△			△	△	△	△	△						
マクロライド系	エリスロマイシン（注/内）	△	△	△	△	△		△		○	△	●											△	●	○	○
	クラリスロマイシン（内）	△	△		○					○	○	●		△										●	○	○
	アジスロマイシン（内）	△	△		○			○		○	○		△	△	○									△	○	○
リンコマイシン系	クリンダマイシン（注/内）	○	○		○	△																△				
テトラサイクリン系	ドキシサイクリン（注/内）	△	△	△	△			△		△	△		△	△	△	△	△				△	△	△	●	●	●
	ミノサイクリン（注/内）	○	○	△	○			△		△	○		△	△	△	△	△			△	△	△	△	●	●	●
クロラムフェニコール系	クロラムフェニコール（注/内）	○	○		○	△			○	○	○		△	△	○	○		○		○		△		△	○	○
オキサゾリジノン系	リネゾリド（注/内）	○	○	○	○																					
ピリドンカルボン酸系（キノロン系）	ナリジクス酸（内）												○	○	○											
	ピペミド酸（内）												△	△	○	○		△	△	△						
	ノルフロキサシン（内）	○			△			△		○	○		○	○	○	○	△	△	△	○						
	オフロキサシン（内）	○	△	△	△			△		○	○		○	○	○	○	○	△	△	○	○			△	△	△
	レボフロキサシン（注/内）	○	○	△	○			○		○	○		○	●	●	○	○	△	△	○	○			●	△	●
	シプロフロキサシン（注/内）	○	△	△	△			○		○	●		○	●	○	○	○	△	○	○	○				△	○
	トスフロキサシン（注）	○	△	△	○					○	○		○	○	○	○	○	△	△	○	○			△	△	△
	パズフロキサシン（注）	○	△		△						●		○	○	○	○	○	△	△	○	○					
	モキシフロキサシン（内）	○	○	△	○					○	○		○	○	○	○	○				○	△		●	△	●
	ガレノキサシン（内）	○	○		○					○	○		○	○	○	○	○				○					
	シタフロキサシン（内）	○	○	△	○					○	○		○	○	○	○	○	△	△	○	△			△	△	△
ST合剤	ST合剤（注/内）	○			△						△		○	○	○	○	○			○	△					
メトロニダゾール	メトロニダゾール						●															●				

南江堂　今日の治療薬2021年版

■本書における薬学教育モデル・コアカリキュラム（平成25年度改訂版）対応一覧

薬学教育モデル・コアカリキュラム SBO		対応章
C4　生体分子・医薬品の化学による理解		
（3）医薬品の化学構造と性質，作用		
④酵素に作用する医薬品の構造と性質	1．ヌクレオシドおよび核酸塩基アナログを有する代表的医薬品を列挙し，化学構造に基づく性質について説明できる．	IX
	4．キノロン骨格をもつ代表的医薬品を列挙し，化学構造に基づく性質について説明できる． 5．β-ラクタム構造をもつ代表的医薬品を列挙し，化学構造に基づく性質について説明できる．	VII
C5　自然が生み出す薬物		
（2）薬の宝庫としての天然物		
②微生物由来の生物活性物質の構造と作用	1．微生物由来の生物活性物質を化学構造に基づいて分類できる． 2．微生物由来の代表的な生物活性物質を列挙し，その作用を説明できる．	VII
C6　生命現象の基礎		
（4）生命情報を担う遺伝子		
②遺伝情報を担う分子	2．遺伝子の構造（プロモーター，エンハンサー，エキソン，イントロンなど）を説明できる．	III
③遺伝子の複製	1．DNAの複製の過程について説明できる．	
④転写・翻訳の過程と調節	1．DNAからRNAへの転写の過程について説明できる． 5．RNAからタンパク質への翻訳の過程について説明できる．	
⑤遺伝子の変異・修復	1．DNAの変異と修復について説明できる．	
⑥組換えDNA	1．遺伝子工学技術（遺伝子クローニング，cDNAクローニング，PCR，組換えタンパク質発現法など）を概説できる．	
C8　生体防御と微生物		
（1）身体をまもる		
①生体防御反応	1．異物の侵入に対する物理的，生理的，化学的バリアー，および補体の役割について説明できる． 2．免疫反応の特徴（自己と非自己の識別，特異性，多様性，クローン性，記憶，寛容）を説明できる． 3．自然免疫と獲得免疫，および両者の関係を説明できる． 4．体液性免疫と細胞性免疫について説明できる．	IV （一部）
②免疫を担当する組織・細胞	1．免疫に関与する組織を列挙し，その役割を説明できる． 2．免疫担当細胞の種類と役割を説明できる． 3．免疫反応における主な細胞間ネットワークについて説明できる．	
③分子レベルで見た免疫のしくみ	1．自然免疫および獲得免疫における異物の認識を比較して説明できる． 2．MHC抗原の構造と機能および抗原提示での役割について説明できる． 3．T細胞とB細胞による抗原認識の多様性（遺伝子再構成）と活性化について説明できる． 4．抗体分子の基本構造，種類，役割を説明できる． 5．免疫系に関わる主なサイトカインを挙げ，その作用を概説できる．	
（2）免疫系の制御とその破綻・免疫系の応用		
②免疫反応の利用	1．ワクチンの原理と種類（生ワクチン，不活化ワクチン，トキソイド，混合ワクチンなど）について説明できる． 4．抗原抗体反応を利用した検査方法（ELISA法，ウエスタンブロット法など）を実施できる．（技能）	V
（3）微生物の基本		
①総論	1．原核生物，真核生物およびウイルスの特徴を説明できる．	III
②細菌	1．細菌の分類や性質（系統学的分類，グラム陽性菌と陰性菌，好気性菌と嫌気性菌など）を説明できる．	II, VII
	2．細菌の構造と増殖機構について説明できる． 3．細菌の異化作用（呼吸と発酵）および同化作用について説明できる．	II
	4．細菌の遺伝子伝達（接合，形質導入，形質転換）について説明できる．	III
	5．薬剤耐性菌および薬剤耐性化機構について概説できる．	VII
	6．代表的な細菌毒素について説明できる．	VI
③ウイルス	1．ウイルスの構造，分類，および増殖機構について説明できる．	VIII

薬学教育モデル・コアカリキュラム SBO			対応章
④真菌・原虫・蠕虫	1．真菌の性状を概説できる．		XI
	2．原虫および蠕虫の性状を概説できる．		XII
⑤消毒と滅菌	1．滅菌，消毒および殺菌，静菌の概念を説明できる．		V
	2．主な滅菌法および消毒法について説明できる．		
(4) 病原体としての微生物			
①感染の成立と共生	1．感染の成立（感染源，感染経路，侵入門戸など）と共生（腸内細菌など）について説明できる．		V
	2．日和見感染と院内感染について説明できる．		
②代表的な病原体	1．DNA ウイルス（ヒトヘルペスウイルス，アデノウイルス，パピローマウイルス，B 型肝炎ウイルスなど）について概説できる．		IX
	2．RNA ウイルス（ノロウイルス，ロタウイルス，ポリオウイルス，コクサッキーウイルス，エコーウイルス，ライノウイルス，A 型肝炎ウイルス，C 型肝炎ウイルス，インフルエンザウイルス，麻疹ウイルス，風疹ウイルス，日本脳炎ウイルス，狂犬病ウイルス，ムンプスウイルス，HIV，HTLV など）について概説できる．		
	3．グラム陽性球菌（ブドウ球菌，レンサ球菌など）およびグラム陽性桿菌（破傷風菌，ガス壊疽菌，ボツリヌス菌，ジフテリア菌，炭疽菌，セレウス菌，ディフィシル菌など）について概説できる．		VI
	4．グラム陰性球菌（淋菌，髄膜炎菌など）およびグラム陰性桿菌（大腸菌，赤痢菌，サルモネラ属菌，チフス菌，エルシニア属菌，クレブシエラ属菌，コレラ菌，百日咳菌，腸炎ビブリオ，緑膿菌，レジオネラ，インフルエンザ菌など）について概説できる．		
	5．グラム陰性らせん菌（ヘリコバクター・ピロリ，カンピロバクター・ジェジュニ／コリなど）およびスピロヘータについて概説できる．		
	6．抗酸菌（結核菌，らい菌など）について概説できる．		
	7．マイコプラズマ，リケッチア，クラミジアについて概説できる．		
	8．真菌（アスペルギルス，クリプトコックス，カンジダ，ムーコル，白癬菌など）について概説できる．		XI
	9．原虫（マラリア原虫，トキソプラズマ，腟トリコモナス，クリプトスポリジウム，赤痢アメーバなど），蠕虫（回虫，鞭虫，アニサキス，エキノコックスなど）について概説できる．		XII
D1　健康			
(2) 疾病の予防			
②感染症とその予防	1．現代における感染症（日和見感染，院内感染，新興感染症，再興感染症など）の特徴について説明できる．		V
	2．感染症法における，感染症とその分類について説明できる．		
	3．代表的な性感染症を列挙し，その予防対策について説明できる．		
	4．予防接種の意義と方法について説明できる．		
(3) 栄養と健康			
③食中毒と食品汚染	1．代表的な細菌性・ウイルス性食中毒を列挙し，それらの原因となる微生物の性質，症状，原因食品および予防方法について説明できる．		V
D2　環境			
(1) 化学物質・放射線の生体への影響			
③化学物質による発がん	2．遺伝毒性試験（Ames 試験など）の原理を説明できる．		III
E2　薬理・病態・薬物治療			
(7) 病原微生物（感染症）・悪性新生物（がん）と薬			
①抗菌薬	1．以下の抗菌薬の薬理（薬理作用，機序，抗菌スペクトル，主な副作用，相互作用，組織移行性）および臨床適用を説明できる． β-ラクタム系，テトラサイクリン系，マクロライド系，アミノ配糖体（アミノグリコシド）系，キノロン系，グリコペプチド系，抗結核薬，サルファ剤（ST 合剤を含む），その他の抗菌薬		VII
	2．細菌感染症に関係する代表的な生物学的製剤（ワクチン等）を挙げ，その作用機序を説明できる．		V, VI

薬学教育モデル・コアカリキュラム SBO		対応章
②抗菌薬の耐性	1. 主要な抗菌薬の耐性獲得機構および耐性菌出現への対応を説明できる.	VII
③細菌感染症の薬, 病態, 治療	1. 以下の呼吸器感染症について, 病態（病態生理, 症状等）, 感染経路と予防方法および薬物治療（医薬品の選択等）を説明できる. 　上気道炎（かぜ症候群（大部分がウイルス感染症）を含む）, 気管支炎, 扁桃炎, 細菌性肺炎, 肺結核, レジオネラ感染症, 百日咳, マイコプラズマ肺炎 2. 以下の消化器感染症について, 病態（病態生理, 症状等）および薬物治療（医薬品の選択等）を説明できる. 　急性虫垂炎, 胆嚢炎, 胆管炎, 病原性大腸菌感染症, 食中毒, ヘリコバクター・ピロリ感染症, 赤痢, コレラ, 腸チフス, パラチフス, 偽膜性大腸炎 3. 以下の感覚器感染症について, 病態（病態生理, 症状等）および薬物治療（医薬品の選択等）を説明できる. 　副鼻腔炎, 中耳炎, 結膜炎 4. 以下の尿路感染症について, 病態（病態生理, 症状等）および薬物治療（医薬品の選択等）を説明できる. 　腎盂腎炎, 膀胱炎, 尿道炎 5. 以下の性感染症について, 病態（病態生理, 症状等）, 予防方法および薬物治療（医薬品の選択等）を説明できる. 　梅毒, 淋病, クラミジア症等 6. 脳炎, 髄膜炎について, 病態（病態生理, 症状等）および薬物治療（医薬品の選択等）を説明できる. 7. 以下の皮膚細菌感染症について, 病態（病態生理, 症状等）および薬物治療（医薬品の選択等）を説明できる. 　伝染性膿痂疹, 丹毒, 癰, 毛嚢炎, ハンセン病 8. 感染性心内膜炎, 胸膜炎について, 病態（病態生理, 症状等）および薬物治療（医薬品の選択等）を説明できる. 9. 以下の薬剤耐性菌による院内感染について, 感染経路と予防方法, 病態（病態生理, 症状等）および薬物治療（医薬品の選択等）を説明できる. 　MRSA, VRE, セラチア, 緑膿菌等 10. 以下の全身性細菌感染症について, 病態（病態生理, 症状等）, 感染経路と予防方法および薬物治療（医薬品の選択等）を説明できる. 　ジフテリア, 劇症型A群β溶血性連鎖球菌感染症, 新生児B群連鎖球菌感染症, 破傷風, 敗血症	VI, VII, XIII（一部）
④ウイルス感染症およびプリオン病の薬, 病態, 治療	1. ヘルペスウイルス感染症（単純ヘルペス, 水痘・帯状疱疹）について, 治療薬の薬理（薬理作用, 機序, 主な副作用）, 予防方法および病態（病態生理, 症状等）・薬物治療（医薬品の選択等）を説明できる. 2. サイトメガロウイルス感染症について, 治療薬の薬理（薬理作用, 機序, 主な副作用）, および病態（病態生理, 症状等）・薬物治療（医薬品の選択等）を説明できる. 3. インフルエンザについて, 治療薬の薬理（薬理作用, 機序, 主な副作用）, 感染経路と予防方法および病態（病態生理, 症状等）・薬物治療（医薬品の選択等）を説明できる. 4. ウイルス性肝炎（HAV, HBV, HCV）について, 治療薬の薬理（薬理作用, 機序, 主な副作用）, 感染経路と予防方法および病態（病態生理（急性肝炎, 慢性肝炎, 肝硬変, 肝細胞がん）, 症状等）・薬物治療（医薬品の選択等）を説明できる.（重複） 5. 後天性免疫不全症候群（AIDS）について, 治療薬の薬理（薬理作用, 機序, 主な副作用）, 感染経路と予防方法および病態（病態生理, 症状等）・薬物治療（医薬品の選択等）を説明できる. 6. 以下のウイルス感染症（プリオン病を含む）について, 感染経路と予防方法および病態（病態生理, 症状等）・薬物治療（医薬品の選択等）を説明できる. 　伝染性紅斑（リンゴ病）, 手足口病, 伝染性単核球症, 突発性発疹, 咽頭結膜熱, ウイルス性下痢症, 麻疹, 風疹, 流行性耳下腺炎, 風邪症候群, Creutzfeldt-Jakob（クロイツフェルト-ヤコブ）病	IX, X, XIII（一部）

薬学教育モデル・コアカリキュラム SBO		対応章
⑤真菌感染症の薬, 病態, 治療	1. 抗真菌薬の薬理（薬理作用, 機序, 主な副作用）および臨床適用を説明できる. 2. 以下の真菌感染症について, 病態（病態生理, 症状等）・薬物治療（医薬品の選択等）を説明できる. 　　皮膚真菌症, カンジダ症, ニューモシスチス肺炎, 肺アスペルギルス症, クリプトコックス症	XI（一部）
⑥原虫・寄生虫感染症の薬, 病態, 治療	1. 以下の原虫感染症について, 治療薬の薬理（薬理作用, 機序, 主な副作用）, および病態（病態生理, 症状等）・薬物治療（医薬品の選択等）を説明できる. 　　マラリア, トキソプラズマ症, トリコモナス症, アメーバ赤痢 2. 以下の寄生虫感染症について, 治療薬の薬理（薬理作用, 機序, 主な副作用）, および病態（病態生理, 症状等）・薬物治療（医薬品の選択等）を説明できる. 　　回虫症, 蟯虫症, アニサキス症	XII（一部）

索　引

◆和文索引

あ

アウトブレイク　119
秋疫（アキヤミ）　201
亜急性硬化性全脳炎　283
審良静男　5
アクチベーター　53
アジア条虫　343
アシクロビル　270, 271, 272, 375
アジスロマイシン　231, 353, 372
足のしびれ　359
アジュバント　114
アズトレオナム　223, 381
アスナプレビル　367
アスペルギルス症　317
アセトアミノフェン　280
アゾール系薬　321, 357, 375
アタザナビル　303, 367
アテニュエーション　54
アデノウイルス科　269
アデノシン三リン酸　31
アデホビル ピボキシル　297
アナフィラキシーショック　357
アナプラズマ・ファゴサイトフィラム　196
アニサキス　156, 341
アバカビル　301
アフリカ睡眠病　335
アポトーシス　258
アマンタジン　278, 280
アミカシン　229, 355
アミノグリコシド系抗菌薬　227
アミノグリコシド修飾酵素　213, 227
アムホテリシン B（AMPH-B）　320, 359
アメナメビル　272, 366
アメーバ赤痢　332
アモキシシリン　217, 372, 375
アモロルフィン　329, 382
アリルアミン系薬　357
アルキルジアミノエチルグリシン塩酸塩　150
アルテミシニン　347
アルベカシン　229, 355
アレルギー　115
アロ抗原　116
アロステリック効果　37
暗回復　58
安全キャビネット　152
アンチコドン　51
アンピシリン　217, 372

い

異化作用　31
易感染者　241, 371
易感染性宿主　119, 157, 317
異型肺炎　198
異常プリオン　310
移植片　116
移植片拒絶反応　116
移植片対宿主反応　116
異所性感染　121
異染顆粒染色　164
異染小体　176
イソニアジド　238, 357
イソプロパノール　149
一次結核症　178
一倍体　10
一酸化窒素　125
遺伝暗号　51
遺伝子型　289
遺伝子組換え作物　80
遺伝子組換えワクチン　139
遺伝子クローニング　68
遺伝子再構成　94
遺伝子多型　357
遺伝子導入生物　74
遺伝子ノックアウト　74
遺伝子発現　49
遺伝子ライブラリー　69
イトラコナゾール　328, 356
イヌ科　343
易熱性エンテロトキシン　185
イベルメクチン　6, 348
イミダゾール系　321
イミペネム　222, 359
イミペネム・シラスタチン　222
イムノブロット法　110
医薬品副作用被害救済制度　136
医療関連感染症　157
インターフェロン　89, 106, 259
インターフェロン製剤　365
インターフェロンフリー治療　291
インターロイキン　99, 260
インテグラーゼ　64, 298, 299
インテグラーゼ阻害薬　300, 366
インテグリン　103
インテグロン　59, 63, 213
イントロン　94
院内感染　132, 156, 371
院内感染型　241
院内感染症　6
インバリアント鎖　97
インフラマソーム　87
インフルエンザ　378
インフルエンザ菌　191
インフルエンザワクチン　278

う

ウィダール反応　188
ウイルス　9, 106
ウイルス学　4
ウイルス血症　262
ウイルスの発見　4
ウイロイド　309
ウエスタンブロットハイブリダイゼーション　73
ウエスタンブロット法　165
ウエルシュ菌　155
受身凝集反応　165
う蝕　171
梅澤濱夫　5

え

エイムステスト　58
栄養型　332
栄養菌糸　314
栄養細胞　24
栄養体　332, 334
エキソン　94
エキノコックス　343
液胞　315
エクリプス期　258
エタノール　149
エタンブトール　239, 359
エトラビリン　302, 368
エビデミック　278
エピトープ　89
エファビレンツ　302, 367
エフィナコナゾール　328, 382
エフェクター T 細胞　98
エフェクター分子　42
エボラウイルス病　285
エボラ出血熱　152, 285
エムトリシタビン　301
エライザ　109
エリオン　6
エリスロマイシン　229, 361
エルゴステロール　321
エルバスビル　368
エルビテグラビル　304
エールリッヒ　5
塩基の欠失　56
塩基の挿入　56
塩基の置換　56
塩基配列決定法　69
炎症　89, 105, 124
炎症所見　370
炎症性サイトカイン　100
塩素化イソシアヌル酸　148
塩素ガス　148
塩素抵抗性　338
エンテカビル　297
エンテロトキシン　156
エンドサイトーシス　255
エンドソーム　255
エンドソーム輸送選別複合体　257
エンドトキシンショック　21
エンピリック治療　370
エンベロープ　245, 246, 276

お

黄色ブドウ球菌　167
嘔吐毒　173
オウム病　198
ウエスタンブロット法　165
横紋筋融解症　360
応用微生物学　2
オオシスト　337
大村智　6
岡崎フラグメント　49
オキサセフェム系　218
オーシスト　336
オセルタミビル　280, 378
オゾン層　29
おたふくかぜ　283
オートインデューサー　44
オプソニン　124
オプソニン化　88, 105
オフロキサシン　354
オペレーター　53
オペロン　52
オロヤ熱　194

か

蚊　336, 340
外殻　245
回帰熱　200
回帰熱ボレリア　200
会合　256
外生胞子　315
回虫　340
解糖　31
外毒素　105, 126
外部寄生虫　331
開放性結核　178
外膜　17
潰瘍性大腸炎　115
化学療法　5, 203
化学療法係数　205
蝸牛障害　359
架橋反応　209
核酸系逆転写酵素阻害薬　366
獲得耐性　213
獲得免疫　83, 86, 89, 124
過酢酸　149
過酸化水素　29, 149
ガス壊疽　174
ガス壊疽菌　155
ガス壊疽菌群　174
カスポファンギン　328, 361
ガス滅菌法　141
仮性（偽）菌糸　314
かぜ症候群　288, 294
カタル期　283
活性酸素　29
可動遺伝子　63
神奈川現象　156
カナマイシン　210, 229
加熱滅菌法　141
化膿性髄膜炎　383
化膿レンサ球菌　170
過敏症　115
カプシド　245, 246
カプソメア　246
可変部　91

索引

芽
芽胞　24
芽胞染色　164
カポジ肉腫　271
カポスファンギン　356
カリオン病　194
顆粒球　84
カルタヘナ議定書　81
カルバペネム　241
ガレノキサシン　234, 354
桿菌　175
ガンシクロビル　271, 366, 375
カンジダ症　317
干渉現象　259
関節異常　361
乾癬　115
感染　119
感染型　379
感染型食中毒　154, 174, 187, 192
感染危険集団　120
感染経路　121, 157
感染源　121, 157
感染症　1, 119, 172
　　――の診断　370
感染症の予防及び感染症の患者に対する医療に関する法律（感染症法）　7, 132, 372
感染性胃腸炎　293
感染性核酸　250
感染制御専門医師　157
感染制御専門看護師　157
感染制御専門薬剤師　157
感染性心内膜炎　383
感染性腸炎　379
感染の3要因　121
完全ヒト抗体　112
肝毒性　357
カンピロバクター・ジェジュニ/コリ　154, 192
ガンマ線　143

き

偽遺伝子　65
黄色ブドウ球菌　154
起因菌の同定　370
記憶T細胞（メモリーT細胞）　98
偽結核菌　189
基質拡張型 β-ラクタマーゼ（ESBL）　222, 224
基質レベルのリン酸化　34
気性菌糸　314
寄生　331
寄生体　351
寄生虫　331
基礎微生物学　2
北里柴三郎　4
気道炎症改善作用　382
キードラッグ　306
キニーネ　346
キノロン系抗菌薬　211, 375
基本小体　196
偽膜　177
偽膜性大腸炎　120, 175, 231, 360, 381
キメラ抗体　112
逆浸透法　143
逆転写酵素　78, 251, 256, 299
逆転写酵素活性　296

キャンディン系薬　357
丘疹紅斑　357
急性灰白髄炎　287
急性感染　119
吸虫類　338
狭域抗菌スペクトル　205
狂犬病ウイルス　284
凝固性障害　383
強酸性電解水　148
共刺激分子　100, 106
胸腺　84
胸腺依存性抗原　90
胸腺非依存性抗原　90
蟯虫　340
莢膜　22, 105
莢膜膨化試験　164
許容細胞　257
キラーT細胞　125
ギラン・バレー症候群　192, 271
キレート錯体　363
禁忌　375
菌交代現象　360
菌交代症　120, 157, 205
菌糸　313
菌糸形成菌　179
菌糸療法　4
菌体外酵素　66
菌体密度感知機構　44, 126
筋肉内接種　139

く

空気感染　123, 178, 293
クオラムセンシング　44, 126, 382
クオンティフェロン　178
クドア　156
クラス　91
クラススイッチ　95
グラゾプレビル　291, 367
クラブラン酸/アモキシシリン　224, 360
クラミジア　379
クラミジア・シッタシ　198
クラミジア・トラコマチス　197
クラミジア・ニューモニアエ　198
グラム陰性菌　14, 180
グラム染色　11, 14, 164
グラム陽性芽胞形成桿菌　172
グラム陽性菌　14
クラリスロマイシン　230, 354
グランザイム　98
グリコペプチド系抗菌薬　209
クリプトコックス症　318
クリンダマイシン　231
クリーンベンチ　152
グルタラール　149
クループ　283
クレアチニンクリアランス　356
グレイ症候群　361
グレカプレビル　291
クレゾール　150
クロイツフェルト・ヤコブ病　310
クロストリディオイデス・ディフィシレ　360
クロストリディオイデス・ディフィシレ感染症　175
クローニング　68

クロラミンT　148
クロラムフェニコール　210, 233, 359
クロルヘキシジン　150
クロロキン　346
クローン選択　90
クローン病　115

け

経口感染　262
蛍光抗体法（IFA）　165, 266
経口接種　140
形質転換　59, 60, 213
形質導入　59, 61, 213
形性真菌　313
経胎盤感染　123, 162
経皮接種　140
経母乳感染　123
血液障害　359
血液媒介性ウイルス感染症　157
結核　131, 153, 178, 377
結核菌　177
血清クレアチニン　356
血清診断　165
血清療法　4
欠損干渉粒子　257, 259
欠損ファージ　62
血中濃度曲線下面積　353
ケトコナゾール　328, 382
ゲノム　76
ゲノム編集　76
ケミカルハザード　152
ケモカイン　100
ケモカイン受容体CCR5　299
ケモカイン受容体CXCR4　299
ゲルトネル菌　154
限外濾過法　143
原核生物　9
嫌気呼吸　29
嫌気培養　31
顕性度　262
ゲンタマイシン　210, 229, 355
原虫　9, 108, 332
原発性異型肺炎　176

こ

コアグラーゼ陰性ブドウ球菌　169
高圧釜　141
広域抗菌スペクトラム　360
広域抗菌スペクトル　205
抗ウイルス薬　205
好塩菌　30
光学顕微鏡　14
好気呼吸　29
抗寄生虫薬　205
抗菌薬関連下痢症　231
抗菌薬関連（薬剤性）腸炎　379, 381
抗菌薬（抗細菌薬）　205, 374
抗菌薬適正使用支援　204
抗菌薬適正使用支援チーム　158
孔形成毒素　127
抗結核薬　357
抗原　83, 89
抗原決定基　89
抗原抗体反応　89

抗原虫薬　205
抗原提示　95
抗原特異性　89
抗原変異　126
光合成　27
交差アレルギー　357
合剤　357
抗サイトメガロウイルス　361
交差耐性　214, 230
交雑　73
交差反応　89
好酸球　108
抗酸性染色　164
抗真菌薬　205, 357
口唇ヘルペス　270
硬性下疳　199
合成抗菌薬　205
抗生物質　5, 38, 203, 205
広節裂頭条虫　343
光線過敏症　360
構造遺伝子　50
構造タンパク質　289
酵素抗体法　266
酵素標識抗体免疫測定法（ELISA）　165
抗体　83, 89, 105, 106
抗体依存性細胞傷害　89
抗体（免疫グロブリン）　91
好中球　105, 107
後天性免疫不全症候群　271
高内皮細静脈　86
抗破傷風免疫グロブリン　383
紅斑熱群リケッチア　195
抗微生物薬　351
高ビリルビン血症　357
高頻度組換え（型）　60
酵母　313
合胞体　252
厚膜胞子　318
後麻痺　177
高力価HBsヒト免疫グロブリン　296
抗緑膿菌用アミノグリコシド　241
高齢者　374
抗レトロウイルス療法　300
呼吸　33
国際感染症　138, 153
黒色真菌感染症　319
国立感染症研究所　132
固形培地　30
古細菌　9
枯草菌　173
骨髄　85
骨髄抑制作用　359, 366
コッホの条件　3
古典経路　124
コドン　50
コプリック斑　283
ゴム腫　200
固有宿主　332
コリシン産生因子　55
コリスチン　226, 381
コレラ　189
コレラ菌　189
コレラ毒素　190
コロニー　30
混合感染　376
混合ワクチン　139

和文索引

根足虫類 332
コンタミネーション 30
コンピテント細胞 61
コンホメーションエピトープ 90

さ

再帰感染 119
細菌 9
細菌ウイルス 251
細菌性髄膜炎 242
細菌性赤痢 186
細菌性腸管感染 379
細菌の弱体化・弱毒化作用 382
サイクリング療法 372
サイクロセリン 209, 226
再興感染症 7, 153
在郷軍人病 183
最高血中濃度 353
最終滅菌法 141
最小殺菌濃度 205
最小発育阻止濃度 205, 352
再生不良性貧血 359
最低血中濃度 353
サイトカイン 45, 84, 99, 125
細胞外細菌 105
細胞質 9
細胞質膜 9, 16
細胞傷害性T細胞（CTL） 84, 98, 106, 117, 125
細胞傷害性試験 118
細胞小器官 315
細胞性免疫 83, 262
細胞接着分子L-セレクチン 103
細胞内寄生原虫 108
細胞内寄生細菌 101, 105, 106
細胞壁 14, 16, 315
細胞変性効果 252
細胞膜 315
サザンブロットハイブリダイゼーション 73
サザンブロット法 267
サシガメ 335
サシチョウバエ 335
殺菌作用 205, 215
擦拭法 149
サテライトウイルス 257
ザナミビル 280, 378
サブクラス 91
サプレッサー変異 57
サーベイランス 119
サラシ粉 148
サルコシスティス 156
サルコシスティス・フェアリー 338
サル痘ウイルス 269
サルファ剤 212, 375
サルモネラ属細菌 154
酸化的リン酸化 34
塹壕熱 194
産道感染 123, 162
散発的発生 119

し

次亜塩素酸ナトリウム 148, 293
シアノバクテリア 29
シアリダーゼ 251, 278

シアル酸 255, 261, 278
ジアルジア症 334
ジエチルカルバマジン 348
ジェンナー（E. Jenner） 4
歯牙黄染 360
志賀潔 5
志賀毒素（ベロ毒素） 156, 187, 380
時間依存的 215
糸球体濾過率 356
自己寛容 85, 90, 98, 115
ジゴキシン 365
自己分泌 99
自己免疫疾患 115
脂質代謝酵素 359
糸状菌 313
シスト 332
ジスルフィラム作用 221
ジスルフィラム様症状 364
次世代シークエンサー 70
自然耐性 212
自然突然変異 58
自然免疫 83, 86, 124
持続感染 119, 258, 261
シタフロキサシン 354
市中菌 156
市中感染型 241
市中感染型MRSA 375
市中肺炎 375, 376
指定感染症 134
シデロフォア 28
ジドブジン 301, 366
子嚢菌 313
子嚢胞子 314
ジヒドロプテロイン酸合成酵素 212
ジフテリア菌 176
ジフテリア毒素 177
ジブトシン 367
しぶり腹 187
シプロフロキサシン 234, 354
死滅期 206
シメプレビル 370
シャーガス病 335
弱毒生ワクチン 139
シャトルベクター 68
種 9
重合反応 209
終止コドン 52
終宿主 332, 336, 343
重症感染症 383
重症急性呼吸器症候群 294
重症度分類 370
重症複合免疫不全症 114
十字流濾過器 143
従属栄養 27
集団感染 372, 376
集団免疫 83
宿主 121, 331, 351
縮重 51
宿主特異性 332
宿主-寄生体関係 119
出芽 257, 314
種痘ウイルス 269
受動免疫 83
腫瘍ウイルス 263
主要栄養素 27
主要組織適合遺伝子複合体（MHC） 88

主要組織適合抗原 95
シュルツェマダニ 200
純培養 30
障害調整生命年 131
消化管障害 359
常在細菌叢 120
常在微生物叢 120
照射滅菌法 141
脂溶性 351
条虫類 338
消毒 140
消毒液（高水準・中水準・低水準） 145
小胞体 96, 315
少量長期療法 382
食細胞 124
食作用 124
食中毒 154, 293
食道潰瘍 359
食品添加物 148
植物ウイルス 251
食胞 124
除脂肪体重 356
シラスタチン 359
視力障害 359
真核生物 9
新型インフルエンザ 6, 134, 152
新感染症 134
真菌 9, 107, 313
真菌症 317
神経梅毒 383
新興感染症 7, 131, 152
深在性真菌症 317, 382
人獣共通感染症 122, 153
侵襲性インフルエンザ菌感染症 191
侵襲性髄膜炎菌感染症 180
侵襲性肺炎球菌感染症 172
腎症候性出血熱 286
新生児淋菌性結膜炎 180
真性復帰変異 57
迅速ウレアーゼ試験 193
迅速診断キット 378
人畜共通感染症 153
腎毒性 357
侵入性 66
侵入部位 123
腎排泄型 357
ジーンバンク 69
深部皮膚真菌症 317, 382
親和性成熟 95

す

推算糸球体濾過率 382
水素イオン濃度 28
垂直伝播 123
スイッチ領域（S） 95
水平感染 271
水平伝達 59, 66
水平伝播 123
髄膜炎菌 180
髄膜炎菌性髄膜炎 180
髄膜炎ベルト地帯 180
水溶性 351
水様性下痢 337
スティーブンス・ジョンソン症候群 357
ストレプトコッカス・アガラク

ティエ 171
ストレプトマイシン 209, 229
スパイク 247
スーパーオキシド 29
スーパー抗原 105
スピラマイシン 375
スフェロプラスト 19
スペクチノマイシン 379
スポロトリコーシス 319
スライド凝集試験 164
スルタミシリン 375
スルバクタム 224
スルバクタム/アンピシリン 372
スルバクタム/セフォペラゾン 352
スルファメトキサゾール/トリメトプリム 357

せ

生活環 332
生活史 332
性感染症 132, 161, 378
性器クラミジア感染症 197, 378
性器ヘルペスウイルス感染症 378
制御性T細胞 102
静菌作用 205
制限酵素 67
生産者 1
正常細菌叢 120
正常プリオン 310
生殖菌糸 314
成人T細胞白血病 299
性線毛 54, 60
正二十面体構造 246
正の選択 98
生物学的封じ込め 80
成分（コンポーネント）ワクチン 139
世界的大流行 6, 153
世界保健機関 130
石炭酸係数 144
赤痢アメーバ症 332
赤痢菌 186
世代時間 26
赤血球凝集素 254, 255
赤血球凝集阻止試験 261
接合 43, 54, 59
接合伝達 213
接合胞子 314
接触感染 262, 372, 376
節足動物媒介性ウイルス 251
セパシア菌 181
セファクロル 218
セファゾリン 218
セファマイシン系 218
セファレキシン 218
セファロスポリナーゼ 223
セファロスポリン系 218
セフェピム 221, 378
セフェム系薬 218, 374
セフォゾプラン 221, 381
セフォタキシム 372
セフォチアム 218, 352
セフォペラゾン 218
セフカペン ピボキシル 221
セフジトレン ピボキシル 221
セフジニル 219, 221

セフタジジム 218, 372
セフトリアキソン 218, 352
セフピロム 221, 381
セフメタゾール 218, 360
セリン-β-ラクタマーゼ 223
セルソーター 111
セレウス菌 156, 173
セレウリド 156
センサーキナーゼ 40
染色体 DNA 47
染色体の複製 48
全身感染 262
選択毒性 205, 357
選択培地 30
蠕虫 108, 332
線虫類 338
前庭障害 359
先天性トキソプラズマ症 336
先天(性)梅毒 200, 383
先天性風疹症候群 163, 288
セント・ジョーンズ・ワート 368
潜伏感染 119
潜伏期間 119
線毛 24, 55
繊毛虫類 332

そ

走化性 100
臓器症状 370
増菌培養 31
造血幹細胞 83
増殖感染 261
増殖曲線 27
挿入配列 63
相変異 57, 126
相補性決定領域 94
藻類 9
属 9
側方流動アッセイ 111
鼠径リンパ肉芽腫症 197
ソホスブビル 291, 370

た

第一次消費者 1
体液性免疫 83, 262
耐塩性細菌 30
タイコ酸 19
体細胞突然変異 95
代謝 31
代謝調節 52
対数増殖期 26, 27
大腸菌 184
大腸菌群 186
第二次消費者 1
耐熱性エンテロトキシン 185
耐熱性溶血毒(TDH) 155, 190
対面服薬療法 377
対立遺伝子排除 95
多価ワクチン 139
ダクラタスビル 368
多剤耐性 41, 241
多剤耐性菌 212
多剤耐性結核菌 178, 242
多剤耐性緑膿菌(MDRP) 182, 221
多剤排出ポンプ 215

多剤併用 372
多剤併用療法 365, 377
タゾバクタム 224
脱殻 255
多糖抗原 171
ダプトマイシン 209, 227
多包条虫 343
ターミネーター 50
ダルナビル 303, 367
単核食細胞 85
単球 105
担子器 315
担子菌 313
担子胞子 314
胆汁排泄型 357
単純ヘルペスウイルス(SHV)感染 375
炭疽菌 172
担体 148
丹毒 163
単包条虫 343

ち

地域的流行 119
チゲサイクリン 231
腟トリコモナス症 334
チトクローム P450 328, 363
チニダゾール 345
チフス性疾患 379
チミジンキナーゼ 272
中間宿主 332
中枢自己寛容 101
中東呼吸器症候群 294
中毒性表皮壊死症 357
中和抗体 112
中和試験 266
腸炎エルシニア 189
腸炎菌 154
腸炎ビブリオ 155, 190
聴覚障害 359
超可変部 90
腸管感染症 379
腸管出血性大腸菌 156, 380
腸管毒素 154
超多剤耐性結核菌 178
腸内細菌 120
直接観察療法 377
直接服薬確認療法 178, 377
治療薬物モニタリング 355

つ

通性嫌気性菌 29
通性細胞内寄生性菌 126
ツェツェバエ 335
つつが虫病 195
ツベルクリン反応 178
爪白癬 382

て

手足口病 287
低温殺菌法 142
低カルシウム血症 367
低カルニチン血症 221
定期接種 134
定期接種(A類疾病) 276
定期予防接種 287

低血糖 360
テイコプラニン 224, 355
停止コドン 52
定常期 27
定常部 91
定着 125
定着因子 125
定着性 66
ディフィシレ菌 175
低マグネシウム血症 367
デ・エスカレーション 205, 216, 371
適格細胞 61
適正使用 221
デーデルライン 175
テトラサイクリン 231
テトラサイクリン系薬 210, 376
テトラヒドロ葉酸 212
テノホビルアラフェナミド 368
テノホビル アラフェナミド フマル酸塩 297, 301
テノホビル ジソプロキシル フマル酸塩 297, 301
デヒドロペプチダーゼI阻害薬 359
デヒドロペプチダーゼ-I 222
テビペネム 360
テビペネム ピボキシル 222
デフェンシン 124
デルタ因子 309
テルビナフィン 329, 359, 382
転位 210
転移 RNA 51
転移因子 63
デングウイルス 289
電子顕微鏡 14
電子伝達系 33
転写 50
転写因子 87
伝染性単核症 271
伝染性軟属腫ウイルス 270
伝染性膿痂疹 163, 167
伝染病 119
伝達性海綿状脳症 309
天然痘(痘瘡) 269
天然痘(痘瘡)の根絶 6
点変異 56

と

同化作用 31
痘瘡ウイルス 269
痘瘡(天然痘) 269
痘瘡撲滅計画 132
同定 164
動物ウイルス 251
動物由来感染症 153
投与補正係数 356
ドキシサイクリン 231, 379
トキソイド 114
トキソイドワクチン 139
トキソプラズマ 156
トキソプラズマ症 375
トキソプラズマ脳炎 336
特殊形質導入 62
毒素 360
毒素型 379
毒素型食中毒 154
毒素産生性 66

特別管理産業廃棄物管理責任者 158
独立栄養 27
毒力 42
トスフロキサシン 354
ドナー 116
利根川進 5
トブラマイシン 355
トポイソメラーゼ IV 211, 234
ドーマク(G. Domagk) 5
ドメイン 10
トラコーマ 197
ドラビリン 302
トラフ値 353
トランスグリコシラーゼ 36, 209
トランスジェニックマウス 104
トランスファー RNA 51
トランスペプチダーゼ 36, 209, 215
トランスポーゼース 63
トランスポゾン 59, 63, 213
トランスポーター 40, 41
トリアゾール系 321
ドリペネム 222, 359
トリメトプリム 212
ドルテグラビル 304
トルナフタート 329
トレポネーマ・デンティコーラ 200
トロピズム 251
トロフォゾイト 332
貪食 22, 88, 105

な

内因性感染 121, 122
内生胞子 315
内臓真菌症 382
内臓リーシュマニア症 335
内毒素(LPS) 21, 105, 126
内毒素活性 130
内部寄生虫 331
内分泌撹乱作用 99
ナグビブリオ 189
生ワクチン 114
ナリジクス酸 234
軟性下疳 191
軟性下疳菌 191
ナンセンス変異 56

に

肉芽腫 377
二次感染 293
二次結核症 178
二成分制御系 40
ニッチ 29
二倍体 10
二分裂 26
日本海裂頭条虫 343
二本鎖 RNA 107
日本脳炎ウイルス 288
二命名法 9
乳酸アシドーシス 367
乳酸菌製剤 381
ニューキノロン 234, 241
ニューロパチー 366
尿素呼気試験 193
任意接種 134

和文索引

妊婦　374

ぬ

ヌクレオカプシド　246
ヌクレオシド系逆転写酵素阻害薬　300

ね

ネコ科　336
ネコひっかき病　194
ネズミチフス菌　154
ネビラピン　302, 370
ネルフィナビル　303
粘液層　22
粘血便　187, 332

の

ノイラミニダーゼ　247, 278
ノイラミニダーゼ阻害薬　366, 378
囊子　332, 334, 336
囊子型　332
能動免疫　83
能動輸送　40
膿瘍　332
膿漏眼　180
野口英世　4
ノーザンブロットハイブリダイゼーション　73
ノックアウトマウス　104
ノルフロキサシン　234, 359
ノロウイルス　156, 381

は

肺MAC症　377
パイエル板　86
肺炎　131
肺炎桿菌　188
肺炎球菌　171, 375
バイオ医薬品　79, 112
バイオセーフティ　150
バイオセーフティレベル　151
バイオハザード　150
バイオハザードマーク　152
バイオフィルム　38, 126
バイオレメディエーション　1
媒介　336
媒介動物　122
肺吸虫　342
配偶子囊　314
敗血症　383
敗血症性ショック　100, 105
培地　30
胚中心　85
梅毒　199, 375
梅毒トレポネーマ　199
ハイブリダイゼーション　11
ハイブリドーマ　109
バーキットリンパ腫　271
白癬　320
バクテリオシン　55
バクテリオファージ　61
バシトラシン　209, 226
播種状紅斑　357
播種性血管内凝固症候群　285

播種性糞線虫症　340
破傷風　174
破傷風菌　173
破傷風トキソイド　174
破傷風毒素　174
パスツール（Louis Pasteur）　2
パズフロキサシン　234
秦佐八郎　5
パターン認識受容体　86
バックボーン　306
パッケージング　68
発酵　1, 31
発熱　336
発病　119
パピローマウイルス科　269
パーフォリン　98
パモ酸ピランテル　347
パラアミノ安息香酸　212
パラシクロビル　271, 272, 379
バリシチニブ　295
パリビズマブ　284
パリンドローム　50
バルガンシクロビル　365, 366
パルス療法　328, 382
バロキサビル　378
バロキサビル マルボキシル　280, 282
半減期（$T_{1/2}$）　356
バンコマイシン　224, 355
バンコマイシン耐性腸球菌（VRE）　172, 225
伴性導入　60
ハンセン病　179
パンデミック　6, 153, 278
汎発性流行　119
半保存的複製　48

ひ

ビアペネム　222
非核酸系逆転写酵素阻害薬　366
皮下接種　139
光アレルギー反応　360
光回復　58
光毒性反応　360
非許容細胞　257
ピーク値　353
ビクテグラビル　304
非結核性抗酸菌　178
非結核性抗酸菌症　179
非結核性（非定型）抗酸菌症　377
非構造タンパク質　289
脾腫　336
皮疹　357
ヒスチジン　156
非ステロイド抗炎症薬　280, 361
微生物　1
微生物汚染　119
微生物学　1
ヒゼンダニ（疥癬虫）　344
鼻疽　181
脾臓　86
鼻疽菌　181
ビタミンB群欠乏症　360
ビタミンK欠乏症　360
ビダラビン　272, 366
ヒッチングス（G. Hitchings）　6
非定型肺炎　376

ヒト化抗体　112
ヒト顆粒球アナプラズマ症　196
ヒトコロナウイルス　294
ヒトパラインフルエンザウイルス　283
ヒトメタニューモウイルス　284
非ヌクレオシド系逆転写酵素阻害薬　300
皮膚糸状菌　320
皮膚糸状菌症　320
皮膚真菌症　163
皮膚粘膜リーシュマニア症　335
ビブリオ・ブルニフィカス　191
皮膚リーシュマニア症　335
ピペラシリン　217, 352
ピボキシル基　221
飛沫核　123
飛沫感染　262, 293, 372, 376
びまん性汎細気管支炎　229, 382
百日咳　181
百日咳菌　181
百日咳毒素　182
非溶血　170
病原性　66, 119
病原性遺伝子塊　66
病原性プラスミド　55
病原微生物学　1
表在性真菌症　317, 382
日和見感染　44, 119, 371
日和見感染症　6, 157, 317
ピラジナミド　239, 357
ビリオン　246
微量栄養素　28
ビルレンス　119
貧血　336

ふ

ファゴリソソーム　124
ファージ　61
ファージ変換　59, 62
ファビピラビル　280, 282, 375, 378
ファムシクロビル　272
ファロペネム　222, 360
フィダキソマイシン　212
部位特異的変異導入　74
フィードバック阻害　37
フィラリア（糸状虫）　340
風疹　375
風疹ウイルス　288
封入体　258
フェノール　150
不活化　140
不活化ワクチン　114, 139
複製複合体　291
不顕性感染　119, 271
ブースター効果　140
不全形質導入　62
フタラール　149
普通感冒　288, 294
復帰変異　56
物理的封じ込め　80
ブテナフィン　329
不稔感染　261
負の選択　98, 116
普遍形質導入　62
ブユ　341
プライマーゼ　48

プラーク　253
フラジェリン　22
プラジカンテル　348, 349
プラス鎖RNA　250
プラスミド　22, 59
プラスミドDNA　47, 54
プリオン　309
フルオロキノロン　234
フルオロピリミジン系薬　375
フルコナゾール　321, 352
フルシトシン　321, 357
ブルセラ症　193
プルリフロキサシン　354
ブレイクスルー感染症　319
ブレイクポイント　207, 371
フレミング（A. Fleming）　5
フレームシフト変異　56
プログラム細胞死　98
プロテアーゼ　299
プロテアーゼ阻害薬　300, 366
プロテアソーム　96
プロトオンコジーン　264
プロトプラスト　19
プロトン濃度勾配　33
プロトンポンプ阻害薬　379
プロファージ　61
フロモキセフ　218
プロモーター　50
フローラ　120
不和合性　54
分解者　1
分生子　315
糞線虫　340
分泌　42
分泌型IgA　93, 125
分泌片　93
分布容積　351
分離培養　30

へ

米国疾病管理予防センター　132
ベクター　122
ベクターDNA　68
ペスト　189
ペスト菌　189
別経路　124
ヘテロタキシック　314
ペニシリナーゼ　223
ペニシリン系薬　374
ペニシリン結合タンパク質　209
ペニシリン耐性肺炎球菌　172, 375
ペニシリン中等度耐性肺炎球菌　375
ペプチジルトランスフェラーゼ　209
ペプチドグリカン　16, 208, 215
ペプチド結合　210
ペプロマー　257
ヘマグルチニン　247, 278
ペラミビル　280, 366, 378
ヘリカーゼ　48
ヘリカーゼ・プライマーゼ複合体　274
ヘリコバクター・ピロリ　192, 379
ペリプラズム　17
ベーリング（E. Behring）　4

404　索引

ペルーいぼ 194
ヘルパー T 細胞 84, 98, 105
ヘルパーウイルス 309
ヘルパー（介助）ウイルス 257
ヘルパンギーナ 287
ヘルペスウイルス科 269
ベロ毒素 185
変異原 58
ベンザルコニウム塩化物 150
ベンジルペニシリン 216, 383
偏性嫌気性菌 29
偏性細胞内寄生性菌 126
ベンゼトニウム塩化物 150
ペンタミジン 361
扁平コンジローマ 199
鞭毛 22
鞭毛虫類 332

ほ

蜂窩織炎 163
胞子虫類 332
胞子嚢胞子 315
防腐 140
傍分泌 99
保菌者 122
保菌動物 122
ポサコナゾール 321
ホスアンプレナビル 303, 367
ホスカルネット 361, 366
ホスフルコナゾール 321, 356
ホスホマイシン 209, 225, 374
ホスラブコナゾール 328
補体 105, 124
補体系 88
補体結合反応 165
ポックスウイルス科 269
発疹期 283
発疹チフス 194
発疹チフスリケッチア 194
発疹熱 194
発疹熱リケッチア 194
ボツリヌス菌 154, 174
ボツリヌス毒素 154, 174
母乳感染 162
ポビドンヨード 148
ホモサリック 314
保有動物 122
ポリ Ig 受容体 93
ポリエンマクロライド系薬 357
ポリオ 287
ポリオーマウイルス科 269
ポリコナゾール 321, 352
ポリソーム 51
ポリメラーゼ連鎖反応 77, 164
ポーリン 21, 215
ボルチモア分類 269
ホルムアルデヒド 149
本庶佑 5
ポンティアック熱 183
翻訳（タンパク質合成）50, 51, 209

ま

マイクロバイオーム 71
マイコプラズマ 19
マイコプラズマ肺炎 176, 376
マイナス鎖 RNA 250

膜傷害性複合体 125
膜侵襲複合体 88
マクロファージ 85, 105
マクロライド系薬 210, 229, 365, 376
マクロライド・ニトロソアルカン複合体 364
麻疹ウイルス 282
マスター転写因子 101
マスト細胞 85, 108
末梢神経障害 359
末梢自己寛容 101
マラビロク 375
マラリア 131, 153, 336
マールブルグ出血熱 285
マールブルグ病 285
慢性感染 119
慢性副鼻腔炎 382
慢性閉塞性肺疾患 382

み

ミエロペルオキシダーゼ 124
ミカファンギン 328, 361
ミキシング 152
ミコナゾール 364, 382
ミコール酸 238
ミセンス変異 56
ミトコンドリア 315
ミノサイクリン 231, 372

む

無隔菌糸 313
無菌性髄膜炎 287
無菌操作 30
無菌保証水準 141
無鉤条虫 343
ムーコル症 318
無性胞子 314
ムラミルジペプチド 18
ムラミン酸 17
ムンプスウイルス 283
ムンプス難聴 283

め

メタゲノム解析 71
メタロ-β-ラクタマーゼ 221, 224
メチシリン 216
メチシリン耐性黄色ブドウ球菌（MRSA）37, 157
メチニコフ 5
滅菌 30, 140
滅菌指標体 141
メッセンジャー RNA 50
メトロニダゾール 345, 375
メフロキン 346
メロペネム 222, 359
免疫学 5
免疫記憶 83, 112
免疫グロブリン 89
免疫グロブリンスーパーファミリー 275
免疫グロブリン単量体 91
免疫グロブリン療法 383
免疫原性 90
免疫賦活剤（アジュバント）139

免疫不全症 114
免疫抑制薬 116
メンブランフィルター 143

も

毛嚢炎 163
網様体 196
モキシフロキサシン 354
モノクローナル抗体 108

や

薬剤アレルギー 357
薬剤耐性 6
薬剤耐性アシネトバクター 183
薬剤耐性菌 371
薬剤排出ポンプ 215
薬物相互作用 361
薬物動態学 353
薬物動態学的増強因子（ブースター）303
薬物動態学的相互作用 361
薬力学 353
薬力学的相互作用 361
野兎病 183
野兎病菌 183
ヤーリッシュ・ヘルクスハイマー反応 200, 202

ゆ

有隔菌糸 313
有鉤条虫 343
有性胞子 314
誘導 239
誘導期 27
誘発突然変異 58
油浸法 14
輸入感染症 6, 138
輸入真菌症 317

よ

陽イオン界面活性剤 150
ヨウ化カリウム 382
溶血性尿毒症症候群（HUS）156, 185, 380
溶原化変換 62
溶原菌 61
葉酸合成阻害作用 359
ヨウ素 147
幼虫移行症 340
溶連菌 170
ヨードチンキ 148
ヨードホル 148
ヨードホルム 148
予防接種 139
予防接種健康被害救済制度 136
読み枠 65

ら

らい（癩）菌 179
ライム病 201
ライム病ボレリア 200
ライムボレリア症 201
ラクトフェリン 124
ラジオイムノアッセイ 266

ラスクフロキサシン 354, 377
らせん対称 246
ラタモキセフ 219, 360
ラニナミビル 280, 378
ラノコナゾール 382
ラミジア感染症 379
ラミブジン 296, 301, 366
ラルテグラビル 304

り

リアルタイム PCR 法 78, 254
リガンド 255
罹患率 119
リスター 3
理想体重 356
リゾチーム 18, 124
リトナビル 303, 367
リネゾリド 209, 233, 353
リバース・ジェネティクス法 250
リバビリン 366
リピド A 20, 130
リファブチン 211, 357
リファンピシン 211, 238, 357
リプレッサー 53
リポジストロフィー 367
リボソーム 209
リボソーム RNA 50
リボソーム結合領域 50
リボソーム製剤 382
リポ多糖 20, 130
リボヌクレアーゼ L 260
流行 119
流行性耳下腺炎 283
両性界面活性剤 150
緑膿菌 182, 355
緑膿菌感染症 381
リラナフタート 329
リルピビリン 302, 370
淋菌 180, 379
淋菌感染症 378
リンコマイシン 231
淋疾 180
リンパ球 83
リンパ球再循環 103
リンパ節 86
淋病 180

る

類鼻疽 181
類鼻疽菌 181
ルリコナゾール 382

れ

レーウェンフック 2
レギュロン 40, 54
レジオネラ症 183
レジオネラ・ニューモフィラ 183
レジオネラ肺炎 376
レシピエント 116
レスピラトリーキノロン 234, 375, 376
レセプター 254
レッドネック症候群 360
レッドマン症候群 360

レテルモビル 272, 365
レプトスピラ症 201
レプリコン 54
レボフロキサシン 234, 354
レムデシビル 294
レンサ球菌毒素性ショック症候群 171

連続エピトープ 90
連続培養 31

ろ

濾過滅菌法 141
ローディング・ドーズ 356

ロピナビル 303
ロメフロキサシン 359, 360

わ

ワイル病 201
ワクスマン 5

ワクチン 4, 83, 112

◆欧文索引

α 溶血 170
$β_2$-MG 359
β 溶血 170
β-1, 3-D-グルカン 328
β-lactamase 213
β-ラクタマーゼ 213, 215, 223
β-ラクタマーゼ阻害薬 217
β-ラクタム系抗菌薬 37, 209
γ 型 170
γ-アミノ酪酸 359
σ（シグマ）因子 50

数字

16S rRNA 11, 209
1 次応答 104
1 日単回投与法 354
23S rRNA 209
2', 5'-オリゴアデニル酸合成酵素 260
2 次応答 104
30S サブユニット 209
4 種混合ワクチン 287
50S サブユニット 209

A

ABC トランスポーター 42
abortive transduction 62
acidic electrolyzed water 148
acquired immunodeficiency syndrome (AIDS) 271
activator 53
acute infection 119
ACV 379
ADME 361
adult T cell leukemia (ATL) 299
aerial hypha 314
A/E 病変 185
AI 44
AIDS 131, 152
alloantigen 116
Ames テスト 58
aminoglycoside 227
amoxicillin (AMPC) 217, 379
ampholytic detergent 150
AMPH-B 382
ampicillin (ABPC) 217
anabolism 31
anaerobic culture 31
Anaplasma phagocytophilum 196
animal virus 251
Anisakis 341
antibiotics 5
antibiotic-associated colitis 379, 381
antigenic variation 126

antimicrobial resistance (AMR) 6, 204
antimicrobial stewardship program (ASP) 204
antimicrobial stewardship team (AST) 158
anti-retroviral therapy (ART) 300
antisepsis 140
Antony van Leeuwenhoek 2
apoptosis 258
archaea 9
artemisinin 347
arthropod-borne virus 251
Ascaris lumbricoides 340
ascospore 314
aseptate hypha 313
asexual spore 314
ASLO 171
ASO 171
aspergillosis 317
assembly 256
ATP 31
ATP synthase 33
ATP 合成酵素 33
ATP-binding cassette (ABC) 41
attenuation 54
AUC 353
AUC/MIC 353
autocrine 99
autoinducer (AI) 126
autotroph 27
azithromycin (AZM) 231
aztreonam (AZT) 223
A 型肝炎ウイルス 288
A 類疾病 134, 287
A-B 成分毒素 127

B

bacillary dysentery 186
Bacillus 172
— anthracis 172
— cereus 156, 173
— subtilis 173
bacitracin (BC) 226
back mutation 56
bacteria 9
bacterial spore 24
bactericidal action 205
bacteriocin 55
bacteriostatic action 205
basidiospore 314
basidium 315
Borrelia burgdorferi 200
BCG 178
benzylpenicillin (PCG) 216
Bergey's Manual 12
biapenem (BIPM) 222

binary fission 26
biofilm 38
biohazard 150
biosafety 150
biosafety level (BSL) 151
BK ウイルス 275
board certified infection control pharmacy specialist (BCICPS) 157
Bordetella pertussis 181
BP・MIC 371
break point (BP) 207, 371
brucellosis 193
budding 257, 314
Burkholderia 180
— cepacia 181
— mallei 181
— pseudomallei 181
B 型肝炎ウイルス 295
B 型肝炎ウイルス治療薬 365
B 型肝炎治療 365
B 型肝炎ワクチン 296
B 細胞 83
B 類疾病 134

C

C14α-ラノステロールデメチラーゼ 321
CAM 377, 379
Campylobacter jejuni/coli 154, 192
candidiasis 317
capsid 245
capsomere 246
capsule 22
carrier 122
Cartagena Protocol on Biosafety 81
Cas タンパク質遺伝子群 76
catabolism 31
cationic detergent 150
Cat-Scratch Fever 194
Ccr 356, 374
CCR5 阻害薬 300
CD4 299
CD 番号 108
cefaclor (CCL) 218
cefazolin (CEZ) 218
cefcapene pivoxil (CFPN-PI) 221
cefdinir (CFDN) 219
cefepime (CFPM) 221
cefmetazol (CMZ) 218
cefoperazone (CPZ) 218
cefotiam (CTM) 218
cefozopran (CZOP) 221
cefpirome (CPR) 221
ceftazidime (CAZ) 218
ceftriaxone (CTRX) 218
cell-mediated immunity 83

cell membrane 315
cell wall 16, 315
Centers for Disease Control and Prevention (CDC) 132
cestodes 338
Chagas' disease 335
chemotherapeutic index (CI) 205
Chlamydia 197
— pneumoniae 198
— psittaci 198
— trachomatis 197
chlamydospore 318
chloramine T 148
chlorhexidine 150
chlorinated isocyanuric acid 148
chlorinated lime 148
chlorine 148
chloroquine 346
chromomycosis 319
chromosomal DNA 47
chronic obstructive pulmonary disease (COPD) 382
chronic paranasal sinusitis 382
ciprofloxacin (CPFX) 234
clarithromycin (CAM) 230
clindamycin (CLDM) 231
cloning 68
Clostridioides difficile 175, 381
— associated disease (CDAD) 381
Clostridium 173
— botulinum 154, 174
— perfringens 155
— tetani 173
C_{max} 353
C_{max}/MIC 354
C_{max}/MIC タイプ 353
C_{min} 353
CMV 感染 375
coagulase negative staphylococci (CNS) 169
Cockcroft-Gault の式 356
codon 50
colicinogenic factor 55
coliform group 186
colistin (CL) 226
colonization 66, 125
colonization factor 125
combination anti-retroviral therapy (cART) 300
combined vaccine 139
communicable disease 119
community acquired infection 156
competent cell 61
complementarity-determining region (CDR) 94
compromised host 119
conformational epitope 90
congenital rubella syndrome (CRS)

288
conidium 315
conjugation 59
constant region 91
contamination 119
continuous culture 31
Corynebacterium diphtheriae 176
Cowdry A 型封入体 258
Coxiella burnetti 184
CRE 204
cresol 150
Creutzfeldt-Jacob disease（CJD）
 310
CRISPR 75
CRISPR-Cas 75
cryptococcosis 318
culture medium 30
cycloserine（CS） 226
CYP1A2 364
CYP3A4 328, 364
CYP3A4 基質薬 364
CYP3A4 誘導作用 364
cyst 332, 336
cytochrome P450（CYP） 363
cytokine storm 117
cytopathogenic effect /cytopathic
 effect（CPE） 252
cytoplasm 9
cytoplasmic membrane 9, 16
cytotoxic T cell（CTL） 84, 125
C 型肝炎ウイルス 289
C 型肝炎治療 365
c-*onc* 264

D

daptomycin（DAP） 227
DCV 375
death phase 27
decimal reduction time 141
deep-seated mycosis 317
de escalation 205, 371
defective interfering particle（DIP）
 257
defective phage 62
degeneracy 51
dehydropeptidase-I（DHP-I）
 222
deletion 56
dengue virus 289
dermatophyte 320
dermatophytosis 320
DHF 還元酵素 212
DIC 286
diethylcarbamazine 348
diffuse panbronchiolitis（DPB）
 382
dimorphic fungus 313
diphtheria toxin 177
Diphylobothrium 343
—— *latum* 343
—— *nihonkaiense* 343
directly observed treatment（DOT）
 377
disability-adjusted life year
 （DALY） 131
DNA chip 75
DNA gyrase 211
DNA microarray 75

DNA 依存性 RNA ポリメラーゼ
 50, 269
DNA ウイルス 269
DNA 型腫瘍ウイルス 263
DNA 供与体 68
DNA ジャイレース 48, 211, 234
DNA ターミナーゼ複合体 275
DNA チップ 75
DNA ポリメラーゼ 48, 296
DNA マイクロアレイ 75
domain 10
donor 68
doripenem（DRPM） 222
DOTS 178, 239
doxycycline（DOXY） 231
drug interaction 361
dysentery bacillus 186
D 型肝炎ウイルス 309
D 値 141

E

EAST1 186
ebola hemorrhagic fever 285
ebola virus disease（EVD） 285
Echinococcus 343
—— *granulosus* 343
—— *multilocularis* 343
eclipse phase 258
ectoparasite 331
EID_{50} 253
elementary body 196
ELISA 109
emerging infectious disease 7, 152
endemic 119
endocrine 99
endoparasite 331
endosomal sorting complex required
 for transport（ESCRT） 257
endospore 24, 315
endothelial reticulum 315
endotoxin 126
enrichment culture 31
Enterobius vermicularis 340
Enterohemorrhagic *Escherichia coli*
 156
envelope 245, 246
enzyme-linked immunosorbent
 assay 109
epidemic 119
epitope 89
ESBL 222, 223
Escherichia coli 184
ethambutol（EB） 239, 377
ethanol 149
eukaryote 9
exoenzyme 66
exospore 315
exotoxin 126
exponential phase 27
extended spectrum β-lactamase
 （ESBL） 222, 223
extensively drug-resistant
 tuberculosis（XDR-TB） 178
Extracellular Bacteria 105
E-セレクチン 103

F

facultative intracellular parasite
 126
faropenem（FRPM） 222
Fc 受容体 93
Fc 領域 91
feedback inhibition 37
fermentation 31
fertility factor 59
F factor 54
filamentous fungus 313
filaria 340
fimbriae 24
flagella 22
flagellin 22
flomoxef（FMOX） 218
fluoroquinolone 234
formaldehyde 149
fosfomycin（FOM） 225
F plasmid 54
frame-shift mutation 56
Francisella tularensis 183
fungal infection, 317
fungi 9, 313
F′因子 60
F 導入 60
F プラスミド（F 因子） 54, 59

G

GABA 359
gametangium 314
garenoxacin（GRNX） 234, 375,
 377
gas gangrene bacilli 174
GCV 375
gene bank 69
gene cloning 68
gene expression 49
gene knock out 74
gene library 69
generalized transduction 62
generation time 26
genetically modified organism
 （GMO） 80
genetic code 51
genome editing 76
genotype 289
GFR 356
giardiasis 334
Giusti-Hayton 法 356
global control 40
glutaral 149
glycolysis 31
gonococcus 180
gonorrhoea 180
gp120 299
gp41 299
graft 116
graft versus host（GVH）reaction
 116
Gram stain 14
granulocyte 84
grey baby syndrome 361
GRNX 234, 375, 377
Guillain-Barre syndrome（GBS）
 192, 271

H

HA 255
Haemophilus 191
—— *ducreyi* 191
—— *influenzae* 191
Hansen's disease 179
haploid 10
HBIG 296
HBV 295, 365
HB ワクチン 296
HCV 治療薬配合剤 365
Healthcare-associated infection
 157
heavy chain 91
helical symmetry 246
Helicobacter pylori 192
helper virus 257
hemagglutinin（HA） 255, 260,
 278
hematopoietic stem cell 83
HEPA 143
hepatitis A virus（HAV） 288
hepatitis B virus（HBV） 295, 365
hepatitis C virus（HCV） 289
hepatitis D virus（HDV） 309
herd immunity 83
heterothallic 314
heterotroph 27
HI 261
Hib 191
Hib ワクチン 242
high endothelial venule（HEV） 86
high frequency of recombination
 （Hfr） 60
HIV-1 299
HIV-2 299
horizontal transmission 123
hospital acquired infection,
 nosocomial infection 156
host 331
host-parasite relationship 119
HTLV-1 299
HTLV-1 associated myelopathy
 （HAM） 299
HTLV-1 associated uveitis（HU）
 299
HTLV-1 関連ぶどう膜炎 299
HTLV-1 関連ミエロパシー 299
human coronavirus 294
human metapneumovirus 284
human parainfluenza virus 283
humoral immunity 83
HUS 185
hybridization 11
hydrogen peroxide 149
hypervariable region 94
hypha 313
H 抗原 22, 57
H 鎖 91

I

IBW 356
IFN 89, 125, 259
IFN 製剤＋直接作用型ウイルス治
 療薬 365
IFN フリーの DAAs 併用 365

IFN-γの遊離試験　178
Ig　89
IgM 抗体　124
Ii 鎖　97
imipenem・cilastatin（IPM/CS）　222
immunoblot　110
immunocompromised host　317
immunogenicity　90
immunoglobulin　89
imported mycosis　317
inactivation　140
inapparent infection　119
incompatibility　54
incubation period　119
indigenous microbial flora　120
induced mutation　58
infection　119
infection control doctor（ICD）　157
infection control team（ICT）　157
infectious disease　119
infectious enteritis　379
infectious mononucleosis　271
inflammasome　87
inflammation　124
insertion　56
insertion sequence　63
integrase　298
integrase strand transfer inhibitors（INSTI）　300
integron　63
interference phenomenon　259
interferon（IFN）　89, 125, 259
internal ribosome entry sites（IRES）　287
intracellular bacteria　105
invasion　66
invasive pneumococcal disease（IPD）　172
iodine tincture　148
iodoform　148
iodophor　147
isoniazid（INH）　238
isopropanol　149
ivermectin　348
Ixodes persulcatus　201

J

Japanese encephalitis virus　288
JC ウイルス　275
J 鎖　91

K

Klebsiella pneumoniae　188
K 抗原　22

L

lag phase　27
LAMP 法　79, 254
latamoxef（LMOX）　219
latent infection　119
lateral transfer　66
LBM　356
LD$_{50}$　252
Legionella pneumophila　183

legionellosis　183, 376
levofloxacin（LVFX）　234, 377
light chain　91
lincomycin（LCM）　231
logarithmic phase　27
loop-mediated isothermal amplification　79, 254
LPS　20
LT　185
LTR　265
LVFX　234, 377
Lyme disease　201
lymphocyte　83
lysogenic conversion　62
L 鎖　91

M

MAC　178
macrolide　229
macronutrient　27
MAC 症　377
major histocompatibility complex（MHC）　95
Marburg disease　285
Marburg hemorrhagic fever　285
mast cell　85
maximum plasma concentration　353
MDRP　182, 204
measles virus　282
mecA　214, 241
mefloquine　346
melioidosis　181
membrane attack complex（MAC）　125
meningococcal meningitis　180
meningococcus　180
meropenem（MEPM）　222
MERS　294
MERS コロナウイルス　294
messenger RNA（mRNA）　50
metabolism　31
metagenome analysis　71
methicillin（DMPPC）　216
metronidazole　345
MFLX　377
MIC　205, 352
MIC$_{50}$　355
MIC$_{90}$　355
microbial substitution　120, 157
microbiome　71
micronutrient　28
microorganism　1
Middle East respiratory syndrome coronavirus　294
minimal inhibitory concentration（MIC）　205, 352
minimum bactericidal concentration（MBC）　205
minimum plasma concentration　353
minocycline（MINO）　231
minus strand RNA　250
missense mutation　56
mitochondria　315
MNZ　379
molluscum contagiosum virus　270
monkeypox virus　269

mononuclear phagocyte　85
morbidity　119
movable gene　63
MRSA　37, 169, 204, 375
MRSE　170
MR-CNS　170
mucoromycosis　318
multidrug resistance（MDR）　41
multidrug resistance protein 1（MDR1）　365
multidrug-resistant Acinetobacter sp.（MDRA）　183
multidrug-resistant tuberculosis（MDR-TB）　178, 242
mumps virus　283
mutagen　58
mycelium　313
Mycobacterium　177
—— leprae　179
—— tuberculosis　177
mycoplasma pneumonia　176, 376
myeloperoxidase（MPO）　124

N

N95 微粒子用マスク　143
N95 マスク　158
NAG　359
nalidixic acid（NA）　234
National institute of Infectious Diseases（NIID）　132
NA 阻害薬　280
negative selection　98
Negri 小体　258
Neisseria　180
—— gonorrhoeae　180
—— meningitidis　180
nematodes　338
neonatal gonococcal　180
neuraminidase（NA）　261, 278
next-generation sequencer（NGS）　70
NFLX　234, 361
nitric oxide（NO）　125
NKT 細胞　259
NK 細胞　88, 106, 125, 259
NMTT 基　360
NOD-like receptor（NLR）　86
non-nucleoside reverse transcriptase inhibitors（NNRTI）　300
nonsense mutation　56
nontuberculous mycobacteria（NTM）　178
non-steroidal anti-inflammatory drugs（NSAIDs）　361
norfloxacin（NFLX）　234, 361
normal bacterial flora　120
northern blot hybridization　73
NS3/4A 阻害薬　290, 291
NS3/4A プロテアーゼ　291
NS3/4A プロテアーゼ阻害薬　365
NS5A 阻害薬　290, 291
NS5A 複製複合体阻害薬　365
NS5B 阻害薬　290, 291
NS5B ポリメラーゼ阻害薬　365
nucleocapsid　246
nucleoside reverse transcriptase inhibitors（NRTI）　299

N-acetyltransferase 2（NAT2）　357
N-methyl-tetrazolethiol（NMTT）　360
N-アセチル転移酵素 2　357
N-メチルテトラゾールチオール　360

O

O139 コレラ菌　190
O157　380
O1 コレラ菌　189
obligate intracellular parasite　126
Okazaki fragment　49
open reading frame（ORF）　65
operator　53
operon　52
ophthalmoblennorrhea　180
opportunistic infection　119, 317
organelle　315
oroya fever　194
outbreak　119
O 抗原　21, 57

P

P450 ファミリー　321
packaging　68
palindrome　50
pandemic　119
paracrine　99
Paragonimus　342
parasite　331
parasitism　331
pasteurization　142
pathogenicity　119
pathogenicity island（PAI）　66
pazufloxacin（PZFX）　234
PBP2'　215
PCR 法（polymerase chain reaction 法）　77, 254, 267
penicillin binding protein（PBP）　209
penicillin-intermediate Streptococcus pneumoniae（PISP）　375
penicillin-resistant Streptococcus pneumoniae（PRSP）　172, 375
peptidyl transferase　209
peracetic acid　149
permissive cell　257
persistent infection　119, 258
pertussis toxin（PT）　182
Peyer's patch　86
pH　28
phage conversion　62
phagocytosis　88
phagolysosome　124
pharmacodynamic drug interaction　361
pharmacodynamics（PD）　353
pharmacokinetic drug interaction　361
pharmacokinetics（PK）　353
phase variation　57, 126
phenol　150
phenol coefficient　144
phtharal　149

408　索引

pili　24
piperacillin（PIPC）　217
PK/PD パラメータ　353
PK/PD 分析　353
plant virus　251
plaque　253
plasmid　22
plasmid DNA　54
plus strand RNA　250
point mutation　56
pore-forming toxin　127
positive selection　98
post antibiotic effect（PAE）　207, 353
post-diphtheritic paralysis　177
PPI　379
praziquantel　348
primary atypical pneumonia（PAP）　176
prion　309
prokaryote　9
promoter（P）　50
prophage　61
protease inhibitors（PI）　300, 366
protooncogene　264
protozoa　9
pseudogene　65
pseudohypha　314
pseudomembranous colitis（PMC）　381
Pseudomonas aeruginosa　182
psoriasis　115
pyrantel pamoate　347
pyrazinamide（PZA）　239
P 糖タンパク質　365
p-aminobenzoic acid（PABA）　212
P-glycoprotein（P-gp）　365
P-セレクチン　103

Q

QTF　178
QT 延長　361
quinine　346
quorum sensing　44
Q 熱　184
Q 熱コクシエラ　184

R

rabies virus　284
RBT　377
RBV　375
real time PCR　78
receptor　254
receptor destroying enzyme（RDE）　260
reemerging infectious disease　7
regulatory T cell　102
regulon　54
relapsing fever　200
relapsing fever Borrelia　200
replacement　56
replication　48
replicon　54
repressor（*lacI*）　53
reproductive hypha　314
reservoir　122

respiration　33
respiratory syncytial virus　284
response regulator　40
restriction enzyme　67
reticulate body　196
reverse mutation　56
reverse osmosis（RO）　143
reverse transcriptase　78, 251, 256
re-emerging infectious disease　153
R factor　55
RFP　357, 377
ribosomal RNA（rRNA）　50
Rickettsia　194
―― *prowasekii*　194
―― *typhi*　194
rifampicin（RFP）　238
RNA interference　74
RNA-Seq　72
RNA sequencing　72
RNA 依存性 RNA ポリメラーゼ活性　291
RNA 干渉　74
RNA 合成阻害　239
RNA シークエンシング　72
RNA ポリメラーゼ阻害薬　365
R plasmid　55
RS ウイルス　284
RT-PCR 法（reverse transcriptase-polymerase chain reaction 法）　267
rubbing 法　149
rubella virus　288
R 因子　55
R 配列　265
R プラスミド（R 因子）　54

S

Salmonella　154, 187
Sarcocystis fayeri　338
Sarcoptes scabiei　344
SARS　152, 294
satellite virus　257
Scr　356
Sec translocon　42
self tolerance　90
sensor kinase　40
septate haypha　313
sequencing methods　69
sequential epitope　90
serin-β-lactamase　223
serodiagnosis　165
severe combined immunodeficiency（SCID）　114
sex pilus　54, 60
sexually transmitted diseases（STD）　132, 161, 378
sexual spore　314
Shiga toxin（Stx）　187
Shine-Dalgarno（SD）　50
shuttle vector　68
sialic acid　261
sigma factor　50
simian virus 40（SV40）　275
site-directed mutagenesis　74
slime layer　22
slow acetylator　357
sodium hypochlorite　148

soft chancre　191
Southern blot hybridization　73
Southern blotting　267
specialized transduction　62
species　9
spike　247
spontaneous mutation　58
sporadic　119
sporangiospore　315
sporotrichosis　319
spotted fever rickettsia　195
SR 変異　57
ST　185
Staphylococcus aureus　154, 167
stationary phase　27
sterilization　140
Stevens-Johnson syndrome（SJS）　357
stop codon　52
streptococcal toxic shock syndrome（STSS）　625
Streptococcus　170
―― *agalactiae*　171
―― *pneumoniae*　171
―― *pyogenes*　170
Strongyloides stercoralis　340
structural gene（SG）　50
ST 合剤　237
subacute sclerosing panencephalitis（SSPE）　283
subcutaneous mycosis　317
substitution　56
sub-MIC 効果　352
superficial mycosis　317
suppressor mutation　57
surveillance　119
syncytium　252
syphilis　199

T

$T_{1/2}$　356
Taenia　343
―― *asiatica*　343
―― *saginatus*　343
―― *solium*　343
TAM（T ＞ MIC）タイプ　354
TBF 経口　382
$TCID_{50}$　253
TDM　355
tebipenem pivoxil（TBPM-PI）　222
teicoplanin（TEIC）　224
tenesmus　187
termination codon　52
tetanus toxin　174
tetrahydrofolic acid（THF）　212
TFLX　361, 377
Th1　108
Th1 型　101
Th1 細胞　106
Th2 型　101
thermostable direct hemolysin（TDH）　190
thymus　84
tigecycline（TGC）　231
time above MIC　353
tinea　320
tinidazole　345

Toll-like receptor（TLR）　86, 124
Toll-like receptor 4（TLR4）　21
TORCH 症候群　162, 270, 271, 375
toxic epidermal necrosis（TEN）　357
toxigenicity　66
trachoma　197
transcription　50
transduction　61
transferRNA　51
transformation　60
transgenic organism　74
transglycosylase（TG）　36, 209
translation　50, 51
translocation　210
transmissible spongiform encephalopathy（TSE）　309
transpeptidase（TP）　36
transposable element　63
transposase　63
transposon（Tn）　63
trematodes　338
Treponema　199
―― *denticola*　200
―― *pallidum*　199
tRNA　51
trophozoite　332
tropism　251
true reverse mutation　57
tubercle bacillus　177
tuberculosis　178
tularemia　183
tumor antigen　265
two-component system　40
type I interferon（I 型 IFN）　100, 259
type II interferon（II 型 IFN）　100, 259
type III interferon（III 型 IFN）　259
type III 分泌装置　42
type IV 分泌装置　43
T 抗原　265
T 細胞　84, 259
T 細胞受容体（TCR）　95
T-SPOT　178

U

U_5 配列　265
UL56　275
UL89　275
ultra filtration（UF）　143
uncoating　255

V

vaccination　139
vaccine　4, 83
vaccinia virus　269
vacuole　315
vancomycin-resistant enterococci（VRE）　172
variable region　91
variola virus　269
VCM　359
VDJ 再構成　94
vector　122

vector DNA　68
vegetative cell　24
vegetative hypha　314
verruga peruviana　194
vertical transmission　123
VGCV　375
Vibrio　189
　── *cholera*　189
　── *cholerae* O139　190
　── *parahaemolyticus*　155, 190
　── *vulnificus*　191
viral oncogene（v-*onc*）　264
virion　246

viroid　309
virulence　42, 119
virulence plasmid　55
virus　9
Vi 抗原　58
VJ 再構成　94
volume of distribution（Vd）　351
von Magnus 現象　259
VRSA　241

W

Weil disease　201
western blot hybridization　73
WHO　130, 132
Widal 反応　188
World Health Organization（WHO）　130, 132

Y

yeast　313

Yersinia　189
　── *enterocolitica*　189
　── *pestis*　189
　── *pseudotuberculosis*　189

Z

zoonosis　153
zygospore　314

微生物学（改訂第8版）―病原微生物と治療薬

1987年7月20日　第1版第1刷発行	編集者　今井康之，増澤俊幸
2011年8月20日　第6版第1刷発行	発行者　小立健太
2016年8月15日　第7版第1刷発行	発行所　株式会社　南　江　堂
2020年8月15日　第7版第3刷発行	〒113-8410　東京都文京区本郷三丁目42番6号
2021年8月20日　第8版第1刷発行	☎(出版)03-3811-7198　(営業)03-3811-7239
2023年2月10日　第8版第2刷発行	ホームページ https://www.nankodo.co.jp/
	印刷　壮光舎印刷／製本　ブックアート

Microbiology
© Nankodo Co., Ltd., 2021

定価は表紙に表示してあります．
落丁・乱丁の場合はお取り替えいたします．
ご意見・お問い合わせはホームページまでお寄せください．

Printed and Bound in Japan
ISBN978-4-524-40378-3

本書の無断複製を禁じます．
JCOPY 〈出版者著作権管理機構　委託出版物〉
本書の無断複製は著作権法上での例外を除き禁じられています．複製される場合は，そのつど事前に，出版者著作権管理機構（TEL 03-5244-5088，FAX 03-5244-5089，e-mail: info@jcopy.or.jp）の許諾を得てください．

本書の複製（転写，スキャン，デジタルデータ化等）を無許諾で行う行為は，著作権法上での限られた例外（「私的使用のための複製」等）を除き禁じられています．大学，病院，企業等の内部において，業務上使用する目的で上記の行為を行うことは私的使用には該当せず違法です．また私的使用であっても，代行業者等の第三者に依頼して上記の行為を行うことは違法です．